KB196705

최신판

조세조약론

강성태 저

SAMIL | 삼일인포마인

서 문

조세조약론을 집필하기로 작정한 때는 서울시립대학교 세무전문대학원에서 국제조세분야 과목에 대한 강의를 시작한 2011년 봄이었다. 국제조세법, 이전가격, 그리고 조세조약에 대하여 공직기간 중 체득한 실무경험과 박사학위 논문을 준비하면서 주요 주제별로 논문을 읽고 정리한 내용을 바탕으로 작성한 강의노트를 의미있게 활용하려는 목표를 세웠다. 국제조세법과 이전가격론은 이미 출간하였고, 이번에 조세조약론을 마무리하면서 스스로 세운 계획을 이룰 수 있게 되었다.

조세조약은 국제거래소득에 대한 과세권의 분할기준을 거주지국과 원천지국이 합의하여 작성한 문서이다. 그 합의된 내용이 성실하게 이행될 수 있도록 해석하고 적용해야 한다. 조세조약은 국제법으로서 '조약법에 관한 비엔나 협약'의 원칙을 따르고 있다. 한편, 조세조약을 체결한 당사국의 국내 조세법 규정도 조세조약의 해석과 적용에 있어서 중요한 기준이 된다. 조세조약에 담긴 내용은 상거래 관행이나 문화의 차이에 따라 국가마다 소위 '동상이몽(同床異夢)'의 다른 해석을 하는 경우도 발생할 수 있다. 저자가 강의실에서 항상 고민했던 부분은 일반 조세법과 다른 특성을 가진 조세조약론을 체계적으로 이해할 수 있도록 하는 것이었다.

이 책의 목적은 조세조약을 연구하거나 실무과정에서 조세조약의 각 조항을 해석하고 적용할 때 접하게 되는 여러 주제들을 종합적으로 이해할 수 있게 하려는데 두고 있다. 따라서 이 책의 특성은 조세조약의 해석과 적용과정에서 부딪히게 되는 주요 주제의 핵심적인 내용에 대하여 여러 학자들의 연구결과를 바탕으로 정리하려고 한 점이다.

이 책의 구성은 주요 주제별로 구분하여 5편 19장으로 되어 있다.

제1편은 조세조약의 기본구조와 내용을 전반적으로 이해할 수 있는 내용을 담고 있다. 조세조약의 개요, 역사, 조세조약의 목적, 그리고 조세조약의 기본구조를 중심으로 설명하고 있다. 현재 시행 중인 조세조약의 뿌리와 줄기에 대한 중요한 내용을 정리한 것이다.

제2편은 조세조약의 해석론에 대하여 적고 있다. 조세조약론에서 가장 난해하고 중요한 부분에 해당한다. 조세조약의 해석원칙, 주석의 역할, 조세조약의 남용방지, 조세조약의 적용의 적격성에 대하여 기술하고 있다.

제3편은 조세조약의 적용기준에 대하여 설명하고 있다. 조세조약의 해석기준을 구체적인 사실관계에 적용하는 방법에 대한 것이다. 조세조약상 거주자의 적용기준, 사업소득의 과세기준, 비거주자 원천소득의 과세기준, 고정사업장의 기준, 과세정보의 교환과 국제과세분쟁의 해결에 대한 핵심적인 내용을 다루고 있다.

제4편에서는 조세조약은 '세원잠식과 소득이전(Base Erosion and Profit shifting, BEPS)' 체제의 등장으로 새롭게 직면하고 있는 과제를 강조하고 있다. 조세조약은 양자 간 조세조약(bilateral tax treaty)을 중심으로 하고 있지만 BEPS의 방지를 위하여 국가 간의 통일된 협력이 필요하여 다자간 조세조약(multilateral tax treaty)의 중요성이 부각되고 있는 점과 무차별원칙(non-discrimination)이 가지는 의미, 그리고 이러한 환경하에서 조세주권의 역할에 대하여 생각해야 할 내용을 서술하고 있다.

제5편에서는 조세조약을 통한 발전전략으로서 조세조약을 이용한 조세전략의 효과를 적절하게 분석하는 방법과 새로운 환경에 맞는 새로운 조세조약의 틀로 전환하기 위한 시도에 대하여 기술하고 있다.

뜻하지 않게 민간단체를 맡으면서 조세조약론의 출간을 당초 계획했던 2015년 말에 하지 못하였지만 새로운 BEPS 환경과 관련된 여러 내용을 담을 수 있었다. 5개월여 동안 개인 연구실에서 원고를 수정하고 보완하여 완성하였다. 공직생활과정에서 국제조세분야의 업무를 접하여 경험을 축적할 수 있는 기회를 준 대한민국 정부와 이를 학문적으로 정리할 수 있는 길을 열어주신 최용선 교수님께 특별히 감사를 드린다. 서울시립대학교 세무전문대학원에서 국제조세분야 강의를 하는 동안 인내력을 가지고 수업에 임해 주셨던 대학원생 여러분들에게도 감사를 드린다. 여러 가지로 부족한 저자가 이 분야의 여러 전문가들의 눈높이에 미치기에는 부족할 수 있지만, 함께 연구하고 고민하면서 지평을 넓혀 갈 수 있기를 기대해 본다.

이 책의 출간을 흔쾌히 수락해 주신 삼일인포마인의 이희태 대표이사님과 실무적으로 많이 도와 주신 조원오 전무님, 임연혁 차장님에게 감사의 말씀을 드린다. 따뜻한 관심과 격려를 보내 주신 진순호 박사님께 고마운 마음을 전해 드린다. 항상 건강을 챙겨주신 둘째 형수님에게 특별히 감사의 말씀을 드리고, 응원해 준 조카들에게도 고마움을 전한다.

2021. 3.
저자 강성태 씀

차 례

차 례

차 례

제 2 편　　조세조약 해석론

제5장　　조세조약의 해석 / 163

제6장   주석과 조세조약의 해석 / 190

차 례

제 7 장   조세조약과 실질과세기준 / 216

제8장 **조세조약 적용의 적격성 / 246**

차 례

제11장　비거주자 원천소득의 과세 / 333

차 례

제 12 장 고정사업장 / 359

CONTENTS

제 13 장   과세정보의 교환 / 390

─○ **제4편   조세조약의 새로운 과제**

차 례

차 례

제1편

조세조약 일반론

제1장

조세조약의 개요

조약은 '조약법에 관한 비엔나 협약'(이하, '비엔나 협약'이라 한다) 제2조에서 '그 명칭과 관계없이 국가 간의 합의로서 문서로 작성되고 국제법에 의하여 규율되는 것'으로 규정하고 있다.[1] 국제연합(UN) 산하의 국제사법재판소(International Court of Justice) 규정(Statute of the International Court of Justice) 제38조 제1항은 국제사법재판소가 회부된 분쟁을 재판할 때 적용하는 기준이 되는 국제법의 존재형식으로서 '조약'을 규정하고 있다.[2]

우리나라 헌법 제6조 제1항에서는 '헌법에 의하여 체결·공포된 조약과 일반적으로 승인된 국제법규는 국내법과 같은 효력을 가진다.'고 규정하고 있다. 우리나라 헌법은 조약과 일반적으로 승인된 국제법규와 함께 규정함으로써 조약의 국제법규성을 인정하고 있다.[3]

---

1) Vienna Convention of the Law of Treaties Article 2 1) (a) 'treaty' means an international agreement concluded between States in written form and governed by international law, whether embodied in a single instrument or in two or more related instruments and whatever its particular designation('조약'이라 함은 단일의 문서에 또는 2 또는 그 이상의 관련문서에 구현되고 있는가에 관계없이 또한 그 특정의 명칭에 관계없이, 서면형식으로 국가 간에 체결되며 또한 국제법에 의하여 규율되는 국제적 합의를 의미한다)

2) Statute of the International Court of Justice Article 38

  1. The Court, whose function is to decide in accordance with international law such disputes as are submitted to it, shall apply:

    a. <u>international conventions</u>, whether general or particular, establishing rules expressly recognized by the contesting states;

    b. international custom, as evidence of a general practice accepted as law;

    c. the general principles of law recognized by civilized nations;

    d. subject to the provisions of Article 59, judicial decisions and the teachings of the most highly qualified publicists of the various nations, as subsidiary means for the determination of rules of law.

3) 서울행법 2007. 2. 2. 선고 2006구합23098 판결. 정보공개거부처분취소사건에서 '우리나라 헌법은 제6조 제1항에서 헌법에 의하여 체결·공포된 조약과 일반적으로 승인된 국제법규는 국내법과 같은 효력을 갖는다고 규정하고 있고, 국제법상 조약이란 그 명칭에 관계없이 단일의 문서 또는 둘이나 그 이상의 관련 문서에 구현되고, 국가 간에 문서로 체결되며, 국제법에 의하여 규율되는 국제적 합의'라고 판시하고 있다.

조세조약은 '국가 간의 경제교류를 활성화하기 위하여 일방체약국의 거주자가 타방체약국에서 획득한 소득에 대하여 양 체약국이 동시에 과세관할권(tax jurisdiction)을 주장할 경우에 발생할 수 있는 이중과세를 방지할 목적으로 체결되는 국가 간의 합의로서 문서로 작성된 것'이라고 할 수 있다.[4] 조세조약의 적용대상은 이중과세 문제를 발생시킬 수 있는 소득(income)뿐 아니라 그 소득의 원천이 될 수 있는 자본(capital)과 유형(tangible) 또는 무형(intangible)의 재산(estate or wealth)이 된다. 우리나라 '국제조세조정에 관한 법률' 이를 구체적으로 명시하여 조세조약의 개념을 정의하고 있다. 즉, '조세조약은 소득·자본·재산에 대한 조세 또는 조세행정의 협력에 관하여 일방체약국과 타방체약국이 체결한 조약·협약·협정·각서 등 국제법에 따라 규율되는 모든 유형의 국제적 합의를 말한다.'[5]라고 규정하고 있다.

이중과세 문제를 일으킬 수 있는 국가 간의 조세문제에서 가장 중요한 문제는 과세관할권이며, 이를 결정하는 기본원칙은 과세대상인 소득과의 연관성을 기준으로 정립되어 있다. 즉, 소득이 귀속된 사람과의 연관을 기준으로 할 것인지 아니면 소득이 발생한 국가와의 연관성을 기준으로 할 것인지에 따라 과세관할권이 배분된다. 사람과의 연관성을 중심으로 하는 경우에는 거주지국 과세기준(residence taxation)이고 발생된 장소(국가)와의 연관성을 중심으로 하면 원천지국 과세기준(source taxation)이 된다.[6]

조세조약은 이중과세를 완화(reduce) 또는 제거(eliminate)하기 위하여[7] 체약당사국의 국내 조세법에 의하여 부여된 과세권의 일부 또는 전부를 포기하기로 약속한 국가 간의 합의를 말한다. 따라서 조세조약에서는 원천지국의 과세권이 일반적으로 일정한 한도까지 제한되는 반면, 거주지국은 원천지국에서 납부한 조세부담액을 공제한다.[8]

거주지국 과세기준은 자국거주자의 국내원천소득과 외국원천소득을 합산한 전 세계 소득

---

4) <u>Glossary of Tax Terms – OECD</u>: 'Tax Treaty – An agreement between two (or more) countries for the avoidance of double taxation. A tax treaty may be titled a Convention, Treaty or Agreement.' 이때 이중과세의 당사국은 소득이 발생된 국가인 '원천지국'과 그 소득의 귀속자가 거주하는 '거주지국'이 된다.

5) 국제조세조정에 관한 법률 제2조 제2호

6) Martin Berglund and Katia Cejie, Basics of International Taxation From a Methodological Point of View, Iustus Forlag, 2014, pp.21~24

7) 이중과세의 방지라고 할때 '방지'의 의미에는 완전한 방지인 '제거'와 불완전한 방지인 '완화'의 개념이 포함된 것으로 보는 것이 일반적이다. 이중과세는 세정책목적상 완전한 제거가 이루어지지 않을 수 있다. 예를 들어 원천지국의 세율이 거주지국보다 높은 경우에는 원천지국에서 납부한 조세에 대하여 거주지국이 모두 공제할 경우에는 거주지국의 납세자가 납부한 조세를 원천지국으로 이전하는 결과인 소위 '조세수출(tax export)'의 문제를 일으킬 수 있다. 따라서 원천지국에서 납부한 조세는 거주지국의 세율을 한도로 공제되는 것이 일반적이므로 원천지국에서 납부한 세액 중 일부는 공제되지 못하므로 '제거'가 아닌 '완화'의 결과가 발생한다.

8) Michael Lang, Introduction to the Law of Double Taxation Convention, (IBFD Publishing 2012) pp.31~36

에 과세하고, 원천지국과세기준 특정소득과 다른 국가와의 연관성을 기준으로 과세한다.[9] 이러한 기준에 따라 과세할 경우 동일한 기간에 발생한 동일한 소득에 대하여 거주지국과 원천지국이 과세하는 경우에 이중과세가 발생하게 된다. 이를 법률적 이중과세(judicial double taxation)라 한다.[10] 조세조약이 대상으로 하는 이중과세는 법률적 이중과세이다.[11]

조세조약은 경제교류가 있는 두 나라 간의 필요에 의하여 체결되므로 양자 간 조세조약(bilateral tax treaty)이 일반적이다. 양자 간 조세조약은 우리나라의 경우 93개국과 체결하고 있으며,[12] 전 세계적으로 각국이 체결하고 있는 조세조약의 숫자는 3,000개를 넘고 있고 계속 늘어나고 있는 중이다.[13] 조세조약은 개별 국가별로 체결되지만 임의로 합의하는 것이 아니라 거의 대부분 'OECD 표준조세조약(OECD Model Tax Convention on Income and on Capital)과 UN 표준조세조약(UN Model Double Taxation Convention)'을 기준으로 체결된다.[14] 표준조세조약은 OECD 회원국 또는 UN 회원국이 머리를 맞대고 국가 간의 경제교류를 통하여 세계경제가 발전할 수 있도록 과세권의 국가 간 배분에 관한 기본적 원칙을 합의하여 정리한 것이다.

개별국가 간에 조세조약을 체결할 때 표준조세조약을 기준으로 하되 양국 간의 특수성을 감안하여 일부 수정을 하는 형식을 취한다.[15] 조세조약은 두 나라 간의 조세문제를 규율하는 기준의 역할을 하고, 개별조세조약이 바탕으로 삼고 있는 OECD 및 UN의 표준조세조약은 실질적으로 국제조세 관계를 규율하고 있다.[16]

---

9) ibid. p.34

10) Martin Berglund and Katia Cejie, Basics of International Taxation From a Methodological Point of View, Iustus Forlag, 2014, p.27

11) '법률적 이중과세'는 동일인의 동일한 소득에 대하여 중복과세되는 것이고 '경제적 이중과세'는 경제의 흐름에 따라 동일한 소득이 귀속자가 달라지면서 두 번 이상 과세되는 것을 말한다. 조세조약에서는 경제적 이중과세 문제는 다루지 않고 있다.

12) 기획재정부 '2020년 11월 기준 조세조약 및 조세정보교환협정 등 체결현황'
https://www.moef.go.kr/com/bbs/detailComtPolbbsView.do?menuNo=5020200&searchNttId1=MOSF__000000000052482&searchBbsId1=MOSFBBS__000000000039

13) UN Department of Economic and Social Affairs Financing
https://www.un.org/esa/ffd/capacity-development-tax/primer-dtt.html

14) OECD Model과 UN Model은 후술한다.

15) OECD 표준조세조약, 2017, 서문(introduction) B. Influence of the OECD Model Convention.

16) 국가 간의 약속은 지켜야 한다는 원칙(pacta sunt servanda)이 적용되어 체약당사국을 규율한다.

조약의 기본원칙(ground rule)은 국제조세와 관련한 기본적 과제에 대하여 확실한 답변을 제공하는 것이다. 기본적 과제는 두 가지로 요약할 수 있다. 첫째는 국제거래소득이 발생한 경우 원천지국가와 거주지국가 중 어느 나라에서 과세권을 행사할 것인가, 즉 과세관할권에 대한 것이다. 둘째는 두 개국 이상이 동일한 과세대상에 대하여 동시에 과세권을 주장할 경우에 발생되는 이중과세를 해결하는 방안에 대한 것이다.

① 과세 관할권

조세조약에서 과세관할권은 원천지국과 거주지국에서의 경제활동의 수준에 따라 결정한다. 원천지국에서의 경제활동이 사업장의 실체(substance)를 통하여 지속성(continuity)을 가지고 이루어질 경우에는 과세관할권을 인정하게 된다. 과세관할권은 배타적 과세권과 우선 과세권으로 구분된다.

예를 들어 A국의 거주자가 B국에서 자회사나 지점(branch) 또는 고정사업장(Permanent Establishment) 등 사업장의 실체를 가지고 사업활동을 하면서 획득한 소득에 대한 과세관할권의 문제를 보기로 한다. 사업장의 실체가 B국에 있으므로, B국은 소득의 원천지국으로서 1차적으로 과세권을 행사할 수 있다. 그 후 A국으로 이전된 소득에 대하여 A국은 거주지국으로서 자국의 거주자에게 2차적으로 과세권을 행사한다. 이때 이중과세 방지를 위하여 원천지국에서 납부한 세액을 공제하게 된다. 따라서 원천지국은 배타적인 과세권을 행사하는 것이 아니고 조세조약의 규정에 따른 우선과세권을 행사할 수 있게 된다.[17] 소득의 귀속자가 거주하는 국가인 거주지국가의 과세관할권에 대하여 원천지국이 개입할 수 없기 때문에 배타적 과세관할권을 주장하기는 어렵다. 한편 이러한 사업장의 실체가 없는 경우에는 원천지국에서의 1차적 과세권은 없고 거주지국이 배타적인 과세권을 행사하게 된다.[18]

---

17) 소위 고정사업장(Permanent Establishment)이나 자회사, 지점(branch) 등 사업장의 실체를 가지고 실질적인 사업활동을 하는 경우에는 원천지국에서 1차적으로 과세권을 행사한 후 거주지국은 2차적으로 과세권을 행사한다. 이때 이중과세 방지를 위하여 원천지국에서 납부한 세액을 공제하게 된다. 따라서 원천지국은 배타적인 과세권을 행사하는 것이 아니고 조세조약의 규정에 따른 우선과세권을 행사할 수 있게 된다.

18) 사업장의 실체가 없는 경우에는 원천지국에서의 1차적 과세권은 없고 거주지국이 배타적인 과세권을 행사하게 된다. OECD 표준조세조약 제7조 제1항 'Profits of an enterprise of a Contracting State shall be taxable only in that State unless the enterprise carries on business in the other Contracting State <u>through a permanent establishment situated therein.</u> If the enterprise carries on business as aforesaid, the profits that

② 이중과세의 방지

동일한 과세대상을 두고 A국과 B국이 각각 배타적 과세관할권을 주장할 경우에는 이중과세의 문제가 발생한다. 이중과세의 방지는 조세조약을 체결하는 중요한 목적이다. 이중과세의 발생을 방지하기 위하여 체약당사국은 과세권 분할방식을 합의하여 규정하게 된다. 국가 간에 과세권을 분할하는 방식은 다음과 같다.

(1) 과세관할권의 행사는 거주자에 대한 것이므로 거주자를 결정하는 방법을 조세조약에서 규정하여 거주자에 대하여 거주지국에서 과세권을 우선적으로 행사한다.[19]

(2) 원천지국과 거주지국의 과세우선권을 결정하는 방법으로서 일반적으로는 원천지국에서 과세권을 먼저 행사하고 거주지국은 이차적으로 과세권을 행사하는 방법을 택한다.[20]

(3) 소득의 원천지국을 결정하는 기준을 규정한다. 원천지국에서 과세의 우선권을 행사한다.[21]

(4) 거주지국에서는 원천지국에서 우선과세한 소득에 대하여 다시 과세하여 이중과세가 발생하지 않도록 하는 의무를 규정한다.[22]

(5) 이중과세가 발생한 경우에 이를 해결하는 조세분쟁해결절차를 규정한다.[23] 권한있는 당사자(competent authority)가 이를 담당한다.[24]

---

are attributable to the permanent establishment in accordance with the provisions of paragraph 2 may be taxed in that other State.'

19) OECD 표준조세조약 제4조

20) 거주지국이 2차과세권을 행사할 때 원천지국에서 납부된 세액을 공제하거나 원천지국소득에 면세하는 방법으로 이중과세를 방지한다. ECD 표준조세조약 제23A조 및 제23B조

21) OECD 표준조세조약 제5조

22) OECD 표준조세조약 제23A조 및 제23B조

23) OECD 표준조세조약 제25조

24) OECD 표준조세조약 제3조 f). '권한있는 당국(compentent authority)'은 우리나라의 경우 기획재정부 장관과 그의 권한있는 대리인으로서 기획재정부의 '세제실장, 국장, 과장', 국세청의 '국세청장, 국제조세관리관, 과장' 등이 될 수 있다.

③ 조세정보의 교환과 차별금지

조세정보의 교환과 차별금지는 조세조약의 기본과제를 이행하는 것을 뒷받침하는 역할을 한다.

(1) 조세정보의 교환

원천지국과 거주지국 간이 조세조약에 규정한 적정한 과세권의 행사를 위하여 필요한 조세정보를 교환. 조세정보의 교환은 국제적으로 합의된 기준에 따라 이루어진다.[25] 적정한 과세를 위하여 필요한 조세정보를 체약당사국 간에 서로 교환하는 것은 매우 중요하다. 그러나 EU의 '인권협약(European Convention on Human Rights)' 제8조에 규정된 사생활보호와 조세정보교환의 충돌문제가 제기된 바 있다.[26] 이에 대하여 유럽인권위원회(European Commission on Human Rights)는 '조세정보의 교환은 사생활보호권의 침해를 구성할 수 있다'는 입장을 취하면서도 유럽인권협약 제8조 제2항에 따라 '민주사회에서 공권력의 개입은 국가의 경제적 이익을 위하여 불가피'하므로 조세정보의 교환에서 유럽인권법 위반사항은 발견되지 않는다고 결정했다.[27] 조세조약상의 조세정보교환은 OECD에서 합의된 기준에 따라 이루어지고 있으며, 현재 이 기준에 대하여 회원국이 이의를 제기한 경우는 없다.[28]

(2) 무차별 원칙

국제투자에 있어서 투자자를 조세 측면에서 보호하기 위하여 동일 유사한 상황에서는 외국투자자와 국내투자자 간에 차별과세가 발생하지 않도록 하는 무차별의 원칙이 중요하다. 따라서 이러한 무차별 원칙은 조세조약에 반드시 포함되고 있다.[29] 거기에서 차별적인 과세조치의 형태, 차별적인 과세의 가능성이 있는 과세방식 등을 명시적으로 규정하고 있다.

---

25) OECD 표준조세조약 제26조

26) Philip Baker, 2000, "Taxation and the European Convention on Human Rights", British Tax Review, p.265

27) FS v. Germany, 27 November 1996, Application No. 30128/96; 이 결정은 European Community Directive 77/799/EEC와 OECD 표준조세조약 제26조에 의한 정보교환에 대한 판결이다.

28) 조세조약과 다른 조약의 내용이 상충될 경우에 발생하는 조약 간의 충돌에 따른 우선적용의 문제는 있다. 예를 들어 OECD 표준조세조약 제24조의 '차별금지' 조항과 투자협정(investment treaty)의 '내국민대우(national treatment) 기준' 간의 적용문제 또는 조세조약상의 감면과 투자조약상의 감면이 다른 경우에 발생하는 문제등이 있을 수 있다. 이에 대하여는 후술한다.

29) OECD 표준조세조약 제24조를 기준으로 하여 모든 양자 간 조세조약(bilateral tax treaty)에 차별금지조항을 두고 있다.

조세조약상의 차별금지는 '동일한 상황'에서 내국인과 외국인을 다르게 과세하는 것을 금지하는 것이다. '차별금지'가 구체적으로 의미하는 것은 비거주자와 거주자를 비교하여 비거주자에게 불리한 과세를 해서는 안된다는 것이고 유리한 대우를 금지하는 것은 아니다.[30] 조세조약상 '차별금지 기준'은 '국적기준의 차별금지'를 전제로 하고 있다.[31] 그러나 국제조세에서 실제로 발생하는 '차별금지'와 저촉되는 차별과세는 국적지 기준보다는 거주지 기준에 의한 것이 훨씬 많다. 이는 일종의 간접차별에 해당하지만, 조세조약에서 이에 대한 차별금지 규정은 두고 있지 않다.[32]

'투자협약(investment treaty)'에서는 '동일한 상황'을 '내국인 대우(national treatment)'를 통하여 국적과 상관없이 일방체약국의 영토 내에 있는 투자자에게는 내국인과 차별없이 혜택을 부여하는 것으로 의미하고 있다. 이러한 규정이 조세조약에는 없고 국적지 기준만을 표현하고 있다. 비거주자는 거주자와 조세목적상 비교가능한 '동일한 상황'에 있는 것으로 보기 어렵다. 거주지 기준의 차별은 국적지 기준의 차별과 동일하지 않다.[33] 그럼에도 조세조약상으로는 사실상 국적지를 거주지와 같은 개념으로 다루고 있는 것으로 보인다. 그러나 국적지와 거주지는 다른 개념이다. 개인이나 법인이 거주지를 국적지로 변경하면 문제가 풀릴 수 있겠지만 그러한 변경의 가능성은 낮기 때문에 거주지에 의한 차별은 사실상 국적지에 의한 차별이 될 수밖에 없어 보인다.

이 문제를 명확하게 해결하는 방안을 명시적으로 조세조약에 두는 것이 필요해 보인다. 특히 투자조약상의 조세우대조항과 조세조약상의 과세기준이 충돌할 경우에 어느 조약을 우선해야 할 것인지에 대한 문제도 있다. 이를 해결하기 위하여 조약상에 충돌방지규정(conflict clause)을 두어 우선적용 조약을 명기할 수도 있다. 대표적인 사례로 미국의 표준조세조약(US Model Tax Treaty)에서 차별금지조항은 조세조약의 규정을 우선하여 적용한다고 명시하고 있다.[34]

---

30) Klaus Vogel, 'On Double Taxation Conventions', Kluwer, 1997, p.1295

31) OECD 표준조세조약 제24조 제1항 'Nationals of a Contracting State shall not be subjected~'

32) Avery Jones et al, 'The non-discrimination article in tax treaties', British Tax Review, 1991, pp.451~453; Klaus Vogel, 'On Double Taxation Conventions', Kluwer, 1997, p.1282

33) ECJ Case C-279/93, (Schumacker) par. 31; C-80/94 (Wielocbx), par. 28

34) 미국표준조세조약(US Model Tax Treaty) Art. 1 (3) (b) and (c) US Model DTA; In view of the fact that the nondiscrimination article of the DTA is currently most often interpreted as not covering indirect discrimination, this can be seen as a serious but inconspicuous reduction in the international protection of foreign investment.

제3절 조세조약의 구성형식과 법률적 지위

 1 구성형식(format)

조세조약의 기본적인 구성형식은 명칭(title), 전문(preamble), 합의한 조문(Articles), 의정서(protocol)[35] 등으로 구성된다.

(1) 명칭(title)

조세조약의 명칭을 표기한다. 일반적인 형식은 다음과 같다.

> A국과 B국 간의 소득[36]에 관한 조세의 이중과세 회피와 탈세방지[37]를 위한 협약
>
> Convention between (State A) and (State B) for the Avoidance of Double Taxation and the Prevention of Fiscal Evasion with Respect to Taxes on income

(2) 전문(preamble)

조세조약을 체결하는 목적을 간략하게 표기한다. 일반적으로는 다음과 같이 표기한다.

> 일반례: A국과 B국은 소득에 대한 조세의 이중과세회피와 탈세방지를 위한 협정의 체결을 희망하여 다음과 같이 합의하였다.
>
> (State A) and (State B),
> Desiring to conclude a Convention for the avoidance of double taxation and the

---

35) '의정서, 양해각서, 각서교환'에 대한 설명은 '외교부 조약개요' 자료 참조
http://www.mofa.go.kr/www/wpge/m__3830/contents.do

36) OECD 표준조세조약의 명칭은 'Model Tax Convention on Income and on Capital'이라고 하여 자본에 대한 것도 명시하고 있으나, 우리나라가 체결한 대부분의 조세조약에서는 '소득에 관한 조세의 이중과세회피와 탈세방지를 위한 협정'이라는 제목을 붙이면서 '자본'은 제외하고 있다. 그러나 독일과 체결한 조세조약에서는 '~with respect to taxes on Income and Capital'이라고 하여 자본을 포함하고 있다.

37) 우리나라가 체결한 대부분의 조약에서는 제목과 전문에 이중과세회피와 함께 '탈세방지목적'을 모두 포함시키고 있으나, 일부 국가와 체결한 조세조약에서는 '탈세방지목적'을 제외하고 있다. 대표적인 사례로서 '한-러 조세조약, 한-스위스 조세조약, 한-덴마크 조세조약'이 여기에 해당한다. 한-러 및 한-덴마크 조세조약에서는 정보교환에 관한 규정을 두고 있으나 한-스위스 조세조약에서는 정보교환에 관한 규정도 두지 않고 있다.

prevention of fiscal evasion with respect to taxes on income,

Have ageed as follows:

우리나라가 일부 국가와 체결한 조세조약의 전문에는 경제협력교류 등을 추가한 경우도 있다.

> 한－독 조세조약 : 대한민국과 독일연방공화국은 이중과세를 회피하고 탈세를 방지함으로써 상호 경제관계의 증진을 희망하여 다음과 같이 합의하였다.
>
> 한－러 조세조약 : 대한민국 정부와 러시아연방 정부는 양국 간의 경제·과학·기술 및 문화 협역의 증진을 촉진, 강화시키기를 희망하고 소득에 대한 조세의 이중과세 회피를 위하여 다음과 같이 합의하였다.
>
> 한－미 조세조약 : 대한민국 정부와 미합중국 정부는 소득에 대한 이중과세의 회피와 탈세방지 및 국제무역과 투자의 증진을 위한 협약의 체결을 희망하고…… 다음의 제조항에 합의하였다.

(3) 합의조문(Articles)

양 체약국이 합의한 내용을 조문으로 정리하여 표기한다. 조세조약의 가장 중요한 부분으로서 핵심내용이 된다. OECD 및 UN 표준조세조약의 내용을 당사국 간의 상황에 적용하여 적절하게 변경한 내용을 합의하게 된다. 여기에는 당사국의 조세정책방향이 반영된다.[38]

합의기준은 크게 두 가지로 분류할 수 있다.

첫째, 두 나라 중 어느 한 나라에서만 과세할 수 있도록 하는 기준이다. 예를 들면 부동산소득에 대하여는 그 부동산의 소재지국에서만 과세할 수 있도록 하는 것이다.

둘째, 소득(income)에 대한 과세권을 분할하는 기준이다. 양 체약국에서 모두 과세권을 행사할 수 있는 소득에 적용되는 기준이다. 예를 들어 배당소득은 그 소득이 발생한 국가, 즉 원천지국가와 배당소득이 귀속된 사람이 거주하는 국가, 즉 거주지국이 모두 과세권을 행사할 수 있다. 이 경우 동일한 소득에 대하여 이중과세가 발생할 수 있으므로 이를 방지하기 위하여 과세권을 분할하는 기준을 합의하게 된다.

---

38) 국제거래에서 발생한 소득에 대한 조세수입(tax revenue)을 양 체약국이 어느 정도까지 확보할 것인가는 국가의 조세주권(tax sovereignty) 측면과 국가 간의 경제교류 활성화를 위한 조세의 중립적 역할(자본수출 중립성 또는 자본수입 중립성 등) 등을 종합적으로 고려한 당사국의 국내조세정책에 따라 결정된다.

(4) 의정서(protocol)

의정서[39]는 조세조약의 내용을 명확히 하기 위한 세부적이고 보완적인 사항을 규정한다. 의정서는 모조약의 개정이나 이를 보충한 기능을 하면서 당해 조세조약과 불가분의 일부를 이루고 있다. 따라서 조세조약과 함께 비준을 요하는 문서이다. 의정서에 담기는 대표적인 항목은 대상조세(taxes covered)이며 양국 간의 경제교류 관계 등을 감안하여 여러 가지 사항을 포함시키고 있다.[40] 의정서는 조세조약의 해석과 관련하여 발생할 수 있는 분쟁을 방지하기 위하여 작성된다. 본문의 주요 조항에 대하여 합의할 당시의 체약당사국이 표시한 의사(intent)를 문서로 기록한 것으로서 조세조약의 해석과 적용에 중요한 역할을 한다.[41] 조세조약의 본문에 대한 보충적인 성격을 가진 것으로 본문과 동일한 효력을 가진다. 따라서 국회의 비준동의를 거쳐서 효력을 가지게 된다.

조세조약의 의정서는 협약의 본문 내용을 양 당사국이 합의한 의미대로 원활하고 구체적으로 이행하기 위하여 추가적으로 확인한 내용을 담은 문서이다. 조세조약의 본문과 의정서와의 관계는 비유하자면 법률과 시행령의 관계와 마찬가지로 볼 수 있다. 조세조약의 세부적인 조항들에 대한 해석이나 적용기준에 대하여 당사국 간에 합의한 내용을 담고 있다. 일반적으로 의정서는 조세조약과 함께 각국이 비준하고 발효시키는 과정을 거치면서 조세조약의 실행력을 강화시키는 역할을 한다.

(5) 양해각서(memorandum of understanding)

이미 합의된 내용 또는 조약 본문에 사용된 용어의 개념들을 명확히 하기 위하여 당사자 간 외교교섭의 결과 상호 양해된 사항을 확인, 기록하는 데 '합의각서(Memorandum of Agreement)' 및 '양해각서(Memorandum of Understanding)'를 주로 사용하고 있다.

최근에는 독자적인 전문적·기술적 내용의 합의 사항에도 많이 사용된다. 그외에도 약정(Arrangement), 합의의사록(Agreed Minutes), 잠정약정(Provisional Agreement, Modus Vivendi), 의정서(Act), 최종의정서(Final Act), 일반의정서(General Act) 등의 각종 용어

---

39) 사전적 의미로 정의한 Protocol은 'A document that is legally binding that allow alterations and amendments to the main treaty' 조약의 특정조항에 대한 해석, 분쟁해결 방법 등 부수적인 문제를 다루기 위한 내용을 기록한 문서로서 작성된다. 필요한 경우 의정서의 개정이 가능하다.

40) 조세조약의 각 조항별로 특별히 양국 간에 중요한 의미를 갖는 부분에 대한 해석기준을 의정서에 담고 있다. 예를 들어 이자소득, 배당소득 등에 대한 적용세율(제한세율) 기준, 운송용역소득에 대한 과세기준 등 다양하다.

41) 의정서에서 '이 협약의 불가분의 일부를 이루는(~which shall form an integral part of the said Agreement (or Convention)'이라고 표현하고 있다.

가 사용되고 있다. 이러한 용어의 사용은 국제관행상의 차이로서 이들은 명칭에 관계없이 그 내용상 조약법 협약의 양국 간 합의를 구성하는 넓은 범주의 조약에 해당되는 경우에는 조약으로서 동등한 효력을 가진다.

(6) 각서교환 또는 교환공문(exchange of notes)

국제법상 국가 간의 합의를 결정한 문서로서 한 국가의 대표가 그 국가의 의사를 표시한 공문을 타방 국가에 전달하면, 타방 국가의 대표는 그 회답공문에 전달받은 공문의 전부 또는 중요한 부분을 확인하고 이에 대한 동의를 표시함으로서 성립한다.[42] 이는 주로 기술적 성격의 사항과 관련하여 조약체결 협상이 중단되거나 교착상태에 빠진 경우에 각서를 통하여 새로운 의사를 전달하여 그 상황을 해소할 수 있도록 하기 위한 방편으로 활용된다. 일반적으로 비준을 필요로 하지 않지만, 협상대표자 간에 당사국의 의사를 확인하는 문서를 교환한 것이라는 점에서 조약의 일종으로 볼 수 있다.[43]

② 조세조약의 법률적 지위

(1) 특별법적 지위

가. 헌법적 근거

우리나라 헌법 제6조 제1항에서는 '헌법에 의하여 체결, 비준 공포된 조약과 일반적으로 승인된 국제법규는 국내법과 같은 효력을 가진다'라고 규정하고 있다. 우리나라 헌법에 규정한 조약은 '비엔나 협약' 제2조와 국제사법재판소 규정 제38조 제1항에서 말하는 조약에 해당한다.[44] '비엔나 협약' 제26조에서 모든 조약은 '당사국'에 대하여 적용된다고 규정하고 있다. 여기서 말하는 조약에는 조세조약이 포함된다.

이러한 조세조약이 당사국에서 적용될 때 어떠한 법률적 지위를 가지는 것인지에 대하여

---

42) 한-미 조세조약 체결 당시 제1조 제1항의 대상조세(taxes covered)의 범위와 관련하여 '방위세'의 포함 문제로 한-미 협상대표단 간에 이견이 있어서 협상이 중단되자 주한 미국대사인 Richard L. Sneider가 U.S. Proposing Note(제안각서)를 통하여 한국측 의견을 수용하면서 협상의 재개를 요청하자 당시 우리나라 외무부 박동진 장관은 Korea Note in Reply(한국측 회답각서)를 보내 협상재개한 사례가 있다.

43) '각서교환 또는 교환공문'은 주로 기술적 성격의 사항과 관련된 내용에 대하여 양국의 대표자가 합의한 내용을 확인하고 공문을 통하여 교환함으로써 조약체결절차를 간소화함으로써 조세조약의 체결 협상의 중단문제의 해소와 같은 긴급한 행정수용에 부응할 수 있는 장점이 있다. 사증협정 또는 차관공여협정 등에서 주로 많이 사용한다.

44) 성재호, 「조약과 일반적으로 승인된 국제법규」, 미국헌법연구, Volume 28 Issue 1(2017. 4.), p.116

우리나라 헌법 제6조는 '국내법과 같은 효력을 가진다'고 규정하고 있다. 그 근거는 헌법 제60조 제1항에서 규정한 국회의 비준 동의권을 전제로 하고 있는 7가지 유형의 조약 중에 '국가나 국민에게 중대한 재정적 부담을 지우는 조약 또는 입법사항에 관한 조약'을 포함시키고 있다.[45] 이는 헌법의 하위법으로서 일반 국내법률과 동등한 지위를 가지는 것으로 본다는 것이다. 법원의 판례에서도 국회의 비준을 거친 조약은 법률과 동일한 효력을 인정하고 있다.[46]

헌법 제6조 제1항에서 말하는 '국내법과 같은 효력'을 갖는다는 의미와 관련하여 구체적인 사건에서 국내법과 조약의 내용이 충돌할 경우에 이를 어떻게 해결할 것인가의 문제가 발생할 수 있다. 국내법과 조약 중 어느 것을 우선하여 적용할 것인가의 문제이다. 우리나라 판례는 조약의 우선적용권을 인정하고 있는 추세이다. 우리나라 법원은 조약과 국내법이 충돌하는 경우 조약이 국내법에 우선하는 특별법적 지위를 인정하고 있다.[47] 조세조약의 경우에도 법인세경정거부처분취소 소송에서 조세조약에서 규율하고 있는 법률관계에서는 당해 조약이 국내법의 특별법적인 지위에 있으므로 국내법보다 우선하여 적용된다고 판시하고 있다.[48]

나. 국제규범

조약은 국가 간의 약속이고 국가 간의 약속은 성실하게 이행되어야 한다는 'pacta sunt servanda(약속은 지켜져야 한다)' 국제규범을 준수해야 하기 때문이다. 조세조약에서 규율하기로 국가 간에 합의한 사안에 대하여는 조세조약을 우선하여 적용하는 것이 조세조약을 체결한 목적에 부합한다. 따라서 국가 간의 조세문제에 대하여 규정한 조세조약을 국내법보다 우선적용하는 것은 조세조약이 국내 조세법보다 특별법적인 지위에 있기 때문에 인정되는 것이며, 이를 특별법 우선의 원칙(lex speicialis)이라고 부른다.

그러나 최근 조세조약 남용을 통한 탈세문제에 대응하기 위하여 OECD의 BEPS Project 추진에 따른 여파로서 조세조약의 우선권을 부인하려는 움직임이 나타나고 있다. 조세조약의 규정과 다르게 자국의 국내 조세법에 따라 우선과세하기 위한 규정을 도입하고 있다. 대

---

45) 헌법 제60조 ① 국회는 상호원조 또는 안전보장에 관한 조약, 중요한 국제조직에 관한 조약, 우호통상항해조약, 주권의 제약에 관한 조약, 강화조약, 국가나 국민에게 중대한 재정적 부담을 지우는 조약 또는 입법사항에 관한 조약의 체결·비준에 대한 동의권을 가진다.

46) 서울고등법원 2013. 1. 3. 2012토1 판결, 헌재 2001. 9. 27. 2000헌바20 결정, 헌재 1999. 4. 29. 97헌가14 결정, 서울행정법원 2014. 2. 28. 선고 2013구합57143 판결

47) 대법 2014. 2. 28. 선고 2013구합57143 판결, 서울고등법원 2013. 1. 3.자 2012토1 판결

48) 대법원 2014. 2. 28. 선고 2013구합57143 판결

표적으로 미국과 EU 등이 있다.[49] 따라서 조세조약이 국내 조세법과의 관계에서 가지는 '특별법의 지위'에 대한 의미를 살펴볼 필요성이 제기된다.

조세조약은 국가 간의 조세문제를 합의한 내용이라는 '특별한 내용'을 담고 있기 때문에 특별법인지 하는 것과 특별법적 지위를 체약국의 입장에서만 판단해야 할 것인지 등은 각 개별사례의 상황에 따라 판단하는 것이 합리적이지만[50] BEPS Project에서 중점을 두는 이중비과세(double non-taxation)의 방지대책과 관련하여 새로운 시각으로 조세조약을 바라보기 시작한 것으로 보인다.[51]

조세조약의 목적인 이중과세 및 이중비과세의 방지를 위하여 적용할 구체적인 조세조약의 조항과 그에 대한 해석이 체약국 간에 서로 다르기 때문에 적격성 충돌(qualification conflict)이 발생할 수 있다.[52] 이 문제를 해결하기 위하여 조세조약 자체에 충돌방지조항(conflict clause)을 두는 경우가 있다.[53]

---

49) 미국이 2017년 세제개편을 통하여 도입한 'Global Intangible Low Taxed Income, GILTI'와 Base Eroion and Anti-Abuse Tax, BEAT' 미국의 일명 'BEAT(Base Erosion and Anti-Abuse Tax)'법과 관련하여 OECD 표준조세조약과 충돌하는 지에 대한 논쟁이 있다. Rosenbloom, H. David and Shaheen, Fadi, The BEAT and the Treaties (August 2018).: https://ssrn.com/abstract=3229532; Reuven S. Avi-Yonah and Brett Wells, The BEAT and Treaty Overrides: A Brief Response to Rosenbloom and Shahee, (2018), Law & Economics Working paers,157.https://repository.law.umich.edu/law_econ_current/157. 한편 EU는 이와 유사한 GLOBE (Global Anti Erosion)를 도입하였다. Mindy Herzfeld, 'Can GILTI + BEAT = GLOBE?', 2019, INTERTAX, Volume 47, Issue 5. https://scholarship.law.ufl.edu/cgi/viewcontent.cgi?article=1892&context=facultypub.

50) Schwarzenberger G., 'International law', Stevens & sons, Vol. 1, 1957, p.474

51) 조세조약에서는 이중과세(double taxation)의 방지에 중점을 두고 있고 이중비과세(double non-taxation)의 방지에 대해서는 직접 언급하고 있지 않다. 이중비과세 방지와 관련한 것은 BEPS Project에서 본격적으로 다루고 있다.

52) '적격성 충돌'은 여러 가지 측면에서 발생할 수 있다. 하나의 조세조약이 다른 조세조약과 동시에 적용되는 상황에서 어느 조세조약을 먼저 적용할 것인가와 어떻게 결정해야 하는가의 문제가 발생할 수 있다. 또한 납세자는 여러 국가에 거소나 주소를 동시에 둘 수 있고 따라서 소득의 발생지도 하나 이상의 나라가 될 경우에 어느 나라에서 과세관할권을 우선적으로 행사하며 이중과세 방지 조치는 어느 나라가 취해야 하는지 등과 관련해서도 발생할 수 있다. '적격성 충돌' 문제는 조세조약 간에서만 발생할 수 있는 것은 아니다. 조세조약과 함께 다른 조약, 예를 들면 투자협정(Bilateral Investment Treaty)의 '내국민대우(national treatment)' 등에서 조세문제를 언급하는 경우에 어느 조약의 우선적용문제로 인한 충돌이 발생할 수 있다. 이에 관하여는 후술한다.

53) 이는 비엔나 협약 제30조 제2항에서 '조약이 명시하고 있는 경우(When a treaty specifies)'라는 표현에 따라 체약국의 의사를 반영한 '우선적용에 관한 내용을 담은 표현'을 구체적으로 조세조약에 둘 수 있다. OECD 표준조세조약 제27조 제2항 및 행정공조에 관한 다자간 협약(Convention on Mutual Administrative Assistance in Tax Matters) 제27조 등이 대표적인 충돌방지규정 사례이다.

(2) 조세조약과 국내 조세법

가. 자기집행성 부인

우리나라 헌법 제6조 제1항은 '～조약과 일반적으로 승인된 국제법규는 국내법과 같은 효력을 가진다'라고 규정하고 있다. 이에 따라 조세조약은 체결과 비준절차를 거치면 자동적으로 국내법으로 수용되어 효력을 가진다. 여기서 효력을 '국내법으로 수용되어 효력을 가진다'는 의미가 '직접적으로 시행될 수 있는 권리의무를 확립하는 것과 동일한 것'으로 볼 수 있는가의 문제가 있다. 곧 조약의 '자기집행성(self-execution)'에 대한 문제이다. 학설은 자기집행성은 조약의 국내법적 효력과는 별개의 개념으로 보고 있다.[54] 자기집행성은 추가적인 이행조치 없이 조약의 규정 자체가 실시 또는 집행될 수 있는 경우를 말한다. 자기집행적 조약은 법원에서 이를 직접 원용하여 법원의 적용을 구하는 당사자 능력이 인정될 수 있다.[55] 그러나 학설적으로는 여전히 논란이 진행되고 있지만 대부분의 학자들은 자기집행적 효력을 부인하고 있다.[56] 우리나라 법원에서도 조약의 자기집행성은 부인하고 있다.[57]

조세조약의 자기집행성과 관련한 OECD의 입장을 보면 조세조약의 집행은 체약국의 국내 조세법을 전제로 하고 있다. 예를 들어 2017년 개정된 OECD 표준조세조약 제1조 제2항에서 새롭게 규정한 혼성체(hybrid entity)에 대한 기준은 체약국의 국내법에 따르도록 규정하고 있다.[58] 제2조의 대상조세(taxes covered)의 경우 체약국의 국내 조세법에 따라 부과징수대상이 되는 것을 전제로 하고 있다.[59]

또한 제3조 제2항에서 조세조약을 적용할 때 조세조약에서 정의되지 않은 용어는 국내 조

---

54) 성재호, 「조약과 일반적으로 승인된 국제법규」, 미국헌법연구, Volume 28 Issue 1(2017. 4.), p.131의 주석 59); 岩澤雄司, 條約の國內適用可能性, 1985, p.285

55) 성재호, 「조약과 일반적으로 승인된 국제법규」, 미국헌법연구, Volume 28 Issue 1(2017. 4.), p.133의 주석 68); Eric P. Wempen, 'NOTE: United States v. Puentes: Re-Examining Extradition Law and the Specialty Doctrine', Journal of International Legal Studies, Volume 1, 1995, pp.155~156; John Jackson, The Effect of Treaties in Domestic Law, 1987, p.141

56) Ronald A. Brand, Direct Effect of International Economic Law in United States and the European Union, Northwestern Journal of International law & Business, Vol. 17, 1997, pp.572~573; Hans Van Houte, The Law of International Trade, 1995, pp.51~55

57) 헌재 2001. 9. 27. 2000헌바20; 헌재 1999. 4. 29. 97헌가14; 대법원 2009. 1. 30. 선고 2008두17936 판결; 헌재 2005. 10. 27. 2003헌바50·62, 2004헌바96, 2005헌바49(병합)

58) OECD 표준조세조약, 2017, 제1조(persons covered) '2.～income derived by or through an entity or arrangement that is treated as wholly or partly fiscally transparent under the tax law of either Contracting State～'

59) OECD 표준조세조약, 2017, 제2조(taxes covered) '3. The existing taxes to which the Convention shall apply are in particular: a) (in State A): …… b) (in State B): ……'

세법에서 사용되는 의미를 적용한다고 규정하고 있다.[60] 제4조의 거주자는 체약국에서 납세의무가 있는 사람이라고 표현하고 있다.[61] 이와 같이 조세조약은 국내 조세법상의 규정이 없이 조세조약의 규정만을 근거로 하여 직접 과세하거나 면세를 할 수 없는 것을 전제로 하고 있다. 조세조약에서 합의된 사항이라고 하더라도 국내 조세법상의 근거규정이 전제되어야 조세조약에서 규정된 과세 또는 면세할 수 없다는 의미이다. 조세조약은 그 자체로서 시행되는 '자기집행권'이 없고 국내 조세법을 전제로 시행되어야 하기 때문이다.

우리나라는 헌법 제6조 제1항은 '헌법에 의하여 체결·공포된 조약과 일반적으로 승인된 국제법규는 국내법과 같은 효력을 가진다.'라고 규정하여 국제법인 조약이 국내법으로 되기 위한 별도의 조치, 즉 새로운 입법절차를 통하지 않고 그대로 국내법 체계에서 적용하도록 선언하고 있다. 이 경우에 국내법적 조치는 조세조약의 효과적인 이행에 필요한 국내적 절차를 규정하는 것이 된다. 조세조약은 그 자체로서 국내법 체계 속으로 편입된 것이지만, 구체적인 사실관계에 적용하려면 체약당사국의 국내 조세법을 매개로 삼게 된다는 의미이다.

조세조약이 국제법으로서 국내법과 동일한 효력을 갖는다고 하더라도 조세조약의 구체적인 조문내용이나 용어의 의미가 모호할 경우에는 이를 명확히 하는 방법은 해석을 통하여 이루어진다. 그 해석은 국제법이 아닌 국내법을 기초로 하여 이루어진다.[62] 조세조약의 해석이 국내 조세법에 근거하여 이루어질 경우에 체약당사국의 의사가 일치하지 않을 수가 있다. 체약당사국의 해석에 의하여 조세조약의 내용이 변경될 수 있으므로 체약국 간의 해석이 상반될 경우에는 적격성의 충돌(qualification conflict) 문제가 발생하게 된다. 조세조약상의 분쟁해결절차[63]를 통하거나 사법절차(judicial procedure)[64]를 통하여 이 문제를 해결하게 된다. 이 문제가 해결되지 않을 경우에는 이중과세가 발생하게 된다.

---

60) OECD 표준조세조약, 2017, 제3조 제2항

61) OECD 표준조세조약, 2017, 제4조 (resident) '1. ~the term "resident of a Contracting State"means any person who, under the laws of that State, is liable to tax therein~'

62) OECD 표준조세조약 제3조 제2항 'As regard the application of the Convention at any time by a Contracting State, any term not defined therein shall, unless the context otherwise requires, have the meaning that it has at that time under the law of that State for the purposes of the taxes to which the Convention applies, any meaning under the applicable tax laws of that State prevailing over a meaning given to the term under other laws of that State.'

63) OECD 표준조세조약상의 '상호합의절차(mutual agreement procedure)'이다.

64) 당사국의 국내 법원에 제소하거나 국제사법재판소에 제소하는 방법이 있으나 대부분은 국내 법원에 제소하는 방법을 선택하고 있다. 시간과 비용의 문제, 특히 사건이 발생한 장소와 근접한 곳에 있는 법원이 관련 증거자료의 수집과 확인을 가장 잘 할 수 있을 것이라는 현실적인 이유 때문으로 보인다.

나. 조세조약의 성실한 이행의무

이와 관련하여 조세조약의 내용을 국내 조세법에서 다르게 규정하거나 조세조약을 이행할 국내 조세법상의 근거규정을 두지 않은 경우에 이를 이유로 삼아 국가 간의 합의사항인 조세조약의 이행을 거부할 수 있는 명분으로 삼을 수 있는가의 문제가 있다. 이 경우 두 가지의 측면에서 이미 체결된 조세조약의 이행을 거부할 수 없을 것으로 본다. 첫째, OECD 표준조세조약 제24조의 '차별금지(non-discrimination)' 조항을 위반하는 점이다. 차별금지는 '동일하거나 유사한 사항에 대하여 일방체약국의 거주자를 상대체약국이 자국의 거주자와 차별해서는 안된다'는 기준이다.[65] 조세조약에서 합의한 사항은 체약당사국의 거주자에게 동일한 기준을 적용하는 것을 전제로 하고 있다. 둘째, '신법우선의 원칙(lex posterior rule)' 적용대상이 될 수 없다는 점이다. 비엔나 협약 제30조 제4항에서 규정한 신법우선의 원칙이 적용되는 조건[66]은 조세조약에서도 통용되는 것으로 볼 수 있다. 비엔나 협약에서 말하는 신법우선의 원칙을 조세조약에 적용하는 것은 그 조세조약이 종료된 경우가 아니라면[67] 당해 조세조약을 체결한 동일한 국가가 동일한 사항에 대하여 새로운 내용을 규정하기로 상호 의사가 일치된 경우에만 가능한 것으로 규정하고 있다. 일방적으로 국내 조세법에서 새로운 규정을 둘 경우에는 양 체약국의 이해관계가 양립할 수 없게 되므로 국제적으로 통용되는 '신의성실의 원칙(principle of good faith)'과 이의 구성요소인 '약속은 지켜져야 한다(pacta sunt servanda)는 원칙' 그리고 '합리성의 원칙(principle of reasonabless)'을 위반하게 된다.[68]

특히, 조세조약 이행하지 않을 수 있는지의 문제는 상대방 국가뿐 아니라 국제사회에 대한

---

65) OECD 표준조세조약, 2017, 제24조 (non-discrimination) '1. Nationals of a Contracting State shall not be subjected in the other Contracting State to any taxation or any requirement connected therewith, which is other or more burdensome than the taxation and connected requirements to which nationals of that other State in the same circumstances, in particular with respect to residence, are or may be subjected. This provision shall, notwithstanding the provisions of Article 1, also apply to persons who are not residents of one or both of the Contracting States.'

66) Vienna Convention of the Law of Treaties Article 30(application of successive treaties relating to the same subject-matter)

   4. When the parties to the later treaty do not include all the parties to the earlier one: (a) as between States parties to both treaties the same rule applies as in paragraph 3; (b) as between a State party to both treaties and a State party to only one of the treaties, the treaty to which both States are parties governs their mutual rights and obligations.

67) 조세조약이 종료된 경우에는 새로운 입법을 통하여 과세하더라도 문제가 되지 않는다. 비엔나 협약 제59조

68) W. Jenks, 'The conflict of law making treaties', British Yearbook of International Law, 1953, p.426; 'The time of conclusion of a multilateral treaty: art. 30 of the Vienna Convention and related provisions', British Yearbook of International Law, 1988, p.100

국가적 의무불이행에 따른 책임문제가 발생할 수 있다.[69] 그러므로 국가 간의 합의에 근거하여 체결된 조세조약에 대하여 당사국은 자국의 조세법에 규정이 없다는 이유로 조세조약의 일부 또는 전부의 이행을 거부할 수 없고 조세조약을 국내 조세법에 수용해야 한다. 조세조약의 내용을 수용하기 위하여 국내 조세법을 개정하거나 제정할 때 조세조약에서 규정한 내용과 다르게 과세하는 것은 허용되지 않는다. 조세조약과 충돌되는 내용을 국내 조세법에서 제정하거나 개정하는 경우에는 OECD 표준조세조약 제25조의 상호합의절차(mutual agreement proceure)를 통하여 상대방체약국이 이의를 제기할 수 있게 된다.[70]

제4절 조세조약의 체결절차

조세조약의 체결을 위한 일련 절차는 다음과 같이 요약할 수 있다.

> 조세조약의 체결 필요성 검토 ⇨ 상대방 국가와의 협상 ⇨ 조약문안의 합의 가서명 ⇨ 법제처 심사 ⇨ 국회 비준 동의안 국무회의 심의 ⇨ 국회의 비준 동의안 의결 ⇨ 비준(대통령 재가) ⇨ 비준서 교환 ⇨ 공포 및 시행

 체결 필요성 검토

특정 국가와 조세에 관한 사항에 대하여 권리·의무관계를 맺어야 할 필요성에 대하여 기획재정부가 검토하게 된다. 조세조약은 양국 간의 투자 및 통상 등 경제거래에 따른 인적·물적 자본의 원활한 흐름을 조세 측면에서 보장하기 위하여 체결된다는 점에서 그 필요성을 검토하게 된다.

조세조약의 체결은 조세문제에 대한 국가 간의 합의과정이라는 점에서 외교적 용어로는 '외교교섭'이라고 부른다. 외교교섭 과정에서 필요한 경우에 주무부서인 기획재정부는 외교

---

69) 국가적 책임은 조세조약의 적용배제(treaty override) 문제와 연결되며, 이것이 확대될 경우에는 조세조약의 적용종료(termination)로 이어질 수 있다.

70) OECD 표준조세조약 제25조(mutual agreement procedure) '1. Where a person considers that the actions of one or both of the Contracting States result or will result for him in taxation not in accordance with the provisions of this Convention, he may, irrespective of the remedies provided by the domestic law of those States, present his case to the competent authority of either Contracting State.~'

부와 협력하여 '조세조약의 초안'을 검토하게 된다. 검토하는 부분은 조약의 내용이 조약으로 취급하는 것이 적절한 것인지, 국제법상 적합한 내용인지, 어떠한 형태를 취하는 것이 적절한지, 다른 조약과 상충하는지, 국내법에 저촉되지 않는지, 적절한 용어를 사용하고 있는지, 조약문의 형식성을 갖추고 있는지 등이다.[71]

② 조세조약 체결을 위한 협상

(1) 대표자 확인

일반적으로 조세조약의 협상대표자 간에는 '전권위임장'을 서로 교환하여 대표자가 '권한 있는 당국자(competent autority)'임을 확인하는 절차를 먼저 거친다. 우리나라 정부조직법상 외교부장관이 조약체결의 대표자이지만[72] '정부대표 및 특별사절의 임명과 권한에 관한 법률'에 의하여 특정한 목적을 위하여 정부를 대표하여 협상할 수 있는 대표자를 임명하고 정부를 대표하여 협상할 수 있는 권한을 부여하게 된다.[73] 이때의 권한은 정부를 대표하여 외국 정부와 교섭하거나 조약에 서명 또는 가서명하는 권한을 포함하는 것으로 규정되어 있다.

(2) 조약문안 합의 및 인증

양 체약국이 협상과정을 통하여 합의하여 도출한 조약문의 형식과 내용을 확정하여 조약문을 채택하고 그 조약문이 정본임을 확인하는 절차를 거치게 된다. 조약문의 확인절차를 인증(authentification)이라 하며, 통상적으로 최종 합의문에 서명함으로써 이루어진다. 조세조약의 경우에는 국회의 비준동의를 거쳐야 발효되는 조건이 붙어 있는 점을 감안하여 협상 대표자 간에 '가서명' 방식으로 확인이 이루어진다.

조세조약의 체결과정에서 협상 대표자의 가서명은 추후 정부에 의한 최종 검토를 유보하면서 원칙적으로 조약문안을 인증하거나 조약문안을 최종적으로 확정하는 효과만을 가지며 효력을 발생시키는 것은 아니다. 조세조약은 국회의 비준동의가 있은 후 정부 대표자의 서명이 있어야 비로소 효력이 발생하게 된다.[74] 이 서명은 뒤에서 말하는 대통령의 재가로서 비준이라고 한다.

---

71) 법제처, 조약체결과정에서의 관계 정부기관의 역할 및 법제처 조약심사 강화를 위한 심사메뉴얼 정립에 관한 연구(2009. 9.), p.21
72) 정부조직법 제25조 제1항
73) 정부대표 및 특별사절의 임명과 권한에 관한 법률 제5조 제1항
74) 정식서명은 외교부장관이나 대통령이 하는 것이 일반적이다.

③ 조세조약의 심사

(1) 법제처 심사

가서명된 조세조약은 외교부가 법제처에 송부하여 심사를 요청하게 된다.[75] 법제처의 조약심사내용은 조약안이 기존 국내법규와 저촉하는지 여부, 그 국내적 시행을 위하여 새로운 입법조치를 요하는지 여부 등을 심사하여 조약안의 국회동의 필요 여부에 대한 것으로 한정되고 이미 조세조약체결 당사국과 합의한 내용을 수정하는 것은 포함되지 않는다.[76] 이 점이 일반 국내법의 심사와 다르다.

(2) 비준안의 국무회의 심의와 대통령 조건부 재가

법제처의 심사가 완료된 조세조약안은 비준을 위하여 국무회의의 심의절차를 거쳐야 한다.[77] 국무회의 심의를 마친 조세조약의 비준안은 대통령의 재가를 받게 된다. 대통령의 재가를 비준이라고 한다. 비준은 이미 확정된 조세조약의 내용을 최종적으로 국가의 수반이 확인하는 행위로서 조세조약에 대한 구속력이 부여된다. 따라서 비준이 이루어진 후에는 조세조약에 대하여 그 효력을 부인할 수 없게 된다.[78]

조세조약안은 국회의 비준동의가 필요하기 때문에 국무회의와 대통령 재가 단계에서 국회의 동의를 조건으로 공포한다는 내용의 조건부 재가를 받는다.[79] 대통령의 조건부 재가를 받은 조세조약안은 비준동의를 받기 위해 국회로 이송된다.

(3) 국회의 비준동의

조세조약은 '입법사항에 관한 조약'에 해당되어 헌법 제60조 제1항에 의하여 국회의 비준동의가 필요한 조약으로 분류된다. '입법사항에 관한 조약'의 의미는 조약의 내용이 관련국내법률의 제정·개정을 필요로 하는 경우를 말한다.[80] 입법사항은 국민의 권리·의무에 관

---

75) 법제처 직제 제1조에 근거하여 이루어진다.
76) 법제처, 조약체결과정에서의 관계 정부기관의 역할 및 법제처 조약심사 강화를 위한 심사메뉴얼 정립에 관한 연구(2009. 9.), p.24
77) 헌법 제89조 제3호
78) 법무부, 조약의 국내적 수용 비교연구, 1996, p.143
79) 법령등 공포에 관한 법률 제6조 '조약 공포문의 전문에는 국회의 동의 또는 국무회의의 심의를 거친 사실을 적고, 대통령이 서명한 후 대통령인을 찍고 그 공포일을 명기하여 국무총리와 관계 국무위원이 부서한다.'
80) 조소영, "한미 FTA에 대한 헌법적 쟁점의 검토", 「공법학연구」 제8권 제3호, 한국비교공법학회(2007. 8.), p.9

한 사항 등과 같이 그 중요성에 비추어 국가의 입법기관인 국회의 의결을 거쳐 법률로 정하여야 하는 사항을 말하므로, 조약의 내용이 국내법에 저촉되거나 국내법에 근거가 없이 국민의 권리·의무사항을 정하는 경우에는 그러한 조약은 입법사항에 관한 조약으로서 국회의 동의를 얻어야 한다는 의미이다.[81]

조세조약은 상대방 국가와 합의하여 배당소득·이자소득·사용료 소득 등에 대하여 비거주자에게 적용되는 세율의 최고한도를 국내 세율보다 낮게 정하거나 면세규정을 두어 조세부담을 국내 거주자보다 낮게 하는 등 국내 조세법의 내용을 다르게 적용하므로 새로운 입법의 성격을 가질 수 있다는 점에서 입법을 총괄하는 국회의 동의를 얻는 절차를 거치도록 하고 있다.

다만, 국가 간의 외교적 합의를 존중한다는 점에서 국회의 동의절차는 '동의여부'만을 소관 상임위원회에서 결정한 후 본회의에 상정하여 의결한다. 일반 법안 심의절차에서처럼 정책심사 법제사법위원회의 심사는 거치지 않는 점이 차이가 있다.

[표 1-1] 국회의 비준동의가 필요한 조약

구 분			조약분야
동의 필요	상호원조/ 안전보장	양자조약	군사/안보, 기본관계, 기타, 정치/외교/우호, 원자력, 경제/과학/기술
		다자조약	경제협력 및 개발, 과학/기술, 교육/문화, 전쟁/인도범, 군축, 원자력
	중요한 국제조직	양자조약	문화, 국제기구, 방송/통신, 해운
		다자조약	관공, 교통, UN 및 전문기구, 금융기구, 남극, 농업/식량/1차산품, 보건, 방송/통신, 외교/영사관계
	우호 통상항해	양자조약	투자보장, 경제/무역, 무역/통상
		다자조약	무역/통상/산업
	주권의 제약	양자조약	대륙붕, 특권/면제, 어업, 영사
		다자조약	특권/면제, 법률/행정, 보건
	중대한 재정적 부담	양자조약	건설, 민간구호, 재정, 차관
		다자조약	경제협력 및 개발, 금융기구, 보건
	입법사항	양자조약	조세, 보건, 사증, 공업소유권, 사회보장, 수형자이송, 민사사법, 범죄인 인도, 형사사법

---

81) 법제처, 조약체결과정에서의 관계 정부기관의 역할 및 법제처 조약심사 강화를 위한 심사메뉴얼 정립에 관한 연구(2009. 9.), p.69

구 분			조약분야
		다자조약	관세, 국제사법, 이민, 인권, 해양법/어업, 환경, 지적재산권, 항공/우주, 해사, 난민/국적, 노동, 마약, 우편, 국제범죄, 분쟁해결/상상중재
동의 불필요		양자조약	관광, 교육, 교육/문화, 남극, 농업, 무상국제협력사업, 봉사단파견 등
		다자조약	이민

출처: 법제처, 조약체결과정에서의 관계 정부기관의 역할 및 법제처 조약심사 강화를 위한 심사메뉴얼 정립에 관한 연구(2009. 9.), p.72 〈표 11〉

④ 공포와 시행

조세조약에 대한 국회의 비준동의가 의결되어 정부(외교부)로 이송되면 대통령의 재가, 즉 비준을 얻어 공포하여 시행하게 된다. 공포는 관보에 게재하는 것으로 한다.

일반법안의 경우에는 국회의 의결 후 법률안이 정부에 이송되면 15일 이내에 국무회의를 거쳐 대통령이 공포하거나[82] 이의가 있을 경우 동 기간 내에 이의서를 붙여 국회로 환부할 수 있다.[83] 그러나 조세조약의 경우에는 국무회의를 거치지 아니하고 공포한다는 점에서 차이가 있다.[84]

비준은 정부대표가 서명한 조약을 조약체결권자 또는 조약체결권자로부터 비준의 권한을 위임받은 자가 확인함으로써 국가의 기속적 동의를 최종적으로 표시하는 행위를 말한다. 우리나라의 경우 헌법상의 비준권자는 대통령으로서 조약이 서명되고 국회동의를 받은 후 행해지는 최종적인 절차에 해당한다.

⑤ 비준의사를 상대방 국가에 표시하는 방식

양자조약의 경우에는 비준서의 교환이 가장 보편적인 방법이다. 우리나라는 비준서의 교환을 양측이 국내 절차를 완료한 후 별도로 합의하는 시기를 비준서 교환의정서(Protocol of Exchange of Instruments of Ratification)에 명시한 후 행하는 방식을 취하고 있다.

최근에는 조약의 규정에 따라 비준서의 교환보다 더 간편한 방법으로서 외교공한을 통하

---

82) 법령등 공포에 관한 법률 제5조
83) 헌법 제53조
84) 법령등 공포에 관한 법률 제6조

여 상호 각자의 국내 절차를 완료하였음을 상호 통고하는 방식이 많이 이용되고 있다. 다자조약의 경우에는 비준서, 수락서, 승인서 또는 가입서를 기탁하는 방식이 당해 조약에 규정되어 있는 것이 상례이다.[85]

비준의사가 상대방 국가에 전달되면 조세조약은 시행된다.

제5절 표준조세조약

조세조약은 양자 간 조세조약이 주류를 이루고 있다. 그러나 양자 간 조세조약(bilateral tax treaty)이 가지고 있는 여러 가지 한계점이 지적되면서 OECD를 중심으로 다자간 조세조약(multilateral tax treaty) 방식을 도입하고 있다. 대표적인 것은 2012년 7월 1일부터 발효된 '조세행정공조협약(Convention on mutual administrative assistance in tax matters)',[86]과 '세원잠식 및 소득이전 방지목적의 조세조약관련 조치 이행을 위한 다자협약(Multilateral Convention to implement Tax Treaty related Measures to Prevent Base Erosion and Profit Shifting)'[87] 등이다.

 ① 양자 간 조세조약

양자 간 조세조약은 체약당사국이 2개인 경우이다. 양자 간 조세조약은 표준조세조약(model tax treaty or convention)을 기준으로 체결된다. 체약당사국 간의 구체적인 상황을 고려하여 표준조세조약을 일부 수정·보완하는 형식으로 체결된다. 현재 국제적으로 통용되고 있는 대표적인 표준조세조약은 OECD Model과 UN Model이 있다. 일부 국가에서는 별도

---

85) '세원잠식 및 소득이전(BEPS) 방지목적의 조세조약관련 조치이행을 위한 다자협약(Multilateral Convention to Implement Tax Treaty Related Measures to Prevent Base Erosion and Profit Shifting)'의 비준서를 2020. 5. 13. OECD에 기탁한 것이 그 사례가 될 수 있다. 2020. 5. 14. 기획재정부 보도자료

86) 다자간 조세행정공조협약은 OECD가 주도하는 조세행정에 관한 정보교환·징수 협조를 목적으로 하는 다자협약으로 이 협약에 가입한 국가 또는 지역과는 별도의 양자 간 조세조약 또는 정보교환협정이 없어도 조세정보교환이 가능하다. 우리나라는 2012년 7월부터 발효되었다. 2020년 11월 현재 다자간 조세행정 공조협약에 가입한 국가는 140개국에 달하고 있다.

87) 세원잠식 및 소득이전 방지목적의 조세조약 관련 조치 이행을 위한 다자협약(Multilateral Convention to Implement Tax Treaty Related Measures to Prevent Base Erosion and Profit Shifting)에 대하여 우리나라는 2019년 국회비준을 거쳐 2020. 5. 13. 비준서를 OECD에 기탁하였고 2020. 9. 1.부터 발효되었다.

의 표준조세조약을 가지고 있다. 조세조약의 주된 목적은 앞에서 말한대로 이중과세 문제를 해소하는 것이다.

(1) OECD 및 UN의 표준조세조약

경제개발협력기구(Organization for Economic Cooperation and Development, "OECD") 가 만든 표준조세조약은 OECD 회원국인 선진국이 이용하고 있다. 유럽과 북미 선진국을 중심으로 국가 간의 상호경제교류과정에서 발생하는 이중과세 문제를 해소하기 위한 방안 으로 조세조약이 체결되었다.[88] 이들 국가는 거주지 중심과세(residence based taxation)에 비중을 두어서 선진국의 투자자에게 유리하다는 비판을 받고 있다. 한편 국제엽합(United Nations, "UN")이 만든 표준조세조약은 선진국과 개발도상국이 조세조약을 체결할 때 개발 도상국이 기준으로 삼아 이용하고 있다. 자본수입국인 개발도상국이 유리하도록 원전지기준 과세(source based taxation)에 비중을 두고 있다. 두 표준조세조약은 이러한 차이점을 제외 하면 내용이 거의 대동소이하다. 그 이유는 두 표준조세조약은 1923년 국제연맹보고서[89]를 바탕으로 1928년에 만든 조세조약[90]을 기준으로 하고 있기 때문이다. 1928년 표준조세조약 안은 OECD 표준조세조약[91]과 UN 표준조세조약뿐 아니라 미국의 표준조세조약의 근간이 되고 있다.

OECD는 1963년에 표준조세조약 초안을 발표하고 1977년에 그간의 경제여건 변화와 시행 과정에서 제기된 다양한 건의사항을 반영하여 수정·보완한 새로운 OECD 표준조세조약을 공표하고 1992년에는 정기적으로 적절하게 수정보완할 수 있는 방안(ambulatory)을 도입하 였다. 그 후 최근까지 지속적인 수정작업이 이루어져 왔다.[92]

OECD가 표준조세조약안을 공표하자 UN은 1970년대 초에 초안작성반을 구성하여 선진 국과 개발도상국 간의 조세조약에서 수용가능한 지침(guidelines)을 작성하여 1979년 공표

---

88) 1963년 OECD 표준조세조약이 공표될 당시의 20개 OECD 회원국: 그리스, 네덜란드, 노르웨이, 독일, 덴마크, 룩셈부르크, 미국, 벨기에, 스위스, 스웨덴, 스페인, 아이슬란드, 아일랜드, 이탈리아, 오스트리아, 영국, 캐나다, 터키, 포르투갈, 프랑스

89) Report by the Government Experts on Double Taxation and Evasion of Taxation Annex 1, League of Nations Doc. F. 50. 1923. 11. (1923)

90) Michael J. Graetz & Michael M. O'Hear, The 'Original Intent' of U.S. International Taxation, Duke Law Journal Volume 51, 1997, p.1078

91) OECD 표준조세조약안은 1963년에 제정·공표되었다. Organization for Economic Co-operation and Development, Draft Double Taxation Convention on Income and Capital (1963)

92) OECD 표준조세조약, 2017, 서문 11.2: 10번의 개정이 이루어졌으며 그 연도는 1994, 19954, 1997, 2000, 2002, 2005, 2008, 2010, 2014, 2017이라고 밝히고 있다.

하였다.[93] UN 표준조세조약은 상대적으로 원천지국가에 더 많은 과세권을 부여하고 있지만 근본적으로 OECD 표준조세조약을 기본으로 삼고 있으므로 원천지국에 주는 긍정적인 영향에는 현실적인 한계가 있을 수밖에 없다.

현재의 국제과세구조는 원천지국과세는 부차적인 것이 되고, 거주지국과세가 대세를 이루는 것으로 굳어지게 되었다. 현재 대부분의 국가가 체결한 양자 간 조세조약은 바로 국제연맹의 조약안에서 설계된 기본구조[94]를 바탕으로 하고 있는 OECD 표준조세조약과 UN 표준조세조약을 기준으로 삼고 있다.[95]

[표 1-2] OECD 표준조세조약과 UN 표준조세조약 비교

	OECD Model	UN Model
관 점	선진국의 관점	개발도상국의 관점
기본 방향	양 체약당사국 간에 투자의 흐름이 원활하게 유지	원천지국에서 발생한 소득에 대한 과세권의 강화
과세권 분할기준	원천지국에서 발생한 소득에 대한 원천지국 과세권 제한 - 거주지국 과세권 확대	원천지국에서 발생한 소득에 대한 거주지국 과세권 제한 - 원천지국 과세권 확대

(2) 국가별 · 지역별 표준조세조약

일부 국가는 독자적으로 자국의 이익에 부합하는 표준조세조약을 만들어 다른 국가와 조세조약을 체결할 때 협상대안으로 활용하고 있다. 이러한 국가에는 대표적으로 미국[96]을 비롯하여, 네덜란드, 아세안 공동체(ASEAN Community),[97] 동아프리카 공동체(East African

---

93) Guidelines for the Formulation of the Provisions of a Bilateral Tax Treaty Between a Developing Country and a Developed Country, in Manual for the Negotiation of Bilateral Tax Treaties Between Developed and Developing Countries, U.N. Doc. ST/ESA/94 (1979)

94) Reuven S. Avi-Yonah, The Structure of International Taxation: A Proposal for Simplification, 74 Texas Law Review 1996, pp.1301, 1303; Sergio Rocha, International Fiscal Imperialism and the 'Principle' of the Permanent Establishment, 64 Bulletin International Taxation, 2014. pp.83~84

95) Reuven S. Avi-Yonah, 'Interanational Tax as International Law: An Analysis of the International Tax Regime' (2007); Hugh J. Ault & Brian J. Arnold, 'Comparative Income Taxation: A structural Analysis,(2d ed.2004), pp.347~350

96) https://www.treasury.gov/resource-center/tax-policy/treaties/Documents/Treaty-US%20Model-2016.pdf

97) Sunita Jogarajan, 'A Multilateral Tax Treaty of ASEAN-Lessons from the Adean, Caribian, Nordic and South Asian Nations', Asian Journal of Comparative Law, Volume 6, 2011, pp.1~23

Community, 'EAC'),[98)] 남미 안데스 공동체(Andean Community)[99)] 등이다.

② 다자간 조세조약

(1) 다자간 조세조약의 배경

현재 전 세계적으로 체결된 양자 간 조세조약의 수는 3,000개가 넘지만 그 구성형식이나 내용은 국가 간의 경제관계를 반영한 차이 외에는 거의 대동소이하다. OECD 표준조세조약이나 UN 표준조세조약을 기준으로 체결되었기 때문이다.

OECD는 2017년 표준조세조약을 개정하여 조세조약상의 혜택을 체약당사국이 아닌 국가의 거주자가 조세조약의 혜택을 이용하는 것을 방지하기 위한 조세조약편승(treaty shopping) 여부의 새로운 판단기준을 도입하여 '거래의 주된 목적기준(principal purpose of transactions)' 과 조세조약혜택 간의 관계를 검증하도록 하고 있다. 또한 '혼성불일치 기준(hybrid mismatch rules)'은 납세자가 하나의 비용항목으로 복수의 공제를 받거나 다른 국가에서 공제 받지 않고 한곳에서 몰아서 공제받는 것을 방지하기 위한 규정이다. 그러나 이러한 규정이 개별국가 간의 국제거래에서 적용되려면 개별국가 간에 체결된 양자 간 조세조약(bilateral tax treaty)의 개정이 이루어져야 한다.

양자 간 조세조약은 체약당사국의 상황이 서로 다른 것을 전제로 하기 때문에 조세조약의 내용은 국가별로 차이가 있을 수밖에 없기 때문에 이러한 개별조세조약의 차이를 조정하여 하나의 기준이 통일적으로 적용되도록 개별조세조약을 개정하는 것은 사실상 불가능한 상태이다. 양자 간 조세조약의 체결이나 개정절차는 시간뿐 아니라 국가 간의 서로 다른 이해 관계를 조정하여 의견의 합치를 이루어 내기는 쉽지 않다. 따라서 기존의 양자 간 조세조약 구조는 조세환경의 변화로 제기되는 새로운 국제조세 문제에 신속하고도 효과적으로 대응하는데 한계점을 보일 수밖에 없다.

최근 OECD는 이러한 양자 간 조세조약의 비효율성 문제를 극복하면서 새로운 국제조세 문제에 효율적으로 대응하기 위하여 Base Erosion and Profit Shifting(이하 'BEPS'라 한다) Project 등과 같이 다자간 조세조약(multilateral tax treaty) 방식을 도입하여 체약당사국 간의 합의나 양자 간 조세조약의 개정이 없이도 기존의 조세조약을 쉽게 보완할 수 있도록 하

---

98) https://meac.go.ke/eac-achievements/

99) https://www.internationallawoffice.com/Newsletters/Corporate-Tax/Colombia/
   Lewin-Wills-Abogados/Rules-on-Double-Taxation-in-the-Andean-Community-Clarified

는데 한층 더 집중하는 모습을 보이고 있다.[100] 특히 국제거래에서 발생한 소득에 대한 탈세와 조세조약의 남용행위에 효과적으로 대응할 수 있는 BEPS 제도의 시행을 위해서 불가피하기 때문으로 보인다.

(2) 다자간 조세조약의 활용

가. 효과성

다자간 조세조약의 구조는 기존의 양자 간 조세조약구조의 취약점을 보완할 수 있다는 점에서 새로운 국제조세 문제에 효과적으로 대응할 수 있는 방안으로 활용할 수 있다. 새로운 국제조세 문제는 개별국가 간에 한정되지 않고 모든 국가가 피해의 대상이 될 수 있는 특성을 가지고 있다는 점에서 국제적인 협력을 통한 대응이 필요하다. 양자 간 조세조약을 일일이 개별국가별로 개정하지 않고도 간편하게 대응할 수 있게 한다. 예를 들어 '혼성체(hybrid enttity)', '조세조약 남용(treaty abuse)'의 대응방안을 다자간 조세조약에서 규정하고 개별 조세조약을 체결한 국가들이 이를 수용할 경우에는 국제조세를 규율하는 국제기준을 개별 조세조약에 적용할 수 있게 된다. 이와 같이 다자간 조세조약은 양자 간 조세조약의 한계로 지적되어 온 경제상황의 변동이나 조세회피시도(aggressive tax planning)에 효과적으로 대응할 수 있는 문제점을 해소할 수 있을 것으로 보인다. 개별국가들이 단독으로 대응하기 보다는 여러 국가들이 힘을 합쳐서 새로운 국제조세의 기준을 정립해 나가는 데 효과적인 방안이 될 것으로 본다.

현재 BEPS Project에서 국제거래소득에 대한 새로운 과세방법은 국적없는 소득(stateless income)에 대한 과세방법을 제시하고 있다. 양자 간 조세조약의 구조하에서는 국적없는 소득에 대한 과세는 많은 어려움이 있었다. EU가 digital 과세와 관련하여 제기하고 있는 이중과세 방지방법의 효용성에 대하여 부정적인 태도는 양자 간 조세조약의 취약점에서 기인하고 있는 것을 보여주는 대표적인 사례로 보인다.[101] 양자 간 조세조약의 구조로는 개별 체약국과 합의를 통한 해결이 어렵기 때문이다. 그러나 다자간 조세조약에서는 체약당사국 간에 일일이 개별적으로 협상할 필요가 없어진다. 다자간 조세조약의 구조에서는 경제상황이나 국제조세환경의 변화를 반영하여 기존의 양자 간 조세조약의 내용 중 일부규정의 적용을 배제하는 내용을 담을 수 있게 된다. 당사국들은 자신들의 이해관계의 유불리를 따져서 기존의

---

100) Jessica Silbering-Meyer, Octber 25, 2017, 68 Sign the Multilateral Instrument, REUTERS: ANSWERS FOR TAX PROFFESIONALS.
https://blogs.thomsonreuters.com/answerson/68-sign-the-multilateral-instrument-mli/
101) Steven A. Dean, 'A Constitutional Moment for Cross-Border Taxation,' January 30, 2020

조세조약을 그대로 적용할지 다자간 조세조약의 내용을 수용할지를 고민하게 된다. 예를 들어 다자간 조세조약에서 규정한 내용과 기존의 양자 간 조세조약의 내용이 다른 경우에는 외국거주자의 국내원천소득에 대한 과세관할권을 상대체약국과 어떻게 분할하는 것이 유리한 지에 대하여 기존의 양자 간 조세조약의 적용범위와 다자간 조세조약의 기준을 비교하면서 절충점을 찾을 수 있게 할 것이다.

따라서 다자간 조세조약에서 여러 국가의 이해관계를 조정한 기준을 제시하고 그 기준을 수용할 것을 동의한 국가는 기존의 양자 간 조세조약에 불구하고 다자간 조세조약의 기준을 적용하기로 합의가 이루어지면 다자간 표준조세조약을 통하여 국가별로 서로 다른 요구사항을 조정한 새로운 국제조세구조가 만들어 질 수 있게 된다. 조약의 개정도 집단적으로 이루어지므로 양자 간 조세조약에서처럼 어렵고 시간이 많이 걸리는 협상절차를 거치지 않아도 된다는 장점이 있다.

나. 새로운 국제기준의 수용성 증대

다자간 조세조약의 내용은 양자 간 조세조약을 체결하는 기준의 역할을 하게 된다. 다자간 조세조약의 내용이 자국에 유리하면 그것을 기준을 여러 가지 협상대안을 만들어 상대방 국가와 협의할 수 있다. 기존의 양자 간 조세조약상의 원천소득에 대한 제한세율을 개정하지 않고 다자간 조세조약에서 제시한 세율을 기준으로 인상하는 방안을 협의하여 양국의 입장을 절충하는 방안으로 활용이 가능하다는 것이다. 양자 간의 조세조약을 개정하거나 새롭게 체결하는 경우에도 마찬가지로 다자간 조세조약에서 제시된 세율과 양 체약국의 국내 조세법상의 세율 사이에서 원천징수세율을 합의할 수 있게 된다.

예를 들어 BEPS Project에 포함되어 있는 고정사업장에 대한 과세관할권 기준을 정하는 데 도움이 될 수 있을 것으로 보인다. BEPS 2.0[102]에서 분석한 바와 같이 PE가 물리적으로 존재하지 않더라도 원천지국의 과세권을 허용할 수 있는 방안도 생길 수 있다. 다자간 조세조약에서 고정사업장에 대한 개념과 적용기준을 결정하면 되기 때문이다. 고정사업장에 대한 원천지국의 과세관할권은 과세행정력의 수준에 따라 달라질 수 있다.[103] 원천징수능력이 낮은 국가는 세수측면에서 잃을 것이 별로 없기 때문에 고정사업장에 대한 과세관할권 문제

---

102) OECD/G20 Inclusive Framework On BEPS, 2019, Programme of Work to Develop a Consensu Solution to the Tax Challenges Arising from the Digitalisation of the Economy.
https://www.oecd.org/tax/beps/programme-of-work-to-develop-a-consensus-solution-to-the-tax-challenges-arising-from-the-digitalisation-of-the-economy.pdf

103) Kim Brooks & Richard Krever, 2015, The Troubling Role of Tax Treaties, in TAX DESIGN ISSUES WORLDWIDE, SERIES ON INTERNATIONAL TAXATION 51 (Geerten M.M. Michielse & Victor Thuronyi eds., 2015), p.170

에 관심이 크지 않을 수 있으므로 쉽게 합의를 도출할 수 있을 것으로 보인다.

다자간 조세조약은 여러 국가의 공통적인 이해관계를 바탕으로 하기 때문에 다자간 조세조약의 모든 규정을 일률적으로 적용하는 것이 아니라 자국의 경제상황에 비추어 일부 조항의 적용배제를 당사국 간의 합의를 통하여 선택할 수 있도록 하여 다자간 조세조약의 적용에 따른 의견불일치 등에 따른 문제를 최소화할 수 있다. 양국 간의 무역흐름의 불균형이나 조세제도의 차이로 인하여 이해관계가 상충될 수 있으므로 다자간 조세조약에서 규정한 과세관할권(과세권배분) 기준을 적용하지 않을 수 있고 타방체약국은 이에 대하여 수용여부를 결정하면 된다.

새로운 과세기준 중 중요한 것은 과세소득에 대한 과세관할권을 배분하는 기준을 다자간 조세조약을 통하여 설정하는 것이다. 그렇게 될 경우 지리적 기준 과세원칙을 주장하며 대형 미국 기업에 초점을 맞추고 있는 EU의 디지털세 과세기준론에 대한 논쟁도 불식시킬 수 있을 것이다. 다자간 조세조약을 통한 해결책은 거주지국이 과세하지 않는 경우에 원천지국과세기준을 강화해 나갈 수 있게 한다. 1차적 과세관할권이 양자 간의 조세조약상에 규정되어 있음에도 이를 행사하지 않는 경우에는 다자간 조세조약에서 이 과세권을 어느 국가에 줄 것인지에 대한 조항을 둘 수도 있다.[104]

다자간 조세조약은 또한 과세의 일관성을 높여주는 데 도움을 줄 수 있다. 개별국가들은 국제기준과 조화될 수 있는 과세제도의 운영을 통하여 자의적이지 않고 예측가능한 일관성을 보여주도록 하게 한다.[105] 또한 원천지국과세기준을 개선하여 목적지 기준(destination base) 개념을 수용할 수 있게 한다.[106] 이 경우 국내 조세법을 통하여 이중과세 방지제도의 운용이 더 원활하게 이루어질 수 있다. 그동안 많은 논의가 있었던 '공식에 의한 소득배분방법(formulary apportionment method)'을 다자간 조세조약에서 명시할 경우 다국적기업이 국조세조약을 이용하여 탈세목적으로 국제거래소득의 발생지(source place)를 유리한 곳으로 이전하는 것을 방지할 수 있을 것으로 보인다.[107]

---

104) Bret Wells & Cym H. Lowell, 2013, 'Income Tax Treaty Policy in the 21st Cen-tury: Residence v. Source,' Columbia Journal of Tax Law Volume 5, p.38. 이는 미국에서 시행되고 있는 throwback rule과 유사하다. 공장이 위치하는 주에서 발생한 소득에 대하여 과세요건을 충족하지 못하여 어느 주에서도 과세되지 않는 경우에는 시설이 있는 주의 소득으로 환원시켜(throw back) 과세되도록 하는 제도이다. 국제조세기준으로도 사용이 가능할 수 있다.

105) Victor Thuronyi, 2001, 'International Tax Cooperation and a Multilateral Treaty,' Brooklyn Journal of International Law Volume 26, pp.1641, 1652

106) Paul Oosterhuis & Amanda Parsons, Destination-Based Income Taxation: Neither Principled nor Practical?, Tax Law Review Vol.71. 2017, pp.615~623

107) 주로 미국과 캐나다에서 주(州)간 법인세 분담방법으로 사용되고 있지만 국제조세쪽에서는 사용되지 않는다.

다. 다자간 조세조약의 정착

다자간 조세조약방식에 대한 각국의 입장은 당초 예상보다 덜 적극적인 것으로 보인다. 주된 이유는 조세조약혜택제한(limitation on benefit), 강제중재(mandatory arbitration)조항 등과 같이 기존의 조세조약에도 있는 것을 미국의 주장으로 포함하였기 때문이다.[108] 미국은 다자간 조세조약을 비준하지 않았음에도 그동안 양자 간 조세조약을 체결하면서 조세조약편승이나 조세조약남용의 방지에 관한 규정을 두어 왔으므로 이를 보다 강화된 기준을 모든 국가들이 수용해야 한다는 이유를 들었다.

다자간 조세조약에서 정할 수 없는 사항에 대하여는 개별국가의 국내 조세법이 상호주의 원칙에 따른 '주고받기(give and take)'의 기준을 규정하게 한다. 이 경우 개별국가는 자국의 조세수입에 미치는 영향과 과세권의 분할에 대한 조세정책을 자국의 국내 조세법에 반영할 수 있게 된다. 조세협상과정에서의 '머리 아픈' 주고받기식이 아니라 자국과 상대방 국가의 조세주권(tax soverignty)을 존중하기 때문에 양자 간 조세협상 과정에서처럼 어느 하나의 국가에 쏠릴 수 있는 힘의 균형추를 바로잡을 수 있다.

조세조약을 체결한 국가와 조세조약을 체결하지 않은 국가, 그리고 제3국과 조세조약을 체결한 국가 등의 거주자에 대하여 서로 다르게 조세조약을 적용함에 따라 발생하는 국제조세 문제, 예를 들어 조세조약편승행위(treaty shopping) 등을 줄이고 정치적 경제적 상황이 유사한 경우에는 상호주의 원칙에 따라 동일한 과세방법을 적용할 수 있다. 상호주의 기준은 국익차원에서 외국에서 과세되지 않은 소득은 국내에서 과세할 수 있도록 한다. 이의 대표적인 사례가 미국이 2016 미국표준조세조약(US Model Tax Treaty)에서 도입한 'Kill-Switch(조세조약적용의 긴급중지조치)조항'[109]이다. 다자간 조세조약에 포함되는 국제조세 기준은 미국과 같은 강대국에 의해 도입되기 때문에 다른 국가들은 별다른 노력없이도 새로운 제도를 다른 국가들과 순조롭게 합의해 나갈 수 있다.

다자간 조세조약상의 과세기준을 각국이 국내 조세법으로 수용할 경우에는 국제조세의 과세기준에 대한 투명성이 높아질 수 있다. 조세법은 예산과 연계된 법안이므로 국회의 엄격

---

108) Rebecca Kysar, 2020, Unraveling The Tax Treaty, Minnesota Law Review Volume 104, p.1827
  https://minnesotalawreview.org/wp-content/uploads/2020/04/Kysar__Final.pdf

109) 조세조약이 적용되는 경우에 정상적이라면 체약국 중에서 적어도 한 개의 국가에서는 과세되어야 함에도 어느 국가에서도 과세되지 않는 이중비과세 상황의 발생을 방지할 목적으로 미국이 도입한 제도이다. 이중비과세가 발생될 것으로 예상되면 조세조약상의 제한세율을 적용하지 않고 정상적인 세율로 과세하도록 하는 제도이다. 적용대상소득은 '이자소득, 사용료 소득, 배당소득, 기타소득 중 보증수수료' 등이다. 상세한 내용은 Allison Christians, Alexander Ezenagu, 'Kill-Switches in the U.S. Model Tax Treaty,' Brooklyn Journal of International Law, Volume 41 Issue 3
  https://core.ac.uk/download/pdf/228608257.pdf

한 입법심사 대상이 된다는 점에서 다국적기업에 유리한 내용은 의회의 정밀검토대상이 되어야 한다. 외국투자자와 국내투자자에 대한 과세기준을 서로 다르게 적용하려면 입법과정에서 국회의 엄격한 심의과정을 거쳐야 하고 그 과정에서 정책목적이 투명하게 공표되게 된다. 따라서 다국적기업에 대한 과세권 행사기준을 명확히 할 수 있고, 그 결과 조세정책의 혁신과 신뢰도가 더욱 높아질수 있다.

초기단계인 다자간 조세조약의 구조는 점진적으로 정착되어 갈 것으로 보인다. 그에 따라 조세조약은 국제조세관계를 규율할 수 있는 국제법으로서의 기반을 더욱 공고하게 다져갈 것으로 전망된다.

제**2**장

조세조약의 역사

조세조약의 등장 배경

로마가 하루아침에 이루어진 것이 아니듯이 국제거래에 적용되고 있는 조세조약도 성립의 역사가 있다. E.H. Carr[1]가 말했듯이 역사가 '현재와 과거의 끊임없는 대화'라면 그것은 끊임없이 발전해 나가는 과정이라고 말할 수 있다. 조세조약의 역사를 살피는 것은 조세조약이 태동한 시대적 배경과 발전과정을 통하여 현재의 변화내용을 이해하고 앞으로의 전개방향을 예측하는데 도움이 될 수 있기 때문이다. 조세조약이 태동한 것은 바로 '수요가 공급을 창출한다'는 시장경제원리가 작동한 결과로 보인다.[2]

국제조세 문제의 핵심은 국제거래소득을 납세자의 거주지국(residence country)에서 과세할 것인지 소득이 발생한 원천지국(source country)에서 과세할 것인지 하는 문제이다. 국제조세에서의 과세기준은 어느 국가에서 과세할 것인가를 결정하여 이 문제를 해결하려는 것이다. 자국의 경제적 이익을 우선적으로 고려하여 국제거래에서 발생하는 소득에 대하여 과세권을 행사하려는 것은 당연한 입장이 된다. 재화나 용역 또는 자본을 다른 국가에 수출하는 경우에 그러한 국제거래에서 소득이 발생하는 장소와 그 소득이 귀속되는 장소는 원천지국과 거주지국으로 구분된다. 국제거래에서 발생한 소득에 대하여 거주지국과 원천지국은 각각 자국의 경제적 이익을 극대화하기 위하여 유리한 과세기준을 적용하여 상대적으로 더 많은 세금을 거두려고 하게 된다.

예를 들어, 한국 소재한 A기업이 영국에 소재한 B은행에서 사업자금을 특정한 약정금리로 차입하여 한국에서 사업을 운영하는 경우를 보자. 한국은 A기업이 차입한 사업자금에서 특

---

1) Edward Hallett Carr의 What is History?, London, Penguin, 1961
   https://archive.org/stream/WhatIsHistory-E.H. Carr/historycarr_djvu.txt
2) '수요가 공급을 창출한다'는 케인즈의 주장은 '공급이 수요를 창출한다'는 세이의 법칙을 뒤집은 것이다. 어느 주장이 더 옳으냐 여부는 주어진 상황에 달려있다고 볼 수 있다. 조세조약이 필요한 상황이 도래함에 따라 조세조약의 시대가 열리게 되었다는 것을 강조하기 위하여 이 비유를 사용한 것이다. 세이의 법칙과 케인즈의 이론에 비교에 대하여는 박명호, '세이법칙과 케인즈', 학국경제학회, 경제학 연구, 1996, Vol. 44. No. 4 참조

정한 약정금리에 따른 이자소득을 발생시키는 원천지국에 해당하고, 영국은 한국 소재 A기업에게 사업자금을 대출한 B은행이 소재한 국가로서 자본수출국에 해당한다. 이때 한국과 영국의 입장에서 조세수입을 극대화할 수 있는 과세기준은 한국의 입장에서는 A기업이 영국 소재 은행에 지급하는 이자소득에 대하여 국내의 조세법에 규정된 세율로 과세하는 것이고, 영국은 한국의 원천징수권을 제한하여 영국에서 충분히 과세하는 방법을 주장할 수 있다. 한국은 이자소득이 발생하는 장소의 과세권, 즉 원천지국 과세권을 주장하고 영국은 자본의 수출자의 과세권, 즉 거주지국 과세권을 각각 주장하여 더 많은 세금을 거두려고 할 것이다.

위의 사례는 자금의 대출에서 발생한 동일한 이자소득에 대하여 그 이자소득이 발생한 원천지국과 그 이자소득의 수취자가 거주하는 거주지국이 중복적으로 과세권을 주장하는 현상을 보여준다. 이는 곧 이중과세로 이어지게 된다. 이중과세로 인하여 양국의 조세수입은 극대화될 수 있지만 국제상거래는 물론이고 양국의 조세수입에도 나쁜 영향을 끼칠 수 있다. 국제거래소득에 대한 이중과세는 상거래의 중단이나 축소되거나 탈세의 문제를 발생시킬 수 있고, 그 결과로 인해 양국의 조세수입도 오히려 감소할 수 있기 때문이다. 자급자족의 폐쇄경제(closed economy)를 벗어나 국제무역이 활발하게 되는 개방경제(open economy) 체제로 전환되는 경우에는 이중과세의 문제는 국제거래의 활성화에 중대한 장애요소가 될 수 있다.

조세조약이 등장한 역사적 배경은 바로 이러한 국제무역의 활성화를 위한 중요한 매개수단으로서의 역할과 관련이 있다.[3] 조세조약은 산업혁명 이후 19세기 후반부터 활성화되기 시작한 국제교역에서 발생하는 이중과세 문제를 심각하게 보고 이를 해결하기 위하여 탄생된 것이다.[4] 당시 산업혁명 이후 크게 늘어난 국제교역 활동으로 인하여 국가 간에 동일한 소득에 대하여 과세권을 다투어 주장하는 일이 지속적으로 발생하고 있었기 때문이다. 이러한 문제에 대하여 '국제상공회의소(International Chambers of Commerce, ICC)'는 국제거래를 하는 사업가들의 의견을 모아서 국제연맹에 이중과세의 방지대책 마련을 건의하였다. 이중과세는 국가 간 원활한 인적 및 물적자본의 이동을 가로막을 수 있기 때문에 1차 세계대전 이후 시급한 복구사업에 걸림돌이 된다는 이유를 들었다.[5]

---

3) Ash Elliott & Omri Marian, 'The Making of International Tax Law: Empirical Evidence from Natural Language Processing', University of California, Irvine, Legal Studies Research Paper Series No. 2019-02, 2019, p.8 https://ssrn.com/abstract=3314310

4) Phillip Genschel and Thomas Rixen, 'Settling and Unsettling the Transnational Legal Order of International Taxation.' In Halliday, Terence C. and Shaffer, Gregory (eds.), Transnational Legal Orders, Cambridge University Press, New York, NY. 2015, pp.154~183

5) Michael J. Graetz and Michael M. O'Hear, 'The "Original Intent" of U.S. International Taxation.' Duke Law

제2절   국제연맹과 표준조세조약

1 과세권 양보의 절충과 정치적 의사결정

조세조약을 통하여 국제적 이중과세의 방지 문제를 국제적인 차원에서 체계적으로 검토하기 시작한 시기는 국제연맹시대인 1921년부터이다. 그 이전에는 무역관계가 제한적으로 이루어지고 있었기 때문에 이중과세의 문제가 크게 부각되지 못하고 있었다. 연방정부(federal government)와 지방정부(province) 간의 거래관계나 서로 동맹관계에 있는 국가 간의 거래가 상대적으로 활성화되어 있었기 때문이다. 이러한 특별한 상황 속에서 이루어진 거래가 발생시키는 이중과세의 문제를 해결하기 위하여 체결된 조세조약이 예외적으로 존재했을 뿐이다.[6]

1920년대 이후 세계경제는 많이 변화하였다. 세계경제의 흐름은 독일을 중심으로 한 중부 유럽국가에서 미국을 비롯한 영국 등 새로운 경제강국이 출현하고 이들 국가의 기술적 발전 속도, 국제투자자본 흐름의 규모와 다국적기업의 숫자도 크게 늘어났다.[7] 조세조약은 여전히 일부 유럽국가들을 중심으로 체결되고 있었다. 독일은 1925년 이탈리아와 처음으로 조세조약을 체결하였다. 영국은 1922년 아일랜드와 처음 조세조약을 체결하고 1936년에는 캐나다와 그리고 1939년에는 스웨덴과 프랑스와 조세조약을 체결하였다. 당시 미국은 조세조약의 체결에 소극적이었다.[8] 1919년에서 1935년까지 국제거래의 폭발적인 증가로 인하여 이중과세와 탈세문제가 국제적 관심사항으로 부상하였다. 제1차 세계대전의 영향으로 국가재정수요를 충당하기 위하여 세율이 인상됨에 따라 원천지국과 거주지국의 이해관계가 충돌하여 이중과세 문제가 수면 위로 떠오르기 시작하고 있었다. 일부 국가에서는 외국납부세액을 자국의 국내소득에서 공제하는 방식(deduction – 소득공제방식)으로 이중과세의 문제를 완화하는 조치를 시행하고 있었다.

Journal Volume 46, 1997, pp.1021~1109

6) 1869년 4월 16일 체결된 Prussia와 Saxony 간의 조세조약과 1899년 6월 21일 체결된 Austria와 Hungary 간의 조세조약이 있다. Saxony는 Prussia 왕국에 속한 주정부(province)였고, Austria와 Hungrary는 1867년 협약 (AustroHungarian Compromise)을 체결하고부터 1918년까지 Austro – Hungarian Empire 체제를 유지하였다.

7) 1914년에서 1918년까지 진행된 제1차 세계대전 직전인 1913년의 주요국(프랑스, 독일, 이탈리아, 일본, 영국, 미국 등)의 상품수출액이 GDP에서 차지하는 비율인 '수출의존도(상품수출/GDP)'는 평균 9%로 현재에 비하여도 매우 높은 수준으로 평가된다. Nicholas Crafts, Globalization and Growth in the Twentieth Century, IMF Working Papwr WP/00/44, p.26

8) H. David Rosenbloom, Current Developments in Regard to Tax Treaties, NYU Tax Institute, Volume 40, 1982

이중과세 문제를 해결하는 방법은 이론적으로는 간단하다. 두 나라 중 한 나라가 과세권을 포기하면 이중과세가 발생하지 않기 때문이다. 이는 일방적인 조치에 의하여 이중과세가 방지되는 것이다. 이러한 일방적인 조치는 두 가지 방법이 있다. 거주지국에서 원천지국이 과세한 세액을 전액 공제하는 방법(credit method)과 소득이 발생한 원천지국에서 과세된 소득은 거주지국에서는 과세하지 않는 면세방법(exemption method)이다. 그러나 이러한 일방적인 이중과세 방지 조치는 말처럼 쉽지는 않다. 특히 국제거래에 대한 과세권은 국가운영의 재원을 조달하는 조세수입과 직결되어 있으므로 각국 정부의 정치적 의사결정과 연관되어 있는 점이다.[9] 따라서 일방국가의 조치로 이중과세 문제를 해결하는 데는 한계가 있게 된다. 따라서 각 국가는 상호 모두에게 유리한 대안(win-win alternative)을 강구해야 하는데, 그 대안은 바로 조세에 관한 협약을 체결하고 국제거래소득에 대한 과세권의 분할기준을 절충하는 것이다.

② 국제연맹 보고서

(1) 1923년 보고서

국제연맹은 국제상공회의소(ICC)의 건의를 받아들여 이중과세를 방지할 수 있는 방안을 마련하기 위하여 전문가로 구성된 재정위원회(fiscal committee)를 1921년에 조직하였다. 국제연맹 재정위원회는 그 구성과 동시에 당대의 저명한 경제학자 4명[10]에게 이중과세 방지방안에 대하여 이론적이고 과학적인 관점에서 연구해 줄 것을 의뢰하였다. 경제학자들에게 맡긴 과제는 이중과세를 방지할 수 있는 국제조세의 기본원칙을 이론적으로 정립하는 것이었다. 이들 경제학자들은 1923년에 최종보고서(이하 '1923년 보고서'라 한다)를 재정위원회에 제출하였다.[11]

4명의 경제학자들은 국제조세의 기본원리를 다음과 같이 세 가지로 정리하였다.[12] 첫째, 특정소득이 거주지국 또는 원천지국에 귀속되는지 여부는 객관적인 기준으로 결정해야 하

---

9) 조세주권(tax sovereignty) 문제로 논의되는 주제이다. 이에 대하여는 후술한다.

10) 국제연맹의 재정위원회(Financial Committee)가 1921년 초빙한 당대의 저명한 경제학자들은 '미국 Columbia 대학의 Edwin R.A. Seligman 교수, 네덜란드 Rotterdam 대학교 G.W.J. Bruins 교수, 이탈리아 Turin 대학교 Luigi Einaudi, 영국 London 대학교 Sir Josiah Stamp 교수'였다.

11) Report on Double Taxation Submitted to the Financial Committee by Professors Bruins, Einaudi, Seligman, and Sir Josiah Stamp, League of Nations Doc. E.F.S.73 F.19 (1923)

12) Michael J. Graetz and Michael M. O'Hear, op. cit., pp.1021~1109

며, 그 객관적인 기준은 '경제적 연관성(economic allegiance)'이다. 둘째, 거주지국 과세기준이 원천지국 과세기준보다 더 중요한 의미를 가진다. 셋째, 거주지국의 소득세 과세기준은 누진세율 구조가 바람직하다.

이들 학자들은 국제조세의 기본원칙을 설계할 이론적 기초로써 '경제적 연관성(economic allegeiance)'의 개념을 사용하였다. 경제적 연관성은 특정 국가와 소득이나 납세의무자 간의 경제적 관계를 말하는 것으로 보았다. 이러한 경제적 연관성이 존재하는지 여부를 측정하기 위하여 4가지 요소(factor)를 사용하였다. 그것은 '소득의 원천(origin or source), 소득의 상황, 소득에 대한 권리행사 그리고 소득의 처분권을 가진 사람의 거주지 또는 거소'였다. '소득의 원천'은 자본이나 기계 등으로서 소득을 발생시키는 원천을 말하고, 소득의 발생지를 말하는 것은 아니었다.

이들 경제학자들은 4가지 요소 중에서 가장 중요한 것은 '소득의 원천'이 소재하는 장소와 '소득을 소비할 수 있는 사람의 거주지 또는 거소'라고 보았다. '소득의 원천'은 소득이 창출되는 장소가 아니라 '소득이 창출되는 전체 과정'으로 정의하고 있다. 소득원천이 물리적으로 처음 존재했던 장소, 그 후 새로운 용도에 투자와 이동, 관리, 처분 장소 등 전 과정을 감안하여 판단하고 있다. 다시 말해 소득의 원천에 대한 '경제적 연관성'이라는 객관적인 기준에 따라 과세관할권을 배분하는 것이 이론적으로 타당하다는 주장이다. 이 주장에 따르면 경제적 연관성을 구성하는 4가지 요소가 모두 또는 대부분이 일치하는 경우에는 그 경제적 연관성 구성요소가 일치하는 국가에서 과세권을 배타적으로 행사할 수 있다. 그러나 경제적 연관성을 구성한 요소가 국가별로 분할되어 있는 경우에는 경제적 연관성의 상대적 강도에 따라 과세관할권을 분할해야 한다.

이들 경제학자들은 이러한 이론적 가정에 따라 소득의 과세장소는 소득의 유형에 따라 달라진다고 보았다. 사업소득은 별도로 분리하지 않고 전통적인 산업유형에 따라 '광산, 유정, 산업시설, 공장, 상업시설 등'과 같이 분류하였다. 이러한 사업활동과 관련하여 소득의 발생장소는 사업활동의 경제적 연관성이 '더 많은(preponderant weight)' 곳이고 이런 활동의 비율(share)에 따라서 원천지국이 결정되어야 한다고 주장했다. 다시 말해 사업소득에 대한 과세관할권의 배분기준의 판단에서 가장 중시한 것은 그 사업소득과 그것의 창출과 연관된 물리적인 장소 간의 경제적 연관성이었다.

4명의 경제학자들은 이러한 이론적 전제하에 국제거래소득에 대한 과세권 분할기준을 이론적으로 설정하기 위하여 '수익자부담이론(benefit theory of taxation)'을 구성하였다.[13]

---

13) Klaus Vogel, Double Tax Treaties and Their Interpretation, Berkeley Journal of International Law Volume 4, Issue 1, 1986, p.10

'수익자 부담이론'에 따르면 사업소득(active business income)은 원천지국에서 과세하고 투자소득(passive investment income)은 거주지국에서 과세하는 것을 내용으로 하고 있다.[14] 해당 납세자의 전 세계 소득을 가장 잘 파악할 수 있는 국가는 거주지국이라고 본 이유도 있었다. 현실적인 측면에서도 자본수입국은 투자자가 국제거래에서 얻는 소득을 정확하게 파악하는데는 한계가 있는 것으로 보았다. 따라서 국제거래소득에 대한 과세기준은 원천지국 과세기준이 아니라 '거주지국 과세기준'이 바람직하다고 보았다. 4명의 경제학자들이 구성한 이러한 국제조세의 기본원리에 대하여 논란은 현재까지도 특별히 없다.[15]

그리고 1923년 보고서에서 제시된 '세 가지의 국제조세 기본원리'는 거주지국 과세기준으로 편향되었다는 지적에도 불구하고 국제거래소득에 대한 과세기준으로서 조세조약의 발전에 '지적 기반(intellectual base)'을 제공하는 역할을 하고 있는 것으로 평가되고 있다.[16] 특히 '소득의 분류와 원천지 결정방법'에 대한 이론적 근거는 OECD 및 UN 표준조세조약의 기본틀(framework)이 되어 있다.

(2) 1925년 기술위원회 보고서

1923년 보고서는 이중과세 문제를 순수하게 경제 이론적인 관점에서 분석한 내용을 담고 있었다. 이 보고서 내용을 국제거래관계에서 발생한 이중과세 문제에 적용하려면 법률적인 측면에서 실행가능성을 검토할 필요가 있었다. 따라서 국제연맹 재정위원회는 경제학자 4명이 국제거래소득의 과세기준을 경제적 원칙에 따라 분석한 1923년 보고서 내용을 검토하기 위하여 '실무전문가 기술위원회(Committee of Technical Experts, 이하 '기술위원회'라 한다)'를 구성하였다. 기술위원회는 조세조약의 집행이나 체결협상과 관련한 실무경험이 있는 각국 정부의 전문가로 구성되었다.

기술위원회는 경제학자들이 제출한 1923년 보고서를 검토한 결과를 작성하여 보고서(Double Taxation and Tax Evasion-Report and Resolutions, 이하 '1925년 보고서'라 한다)[17] 형태로 1925년 재정위원회에 제출하였다. 1925년 보고서의 가장 큰 특징은 경제학자

14) Reuven S. Avi-Yonah, International Taxation of Electronic Commerce, Tax Law Rerview Volume 52, 1997, p.520

15) Klaus Vogel, Double Tax Treaties and Their Interpretation, Berkeley Journal of International Law Volume 4, Issue 1, 1986, p.10; Bret Wells & Cym H. Lowell, Income Tax Treaty Policy in the 21st Century: Residence vs. Source, Columbia Journal of Tax Law Volume 5, 2014, pp.25~27

16) Hugh J. Ault, 'Corporate Integration, Tax Treaties, and the Division of International Tax Base: Principles and Practices.' Tax Law Review Volume 47, 1992, p.567

17) Double Taxation and Tax Evasion-Report and Resolutions;Doc.F.212; February 7, 1925

들이 작성한 1923년 보고서의 '거주지국에 편향된 과세권 분할기준'을 '거주지국과 원천지국의 균형된 과세권 분할기준'으로 변경한 것이었다.

기술위원회는 4명의 경제학자들이 1923년 보고서에서 다루지 않았던 탈세문제를 이론적 관점에서 처음으로 분석하였다. 탈세에 대한 이론적 개념은 '조세법상의 납세의무를 회피할 목적으로 자본을 해외로 이전하는 것'으로 정의하였다.[18] 이러한 탈세는 고의적이 아닌 상황에서도 '부주의나 망각(forgetfulness), 또는 불성실신고(negligence vis-a-vis compliance)' 등으로 인해 일어날 수 있는 점을 언급하고 있다.[19] 이러한 탈세문제에 대처하기 위한 수단으로 국가 간의 조세정보교환은 오래 전부터 사용해 오고 있었다. 1925년 기술위원회보고서에서 언급하고 있는 사례는 1843년 체결된 벨기에와 프랑스가 체결한 조약이다. 그 조약에서 일방체약국에 타방체약국의 거주자가 '비이동성 자산(immovable property)'을 소유하고 있는 경우에 그에 대한 정보를 교환하는 것을 내용으로 하고 있다.[20] 이와 유사한 조약은 벨기에와 네덜란드가 1845년에 체결한 조약이다. 1907년 프랑스와 영국이 체결한 조약에서 상속세의 탈세방지를 위한 정보교환을 규정하고 있다.[21] 기술위원회 그룹이 1925년 보고서에서 내린 결론은 탈세문제에 대한 효과적인 대응수단은 과세당국이 상호주의 원칙하에서 다른 국가에게 정보를 제공하여 비이동성자산, 저당권(mortgage), 사업소득, 증권 등의 분야에서 그것을 취득하거나 소유한 개인이나 법인의 자본이나 소득금액을 확인할 수 있도록 하는 것이라고 보았다.[22]

(3) 1927년 기술위원회 보고서

국제연맹 재정위원회(financial committee)는 1925년 보고서를 바탕으로 이중과세와 탈세방지를 위한 표준조세조약 초안을 만들 것을 기술위원회에 요청하였다. 그 요청에 따라 작성된 보고서는 1927년 4월 재정위원회에 제출되었다(이하 '1927년 보고서'라 한다).[23]

기술위원회는 보다 심도 있는 검토 보고서를 작성하기 위하여 위원수를 종전의 7개국에서 13개국으로 확대하고 그 국가의 조세정책을 담당하는 19명의 고위급 전문가들이 참여하여

---

18) 1925년 보고서 p.22
19) 1925년 보고서 p.22
20) 1925년 보고서 p.23
21) 1925년 보고서 p.23
22) 1925년 보고서 p.34
23) Double Taxation and Tax Evasion-Report presented by the Committee of Technical Experts on Double Taxation and Tax Evasion. Geneva, April 1927

심의하였다.[24] 또한 국제상공회의소(ICC)의 대표도 자문위원(advisory) 자격으로 참석하여 주로 이중과세 문제에 대하여 의견을 진술하였다.[25] 기술위원회는 세 차례의 회의[26]를 거쳐 표준조세조약 초안을 기초하였다. 표준조세조약을 작성하는 목적으로 삼은 것은 개별조세조약과 표준조세조약을 기준으로 체결함으로써 국제거래소득에 과세기준이 국가별로 다르지 않고 통일되게 하는 것이었다.[27]

기술위원회는 1925년 보고서에서 '거주지국과세와 원천지국과세'의 조정과 관련하여 몇 가지 미해결 상태로 두었던 부분을 명확하게 보완하는 작업을 하였다. 가장 중요한 것은 투자소득이나 이자소득 등에 대한 원천지국의 원천징수권을 보장하고 거주지국은 그 원천징수세액에 대한 외국납부세액공제(foreign tax credit)를 하여 이중과세를 방지하는 기준을 도입하였다.[28] 또한 외국기업이 독립대리인(independent agent)을 통하여 원천지국에서 사업하는 경우에는 고정사업장(permanent establishment)을 구성하지 않지만[29] 지점(branch)이나 자회사(affiliate company), 종속대리인(dependent agent)을 통하여 사업을 하는 경우에는 고정사업장에 해당한다[30]는 고정사업장의 구성기준을 설정하였다.

기술위원회는 이중과세회피(prevention of double taxation)와 탈세문제(question of tax evasion)과 관련한 표준조세조약 초안을 작성하였다. 기술위원회가 작성한 표준조세조약 초안은 4개로 구성되어 있다. 이중과세회피와 관련하여 2개의 초안, 탈세문제와 관련하여 2개의 초안으로 각각 작성되어 있다.[31] 이중과세회피와 관련한 표준조세조약 초안의 명칭은 'Draft Bilateral Convention for the Prevention of Double Taxation(이중과세회피를 위한 양자 간 협약 조안, 이하 '조약안 1'이라 한다)'[32]과 'Draft Bilateral Convention for the Prevention of Double Taxation in the special matter of Succession Duties(상속세 이중과세회피를 위한

---

24) 1927년 보고서 p.6. 위원회에 참여한 국가는 '아르헨티나, 벨기에, 체코슬로바키아, 프랑스, 독일, 영국, 이탈리아, 일본, 네덜란드, 폴란드, 스위스, 미국, 베네수엘라' 등 13개국이었다.

25) 1927년 보고서 p.7. ICC가 주장한 내용에 대하여는 다음 자료를 참조. Bret Wells & Cym H. Lowell, 'Income Tax Treaty Policy in the 21st Century: Residence vs. Source', Columbia Journal of Tax Law, Volume 5 Issue 1, 2014. pp.13~30

26) 1927년 보고서 p.7. 회의개최일자는 1926년 5월 17일~22일, 1927년 1월 5일~12일, 4월 5일~12일이었다.

27) Michael Kobetsky, 'International Taxation of Permanent Establishments: Principles and Policy', 2011. DOI: https://doi.org/10.1017/CBO9780511977855

28) 1927년 보고서 p.11; Memorandum from Mitchell B. Carroll to T.S. Adams, p.19 (Sept. 26, 1927) (unpublished manuscript available in T.S. Adams Papers, Yale University, Box 13, Sept. 1926~1927 folder.) p.19

29) Memorandum from Mitchell B. Carroll to T.S. Adams, p.6

30) Memorandum from Mitchell B. Carroll to T.S. Adams, p.6

31) 1927년 보고서 p.8

32) 1927년 보고서 p.10

양자 간 조약 초안, 이하 '조약안 2'라 한다)'[33]로 되어 있다. 탈세문제와 관련한 두 개 표준조세조약 초안의 명칭은 'Draft Bilateral Convention on Administrative Assistance in Matters of Taxation(과세문제관련 행정공조에 관한 양자 간 조약 초안, 이하 '조약안 3'이라 한다')[34]과 'Draft Bilateral Convention on Judicial Assistance in the Collection of Taxes(조세조세관련 사법공조에 관한 양자 간 조약 초안, 이하 '조약안 4'라 한다)'[35]로 되어 있다.

각 초안은 '조약 본문(text)과 주석(commentary)'으로 구성되어 있다. '조약안 1'은 '비이동성 자산, 투자소득, 개인소득, 기타조항' 등 본문 14개 조문과 각 조문별 주석으로 구성되어 있다. '조약안 2'는 '상속세'와 관련하여 본문 6개 조문과 각 조문별 주석으로 구성되어 있다. '조약안 3'은 양 체약국이 조세징수를 원활하게 할 수 있도록 '과세정보 교환과 행정협조' 등 본문 8개 조문과 각 조문별 주석으로 구성되어 있다. '조약안 4'는 '탈세문제 해결' 등 본문 12개 조문과 각 조문별 주석으로 구성되어 있다.

여기서 주목할 부분은 국제연맹 초기에 표준조세조약 초안을 입안할 당시부터 이중과세의 회피뿐만 아니라 탈세와 이중비과세 문제의 해결을 위하여 별도의 표준조세조약 초안을 만들면서 깊은 관심을 가지고 있었다는 점이다.[36] 그럼에도 불구하고 1990년대에 이르기까지 각 국가는 관심을 별로 기울이지 않았다. 그렇게 된 가장 큰 이유는 다국적기업의 경쟁력을 높이기 위해 당시 각국가에서 조세감면을 통한 조세경쟁 속에서 이중비과세의 문제에 대하여 눈감아온 점이었다.[37] 이러한 현상은 지금도 크게 다르지 않다.

탈세문제는 국제연맹시대 이후 다양한 방법으로 설명되어 왔다. 때로는 도덕적 문제로,[38]

---

33) 1927년 보고서 p.19

34) 1927년 보고서 p.22

35) 1927년 보고서 p.26

36) 1927년 보고서 p.23. 'B. Commentrary; From the very outset, [the drafters of the model convention] realized the necessity of dealing with the questions of tax evasion and double taxation in co-ordination with each other. It is highly desirable that States should come to an agreement with a view to ensuring that a taxpayer shall not be taxed on the same income by a number of different countries, and it seems equally desirable that such international cooperation should prevent certain incomes from escaping taxation altogether. The most elementary and undisputed principles of fiscal justice, therefore, required that the experts should devise a scheme whereby all incomes would be taxed once and only once(처음부터 표준조세조약 초안 작성자들은 탈세문제와 이중과세 문제는 함께 다루어야 한다고 생각하였다. 가장 바람직한 것은 모든 국가들이 합의하여 동일한 소득에 대하여 동일한 납세자가 여러 국가들로 과세되지 않도록 하는 것이다. 그리고 똑같이 중요한 것은 국제협력을 통하여 탈세를 방지하는 것이다. 가장 기본적이고 논란의 여지가 없는 조세정의의 원칙이 요구하는 것은 모든 소득은 한 번만 오직 한 번만 과세되도록 하는 제도를 만들어 내는 것이다).'

37) Hugh J. Ault, Some Reflections on the OECD and the Sources of International Tax Principles, Tax Notes International June 17, 2013, p.1195

38) 1925 Report, p.28

때로는 악 등으로 표현되었다. 그러나 국제연맹 기술위원회는 탈세가 발생하는 주된 원인은 '지나치게 과중한 조세부담(excess taxation)'에 있다고 보았다.[39]

제3절 **국제연맹 표준조세조약**

국제연맹은 1927년 보고서에서 제시한 표준조세조약 초안을 검토하여 이를 바탕으로 1928년 표준조세조약 초안을 공표하였다. 그 후 재정위원회가 개최된 장소에 따라 수정된 표준조세조약 초안이 있다. 1943년 멕시코 회의에서 수정된 표준조세조약 초안(이하 '1943 멕시코 초안'이라 한다)과 1946년 런던에서 수정된 표준조세조약 초안(이하 '1946 런던 초안'이라 한다)이 있다.

 1928년 표준조세조약 초안

기술위원회는 1928년 10월 회의에서 국제연맹총회에 제출할 최종보고서(이하 '1928년 보고서'라 한다) 내용을 확정하고 이를 공표했다. 기술위원회는 경제학자들이 작성한 1923년 보고서를 분석한 1925년 보고서에 바탕을 두고 1925년부터 1927년까지 마련한 4개의 표준조세조약 초안을 담은 보고서를 1928년 10월 국제연맹 총회에 제출하여 28개국 회원국 대표자들이 참석한 국제연맹 총회(general meeting)에서 '국제연맹 표준조세조약 초안'으로 의결되었다.[40]

1928년 국제연맹의 표준조세조약 초안은 1923년 보고서와 다른 선례를 반영하고 있다.[41] 1928년 국제연맹 표준조세조약 초안에서 주목할 내용은 원천지국에서 발생한 소득 중 원천지국의 완전한 과세권을 인정하는 소득과 원천지국의 과세권을 일부 제한하는 소득으로 분류하고 그 외의 소득에 대하여는 거주지국의 배타적 과세권을 인정하는 기본원칙을 설정한 점이다.

---

39) 1927 Report, p.9

40) Report Presented by the General Meeting of Government Experts on Double Taxation and TaxEvasion, League of Nations Doc. C.562M.178 1928 II (1928); Graetz & O'Hear, Michael J. Graetz & Michael M. O'Hear, The 'Original Intent' of US International Taxation, Duke Law Journal Volume 46, 1997, pp.1023~1024

41) Michael J. Graetz & Michael M. O'Hear, ibid. p.1078, 국제연맹보고서 과정에 영향을 준 선례로써 미국의 국제조세제도와 국제상공회의소 대표가 기술위원회에 참석하여 '중상주의' 입장을 강조한 점 등을 들고 있다.

사업소득이 아닌 이자 등 수동적 소득(passive income)이나 유가증권 소득(portfolio income) 등에 대한 과세권은 거주지국에 부여하였다. 원천지국이 배타적으로 과세할 수 있는 소득은 고정사업장(PE)에 귀속되는 사업소득으로 한정하고, 수동적 소득에 대하여는 과세할 수 있는 세율의 한도를 조세조약으로 정함으로써 거주지국이 과세할 수 있는 잔여소득을 남겨 두도록 하였다.[42] 이는 중상주의(merchantilism) 입장을 반영하여 자본과 기술을 가진 국가는 소득창출에 대한 기여도가 높은 반면에 사업활동이 이루어지는 원천지 국가는 사업활동에 기여도가 낮은 것으로 보아 국제거래에 발생한 소득을 더 많이 몰아주는 과세기준을 설정한 것이다.[43]

이를 종합하면 국제연맹의 1928년 표준조세조약 초안에서 확립된 국제거래에 대한 주요 과세기준은 다음과 같이 5가지로 요약된다.[44]

1. 원천지국은 현지에서 직업 운영되는 사업소득에 대하여 과세권을 행사한다.

2. 다른 소득은 지식, 기술, 자본을 제공하는 거주지국에서 과세권을 행사한다.

3. 임시로 설립된 지주회사는 고정사업장에 해당하지 않는다.

4. 자회사는 고정사업장에 해당하지 않는다.[45]

5. 이전가격은 독립회계기준으로 산정한다.

국제연맹의 1928년 표준조세조약 초안은 그 후 OECD 표준조세조약, UN 표준조세조약, 그리고 미국의 표준조세조약의 근간이 되었다. 나아가 현재 대부분의 국가들이 체결한 양자간 조세조약은 바로 국제연맹의 1928년 표준조약 초안에서 설계된 기본구조를 바탕으로 하고 있다.[46] 미국의 경우 거주지국 과세기준을 특히 더 중요시하고 있다.[47] 이와 같이 국제과세구조는 원천지국과세는 부차적인 것이 되고, 거주지국과세가 대세를 이루는 것으로 굳어

---

42) Bret Wells & Cym H. Lowell, Income Tax Treaty Policy in the 21st Century: Residence v. Source, Columbia Journal of Tax Law. Vol. 5 Issue 1, 2014, p.6

43) Bret Wells & Cym H. Lowell, ibid. p.10

44) Bret Wells & Cym H. Lowell, ibid. pp.26~27

45) Fiscal Committee Report to the Council on the Work of the Second Session of the Committee, League of Nations Doc. C.340M.140.1930.II.A (1930), p.9

46) Reuven S. Avi-Yonah, The Structure of International Taxation: A Proposal for Simplification, 74 Texas Law Review 1996, pp.1301~1303; Sergio Rocha, International Fiscal Imperialism and the 'Principle' of the Permanent Establishment, 64 Bulletin International Taxation, 2014, pp.83~84

47) 미국의 경우에도 당초에는 원천지국 과세제도를 우선하였으나 조세조약제도가 도입되면서 거주지국 과세제도를 우선하는 것으로 전환되었다. Michael J. Graetz & Michael M. O'Hear, The 'Original Intent' of U.S. International Taxation, Duke Law Journal Vol. 51, 1997, p.1027

지게 되었다.[48] UN 표준조세조약은 상대적으로 원천지국가에 더 많은 과세권을 부여하고 있지만 대부분의 양자 간 조세조약은 OECD 표준조세조약을 기본으로 삼아 체결되었거나 체결되고 있으므로 UN 표준조세조약이 원천지국에 주는 긍정적인 영향에는 한계가 있다.

② 1935년 개정 표준조세조약 초안

국제연맹 이사회(Council of the League of Nations)는 표준조세조약안을 더 보완하기 위하여 1928년 재정위원회에 소위원회 성격의 상설조세위원회(standing committee on taxation)를 발족시켰다. 1929년 10월 26일 재정위원회 보고서에서 국제연맹 표준조세조약 초안을 기준을 체결된 헝가리-폴란드 조세조약에서 원천지국 과세기준을 우선 적용한 사례를 언급하였다.[49] 이와 관련하여 보고서는 사업소득에 대한 과세방법에 대한 추가적인 연구를 하기로 했다.[50]

재정위원회는 1930년 5월에 독립대리인을 PE 개념에서 제외하는 방안을 채택하였다.[51] 그리고 특허권이나 저작권 기타 무형자산에 대한 사용료(royalty)는 그 수익자가 원천지국에 고정사업장을 두고 있지 않으면 수익자의 거주지국에서만 과세되어야 한다는 것을 명시하였다.[52] 그리고 소위원회에서 고정사업장의 개념을 정의를 구체화하기 위하여 '주식의 전부 또는 일부를 소유하고 있는 외국의 현지법인을 통하여 사업을 하는 경우 고정사업장을 둔 것으로 간주되지 않는다'는 표현을 사용할 것인지를 검토하게 했다.[53] 그 후 1933년 표준조세조약 초안을 개정하여 '자회사는 고정사업장에 해당하지 않는다'는 것을 명시하였다.[54]

아울러 사용료에 대한 원천지국의 원천징수 면제를 규정하였다. 나아가서 다국적기업의 내부거래에 대한 이전가격 결정방법은 '독립회계기준'을 적용하도록 하였다.[55] 다국적기업

---

48) Adam H. Rosenzweig, Thinking Outside the (Tax) Treaty, Wisconsin Law Review, Vol. 2012, 2012, p.740

49) Fiscal Committee Report Presented to the Council on the Work of the First Session of the Committee., League of Nations Doc. C.516M.175.1929.II (1929), p.2

50) ibid. pp.2~3

51) Fiscal Committee Report to the Council on the Work of the Second Session of the Committee, League of Nations Doc. C.340M.140.1930.II.A (1930), p.4

52) Fiscal Committee, Report to the Council on the Work of the Third Session on the Committee., League of Nations Doc. C.415M.171.1931.II.A. (1931)

53) Minutes of the Seventh Meeting of the Committee of Experts on Double Taxation and Fiscal Evasion at 9:30 a.m. on Thursday, May 29th, 1930, F/Fiscal 2nd Session/P.V.7.(1), League of Nations, pp.30~33

54) Fiscal Committee Report to the Council on the Fourth Session of the Committee, League of Nations Doc. C.399.M.204.1933.II.A. (1933), p.6

55) ibid. p.2

의 고정사업장에 귀속되는 소득을 계산하는 기준은 헝가리-폴란드 조세조약에서 적용한 일종의 '공식배분 방법(formulary apportionment)'이 아닌 제3자 간 거래가격기준(arm's length standard)'을 적용하도록 하였다.[56]

'제3자 간 거래가격 기준'은 1933년 Mitchell B. Carroll이 작성하여 국제연맹에 제출한 보고서에 담긴 내용을 그대로 적용한 것이다.[57] Caroll이 제시한 '제3자 간 거래가격 기준'은 당시 미국이 이전가격지침으로 사용 중이었던 기준이었다.[58] 제3자 간 거래가격 기준은 다국적기업의 내부거래의 공정성을 판단하는 기준으로써 오늘날까지 그대로 통용되는 절대기준(golden standard)이 되고 있다.[59] 현재 OECD의 이전가격지침[60]은 다국적기업의 모회사-자회사 간 거래소득은 제3자 간 거래가격을 기준으로 산출하도록 하는 지침을 사용하고 있고, 각 국가도 이 기준을 따르고 있다.[61]

재정위원회는 1935년 6월에 이러한 내용을 담아서 1933년에 제출되었던 표준조세조약 초안 개정안을 승인했다.[62] 1935년 개정 표준조세조약 초안에서 단순한 자회사의 소유는 고정사업장에 해당하지 않고 고정사업장에 귀속되는 소득금액은 '독립회계원칙'을 적용하여 계산하는 것으로 했다.[63] 1935년 개정 표준조세조약 초안의 특징은 국제거래소득에 대한 과세권을 원천지국에서 거주지국으로 넘기는 거주지국 과세를 정당화했다.[64]

1935년에 개정된 국제연맹 표준조세조약 초안은 4명의 경제학자들이 1923년에 제출한 보고서 내용인 거주지국 과세기준으로 다시 돌아가 버렸다. 자회사는 고정사업장에 해당하지 않게 되고 고정사업장 귀속소득의 계산기준을 독립회계원칙으로 변경한 결과 일시적 지주회사가 고정사업장에서 제외되고 사용료는 원천지국에서 면세되었다. 이것은 다국적기업에

---

56) ibid. p.2

57) Mitchell B. Carroll, 'Report on Methods of Allocating Taxable Income', Series of League of Nations Publicatios, II, Economic and Financial Volume 4/Taxation of Foreign andNational Enterpriese. 1933.

58) Thomas Rixen, 'The Political Economy of International Tax Governance'. Palgrave MacMillan, New York, NY. 2008

59) Sol Picciotto, 'Taxing Multinational Enterprises as Unitary Entities.' Tax Notes International Volume 82, 2016, pp.895~916

60) OECD Transfer Pricing Guidelines for Multinational Corporations and Tax Administrators. 2017, OECD, Paris.

61) OECD의 이전가격기준인 '제3자 간 거래가격 기준(arm's lengh rule)'이 국제적으로 적용된 시기는 연혁적으로 보면 1933년 Caroll 보고서에서 제안된 것을 국제연맹이 수용한 1935년부터라고 할 수 있다.

62) Fiscal Committee Report to the Council on the Fifth Session of the Committee, League of Nations Doc. C.252M.124.1935.II.A. (1935), pp.3~7

63) Fiscal Committee Report, 1935, ibid. pp.5~6

64) Fiscal Committee Report, 1935, ibid. pp.3~4

게 여러 가지 조세회피를 위한 세무계획을 통하여 조세를 회피할 수 있는 기회를 제공하여 원천지국과 거주지국의 세원이 잠식되는 계기를 제공하게 되었다.[65] 가장 큰 문제는 국적없는 소득(homeless income)이 발생하여 이중비과세가 발생한 점이다. 이는 1928년 표준조세조약 초안에서 밝힌 표준조세조약의 제정목적은 이중과세 방지였는데 그와 달리 이중비과세라는 부작용이 발생하게 되는 계기를 제공한 것이다.

③ 1943년과 1946년 국제연맹 표준조세조약 초안 개정

국제연맹 재정위원회는 1940년 헤이그(Hague) 회의에서 1935년 표준조세조약을 개정하기로 결정하고 1943년 멕시코 회의결과에 따른 개정 표준조세조약인 'Mexico Model'과 1946년 런던 회의결과에 따른 개정 표준조세약인 'London Model'을 각각 채택하였다. 2차 세계대전 상황에서 회의 참석자들의 이동에 제약이 있었기 때문에 멕시코 회의와 런던회의의 참석국가는 상당히 달랐다. 멕시코 회의에는 자본수입국인 남미국가들이 주로 참석하여 '원천지국 과세기준'을 중심으로 논의하고, 런던 회의에는 반대로 자본수출국이 주로 참석하여 '거주지국 과세기준'을 중심으로 논의하여 국제연맹 표준조세조약을 각각 개정하였다. 그 결과, 멕시코 모델은 원천지국 과세기준을 강조하고 런던 모델은 거주지국 과세기준을 강조하는 등 상당한 차이가 있게 되었다.[66]

1943년 멕시코회의에서 채택된 새로운 표준조세조약 초안은 선진국에 유리한 방향으로 변형된 1935년 표준조세조약 초안을 개정하여 전형적으로 원천지국에 유리한 과세기준을 담고 있었다.[67] 즉, 원천지국에게 더 많은 과세권을 부여하는 방향으로 개정한 것이다.

이러한 멕시코 표준조세조약 초안은 선진국들의 반대에 부딪칠 수밖에 없었고 그에 따라 1946년 런던회의에서 멕시코 표준조세조약 초안과 달리 다시 선진국에 유리한 방향으로 표준조세조약 초안을 개정하였다.[68] 앞에서 언급한대로 전쟁이라는 특수한 환경 속에서 재정위원회 위원들의 이동에 상당한 제약이 있었기 때문에 런던 회의에서는 주로 유럽국가들이

---

66) Ash Elliott & Omri Marian, 'The Making of International Tax Law : Empirical Evidence from Natural Language Processing', University of California, Irvine, Legal Studies Research Paper Series No. 2019-02, 2019, p.11
https://ssrn.com/abstract=3314310

67) Mitchell B. Carroll, 'International Tax Law : Benefits for American Investors and Enterprises Abroad : Part I', International Tax Law Volume 2, 1968. p.708

68) Fiscal Committee, London and Mexico Model Tax Conventions for the Prevention of Double Taxation of Income and Property, League of Nations Doc. C.88.M.1946.II.A (1946)

참석한 가운데 멕시코 표준조세조약 초안의 개정이 별 반대없이 이루어질 수 있었다.

런던 표준조세조약 초안은 유럽국가들이 중심이 되어 개발도상국, 특히 남미 국가에 대한 투자를 장려할 목적으로 멕시코 표준조세조약 초안을 개정하였다. 주요 개정내용은 (1) 이자, 배당, 연금, 사용료 등에 대한 과세권은 거주지국에게 인정하고[69] (2) 비거주법인의 사업소득은 PE가 있는 경우에만 원천지국의 과세권을 인정하는 것이었다.[70]

멕시코 모델과 런던 모델에 포함된 원칙들은 대부분 현재의 OECD 및 UN 표준조세조약에 담겨 있다. 따라서 UN 표준조세조약은 멕시코 초안이고 OECD 표준조세조약은 런던 초안을 기초로 삼은 것으로 볼 수 있다.[71]

제4절　OECD와 UN의 표준조세조약

 ### 제2차 세계대전 후 표준조세조약 작업재개

국제연맹시대에 시작된 표준조세조약 제정 작업은 2차대전 종료 후 상당기간 동안 사실상 중단상태로 놓여 있었다. 2차대전의 주요 전장터였던 유럽의 경제를 마셜 플랜(공식 명칭은 European Recovery Plan)[72]을 통하여 복구하는 사업이 가장 시급하였기 때문에 표준조세조약에 관한 업무는 우선순위에서 밀려날 수밖에 없었다. 가장 먼저 움직인 쪽은 유럽국가들이었다. 전쟁으로 망가진 유럽의 경제를 복구하는 과정에서 필연적으로 수반되는 국가 간의 경제교류활동을 가로막는 장벽을 제거하는 작업이 필요했기 때문이다.[73]

유럽의 경제복구작업은 16개국[74]이 1947년 7월 12일 설립한 '유럽경제협력위원회(Committee of European Economic Cooperation, 이하 'CEEC'라 한다)'를 통하여 미국의 마셜 플랜에 참

---

69) ibid. pp.63~67

70) Fiscal Committee, London and Mexico Model Tax Conventions for the Prevention of Double Taxation of Income and Property, League of Nations Doc. C.88.M.1946.II.A (1946). p.61

71) Michael Lennard, 'The Purpose and Current Status of the United Nations Tax Work.; Asia-Pacific Tax Bulletin, 2008, pp.23~20

72) 당시 미국 국무장관이었던 George C. Marshall이 1947년 6월 5일 하버드대학교에서 유럽복구계획(European Recovery Plan)을 발표하면서 시작되었으므로 '마셜 플랜'이라는 이름으로 널리 불리고 있다.

73) OECD 표준조세조약, 2017, 서문 paragraph 5

74) CEEC 창설 16개국은 '오스트리아, 벨기에, 덴마크, 프랑스, 그리스, 아이슬란드, 아일랜드, 이탈리아, 룩셈부르크, 네덜란드, 노르웨이, 포르투갈, 스웨덴, 스위스, 터키, 영국' 등이었다.

여하면서 시작되었다.[75] 미국은 자금을 제공하면서 복잡한 마셜 플랜과 복구자금을 효율적으로 관리하기 위하여 '경제협력청(Economic Cooperation Administration)'을 설치하고 마셜 계획에 참여한 유럽국가들은 기존의 CEEC를 해체하고 새로운 기구인 '유럽경제협력기구(Organisation for European Economic Cooperation, 이하 'OEEC'라 한다)'를 설립하였다.[76]

마셜 플랜의 시작과 함께 국가 간의 경제교류가 OEEC 회원국을 중심으로 활발하게 이루어지면서 이중과세 문제가 다시 심각한 문제로 대두되었다. 국제상공회의소(ICC)의 압력과 여러 회원국들의 요구에 따라 OEEC는 1955년 2월 25일 '이중과세 방지에 관한 권고안(Recommendation concerning double taxation, 이하 '1955년 권고안'이라 한다)'을 채택하였다.[77]

이 권고안에 따라 OEEC 재정위원회(fiscal committee)는 그동안 중단되었던 이중과세 문제에 대한 논의를 재개하고 국제적인 이중과세 문제에 대한 체계적인 해결기준을 설정하기 위하여 표준조세조약 작성업무가 비로소 공식적으로 재개되었다.

❷ OEEC의 표준조세조약 작업

OEEC 이사회는 이중과세 문제 해결을 위한 표준조세조약 초안의 입안작업을 위하여 1956년 3월 재정위원회(Fiscal Committee)를 구성하고 국제연맹시대부터 시작된 표준조세조약 초안을 작성하는 작업을 다시 시작하여 보고서를 제출하도록 지시하였다.[78] OEEC 이사회가 재정위원회에 부여한 과제는 '이중과세와 그와 유사한 재정관련 문제의 연구(The study of questions relating to double taxation and of other fiscal questions of a similar technical nature)'였다. OEEC가 표준조세조약의 제정을 지시한 이유는 전체 회원국들이 수용할 수 있는 하나의 표준조세조약을 입안하여 그것을 기준으로 개별조세조약을 체결하면 OEEC 회원국 간에 체결된 조세조약에서 제기되는 문제들을 효과적으로 해결할 수 있을 것으로 보았기 때문이다. 재정위원회[79]는 조세분야 작업계획과 함께 조세정책 및 행정관련 주

---

75) CEEC는 유럽경제 복구자금으로 1948년 4월부터 1951년 12월까지 4년간 224억 달러(2021년 기준 2,560억 달러)를 요청하였다. 미국은 133억 달러(2021년 기준 1,520억 달러)를 제공하였다. Curt Tarnoff, The Marshall Plan: Design, Accomplishments and Significance, 2018. https://fas.org/sgp/crs/row/R45079.pdf

76) Curt Tarnoff, ibid. pp.9~10. https://fas.org/sgp/crs/row/R45079.pdf CEEC의 해체와 OEEC의 창설은 미국의 강력한 요청에 따라 이루어진 것으로 알려져 있다.

77) OECD 표준조세조약, 2017, 서문 paragraph 4

78) OECD 표준조세조약, 1963, 서문 paragraph 1; Klaus Vogel, Ekkehart Reimer and Alexander Rust, 'Klaus Vogel on Double Taxation Conventions'. 2014. Wolers Kulwer; Phillip Baker, editor, Double Taxation Conventions, Volume 1, Sweet & Maxwell's Tax Library. 1994. pp.1~2

79) 1971년에 Fiscal Committee에서 현재의 Committee on Fiscal Affairs로 이름을 변경하였다.

제에 토론회(forum)를 개최하는 업무를 담당하였다. 이러한 업무를 원활하게 수행하기 위하여 여러 개의 작업반(working party)을 조직하였다. 그중에서 가장 중요한 작업반은 세 가지를 들 수 있다. 첫째는 조세조약관련업무를 담당하는 제1작업반(Working Party 1)이고 둘째는 다국적기업관련 조세업무를 담당하는 제6작업반(Working Party 6), 그리고 셋째는 탈세 및 조세회피 방지업무를 담당하는 제8작업반(Working Party 8)이다.

1955년 권고안이 나올 당시 OEEC 회원국 간에 체결된 양자 간 조세조약의 건수는 70개에 불과했으나 이들 조약들은 각각 국제연맹시대에 만들어진 '1928년 표준조세조약 초안, 1943년 멕시코 조세조약 초안 및 1946년 런던 표준조세조약 초안'을 기준으로 체결되어 있어서 어느 표준조세조약 초안을 기준으로 삼았느냐에 따라 조약의 구조와 내용 그리고 과세기준 등이 많은 차이를 보이고 있었다.[80] 그 결과 OEEC 회원국 중 일부 국가들은 조세조약을 전혀 체결하지 않고 있거나 형식적으로 몇 개 정도만 체결한 상태로 있어서[81] 국가 간의 경제거래에서 그 당시 심각해지고 있던 이중과세 문제를 해결하는데 조세조약의 역할은 제한될 수밖에 없었던 것으로 보인다.

따라서 OEEC 재정위원회의 작업은 1928년, 1943년 및 1946년 표준조세조약 초안을 통합하여 모든 회원국들에게 '과세기준(principles), 용어의 정의(definitions), 과세권 배분의 규칙과 방법(rules and methods), 조약의 해석(interpretation)' 등을 통일화하는데 초점을 두었다.[82] 재정위원회는 1943년 멕시코 표준조세조약 초안과 1946년 런던 표준조세조약 초안을 중심으로 작업을 시작하였다.[83] 1958년에서 1961년 사이 재정위원회는 4개의 중간보고서(interim report)를 작성하였다.[84] 그 보고서의 내용을 바탕으로 1963년 표준조세조약안과 그에 주석을 공표하였다.[85] 1955년 OEEC의 권고안이 채택된 후 재정위원회(fiscal committee)는 1956년부터 본격적으로 표준조세조약 초안 작성작업을 시작하였다.[86]

---

80) OECD 표준조세조약, 2017, 서문 paragraph 4

81) OECD 표준조세조약, 2017, 서문 paragraph 5

82) OECD 표준조세조약, 2017, 서문 paragraph 5

83) 두 모델은 1940년대와 1950년대에 체결된 양자 간 조세조약에 많은 영향을 주었지만 두 조약 모두 여러 국가들의 지지를 많이 받지 못하고 있었다. Klaus Vogel, Ekkehart Reimer and Alexander Rust, 'Klaus Vogel on Double Taxation Conventions'. 2014. Wolers Kulwer.

84) 중간 보고서는 'The Elimination of Double Taxation'이라는 제목으로 OEEC가 공표하였다. 중간보고서에서 표준조세조약 초안의 조문수는 25개였다.: 1963년 표준조세조약 서문 paragraph 1

85) OECD 표준조세조약, 2017, 서문 paragraphs 6

86) OECD 표준조세조약, 2017, 서문 pargraph 6; Klaus Vogel, Ekkehart Reimer and Alexander Rust, 'Klaus Vogel on Double Taxation Conventions'. Wolers Kulwer. 2014

③ OECD의 표준조세조약 작업

(1) 1963년 표준조세조약

마셜 플랜의 성공적인 집행으로 유럽의 경제복구가 이루어진 후 국가 간의 경제협력관계를 유럽을 넘어 전 세계적으로 확대하기 위한 새로운 계획에 따라 미국과 캐나다가 추가로 참여하면서 OEEC는 새로운 국제기구로 거듭나게 되었다. OEEC는 1961년 9월 30일 공식 발족한 '경제협력개발기구(OECD)'로 전환되었다.

OECD 재정위원회는 OEEC 당시 1958년부터 1961년까지 제출된 4개의 중간보고서를 기초로 하여 1963년 최종보고서를 작성하여 OECD 이사회(council)에 제출하였다. 1963년 7월 30일 OECD 이사회의 승인을 거쳐 첫 번째 OECD 표준조세조약 초안(이하 '1963년 표준조세조약'이라 한다)이 공표되었다.[87] 1963년 표준조세조약안은 런던 모델에 따라 자본수출국이 원하는 거주지국 과세제도를 중요시하였다. 이 과정에서 미국은 상당한 영향력을 행사하여 미국의 입장이 1963년 표준조세조약에 거의 대부분 반영되었다.[88] OECD의 1963년 표준조세조약이 공표되자 OECD 회원국을 비롯한 많은 국가들은 이를 기준으로 개별조세조약을 체결하기 시작하였다. OECD는 표준조세조약 초안을 1963년 11월 19일 이사회 권고안으로 확정하였다.

(2) OECD 표준조세조약의 개정

재정위원회는 1963년 표준조세조약 초안 공표 이후 새롭게 나타난 사업조직과 사업의 형태 등을 반영하여 전면개정 작업을 진행하여 1967년 전면개정된 표준조세조약 초안을 완성하였다. 1967년 전면개정된 표준조약의 초안은 보완작업을 거쳐 1977년 새로운 표준조세조약으로 공표되었다.[89] OEEC 시절인 1956년에 창설되었던 재정위원회는 1971년 명칭을 Fiscal Committee에서 Committee on Fiscal Affairs로 변경하고 조제조약관련 업무를 주관하는 제1작업반(Working Party No.1)을 조직하였다.

---

87) Draft Double Taxation Convention on Income and Capital, OECD, Paris, 1963
https://read.oecd-ilibrary.org/taxation/draft-double-taxation-convention-on-income-and-capital
_9789264073241-en#page1; council recommendation C (63) 113; OECD 표준조세조약, 2017, 서문 paragraph 6

88) Klaus Vogel, Ekkehart Reimer and Alexander Rust, 'Klaus Vogel on Double Taxation Conventions', Wolers Kulwer, 2014

89) Model Double Taxation Convention on Income and Capital, OECD, 1997; 2017, OECD 표준조세조약 서문 paragraphs 7~8

OECD 재정위원회는 1991년 표준조세조약의 개정정책을 '전면 개정방식'에서 그때그때 필요에 따라 경제환경의 변화를 탄력적으로 표준조세조약에 수용할 수 있도록 '부분 개정방식'으로 전환하는 '동태적 표준조세조약'의 개념을 도입하였다.[90] 1963년과 1977년의 전면개정과 달리 1991년 이후의 개정은 필요한 부분만 개정하여 그 '개정된 부분만 갈아끼우는 방식(loose-leaf format)'으로 전환한 것을 말한다.[91] 또 하나의 변화는 OECD 표준조세조약의 개정작업에 비회원국과 다른 유관기관의 참여기회를 확대하였다는 점이다. 이는 1977년 개정 표준조세조약의 공표 이후 회원국뿐 아니라 비회원국의 경우에도 OECD 표준조세조약을 기준으로 개별조세조약을 체결하는 사례가 증가하여 국제경제거래소득에 대한 과세기준에 대한 영향력이 크게 확대되기 시작했기 때문이다.[92]

OECD 표준조세조약은 1977년 전면 개정 후 2~3년 주기로 부분 개정이 이어져 오고 있다. 1992년의 '동태적 표준조세조약 개념'에 따른 부분 개정 이후 지금까지 모두 10차례의 개정이 있었다.[93] 이 10차례의 개정 중 2017년의 개정은 'OECD/G20 세원잠식과 소득이전 방지계획(Base Erosion and Profit Shifting Projec, 이하 'BEPS 계획'이라 한다)'을 반영하기 위하여 상당히 큰 폭으로 개정이 이루어졌다. 구체적으로 보면 BEPS 계획을 실행하기 위한 '실행계획(action plan)' 2, 6, 7, 14와 관련한 최종보고서내용을 반영하여 관련조문을 개정하였다.[94] OECD BEPS Project의 실행계획(Action Plan)은 모두 15개로 구성된다. 2017년 표준조세조약 개정작업에서는 회원국들의 의견이 수렴되어 최종보고서가 작성된 4개의 실행계획과 관련된 내용을 반영한 것이다. 15개의 실행계획과 2017년 표준조세조약에 반영된 내용은 아래 표와 같다.

---

90) OECD 표준조세조약, 2017, 서문 paragraph 9
91) OECD 표준조세조약, 2017, 서문 paragraph 11
92) OECD 표준조세조약, 2017, 서문 paragraph 10
93) OECD 표준조세조약, 2017, 서문 paragraph 11.2. 1992년 이후 10번의 개정은 '1994, 1995, 1997, 2000, 2002, 2005, 2008, 2010, 2014, 2017년'에 각각 이루어졌다.
94) OECD (2015), Neutralising the Effects of Hybrid Mismatch Arrangements, Action 2-2015 Final Report, OECD Publishing, Paris, DOI: http://dx.doi.org/10.1787/9789264241138-en; OECD (2015), Preventing the Granting of Treaty Benefits in Inappropriate Circumstances, Action 6-2015 Final Report, OECD Publishing, Paris, DOI: http://dx.doi.org/10.1787/9789264241695-en; OECD (2015), Preventing the Artificial Avoidance of Permanent Establishment Status, Action 7-2015 Final Report, OECD Publishing, Paris, DOI: http://dx.doi.org/10.1787/9789264241220-en; OECD (2015), Making Dispute Resolution Mechanisms More Effective, Action 14-2015 Final Report, OECD Publishing, Paris, DOI: http://dx.doi.org/10.1787/9789264241633-en.

[표 2-1] BEPS Project의 15개 실행계획 내용 요약

번호	Beps Project 주제	관련 주요작업내용
1	Addressing the Tax Challenges of the Digital Economy	• 디지털화로 인한 조세문제 중간 보고서 (2018)
2	Neutralizing the Effects of Hybrid Mismatch Arrangements	• Branch Mismatch Arrangement 대응
3	Desingning Effective CFC Rules	
4	Limiting Base Erosion Involving Interest Deductions and Other Financial Payments	• 이자비용과 다른 금융비용의 부당지급 방지
5	Countering Harmful Tax Practices More Effectively	• 조세특례제도, 조세지원제도의 투명성 제고
6	Preventing the Granting of Treaty Benefits in Inappropriate Circumstances	• 조세편승행위(treaty shopping) 방지에 관한 규정을 OECD 표준조세조약 제29조 및 다자간 조세조약 제29조에 규정
7	Preventing the Artificial Avoidance of Permanent Establishments Status	• 고정사업장 귀속소득에 대한 추가 지침 (2018. 3.)
8 ~ 10	Aligning Transfer Pricing Outcomes with Value Creation	• 2017년 이전가격지침 개정 • 거래이익분할법지침 개정(2018. 6.) • 가치산정이 어려운 무형자산에 대한 이전가격적용방법에 대한 조세행정지침 (2018. 6.) • 금융거래 토론 초안(2018. 7.)
11	Measuring and Monitoring BEPS	
12	Mandatory Disclosure Rules	
13	Transfer Pricing Documentation & Country-by-Country Reporting	• 국가별 보고 (CbCR: country by country Reporting)
14	Making Dispute Resolution Mechanisms More Effective	• MAP의 국가 간 과세분쟁 해결의 효과성
15	Developing a Multilateral Instrument to Modify Bilateral Tax Treaties	

[표 2-2] 2017년 표준조세조약 개정 등에 반영된 내용

주 제	다자간 조약	OECD Model	UN Model
대응조정 (Corresponding Adjustments)	제17조	제9조 제2항	제9조 제2항
최소보유기간 (Minimum Holding Period)	제8조	제10조 제2항	제10조 제2항
기술용역 수수료 (Fees for technical services)	-	-	제12A조
부동산회사 (Real Estate Companies)	제9조	제13조 제4항	제13조 제4항
거주지국 과세불공제 (No relief for residence taxation)	-	제23A조 및 제23B조	제23A조 및 제23B조
이중비과세 (Double-Non Taxation)	제5조	제23A조 제4항	제23A조 제4항
상호합의절차(MAPs)	제16조	제25조	-
조세조약남용 (Treaty Abuse, PPT, LOB)	제7조	제29조 제1~7항, 제9항	제29조 제1~7항, 제9항
제3국 고정사업장 (Third-Country PEs)	제10조	제29조 제8항	제29조 제8항
과세분쟁해결(Dispute Resolution)	제18~26조	-	-

④ UN의 표준조세조약 작업

국제연맹은 해체되고 1946년 4월 20일 국제연합(United Nations)이 탄생하였다. UN의 경제사회이사회(Economic and Social Council)는 1946년 10월 1일 결의(resolution 2(Ⅲ))에 따라 재정위원회(Fiscal Committee)와 국제조세관계위원회(Committee on International Tax Relations)를 구성하여 국제조세분야의 업무를 관장하다가 1954년 OEEC로 업무를 이관하고 활동 중단하였다.

국제연합(United Nations)은 1970년대까지는 새로운 표준조세조약 작성이나 기존의 멕시코 및 런던 표준조세조약 초안과 관련한 사항에 대하여 별로 관심을 두지 않았다. UN은 경제사회이사회가 위촉한 전문가들로 1967년에 '전문가 위원회(Committee of Experts)'를 구성하여 조세문제에 대한 국제협력업무를 담당하게 하고 1980년 첫 번째 UN 표준조세조약을 공표하였다. 이것은 전문가 위원회가 1967년부터 10년 이상 노력하여 이루어낸 결과물이었

다. UN 표준조세조약이 강조한 것은 개발도상국의 관점에서 원천지국 과세기준이었다.[95] UN 표준조세조약은 정기적으로 개정되지 않고 있다.[96]

UN 표준조세조약은 그 구조와 과세방법과 내용 등은 OECD 표준조세조약을 기초하고 있어서 유사하지만 UN 표준조세조약의 가장 두드러진 특징은 소득이 발생한 원천지국에 더 많은 과세권을 허용하는 점이다.[97] 따라서 UN 표준조세조약은 개발도상국이 선진국과 체결되는 조세조약에서 기준으로 삼으려고 한다.

⑤ OECD 표준조세조약과 UN 표준조세조약의 비교

OECD 표준조세조약과 UN 표준조세조약의 뿌리는 같다. 국제연맹의 1928 표준조세조약 초안을 기준을 삼고 있기 때문이다. 2차대전 종전 후 중단되었던 표준조세조약 제정업무를 UN은 1970년대에 이르기까지 손을 놓고 있었지만 OECD의 전신인 OEEC는 1956년부터 시작하였다. 그 결과 OECD 표준조세조약은 1963년에 처음 제정되어 1977년 전면 개정되어 오늘날의 구조로 발전되어 온 반면, UN 표준조세조약은 1980년에 처음으로 제정되었다. 따라서 빨리 표준조세조약 제정업무를 UN 표준조세조약은 OECD 표준조세조약을 기준으로 삼고 있다. UN의 1980년 표준조세조약은 OECD의 1977년 표준조세조약을 기준으로 삼아 제정되었다.

UN 표준조세조약이 OECD 표준조세조약을 기준으로 삼고 있으므로 양 표준조세조약 간에는 차이는 크지 않고 기본원칙과 구조는 거의 동일하다. 그 형식, 문장구조, 개념 등이 거의 같은 이유는 국제상거래에서 조세조약의 역할이 매우 중요한 것임을 보여준다. 조세조약은 '세계 공통용어(univeral language)'를 만들어 국가 간의 조세제도의 차이를 극복하고 상호작용을 통하여 조세문제를 해결하도록 하기 때문이다. 동일한 국제상거래에서 발생하는 소득에 대하여 선진국과 개발도상국 간의 배분기준을 정하는 방법에는 차이가 있지만 기본적으로 사용되는 기술적 용어나 과세소득 산출방법 등은 동일해야 조세조약의 적용과정에서 발생할 수 있는 혼란을 최소화할 수 있기 때문이다.

OECD 표준조세조약과 UN 표준조세조약 간에는 약간의 차이가 그 차이는 주로 양 표준

---

95) UN Model Double Taxation Convention, 2017, Introduction paragraph 12
96) UN 표준조세조약은 1980년에 제정한 후 지금까지 3번(2001, 2011, 2017) 개정되었다.
97) 2017 UN 표준조세조약 서문 paragraph 3; UN 표준조세조약의 제목이 '선진국과 개발도상국 간의 이중과세 방지협약(United Nations Model Double Taxation Convention Between Developed and Developing Countries.)'으로 되어 있다.

조세조약이 추구하는 정책방향에서 비롯된다. OECD 표준조세조약은 OECD 회원국이 조세조약을 체결할 때 사용하는 기준이므로 국가 간의 무역과 자본의 흐름은 대체적으로 균형을 이루고 있다는 가정을 전제로 하고 있다. 따라서 이중과세 문제의 해결은 소득이 창출되는 원천지국의 과세권을 제한하여 해결하는 정책을 채택하고 있다. 이와 반대로 UN 표준조세조약은 개발도상국이 불가피하게 조세감면을 통하여 외국자본을 유치해야 하는 특수 상황을 감안하여 그 감면세액에 대하여도 거주지국에서 이중과세 방지대상세액에 포함시키는 정책(간주세액공제제도, 즉 tax sparing)을 강조한다. 또한 원천지국의 과세권을 확장하기 위하여 고정사업장의 요건을 완화하는 정책을 선호한다.[98] UN 표준조세조약은 원천지국의 원천징수세율은 양자 간 협상을 통하여 결정하도록 하고 있다. 협상의 결과는 원천징수세율이 OECD 표준조세조약의 경우보다 더 높아진다.

제5절 또 다른 표준조세조약

 1 개발도상국 중심의 지역공동체 표준조세조약

거주지국 과세기준을 강조하는 OECD 표준조세조약의 중요성이 높아지면서 개발도상국들은 불리하다는 인식으로 원천지국 과세기준에 중점을 둔 표준조세조약의 만드는 작업이 시도되었다. 조세조약에 개발도상국의 이익을 반영하기 위해 남미국가 중심의 안데스 공동체(Andean – Group)[99]는 OECD 표준조세조약과 반대되는 Andean Model을 1971년에 채택한바 있다.[100] 안데스 공동체의 표준조세조약은 개발도상국의 이익을 반영하기 위하여 OECD 표준조세조약과 달리 남미국가들이 관심을 가진 '원천지국 과세기준'에 중점을 두고 있다.[101] 이 모델은 별로 영향을 주지 못한 것으로 평가되고 있다.[102] 개발도상국의 이익을 보호하기 위해 UN이 개발한 표준조세조약이 있기 때문이다.

98) G.S. Turner, Permanent Establishments and Interprovincial Income Allocation: Reflections on the Advisory Report on Electronic Commerce, MONDAQ BUSINESS BRIEFING, 1998

99) 1971년 당시 회원국은 볼리비아, 칠레, 에콰도르, 콜롬비아, 페루 등 5개국이었고, 1973년에는 베네수엘라가 참여하였다.

100) Andean Community, 1971, Income and Capital Model Tax Treaty (Unofficial Translation), 1971

101) Andean Model의 조문은 Bulletin for International Fiscal Document, Volume 28, (Supp. D 1974) 참조

102) Thomas Rixen, 'The Political Economy of International Tax Governance', Palgrave MacMillan, New York, NY, 2008

② 미국의 표준조세조약

여기서 주목할 것은 미국이 자체의 별도 표준조세조약을 가지고 있는 점이다. 미국은 1976년 독자적인 표준조세조약을 공표한 후 1977년, 1981년, 1996년, 2016년 개정되었다. 1981년에는 6월과 12월 두 차례의 개정을 통하여 조세조약남용을 방지하기 위하여 조세조약 편승행위(treaty shopping)를 금지하기 위하여 제16조를 도입하였다.[103] 1996년 개정에서는 조세조약 남용거래에 대하여 조세조약의 적용을 배제하는 조항(Limitation on Benefits, LOB)을 도입하였고, 2016년 개정에서는 BEPS Project와 관련된 내용을 추가하였다.[104] 미국의 표준조세조약은 미국의 조세조약 관행을 반영하기 위한 것이지만, 기본적으로는 OECD 표준조세조약의 내용을 상당히 반영하고 있다.[105]

다른 국가들은 대체로 자체적인 표준조세조약을 가지고 있지 않다. 따라서 양자 간 조세조약을 체결할 때 OECD 표준조세조약이나 UN 표준조세조약을 사용하여 협상을 진행하게 된다. 미국의 표준조세조약과 OECD의 표준조세조약이 다른 점은 다음과 같이 요약된다.[106]

첫째, 'saving clause'로서 미국시민권자는 조세조약의 규정에 불구하고 미국이 과세권을 가지는 것으로 하는 조항이다. 이는 거주지국 과세기준을 중시하는 대표적인 사례로 볼 수 있다.[107]

둘째, 법인의 거주지국 결정기준에서 '실질적 관리장소' 개념의 적용을 반대한다.

셋째, 상호주의 원칙을 강조한다. 과세정보교환 분야에서 이를 특히 강조한다.

넷째, 조세조약에서 간주세액공제제도(tax sparing)제도의 적용을 반대한다.

다섯째, 거주지국 기준에 대한 안전장치로써 '조세조약혜택제한규정(Limitation on Benefits Clause)'의 도입을 강조한다.

---

103) Patrick, A Comparison of the United States and OECD Model Income Tax Conventions, Law & Policy in International Business Volume 10, 1978

104) Felix Alberto Vega Borrego, Limitation on Benefits Clauses in Double Taxaton Conventions, Second Edition, 2017, Kluwer Law International. p.91

105) Income Tax Treaties: Hearing Before the Subcomm. on Oversight of the House Comm. on Ways and Means, 96th Cong., 2nd Sess. 71 (1980) (Statement of H. David Rosenbloom, International Tax Counsel, Department of the Treasury)

106) Brauner Yariv, Why Does the United States Conclude Tax Treaties? And Why Does it not Have a Tax Treaty With Brazil?, 26 REVISTA DIREITO TRIBUTARIO ATUAL Volume 26, 2011

107) 미국의 경우에도 처음에는 원천지국 과세제도를 우선하였으나 조세조약제도가 도입되면서 거주지국 과세제도를 우선하는 것으로 입장을 바꾸었다. Michael J. Graetz & Michael M. O'Hear, The 'Original Intent' of U.S. International Taxation, 51 Duke Law Journal, 1997, p.1027

③ 다자간 표준조세조약

(1) 도입배경

OECD는 2016년 11월 BEPS 방지에 관한 조세조약상의 관련조치 실행을 위한 다자간 협약과 해설각서(Multilateral Convention to Implement Tax Treaty Related Measures to Prevent BEPS and Explanatory Memorandum, 이하 '다자간 표준조세조약'이라 한다)를 공표하고 2018년 7월 1일부터 시행하고 있다.[108] 체약당사국 간의 합의나 양자 간 조세조약 (bilateral tax treaty)의 개정이 없이도 기존의 조세조약을 쉽게 보완할 수 있게 되었다.[109] 다자간 표준조세조약의 조항 중에서 특정조항을 콕 집어서 선택할 수 있기 때문에 무역흐름의 불균형이나 조세제도의 차이로 인하여 자국의 이익에 부합하지 않는 경우에는 과세관할권(과세권배분)에 대한 조항의 적용을 배제할 수 있다.[110]

OECD가 다자간 표준조세조약을 도입하게 된 배경은 BEPS 제도의 원활한 시행이라는 불가피한 이유라고 할 수 있다. 다자간 표준조세조약은 양자 간 조세조약의 허점(loopholes)을 보완하기 위하여 BEPS Project의 조치들을 개별 조세조약에 직접 적용할 수 있게 한다. 체약당사국 중 어느 일방국가가 다자간 조세조약의 적용에 대하여 '유보의견'을 표시하면 유보의견을 표시한 조항은 적용되지 않거나 기존 조약의 개정은 이루어지지 않는다.

다자간 표준조세조약과 관련되는 것으로 '다자간 금융정보 자동교환협정(Multilateral Competent Authority Agreement, 이하 'MCAA'라 한다)'과 MCAA를 시행하기 위한 공통양식인 'Common Reporting System'(이하 'CRS'라 한다)이 있다.[111] 금융정보자동교환협정

---

108) 2020년 11월 27일 기준 95개국이며 서명의사를 밝힌 국가는 4개국(Algeria, Eswatini, Lebanon, Thailand)이다. 우리나라는 2017년 6월 7일 서명 후 국회비준동의절차를 거쳐 2020년 5월 13일 비준서 기탁, 2020년 9월 1일부터 발효되었다.
https://www.oecd.org/tax/treaties/beps-mli-signatories-and-parties.pdf

109) Jessica Silbering-Meyer, Octber 25, 2017, 68 Sign the Multilateral Instrument, REU-TERS: ANSWERS FOR TAX PROFFESSIONALS.
https://blogs.thomsonreuters.com/answerson/68-sign-the-multilateral-instrument-mli/

110) 다자간 조세조약 제35조 제7항 (b): 다자간 조세조약에 서명할 때 다자간 조세조약의 규정에 대한 '유보와 공지(MLI Position)' 목록을 제출하도록 되어 있다. 각국의 MLI Position은 비준서 기탁, 수용, 승인, 서명 시에 제출해야 한다. 공지사항은 다자간 조세조약의 규정중 개별조세조약에 적용을 희망하는 조항을 밝히는 것이다. 예를 들어 '영국과 북아일랜드'가 다자간 조세조약 제2조 제1항 (a)(ii) 조항(해석의 기준)을 기존의 양자 간 조세조약에 적용하기를 희망한다는 것을 밝힌 사례가 여기에 해당한다.

111) 2020년 12월 말 현재 다자간 금융정보 자동교환 협정의 서명국은 110개국이다.
http://www.oecd.org/tax/automatic-exchange/international-framework-for-the-crs/crs-mcaa-signatories.pdf

에 서명한 국가들 간에 체결된 '양자 간 금융정보교환협정'은 4,400여개가 체결되어 있다.[112] 양자 간 금융정보교환협정을 통한 금융정보의 교환은 통일화된 '공통보고양식(common reporting system, CRS)'을 통하여 이루어진다. 이러한 보고는 100여 개국이 참여하고 있는 '다자간 조세행정공조협정(multilateral Convention on Mutual Administrative Assistance in Tax Matters, 이하 'MCMA'라 한다)'과 'CRS 다자간 권한있는 당국자협정(CRS Multilateral Competent Authority Agreement, 이하 'CRS MCAA'라 한다)'에 근거하여 이루어지는 것이 통상적이다.[113] 그 외에 양자 간 조세조약이나 과세정보교환협정을 통하여 이루어질 수도 있다. EU의 경우에는 EU Directive, EU 외 제3국 간의 협정, 양자 간 협정[114]을 통하여 금융정보교환이 이루어지고 있다. CRS 다자간 권한있는 당국자협정(CRS MCAA)은 교환할 정보의 내용과 교환시기에 대하여 규정하고 있다.

'다자간 조세행정공조협정' 제6조에서 권한있는 당국자(competent authority)는 자동정보교환대상과 교환절차에 대하여 합의하게 된다. 이러한 다자간 조세행정공조협정에 근거하여 '국가별 정보교환보고서교환에 관한 다자간 권한있는 당국자 협정(multilateral Competent Authority Agreement on the Exchange of CbC Reports, 이하 'CbC MCAA' 또는 '국가별 정보교환협정'이라 한다)'이 창출되었다. 국가별 정보교환협정에 근거한 양자 간 정보교환협정은 2020년 12월 현재 2,700여 건이 체결되어 있다.[115] 이에 추가하여 CbC 보고서 교환을 위한 2개의 '권한있는 당국자 간 협정모델'이 만들어졌다. 하나는 '개별조세조약에 의한 교환모델'이고 다른 하나는 '조세정보교환협정에 의한 교환모델'이다. '국가별정보교환협정'은 BEPS Project Action 13을 실행하는 국가 간의 금융정보자동교환에 필요한 규칙과 절차를 규정하고 있다.

---

112) https://www.oecd.org/tax/automatic-exchange/international-framework-for-the-crs/
113) 다자간 행정공조협정 제6조
114) UK-CDOT(United Kingdom-Crown Dependencies and Overseas Territories International Tax Compliance Regulations) agreements가 그 예이다. 영국과 영국속령국가 간에 체결한 정부 간 조세행정 공조협정(Inter-Governmental Agreements, IGAs)이다. 'Crown Dependency'는 영국왕의 영지라는 의미로 '건지섬(Bailwick of Guernsey), 져지섬(Bailwick of Jersey), 맨섬(Isle of Man)의 3개를 말한다. 외교와 국방은 영국정부가 담당하고 그 외는 자치의회에서 수행한다. Overseas Territory는 과거 대영제국시절 영국의 식민지였던 14개 속령을 말한다. 1983년 이전에는 British Crown Colony(영국왕실 식민지), 1983~2002년까지는 British Dependent Territory(영국속령), 2002년 이후 British Overseas Territory(영국 해외영토)라고 부르고 있다.
115) https://www.oecd.org/tax/automatic-exchange/international-framework-for-the-crs/'Country-by-Country reporting' 참조

(2) 다자간 표준조세조약과 BEPS Project 실행계획

다자간 조세조약과 BEPS Project 중 다음 Project를 실행할 수 있다.

- Action 2 (Neutralizing the Effects of Hybrid Mismatch Arrangements) : 재정적으로 투명한 실체의 문제를 해결하고 이중과세 방지를 위해 면세(exemption)방법을 적용한다.
- Action 6 (Preventing the Granting of Treaty Benefits in Inappropriate Circumstances) : 조세남용에 관한 최소기준(조세조약편승행위) 포함한 조세조약 편익의 부당한 이용행위 규제한다. 주된 목적기준(principal purpose test, 이하 'PPT'라 한다)은 다자간 조세조약의 대상이 되는 모든 개별조세조약에 적용된다. 12개국[116]은 PPT를 보조하는 간편한 '조세조약 혜택제한(limitation on Benefit, 이하 'LOB'라 한다)'을 적용하고 있다. PPT가 다자간 표준조세조약이나 개별 양자 간 조세조약을 통하여 일단 도입되면 조세조약 남용에 관한 모든 사례에 그대로 적용된다. PPT 기준은 '주관적 의사검증(subjective test)'이므로 거래나 계약의 여러 가지 주된 목적 중 하나가 조세조약의 편익을 얻는 것에 해당되면 그 목적이 조세조약의 목적이나 대상에 따라 적정한 것이 아니면 모두 부인된다.
- Action 7(Preventing the Artificial Avoidance of Permanent Establishment Status) : 수수료 약정계약과 조직분할을 통한 조세회피의 규제방안을 포함한다.
- Action 14 (Making Dispute Resolution Mechanisms More Effective) : 과세분쟁해결을 위하여 중재제도(arbitration)를 적용한다.

일부 국가는 다자간 표준조세조약의 구속력(mandatory binding)에 근거하여 기존의 상호합의절차(mutual agreement procedure) 대신 중재절차(arbitration procedure)를 선택하고 있다. 다자간 표준조세조약에서는 구속력 있는 중재절차를 선택사항(optional)으로 규정하고 있다.

다자간 조세조약 서명식 당일(2017. 6. 7.)에 중재절차에 서명한 국가는 24개국[117]이었다. 그 결과 이들 국가가 체결하고 있는 150개 넘는 양자 간 조세조약은 강제중제절차의 적용을 받게 된다.

---

116) Argentina, Armenia, Bulgaria, Chile, Colombia, India, Indonesia, Mexico, Russia, Senegal, Slovak Republic, Uruguay

117) Andorra, Australia, Austria, Belgium, Canada, Fiji, Finland, France, Germany, Greece, Ireland, Italy, Liechtenstein, Luxembourg, Malta, the Netherlands, New Zealand, Portugal, Singapore, Slovenia, Spain, Sweden, Switzerland, the UK

(3) 다자간 표준조세조약의 효과[118]

OECD는 BEPS Project와 관련하여 다자간 조세조약 방식을 도입하여 양자 간 조세조약의 개정이 없이도 쉽게 보완할 수 있도록 하고 있다.[119] OECD 표준조세조약의 조세조약편승 (treaty shopping) 방지규정은 양자 간 조세조약(bilateral tax treaty)을 통하여 체약당사국이 아닌 국가의 거주자가 조세조약의 혜택을 이용하는 것을 방지하려는데 목적을 두고 있다.

OECD 표준조세조약에 새롭게 도입된 조세조약 남용방지 규정(anti-abuse rule)[120]은 '거래의 주된 목적기준(principal purpose of transactions)'과 조세조약상 부여될 혜택 간의 적격성(qualification) 문제를 검증하도록 하고 있다. 또한 '혼성불일치 기준(hybrid mismatch rules)'은 납세자가 하나의 비용항목으로 복수의 공제를 받거나 다른 국가에서 공제받지 않고 한곳에서 몰아서 공제받는 것을 방지하기 위한 규정이다. 이러한 규정들을 양자 간 조세조약에서 적용하려면 개별조세조약별로 체약상대방 국가와 일일이 협상을 통하여 개정하는 번거로움을 감수해야 한다.

다자간 표준조세조약에 가입할 경우에는 이러한 규정들을 개정하기 위하여 양자 간 조세조약의 체약당사국들이 일일이 개별적으로 협상할 필요가 없게 된다. 다자간 조세조약에 가입한 국가에게는 다자간 조세조약에서 규정된 내용이 공통적으로 적용되기 때문에 다자간 조세조약에 가입하는 것으로 다자간 조세조약에 규정된 내용을 수용하게 된다. 따라서 개별 양자 간 조세조약의 개정효과를 얻게 되므로 개별국가와 접촉하여 조세조약을 개정하는 부담을 덜 수 있다.

현재의 개별국가 간에 체결되고 있는 양자 간 조세조약은 약간의 차이를 제외하면 구조와 내용은 대동소이한 것으로 볼 수 있다. 여기서 다자간 표준조세조약을 통하여 국가별로 서로 다른 요구사항을 조정한 새로운 국제조세제도를 만들어 낼 수 있을 것으로 보인다.

다자간 조세조약은 현재의 양자 간 조세조약과 비교하면 국가 간의 무역흐름의 불균형상태, 국가 간의 과세제도의 차이, 세입수요의 차이, 국가 간 우호증진이나 국가의 명성에서 얻는 득실의 차이 등을 반영하여 지리한 협상과정에서 공방을 벌일 필요가 없이 조약의 환경이 변화되면 상대적으로 쉽게 조세조약을 갱신할 수 있게 한다. 또한 다자간 조세조약을 지렛대로 삼아서 여러 가지 협상대안을 구사할 수도 있을 것으로 본다. 양자 간 조세조약에

---

118) 제1장 제5절 참조

119) Jessica Silbering-Meyer, Octber 25, 2017, 68 Sign the Multilateral Instrument, REU-TERS: ANSWERS FOR TAX PROFFESIONALS.

  https://blogs.thomsonreuters.com/answerson/68-sign-the-multilateral-instrument-mli/

120) OECD 표준조세조약, 2017, 제29조(Entitlement to benefits)

서 규정된 낮은 원천징수세율을 그대로 두고 국내 조세법상의 세율과 비교하여 적정 수준까지 인상하는 방안을 다자간 표준조세조약을 통하여 관철시킬 수도 있기 때문이다.

BEPS 2.0[121]에서 검토된 대로 물리적으로 PE가 존재하지 않더라도 원천지국의 과세권을 허용할 수 있다. 이때 원천지국의 과세관할권 행사 범위는 조세행정의 수준에 달려 있게 된다.[122] 원천징수능력이 없는 국가는 거주지국이 과세하더라도 세수측면의 손실은 거의 없으므로 고정사업장에 대한 과세관할권에 쉽게 합의할 수 있으나, 원천징수능력이 있는 국가는 거주지국의 과세는 자국의 세수입 감소를 의미하므로 반대할 수 있다.

다자간 표준조세조약의 또 다른 장점은 유연성을 들 수 있다. 다자간 표준조세조약의 내용을 수용할 것인지 반대할 것인지를 개별국가가 스스로 결정하도록 되어 있다. 다자간 표준조세조약의 조항 중에서 특정 조항을 콕 집어서 선택할 수 있기 때문에 무역흐름의 불균형이나 조세제도의 차이로 인하여 그들의 이익에 부합하지 않는 경우에는 과세관할권(과세권배분)에 대한 조항의 적용을 배제할 수 있다.[123] 체약당사국 중 일방체약국이 과세관할권 조항의 적용을 배제할 경우 타방체약국의 세수입에는 부정적인 영향을 줄 수 있다. 따라서 일방체약국의 적용배제가 있을 것으로 예상되면 타방체약국은 조세조약을 종료시키는 것이 유리한지 아니면 일방체약국의 적용배제를 수용하는 것이 유리한지를 판단하여 결정하게 될 것이다.

국제거래소득에 대한 새로운 과세방법은 국적없는 소득(stateless income 또는 homeless income)에 대한 과세를 쉽게 할 수 있도록 한다. 양자 간 조세조약의 구조하에서는 국적없는 소득에 대한 과세는 많은 어려움이 있었다. 현재 EU는 digital 과세와 관련하여 이중과세 방지 방법의 효용성에 대하여 강한 의문을 제기하고 있다는 점에서도 양자 간 조세조약구조의 개편은 필요해 보인다.[124]

다자간 조세조약은 과세의 일관성과 투명성을 높일 수 있다. 개별국가들은 국제과세기준

---

121) OECD/G20 Inclusive Framework On BEPS, 2019, Programme of Work to Develop a Consensus Solution to the Tax Challenges Arising from the Digitalisation of the Economy.
https://www.oecd.org/tax/beps/programme-of-work-to-develop-a-consensus-solution-to-the-tax-challenges-arising-from-the-digitalisation-of-the-economy.pdf

122) Kim Brooks & Richard Krever, The Troubling Role of Tax Treaties in Geerten M. M. Michielse & Victor Thuronyi, (eds.), Tax Design Issues Worldwide, Series on International Taxation, Volume 51 (Alphen aan den Rijn: Kluwer Law International, 2015), p.170

123) 다자간 조세조약 제35조 제7항 (b): 다자간 조세조약에 서명할 때 다자간 조세조약의 규정에 대한 '유보와 공지(MLI Position)'의 목록을 제출하도록 규정하고 있다. 각국의 MLI Position은 비준서 기탁, 수용, 승인, 서명 시에 제출해야 한다. 공지사항은 다자간 조세조약의 규정중 개별조세조약에도 적용을 원하는 조항을 밝히는 방법이다. 예를 들어 '영국과 북아일랜드'가 다자간 조세조약 제2조 제1항 (a)(ii) 조항(해석의 기준)을 기존의 양자 간 조세조약에 적용하기를 원한다는 것을 밝힌 사례가 여기에 해당한다.

124) Steven A. Dean, January 30, 2020, 'A Constitutional Moment for Cross-Border Taxation,' (unpublished manuscript)

과 조화를 이룰 수 있는 과세제도를 통하여 자의적이지 않고 예측가능한 조세정책의 일관성을 보여줄 수 있다.[125] '공식에 의한 소득배분방법(formulary apportionment method)'을 다자간 표준조세조약에서 명시할 경우 다국적기업이 국제조세조약을 이용하여 국제거래소득의 발생지를 유리한 곳으로 조작하는 것을 방지할 수 있을 것이다.[126]

제6절 **표준조세조약의 중요성**

표준조세조약은 조세조약을 체결하는 국가에게 구속력을 가진 문서(binding document)는 아니지만 조세조약의 체결 협상, 적용, 해석 등에 큰 영향을 미치고 있다.[127] 국제연합 표준조세조약 서문(introduction)은 OECD와 UN의 표준조세조약은 국제조세조약에 큰 영향을 주고 있다고 기술하고 있다.[128] 2012년에 실시된 37개국(OECD 비회원국 포함)을 대상으로 한 설문조사 결과에서 OECD 표준조세조약이 UN 표준조세조약보다 더 큰 영향을 주고 있는 것으로 나타났다.[129]

개별국가들이 조세조약을 체결할 때 국제거래소득에 대한 과세기준을 자국이 원하는 대로 결정하여 문안으로 작성한다면 개별조세조약에 담긴 내용은 천차만별로 차이가 나고 각 조약에 사용된 용어의 개념도 다른 결과를 가져올 수 있다. 조세조약 체결과정에서 당사국들은 자국의 이익에 가장 유리한 결론을 도출하려고 노력하기 때문이다.[130] 양 체약국 중 일방은 자본수출국이고 상대국은 자본수입국인 경우에 양국의 경제력 차이에 따라 일방체약국이 타방체약국에 '강자적 지위' 또는 '약자적 지위'에 서게 될 수 있다. 경제적 요인 외에 역사적인 관계에서 '친소관계'가 형성될 수도 있다.

---

125) Victor Thuronyi, 2001, 'International Tax Cooperation and a Multilateral Treaty', Brooklyn Journal of International Law Volume 26, pp.1641~1652

126) 미국과 캐나다에서 주(州)간 법인세 분담방법으로 사용되고 국제조세에서는 사용되지 않는다.

127) OECD 표준조세조약, 2017, 서문, pargraph 2~3, 12~15; Michael Lang, Pasquale Pistone, Josef Schuch and Claus Staringer, 'The Impact of the OECD and UN Model Conventions on Bilateral Tax Treaties', Cambridge University Press, Cambridge, UK, 2012, pp.1~37

128) UN 표준조세조약, 2017, 서문, paragraph, '2.These Models, particularly the United Nations Model Convention and the OECD Model Tax Convention on Income and on Capital (the OECD Model Convention) have had a profound influence on international treaty practice, and have significant common provisions.~' p.iii

129) Michael Lang, Pasquale Pistone, Josef Schuch and Claus Staringer, op. cit. pp.1~35

130) Tsilly Dagan, 'The Tax Treaties Myth.' New York University Journal of International Law & Politics Volume 32, 2000, pp.939~996

이러한 요인들이 조세조약협상 과정에 반영되면 국제거래소득의 과세기준은 각국이 체결하는 조세조약마다 상당한 차이가 생길 가능성이 있다. 그러나 표준조세조약으로 인하여 개별조세조약에서 사용되는 조세조약상의 용어와 국제거래소득에 대한 과세기준은 표준조세조약상의 용어와 과세기준과 상당한 '수렴성(convergence)'을 보여주고 있는 것으로 나타나고 있다.[131][132]

대부분의 조세조약에서 사용되는 용어는 OECD 표준조세조약이 사용하는 표현으로 수렴되고 있는 것으로 나타나고 있다는 점에서 표준조세조약 중 가장 영향력이 큰 것은 OECD 표준조세조약이라고 할 수 있다.[133] 이것이 의미하는 것은 표준조세조약은 국제거래와 관련된 조세문제에 대하여 법률적 의견의 일치를 국제적으로 이루어내는 역할을 OECD 표준조세조약이 담당하고 있다는 것이다.[134] UN 표준조세조약은 선진국과 개발도상국 간의 조세조약 체결의 기준으로 삼도록 하려는데 목적을 두고 있으나 UN 표준조세조약의 영향력은 점점 둘어들고 있다.[135] 그러나 국제거래소득의 과세기준이 거주지국 중심에서 원천지국 중심으로 점차 이동하는 추세를 감안한다면 원천지국 과세기준을 강조하는 UN 표준조세조약의 역할은 중장기적으로 확대될 것으로 보인다. 이점에서 UN 표준조세조약도 OECD 표준조세조약과 같이 국제조세 문제에 통일적 과세기준을 적용하는 잣대의 역할을 충분히 하고 있다.

이와 같이 표준조세조약의 역할이 중요한 점을 감안한다면 OECD와 UN은 국제조세관할기구의 지위에 있을 뿐 아니라 표준조세조약은 조세에 관한 성문국제법 또는 관습 국제법의 역할을 하는 것으로 볼 수 있다.[136]

---

131) 수렴성이 가장 높은 분야는 '다국기업의 내부거래가격, 사업소득 과세와 상호합의과정'과 관련한 분야이고, 수렴성이 낮은 분야는 조세조약의 '적용대상 조세와 지리적 범위, 이중과세배제방법, 징수협조' 등의 분야로 나타나고 있다. Ash Elliott & Omri Marian, 'The Making of International Tax Law: Empirical Evidence from Natural Language Processing', University of California, Irvine, Legal Studies Research Paper Series No. 2019-02, 2019, pp.17~19
https://ssrn.com/abstract=3314310

132) OECD 표준조세조약, 2017, 서문 B. Influence of the OECD Model Convention(paragraphs 12~15)

133) Ash Elliott & Omri Marian, 'The Making of International Tax Law: Empirical Evidence from Natural Language Processing', University of California, Irvine, Legal Studies Research Paper Series No. 2019-02, 2019, pp.19~23
https://ssrn.com/abstract=3314310

134) Ash Elliott & Omri Marian, ibid, p.24

135) Michael Lang and Pasquale Pistone (eds.) 'The Impact of the OECD and UN Model Conventions on Bilateral Tax Treaties', Cambridge University Press, 2012, 중 Pasquale Pistone의 'General Report.' pp.1~37

136) Reuven S. Avi-Yonah, 'International Tax as International Law', Michigan University, Law & Economics Working Paper no. 04-007, 2004
HTTP://WWW.LAW.UMICH.EDU/CENTERSANDPROGRAMS/OLIN/PAPERS.HTM

제3장

조세조약의 목적

제1절 조세조약의 체결목적

조세조약을 체결하는 목적은 양자 간 조세조약의 '제목(Title)'에 그대로 표현되어 있다. 대부분의 개별조세조약의 제목은 'Convention between (국가명) and (국가명) for the Avoidance of Double Taxation and the Prevention of Fiscal Evasion[1] with Respect to Taxes on Income'으로 되어 있다.[2]

OECD와 UN의 표준조세조약 서문에서 조세조약의 목적에 대하여 설명하고 있다. OECD 표준조세조약 서문에서 조세조약의 주요목적(main purposes)은 3가지로 요약하고 있다.

(1) 국가 간 상품과 용역의 교역, 자본 기술 인력의 원활한 이동에 장애가 되는 법률적 이중과세의 방지[3]

(2) 동일한 이중과세 문제에 공통 해결방안(common solution) 적용[4]

(3) 과세정보교환 및 조세징수 관련 행정공조를 통하여 탈세와 조세회피 방지[5]

UN 표준조세조약은 조세조약의 일반적인 목적을 좀 더 구체적으로 5가지를 열거하고 있다.

---

1) 조세부담의 회피(tax avoidance)와 탈세(tax evasion)는 의미가 차이가 있으므로 용어를 구분하여 사용하는 것이 일반적이지만 이를 포괄하여 말할 때는 'fiscal evasion'이라는 용어를 사용한다. 다국적기업의 영향력이 커져 있는 현재의 문제는 국제거래소득에 대한 '이중과세'라기보다는 정교한 조세회피나 탈세행위로 인한 '과소납부'로 바뀌고 있는 것으로 보인다.

2) 예시로써 한-미 조세조약의 제목(Title)은 다음과 같다. 'Convention between the Republic of Korea and the United States of America for the Avoidance of Double Taxation and the Prevention of Fiscal Evasion with Respect to Taxes on Income and the Encouragement of International Trade and Investment'

3) OECD 표준조세조약, 2017, 서문 paragraph 1. 여기서 '법률적 이중과세'를 동일한 과세기간에 동일한 소득에 대해 동일한 납세자에게 두 나라 이상이 과세하는 것으로 정의하고 있다.

4) OECD 표준조세조약, 2017, 서문 paragraph 2

5) ibid.

(1) 국제무역 및 투자의 흐름과 기술의 이전이 증진될 수 있도록 이중과세로부터 납세자 보호[6]

(2) 내국인 투자자와 외국인 투자자 간의 차별금지[7]

(3) 조세관련 불확실성의 제거[8]

(4) 과세당국 간 협력의 강화: 조세정보의 교환을 통한 탈세의 방지와 조세징수의 공조[9]

(5) 조세편승행위(treaty shopping)와 기타 조세조약 남용행위 방지[10]

OECD 표준조세조약과 UN 표준조세조약에서 말하는 조세조약의 목적은 '이중과세, 과중한 부담(excessive taxation), 조세회피, 탈세, 조세회피 내지 탈세목적의 공격적 세무계획(aggressive tax planning) 등에 대하여 국가 간의 협력을 통하여 대응할 수 있게 하는 공통적인 기준을 제공'하는 것으로 볼 수 있다.[11] 국가 간의 원활한 경제관계를 저해하는 문제들을 해결할 수 있는 방안은 통일된 형태로 모든 국가들에게 적용될 수 있을 때 납세자는 물론이고 체약당사국들이 '예측가능하고 불확실성(uncertainty)이 최소화된 지속가능한 제도'로 발전할 수 있다. 이를 위하여 각국은 OECD와 UN이라는 국제기구를 통하여 공동의 이익을 위하여 협력하면서 국제조세 문제에 대한 대응방안을 마련해 가고 있다. 그 대표적인 작업이 바로 최근의 '국가 간 소득이전을 통한 세원잠식 방지대책(Base Erosion and Profit Shifting)'이라고 할 수 있다. 국가 간의 협력을 통하여 공동으로 실천하기 위한 '이행계획(action plan)'을 작성하고 국제조세 문제의 해결을 위한 '기반(platform)'을 구축해 나가고 있다.

조세조약을 체결하는 목적은 크게 두 가지로 나누어 볼 수 있다. OECD 및 UN의 표준조세조약에 명시적으로 표현되어 있는 '과중한 법률적 이중과세의 방지(avoidance of excessive juridical double taxation)'와 '조세회피와 탈세의 방지(prevention of tax avoidance and tax evasion)'이다. 부차적으로 국가 간의 경제협력 증진 목적도 추구되고 있다. 최근 OECD/G20의 주도로 BEPS Project가 추진되면서 상대적으로 관심이 소홀하였던 '이중비과세(double non-taxation)'의 방지가 강조되고 있다.

---

6) UN 표준조세조약, 2017, 서문 paragraphs 6

7) ibid.

8) ibid.

9) ibid.

10) UN 표준조세조약, 2017, 서문 paragraphs 6.1.

11) Double Taxation and Tax Evasion-Report and Resolutions: Doc.F.212: February 7, 1925(이하 '1925년 보고서'라 한다), p.27("we think it desirable to draw attention to the connection which exists between the two problems of tax evasion and double taxation")

이중과세의 본질

국제거래소득에 대한 '이중과세는 해외투자의 장애물'이 된다는 인식은 국제연맹시대부터 지금까지 변하지 않고 있다.[12] 1920년대 초기에 이중과세 문제가 국제적 관심사항으로 부상하게 된 이유는 그 당시 미국과 영국 등의 다국적기업이 국제투자와 교역활동을 활발하게 확대하기 시작한 상황과 관련이 있다. 그 당시에는 이중과세가 국제경제교류에 장벽이 되는 측면에서 문제가 되었다기보다는 제1차 세계대전으로 늘어난 재정수요를 충당하기 위하여 유럽의 각 국가들이 조세부담률을 급격하게 높임에 따라 발생한 '과중한 조세부담(excessive taxation burden)'이 더 큰 어려움이 되고 있었다.[13] 조세부담액이 과중하게 되면 다국적기업은 무세이거나 세율이 낮은 '조세피난처(tax haven)'에 국제거래소득을 이전하거나 '유해조세경쟁(harmful tax competition)'에 해당할 수 있는 특례감면세율을 적용하는 국가에 투자를 집중할 수 있다.[14]

국제상공회의(International Chamber of Commerce, 이하 'ICC'라 한다)는 국제연맹시대 때부터 이중과세 문제를 꾸준히 제기하면서 그 해결방안으로써 거주지국의 과세가 아닌 원천지국과세 방안을 주장하였다.[15] 미국도 원천지국 과세방안에 동의하면서 원천지국에서 납부한 조세부담액은 거주지국에서 '공제방법(deduction method)'을 적용하여 이중과세를 해결해야 한다는 입장이었다.[16] 미국이 당시에 말한 '공제방법(deduction method)'은 현재의 '세액공제방법(credit method)'과 같은 의미였다.

---

12) OECD 표준조세조약, 2017, 서문 paragraph 1(~Its harmful effects on the exchange of goods and services and movements of capital, technology and persons are so well known that it is scarcely necessary to stress the importance of removing the obstacles that double taxation presents to the development of economic relations between countries.)

13) Report on Double Taxation Submitted to the Financial Committee by Professors Bruins, Einaudi, Seligman, and Sir Josiah Stamp, League of Nations Doc. E.F.S.73 F.19. 1923(이하 '1923년 보고서'라 한다), p.5

14) 조세피난처나 조세특례를 제공하는 국가(중국, 인도, 브라질) 등에 미국을 비롯한 선진국의 투자가 집중된 이유를 조세조약상의 이중과세 방지제도만으로 설명하기 어렵다. 이들 국가에 투자할 경우에는 조세부담이 낮기 때문이고, 거주지국에는 '이전가격전략(transfer pricing strategy)'을 통하여 조세부담을 낮추어 결과적으로 이중비과세 또는 그와 유사한 효과를 얻을 수 있기 때문이라는 설명이 더 설득력이 있어 보인다.

15) 1925년 보고서 p.8. 'ICC Resolution: In order to avoid double taxation, the best means would be to accept residence as the basis of the tax on income.'

16) 1923년 보고서 p.40

현실적으로 원천지국 과세기준을 적용할 경우에 이중과세 문제 자체는 해결할 수 있을지 몰라도 국가 간의 경제규모와 특성 등이 차이가 나는 상황에서 경제교류에 따른 '공동의 이익'이라는 목적을 달성하기는 어렵게 될 것으로 보인다. 자본수출국인 선진국의 투자자본을 이용하여 경제부흥이 필요한 개발도상국 간에는 조세경쟁(tax competition)이 유발될 수 있다. 이러한 조세경쟁은 무한 세율인하경쟁(race to bottom)으로 이어져 개발도상국의 조세수입에 도움이 되지 않으므로 공동의 이익을 추구하지 못하게 된다. 선진국의 경우에는 투자소득에 대하여 조세를 전혀 부담하지 않거나 낮은 부담으로 국제투자의 과실만을 챙기는 결과를 가져 올 수 있다.

당초 원천지국 과세제도를 주장한 배경은 이중과세를 방지하기 위한 목적이 아니라 '외국인에게는 세금을 더 많이 물려야 한다'는 인식을 가진 여러 국가들의 주장에서 출발한 것이었다.[17] 원천지국의 재정수입조달을 위해서는 필요하지만 실제로는 도움이 되지 못하는 일종의 필요악(necessary evil)적인 존재가 된 것이 원천지국 과세제도라고 할 수 있다. 조세조약이 이중과세의 방지를 목적으로 삼고 있지만 국제연맹시대 이후 지금까지 해결되지 못하고 있는 하나의 이유가 될 수 있다. 또 하나의 이유는 조세조약에서 이중과세를 방지하려는 실제 목적은 '국제거래에서 발생한 소득에 대한 과세권을 원천지국과 거주지국 중 어느 국가에 얼마나 귀속시킬 것인가'에 두고 있는 점이다. 이것은 이중과세 문제의 근본적인 해결방안과 거리가 있기 때문에 국제연맹시대 이후 지금까지 이중과세 문제에 대한 해결방안에 대하여 고민하고 있는 이유가 될 수 있다.[18]

❷ 이중과세의 유형

(1) 법률적 이중과세

OECD 표준조세조약에서 법률적 이중과세(juridical double taxation)는 '동일한 시기에 동일한 과세대상에 대하여 동일한 납세자에게 두 개의 나라 또는 그 이상의 나라가 동시에 세금을 부과하는 것'으로 정의하고 있다.[19] '법률적 이중과세'는 일방체약국의 거주자가 원천지국에서 획득한 소득에서 대하여 원천지국이 과세를 하고 이를 거주지국으로 송금할 경우에 그 소득에 대하여 거주지국이 다시 과세하는 경우가 발생하게 되는 중복과세이다. 예를

---

17) 1923년 보고서 p.40
18) 1923년 보고서 p.40
19) OECD 표준조세조약, 2017, 서문(Introduction) paragraph 1

들어 원천지국에서 발생한 이자소득, 사용료 소득, 배당소득과 원천지국에 소재한 고정사업장에 귀속된 사업소득 등이 원천지국에서 과세된 후 거주지국으로 송금되었을 때 거주지국이 다시 과세할 경우에 이중과세가 발생하게 된다.

이러한 법률적 이중과세는 2개국뿐 아니라 3개국에서도 발생할 수 있다. A국의 거주자가 B국에 고정사업장을 두고 사업을 하면서 얻은 소득을 C국 거주자에게 대여한 경우이다. 이 경우에 A국 거주자는 동일한 소득(사업소득)에 대하여 3개국에서 과세될 수 있다. 소득의 원천지국인 B국과 C국은 원천지 기준으로 과세하고 소득자의 거주지국인 A국은 거주지 기준으로 과세하기 때문이다.[20] 이를 '3중과세(triangular case)'라고 한다. 이러한 '3중과세'는 여러 가지 유형이 있을 수 있다. 예를 들어 거주지국, 원천지국, 고정사업장 소재지국이 각각 다른 경우와 거주지국이 2개 이상인 이중거주자가 제3국에서 소득을 획득한 경우에 발생하는 3중과세와 함께 각각에 대한 '역 3중과세(reverse triangular case)'도 발생할 수 있다.[21]

(2) 경제적 이중과세

'경제적 이중과세(economic double taxation)'는 동일한 소득에 대하여 서로 다른 두 사람에게 각각 과세되는 것을 말한다.[22] 법률적 이중과세는 소득의 동일성과 납세자의 동일성이라는 두 가지 요건을 전제로 하는 것이지만, 경제적 이중과세는 소득의 동일성만 요건으로 한다. 경제적 이중과세가 발생하는 대표적 사례로서 특수관계기업 간의 거래에서 발생한 사업소득을 주주에게 배당할 경우에(이를 OECD 표준조세조약에서는 '개서(rewriting)'라고 부른다) 발생한다. 사업소득으로서 법인단계에서 한번 과세되고 이를 주주에게 배당할 때,

---

20) 이에 대한 많은 연구자료가 있다. OECD Committee on Fiscal Affairs, 'triangular Cases, in Model Tax Convention: Four Related Studies' 1992; K. van Raad, 'Triangular Cases', European Taxation Volume 33 Issue 9, 1993; E.E.Fett, 'Triangular Cases: The Application of Bilateral Tax Treaties in Multilateral Situations', University of Amsterdam, May 5, 2012.

21) '3중과세'에 대한 자세한 내용은 다음 자료 참조. J. F. Avery Jones & C. Bobbett, Triangular Treaty Problems: A Summary of the Discussion in Seminar E at the IFA Congress in London, 53 Bulletin for International Fiscal Documentation Volume 53, 1999, pp.16~20, Journals IBFD; F.A. Garcia Prats, Triangular Cases and Residence as a Basis for Alleviating International Double Taxation, Rethinking the Subjective Scope of Double Tax Treaties, Intertax 11, 1994, pp.473~491; J.F. Avery Jones et al., Tax Treaty Problems Relating to Source, European Taxation, Volume 38 Issue3, 1998, pp.78~93, Journals IBFD

22) 2017 OECD 표준조세조약 제9조에 대한 주석 paragraph 5('The re-writing of transactions between associated enterprises in the situation envisaged in paragraph 1 may give rise to economic double taxation (taxation of the same income in the hands of different persons), insofar as an enterprise of State A whose profits are revised upwards will be liable to tax on an amount of profit which has already been taxed in the hands of its associated enterprise in State B. Paragraph 2 provides that in these circumstances, State B shall make an appropriate adjustment so as to relieve the double taxation.')

즉 사업소득을 배당소득으로 개서할 때 주주에게 또 한번 과세되는 경우이다.[23]

이전가격과 관련한 대응조정 과정에서 발생하는 경제적 이중과세 문제는 상호합의절차(Mutual Agreement Procedure)를 통하여 해소될 수 있다.[24] 그러나 사업소득의 배당과정에서 발생하는 경제적 이중과세 문제는 상호합의절차 외에 국내 조세법상에서 이중과세를 방지할 제도적 장치가 있어야 해결될 수 있다.

따라서 국내 조세법상에서 해결이 가능한 경제적 이중과세는 조세조약에서는 다루지 않고 국내 조세법에서 다룰 수 없는 법률적 이중과세만을 조세조약에서 규정하고 있다.[25] OECD 표준조세조약 서문에 '법률적 이중과세'에 대한 표현이 처음 들어간 것은 1992년이었다.[26] OECD 표준조세조약에서는 이중과세 문제의 완전한 해결은 오직 국내 조세법으로만 가능한 경우도 있고 조세조약과 국내 조세법이 함께 해야 가능한 경우도 있다는 것을 1992년에 처음으로 인정한 것이다.

현재는 유럽국가를 중심으로 한 여러 나라에서는 경제적 이중과세 문제를 해결하기 위한 방안으로써 거주자가 획득한 외국투자소득 중 특정소득에 대하여 원천지 기준 과세방법을 적용하여 원천지국에서 과세된 소득에 대하여는 거주지국이 면세하는 '경영참가소득 면제제도(participation exemption)'를 적용하고 있다. 경영참가소득 면제제도의 대상은 주로 배당소득과 자산이나 지분의 처분에 따른 자본이득 등이다.[27]

❸ 이중과세 방지 방법

법률적 이중과세 문제를 해결하는 방법은 조세조약을 통하여 해결하는 방법과 조세조약을 통하지 않고 해결하는 방법으로 구분할 수 있다. 전자는 당사국 간에 조세조약을 체결하여 이중과세 방지 방안에 합의를 하는 것이고 후자는 당사국이 일방적으로 국내 조세법에서 외국원천소득에 대하여 면세하거나 세액공제방법으로 해결하는 방법이다.

---

23) OECD 표준조세조약, 2017, 제10조에 대한 주석 paragraph 40
24) OECD 표준조세조약, 2017, 제25조에 대한 주석 paragraph 10
25) OECD 표준조세조약, 2017, 서문(Introduction) paragraph 3
26) OECD 표준조세조약, 1992, 서문(Introduction) paragraph 3
27) 임동원, 문성훈, '해외유보소득 방지를 위한 경영참여소득면제 도입방안', 조세와 법, 제10권 제2호(2017. 12. 31.), pp.325~331

(1) 조세조약이 없는 경우의 일방적 방지

조세조약을 체결하는 기본목적은 국가 간의 합의를 통하여 이중과세를 방지하는 것이다.[28] 조세조약이 없으면 복수의 국가가 동일한 소득에 대하여 과세권을 주장하는 이중과세의 문제가 발생될 수 있다. 이중과세는 불공평한 과세로서 국가 간의 인적 및 물적자본의 자유로운 이동을 자의적으로 저해하기 때문에 좋지 않다.[29] 따라서 외국원천소득에 대하여 이중과세를 하지 않는 것이 당사국(주로 거주지)에게 경제적으로 유리하다면[30] 당사국은 조세조약이 없더라도 이중과세 방지조치를 일방적으로 적용하게 된다.[31]

조세조약과 상관없이 국내법에서 외국납부세액공제 또는 외국원천소득의 면제조항을 규정하여 이중과세 방지조치를 적용할 수 있다면 조세조약의 이중과세 방지 기능은 미미할 수밖에 없고,[32] 굳이 조세조약을 체결할 필요성도 줄어들 수밖에 없다.[33] 조세조약은 단지 양 체약국 간의 관계를 반영하여 이중과세 방지 조치를 좀 더 현실적으로 조정할 수 있게 할 뿐으로 보이기 때문이다.[34] 따라서 조세조약은 조세행정의 간소화 및 조세용어의 국가 간 통일을 통한 국제조세체계의 정비와 같은 측면에 기여한 점은 별로 없고 오히려 원천지국의 과세권을 지나치게 제한하면서 선진국의 이익을 과도하게 보호하려는 측면이 강하다는 비판이 제기되기도 한다.[35]

조세조약을 체결하는 실질적 이유가 이중과세의 방지가 아니라면 실질적인 목적은 다른 데 있다는 의미가 된다. 그것은 바로 조세수입(revenue)을 원천지국(대부분 개발도상국)과

---

28) 2017년 개정 OECD 표준조세조약 서문 paragraph 15.2 "Since a main objective of tax treaties is the avoidance of double taxation in order to reduce tax obstacles to cross-border services, trade and investment, the existence of risks of double taxation resulting from the interaction of the tax systems of the two States involved will be the primary tax policy concern."

29) H. David Rosenbloom & Stanley I. Langbein, United States Treaty Policy: An Overview, 1981, Columbia Journal of Transnational Law Volume 19. pp.359~366

30) 유리한 사례는 국제투자를 확대하는 것이 국익에 도움이 되는 경우를 생각할 수 있다.

31) Tsilly Dagan, 2018, 'International Tax Policy: Between Competition and Cooperation,' Bar Ilan University Faculty of Law Research Paper No.18-05

32) Elisabeth A. Owens, 1963, 'United States Income Tax Treaties: Their Role in Relieving Double Taxation,' Rutgers Law Review Volume 17, p.430

33) Julie A. Roin, 1995, 'Rethinking Tax Treaties in a Strategic World with Disparate Tax Systems,' Virginia Law Review Volume 81, pp.1753~1767

34) Pierre Gravelle, 1988, 'Tax Treaties: Concepts, Objectives and Types,' 42 Bulletin For International Fiscal Documentation Volume 42, pp.522~523

35) IMF, May 9, 2014, 'Spillovers in International Corporate Taxation,' Policy Paper 12 https://www.imf.org/external/np/pp/eng/2014/050914.pdf ; Mindy Herzfeld, 2017, 'The Case Against BEPS: Lessons for Tax Coordination,' Florida. Tax Review Volume 21 Number 1, pp.16~17

거주지국(대부분 선진국)이 어느 정도로 서로 나눌 것인가의 문제와 관련된다. 예를 들어 거주지국이 30%의 세율로 과세하면서 외국납부세액공제제도를 통하여 이중과세 방지를 하는 경우를 보자. 외국원천소득이 100이라고 가정할 때 원천지국의 세율이 거주지국과 마찬가지로 30%라면 원천지국의 세수입은 30이 되고 거주지국은 외국납부세액공제를 하면 추가적인 세수입은 없다. 그러나 원천지국의 세율이 거주지국의 세율보다 낮은 20%라면 원천지국의 세수입은 20이 되고 거주지국은 외국납부세액 공제 후 세수입은 10이 될 수 있다.

거주지국은 원천지국보다 높은 세율을 유지하려고 할 수 있다. 원천지국은 외국자본의 자국 내 투자를 유도하기 위하여 조세를 감면할 수도 있다. 이로 인한 원천지국의 조세수입감소는 외국자본의 국내유입 증가에 따른 고용증가, 산업발전 등으로 보상받고 거주지국은 자본유출은 조세수입의 증가로 보상받아 서로에게 이익(win-win)이 되는 결과를 기대할 수 있다. 이 점에서 조세조약을 체결하는 실질적인 목적은 이중과세의 방지라기보다 투자의 확대 등을 통한 인적 및 물적 교류의 활성화 효과를 얻으려는 것이라고 할 수 있다.

이러한 실질적인 목적은 조세조약이 없더라도 국가 간의 경제교류를 활성화시키기 위하여 일방적인 이중과세 방지조치를 취하게 하는 동인이 된다.

(2) 합의에 의한 방지

당사국이 조세조약에 의하지 않고도 일방적으로 '세액공제(credit), 소득공제(deductions), 또는 외국원천소득 면세(exemption) 등의 방법'으로 외국납부세액을 처리하여 이중과세를 방지할 수 있다면 조세조약은 이중과세 방지에 어떤 역할을 해야 하는가? 하는 질문을 할 수 있다. 그 대답은 조세조약은 '간접적'으로 또는 '체계적'으로 이중과세 방지가 이루어지도록 하는 장치를 양 체약국이 합의하여 설정하는 것이라고 말할 수 있다.

조세조약의 내용을 보면 체약당사국은 조세용어의 의미, 조세조약의 적용대상이 되는 조세와 납세자의 범위, 소득별 과세방법 등을 합의하여 통일시킨 내용을 문서로 정리해 놓은 것이다. 조세용어는 소득의 발생장소(국내원천소득인 국외원천소득인지 여부), 소득의 성격(사업소득인지 이자소득인지 여부) 등을 당사국의 국내 조세법에서 개별적으로 규정하지 않고 조세조약에서 양 체약국이 공통적으로 규정하여 동일한 의미로 해석되도록 합의하는 것이다. 실제로는 당사국의 국내 조세법에서 규정하면서 분쟁이 발생하면 '상호합의절차'[36]를 통하여 해결하도록 하고 있다.

예를 들어 거주지국은 사용료(royalty) 소득으로 분류하여 조세조약에 따라 원천지국에서

---

36) OECD 표준조세조약, 2017, 제25조

는 과세하지 않고 거주지국에서만 과세권을 가지는 것으로 본 반면에 원천지국은 그 소득을 인적용역 소득으로 보고 원천지국에서 과세권을 행사하려는 경우에 분쟁이 발생하게 된다. 이 문제를 조세조약을 통하여 해결하기는 쉽지 않기 때문이다.[37] 조세조약의 적용대상이 되는 조세(taxes covered)는 각국의 조세제도와 조세를 부과하는 주체(중앙정부, 지방자치단체)에 따라 다르기 때문에 이를 해석하는 것은 쉽지 않다.[38]

국제거래는 단순히 체약당사국 간에만 이루어지는 것이 아니라 다른 국가도 관여되는 거래[39]가 많이 발생하게 된다는 점에서 이중과세 문제는 더욱 어려워지고 있다. 조세조약에서 다루는 이중과세는 주로 법률적 이중과세에 집중되어 있으므로 경제적 이중과세 문제는 사실상 배제되어 있다.[40]

또한 조세조약에서 사용되는 용어의 의미가 구체적이거나 명확하지 못하고 포괄적인 면이 강하다. 조세조약을 적용하더라도 이중과세가 발생할 수 있다. 일단 이중과세가 발생하면 당사국은 선뜻 먼저 나서서 이중과세 방지를 하는 것에 매우 조심스러운 태도를 취하려고 한다. 조세조약의 해석상 애매모호한 부분을 과세권의 포기와 연결해야 하기 때문이다. 따라서 납세자는 조세조약은 과연 무엇을 위하여 체결되었고 왜 존재하는가 하는 문제를 제기하게 된다.

(3) 이중과세 방지방법의 적용

가. 총조세부담액

이중과세 방지를 방지하기 위한 제도 중 외국납부세액 공제제도(credit system)는 납세자가 소득의 원천지국에서 세금을 납부한 후 거주지국에서 전 세계 소득과 합산과세할 때 외

---

37) OECD 표준조세조약, 2017, 제3조 제2항에서 '조세조약에서 정의되지 않은 용어의 의미는 문맥상 달리 해석되지 않는다면(unless the context otherwise requires) 체약국의 국내 조세법을 적용하여 그 용어의 의미를 해석한다'고 규정하고 있다. 이 조항의 해석상 조세조약에서 규정되지 않은 용어의 의미를 국내 조세법에 따라 해석은 원천지국에 우선권이 주어지고 그 해석에 따라 원천지국이 과세한 세액을 거주지국은 이중과세를 회피하기 위하여 국내 조세법의 규정에 따라 공제할 것인지 여부를 결정하게 된다. 원천지국이 해석한 용어의 의미를 거주지국이 따르지 않으면 이중과세가 발생할 수 있다.

38) 한-미 조세조약 제1조에서 규정한 대상조세에서 '제1항은 한국은 소득세 및 법인세, 미국은 연방소득세'라고 규정하고 제3항은 중앙정부, 주정부 또는 지방정부 수준에서 부과되는 모든 종류의 조세'로 규정하고 있다. 같은 조약 제2조에서 규정한 대상조세에서 '제3항은 한국은 소득세, 법인세, 주민세로 규정하고 중국은 개인소득세, 외국인 투자기업 및 외국기업에 대한 소득세, 지방소득세'로 규정하고 있다. 최근 OECD가 주도하고 있는 BEPS Project와 관련하여 이를 국내 조세법에 반영할 경우에 적용대상 조세의 범위와 개념은 더욱 복잡해지고, 따라서 그 해석에도 많은 어려움이 더해질 것으로 보인다.

39) 소위 '삼각거래(triangular case)'로서 다자간 거래상황(multilateral situations)을 말한다. 원천기술은 거주지국, 생산지국, 판매지국, 경유지국 등이 관여하는 상황이다.

40) Yariv Brauner, 2016, 'Treaties in the Aftermath of BEPS,' 41 Brooklyn Journal of International Law Volume 41. pp.974~986

국에서 납부한 세액을 전액 공제받을 수 있는 방법이다. 납세자의 입장에서는 세금을 원천지국에서 납부하든 거주지국에서 납부하든 총조세부담액이 동일하면 문제가 없다. 그러나 원천지국이나 거주지국의 입장에서는 징수하는 조세수입의 규모에서 차이가 발생할 경우에는 문제가 될 수 있다. 원천지국이 거주지국보다 낮은 세율로 과세하거나 반대로 더 높은 세율로 과세할 경우 원천지국과 거주지국 간의 조세수입의 규모에서 불균형이 발생하기 때문이다.[41]

원천지국이 거주지국보다 더 높은 세율로 과세할 경우 거주지국은 외국원천소득에 대하여 조세수입을 기대할 수 없다. 반대로 원천지국의 세율이 거주지국보다 낮은 경우에는 거주지국은 그 세율차액 만큼 추가로 과세하여 조세수입을 확보할 수 있다. 이 경우에 거주지국은 외국원천소득에 적용하는 세율과 거주지국에서 발생한 소득(거주지국 원천소득)에 적용하는 세율은 동일해야 한다. 외국원천소득을 국내원천소득보다 더 높은 세율로 과세할 경우에는 '차별금지(Non‒Discrimination)' 원칙을 위반하게 된다.[42] 외국납부세액을 전액공제하게 되면 조세수입의 이전[43] 현상까지 발생할 수 있다. 따라서 체약국은 조세수입의 일방적인 감소를 방지하기 위한 조치로서 외국납부세액의 공제한도를 제한하는 조치를 취할 수 있다.[44]

외국납부세액의 공제한도를 제한하는 조치가 OECD 표준조세조약 제23A조(Exemption Method) 및 제23B조(Credit Method)의 취지에 어긋나는 것은 아닌지에 대한 논란은 있지만, 조세조약에서 규정한 이중과세 방지의 목적이 당초 취지대로 달성되기 어렵다면 공제한도를 설정하는 새로운 대안의 모색이 가능하다는 점에서 이를 긍정하는 견해도 있다.[45]

나. 이중과세 방지방법의 다양한 조합

조세경쟁 측면에서 보면 거주지국과 원천지국은 외국납부세액의 공제방법을 전략적으로 사용할 수 있다. 원천지국이 조세부담율을 거주지국보다 낮게 하거나 높게 하면 거주지국은 외국납부세액 전액공제 또는 공제한도를 설정함으로써 대응할 수 있다. 원천지국은 외국투자자본의 유치를 위해 면세(exemption)를 하고, 거주지국은 자본의 효율적 배분을 위해 국

---

41) Daniel N. Shaviro, 2010, 'Rethinking Foreign Tax Creditability,' National Tax Journal Volume 63, p.709; Michael J. Graetz & Itai Grinberg,2003, 'Taxing International Portfolio Income,' Tax Law Review Volume 56, pp.568~574

42) OECD 표준조세조약, 2017, 제24조

43) 원천지국의 세율이 거주지국의 세율보다 더 높은 경우에 발생하는 현상으로서 거주지국에서 징수할 몫에 해당한 조세수입이 원천지국으로 이전되는 결과를 가져오므로 조세수출(tax export)이라고도 부른다.

44) 대표적 사례로서 미국이 2017년 도입한 '저율과세 해외무형자산(global intangible low tax income, 이하 'GILTI regime'이라 한다)'에 대한 외국납부세액의 공제한도를 80%로 제한하고 있다.

45) Daniel N. Shaviro, 2014, Fixing U.S. International Taxation, Oxford, p.115

외원천소득에 면세할 수 있다.[46]

외국납부세액 공제제도는 원천지국에서 납부한 조세부담액을 거주지국에서 공제받을 수 있게 하는 제도이므로 원천지국은 투자자가 투자국에서 납부해야 하는 조세부담 수준에 신경쓰지 않고 높은 세율로 과세할 수 있다. 원천지국의 입장에서 보면 거주지국이 외국원천납부세액을 전액공제하거나 면세할 경우에는 원천지국은 원천징수세율을 최대한 높여서 조세수입을 극대화할 수 있기 때문이다.[47] 결과적으로 외국투자 자본이 국내투자 자본보다 상대적으로 중과세되는 결과를 가져올 수 있다.

대부분의 국가들은 이중과세 방지방법으로 '외국납부세액 공제방법'이나 '외국원천소득 면세방법' 중 하나만을 사용하지 않고 적용요건을 세분화하여 두 가지 방법을 조합한 복합적 방법(hybrid approach)을 사용 한다. 그렇지만 이중과세의 문제가 모두 해결되지 못하고 여전히 남아 있다. 당사국의 관심 사항이 다를 수 있기 때문이다. 조세경쟁 측면과 조세수입 측면 중 어디에 중점을 두는지 그리고 그 정도는 어떤지에 따라 이중과세의 조정방법은 달라진다. 거주지국과 원천지국은 조세조약의 체결여부와 상관없이 자국의 관심 사항을 우선하여 이중과세 조정방법을 결정할 수 있다.

원천지국이 조세경쟁을 고려하여 조세수입을 일부 포기하더라도 거주지국은 원천지국이 포기한 조세수입을 포함하여 총조세부담수준을 거주지국의 국내원천소득의 총조세부담수준으로 조정할 수 있다.[48] 결과적으로 원천지국이 조세를 감면했음에도 불구하고 투자소득에 대한 총세부담액은 변동이 없다는 점에서 원천지국이 조세경쟁 측면에서 유리한 점은 없게 된다. 그러나 현실적으로는 여러 가지 정책적 이유로 거주지국이 외국원천소득에 대하여 국내원천소득보다 낮은 특례를 허용하는 경우가 많이 있다.[49] 자국기업이 해외에 많이 진출할수록 자국기업의 세계시장지배력이 높아지므로 이를 조세정책적으로 지원하려는 측면이 있기 때문이다. 거주지국의 입장에서는 조세경쟁차원에서 국외원천소득을 저율로 과세함으로써 국외원천소득의 국내송금을 촉진하는 효과도 기대할 수 있다.

정책적인 이유로 조세조약의 체결여부와 상관없이 외국원천소득에 대하여 국내 조세법에 의하여 단독으로 조세감면혜택을 부여하는 정책을 펴고 있는 국가들이 현실적으로 존재할 수 있다. 이러한 현실을 통해 알 수 있는 것은 조세조약이 없을 경우에도 국제연맹시대에

---

46) 조세의 수출중립성(export neutrality) 및 수입중립성(import neutrality)을 달성할 수 있는 방법을 선택하는 것을 말한다.

47) Mitchell A. Kane, International Tax Reform, the Tragedy of the Commons, and Bilateral Tax Treaties 42, Spring 2018 New York University School of Law, May 1, 2018, p.28~29

48) 외국원천소득에 대하여 국내원천소득보다 중과세하는 것은 차별과세이므로 정치적·현실적으로 한계가 있다.

49) Daniel Shaviro, 2015, 'The Crossroads Versus the Seesaw,' Tax Law Review. Volume 69, Number 1, p.10

도입된 표준조세조약에서 전제로 삼았던 거주지국과 원천지국에서 과세한 총조세부담수준을 기준으로 전개한 이중과세의 의미를 조세조약이 없는 경우에도 실현될 수 있게 한다는 것이다.

(4) 이중과세 방지의 의미에 대한 견해

가. 명목적 의미

이중과세의 방지를 위해 조세조약을 체결하더라도 조세조약의 내용을 충실하게 실행할 수 있도록 국내 조세법의 관련규정이 조정되지 않으면 실효성이 없게 된다. 국내 조세법의 영역은 주권국가의 고유한 영역에 속하므로 조세조약 때문에 자국의 과세관할권을 선뜻 상대체약국에 양보하기는 정치적인 부담이 클 수 있다. 소득원천지와 경제적 연관성(economic allegiance)에 대하여 원천지국과 거주지국 간에 입장이 다를 수 있기 때문이다. 따라서 국제거래소득이 발생한 납세자의 경우 조세조약상의 이중과세 방지 혜택을 받을 수 있을지 여부가 불확실해질 수 있다.[50]

소득의 원천은 개방화된 국제경제구조하에서 여러 국가를 통하여 가치사슬(value chain)을 형성할 수 있다. 정치적 · 법률적인 측면인 과세관할권의 관점에서 보면 해당 국가별로 하나씩의 원천이 존재하게 된다.[51] 각국의 세율은 차이가 있으므로 투자장소를 하나의 국가에만 집중하는 결정을 통하여 '투자국 선택의 중립성(locational neutrality)'도 얻기 어렵다.[52] 이중과세의 방지가 세계경제의 효율성을 높이는 것인지에 의문도 있다. 세율이 낮은 국가에 투자할 경우에 이중과세가 발생하더라도 오히려 세계경제의 효율성을 높이는 결과를 가져올 수도 있다는 견해도 있다.[53] 일방체약국이 양보한 조세수입을 타방체약국이 징수하는 한편, 타방체약국이 양보한 조세수입을 일방체약국이 징수하여 균형을 맞출 수 있기 때문이다.

양 체약당사국 간의 세율이 같고 자본의 흐름이 유사할 경우에는 이중과세의 방지는 양

---

50) Daniel N. Shaviro, 2014, Fixing U.S. International Taxation, Oxford, pp.113~114

51) Hugh J. Ault & David F. Bradford, 1990, 'Taxing International Income: An Analysis of the U.S. System and its Economic Premises,(소득의 원천과 경제적 속성은 '관련성이 있어야 한다는 입장)' Mitchell A. Kane, A Defense of Source Rules in International Taxation(경제적 속성이 필요없다는 입장), in TAXATION OF THE GLOBAL ECONOMY 11, 30 (Assaf Razin & Joel Slemord, eds.)

52) 동일한 조건이면(ceteris paribus) 세율이 낮은 국가에 대한 투자를 선호할 것이기 때문이다. 국제자본유치를 위한 조세경쟁의 핵심을 조세부담의 경감에 두고 있는 이유이다.

53) Daniel N. Shaviro, 2014, Fixing U.S. International Taxation, Oxford, p.114. Shaviro가 예시한 사례에서 저세율 국가와 고세율 국가가 있는 경우에 투자자는 투자비용이 높은 고세율 국가가 아니라 투자비용이 낮은 저세율 국가에 투자하게 되므로 세계경제차원에서는 효율성이 오히려 증가되는 결과를 가져온다는 것이다.

체약국에게 상호이익(win-win)이 발생할 수 있다. 그러나 현실 상황은 이와 다르다. 설사 양 체약국의 상황이 동일하다고 하더라도 외부적인 요인의 영향으로 인해 일방체약국이 타방체약국의 상황보다 유리하게 될 수도 있다.[54] 따라서 조세조약에서 규정한 이중과세 방지라는 목적이 현실적으로 달성되지 못하게 될 수 있고 이렇게 되면 이중과세의 방지가 무엇을 말하는지가 불분명해진다.

국가 간의 제도와 환경이 동일하지 않고 서로 다르기 때문에 조세조약이 이중과세의 완화에 기여하는 데는 한계가 있고, 이중과세의 방지를 통하여 달성하려는 세계차원의 효율성 증진에도 기여하지 못하게 된다. 이런 측면에서 보면 조세조약의 체결목적인 이중과세 방지는 이름뿐이고 실질적으로는 각국이 더 많은 조세수입의 확보에 관심을 쏟고 있다고 볼 수 있다.

나. 실질적 의미

이중과세의 실질적 의미와 관련하여 국제연맹(League of Nations)의 조세조약 초안에서 사용된 이중과세의 개념을 사용하여 설명하는 견해가 있다. 이 견해에 따르면 이중과세는 '글자 그대로의 이중과세가 아니라 외국원천소득에 대한 전체 조세부담액과 그 외국원천소득이 국내원천소득일 경우에 부담하는 전체 조세부담액을 비교하여 동일해야 하고 그렇지 않을 경우에는 이중과세가 발생한다'는 의미라고 주장한다.[55] 국제연맹이 1928년에 마련한 표준조세조약 초안의 기초가 된 1923년 보고서[56]에서 설명하고 있는 '이중과세'의 의미를 보면 국가 간의 중복과세라기보다는 일국의 과세당국이 국외원천소득에 대하여 국내원천소득보다 더 많은 세금을 부과하는 것을 막으려는 취지로 보인다.[57] Seligman의 강의내용에 따르면 1923년 보고서에서 이중과세 문제를 두 가지 측면에서 접근하고 있다. 하나는 '소득

---

54) 일방체약국이 타방체약국에 비하여 소득의 이전을 좀 더 자유롭게 하는 경우에는 그 일방체약국으로 소득이 몰리는 현상이 발생할 수 있을 것이다.

55) Mitchell A. Kane, 2018, 'International Tax Reform, the Tragedy of the Commons, and Bilateral Tax Treaties', Draft paper. p.42

56) 국제연맹 1923년 보고서는 Seligman의 주도로 작성된 이중과세 문제를 경제학적 이론에 따라 분석한 보고서이다. 동 보고서는 국제적 이중과세가 국제경제에 미치는 영향에 대하여 설명하고 있다.

57) Edwin R.A. Seligman이 1927년에 이중과세 문제에 대하여 'Double Taxation and International Fiscal Cooperation'라는 제목으로 시리즈로 강의한 내용 중 3번째 서론부분에 해당하는 강의에서 다음과 같이 말하고 있다. 'This [category of fiscal cooperation] brings up all the problems of inequality, of injustice and of the evil results connected with multiple and excessive burdens, most of which are commonly summed up with the name of double taxation'; Double taxation and international fiscal cooperation : being a series of lectures delivered at the Academie de droit international de la Haye / by Edwin R. A. Seligman, New Yokr : Macmillan, 1928

의 배분' 측면이고, 다른 하나는 '조세부담의 배분' 측면이다. 소득의 배분 측면에서는 양국은 배타적 권리가 허용되는 소득을 구분하여 '각각 배타적 과세권'을 행사할 수 있지만, 조세부담의 배분 측면에서는 이러한 배타적 과세권으로 나누는 이분법적 방법이 아니라 그 '소득에 대한 총조세부담액' 측면에서 접근해야 한다는 점을 강조하고 있다. 1928년 국제연맹의 표준조세조약 초안은 이러한 두 가지 원칙을 이중과세의 방지기준으로 삼았다. 국제거래소득 중 자국의 과세관할권에 속하는 소득에 대하여 배타적 과세권을 행사하되 총세부담액은 해당 납세자가 거주지국에서 획득한 소득에 대한 총세부담액을 초과하지 않도록 하는 원칙을 적용하고 있다.

현재 OECD 표준조세조약과 UN 표준조세조약 및 대부분의 양자 간 조세조약은 1928년의 국제연맹 표준조세조약 초안에서 정립된 기준에 따라 이중과세 문제에 접근하고 있다. 현실 적용 측면에서는 국가 간의 배타적 과세관할권이 있는 소득에 대한 과세권의 배분은 명확하게 하고 있지만, 그 국외원천소득과 국내원천소득 간의 총조세부담이 동일하게 하는 부분에 대하여는 아직은 명확하게 되어 있지 않다.[58]

거주지국이 원천지국보다 낮은 세율로 과세할 경우에는 총조세부담액은 국외원천소득이 국내원천소득보다 높아진다. 이때 외국납부세액공제를 해야 하는지의 문제가 있다. 1928년 국제연맹 표준조세조약 초안의 총세부담액 기준에 따라 OECD 표준조세조약 제23조를 해석하면 외국납부세액을 전액공제하는 것이 아니라 일부만 공제하는 것이 타당한 것으로 보인다. 공제방법은 국내원천소득에 대한 조세부담을 한도로 공제하는 것이다. 이렇게 하면 현행 OECD 표준조세조약 제23조의 취지에 어긋나지 않게 된다고 볼 수 있다. 따라서 현행 OECD 표준조세조약 제23조가 강조하는 내용은 이중과세의 방지방법이라기보다는 총조세부담액에 대한 것이라고 볼 수 있다.

현실적으로 납세자의 입장에서는 국외투자소득에 대하여 몇 번을 과세받느냐 하는 과세 회수보다는 실제로 총조세부담액이 어느 정도인가에 더 많은 관심이 클 수밖에 없다. 예를 들어 원천지국과 거주지국이 각각 10%씩 과세하면 총조세부담액은 20%가 된다. 한편 원천지국은 과세하지 않지만 거주지국이 30% 세율로 과세하는 경우에 총조세부담액은 30%가 된다. 두 개의 사례를 비교하면 10%씩 두 번 과세된 경우보다 30%로 한번 과세된 경우가 조세부담액이 더 높게 된다. 투자자의 입장에서는 이중과세의 문제를 과세 회수가 아니라 총조세부담액의 수준과 연관시켜 보게 된다.

---

58) Kane, 전계논문 p.73

제3절 조세회피와 탈세의 방지

① 탈세방지 노력의 역사

(1) 금융거래 비밀보호 해제 필요성 제기

1922년 4월 제노아(Genoa)에서 개최된 국제경제회의(International Economic Conference)[59]에서 국제연맹에게 탈세문제 해결방안을 찾는 임무가 부여되었다.[60] 1925년 재정위원회의 전문가 그룹은 이론적 관점에서 탈세의 개념을 처음으로 정의하였다. 탈세의 이론적인 개념은 '조세법상의 납세의무를 회피할 목적으로 자본을 해외로 이전하는 것'으로 정의하였다.[61] 이러한 탈세는 고의적이 아닌 상황에서도 '부주의(carelessness), 망각(forgetfulness), 불성실 신고(negligence vis-a-vis compliance)' 등으로 인해 발생할 수 있는 점도 지적하였다.[62] 탈세는 국제연맹시대 이후 때로는 도덕적 문제로,[63] 때로는 악 등 다양한 방법으로 설명되어 왔다. 탈세가 발생하는 주된 원인은 '지나치게 과중한 조세부담(excess taxation)'에 있는 것으로 보았다.[64]

이러한 탈세의 방지를 위해 채택된 국제연맹 재정위원회 제13호 결의(resolution)의 요지는 '조세를 회피할 목적으로 자본을 해외로 이전하는 것을 차단하기 위하여 모든 가능한 수단을 동원할 수 있고, 이러한 조치가 시장거래의 자유를 저해하거나 은행과 고객 간의 금융거래 비밀준수의무에 위반된다는 주장은 맞지 않다'로 되어 있다.[65]

그 당시로서는 과세당국이 은행비밀(bank secrecy)을 오용(abuse)할 것이라고 믿는 사람

---

59) 제1차 세계대전 후 국제문제를 다루기 위하여 당시 영국 영국수상 David Lloyd Geroge의 주도로 34개국이 참석하여 1922년 4월 10일에서 5월 19일까지 이탈리아 Genoa에서 개최된 회의를 말한다.

60) 제노아 회의결과보고서(PAPERS RELATING TO INTERNATIOAL ECONOMIC CONFERENCE, GENOA APRIL-MAY, 1922) 중 Part III 경제관련 제3위원회의 보고서(Report of the Third Commission (Economic) 'Chapter III Treatment of Foreigners in the Conduct of Business' 제15조
http://www.cadtm.org/IMG/pdf/1922_Genoa_Conference_papers.pdf

61) 1925년 보고서, p.22

62) 1925 보고서, p.22

63) 1925 보고서, p.28

64) 1927 보고서, p.9

65) 1927 보고서, Introduction, note 2. ; 'We have considered what action, if any, could be taken to prevent the flight of capital in order to avoid taxation, and we are of the opinion that any proposals to interfere with the freedom of market for exchange; or violate the secrecy of bankers' relations with their customers are to be condemned…'

은 거의 없었지만[66] 국제상공회의소(ICC)가 과세당국의 오용 가능성에 대해 우려를 표명함에 따라 은행비밀은 2011년까지 유지되어 왔다.

2011년 OECD가 G20의 지지에 힘입어 은행비밀 보호의 금기를 깨는 조치를 추진하면서 은행비밀 보호의 시대는 종지부를 찍었다.[67] '2011년 OECD 보고서'에 의하면 '지난 2년 동안 은행거래자료를 통하여 20개국에서 140억 유로의 추가 세수가 징수되었고 앞으로 더 많은 추가 세수를 예상하고 있다.'고 기록되어 있다. 추가 세수 140억 유로 중 2억 유로는 캐나다에서, 6천만 유로는 멕시코에서, 20억 유로는 미국에서 각각 징수된 것으로 나타났다.

국제연맹 시대에 표준조세조약 초안의 작성에 참가했던 전문가들이 고민했던 주요문제 중의 하나는 '여론(public oppinion)'이었다.[68] 탈세방지를 위해 조세정보의 교환이 개별국가에서 어떻게 실행될 수 있을지는 그 나라 국민들의 수용가능성이 어느 정도인지에 달려 있다. 과세당국이 탈세문제에 대하여 관련되는 사람들을 직접 일일이 찾아다니면서 설득하는데는 한계가 있으므로 언론을 통하여 여러 사람을 상대로 홍보하여 여론을 형성하는 것이 효과적일 수 있다. 대중매체를 이용하여 탈세방지를 위해 조세정보의 교환필요성을 홍보하는 방법은 납세자, 조세조언자, 조세회피계획 기획자 등에게 영향을 주는데 큰 역할을 한다.[69]

(2) 조세정보교환의 필요성 제기

국가가 이러한 탈세문제에 대처하기 위한 수단으로 사용되는 '국가 간의 조세정보교환'[70]의 역사는 생각보다 오래되었다. 1925년 국제연맹보고서는 1843년 체결된 프랑스와 벨기에 간의 조세조약상의 조세정보교환을 언급하고 있다. 그 조약에서 일방체약국의 거주자가 타방체약국에 '비이동성 자산(immovable property)'을 소유하고 있는 경우에 그에 대한 조세정보를 교환하도록 규정하고 있다.[71] 이와 유사한 조약은 1845년 네덜란드와 벨기에가 체결한 조세조약이다. 1907년 프랑스와 영국이 체결한 조약에서는 상속세의 탈세방지를 위한 정보교환을 규정하고 있다.[72] 국제연맹 1925년 보고서는 탈세문제에 효과적으로 대응할 수 있는 수단은 비이동성자산, 저당권(mortgage), 사업소득, 증권 등의 취득이나 소유한 사람의

---

66) 1925 보고서 p.25
67) OECD, The Era of Bank Secrecy is Over (2011). 이하 '2011년 OECD 보고서'라 한다.
68) 1925 보고서, p.26
69) OECD, Corporate Loss Utilisation through Aggressive Tax Planning, 2011, p.11
70) 타방체약국의 거주자가 획득한 소득에 대하여 일방체약국이 과세한 정보를 타방체약국에게 통보하는 장치가 조세정보의 교환(exchange of information)이다.
71) 1925 보고서, p.23
72) 1925 보고서, p.23

자본이나 소득금액을 확인할 수 있는 정보를 상호주의 원칙하에서 다른 국가에게 제공하는 것이라고 보았다.[73]

국제연맹의 1927년 전문가 위원회와 1928년 정부대표자까지 참석한 전체회의를 통하여 탈세문제를 해결하기 위하여 '조세문제에 대한 행정공조에 관한 양자 간 협약 초안'이 입안되었다.[74] 협약초안의 명칭은 'Draft Bilateral Convention on Judicial Assistance in the Collection of Taxes'로 되어 있었다.[75] 그러나 재정위원회가 1929년부터 1946년까지 탈세문제에 대응하기 위한 정보교환과 관련하여 실제로 작업을 한 것은 거의 없었다. 그 이유는 정보교환을 하기 위하여 국내관련 법률을 개정하는 것을 대부분의 관련국가들이 반대했기 때문이다.[76] 그럼에도 불구하고 정보교환에 관한 내용으로 조약한 체결한 국가들도 일부 있기는 했다. 1937년 헝가리와 루마니아는 '행정공조와 조세의 회복을 위한 조약(Convention for Administrative Assistance and Recovery of Taxes)'을 체결했고, 1938년에는 독일과 이탈리아가 '조세문제에 대한 행정 및 법률공조 조약(Convention on Administrative and Legal Assistance in the Matter of Taxation)'을 체결했으며, 1939년에는 미국과 스웨덴이 '소득과 자산에 대한 조약(Convention on Income and Property)'을 체결하였다.[77]

② OECD 시대의 정보교환 노력

(1) 국제적 탈세사건

국제거래탈세 사건으로서 2005년 미국에서 일어난 KPMG 사례가 있다. 미국 국세청이 KPMG 부회장을 포함한 일부 파트너들을 탈세에 개입한 혐의로 기소한 사건이다.[78] 이 사건에서 KPMG는 탈세관련 범죄행위를 시인하고 4억 5천 600만 달러를 벌과금과 배상금으로 지불하였다. 그 후 KPMG는 부유층에 대한 탈세방법 조언 관행을 종식시키고 세금의 신고준비와 특정사안에 대한 세무조언을 할 때는 더 높은 윤리기준을 영구히 준수할 것을 서약하였다.

---

73) 1925 보고서, p.34
74) 1927 보고서, p.22
75) 1927 보고서, p.26
76) 1938 보고서, p.1
77) 1939 보고서, p.18
78) IR-2005-83 (29 Aug. 2005)
   http://www.irs.gov/uac/KPMG-to-Pay-$456-Million-for-Criminal-Violations

이 하나의 탈세사건 처리를 계기로 미국 국세청이 2005년 8월까지 징수한 세금은 무려 37억 달러가 넘었다. IRS가 추진한 'Son of Boss'라고 불리는 '유사사건처리계획(parallel civil global settlement initiative)'에 자발적으로 참여한 납세자들로부터 거두어들인 세금이다.[79] 이렇게 탈세사건을 중시한 국가는 미국만 있는 것이 아니고 다른 국가도 있다. 캐나다와 멕시코 등도 탈세문제에 엄정하게 대처하고 있다.[80]

이러한 국제 탈세사건은 OECD를 중심으로 조세조약상의 탈세방지 조치에 관한 관심을 크게 높이는 계기를 제공하였다.

(2) 국가 간 협력을 통한 공동대응체제 강화

OECD는 이중과세의 회피외에 탈세의 방지를 조세조약의 주요 목적으로 삼고 있다. 탈세방지 목적달성을 위하여 '조세 징수와 정보교환과 관련한 국가 간 행정공조의 기준(rules for administrative assistance in tax collection and information exchange)'의 마련에 심혈을 기울이고 있다. 그러한 노력의 결과로 2003년에는 OECD 표준조세조약 제27조를 신설하여 조세징수에 관한 행정공조(Assistance in tax collection)에 관한 기준을 규정하였다. 이 작업은 OECD가 처음으로 시작한 것이 아니고 국제연맹이 앞서 수행했으나 중단되어 있던 것을 다시 이루어낸 것으로 볼 수 있다.

2017년 개정된 OECD 표준조세조약의 '서문(introduction) paragraph 41'에서는 조세조약상의 편익(benefit) 수혜요건을 규정한 제29조의 신설내용을 언급하는 정도에 그치고 실질적으로는 1977년 표준조세조약의 내용이 그대로 남아 있다.[81] 일견 OECD가 여전히 소극적인 듯하나 조세회피와 탈세문제에 대응하기 위한 정보교환에 상당히 속도를 높여 왔다. 2008년에서 2012년 사이에 대부분의 국가들이 다자간 조약인 '조세정보교환협정(Tax Information

---

79) IR-2005-83 (29 Aug. 2005)

80) http://www.cra-arc.gc.ca/tx/bsnss/tpcs/txshltrs/menu-eng.html

81) OECD 표준조세조약, 2017, 서문 paragraph41. 'The Committee on Fiscal Affairs continues to examine both the improper use of tax conventions and international tax evasion. The problem is referred to in the Commentaries on several Articles. In particular, Article 26, as clarified in the Commentary, enables States to exchange information to combat these abuses. Issues related to the improper use of tax conventions and international tax avoidance and evasion have been a constant preoccupation of the Committee on Fiscal Affairs since the publication of the 1963 Draft Convention. Over the years, a number of provisions (such as Article 29, which was added in 2017) have been added to the Model Convention, or have been modified, in order to address various forms of tax avoidance and evasion. The Committee on Fiscal Affairs will continue to monitor the application of tax treaties in order to ensure that, as stated in the preamble of the Convention, the provisions of the Convention are not used for the purposes of tax avoidance or evasion.'

Exchange Agreements(TIEAs))'[82]을 체결하는 성과를 이끌어내었다.[83] 조세정보교환협정에 가입한 국가 중에는 이른바 '조세피난처(tax haven)' 국가들이 대부분 포함되어 있다.[84]

OECD가 2002년 4월 공표한 '조세정보교환에 관한 표준협약(Model Agreement on Exchange of Information on Tax Matters)'과 '주석'은 개별국가 간 조세정보 교환협정을 체결하는 기준이 되고 있다. OECD는 각 국가들이 정보교환협정을 체결하고 그 내용을 실천하면 국제거래와 관련한 탈세문제가 종식될 수 있는 것으로 보고 있다.

(3) 과세정보 교환의 강화

OECD 표준조세조약 제26조가 말하는 과세정보의 교환은 탈세방지의 유용한 수단이 될 수 있다. 그러나 '법률이나 정상적인 조세행정 과정에서 얻을 수 없거나 산업 또는 영업의 기밀이 노출될 우려가 있는 경우'에는 교환대상에 제외할 수 있도록 규정하고 있어서[85] 과세정보의 교환을 통한 조세회피의 방지에는 한계가 있다. 이 점을 이용하여 스위스와 룩셈부르크 등은 오랜기간 동안 은행계좌의 비밀을 정보교환대상에서 배제하여 왔다.[86] 이들 국가는 양자 간 조세조약을 통하여 정보를 교환할 경우 상호주의원칙에 따라 상대방 국가로부터 얻어낼 실익이 별로 없었기 때문에 은행계좌정보의 교환에 대해 소극적이었다. 탈세행위가 이루어진 사업이 여러 나라에 걸쳐 있는 경우에는 양자 간 조세조약의 구조로 접근하여 문제를 해결하는데는 근본적인 한계가 있다. 특히 소위 조세피난처 국가(tax haven)[87]의 경우 조세조약의 체결을 통한 과세정보의 교환에 매우 소극적 자세를 보여왔다.

OECD는 '과세정보교환의 효과성 제고를 위한 실무그룹회의(Global Forum Working Group on Effective Exchange of Information)에서 2002년 4월에 도출한 '과세정보교환협정

---

82) 조세정보교환협정의 내용은 OECD 홈페이지의 다음 주소를 참조
http://www.oecd.org/ctp/harmfultaxpractices/2082215.pdf

83) 조세정보교환협정에 가입한 국가의 명단은 OECD 홈페이지의 다음 주소를 참조
https://www.oecd.org/ctp/exchange-of-tax-information/taxinformationexchangeagreementstieas.htm

84) Anguilla, Aruba, the Bahamas, Barbuda, Bermuda, British Virgin Islands, the Cayman Islands, Dominica, Gibraltar, Guernsey, Isle of Man, Jersey, Liechtenstein, Netherlands Antilles, San Marino, St. Kitts and Nevis, St. Vincent and the Grenadines, Turks and Caicos 등의 조세피난처 국가들이 조세정보교환협정에 가입하고 있다. 자세한 내용은 OECD 홈페이지의 다음 주소를 참조
http://www.oecd.org/ctp/harmfultaxpractices/43775845.pdf

85) OECD 표준조세조약, 2017, 제26조 제3항 b), c)

86) Lee Sheppard, 209, 'Don't Ask, Don't Tell, Part 4: Ineffectual Information Sharing,' 63 Tax Notes International Volume 63, p.1139

87) BEPS에서는 조세피난처(tax haven)라는 용어대신에 비협력국가(non-cooperative states)라는 용어를 사용한다.

(Tax Information Exchange Agreement, or TIEA)'을 바탕으로 OECD 회원국과 비회원 간의 과세정보교환협정을 체결하도록 권고하였다.[88] 그 권고에 따라 종전에 조세피난처로 분류되었던 국가와 OECD 회원국 간에 과세정보교환협정(TIEA)을 체결하고 그에 따라 과세정보를 교환할 수 있게 되었다.[89] 외국원천소득에 대한 정보는 당해 원천지국의 국내법이 규정한 납세정보 비밀의 원칙에 불구하고 조세조약에 규정한 정보교환규정에 따라 상대체약국에 제공하게 되어 있다.

과세정보교환협정(TIEAs)은 미국이 2000년 12월 6일 앤티가 및 바부다(Antiqua and Barbuda)와 처음 체결한 이후 2012년까지 10여 년 동안 500여 건이 체결되어 왔다.[90] 이와 병행하여 국내 조세법을 통하여 자국거주자의 탈세행위에 대한 과세정보도 수집하는 조치를 제도적으로 보완하고 있다. 대표적인 것이 2010년 미국이 도입한 '외국은행계좌신고법(Foreign Account Tax Compliance Act, or FATCA)'이다. 이 법률에 따라 외국계 은행이나 금융기관은 미국거주자의 정보와 은행거래 계좌정보를 미국과세당국에 의무적으로 제공해야 한다. 미국거주자의 과세정보를 제공하지 않을 경우 미국원천소득에 대하여 30%의 세율을 적용하여 과세하고 있다.

FATCA의 내용은 대부분 타방체약국의 금융기관 관련법률에 저촉되는 사항이 담겨 있어서 국가 간의 합의가 필요하다. 따라서 미국은 FATCA 실행을 위하여 '정부 간 협정(Intergovernmental Agreements, or IGAs)'을 체결하고 있다.[91] 미국의 FATCA 정책 시행후 OECD는 정부가 협정(IGAs)에 적용할 '표준보고서(Common Reporting Standard, or CRS)' 양식을 개발하였다. 표준보고서는 일종의 자동정보교환 서식이라 할 수 있다.

미국이 주도한 FATCA는 OECD 표준조세조약 제26조의 정보교환규정이 실효성이 낮기 때문에 이를 대체하기 위하여 제정된 입법으로 볼 수 있다. FATCA의 실행을 위한 정부 간

---

88) 과세정보교환협정(TIEAs)은 일반 조세조약과 달리 오로지 과세정보의 교환만을 목적으로 체결된다. 과세정보의 교환은 양자 간 조세조약에 의해서 이루어질 수 있지만 특성상 체약당사국 간에만 효력이 발생하므로 조세조약이 체결되지 않은 국가들(특히 소위 조세피난처 국가)과의 과세정보교환은 어려울 뿐 아니라 양자 간 조세조약에 규정된 정보교환 절차는 '일방체약국의 요청'에 의하여 이루어지므로 정보교환사항을 구체적으로 표기해야 하는 문제가 있고, 교환대상 과세정보의 경우에도 OECD 표준조세조약 제26조 제3항 b)와 c)에서 규정된 대로 법률상 금지되거나 영업비밀과 관련되는 것은 교환대상에서 제외될 수 있으므로 한계가 있다. 이러한 한계를 보완하기 위하여 조세정보교환협정(TIEAs)이 체결되면 체약국 간에는 조세관련정보가 자동적으로 교환되도록 하고 있다.

89) 과세정보는 자동적으로 교환되는 조항(automatic exchange of information)을 두어 해당 정보를 표준보고서(common reporting standard) 또는 국가별보고서(country-by-country reports)를 이용하여 교환한다.

90) OECD, Tax Information Exchange Agreements.
http://www.oecd.org/tax/exchange-of-tax-information/taxinformationexchangeagreementstieas.htm

91) U.S. Dept. of Treasury, Foreign Account Tax Compliance Act.
https://www.treasury.gov/resource-center/tax-policy/treaties/Pages/FATCA.aspx

협정(IGAs)은 은행계좌비밀을 이유로 과세정보교환을 회피하는 것을 허용하지 않는다는 점에서 OECD 표준조세조약의 정보교환규정 제26조의 규정은 사실상 적용되지 않게 되었다. 과세정보교환협정(TIEAs)과 FATCA로 인하여 이제 전통적인 과세정보교환방식이 담긴 OECD 표준조세조약 제26조에 의하지 않고 새로운 기준으로 과세정보를 교환하는 단계로 들어선 것으로 볼 수 있다.

③ 조세조약을 통한 대응의 실효성

(1) 과세정보교환의 한계

대부분의 조세조약은 그 목적이 'avoidance of double taxation and prevention of fiscal evasion'을 위한 것임을 명시적으로 표현하고 있다. 국제거래에서 발생한 소득에 대한 탈세문제는 조세조약의 남용을 통해서 주로 이루어진다. 따라서 탈세방지수단은 조세조약의 남용(treaty abuse)을 방지하는 것이다. 조세조약을 이용한 탈세(tax evasion)는 위법한 것이지만 조세조약의 이용을 통한 조세회피(tax avoidance)는 위법은 아니다. 문제는 현실적으로 구분하기는 쉽지 않은 점이다. 조세조약을 이용한 탈세와 절세가 구분되는 경우도 있지만 대부분의 경우에는 두 측면이 혼합되어 일부는 탈세, 일부는 절세인 경우가 있기 때문이다.

모든 조세조약에서 OECD와 UN의 표준조세조약이 별도의 문항에서 과세정보의 교환(Exchange of Information)을 규정함으로써 탈세와 조세회피에 대응하려고 한다. 이러한 과세정보교환의 실효성에 대해 의문을 표현하는 의견도 많이 있다. 그 이유의 요지는 첫째, 소득의 발생원천이 되는 사업을 하는 주체와 직접 관련이 없는 금융기관에 불필요한 부담을 주는 것이고, 둘째, 투자국의 금융기관에 예치된 자금의 내역이 조세목적상 공개된다는 점에서 외국자본직접투자의 유입(inbound FDI)을 억제할 수 있는 요인이 될 수 있고, 셋째는 정부당국이 정치적 목적을 가지고 접근할 경우 납세정보의 비밀보장이 어려워 개인의 사생활 침해문제가 발생할 수도 있다는 점 등이다.[92] 과세정보의 교환이 조세 측면에서 효과적으로 활용되려면 경제정책의 투명성이 뒷받침되어야 한다. 경제적 투명성이 불확실할 경우 재산권의 침해문제, 국가권력의 부당한 개입 등에 대한 우려로 인해 외국자본의 유입이 오히려 감소할 수 있기 때문이다.[93]

---

92) 룩셈부르크, 벨기에, 네덜란드를 비롯한 소위 조세피난처 국가로 불리던 국가 중 일부는 OECD가 추진한 과세정보교환을 통한 조세의 투명제고방법에 대하여 개인의 사생활정보보호를 이유로 들어 반대한 바 있다.

93) Zdenek Darbek, Warren Payne, 'The Impact of Transparency on Foreign Direct Investment,' World Trade Organization Staff Working Paper ERAD-99-02

(2) 조세조약의 내재적 한계

조세조약을 통하여 체약당사국이 모든 국제거래에 과세권을 행사한다면 조세의 탈세나 회피행위를 차단할 수 있겠지만, 역설적으로 조세조약 자체가 조세부담의 회피행위를 조장하는 측면도 내재되어 있다. 조세조약은 국내 조세법의 상호작용하면서 적용되기 때문이다. 예를 들어, 국내 조세법에서 외국에 진출한 기업에 대하여 중과세할 경우 해외에 진출한 기업은 조세조약을 이용하여 원천지국가의 소득을 축소시키는 방안을 찾게 된다.

그 방안은 본사를 저세율국가로 이전하는 방법, 원천징수세액을 실제보다 높게 조작(manipulation)하는 방법, 외국투자소득의 본국 송금을 지연시키는 방법 등이다. 이러한 방법들은 모두 조세조약을 이용하여 이루어질 수 있기 때문에 양자 간의 조세조약만으로 조세회피행위를 차단하는 데는 한계가 있을 수밖에 없다.

제4절 이중비과세의 방지

 ① 조세조약 목적에 대한 새로운 시각

조세조약체결의 주요목적은 이중과세의 방지이다. 그러나 조세조약에서 사용되고 있는 '이중과세의 방지(avoidance of double taxation)'라는 용어에 담긴 이중과세의 의미도 앞에서 언급한대로 분명하지 않다.[94] 이중과세의 방지가 인적 및 물적자본의 자유로운 이동에 실질적으로 긍정적인 역할을 하는지에 대하여는 회의적인 시각도 있다.[95] 경제의 국제화가 시작한 초기인 1920년대에는 국제거래소득에 대한 과세기준이 정립되지 않아 이중과세 문제는 조세조약을 통해 해결해야 할 중요한 과제가 될 수 있었다. 이중과세의 해결방안은 OECD를 통하여 확립된 국외원천소득에 대한 '외국납부세액공제방법(credit method) 또는 국외원천소득 면세방법(exemption method)' 등이 자리잡은 상태이다.

원천지국과 거주지국 간이 조세조약을 체결하면서 과세관할권에 대하여 원천지국은 최소

---

94) 제2절 ❸ (4) 나. '실질적 의미' 참조
95) 일부 실증연구결과는 이중과세 방지에 목적을 두고 있는 조세조약이 외국자본직접투자의 유치와 유의미한 관계가 없다고 주장한다. Efraim Chalamish, 'Do Treaties Matter? On Effectiveness and International Economic Law,' Michigan Journal of International Law Volume 32, Winter 2011, pp.325~327; 강성태, 2011, '외국인 직업투자의 유치와 조세 및 비조세 변수의 효과', 2011, 박사학위 논문, pp.130~131 Holger Görg, Hassan Molana and Catia Montagne, 2009, 'Foreign Direct Investment, Tax Competition and Social Expenditure,' International Review of Economics and Finance, Volume 18, Issue 1, pp.32~34

한도로 과세하고 거주지국은 잔여분에 대하여 과세권을 행사할 수 있도록 절충한 결과로 체결된 것이 조세조약이라고 볼 수 있다. 현행 조세조약상의 체계는 거주지국을 기준으로 설계된 1928년의 국제연맹(League of Nations) 표준조세조약 초안에 바탕을 두고 있다.[96] 1928년 국제연맹이 조세조약을 설계할 당시에 초점을 둔 것은 모회사가 소재한 거주지국과 자회사가 소재한 원천지국 간에 소득을 배분하는 방법에 대한 것이었다. 그 당시 거주지국은 영국과 같이 기술과 자본이 풍부한 국가이고 원천지국은 인도와 같이 값싼 노동력이 많은 국가였다. 자회사는 원천지국에서 발생한 소득을 '이자, 사용료, 용역대가, 임대료 등'의 명목으로 송금하였다. 이러한 송금액은 원천지국에서는 비용으로 공제되므로 원천지국에서 과세할 소득은 일상적인 소득만 남게 되었다. 송금액은 거주지국으로 가지 않고 제3의 조세피난처로 향했다. 따라서 원천지국과 거주지국의 과세대상소득은 잠식(base erosion)되고 있었다.[97] 조세조약의 목적은 이중과세 방지이지만 결과적으로 이중비과세를 발생시키고 있었다.[98]

　현재의 국제 과세기준이 국제연맹시대의 기본틀에 얽메여 '과세의 중복'에 중점을 둠으로써 당해 납세자가 정당하게 납부해야 할 총세부담액에 대한 관심은 낮은 편이다. 이중과세의 방지목적에 충실할 경우 체약국 중 어느 일방체약국은 과세권을 포기해야 하고 그 국가의 조세수입은 줄어들게 된다. 일방체약국이 과세를 포기하는 상황은 이중비과세로 연결될 수 있다.

　이중비과세의 의미는 어느 한 국가에서는 과세되어야 하지만 어느 국가에서도 과세되지 않는 것을 말한다. 이를 국적없는 소득(stateless income) 또는 귀착지가 없는 소득(homeless income)이라고 부른다.[99] OECD가 지적하는 이중비과세의 문제점은 관련 세원의 잠식(base erosion), 조세경쟁유발, 거래의 불투명성과 과세의 공평성을 저해하는 것 등이다.[100] 국외원천소득의 이중비과세는 국내원천소득과 비교할 때 일종의 국가보조금(state aid)을 받는 것과 같으므로 국내자본의 해외이전이 탈세목적으로 이루어질 수 있다.[101] 자본의 국제투자로부터 발생한 소득에 대한 총조세부담액이 동일한 자본을 국내에 투자할 경우에 부담하게 될 총조세부담액과 비교하여 형평을 이루도록 하는 측면에서도 이중비과세의 문제를 바라볼 수 있다.

96) Rebecca Kysar, 2019, 'Unraveling the Tax Treaty,' Minnesota Law Review, Volume 104, pp.1775~1776

97) Bret Wells & Cym H. Lowell, 2014, 'Income Tax Treaty Policy in the 21st Century : Residence v. Source,' Columbia Journal of Tax Law Volume 5. p.11

98) Bret Wells & Cym H. Lowell, 2014, ibid. pp.1~6

99) Bret Wells & Cym Lowell, 2011, 'Tax Base Erosion and Homeless Income : Collection at Source is the Linchpin,' Tax Law Review Volume 65, p.535; Edward D. Kleinbard, 2011, 'The Lessons of Stateless Income', Tax Law Review Volume 65, p.99

100) OECD, 2013, 'Action Plan on Base Erosion and Profit Shifting', p.15

101) Ruth Mason, 2017, 'Tax Rulings as State Aid FAQ,' Tax Notes Volume 154, p.451

② 이중비과세에 대한 관심

(1) BEPS Project

조세조약의 목적이 이중과세의 회피에만 중점을 두고 국가 간 조세경쟁에서 비롯되는 이중비과세(double-taxation)의 문제는 소홀히 하고 있다는 우려가 높아져 왔다.[102] 이러한 우려를 불식하기 위하여 OECD는 2015년부터 다국적기업의 탈세와 조세회피를 방지하기 위한 OECD의 BEPS project[103]라는 새로운 대응방안을 추진하고 있다. 현행 조세조약의 기본틀을 유지하면서 'BEPS 방지를 위한 다자간 조세조약'[104]을 통하여 기존의 조세조약을 자동적으로 개정하여 BEPS Project를 적용할 수 있도록 하였다. 다자간 조세조약 제6조에서 '비과세(non-taxation), 탈세, 조세회피가 발생하지 않도록 하는 가운데 이중과세의 방지가 이루어져야 한다'는 조항을 체결목적에 추가하도록 하였다.[105]

BEPS Project는 조세조약의 남용을 통한 이중비과세의 문제를 다루고 있다. 일방체약국이 조세특례조항(special tax preferences regime)을 두는 경우에는 이중비과세를 발생시키는 조세조약의 남용행위로 보고 타방체약국이 일방적으로 조세조약상의 혜택을 적용하지 않는 조치(Limitation on Benefits Provisions)를 할 수 있다.[106] 조세조약의 이용으로 해당 납세자의 총부담세액이 줄어드는 결과에 주목하고 있다. 총부담세액이 줄어드는 이유는 이중과세의 방지의 결과일 수도 있지만, 조세회피 등의 다른 이유도 있을 수 있기 때문이다. 따라서 BEPS plan은 조세조약의 체결목적에 대한 근본적인 재인식을 전제하고 있는 것으로

---

102) Reuven S. Avi-Yonah, Globalization, Tax Competition, and the Fiscal Crisis of the Welfare State, Harvard. Law Review Volume 1134, Number 7, 2000. pp.1575~1578

103) OECD 재정위원회(Committee on Fiscal Affairs)는 2012년 6월 다국적기업의 탈세 및 조세회피를 억제하기 위한 종합대책으로서 '세원잠식, 소득이전 방지대책(Base Erosion and Profit Shifting Project, or BEPS Project)의 추진을 의결하였다. 그 초점은 다국적기업이 국가 간의 상이한 조세제도 및 기존 국제조세제도의 허점을 이용하여 소득이전을 함으로써 세원잠식을 하는 것을 막는데 두고 있다.

104) OECD, 2017, Multilateral Convention To Implement Tax Treaty Related Measures To Prevent Base Erosion And Profit Shifting. 이하 '다자간 조세조약'이라 한다.

105) 다자간 조세조약 제6조 제1항에서 규정하고 있다. "Article 6-Purpose of a Covered Tax Agreement 1. A Covered Tax Agreement shall be modified to include the following preamble text: "Intending to eliminate double taxation with respect to the taxes covered by this agreement without creating opportunities for non-taxation or reduced taxation through tax evasion or avoidance(including through treaty-shopping arrangements aimed at obtaining reliefs provided in this agreement for the indirect benefit of residents of third jurisdictions)."

106) Allison Christians, 2016, 'Kill-Switches in the U.S. Model Tax Treaty,' Brooklyn Journal of International Law Volume 41, p.1043

보인다.[107] 이제는 다국적기업의 국외투자자소득과 국내투자소득 간의 총조세부담 수준이 적정한지를 비교하여 이중과세를 바라보고 있다.

(2) 이중비과세 발생구조

현행 조세조약의 구조로 인하여 이중비과세가 발생할 수 있다. 외국에 소재한 자회사는 원천지국에서 얻은 소득 중 본국에 일부만 송금하거나 전혀 송금하지 않고 남은 소득을 조세피난처에 지주회사(holding company)로 이전한다. 조세피난처는 소득에 대하여 조세를 부과하지 않는다. 원천지국은 제3자 간 거래가격(arm's length price)을 사용하여 이전가격 문제를 주장할 수 있지만, 이전가격은 원천지국이 조세조약상 주장할 수 있는 과세대상에만 적용되기 때문에 지주회사에 배분한 소득에 대하여는 적용할 수 없는 한계가 있다.[108]

아래의 도표에서 보는 것처럼 조세조약의 구조 때문에 원천지국에서 발생한 소득에 대하여 조세부담의 회피가 발생할 수 있다. 원천지국은 단지 자국내에서 발생한 소득에 대하여만 과세권을 행사할 수 있고 잔여소득의 배분권한은 거주지국이 가지는 것이 현행의 조세조약의 구조이다. 거주지국이 제3국에 설립한 지주회사는 원천지국에 있는 고정사업장(permanent establishment)이 아니므로 외국법인이 잔여소득을 이곳으로 이전하는 것을 원천지국에서 막을 수가 없다.

[표 3-1] 이중비과세가 발생하는 조세조약의 적용구조

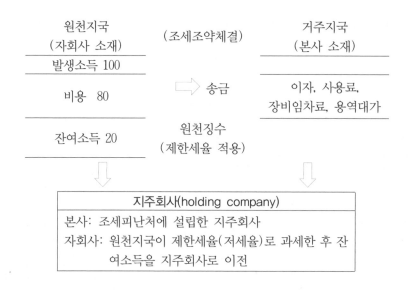

---

107) U.S. Brazil CEO Forum, January 2008, "Why a Brazil-U.S. Bilateral Tax Treaty (BTT)?" p.2
108) Bret Wells & Cym H. Lowell, 2011, op. cit. p.12

③ 이중비과세 방지를 위한 새로운 시도

(1) 조세경쟁 변수의 차단

당초 국제연맹(League of Nations)의 조세조약안을 기초한 학자들은 1923년 보고서에서 이미 조세피난처 국가(tax havens)에 지주회사를 설치할 가능성에 대해 알고 있었다.[109] 자회사의 소득을 원천지국이나 거주지국이 아닌 제3의 국가에 이전하여 낮은 세율로 과세되는 전략을 구사할 수 있을 것으로 보았지만, 이 문제를 심각하게 생각하지 않은 것은 거주지국이 이러한 소득을 궁극적으로 과세할 수 있을 것으로 믿었기 때문이다.

그러나 조세경쟁이 이루어지고 있는 상황에서 거주지국은 다국적기업 자체를 해외로 이전하는 것이 아니라면, 외국원천소득이 국내로 신속하게 송금되지 않고 조세피난처 등에 소득이 이전되는 것을 묵인해 왔다. 외국원천소득에 대한 이연과세제도(deferral system)가 이에 해당한다. 해외유보소득에 대하여 과세하기 위하여 피지배외국법인 규정(CFC Rules), 과소자본세제(Thin Capitalization Rules), 부채과다법인 과세제도(Earnings Stripping Rules or Interest Stripping Rules) 등을 두고 있으나 조세경쟁이라는 변수로 인하여 소득의 해외이전을 사실상 용인하고 있다.

(2) 미국의 BEAT, GILTI 그리고 KILL－SWICH 제도

가. BEAT와 GILTI 제도

미국이 2017년 '조세감면고용증진법(Tax Cuts and Jobs Act)'에 의하여 도입한 '세원잠식세(Base Erosion and Anti－Abuse Tax, 이하 'BEAT'라 한다)'와 '저세율과세무형자산소득(Global Intangible Low－Taxed Income, 이하 'GILTI'라 한다) 과세제도'는 조세조약 체계 속에서 숨어서 과세되지 않던 소득을 과세할 수 있게 한다. 일정규모 이상의 다국적기업에게 부과하는 일종의 '최저한세(minimum tax)' 제도이다.

세원잠식세(BEAT)는 다국적기업의 내부거래를 통하여 해외 자회사에게 지급하는 비용에 제한을 두어 미국의 세원잠식을 방지하기 위하여 도입된 과세제도이다.[110] 과거 3년간

---

109) 1923 보고서, p.49

110) Jane G., Gravelle and Donald J. Marples. 2018. 'Issues in International Corporate Taxation: The 2017 Revision (P.L. 115－97).' Congressional Research Service Report R45186. Washington, DC: Congressional Research Service; Eric Toder. 2018. 'Explaining the TCJA's International Reforms.' TaxVox (blog). February 2; Kimberly A. Clausing. 2016. 'The Effect of Profit Sharing on the Corporate Tax Base in the United States and Beyond.' National Tax Journal Volume 69 No.4, pp.905~934

연평균 총수입액(gross receipts)이 5억 달러를 초과하는 다국적기업의 내부거래에서 발생하는 비용은 소득 이전성을 가진 것으로 보고 세원잠식세를 부과한다. 모법인의 과세대상 소득에서 공제한 내부거래비용을 합산한 총액에 '세원잠식세율(base erosion tax rate)'을 곱하여 산출한 세액이 모법인이 납부한 법인세액을 초과하는 경우에는 그 초과한 금액을 세원잠식세로 추가로 납부해야 한다.

[표 3-2] 세원잠식세(BEAT) 계산구조

-2020년 모법인 과세표준: $100백만
-2020년 내부거래 비용합계: $300백만
(재고자산구입 $200백만, 사용료 $150백만, 관리비 $50백만)

구 분	적용세율	금 액
① 모법인 법인세 과세표준: $100백만	21%	$21백만
세원잠식세(BEAT) 계산		
② 내부거래비용 공제액(소득이전성 비용)		$300백만
③ (② × 세원잠식세율*)	10%	$30백만
④ 모법인 법인세 납부액		$21백만
⑤ 세원잠식세(BEAT)(③-①＝$30백만-$21백만)		$9백만
⑥ 총 조세부담액(① + ⑤)		$30백만

* 세원잠식세율: 2018년 5%, 2019~2025년 10%, 그 이후 12.5%

'저세율과세 무형자산 소득(GILTI) 과세제도'는 미국의 무형자산을 통하여 외국의 자회사[111]가 벌어들인 소득 중 일반적인 소득을 초과하는 부분을 미국의 과세소득을 포함시키는 제도이다.[112] 일반소득은 외국 자회사가 보유하고 있는 감가상각대상자산인 적격사업용 투자자산(Qualified Business Asset Investment, 'QBAI')의 10% 상당액을 말한다. QBAI의 10%가 넘는 부분은 무형자산으로 벌어들인 소득으로 간주한다. 2018년부터 2025년까지는 GILTI의 50%를 과세대상에서 공제하고, 2025년 이후부터는 35%를 공제한다. 외국납부세액의 공제는 80%까지로 제한되고, 초과분은 다른 과세연도에 소급공제되거나 이월공제가 되지 않는다.

---

111) 자회사는 피지배외국법인(Controlled Foreign Corporation), 즉 관계회사를 말한다.

112) Jane G. Gravelle and Donald J. Marples. 2018. op. cit.; Eric Toder, 2018, op. cit.; Steven M. Rosenthal, 2017. "Current Tax Reform Bills Could Encourage US Jobs, Factories, and Profits to Shift Overseas." TaxVox (blog). November 28

[표 3-3] 저세율과세 무형자산소득(GILTI) 계산과 납부세액 계산구조

- 모회사의 해외 자회사(CFC) 지분 소유비율: 80%
- 해외 자회사(CFC)의 2020년 순소득: $100백만
- 해외 자회사의 적격사업용투자자산(QBAI) 금액: $200백만
- 해외 자회사의 외국납부세액: $0.9백만

(1) 저세율과세 무형자산소득(GILTI) 계산

구 분	금액(백만 달러)
① 해외 자회사 순소득	100
② 모회사의 지분소득(① × 지분율 80%)	80
③ 자회사의 일반소득(QBAI × 10%)	20
④ 모회사의 지분 일반소득(③ × 지분율 80%)	16
⑤ 저세율과세 무형자산소득(GILTI) 소득(②-④)	64

(2) GILTI 납부세액

구 분	금 액(백만 달러)
⑥ 2020년 공제금액(⑤ × 50%)	32
⑦ 2020년 과세대상소득(⑤-⑥)	32
⑧ 납부할 세액(⑦ × 법인세율 21%)	6.72
⑨ 외국납부세액공제(외국납부세액 $0.9 × 80%)	0.72
저세율과세 무형자산소득(GILTI)에 대한 최종 납부세액(⑧-⑨)	6

그러나 이러한 새로운 과세제도하에서도 BEPS 문제를 해소하지 못하는 한계가 존재한다.[113] 미국 의회예산처(Congrssional Budget Office)의 추정에 따르면 새로운 과세제도하에서도 기존의 소득이전방법 80% 가까이가 그대로 유지되고 있다는 것이다.[114] 일부 제약회사의 경우에는 BEAT와 GILTI 제도가 도입된 2017 이전과 비교할 때 조세부담률이 22%에서 9% 수준으로 오히려 내려간 사례도 있다.[115] 미국이 도입한 새로운 제도는 탈세나 조세회피

---

113) Rebecca M. Kysar, 2018, 'Critiquing (and Repairing) the New International Tax Regime, Yale Law Journal Forum Volume 128. p.339

114) Congrssional Budget Office, The Budget and Economic Outlook: 2018-2028, pp.124~127
https://www.cbo.gov/system/files/2019-04/53651-outlook-2.pdf

115) Michael Erman & Tom Bergin,'How U.S. Tax Reform Rewards Companies that Shift Profits to Tax Havens,' REUTERS June 18, 2018
https://www.reuters.com/article/us-usa-tax-abbvie/how-u-s-tax-reform-rewards-companies-that-shift-profit-to-tax-havens-idUSKBN1JE12Q

를 방지하는 효과보다는 세계무역기구(WTO)의 공정무역거래의 위반이 될 가능성과 함께 다른 나라들도 이와 유사한 제도를 도입하여 조세경쟁을 유발한 개연성이 커질 수 있을 것으로 보인다.[116] 또한 미국이 도입한 새로운 과세제도는 조세조약의 기준을 위반한 것이라는 비판도 받고 있다.[117] 이러한 점을 종합적으로 고려할 때 새로운 과세제도의 개정압력을 다른 국가로부터 많이 받게 될 것으로 보인다.[118]

나. KILL SWITCH 제도

조세조약을 통하여 이중비과세와 탈세 및 조세회피가 발생하지 않도록 하기 위하여 저세율로 과세되거나 비과세되는 경우에는 조세조약상의 혜택을 부여하지 않도록 하는 'Kill-Switch'라는 독특한 제도를 도입하였다.[119] 상대체약국이 적용하는 조세특례제도로 인하여 저세율로 과세되거나 비과세되는 이자 또는 사용료 소득에 대하여는 조세조약상의 공제혜택을 부인하는 제도이다.[120]

상대체약국이 감면하는 소득 상당액에 과세하여 조세수입을 확보할 수 있게 된다. 적용대상소득은 '배당, 이자, 사용료(royalty), 기타소득'이다. 이러한 소득에 대하여 상대체약국이 적용한 세율이 (a) 거주지국 법정세율의 60%에 해당하는 세율에 15%를 곱한 세율 또는 (b) 영토주의 과세제도에 따라 적용한 세율 중 어느 하나의 세율보다 낮은 경우에 Kill-Switch 조항을 적용하게 된다.[121]

---

116) Rebecca M. Kysar, 2018, op. cit. p.339

117) H. David Rosenbloom and Fadi Shaheen, 2018, 'The BEAT and the Treaties' SSRN: https://ssrn.com/abstract=3229532; Reuven S. Avi-Yonah and Brett Wells, 'The Beat and Treaty Overrides: A Brief Response to Rosenbloom and Shaheen, 2018, University of Michigan Law School Scholarship Repository, Law & Economics Working Papers, 157 https://repository.law.umich.edu/law_econ_current/157

118) 외국원천소득을 다른 기준으로 과세하는 것은 차별과세금지(non-discrimination)에 위반될 수 있기 때문이다.

119) Allison Christians 전게논문, pp.1059~1069. 'Kill-Switch'의 원래 의미는 긴급전원차단 또는 비상정지로서 일반적인 방식으로는 전력의 차단이 어려운 위기상황에 놓인 기계나 장치를 긴급중단시키는 안전장치를 말한다. 따라서 조세 측면에서는 조세조약상의 조세회피나 이중비과세 방지라는 목표를 달성하려면 조세조약상의 혜택을 적용받지 못하도록 해야 하지만, 실제로는 이를 실행하기 어려울 때 특례를 적용하여 강제로 적용을 배제하도록 하는 방법을 말한다.

120) Allison Christians, 2016, op. cit. pp.1048~1054

121) US 표준조세조약 제11조 (2)(c), 제12조 (2)(a), 제21조 (2)(a)

④ OECD의 대응

(1) 연혁

이중과세와 이중비과세의 방지는 국제조세에서 추구해야 할 당위적 목표이다.[122] 그러나 이중비과세의 가능성은 여전히 많이 남아 있다. 이중과세를 방지하기 위한 특례조항(special regime)에 대한 명확한 정의규정을 양자 간 조세조약에 두지 않을 경우 불확실성이 해소되지 못한 상태에서 일방체약국이 타방체약국에서 일어나는 일을 모두 파악하는 것은 현실적으로 불가능하기 때문이다.[123]

조세조약의 남용문제는 1977년 OECD 표준조세조약에서부터 계속 OECD가 다루고 있는 문제이다. 1997년 OECD 표준조세조약의 서문과 주석에서 '재정위원회는 조세조약남용문제를 분석하였으나 너무 복잡하여 당분간은 제1조에 대한 주석에서 간단히 논의하고 특별한 사례만을 다루는 것으로 한정하기로 한다'라고 규정하였다.[124] 2017년 개정된 서문에서도 실질적으로는 이 내용이 그대로 남아 있다.[125]

---

122) Reuven S. Avi-Yonah, 'Who Invented the Single Tax Principle? An Essay on the History of U.S. Treaty Policy,' 2014~2015 New York Law School Law Review Volume 59. pp.305~309; Hugh J. Ault, 2013, 'Some Reflections on the OECD and the Sources of International Tax Principles,' Tax Notes International Volume 70. pp.1195~1196

123) Reuven S. Avi-Yonah & Gianluca Mazzoni, 'Are Taxes Converging?: Review of A Global Analysis of Tax Treaty Disputes' Oct. 25, 2017
https://papers.ssrn.com/sol3/papers.cfm?abstract_id=3059090

124) 1997년 OECD 표준조세조약 서문(introduction) paragraph 31. 'The Committee on Fiscal Affairs has examined the question of the improper use of double taxation conventions but, in view of the complexity of the problem, it has limited itself, for the time being, to discussing the problem briefly in the Commentary on Article 1 and to settling a certain number of special cases(paragraph 2 of Article 17 and Commentaries on Articles 10, 11 and 12). Besides, Article 26, as clarified in the Commentary, enables States to exchange information to combat improper use of conventions, tax avoidance and evasion. The Committee intends to make an in-depth study of such problems and of other ways of edaling with them'.

125) OECD 표준조세조약, 2017, 서문 pargraph 41. 'The Committee on Fiscal Affairs continues to examine both the improper use of tax conventions and international tax evasion. The problem is referred to in the Commentaries on several Articles. In particular, Article 26, as clarified in the Commentary, enables States to exchange information to combat these abuses. Issues related to the improper use of tax conventions and international tax avoidance and evasion have been a constant preoccupation of the Committee on Fiscal Affairs since the publication of the 1963 Draft Convention. Over the years, a number of provisions (such as Article 29, which was added in 2017) have been added to the Model Convention, or have been modified, in order to address various forms of tax avoidance and evasion. The Committee on Fiscal Affairs will continue to monitor the application of tax treaties in order to ensure that, as stated in the preamble of the Convention, the provisions of the Convention are not used for the purposes of tax avoidance or evasion.'

1977년 OECD 표준조세조약에서 처음 도입된 개념은 제10조 배당소득, 제11조 이자소득, 제12조 사용료 소득과 관련되는 '수익적 소유자(beneficial owner)'이다. 이 개념은 영국의 신탁법(trust law)에서 채택한 것이다. 그러나 1977년 이후 현재까지 세계 각국은 수익적 소유자의 의미를 이해하고 해석하는데 어려움을 겪고 있다.[126] 1997년 OECD 표준조세조약 제1조에 대한 주석에서도 조세조약의 남용에 대하여 언급하면서,[127] 특히 조세조약은 원칙적으로 조세회피나 탈세(tax avoidance or evasion)를 방조하는데 이용해서는 안된다는 점을 강조하고 있다.[128]

국제연맹시대의 보고서에서는 이러한 조세조약의 남용문제를 언급하고 있지는 않다. 조세회피와 탈세가 일어나는 이유는 오직 이중과세 문제와 연결되어 있다고 보고 있었기 때문이다.[129] OECD는 조세문제와 관련된 정보의 교환을 통하여 조세조약의 남용문제를 적극적으로 다루기 위하여 2002년 과세정보교환협정을 도입하였다.[130]

2014년 OECD 표준조세조약 제1조에 대한 주석에서 '집합투자기구(collective investment vehicles)'[131]와 체약국 정부가 외국에 소유한 '지부나 100% 출자회사(subdivisions and wholly-owned entities)'에 대한 조세조약의 적용요건의 판단과 적용방법[132]에 대하여 처음으로 규정하였다. 집합투자기구(Collective Investment Vehicle)와 관련하여 제10조 배당소득 및 제11조 이자소득에서 수익적 소유자(beneficial owner)에 대한 조세조약의 적용방안을 규정하고 있다.[133]

체약국의 정부기관이 소유하고 있는 '외국 자회사'와 관련한 조세문제는 1995년에 개정된 OECD 표준조세조약 제4조는 체약국의 정부기관도 거주자에 포함되고 그러한 체약국의 정부기관이 타방체약국에서 얻는 소득에 대한 과세기준도 제시하였다. 대부분의 국가는 면세하고 있으나 그러한 면세가 조세조약상의 혜택요건을 갖춘 적격성(qualification)에 따라 이루어지는 것인지에 대한 문제가 제기되었고 이에 대하여 OECD는 '주권국가 면세(sovereign

---

126) OECD, 'Clarification of the Meaning of "Beneficial Owner" in the OECD Model Tax Convention, Discussion Draft', 29 April 2011
127) 1997년 OECD 표준조세조약 제1조에 대한 주석 paragraphs 7~10
128) 1997년 OECD 표준조세조약 제1조에 대한 주석 paragraph 7
129) 1937 보고서, p.1
130) 2002 OECD Model Agreement on Exchange of Information on Tax Matters.
131) 2014 OECD 표준조세조약 제1조에 대한 주석 paragraphs 6.8~6.34
https://read.oecd-ilibrary.org/taxation/model-tax-convention-on-income-and-on-capital-condensed-version-2014__mtc_cond-2014-en#page62
132) 2014 OECD 표준조세조약 제1조에 대한 주석 paragraphs 6.34~6.39
133) 2014 OECD 표준조세조약 제1조에 대한 주석 paragraph 6.21

immunity) 원칙'을 적용하는 것이 바람직하다는 입장을 처음으로 규정하였다.[134]

OECD는 이중비과세의 최소화를 하기 위하여 표준조세조약을 2017년 일부개정하여 고정사업장(Permanent Establishment)의 면세조건, 조세조약상의 혜택적용제한규정(Limitation on Benefits Provisions), 국외이전 기업의 과세기준, 일반적 조세조약 남용방지규정(General Anti-Abuse Rule) 등을 보완하였다.[135]

(2) 조세조약구조에 내재된 취약성

이중비과세를 방지하려면 조세조약상 원천지국의 특례세율규정을 두지 않고 거주지국은 국외소득을 국내소득과 동일하게 과세해야 한다.[136] 이것은 말처럼 쉽지가 않다. 일국의 조세제도는 그 나라에 고유한 주권에서 비롯된 것이기 때문이다. 현재의 조세조약 구조는 그 자체로 과세할 수 있는 것이 아니라 과세관할권을 제한하는 역할만 하기 때문에 이중비과세의 문제를 다루는 데는 근본적으로 한계가 있다. 조세조약은 이중비과세를 방지하기보다는 오히려 조장할 수가 있다. 원천지국은 조세조약에서 합의된 낮은 특례세율로 원천과세하고 거주지국은 이를 저율로 과세할 수 있다.[137]

조세조약의 체결당사국들은 투자 및 무역거래에 따른 경제적 이익을 극대화하기 위하여 거주지국과 원천지국의 조세부담액을 흥정(tax arbitrage)하여 조세조약에 담기 때문에 양 체약국의 의도와 상관없이 이중비과세 문제가 발생될 수 있다. 조세조약의 당위적 목적 중 하나가 이중비과세임에도 이것이 조세조약 때문에 발생하는 이유는 거주지국과 원천지국 간에 조세조약 체결협상과정에 원인이 있다고 볼 것이다. 체약당사국은 다른 국가와의 조세경쟁으로 인해 체약당사국과 관련된 투자 자본이나 소득에 대하여 우대하는 특례조항을 두기 때문이다. 물론 Kill-Switch 조항과 같은 규정을 통하여 이중비과세의 원인을 차단하려고 하지만 한계가 있다. 따라서 현재의 조세조약이 이중비과세를 조장하는 측면이 있는 한 조세조약의 필요성에 대한 의문은 계속 제기될 수밖에 없다고 할 것이다.[138]

---

134) 2014 OECD 표준조세조약 제1조에 대한 주석 paragraph 6.38
135) 2017년 OECD 표준조세조약 주요개정내용: 제1조(인적범위) 제2항 및 제3항 신설, 제3조(용어의 정의) 제1항 i) 신설, 제4조 제1항 일부개정, 제5조(고정사업장) 제4.1항 및 제8항 신설, 제10조(배당소득) 제1항 a) 개정, 제23A조(면세방법) 및 제23B조(세액공제방법) 개정, 제29조(조세조약혜택적용요건) 신설 등
136) H. David Rosenbloom, 'The David R. Tillinghast Lecture International Tax Arbitrage and the International Tax System, Tax Law Review Volume 53, 2000, pp.164~165
137) Allison Christians, 2016, op. cit. p.1046
138) Allison Christians, 2016, ibid. p.1075

1 공격적 세무계획의 차단

(1) 공격적 세무계획의 의미

공격적 세무계획(aggressive tax planning)이란 과세당국이 조세정책이나 세무관리 측면에서 문제가 있는 것으로 보는 불건전한 세무계획, 즉 탈세가 궁극적인 목적이 될 수 있는 세무계획을 의미하는 것으로 볼 수 있다. 여기서 중요한 것은 관련 납세자가 이러한 공격적인 세무계획을 짜면서 조세법에서 규정한 과세기준을 위반하였는 여부가 공격적인 세무계획에 해당하는지 여부를 판단하는데 중요한 문제이다.

국제연맹 재정위원회는 탈세(tax evasion)의 개념을 일부 납세자들이 조세법상이 불명확한 점을 악용하여 조세법을 유리하게 해석하여 적용하는 것이라고 설명하고 있다.[139] 그러나 조세법규정의 불명확한 내용을 납세자가 자신에게 유리한 방향으로 해석하는 행위 자체가 고의적으로 조세법을 무시하는 것이라고 보기는 어렵다. 다만, 법령상의 미비점을 악용하여 조세부담의 회피(tax avoidance)나 탈세(tax evasion)를 도모하는 경우에는 공격적 세무계획에 해당할 수 있다.

이처럼 공격적 세무계획의 문제는 국제연맹 이전까지로 거슬러 올라간다. Carroll 박사가 1935년 논문[140]에서 두 가지의 사례를 언급하고 있다. 첫 번째는 1872년 6월 29일에 도입된 프랑스 배당세(French dividend tax)와 관련된 사례이다. 배당세는 지배법인의 지위를 가지고 있는 프랑스 내 외국법인이 배당하는 소득을 외국거주자가 수취할 경우에 배당소득세를 부과하는 것이었다. 이 경우 배당소득은 3중과세가 될 수 있었다.[141] 이를 피하기 위해 인근 국가에 법인을 설립하고 프랑스에는 지점을 설치하는 조세전략이 검토되었다. 배당이 프랑스에서 이루어지지 않으면 프랑스에서는 납세의무가 없기 때문이다. 프랑스 국세청은 이러한 조세전략을 차단하기 위해 1872년 12월 법률을 개정하여 납세자의무자를 프랑스에 자산을 보유한 외국법인으로 하고 여기에는 외국에서 설립된 법인과 프랑스 내에 설립된 지점도

---

139) 1925 Report, p.22

140) Mitchell B. Carroll, The Development of International Tax Law; Franco-American Treaty on Double Taxation-Draft Convention on Allocation of Business Income, 29 American Journal of International law Volume 4, 1935, pp.586~596

141) 프랑스에서는 법인단계에서의 법인세와 배당소득세, 거주지국에서 다시 소득세 과세로 3중과세가 발생할 수 있다는 의미이다.

모두 포함되도록 하였다. 두 번째 사례는 프랑스 파트너십의 이사 2명이 스위스 법인을 프랑스에 설립의 사례이다. 스위스 법인은 프랑스 파트너십 이사가 지분을 보유하고 있다는 이유로 프랑스의 파트너십에서 발생한 손실의 일부(8%)를 스위스 법인에게 배분하였다. 1913년 파기법원(Court of Cassation, 대법원 성격)은 프랑스 파트너십과 스위스 법인은 특수관계자이고 프랑스 파트너십의 손익은 '실재하지 않는 가공(fictitious)'이라고 판결하여 손실배분전략은 실패로 돌아갔다.

최근 미국은 공격적 세무계획에 실질과세원칙(substance-over-form approach)을 통하여 대응하고 있다. 실질과세원칙에는 '경제적 실질법(economic substance approach, 단계거래법(step transaction approach), 지배 및 통제접근법(dominion and control approach)' 등이 포함된다. 조세법상의 규정외에 법원 판결을 통해서도 조세감면목적거래에서 조세감면의 적용을 부인하는 기준이 확립되어 있다.

이자지급비용의 공제를 부인한 사건에서 미국 대법원은 '거래의 경제적 실질이 존재하지 않고, 부채의 발생은 거래와 상관이 없고, 채권의 매입은 조세감면목적 외에는 경제적 이익이 없으므로 이자의 지급은 형식적으로는(in form) 자금사용 대가의 모습이지만 실질(substance)은 존재하지 않는다.'[142]라고 판결하였다. 또한 '조세회피가 거래의 주된 동기인 것이 명확하게 나타나야 한다. 국세청이 거래를 허위(sham)라고 주장하려면 그 거래에서 발생하는 소득에 세금도 부과하지 않아야 하고, 거래 자체가 허위라고 보기는 어렵지만 이자비용의 공제는 부당한 것으로 주장하려면 거래의 경제적 실체가 없어야 한다. 이 문제의 해결방안은 의회가 담당해야 한다. 특정 거래가 조세목적상 악인지 법률의 남용인지는 법률에 명시되어야 한다. 납세자가 자기 자신의 조세부담을 법이 허용하는 방법을 통하여 줄이거나 피하려는 것은 당연하다. 문제는 납세자의 그러한 행위가 법률의 입법취지에 부합하느냐 하는 것이다.'[143]

(2) OECD 대응노력

가. OECD의 노력과 G20의 정치적 지지

최근들어 OECD는 공격적 세무계획에 대한 방지대책을 'OECD 회원국 국세청장회의 (Forum on Tax Administration)'와 '재정위원회의 제10작업반의 운영위원회'를 통하여 실

---

142) Knetsch v. United States, 364 U.S. 361, 364-365(1960)

143) Knetsch v. United States, 364 U.S. 365, 1960; Gregory v. Helvering, 293 U.S. 465, 1935에서도 같은 취지로 언급하고 있다.

행에 옮기고 있다.[144] 제10작업반 운영위원회(steering group)는 정보교환 및 성실납세업무를 관장하는 기구로서 '공격적 세무계획에 대한 회의기구(Forum on Aggressive Tax Planning)'로 불리고 G-20 회원국의 전폭적인 지지를 받고 있다.[145] 이 회의기구는 각국의 조세업무를 관장하는 각국의 대표자들이 공격적 세무계획 문제에 대처하기 위해 수시로 모여 각국이 진행한 대책의 내용을 공유하면서 논의한 내용을 정리한 보고서를 2011년과 2012에 잇따라 발간하였다.[146]

공격적 세무계획과 관련한 '거래의 투명성과 자료공개'에 대한 2011 OECD 보고서는 납세자가 실행한 공격적 세무회계획에 대한 정보를 미리 확보하기 위하여 여러 국가가 시행한 대책을 설명하고 있다.[147] 관련 세무정보자료를 조기에 확보할 수 있다면 정부는 공격적 세무계획을 통하여 조세부담을 회피하려는 행위에 대응하는 조치의 마련과 시행 간의 시차(time-lag)를 줄일 수 있기 때문에 정책의 효과성을 높일 수 있다.[148]

나. 공격적 세무계획의 공개

공격적 세무계획을 차단하는 가장 효과적인 방법은 그것을 사전에 공개하는 것이다. 대표적인 사례로서 캐나다와 미국이 2011년 1월 납세자의 공격적 세무계획자료의 공개규칙을 들수 있다.[149] 그 규칙에 따르면 공개대상은 납세자가 이용한 조세회피방법(tax shelter) 등이다. 조세피방법에는 손실발생이나 비용공제 또는 세액공제 목적으로 자산을 투자하거나 증여하는 계약을 체결하는 것 등이 포함된다. 이러한 조세부담회피방법의 기획자는 그 방법을 납세자에게 판매하기 전에 그 조세부담회피방법을 등록하고 납세번호(tax identification

---

144) OECD, Corporate Loss Utilisation through Aggressive Tax Planning, 2011, 서문(Foreword), '~This report, which deals with aggressive tax planning involving corporate losses, has been prepared jointly by the Forum on Tax Administration(FTA) and the Agressive Tax Planning(ATP) Steering Group of Working Party No. 10 on Exchange of Information and Tax Compliance of the Committee on Fiscal Affairs(CFA).~'.

145) OECD, Tackling Aggressive Tax Planning through Improved Transparency and Disclosure, 2011, Foreword, 'The OECD, with the political support of the G20, has recently unprecedented progress in countering offshore tax evasion.~'.

146) OECD, Tackling Aggressive Tax Planning through Improved Transparency and Disclosure, 2011; OECD, Corporate Loss Utilisation through Aggressive Tax Planning, 2011; OECD, Hybrid Mismatch Arrangements: Tax Policy and Compliance Issues, 2012

147) J. A. Becerra, Cross-Border Tax Planning Information Disclosure, Practical Mexican Tax Strategies Volume 12 Issue 4, July/August 2012, pp.11~12

148) OECD, 'Tackling Aggressive Tax Planning through Improved Transparency and Disclosure', 2011, Foreword

149) http://www.cra-arc.gc.ca/tx/bsnss/tpcs/txshltrs/whts-eng.html

number)를 교부받아야 한다.[150]

공격적 세무계획의 기획자에 해당되는지의 기준은 다음과 같다.

① 공격적 세무계획의 기획자에 해당하는 경우

- 상담사가 상담과정에서 피상담자의 절세효과가 없는 세무계획을 변경하여 절세효과가 있는 세무계획을 제안하는 경우
- 회계법인이 상담과정에서 조세회피요소가 들어 있는 세무계획을 조언하는 경우
- 법무법인이 상담과정에서 조세회피요소가 들어 있는 세무계획을 조언하는 경우

② 공격적 세무계획의 기획자에 해당하지 않는 경우

- 상담사가 세무계획을 상담하는 과정에서 절세에 관한 의견은 제시하였으나 그 세무계획의 변경에 관한 제안을 하지 않았는데, 그 세무계획이 의도한 효과를 달성한 경우
- 회계법인이 통상적 업무과정에서 세무자문을 하지 않은 경우
- 법무법인이 통상적 업무과정에서 세무자문을 하지 않은 경우[151]

투명성과 정보공개에 대한 2011 OECD 보고서[152]에 열거된 것 중 하나는 손실발생신고거래에 관한 정보의 공개에 대한 것이다. 공격적 세무계획과 관련된 '기획자(promoter), 조세자문가, 변호사 등' 실제로 세무자문이나 조언을 하는 모든 사람에게 정보고지의무규정이 적용되고 있다. 법인손실에 대한 OECD 보고서[153]에는 그 보고서의 작성에 참가한 17개 국가에서 조사된 세무계획남용행위가 상세히 기술되어 있다. 그 보고서에서 명확하게 다루고 있는 문제는 각국의 조세손실에 대한 우려와 함께 그러한 조세손실이 실제거래에서 어떻게 발생하는지, 또 인위적으로 조작된 손실을 납세자들이 어떻게 활용되고 있는지에 대한 것이다.

혼성체거래에 대한 보고서[154]는 미국을 제외한 다른 나라에게 특별히 중요한 의미를 가지는 이유는 외국 파트너십을 혼성체로 취급하는 주요국가(primary jurisdiction)가 미국이기 때문이다. 공격적 세무계획을 근절하려면 여러 국가의 협력을 통한 공동노력이 필요하다. 각

---

150) http://www.cra-arc.gc.ca/tx/bsnss/tpcs/txshltrs/rgstrng-eng.html

151) http://www.cra-arc.gc.ca/tx/bsnss/tpcs/txshltrs/prmtrs/dvsr-eng.html

152) OECD, Tackling Aggressive Tax Planning through Improved Transparency and Disclosure, 2011

153) OECD, Corporate Loss Utilisation through Aggressive Tax Planning, 2011; J. A. Becerra, OECD's Report on Corporate Loss Utilization Through Aggressive Tax Planning, North American Free Trade and Investment Report Volume 22 Issue 13, July 15, 2012, pp.5~7

154) OECD, Hybrid Mismatch Arrangements: Tax Policy and Compliance Issues, 2012; J. A. Becerra, Cross-Border Hybrid Arrangements, Practical Mexican Tax Strategies Volume 12, March/Aprril 2012, pp.14~17

국의 조세행정 담당자들은 공격적 세무행위에 대한 전쟁을 선포하고 그 전쟁을 잘 수행하기 위하여 국제차원에서 국가 간의 협력을 통하여 조세정보를 수집하고 분석하는 작업을 진행 중이다.

미국은 '불확실한 조세지위(Uncertain Tax Position)' 고지제도를 도입하여 납세자들은 세금을 신고하기 전이나 또는 신고할 때 자신의 조세문제 중 불확실한 내용을 밝혀야 한다.[155) '불확실한 조세지위(Uncertain Tax Position)'의 개념 정의는 'IRS 고시'에서 규정하고 있다.[156) 그 정의에 따르면 '회계처리를 할 때 재무제표상 유보처리(reserve)하거나 유보처리 없는 경우에는 소송이 예상되거나 IRS가 세무조사대상으로 삼지 않는다는 일반적인 행정지침이 있는 것으로 본 경우'로 되어 있다.

이제 조세자문을 하는 회계법인, 법무법인 등의 공격적 세무계획에 대한 자문의 시대는 끝나가고 있는 것으로 보인다. 또한 조세자문에 사용되는 언어의 방식도 바뀌고 있는 것으로 보인다. 과거에는 '이 전략이 추진되면 과세당국과 분쟁이 발생될 소지가 있다'는 문구를 표기하였으나, 지금은 이러한 용어를 사용하면 '불확실한 조세지위((Uncertain Tax Position)' 제도상의 고지의무에 따라 그 내용을 밝혀야 한다.

② 조세조약의 남용 차단

조세조약의 남용문제는 1977년 OECD 표준조세조약에서부터 계속 OECD가 다루고 있는 문제이다. 1977년 OECD 표준조세조약의 서문과 주석에서 '재정위원회는 조세조약남용문제를 분석하였으나 너무 복잡하여 당분간은 제1조에 대한 주석에서 간단히 논의하고 특별한 사례만을 다루는 것으로 한정하기로 한다'라고 규정하였다.[157) 2017년 개정된 서문에서도 실

---

155) http://www.irs.gov/Businesses/Corporations/Uncertain-Tax-Positions-Schedule-UTP
조세법이나 판례, 과세당국의 행정지침 등이 항상 분명한 것은 아니므로 특정거래에 적용될 때에 세무처리기준이 불명확한 점이 존재할 수 있다. 세무처리기준이 불명확하기 때문에 세무신고내용을 과세당국이 인정할지 여부가 확실하지 않게 된다. 이러한 불명확한 점이 있는 거래내용을 밝혀야 하는 것이 바로 UTP 제도이다.

156) IRS Announcement 2010-9, January 26, 2010, pp.2~3; J. A. Becerra, Cross-Border Tax Planning Information Disclosure, 12 Practical Mexican Tax Strategies Volume 12 Issue 14, July/August 2012, pp.11~12

157) 1997 OECD 표준조세조약 서문(introduction) paragraph 31.'The Committee on Fiscal Affairs has examined the question of the improper use of double taxation conventions but, in view of the complexity of the problem, it has limited itself, for the time being, to discussing the problem briefly in the Commentary on Article 1 and to settling a certain number of special cases (paragraph 2 of Article 17 and Commentaries on Articles 10, 11 and 12). Besides, Article 26, as clarified in the Commentary, enables States to exchange information to combat improper use of conventions, tax avoidance and evasion. The Committee intends to make an in-depth study of such problems and of other ways of edaling with them'.

질적으로는 이 내용이 그대로 남아 있다.[158] 1977년 OECD 표준조세조약에서 처음 도입된 개념은 제10조 배당소득, 제11조 이자소득, 제12조 사용료 소득과 관련되는 '수익적 소유자(beneficial owner)'이다. 이 개념은 영국의 신탁법(trust law)에서 채택한 것이다. 그러나 1977년 이후 현재까지 세계 각국은 수익적 소유자의 의미를 이해하고 해석하는데 어려움을 겪고 있다.[159]

1977년 OECD 표준조세조약 제1조에 대한 주석에서도 조세조약의 남용에 대하여 언급하면서,[160] 특히 조세조약은 원칙적으로 조세회피나 탈세(tax avoidance or evasion)를 방조하는데 이용해서는 안된다는 점을 강조하고 있다.[161] 국제연맹시대의 보고서에서는 이러한 조세조약의 남용문제를 언급하고 있지는 않다. 조세회피와 탈세가 일어나는 이유는 오직 이중과세 문제와 연결되어 있다고 보고 있었기 때문이다.[162] OECD는 조세문제와 관련된 정보의 교환을 통하여 조세조약의 남용문제를 적극적으로 다루기 위하여 2002년 과세정보교환협정을 도입하였다.[163]

2014년 OECD 표준조세조약 제1조에 대한 주석에서 '집합투자기구(collective investment vehicles, CIV)'[164]와 체약국 정부가 외국에 소유한 '지분나 100% 출자회사(subdivisions and wholly-owned entities)'에 대한 조세조약의 적용요건의 판단과 적용방법[165]에 대하여 처음으로 규정하였다. 집합투자기구와 관련한 조세문제는 제10조 배당소득 및 제11조 이자

---

158) OECD 표준조세조약, 2017, 서문 pargraph 41. 'The Committee on Fiscal Affairs continues to examine both the improper use of tax conventions and international tax evasion. The problem is referred to in the Commentaries on several Articles. In particular, Article 26, as clarified in the Commentary, enables States to exchange information to combat these abuses. Issues related to the improper use of tax conventions and international tax avoidance and evasion have been a constant preoccupation of the Committee on Fiscal Affairs since the publication of the 1963 Draft Convention. Over the years, a number of provisions (such as Article 29, which was added in 2017) have been added to the Model Convention, or have been modified, in order to address various forms of tax avoidance and evasion. The Committee on Fiscal Affairs will continue to monitor the application of tax treaties in order to ensure that, as stated in the preamble of the Convention, the provisions of the Convention are not used for the purposes of tax avoidance or evasion.'

159) OECD, 'Clarification of the Meaning of "Beneficial Owner" in the OECD Model Tax Convention, Discussion Draft', 29 April 2011

160) 1997 OECD 표준조세조약 제1조에 대한 주석 paragraphs 7~10

161) 1997 OECD 표준조세조약 제1조에 대한 주석 paragraph 7

162) 1937 Report, p.1

163) 2002 OECD Model Agreement on Exchange of Information on Tax Matters.

164) 2014 OECD 표준조세조약 제1조에 대한 주석 paragraphs 6.8~6.34
https://read.oecd-ilibrary.org/taxation/model-tax-convention-on-income-and-on-capital-condensed-version-2014__mtc_cond-2014-en#page62

165) 2014 OECD 표준조세조약 제1조에 대한 주석 paragraphs 6.34~6.39

소득의 수익적 소유자(beneficial owner)에 관한 조세조약의 적용대상방안에 대하여 규정하고 있다.[166] 한편 일방체약국 자체가 타방체약국에 소유하고 있는 '지분나 100% 출자회사'와 관련 조세문제는 1995년에 개정된 제4조의 규정에 따라 체약국 자체도 거주자에 포함되는 것이지만, 문제는 그러한 체약국의 정부기관이 타방체약국에서 얻는 소득에 대한 과세문제에 대하여 국가별 입장에 차이 있어서 이를 통일적으로 적용할 기준을 제시하고 있다. 즉, 대부분의 국가에서는 면세하고 있으나 그러한 면세가 조세조약상의 혜택을 받을 수 있는 적격성(qualification)에 따라 이루어지는 것인지에 대한 문제가 제기되었고, 이에 대하여 OECD는 '주권국가에 대한 면세(sovereign immunity) 원칙'을 적용하는 것이 바람직하다는 입장을 처음으로 규정하였다.[167]

제6절 국가 간 경제교류 증진

❶ 외국인 직접투자 촉진

외국직접투자(Foreign Direct Investment)와 조세조약의 연관성은 두 가지 측면에서 볼 수 있다. 하나는 조세조약이 실질적으로 이중과세를 제거할 수 있다면 체약당사국 간의 외국인 직접투자를 증대시킬 수 있다. 다른 하나는 조세조약의 체결 자체는 국제사회에서 경제적으로 안정된 국가로 인정받게 하는 동시에 조세조약의 체결국가가 늘어날수록 조세조약에 제공하는 혜택(benefit)도 당사국의 기업들이 더 많이 누릴 수 있게 한다.[168]

실증연구 결과는 조세조약이 외국인 직접투자를 증가시키는데 기여하는지에 대하여 긍정적인 입장과 부정적인 입장이 대립하고 있다.[169] 개별국가기준에서 보면 조세조약의 체결만

---

166) 2014 OECD 표준조세조약 제1조에 대한 주석 paragraph 6.21

167) 2014 OECD 표준조세조약 제1조에 대한 주석 paragraph 6.38

168) Tsilly Dagan, 2017, International Tax Policy: Between Competition And Cooperation, Cambridge Tax Law Series, 2018. p.108

169) Ronald B. Davies, 2004, Tax Treaties and Foreign Direct Investment: Potential versus Performance, International Tax and Public Finance Volume 11. p.775; Bruce A. Blonigen & Ronald B. Davies, 2004, The Effects of Bilateral Tax Treaties on U.S. FDI Activity, International Tax and Public Finance Volume 11. p.601; Paul L. Baker, 2014, An Analysis of Double Taxation Treaties and their Effect on Foreign Direct Investment, International Journal of Economics of Business Volume 21. p.341; Peter Egger, 2006, The Impact of Endogenous Tax Treaties on Foreign Direct Investment: Theory and Evidence, Candian Journal of Economics Volume 39. p.901; Eric Neumayer, 2007, Do Double Taxation Treaties Increase

으로 외국인 직접투자가 증가한다는 증거는 보이지 않지만 조세조약을 많이 체결한 국가일수록 외국인 직접투자량이 더 많은 점은 확인된다는 연구결과도 있다.[170] 조세조약과 외국자본의 투자 간의 인과관계를 확인하는 것이 어려운 이유는 조세조약의 체결이 투자에 선행하는 경우가 많기 때문이다. 투자관련 교류가 필요다가호 예상하는 경우에는 조세조약이 체결될 수 있기 때문이다.[171]

대부분의 경우에는 외국인 직접투자에 대한 조세지원을 조세조약에 명시하고 있다. 조세조약 속에 자동적으로 포함되는(built-in) 조항이라는 의미이다. 일부 실증연구결과는 조세조약에 포함된 외국인 직접투자에 대한 조세지원효과가 상대체약국에 따라 있기도 하고 없기도 하다는 상반되는 결론을 보이고 있다.[172] 그 이유는 조세조약 체결 건수가 늘어날 경우 조세조약편승행위(treaty shopping)을 통한 소득이전의 기회가 많아질 수 있어서 외국인 직접투자를 증가시킬 수 있지만, 한편으로는 기존조세조약의 개정이나 새로운 조세조약의 체결을 통하여 과세정보교환을 활성화하거나 양 체약국 간의 조세행정에 관한 협력을 강화할 경우에는 외국인 직접투자의 감소요인으로 작용할 수 있기 때문이다.[173]

시장(market)이 발달하여 투자처로서 매력이 높은 경우에는 조세조약상의 혜택이 전제되어야 외국인 직접투자가 이루어질 것이라고 보기는 어렵다. 외국인 직접투자소득에 대하여 원천지국이 높은 세율로 과세할 경우에 외국인 직접투자로 발생한 소득의 귀속자가 이를 실제로 납부하지 않고 회피할 수 있는 여러 가지 방법을 사용할 것으로 예상할 수 있다. 예를 들어 원천징수 대상에서 제외되는 파생금융상품소득이나 부채에 대한 이자지급으로 소득의 형태를 바꿀 수 있기 때문이다.[174] 이 경우에는 원천징수세율의 낮거나 높은 것이 미치는 영향은 제한적일 수밖에 없다. 조세조약이 체결되지 않은 경우에는 외국자본을 유치하기 위하여 원천징수세율을 낮게 할 것이다. 반대로 실물자산에 대한 투자가 주로 이루어지거나 내수시장의 수요가 충분한 경우에는 원천지국이 원천징수세율을 높게 유지하더라도 외국인

Foreign Direct Investment to Developing Countries?, Journal of Development Studies Volume 43. p.1495: 강성태, 2011, '외국인 직업투자의 유치와 조세 및 비조세 변수의 효과', 2011, 박사학위 논문, pp.130~131

170) Julian di Giovanni, 2005, What Drives Capital Flows? The Case of Cross-Border M&A Activity and Financial Deepening, Journal of International Economics Volume 65. p.127: Eric Neumayer, 2007, Do Double Taxation Treaties Increase Foreign Direct Investment in Developing Countries?, Journal of Development Studies Volume 43, p.1501(2007)

171) IMF, 2014, Spillovers in International Corporate Taxation p.26
https://www.imf.org/external/np/pp/eng/2014/050914.pdf

172) Joseph P. Daniels, Patrick O'Brien & Marc V. von der Ruhr, 2015, 'Bilateral Tax Treaties and US Foreign Direct Investment Financing Modes,' International Tax and Public Finance Volume 22. p.999

173) Joseph P. Daniels, Patrick O'Brien & Marc V. von der Ruhr, 2015, ibid.

174) David R. Tillinghast, 1996, 'Tax Treaty Issues,' 50 University of Miami Law. Review Volume 50. p.455

의 직접투자에는 부정적인 영향을 주지 않을 것이다.[175]

② 국제 우호증진

조세조약을 통하여 양국 간의 신뢰관계를 강화하여 과세당국 간의 소통망을 넓히는데 기여할 수 있다.[176] 조세조약은 체약당사국의 투자와 사업환경이 안정되어 있고 외국인 투자를 보호하고 장려하는 정책을 펴고 있다는 신호를 보내는 역할을 한다. 조세조약은 무역과 투자에 대하여 국제적인 기준에 따르기 때문에 투자가 안전하다는 것을 대외적으로 선언하는 증거가 될 수 있다. 특히 개발도상국에게 조세조약은 국제사회에서 위상을 높이는 신뢰의 '승인도장(stamp of approval)'을 받는 수단이 된다.[177] 조세조약의 체결은 체약당사국이 국제적으로 통용되는 일반적인 기준을 수용한다는 것을 의미하므로 국제적인 신뢰수준이 전반적으로 높아질 수 있다.[178] 이와 같이 당사국 간의 우호증진차원에서 조세조약을 체결할 수 있고 결과적으로 자본의 투자등 경제교류관계도 활성화될 수 있다.[179]

그러나 일방체약국이 타방체약국에 비하여 경제적으로 우위에 있는 경우 그 일방체약국이 타방체약국에 투자를 하는 경우에는 조세조약상의 혜택을 많이 누릴 수 있지만, 반대로 타방체약국이 일방체약국이 투자할 경우에는 그렇지 못할 경우가 많이 있다. 개발도상국과 선진국이 조세조약을 체결할 경우에 선진국은 국제거래에 대한 조세제도와 정책이 이미 확립되어 있으므로 조세조약에 이를 담아서 상대체약국이 수용하도록 주장할 수 있고 개발도상국은 이를 부득이 쫓아갈 수밖에 없게 된다.[180] 또한 조세조약체결 이전에 양국 간의 관계가 이미 돈독한 상태에 있다면 조세조약의 체결로 인하여 우호관계가 더 단단해진다고는 보

---

175) 미국이 대표적인 사례이다. Driessen, Patrick Driessen, Is There a Tax Treaty Insularity Complex?, TAX NOTES(May 7, 2012), p.749

176) Yariv Brauner, 2016, op. cit. p.988

177) Tsilly Dagan, 2017, International Tax Policy: Between Competition And Cooperation 7, p.113

178) Richard Vann, International Aspects of Income Tax 8, in TAX LAW DESIGN AND DRAFTING (Victor Thuronyi, ed., 1998)

179) Allison Christians, 2005, 'Tax Treaties for Investment and Aid to Sub-Saharan Africa: A Case Study,' Brooklyn Law Review Volume 71. pp.706~707

180) Kim Brooks & Richard Krever, The Troubling Role of Tax Treaties, in TAX DESIGN ISSUES WORLDWIDE, SERIES ON INTERNATIONAL TAXATION(Geerten M.M. Michielse & Victor Thuronyi eds., 2015), pp.167~168. 우리나라가 미국과 체결한 조세조약의 내용도 미국에 일방적으로 유리한 내용이 많아서 개정해야 한다는 목소리가 높다. 예를 들면, 특허권 사용료에 대한 과세관할권을 특허권 등록지를 기준으로 함으로써 한국에서 사용된 미국 등록 특허권에 대한 사용료를 한국에서는 사실상 한 푼도 과세하지 못한다고 미국이 주장하고 있는 것이 하나의 사례이다.

기 어렵다. 따라서 우호증진목적이 조세조약을 체결하는데 기여하는 역할도 제한적이라고 할 것이다.

③ 확실성과 예측가능성

조세조약은 조세관련법률 구조가 확실성과 안정성을 담보해 줄 수 있다. 현재의 국제조세 제도는 세계 각국이 합의한 내용을 중심으로 조화있게 운용되고 있으며 광범위한 조세조약의 기초역할을 하고 있다. OECD 표준조세약은 이 점에서 큰 영향력을 미치고 있으며, 이를 기준으로 하여 3,000여 개의 조세조약이 체결되어 있다.[181] 대부분의 조세조약은 유사한 내용을 담고 있다.

국제조세 기준의 표준화가 조세조약을 통하여 확산되는 동시에 각국의 국내 조세법에도 국제적으로 통용되는 국제조세의 기준이 도입되어 가고 있다. 따라서 현재의 국제조세의 체제(regime)는 조세조약은 물론이고, 모든 국가의 국내 조세법에서도 규정되어 있다.[182] 예를 들면 고정사업장의 기준, 거주자 판정기준, 용어의 정의, 피지배외국법인기준(Controlled Foreign Corporations Rule), 이중과세 방지제도 등 OECD 표준조세약에서 규정되어 있는 대부분의 내용이 해당한다.

그러나 국제법 성격을 가진 조세조약과 국내 조세법과의 관계에서 조세조약상의 기준과 국내 조세법의 기준이 동일한 의미로 해석되지 않는 경우도 있다. 과세주권(tax soverignty)의 관점에서 자국의 여건에 적합한 기준을 국내 조세법에서 규정할 수 있기 때문이다. 가령 거주자 판정기준을 어떻게 할 것인지, 본사의 소재지를 결정한 기준이나 피지배외국법인에 해당하는지에 대한 기준, 사업소득의 개념, 고정사업의 존재여부 등 개별조세조약의 내용과 국내 조세법이 다를 경우가 있다.[183] 또한 조세조약을 해석하고 적용하는 과정에서도 특정한 규정에 대한 해석을 국내 조세법상에 기준에 따르고 타방체약국의 주장을 수용하지 않을

---

181) Yariv Brauner & Pasquale Pistone, 'Introduction, in BRICS and the Emergence of International Tax Coordination' (Yariv Brauner & Pasquale Pistone eds., 2015), p.3

182) Reuven S. Avi-Yonah, 2007, 'Tax Competition, Tax Arbitrage, and the International Tax Regime,' no. 4.

183) Lee A. Sheppard, Why Do We Need Treaties?, TAX NOTES, November 19, 2016, pp.825~826; Reuven S. Avi-Yonah & Oz Halabi, Double or Nothing: A Tax Treaty for the 21st Century, University of Michigan Law School Scholarship Repository, Law & Economics, Working Paper No. 66, 2012, pp.1~2; Yariv Brauner & Allison Christians, The Meaning of 'Enterprise, 'Business' and 'Business Profits under Tax Treaties and Domestic Law, in the Meaning of 'Enterprise,' 'Business' and 'Business Profits' under Tax Treaties and EU Tax Law (Guglielmo Maisto, ed., 2011), p.19
http://repository.law.umich.edu/cgi/viewcontent.cgi?article=1176&context=law__econ_current

수도 있다.[184]

조세조약이 중점을 두는 것은 과세관할권, 즉 어느 국가가 우선과세권을 가질 것인가에 대한 기본원칙에 대한 것이다. 이러한 기본원칙을 구체적인 상황에 맞게 적용하려면 조세조약의 개별적인 조항에 상세하게 규정해야 한다. 현재의 조세조약의 적용을 위한 기준을 상세하게 규정하는 경우는 드물다. 따라서 개별적인 과세쟁점 항목들에 대하여 모든 국가들이 국내 조세법으로 자국의 이익을 보장하는 방식으로 서로 다르게 규정하고 있다. 각국이 서로 다르게 규정한 과세기준을 통일하기 위한 조세조약의 역할에는 아직은 부족한 편이라고 할 수 있다.[185]

조세의 부과와 징수작업은 개인 또는 법인이라는 사업주체의 경제활동을 분석하여 과세대상 소득을 확인해야 하는 복잡하고 어려운 과업이다. 소득의 발생원천에 근접하여 그 제반 상황을 잘 파악할 수 있는 국가의 국내 조세법이 개별적인 상황에 적합한 과세기준을 구체적으로 규정하는 것은 타당성이 있다. 조세조약이 이러한 과세기준을 상세하게 규정하기는 사실상 어렵다.[186] 일상적으로 사용되지 않는 용어를 통하여 과세대상 소득을 판단하는 사실관계를 상세하게 표현해야 하므로 국내 조세법의 표현은 복잡하고 어려울 수밖에 없다. 따라서 조세조약의 규정에서 국내 조세법과 같이 자세한 규정을 둘 수가 없는 점을 양 체약국이 인식하고 조세조약을 적용을 위한 세부적인 사항은 각각 자국의 국내 조세법에 맡기는 것으로 양해하고 있다고 할 수 있다.[187]

이것은 과세주권(tax sovereignty)의 문제와도 관련된다.[188] 조세조약에서 체약국의 국내법을 따르게 하는 조항을 두는 경우가 많이 있다. 국제법의 기본원칙은 항상 개별국가의 주권을 존중하는 것이므로 국제법의 범주에 포함되는 조세조약에서도 이러한 원칙이 적용되고 있다. 조세 측면에서의 주권은 당사국의 조세수입과 관련하여 매우 중요한 의미를 가진다. 조세수입은 국방과 공공재의 공급을 위한 재원으로 사용될뿐 아니라 경제성장, 물가관

---

184) 이 경우 과세분쟁이 발생하므로 권한있는 당국(competent authority) 간의 상호합의절차를 통하여 의견차이를 조정할 수 있다. 이러한 양자 간 상호합의절차는 쟁점사항에 대한 의견차이가 쉽게 좁혀지지 않을 경우가 종종 발생한다. 쟁점사항을 보다 객관적인 입장에서 해소하기 위한 대안으로 제3자에 의한 중재방법(arbitrage)을 사용해야 한다는 주장이 있고, 실제로 일부 국가에서는 이 방법을 사용하기도 한다. 중재방법 역시 장점과 단점이 존재하여 적용필요성에 대한 논란이 존재한다.

185) Rebecca M. Kysar, 2016, 'Interpreting Tax Treaties,' Iowa Law Review Volume 101. pp.1387~1411

186) Michael Livingston, 1991, 'Congress, the Courts, and the Code: Legislative History and the Interpretation of Tax Statutes,' Texas Law Review volume 69, pp.819~830

187) Rebecca M. Kysar, 2019, op. cit. p.1416

188) Diane M. Ring, 2008, What's at Stake in the Sovereignty Debate?: International Tax and the Nation-State, Virginia Journal of International Law Volume 49, pp.155~167

리, 실업문제 대책 등에도 조세의 역할은 상당하기 때문이다.[189]

국가 간의 협력이 국제강조되는 국제교역분야와 달리 국제조세분야는 일방체약국의 조세수입손실은 타방체약국의 조세수입증가로 나타나는 일종의 zero sum game과 같은 성격을 지닌다.[190] 따라서 국제법의 성격을 가진 조세조약을 체결할 때 체약당사국의 주권을 조세조약의 문맥 속에 상당히 고려해야 하므로 조세조약상으로는 포괄적이고 일부는 애매모호한 표현을 하면서 체약당사국이 국내 조세법에 맡겨서 구체적 상황에 맞추어 상세하게 규정할 수 있도록 하고 있다.[191] 따라서 조세조약이 조세의 개념이나 용어에 대하여 모든 국가에서 동일한 의미를 가지도록 통일적으로 규정하여 불확실성을 제거하는 것은 한계가 있을 수밖에 없다.

안정성(stability) 측면에서는 전 세계적으로 3,000여 개가 넘는 조세조약망이 주는 이점이 분명히 존재하는 것으로 볼 수 있다. 따라서 조세조약은 일종의 동결효과(lock-in-effect)를 가지고 있는 구조(regime)라고 할 수 있다.[192] 조세조약망을 벗어나서 다른 방법으로 전환하려면 여러 가지 측면에서 많은 대가를 치루어야 하기 때문이다.

189) Diane M. Ring, 2008, ibid. pp.168~169

190) Michael J. Graetz, 2001, The David R. Tillinghast Lecture: Taxing International Income: Inadequate Principles, Outdated Concepts, and Unsatisfactory Policies, Tax Law Review Volume 54. p.261

191) Rebecca M. Kysar, 2019, op. cit. p.1417

192) Tsilly Dagan, 2016, 'Tax Treaties as a Network Product,' Brooklyn Journal of International Law Volume 41. p.1081

제4장

조세조약의 구조

 개 요

우리나라는 세계 여러 국가와 조세조약을 체결하여 시행하고 있다.[1] 93개국과 '양자 간 조세조약'을 체결하여 시행하고 있고 '조세정보교환협정'은 12개국과 체결하여 시행 중이며, 140개국이 가입한 '다자간 조세행정공조협약'에도 가입하고 있다. 국가 간에 체결하는 개별 조세조약은 OECD 표준조세조약[2]과 UN 표준조세조약[3]을 기준으로 체결되고 있다. 따라서 양자 간 개별조세조약(bilateral tax treaty)의 기본구조(legal structure)는 대동소이하고, 단지 내용에서만 국가 간의 경제적 관계를 반영하여 차이가 있을 뿐이다.[4] 이는 아래에서 설명하는 조세조약의 '동결효과(lock-in effect)'의 결과로 보인다.

조세조약은 국제거래에서 발생하는 소득에 대한 과세기준을 양국이 합의하고 그 내용을 서면으로 정리한 문서이다.

조세조약은 국제거래와 관련된 과세문제를 당사국가 간에 포괄적으로 합의[5]하고 작성한

---

1) 기획재정부 발표자료 2020. 11. 기준. https://www.moef.go.kr/com/synap/synapView.do?atchFileId=ATCH_000000000016158&fileSn=1

2) OECD 표준조세조약, 17, https://www.oecd-ilibrary.org/deliver/mtc_cond-2017-en.pdf?itemId=/content/publication/mtc_cond-2017-en&mimeType=pdf

3) UN Model Double Taxation convention, 2017, https://www.un.org/esa/ffd/wp-content/uploads/2018/05/MDT_2017.pdf

4) 전체 개별조약의 75% 정도는 동일하다는 주장도 있다. Reuven S. Avi-Yonah, Double Tax Treaties: An Introduction, in 'THE EFFECT OF TREATIES ON FOREIGN DIRECT INVESTMENT' pp.99~101 (Karl P. Sauvant & Lisa E. Sachs eds., 2009)

5) 조세에 관하여 국가 간에 합의한 문서의 개념으로 보면 다음은 조세조약에 해당한다.
(1) 상호면세협정(선박, 항공기 등 국제운수사업관련 사업의 수입, 소득에 대한 상호주의 원칙 적용 협정) (2) 국제연합의 특권 및 면제조약(Convention on the Privilege and Immunities of the UN) (3) 국제기구의 특권 및 면제법(International organizations privileges and immunities Act) (4) 외교관계, 영사관계에 관한 비엔나 협약 (5) 한미 행정협정(The ROK-US Agreement on Status of Force in Korea: SOFA)

서면자료(instrument)[6]라고 할 수 있다. 그러한 조세조약의 적용과 해석에 있어서 '조약법에 관한 비엔나 협약(이하 '비엔나 협약'이라 한다)'의 규율을 받는다.[7] 우리나라 헌법 제6조 제1항 '헌법에 의하여 체결 공포된 조약과 일반적으로 승인된 국제법규는 국내법과 같은 효력을 가진다'라고 규정하여 서명조약과 국제법규만 조약의 범위에 포함하고 국제관습법은 명문으로 언급하지 않고 있다. 국제관습법은 조약처럼 문서로 존재하지 않더라도 세계 모든 국가에 대해 법률상 강제력을 가지는 기준으로서의 성격을 가지고 있다.[8]

국제거래와 관련한 관습법은 '정상가격(arm's length price), 과세관할권(tax jurisdiction), 무차별 원칙(nondiscrimination), 고정사업장(PE), 거주지국 과세원칙(residence rule)과 원천지국 과세원칙(source rule), 이중과세 방지제도' 등으로써 '표준조세조약'에서 수용하고 있는 과세기준이다. 따라서 우리나라 헌법에서 국제관습법에 대하여 언급하고 있지 않지만 '조약법에 관한 비엔나 협약'에 가입하고 있을 뿐 아니라 OECD 표준조세조약에 수용되어 있는 국제관습을 기준으로 개별조세조약을 체결하고 있으므로 사실상 국제관습법을 수용하고 있는 것으로 볼 수 있다. 미국도 성문국제법인 '조약법에 관한 비엔나 협약'에 서명하지 않고 있지만 국제거래와 관련하여 국제사회에서 무리없이 통용되고 있는 관습법은 사실상 받아 들이고 있다.

 ## 조세조약 조문의 기본체계

(1) 분류체계

대부분의 양자 간 조세조약(bilateral tax treaty)과 UN의 표준조세조약 등은 OECD 표준조세조약을 기준으로 하고 있으므로 기본구조는 OECD 표준조세조약의 표준조세조약의 기본구조와 대동소이하다. 따라서 OECD 표준조세조약의 구성형태를 중심으로 조세조약의 기

---

6) 조약법에 관한 비엔나 협약 제2조 제1항 a)목: 'treaty' means an international agreement concluded between States in written form and governed by international law, whether embodied in a single instrument or in two or more related instruments and whatever its particular designation("조약"이라 함은 단일의 문서나 두 개 또는 그 이상의 관련문서에 구현되고 있는가에 관계없이 또한 그 특정의 명칭에 관계없이, 서면형식으로 국가 간에 체결되며 또한 국제법에 의하여 규율되는 국가 간의 합의를 의미한다)

7) 조세조약의 해석은 '조약법에 관한 비엔나 협약 제31~33조'와 2017 OECD 표준조세조약, 제3조 제2항'의 원칙을 적용하여 해석한다. 전자는 일반원칙이며 후자는 특별원칙이라 할 수 있다.

8) 국제사법재판소 규약 제38조 제1항 B목에서는 국제관습법은 '법률로서 수용된 일반적 관행(international custom, as evidence of a general practice accepted as law)'이라고 규정하고 있다. Reuven S. Avi-Yonah, International Tax as International Law - An Analysis of the International Tax Regime, Cambridge Tax Law Series, 2007, pp.4~8; 김철수, 「헌법학 개론」, 박영사; 정인섭, "헌법재판소 판례의 국제법적 분석", 헌법실무 연구 제5집(2004), p.571; 박영태, 조약심사와 그 사례, 법제통권 제473, 법제처(1997. 5.) pp.103~120; 나인균, "헌법재판과 국제법규범", 헌법논총 제4집, 헌법재판소(1993. 12.), p.521

본구조를 살펴볼 수 있다. 현재의 OECD 표준조세조약은 7개의 장(chapter)으로 나누어 있고 총 32개의 조문으로 체계가 구성되어 있다.[9]

제1장(Chapter I)은 조세조약의 적용대상에 관한 규정으로 구성된다.

제1조: 인적범위(Persons covered). '조세조약의 영향을 받는 납세의무자'로서 체약국의 거주자에게 적용되는 것임을 규정하고 있다.

제2조: 대상조세(Tax covered). 조세조약이 적용되는 조세로서 일반적으로 체약국이 부과하는 소득세와 자본이득세를 규정하고 있다.

제2장(Chapter II)은 조세조약의 적용과 해석의 기준이 되는 용어의 정의에 관한 규정으로 구성된다.

제3조: 일반적 정의(General definitions). 일반적인 용어와 조세조약에서 사용되는 주요한 용어에 대한 정의를 규정하고 있다.

제4조: 거주자(Resident). 조세조약의 적용대상이 되는 거주자를 정의하고 있다.

제5조: 고정사업장(Permanent establishment). 고정사업장의 구성요건에 대한 정의를 규정하고 있다.

제3장(Chapter III) 국제거래에서 일방 또는 양 체약국의 거주자가 획득한 여러 가지 소득에 대한 과세권의 배분기준을 제6조에서 제21조까지 규정하고 있다. 이들 조항은 일반적으로 소득귀속자의 거주지국과 소득의 원천지국이 어디인지, 그 소득에 대한 과세권은 체약국 중 어느 국가에서 가지는 것인지, 그리고 원천지국에서 과세할 경우에 부과세율에 제한을 둘 것인지와 둔다면 어느 정도로 할 것인지를 규정하게 된다. 제3장이 조세조약의 가장 중요한 내용을 담고 있다고 볼 수 있다.

제6조: 부동산소득(Income from immovable property)

제7조: 사업소득(Business profits)

제8조: 국제 선박 및 항공 운송(International shipping and air transport)

제9조: 특수관계기업(Associated enterprises)의 소득과 이전가격

제10조: 배당소득(Dividends)

제11조: 이자소득(Interest)

---

9) UN 표준조세조약의 기본체계도 OECD 표준조세조약의 체계와 거의 동일하다. 차이는 '제12A조 Fees for technical services, 제14조 Independent personal services' 규정을 두고 있는 점과 'OECD 표준조세조약 제30조 Territorial extension' 규정을 UN 표준조세조약에서는 두지 않고 있는 점이다.

제12조: 사용료 소득(Royalties)

제13조: 양도소득(Capital gains)[10]

제14조: 2000년 4월 삭제. 제7조 사업소득에 통합

제15조: 근로소득(Income from employment)

제16조: 임원의 보수(Directors' fees)

제17조: 연예인과 운동선수(Entertainers and sportspersons)

제18조: 연금(Pensions)

제19조: 정부용역(Government service)

제20조: 학생(Students)

제21조: 기타소득(Other income). 제6~20조에서 규정한 소득 이외의 소득

제4장(Chapter IV)은 자본에 대한 과세를 다룬다. 제22조(Capital)는 자본에서 발생한 소득이 아니라 자본 자체에 대한 과세문제를 규정하고 있다.

제5장(Chapter V)은 이중과세 방지를 위한 두 가지 방법을 규정한다.

제23A조: 국외소득 면제방법(exemption method)

제23B조: 외국납부세액 공제방법(Credit method)

소득발생지국이 제6조 내지 제21조의 규정에 따라 과세권을 가지면 납세자의 거주지국은 이중과세 방지조치를 취해야 한다. 외국원천소득 면제방법(exemption method)은 거주지국이 외국원천소득에 대한 과세권을 포기하는 방법이다. 거주지국의 과세표준에서 제외하여 과세하지 않는 것을 말한다. 외국납부세액 공제방법(credit method)은 거주지국이 외국원천소득에 대한 과세권을 행사는 하되 원천지국에서 납부한 세액을 공제하게 된다.

제6장(Chapter VI) 특별조항

제24조: 무차별(Non-discrimination). 제24조는 거주지국과 원천지국의 여러 가지 형태의 차별과세로부터의 보호를 규정하고 있다.

제25조에서 제27조까지는 체약국 간의 중요한 행정협력문제를 규정하고 있다.

제25조: 상호합의절차(Mutual agreement procedure). 조약의 적용과 해석 등과 관련한 분쟁을 해결하기 위한 상호합의절차에 대한 협력관련사항을 규정하고 있다.

제26조: 정보교환(Exchange of information). 체약국 간의 과세정보교환과 관련한 협력업무에 대하여 규정하고 있다.

---

10) 제6조의 부동산을 처분하는 경우에 발생하는 소득을 말한다.

제27조: 조세징수협조(Assistance in the collection of taxes). 타방체약국의 조세징수에 대한 협조업무를 규정하고 있다.

제28조: 외교사절과 영사관 직원(Members of diplomatic missions and consular posts). 외교관과 영사관 직원들에 대하여 국제법과 국제합의에 따라 적용되는 주권면제특권(immunity privilege)에 의하여 조세조약은 적용되지 않는 것을 규정한다.

제29조: 조세조약의 혜택적용요건(Entitlement to benefits). 2017년 개정 시에 추가된 조항이다. 조세조약의 적용기준과 조세조약이 적용되는 적격 거주자의 요건에 대하여 규정한다.

제30조: 적용지역 확장(Territorial extension). 조세조약이 적용되는 영토의 확장에 대하여 규정하고 있다. 조세조약이 적용되는 영토는 육지 외에 주권이 미치는 영해와 영공도 포함한다.

제7장(Chpater VII)은 조세조약의 시행과 종료에 대하여 규정한다.

제31조: 발효(Entry into force). 비준서 교환 후 일정기간이 지나면 발효한다는 내용을 규정하고 있다.

제32조: 종료(Termination). 일반적으로 조약이 발효한 후 5년이 경과되면 일방체약국이 타방체약국에게 외교절차를 통하여 조세조약의 종료를 통보하여 종료시킬 수 있다.

(2) 조문의 특성에 따른 분류

앞에서는 OECD 표준조세조약의 기본체계에 따라 분류된 32개 조문을 분류하였다. 32개의 조문을 그 조문의 특성에 따라 재구성해 보면 다음과 같이 '범위(scope), 정의(definition), 조세조약남용금지(anti-avoidance 또는 anti-abuse), 조세조약적용 대상소득, 이중과세 방지(double taxation), 기타 규정(miscellaneous)'으로 분류할 수 있다.

① 범위(Scope)에 관한 규정

제1조 인적 범위

제2조 대상조세의 범위

제31조 발효와 제32조 종료는 조세조약의 적용시간의 범위에 대한 규정으로 볼 수 있다.

② 정의규정

제3조: 일반적 정의

제4조: 거주자 정의

제5조: 고정사업장 정의

③ 조세조약적용 대상소득

제6조: 부동산소득(Income from immovable property)

제7조: 사업소득(Business profits)

제8조: 국제 선박 및 항공 운송(International shipping and air transport)

제9조: 특수관계기업(Associated enterprises)의 소득과 이전가격

제10조: 배당소득(Dividends)

제11조: 이자소득(Interest)

제12조: 사용료 소득(Royalties)

제13조: 양도소득(Capital gains)[11]

제14조: 2000년 4월 삭제하고, 제7조 사업소득에 통합하여 규정하고 있다.

제15조: 근로소득(Income from employment)

제16조: 임원의 보수(Directors' fees)

제17조: 연예인과 운동선수(Entertainers and sportspersons)

제18조: 연금(Pensions)

제19조: 정부용역(Government service)

제20조: 학생(Students)

제21조: 기타소득(Other income)

④ 조세조약남용규제 규정

제9조: 특수관계자

제26조: 정보교환

제27조: 징수에 관한 행정협조

제29조: 조세조약 적용요건

⑤ 이중과세 방지 규정

제23조: 이중과세 방지

제25조: 상호합의 규정

---

11) 제6조의 부동산을 처분하는 경우에 발생하는 소득을 말한다.

⑥ 기타 규정

제24조: 차별과세금지

제28조: 외교관 관련 규정

제30조: 영토확장 규정

제2절   기본구조

1900년대 초기에 개별조세조약이 처음 체결되기 시작한 이래 OECD 및 UN의 조세조약 표준화 작업으로 인하여 조세조약의 구조와 내용은 표준화되어있다. 개별조세조약에서는 표준화된 조약인 OECD 및 UN의 표준조세조약을 기준으로 체결하면서 양 체약국의 경제상황을 고려하여 내용을 약간 변경하고 있다. 표준조세조약과 주석은 체약당사국의 조세조약체결 협상과 체결된 조세조약 해석의 출발점이 되고 있다.[12]

대부분의 개별조세조약은 OECD 표준조세조약의 구조와 내용을 따르고 있다. 따라서 조세조약의 기본내용이 어떠한 체계로 구성되어 있는지를 OECD 표준조세조약을 기준으로 살펴보는 것이 이해에 도움이 된다.

 표준조세조약(Model Tax Treaties)

대부분의 개별조세조약은 OECD 및 UN의 표준조세조약을 기준으로 하여 체결되고 있다. OECD 표준조약은 선진국의 입장에서 자본과 기술 및 사람의 원활한 이동을 조세가 저해하지 않는 것을 강조하고[13] UN 표준조세조약은 개발도상국의 입장을 반영할 수 있도록 '원천지국의 과세권'을 보호하는데 중점을 두고 있다.[14] 그러나 두 개의 표준조세조약은 실질적인 내용면에서 유사한 점이 많이 있다.[15] UN의 표준조세조약은 OECD의 표준조세조약을 상당

---

12) 표준조세조약이 개별조세조약의 체결과 해석에 주요 지침역할을 하는 것에 대하여 과소평가해서는 안된다. 우리나라에서는 법인세법 제93조 제5호 및 국제조세조정에 관한 법률 제28조 등에서 조세조약의 우선적인 효력을 명문으로 인정하고 있다.

13) OECD 표준조세조약, 2017, 서문(introduction), paras. 1-2

14) UN 표준조세조약, 2017, 서문(introduction), paras. 1. 12-17.1

15) 차이는 OECD 표준조세조약 제29조의 적용지역확장이 UN 표준조세조약에 없고, UN 표준조세조약 제14조의 독립적 인적용역이 OECD 표준조조세조약에 없는 점이다. 독립적 인적용역소득은 OECD 표준조세조약이 사

히 수용하고 있다.[16)]

현실적으로 전 세계 각국이 조세조약을 체결하는 과정에서 OECD 표준조세조약을 일종의 기본척도(yardstick)로 삼고 있다.[17)] UN 표준조세조약은 개발도상국의 입장을 반영하고 있지만 개발도상국도 OECD 표준조세조약을 기준으로 조세조약을 체결하고 있다.[18)] 이는 경제력의 비대칭(asymmetry)으로 인하여 발생하는 조세조약체결과정에서의 협상력 차이와 함께 OECD 및 UN 표준조세조약의 기본구조와 내용이 대동소이하다는 데에서도 기인한다.[19)]

이러한 표준조세조약 외에 대부분의 국가에서는 상대방 국가와의 조세조약 체결협상을 진행할 때 자국의 이익을 가장 잘 반영할 수 있는 내용을 담고 있는 자체 표준조세조약을 보유하고 있으나 대외적으로는 공개하지 않는다.[20)] 그러나, 미국은 자국의 모델조약을 공개하고 있다.[21)] 개별국가들이 자체적으로 표준조세조약을 보유하고 있더라도 조세협약 체결과정에서는 OECD 표준조세조약을 기준으로 삼는 것이 일반적이다. 미국도 자체적인 표준조세조약을 공개하고 있지만 실제 협상과정에서는 OECD 및 UN의 표준조세조약을 사용하고 있다.[22)] 조세조약은 상대방 국가와 협의하여 체결하는 것이므로 많은 국가들은 공통적인 척도(yardstick)로 수용되어 있는 'OECD 및 UN의 표준조세조약'을 기준으로 하고 있다.

OECD 및 UN의 표준조세조약은 여러 국가의 대표와 전문가들이 머리를 맞대고 협의하여 작성한 초안을 토론하면서 수정하는 과정에서 회원국들의 의견을 충분히 반영하고 있다.[23)]

업소득으로 보는 것이고, 적용지역의 확장도 실제 적용사례가 극히 일부(네덜란드의 Antilles)에 지나지 않는다는 점에서 큰 의미를 부여할 가치는 없는 것으로 보인다.

16) UN 표준조세조약, 2017, 서문(introduction), paras. 18-23

17) William P. Streng, U.S. Tax Treaties: Trends, Issues & Policies-Future Prospects, SMU Law Review, Vol. 59, 2006, p.14

18) William P. Streng, 2006, 전게논문 p.15

19) 조세조약 체결과정에서 협상력의 차이에 대하여는 Eduardo A. Baistrocchi, 'The Use and Interpretation of Tax Treaties in the Emerging World: Theory and Implications,' British Tax Review, No. 4, 2008 참조 http://ssrn.com/abstract=1273089

20) 우리나라도 '우리나라 자체의 표준조세조약'을 가지고 있으나 대외적으로 비공개하고 있다. 상대체약국의 경제적 상황 등을 고려하여 우리 기업에게 가장 유리한 조세조약을 체결하기 위하여 OECD 및 UN의 표준조세조약을 적절하게 혼합하고 있는 것으로 보인다.

21) IRS 홈페이지 http://www.irs.gov The U.S. Model Income Tax Convention and Model Technical Explanation 참조. '미국의 표준조세조약'은 대략적으로 매 10년마다 한 번씩 수정보완되며, 최근에는 2016년에 개정하였다.

22) William P. Streng, 2006, op. cit. p.13. OECD 및 UN의 표준조세조약은 여러 국가의 대표와 전문가들이 머리를 맞대고 협의하여 초안을 작성하고 토론하는 과정에서 회원국들의 의견이 충분히 반영되어 있다는 점에서 일종의 국제적인 기준이 된다.

23) William P. Streng, 2006, ibid. pp.14~15. OECD의 경우 제1 실무작업반(Working Party 1)과 실무자문단(Technical Advisory Group, or TAGs)이 정기적으로 표준조세조약의 내용을 검토하여 수정보완하는 작업을

따라서 최종적으로 채택되어 발표된 표준조세조약은 회원국들 간에 대체적으로 의견의 일치(consensus)가 이루어진 내용이 된다. 국가 간에 개별조세조약을 체결하는 과정에서 OECD 및 UN 표준조세조약에 담긴 공통적인 과세기준을 수용하게 되며 이러한 과세기준은 일종의 '국제규범'과 같은 지위를 가지게 된다.[24]

② 조세조약상의 적용범위

(1) 적용대상자의 범위(인적범위)

조세조약을 적용받는 대상자는 체약국의 거주자이어야 한다.[25] 관련 규정은 '인(persons)'에 대한 제3조와 '거주(residence)'에 대한 제4조이다.

조세조약의 적용대상자는 체약국의 거주자이다. 거주자는 일방체약국의 법률에 의하여 조세목적상 의미가 있는 '개인, 법인 또는 기타 법률적 실체(legal entity)'이다. 거주자의 결정기준은 조세조약에서 별도로 규정하고 있다. 일부조약에서는 조세조약상이 거주자가 아닌 경우에도 조세조약을 적용한다. 예를 들면 정보교환규정은 제3국 거주자에게도 적용한다.[26]

조세조약상의 일부 소득조항은 실질적 '수익적 소유자(beneficial owner)'에게 조약상의 혜택을 적용한다.

제10조 배당소득 제11조 이자소득 제12조 사용료 소득이다. 이들 소득의 원천징수세율은 제한세율이다. 수익적 소유자의 개념은 조세회피목적으로 조약을 이용하는 것을 억제하기 위한 개념이다.[27] OECD 표준조세조약을 기준으로 하는 개별조세조약에서도 유사한 표현을 사용하고 있다.

계속하고 있다.

24) Reuven S. Avi-Yonah, International Tax as International Law: An Analysis of the International Tax Regime, Cambridge Tax Law Series, 2007, pp.1~8

25) OECD 표준조세조약, 20107 제1조

26) U.S. Model Treaty 2006, Art. 26. In addition, Article 19 (Government Service) may apply to an employee of a Contracting State who is resident in neither State.

27) OECD 표준조세조약, 2017, 제1조에 대한 주석 para.63; 'For instance, some forms of tax avoidance have already been expressly dealt with in the Convention, e.g. by the introduction of the concept of "beneficial owner" (in Articles 10, 11, and 12) and of special provisions such as paragraph 2 of Article 17 dealing with so-called artiste-companies. Such problems are also mentioned in the Commentaries on Article 10 (paragraphs 17 and 22), Article 11 (paragraph 12) and Article 12 (paragraph 7).'

(2) 적용대상 조세의 범위

조세조약은 소득과 자본에 대하여 과세하는 직접세에 적용된다.[28] 따라서 부가가치세 등 간접세에는 적용되지 않는다. 또한 중앙정부가 과세하는 국세에는 적용되지만 지방정부가 과세하는 지방세에는 적용되지 않는다. 그러나, 지방세 중에서 국세자체를 과세표준으로 삼아서 과세하는 세금인 부가세(surtax)에는 적용된다. 즉, 소득세액을 과세표준으로 부과되는 '소득할 주민세'는 국세인 소득세액의 10%를 과세하는 부가세(surtax)로서 조세조약의 적용대상이 된다. 그러나, 주민세 중에서 모든 주민에게 동일하게 과세되는 '균등할 주민세'는 조세조약의 적용대상이 아니다.

조세조약이 체결 후 도입된 조세로서 조세조약 체결 당시의 세목과 유사한 경우에는 조세조약이 적용된다. 그러나 조세조약 체결 당시의 세목과 완전히 다르면 조세조약의 적용대상이 아니라는 의미가 된다. 가령, 간접세 성격을 가진 세목은 조세조약의 적용대상 조세가 될 수 없다. 한국은 소득세, 법인, 소득할 주민세가 조세조약의 적용대상이 된다. 우리나라와 조세조약을 체결한 국가 중 미국, 필리핀, 남아프리카공화국 등에서는 지방세인 주민세가 적용대상에서 제외되어 있으므로 이자나 배당소득 등을 원천징수할 때에 주민세를 제한세율과는 별도로 징수해야 한다.[29]

일부 조세조약에서는 일반적인 법인세 또는 소득세가 아닌 조세에 대하여도 조세조약을 적용하는 것으로 규정하고 있다. 예를 들어 '호주와 뉴질랜드 간 조세조약에서는 석유개발과 관련한 '자원임대세(resource rent tax)'와 '부가이득세(fringe benefits tax)'를, 인도와 덴마크 간 조세조약에서는 '선원세(seamen's tax), 교회세(church tax), 탄화수소세(hydrocarbon tax)'를, 그리고 말레이시아와 캐나다 간 조세조약에서는 '주석이윤세(tin profit tax), 개발세(development tax), 목재이윤세(timber profits tax)'를 각각 포함하고 있다.

---

28) OECD 표준조세조약, 2017, 제2조
29) 미국의 경우 조세조약 적용대상 조세는 '연방법인세와 연방소득세'이고, 주나 자치단체에서 과세하는 조세 (state tax, local tax)와 사회보장세(social security tax)도 적용대상이 아니다.

③ 용어의 정의

(1) 일반적 정의

조세조약의 조문 중에서 그 의미를 일반적으로 정의하고 있는 용어에 대하여 제3조에서 규정하고 있다. '인(person)', '기업(company)', '기업(enterprise)', '일방체약국의 기업(enterprise of a Contracting State)', '타방체약국의 기업(enterprise of the other Contracting State)', '국제운송(international traffic)', '권한있는 과세당국(competent authority)', '국적(national)', '사업(business)', '공인연금펀드(recognised pension fund)' 등이다. 이러한 일반적 정의(general definition) 조항은 다른 규정에서도 확대하여 적용이 가능하다.

그 외에도 일반적인 정의 조항과 같은 성격을 가진 규정이 있다. 제4조의 거주(residence), 제5조의 고정사업장(permanent establishment), 제6조의 부동산(immovable property), 제10조의 배당(dividends), 제11조의 이자(interest), 제12조의 사용료(royalties) 등이 해당한다.

'인(persons)'에는 '투과조직(transparent entities)'인 동업기업(partnership), 혼성조직(hybrid entity) 등은 내국세법에 따라 '인'에 해당하면 조세조약이 적용될 수 있다.[30] 그러나 조세조약의 혜택만을 목적으로 하는 조세조약에 무임승차하려는 '조세조약편승행위(treaty shopping)'을 차단하기 위하여 제29조[31]를 두고 있다.

---

30) Societe Kingroup court case before the French Conseil d'Etat dated 4 April 1997 ; 캐나다 법인 Societe Kingroup(Kingroup)은 프랑스 법인 GIE의 파트너 중 하나였다. GIE는 프랑스기업에게 무형자산의 사용권을 양여하고 받은 사용료를 Kingroup에 지급하였다. GIE는 파트너십으로서 투과조직이므로 프랑스에서는 과세되지 않을 것으로 보고 캐나다에서만 세금을 납부하였다. 그러자 프랑스 과세당국은 세금을 고지했다. 프랑스의 조세법에 의하면 프랑스 동업기업(partnership)이 외국인 파트너에 지급한 소득은 고정사업장과 상관없이 프랑스 소재 기업에서 발생한 소득으로 보고 과세할 수 있는 것으로 규정되어 있었다. 따라서 프랑스 과세당국은 해당 파트너의 납세의무는 PE의 존재 여부와는 무관한 것으로 보았다. 프랑스-캐나다 조세조약 제7조의 규정에 의하여 일방체약국의 납세자가 상대체약국에 PE를 보유하는 경우에만 납세의무를 진다고 규정하고 있었고, Kingroup은 바로 이 조항에 근거하여 프랑스에 PE가 없으므로 납세의무가 발생하지 않는 것으로 판단하였다. 법원은 프랑스-캐나다 간 조세조약 제7조는 캐나다 법인이 프랑스 동업기업을 통하지 않고 직접 수취하는 경우에 한정된다고 판결하였다. 법원은 해당 소득이 프랑스 동업기업을 거쳐서 지급된 것이므로 이때 소득의 성격(character)이 변경된 것이므로 조세조약의 적용범위를 벗어나게 되었다는 것이다. Kingroup은 프랑스-캐나다 조세조약 제7조 외에 제10조(배당소득)를 인용하였으나 법원은 동업기업의 이익분배는 배당소득이 아니라는 이유로 Kingroup의 주장을 기각하였다.

31) OECD 표준조세조약, 2017, 제29조; '이중비과세, 탈세, 조세조약편승행위(treaty shopping) 등을 이용한 세원잠식(base erosion)'을 유발하지 않는 가운데 조세조약의 체결목적인 이중과세 방지를 달성하기 위하여 조세조약의 적용대상이 되는 적격성(qualification) 요건을 구체적으로 규정하고 있다.

(2) 거주지(Residence)

개인이나 법인이 특정국가에서 원천소득을 획득한 사실만 가지고 그 나라의 거주자로 간주하는 것이 아니라는 것을 규정하고 있다.[32] 원천소득이 발생하면 그 소득이 귀속되는 '인'에게 과세할 따름이고 거주지와는 무관하기 때문이다. 거주지를 결정하는 출발점은 국내 조세법이다. 개인에 대하여 양 체약국이 국내 조세법에서 모두 자국의 거주자라고 주장할 경우에는 소위 '순차결정기준(tie-breaker rule)'을 적용하여 조세조약의 적용목적상 어느 국가의 거주자인지를 결정하게 된다.[33] 조세조약의 적용을 받는 원천소득의 귀속자가 조세조약상 특정국가의 거주자로 판정되더라도 조세조약의 적용대상이 되지 않는 다른 세목에는 영향을 주지 않는다. 조세조약이 적용되지 않는 세목에 대하여는 자국의 국내 조세법이 적용되기 때문이다.

'순차결정기준(tie-breaker rule)'을 적용할 때 제일 우선적으로 고려하는 것은 '항구적 주거(permanent home)'를 어느 국가에 소유하고 있는지에 대한 사실관계이다. 이것으로 판단할 수 없는 경우에는 사회적 경제적 이해관계의 중심지를 기준으로 판단하게 된다. 이것으로도 결정되지 않거나 항구적 주거가 양 체약국에 없는 경우에는 다음에 적용하는 요소는 어느 국가에서 더 많은 기간동안 체류하였는지를 기준으로 판단한다. 양 체약국에서 체류한 기간이 너무 짧아서 거주자인지 여부를 판단하기 곤란한 경우에는 국적지(national)를 기준으로 거주지 국가를 결정한다.

법인(legal entity)의 거주지는 국내 조세법에 따라 거주지가 결정된다. 양 체약국의 국내 조세법에서 '법인의 설립지(place of incorporation)'를 기준으로 거주지국을 판단할 경우에는 이중거주지 문제가 발생하지 않지만, '실질적 관리장소(place of effective management)'나 '다른 요소(any other relevant factors)'를 기준으로 결정할 경우에는 이중거주지 문제가 발생하게 된다. 그리고 투과조직인 경우, 예를 들어 partnerships, LLCs, 재산 및 신탁회사 등과 관련하여 문제가 있다.

pass-through 조직은 체약국의 국내법에 의하여 거주자로 인정되어 그 거주자가 획득한 소득으로 보는 경우에 조세조약상의 혜택을 적용한다. 예를 들어, A법인이 B법인에 배당을 한 경우를 가정해 보자. B법인이 바하마법에 의하여 설립되었으나 A국에서는 투과조직으로 취급할 경우에 A국은 B법인의 배당소득에 대하여 B법인 소유자에게 과세할 경우 B법인의

---

32) OECD 표준조세조약, 2017, 제4조 제1항 후단, '~This term, however, does not include any person who is liable to tax in that State in respect only of income from sources in that State or capital situated therein.'

33) OECD 표준조세조약, 2017, 제4조 제2항 a목 내지 d목

소유자는 A국의 거주자로 보게 되므로 A-B국 간의 조세조약상 혜택을 적용한다. 만약 배당소득의 수취자가 A국의 거주자가 아닌 경우에는 A-B국 간 조세조약이 적용되지 않는다.

OECD 표준조세조약에서는 개인이 아닌 법인에 대하여 양 체약국이 모두 거주자라고 주장하여 이중거주자에 해당하는 경우에는 양 체약국의 권한있는 당국자(competent authorities)가 상호합의(mutual agreement procedures)를 통하여 결정하도록 규정하고 있다. 양 체약국의 권한있는 당국자는 상호합의과정에서 '기업의 설립장소, 실질적 관리장소(place of effective management), 기타 관련사항(relevant factors)'을 모두 감안하여 소재지를 결정하게 된다.[34] 여기서 권한있는 당국자가 반드시 거주지를 결정해야 되는 것은 아니고 결론이 나도록 '노력(endeavor)'해야 한다는 표현을 사용하고 있다.[35]

(3) 고정사업장(Permanent Establishment)[36]

현대의 개방경제 구조하에서 국가 간의 무역거래를 통하여 양 국가의 거주자들이 타방국가에서 소득을 획득하는 것은 일반적이다. 조세조약의 체결목적은 양 체약국의 거주자들이 상대체약국에서 국제거래활동을 원활하게 할 수 있도록 조세 측면에서 지원하려는 것이다. 개인이 아닌 법인이 상대체약국에서 거래를 하고 소득을 획득하는 방법은 현지에 설립한 자회사나 지점을 이용하는 경우와 일시적인 거래를 이용하는 경우로 구분된다. 전자는 원천지국에서 과세하는 것이 '조세주권'의 행사와 관련하여 문제가 없지만 후자와 같이 일시적인 소득에까지 모두 원천지국에서 과세할 경우에는 조세조약을 통하여 '경제거래의 촉진'을 지원하려는 목적과 상충될 수 있다. 따라서, 이 문제를 조정하기 위하여 OECD 표준조세조약 제7조에서 사업소득에 대한 원천지국의 과세권은 '고정사업장(permanent establishment, 이하 'PE'라 한다)'에 귀속되는 소득에만 행사할 수 있도록 규정하고 있다

OECD 표준조세조약 제5조에서 고정사업장의 성립요건은 존속기간이나 기업의 거래에 미치는 영향 등을 기준으로 규정하고 있다.[37] 존속기간이 6개월 또는 12개월 이하인 경우, 재화의 저장, 전시 또는 판매장소로 배달하거나 현지에서 구매만 하는 경우에는 사업소득을 획득하는 것이 아니므로 고정사업장이 아니다. 특정기업에 종속된 대리인은 고정사업장을 구성하지만[38] 독립대리인의 경우에는 고정사업장의 요건을 구성하지 못한다.[39]

---

34) OECD 표준조세조약, 2010, 제4조 제3항
35) OECD 표준조세조약, 2017, 제4조 제3항
36) 고정사업장에 대하여는 후술한다.
37) OECD 표준조세조약, 2017, 제5조 제4항
38) OECD 표준조세조약, 2017, 제5조 제5항

4 소득의 과세

OECD 표준조세조약 제6조에서 제22조까지 국제거래에서 발생하는 여러 소득에 대한 과세권을 원천지국과 거주지국 간에 배분하는 기준을 규정하고 있다. 일방체약국에게 배타적인 과세권을 부여하는 소득과 그렇지 않은 소득으로 구분하고 있다. 배당소득, 이자소득, 사용료 소득은 원천지국의 배타적 과세권을 제한하고 있다. 동일한 소득에 대하여 양 체약국이 과세권을 가지는 경우에는 제23A조 및 제23B조에서 규정한 방법으로 거주지국이 이중과세 방지 조치를 취하도록 하고 있다.

(1) 부동산 소득(income from immovable property)

비이동성 자산, 즉 부동산에서 발생한 소득에 대한 과세권은 원천지국에게 부여하고 있다. 일반적으로 다른 소득의 경우에는 거주지국 과세기준을 우선하지만, 비이동성 자산에서는 원천지국 과세기준을 우선하고 있다. 이유는 비이동성 자산은 그 자산이 소재한 국가와 밀접하게 연관되어 있으므로 그 자산이 소재한 국가에서 과세권을 행사하는 것이 적정하다는 국제적 합의에 따른 것이다. 비이동성 자산에는 '가축, 농업이나 산림에 사용하는 장비 등'이 포함된다. 따라서 1차산업과 관련된 소득은 원천지국에서 과세권을 행사한다는 것에는 이론의 여지가 없게 된다.

'비이동성자산(immovable property)'이라는 용어는 대륙법(civil law)[40]의 산물로서 영미법(common law)[41]에서 사용하는 용어와 다르다. 영미법에서 movable property와 immovable property로 구분하지 않고 personal property와 real property로 구분하고 있다. 영미법 국가들도 대륙법계 국가들과 조세조약을 체결할 때 movable property와 immovable property 용어를 사용하는 사례가 있다.[42] OECD 및 UN 표준조세조약에서는 movable/immovable property로 구분하고 있다.

---

39) OECD 표준조세조약, 2017, 제5조 제6항

40) 대륙법(civil law)은 구체적인 사건에 적용될 추상적인 법 규정의 논리를 중시한다.

41) 영미법(common law)은 판례를 중시한다. 미국의 법률가 Holms는 '법의 생명은 논리에 있는 것이 아니라 경험에 있다'라고 하면서 사건 속에서 보편적인 법 원칙을 찾아야 한다고 주장한다.

42) real property 사용: 한-영 조세조약 제6조, 한-조세조약 제15조, 한-호주 조세조약 제6조
immovable propety 사용: 한-뉴질랜드 조세조약 제6조, 한-캐나다 조세조약 제6조

(2) 사업소득

사업소득에 대한 과세권을 체약당사국 간에 적정하게 배분하는 기준을 정하는 것은 가장 어려운 과제에 해당한다. 예를 들어 한국의 전자장비 생산법인이 외국('B국'이라 한다)에 직원을 파견하여 수요처들과 전자장비 수주상담을 하여 계약체결하고, 그 계약에 따라 전자장비와 그 설치를 관리할 직원을 해당 국가의 수요처에 파견하여 설치를 지원한 경우를 보자.

B국은 전자 장비계약과 관련하여 지급하는 대가에 대하여 사업소득으로 보고 과세권을 행사할 수 있다. 그러나 B국은 두 가지 문제에 직면한다. 하나는 B국에서의 판매수익이 얼마인지를 계산해야 하는 문제이고, 다른 하나는 판매수익을 계산하기 위하여 '제조원가, 관리비, 판매비, 금융비용'을 얼마나 공제할 것인가의 문제이다. 한국기업이 B국에 고정사업장을 설치한 경우에는 고정사업장 귀속소득에 대하여 과세할 수 있다. 이때 한국기업이 그 고정사업장에 귀속시킨 비용이 제3자 간 거래기준(arm's length price standard)을 적용했을 때 적정한지를 검토해야 한다.

OECD 표준조세조약 제7조 제1항에서는 일방체약국의 기업은 타방체약국에 고정사업장을 두고 사업을 수행하지 않으면 원천지국의 과세권을 행사하지 못한다고 규정하고 있다. 따라서 한국기업이 위 사례에서 B국 거래처로부터 전자장비 수주활동을 '출장직원(travelling representative)'이 한 경우에는 B국에 고정사업장이 없기 때문에 B국의 과세권은 인정되지 않는다. 반대로 고정사업장을 둔 경우에는 그 고정사업장의 소득에 대하여 B국은 과세권을 행사할 수 있다.

OECD 표준조세조약 제7조 제2항에서는 고정사업장(PE)에 귀속된 소득의 계산방법에 대하여 규정하고 있다. PE는 과세소득을 계산할 때 모회사와는 '독립된 실체(separate and distinct enterprise)'로 간주한다. 따라서 한국의 모회사와 B국 PE 간의 계약으로 통하여 전자장비를 수출하는 것으로 보게 된다. 조세조약은 PE 귀속소득은 PE 소재지국, 즉 원천지국에서 과세권을 가지는 것으로 규정하고 있다. 그러나 사업소득에 대한 과세권은 거주지국에서도 행사할 수 있기 때문에 거주지국은 제23조의 이중과세 방지 조치를 취해야 한다.

(3) 피지배 외국 자회사의 비용 배분

피지배 외국 자회사(foreign controlled business)의 귀속소득을 계산할 때 일부비용의 공제를 허용하지 않는다. 예를 들어 PE에 귀속된 다국적기업 전체의 일반관리비, 경영자문료 중 일정비율을 부인할 수 있다. 그러한 비용은 '수익-비용 대응의 원칙'에 따라 합리적으로 배분되지 않고 고세율국가에 설치된 PE 귀속소득을 줄이기 위해 부풀려질 수 있기 때문이다.

따라서 OECD 표준조세조약 제7조 제2항에서 규정한 '독립된 실체(separate and distinct enterprise)' 기준에 따라 PE의 사업활동과 연관된 비용은 공제를 허용하는 것으로 규정하고 있다. 고정사업장의 사업목적과 관련하여 발생된 비용에 해당하면 그 비용이 PE가 소재한 국가에서 발생했던 다른 국가에서 발생했던 상관하지 않고 공제할 수 있다.

(4) 국제선박 및 항공운수 소득

국가 간을 운항하는 선박 및 항공운수(shipping and air transport) 소득은 이를 국가 간에 정확하게 배분하는 방법을 찾기가 쉽지 않다. 국제선 항공기의 운항사례를 보자. 항공기는 여러 도시를 운항하면서 각 기착지 마다 승객을 태우거나 내린다. 비행기 탑승권의 구입방법 도 다양하다. 일부는 해당 항공사에서 직접 구입하고, 일부는 다른 항공사나 대리점에서 구 입기도 하며, 국적기의 탑승권을 다른 국가에서도 구입할 수 있다.

이러한 상황을 모두 고려하여 국가별로 과세권을 분할하는 것은 과세행정비용이 너무 많 이 소요된다. 따라서 OECD 표준조세조약에서는 간단한 해결책을 제시하고 있다. 국제 운송 을 하는 선박이나 항공기에서 발생하는 소득의 과세는 그 사업을 운영하는 사람의 거주지국 에서만 이루어진다.[43] 국제 운송을 하는 항공사나 선박회사가 외국회사와 협력하여 제휴제 도(pooling 또는 Joint system)를 운용에 따라 2개 이상의 선박 또는 항공기를 이용하는 여행 객에게 판매된 항공운임 소득의 경우에도 제휴계약의 내용에 따라 배분된 소득은 그 소득자 의 거주지국에서 과세한다.[44]

(5) 배당, 이자, 사용료 소득

배당, 이자, 사용료 소득에 대하여 OECD 표준조세조약 제10조, 제11조, 제12조에서 각각 규정하고 있다. 이들 소득에 대하여 원천지국은 자국의 소득세율보다 낮은 세율을 적용함으 로써 과세권이 제한된다. 제한세율의 수준은 '외국으로 송금되는 소득에 대한 세율'이 '자국 으로 유입되는 소득에 대한 세율'보다 높지 않도록 유지하는 것이 통상적이다. 그렇게 함으 로써 외국투자자들에게 더 좋은 투자 및 사업환경을 제공하여 투자자들이 거주지국에서 납 부하는 사업소득에 대한 조세부담보다 더 높은 조세부담을 원천지국에서 부담할 마음을 갖 도록 한다. 일반적으로 소득총액에 5%, 10%, 15% 정도의 수준으로 과세한다. 그러나 거주 지국은 제한없이 과세하되 원천징수된 세액은 외국납부세액으로 공제된다.

---

43) OECD 표준조세조약, 2017, 제8조 제1항
44) OECD 표준조세조약, 2017, 제8조 제2항

원천지국에 소재하는 자회사를 통하여 투자하는 경우 원천지국에서 납부할 총 조세부담액은 '국내 조세법상의 법인세율에 조세조약상의 원천징수세율'을 더한 세율이 된다. 조세조약이 체결되지 않은 경우에는 원천지국에서 제한세율을 적용하지 않기 때문에 총세부담률은 이보다 더 높아진다. 비거주자의 배당소득에 대한 원천징수세율은 '경영참가투자(participatory investment)'에 대한 세율과 '일반투자(protfolio investment)'에 대한 세율 사이에서 결정되는 것이 일반적이다. 경영참가투자는 주주가 법인의 경영에 참여하는 것을 의미한다. 일반투자는 순수한 투자로서 투자소득을 얻거나 자본의 증식 목적으로 투자대상을 선택하는 것으로서 주식을 분산(portfolio)하여 소유하는 것을 말한다.

일반투자(Portfolio investment)에 있어서 관심사항은 귀속 소득에 직접 부과되는 세금, 즉 투자에서 얻는 배당소득에 부과되는 조세이지만 경영참가투자(participatory investment)의 경우에는 투자에 따른 총세부담이 관심사항이 된다. 투자 유형에 따른 관심의 차이를 반영하여 일부 국가는 참여투자에서 발생한 배당소득을 더 낮은 세율로 과세하기도 한다. OECD 표준조세조약에서는 일반투자와 경영참가투자를 구분하는 기준을 25% 지분율을 설정하고 있다.[45] 지분(share)[46]의 25% 이상을 보유한 주주가 받는 배당은 경영참가배당(participatory dividend)으로서 5%의 원천징수세율 적용한다. 그 외의 경우에는 15%의 원천징수세율을 적용한다.[47]

OECD 표준조세조약에서 규정한대로 경영참가투자에 대하여 일반투자보다 낮은 세율을 적용하면 그렇지 않은 경우와 비교해서 투자유치에 유리한지 불리한지는 일률적으로 판단하기 어렵다. 일반적으로 국내에 경영참가투자되는 외국자본에 낮은 세율을 적용하면 유입자본량이 늘어날 수 있지만, 조세회피목적으로 투자하는 투기성 자본의 경우에는 '조세회피장치(anti-avoidance rule)'를 통하여 배당소득을 과세할 경우에는 외국자본의 국내투자에 악영향은 미치지 않을 수도 있다.

비거주자의 이자소득에 대하여 소득세가 원천징수된다. 세율은 내국세법에서 규정하는 세

---

45) OECD 표준조세조약 제10조 제2항 a). UN 표준조세조약에서도 지분율은 25% 기준을 사용하지만 원천징수세율은 양자 간 협의를 통하여 결정하도록 하고 있다. UN 표준조세조약 제10조 제2항 (a)

46) 지분(share)은 주식소유비율을 의미한다. 용어 중 'jouissance share', 'jouissance right'는 법인의 구조 조정을 위하여 주식의 일부를 상각할 경우에 주주의 지분율이 감소하여 발생하는 손실을 보상하기 위하여 발행하는 '향익주식'으로서 잉여금의 '배당소득'과 함께 법인 해산 시 발생하는 차익에 대한 권리, 즉 자본에 대한 권리(capital entitlement)에 초점을 두고 있는 주식이다. Kevin Holmes, International Tax Policy and Double Tax Treaties-An Introduction to Principles and Application, IBFD, Amsterdam, Netherlands, 2007, p.221

47) OECD 표준조세조약, 2017, 제10조 제2항 b). UN 표준조세조약은 양자 간 협의를 통하여 결정하도록 하고 있다. UN 표준조세조약, 2017, 제10조 제2항 (b)

율보다 낮은 세율이 적용된다.[48] 조세조약상의 세율이 적용되려면 이자소득의 수익자는 '실질적 소유자(beneficial owner)' 요건을 충족해야 한다.[49]

이자소득의 지급액이 지나치게 많은 경우에는 간주배당으로 간주되어 과세되거나 과소자본세제 등 '조세회피 방지규정'이 적용될 수 있다.[50]

비거주자의 사용료 소득에도 원천징수제도가 적용된다.[51] 사용료 지급액이 지나치게 많은 경우에는 간주배당으로 과세되거나 조세회피방지규정이 적용될 수 있다.[52] 사용료에 대한 원천징수세율은 무형자산의 정의에 따른 무형자산의 종류에 따라 다르게 적용할 수 있다.[53]

사용료 소득이 고정사업장에 귀속되는 경우에는 OECD 표준조세조약 제7조에 의하여 사업소득으로 과세된다. 선박 및 항공기의 임대소득에 대하여는 개별조세조약에서 별도의 규정을 두지 않으면 국제운수소득에 해당하지만 개별조세조약에서 사용료 소득으로 취급하는 경우도 있다.[54]

(6) 양도소득(capital gains)

부동산의 양도소득은 부동산의 소재지국에서 과세한다.[55] 유사한 기타 자산으로서 고정사업장에 속하는 동산과 고정사업장 자체의 양도에 따른 소득도 원천지국에서 과세할 수 있다.[56] 고정사업장에 귀속되는 소득은 고정사업장이 소재하는 국가에서 과세한다는 원칙에 부합하는 기준이다.

자산의 전부 또는 대부분이 부동산으로 구성된 법인의 주식을 처분한 소득은 그 자산의 소재국이 과세한다. 다만, 사업용 감가상각자산을 처분하고 새로운 자산을 구입하는 경우에는 과세대상이 되지 않는다. 사업용 동산 및 고정사업장의 처분소득은 그 동산 및 고정사업장의 소재지국이 과세한다. 항공기 선박의 처분소득은 실질적 관리장소 소재지국, 법인의 설

---

48) OECD 표준조세조약, 2017, 제11조 제2항. 10% 이하의 제한세율이 적용된다.
49) OECD 표준조세조약, 2017, 제11조 제2항
50) OECD 표준조세조약, 2017, 제11조 제6항
51) OECD 표준조세조약, 2017, 제12조 제1항
52) OECD 표준조세조약, 2017, 제12조 제4항
53) OECD 표준조세조약, 2017, 제12조 제2항
54) 나용선계약에 따른 임대 선박 또는 항공기의 이용대가는 사용료 소득으로 보도록 우리나라와 조세조약을 체결한 국가는 '일본, 독일, 덴마크, 벨기에, 캐나다' 등이 있다.
55) OECD 표준조세조약, 2017, 제13조 제1항
56) OECD 표준조세조약, 2017, 제13조 제2항

립지 등과 관련하여 양 체약국의 '권한있는 당국자(competent authority)' 간의 상호합의절차를 통하여 결정한다.[57] 기타의 경우 자산처분소득은 처분자의 거주지국에서 과세한다.[58] 따라서 부동산처분소득이 자본소득에 해당하는 경우 처분자의 거주지국에서 과세할 수 있다.

(7) 인적용역소득

인적용역소득은 독립적 인적용역소득과 종속적 인적용역소득으로 구분된다. OECD 표준조세조약에서 이 조항은 2000년 4월 29일 삭제[59]되었지만, 그 이전에 체결된 개별조세조약에서는 여전히 독립적 인적용역에 대한 조항을 두고 있다. 독립적 인적용역은 OECD 표준조세조약 제5조 고정사업장 및 제7조 사업소득에 관한 조항과 연결되지만 전문적인 인적용역을 고정시설(fixed base)[60]을 통하여 정기적으로 제공하는 경우에 적용된다. 독립적 인적용역에 대한 조항이 삭제된 이유는 다음과 같다. 제7조의 고정사업과 제14조의 고정시설의 개념과 소득의 계산 및 배분방법에서 차이가 없다는 것이었다. 또한 사업소득과 전문적 인적용역소득 간의 구분기준도 불분명하다는 것이다. 따라서 제14조를 삭제하여 사업소득으로 통합하여 과세하도록 한 것이다.

인적용역소득으로서 독립적으로 제공되는 용역이나 이사의 보수, 연금, 정부공무원의 보수가 아닌 경우에는 종속적 인적용역으로 분류된다.[61] 고용소득에 해당하더라도 연예인과 체육인의 소득은 별도의 과세기준을 적용받는다. 단기간에 고액의 소득을 획득하는 특성을 고려하기 때문이다.

고용소득(income from employment)은 근로자의 거주지국에서 과세된다. 그러나, 근로자의 근로소득이 두 개 국가 이상에서 발생한 경우에는 일정한 요건 하에서 거주지국에서 과세한다.[62] 그 요건은 첫째는 거주지국이 아닌 타방체약국에서 체류한 기간이 183일을 초과하지 않고, 둘째는 보수는 거주지국의 고용주가 지급하며, 셋째는 고정사업장이 보수를 부담하지 않는 경우이다. 이 세 가지 요건이 모두 충족되어야 한다.

근로자가 거주지국이 아닌 타방체약국에서 직접 고용되어 그 국가에서 근무하고 받은 소

---

57) OECD 표준조세조약, 2017, 제4조 제3항
58) OECD 표준조세조약, 2017, 제13조 제5항
59) 2000년 1월 27일 재정위원회(committee on fiscal affairs)에서 채택한 보고서 Issues Related to Article 14 of the OECD Model Tax Convention의 권고에 따라 삭제하였다.
60) 외국에 정기적으로 출장하여 호텔객실에서 용역을 제공하는 경우에도 고정시설의 요건을 충족할 수 있다.
61) OECD 표준조세조약, 2017, 제15조 제1항
62) OECD 표준조세조약, 2017, 제15조 제2항

득은 그 타방체약국에서 과세권을 행사한다.[63] 국제선을 운항하는 선박이나 항공기의 승무원의 급여소득은 그 승무원의 거주지국에서 과세한다.[64]

(8) 이사, 연예인, 연금, 정부용역, 학생 등 관련소득

이사의 보수, 연예인 운동선수, 연금, 정부용역, 학생 등과 관련한 소득에 대한 과세기준은 OECD 표준조세조약 제16조 내지 제20조에서 각각 규정하고 있다.

이사의 보수는 법인의 거주지국가에서 과세한다.[65] 용역의 제공이 다른 국가에서 이루어지더라도 법인의 거주지국에서 과세한다. 법인의 이사 자격이 아니라 자문용역을 제공하는 자격에서 받는 대가인 경우에는 그 자문 용역수행지 국가에서 과세한다.

연예인과 체육인의 소득은 그 용역이 수행된 국가에서 과세된다.[66] 용역수행대가가 연예인과 체육인에게 직접 지급되는 경우뿐 아니라 법인 등을 통하여 지급되는 경우에도 원천지국은 과세할 수 있다.[67]

연금은 과거 고용경력에 대하여 지급하는 보상으로서 그 고용이 있었던 국가에서 과세한다. 따라서 연금수령자가 거주하는 국가와는 관련이 없다.[68] 용역에 대한 보수는 원칙적으로 그 용역이 제공되는 국가에서 과세한다는 원칙에 따른 것이다. 따라서 국적자나 거주자로서 외국 근무자, 예를 들어 급여 받는 곳과 근무지가 다른 경우에는 근무하는 곳이 있는 국가에서 과세권을 행사한다.

국가나 지방자치단체에 근무하는 공무원인 경우, 그 거주지국가에서 납세의무를 진다.[69] 여기에 포함되는 대상소득은 OECD 표준조세조약 제18조의 연금도 포함된다. 체약국에 거

---

63) OECD 표준조세조약, 2017, 제15조 제1항
64) OECD 표준조세조약, 2017, 제15조 제3항
65) OECD 표준조세조약, 2017, 제16조
66) OECD 표준조세조약, 2017, 제17조 제1항
67) OECD 표준조세조약, 2017, 제17조 제2항. 우리나라는 소득세법 제156조의5를 신설하여 2008년 1월 1일부터 미국의 연예인 및 체육인이 한국에서 공연 또는 경기를 하고 지급받는 대가에 대하여 '원천징수하는 제도'를 도입하여 시행하고 있다. 그 이전에는 한－미조세조약 제8조에 의하여 미국법인이 국내 용역제공 대가를 지급하는 경우에 그 법인에 대하여는 한국 내에 고정사업장이 없으면 한국에서 과세되지 않는 점을 이용하여 미국의 연예법인이 한국의 공연기획사로부터 직접 공연대가를 지급받은 후 해당 연예인 또는 운동선수에게 공연 및 경기대가를 지급하는 방법을 사용하였다. 미국법인이 소속 연예인이나 운동선수에게 지급하는 대가와 지급시기를 파악하지 못하여 당사자에게 납세안내를 하는데 지장을 받아 왔다. 이점을 개선하기 위하여 미국연예인 및 체육인의 공연이나 경기에 대한 대가 지급액은 한국에서 선 원천징수 후 사후 정산하는 방법을 소득세법에서 규정한 것이다. 국세청 홈페이지 국제조세정보 '미국연예(체육)법인 소속 연예인(운동가) 소득에 대한 원천징수 절차 특례제도 해설' 참조
68) OECD 표준조세조약, 2017, 제18조
69) OECD 표준조세조약, 2017, 제19조

주하면서 그 나라의 국적을 가지고 있는 경우에는 그 국가에서만 과세한다.[70]

학생이 학업이나 훈련, 체류에 사용되는 비용을 외국으로부터 지급받는 경우에는 과세되지 않는다. 다시 말해 유학생의 학자금이나 생활비에 대하여는 과세되지 않는다. 개별조세조약에서는 교수와 학생에 대하여 조항을 별도로 두고 체류기간이 2년 미만인 경우에는 비과세지위를 부여하고 있다. 다만, 원천지국에 도착 즉시 거주자에 해당하는 경우에는 과세대상이 된다.[71]

(9) 기타소득

조세조약에서 규정하지 않은 기타소득에 대하여는 거주지국의 조세법에 의하여 과세한다.[72] 고정사업장이 있는 경우에는 그 고정사업장에 귀속되는 소득은 PE가 소재하는 원천지국에서 과세한다.[73] 이 조항은 자칫 이중과세 문제와 함께 조세조약의 적용배제(treaty override) 문제를 발생시킬 수 있는 중요한 사항에 해당한다.

우리나라가 일부 국가와 체결한 조세조약에서 기타소득은 양방체약국이 과세할 수 있다고 규정하고 있다. 예를 들어 한국이 스위스, 덴마크, 벨기에와 체결한 조세조약에서 기타소득은 타방체약국에서도 과세가 가능하도록 규정하고 있다.

 이중과세 조정방법

체약국의 납세자가 획득한 국제 원천소득에 이중과세가 발생할 경우에 '외국납부세액공제방법' 또는 '외국원천소득비과세방법'을 통하여 이중과세를 해소할 수 있다.[74] 외국납부세액공제방법에는 대부분 국내세율과 외국세율 간의 차이를 감안하여 국내세율을 한도로 공제하는 방법을 사용하고 있다. 외국원천소득 비과세제도는 외국원천소득을 비과세하는 방법(full exemption)과 국내소득과 합산하여 국내소득의 적용세율을 조정하는 누진부 비과세방법(exemption with progression)이 있다.

이중과세 방지대상 소득은 합법소득인지 불법소득인지를 구분하지 않고 있다. 그러나 합법과 불법소득의 구분이 없이 이중과세 방지혜택을 부여하는 것은 조세조약의 목적에 부합

---

70) OECD 표준조세조약, 2017, 제19조 제2항 b목
71) OECD 표준조세조약, 2017, 제20조
72) OECD 표준조세조약, 2017, 제21조
73) OECD 표준조세조약, 2017, 제21조
74) OECD 표준조세조약, 2017, 제23A 및 23B조

하지는 않는다. 불법소득에 대하여 조세조약을 적용하지 않고 합법소득에 대해서만 조세조약상의 혜택을 적용하도록 한 조약은 과거 미국과 소련이 체결한 조세조약이 유일하다.[75] 다른 나라에서는 그렇게 하지 않고 있는 이유는 합법 및 불법소득을 구분하는 것이 어려운 점과 거주지국에서 탈세한 자본이라고 하더라도 자국 내로 유입되면 경제적인 측면에서 유익하므로 이를 가려서 차단하기를 원하지 않은 점도 있다.[76] 조세피난처 국가들이 대표적이지만 외국자본 유치를 원하는 국가들도 대부분 외국인 투자자본에 대한 조세감면혜택 등을 지원하지만 불법과 합법자본을 가리지는 않고 있다.

⑥ 특수관계자 간 거래의 조세회피 방지

OECD 표준조세조약 제9조는 특수관계자 간의 거래에 대한 제3자 간 거래기준 또는 독립기업기준(arm's length rule)의 적용에 대하여 규정하고 있다. 대표적인 사례는 모회사와 자회사 간의 관계이다. 두 개의 회사 중 하나의 회사가 다른 회사를 지배하거나 또는 지배받는 관계를 말한다. 이러한 특수관계기업 간에 체결되는 사업이나 금융거래의 내용은 독립기업 간의 거래와 다르다. 따라서 일방체약국에게 귀속되는 소득은 특수관계자 간의 거래가 아니고 독립기업 간의 거래였다면 귀속되었을 모든 소득을 말한다.[77]

이는 특수관계를 이용하여 조세부담을 회피하거나 사업소득을 저세율 국가로 이전하는 것을 방지하기 위하여 실질과세원칙(substance over form rule)을 적용하려는 규정이다. OECD 표준조세조약 제9조의 조항은 제7조와 함께 살펴야 한다. 조세회피를 방지하기 위하여 일방체약국이 조세를 추징한 경우에는 일방체약국이 당초의 부과세액을 변경한 것이므로 타방체약국은 대응조정을 해야 한다.[78]

소득이 인위적으로 일방체약국에서 타방체약국으로 이전된 경우 타방체약국에서 조세를 그만큼 더 부담하게 된다. 이때 일방체약국이 세무조정을 통하여 추징을 할 경우에는 경제적

75) U.S./U.S.S.R. treaty, Art. VIII ("The benefits of this Convention are available only with respect to the taxation of income from activities conducted in a Contracting State which are carried on in accordance with the laws and regulations in force within such Contracting State whether at the national, republic or state, or local levels."). 이 조항은 구소련이 주장하여 들어간 것으로 알려져 있다. "Technical Memorandum to Accompany Income Tax Convention between the United States and the Union of Soviet Socialist Republics" (preliminary draft), October 4, 1973

76) McIntyre, 'Legal Structure of Tax Treaties', 2010, p.3
https://iatj.net/content/congresses/amsterdam2013/LegalStructureofTaxTreaties.-M.McIntyre.pdf

77) OECD 표준조세조약, 2017, 제9조 제1항

78) OECD 표준조세조약, 2017, 제7조 제3항

이중과세가 발생하게 된다. 따라서 표준조세조약에서는 타방체약국에서 대응조정을 하도록 규정하고 있다. 이러한 대응조정은 상호합의를 통하여 이루어진다.

 **기타 규정**

(1) 차별금지

국적을 이유로 차별과세하는 것은 금지된다.[79] 조세조약상 차별금지조항은 조세조약의 적용을 받는 세목 외에 다른 세목에서도 적용된다.[80]

(2) 상호합의절차

납세자와 과세당국 간에 과세분쟁이 발생한 경우에 이를 해소하기 위하여 양 체약국의 과세당국이 협의하는 절차에 관한 내용이다.[81]

(3) 외교관과 영사

외교관의 특권은 외교사절단과 영사관 직원에게 적용된다.[82] 외교관 등의 소득에 대하여는 접수국에서 면제하도록 규정하고 있는 '외교관계에 관한 비엔나 협약(Vienna Convention on Diplomatic and Consular Relations)'에 의하여 이를 면세하기 위한 규정이다.

(4) 적용지역 확장

조세조약이 적용되는 범위는 양 체약국의 영토이다.[83] 과거 식민지를 가지고 있었던 국가와 조세조약을 체결할 경우에 별도로 두는 조항이다. 우리나라의 경우에는 미국, 네덜란드, 프랑스, 덴마크, 뉴질랜드 등과의 조세조약에서 적용지역을 확대하는 규정을 두고 있다.[84]

---

79) OECD 표준조세조약, 2017, 제24조
80) OECD 표준조세조약, 2017, 제24조 제2항
81) OECD 표준조세조약, 2017, 제25조
82) OECD 표준조세조약, 2017, 제28조
83) 2017 OECD 표준조세조약 UN 표준조세조약은 영토확장에 대한 규정을 두지 않고 있다.
84) 한-미 조세조약에서는 '국제관계에 대하여 책임을 지는 지역'으로 규정하고 있으며, 한-네덜란드 조세조약에서는 Netherlands Antilles를, 한-프랑스 조세조약 등에서는 해당 국가의 해외영역에까지 적용한다는 규정을 두고 있다.

⑧ 발효와 종료

조약의 체결과 그 후 적용과 종료 등 순환관계에 대한 규정이다. 조세조약이 시행되는 과정은 '실무자회담 개최, 실무자회담의 최종협상 타결에 따른 협상대표자의 가서명, 법제처의 심사와 국무회의 의결을 거쳐 서명본을 작성하여 외교통상부장관의 서명, 국회의 비준동의 (ratification),[85] 국회의 비준동의에 따른 대통령의 비준, 비준서교환,[86] 발효[87]'의 절차를 거치게 된다. 또한, 조세조약을 종료하는 규정을 두고 있다. 체약국 중 어느 일방국가가 상대방 국가에게 종료를 통고하면 조세조약은 효력을 상실하게 된다.[88] 조세조약의 종료에 대한 의사는 최소한 6개월 이전에 외교경로를 통하여 상대방 국가에 전달되어야 하는 조건을 두고 있다. 개별조세조약에 따라서 최소적용기간을 설정하고 그 기간이 경과하면 종료할 수 있도록 하는 조건을 붙인 경우도 있다.[89]

처음 체결한 조세조약이 시대에 뒤떨어진 경우 개정할 수 있다. 개정절차는 조약체결과 동일한 절차를 거치게 된다. 개정은 구조약을 폐기 후 새로운 조약을 체결하는 경우와 기존의 조약의 일부 조항을 개정하는 경우를 포함한다. 이때에는 그 기간 내에 기존의 조세조약을 개정하거나 새로운 조세조약을 체결하지 않으면 조세약은 종료된다.[90] 비엔나 협약 제60조에서는 일방체약국은 타방체약국의 실질적 조약위반(material breach)이 있는 경우에는 언제든지 조약을 종료시킬 수 있다고 규정하고 있다.

---

85) 조약은 특별법에 해당하므로 국회의 동의를 받는 절차가 필요하다.

86) 통상적으로 외교통상부장관과 주재대사 간에 교환한다.

87) 발효는 비준서 교환 후 조세조약에 명시된 발효일과 적용일자에 따라 발효된다. 조세조약의 발효일 기준에 대하여는 '이용섭, 이동신, 전게서. 2012, pp.139~142 〈표 1-15〉 및 pp.477~478 〈표 2-28〉' 참조

88) OECD 표준조세조약, 2017, 제30조

89) 최소적용기간을 정하지 않은 경우도 있다. 최소적용기간을 정한 경우에는 통상적으로 5년으로 하고 있으나 3년인 경우도 있고 이를 설정하지 않은 경우도 있다. 이와 같이 체약상대방 국가별로 차이가 있다. 우리나라의 경우에는 대부분 5년으로 설정하고 있다.

90) 대부분의 경우에는 기존조세조약의 개정을 통하여 계속 효력을 유지한다. 조세조약을 개정하지 않아 조세조약의 효력이 종료된 경우는 극히 예외적으로 존재한다. '덴마크-몰타 간 조세조약 및 미국-버진군도' 간의 조세조약이 만료된 것이 이에 해당한다.

국제조세조약망 형성의 내재적 문제

　앞에서 언급한대로 개별국가 간에 체결되는 양자 간 조세조약(bilateral tax treaty)은 물론이고 UN 표준조세조약의 기본구조는 한결같이 OECD 표준조세조약의 기본구조를 따르고 있다. 현재의 국제조세제도는 세계 각국이 합의한 내용을 중심으로 조화있게 운용되고 있으며 광범위한 조세조약의 기초역할을 하고 있다. OECD 표준조세약은 이 점에서 큰 영향력을 미치고 있으며, 이를 기준으로 하여 3,000여 개의 조세조약이 체결되어 있다.[91] 조세조약의 내용은 대부분 유사하다. 유사한 구조와 내용을 담고 있는 조세조약이 국제적으로 일종의 거대한 '연결망(network)'을 형성하고 있다.

　이러한 연결망을 통하여 국제조세 기준의 표준화가 조세조약을 통하여 확산되는 동시에 국제적으로 통용되는 국제조세의 기준이 각국의 국내 조세법에 도입되고 있다. 국제조세의 체제(regime)는 양자 간 조세조약 자체에는 물론이고 그 조세조약을 체결한 모든 국가의 국내 조세법에도 수용되고 있다.[92] 예를 들면 고정사업장의 기준, 거주자 판정기준, 피지배외국법인 과세기준(Controlled Foreign Corporations Rule), 이중과세 방지제도 등 OECD 표준조세조약에서 규정되어 있는 대부분의 내용이 해당한다.

　국제조세조약망이 통일된 기준에 따라 형성됨에 따라 조세조약은 국제거래에 적용되는 조세관련법률 구조의 확실성(certainty)과 예측가능성(predictability)과 함께 안정성(stability)을 담보해 줄 수 있다. 그러나 국제법 성격을 가진 조세조약과 국내 조세법과의 관계에서 조세조약상의 기준과 국내 조세법의 기준이 동일한 의미로 해석되지 않는 경우도 있다. 과세주권(tax soverignty)의 관점에서 자국의 여건에 적합한 기준을 국내 조세법에서 규정할 수 있기 때문이다. 가령 거주자 판정기준을 어떻게 할 것인지, 본사의 소재지를 결정한 기준이나 피지배외국법인에 해당하는지에 대한 기준, 사업소득의 개념, 고정사업의 존재여부 등 개별조세조약의 내용과 국내 조세법이 다를 경우가 있다.[93] 또한 조세조약을 해석하고 적용하

---

91) Yariv Brauner & Pasquale Pistone, 'Introduction, in BRICS AND the Emergence of International Tax Cooperation" (Yariv Brauner & Pasquale Pistone eds., 2015). p.3

92) Reuven S. Avi-Yonah, 2007, 'Tax Competition, Tax Arbitrage, and the International Tax Regime,' no. 4

93) Yariv Brauner & Allison Christians, The Meaning of 'Enterprise, 'Business' and 'Business Profits under Tax Treaties and Domestic Law, in the Meaning of 'Enterprise,' 'Business' and 'Business Profits' Under Tax Treaties and EU Tax Law(Guglielmo Maisto, ed., 2011). p.19
http://repository.law.umich.edu/cgi/view content. cgi?article=1176& context=law_econ_current

는 과정에서도 특정한 규정에 대한 해석을 국내 조세법상에 기준에 따르고 타방체약국의 주장을 수용하지 않을 수도 있다.[94]

조세조약으로 인해 얻을 수 있는 혜택(투자증가, 자국민에 대한 외국과세의 제한 등)만을 고려한다면 현행 조세조약의 기본구조를 그대로 유지하는 것은 별문제가 없을 수 있다. 그러나 현행 조세조약의 기본틀은 20세기 초기의 경제상황을 바탕으로 만들어진 것이므로 그 당시와 달라진 국제경제관계의 상황은 조세조약의 수가 늘어날수록 이미 철 지난 국제조세의 과세논리를 그대로 유지하는데 따른 부작용으로서 지금까지 당연하게 받아들여 왔던 국제조세기준이 더 이상 적용하기 어려운 상황으로 가고 있다.

하나의 예로서 조세조약의 당초 목적은 이중과세를 방지하는 것이었지만, 현재는 이중과세를 방지하기보다는 이중비과세를 조장하는 역할을 하는 모순을 보이는 점이다. 디지털기술의 발전과 이전이 용이한 지적재산권의 발달로 인하여 조세조약이 가진 약점이 더욱 악화되고 있다. 새 술은 새 부대에 담아야 하듯이 새로운 상황에는 새로운 방법을 요구하는 과세문제(tax issue)가 등장하고 있다.

최근 유럽연합(EU)의 주요 정책을 결정하는 위원회(commission)가 Digital 거래에 대하여 '매출세(turnover tax)'[95]의 부과를 제안하였다. 미국의 기업이 거의 대부분 과세대상이 될 가능성이 있다. EU 법률위원회(EU Council Legal Service)는 digital services tax는 간접세가 아니라는 의견을 낸 바 있다.[96] 이렇게 될 경우 조세조약의 적용대상이 되므로 조세조약상의 과세기준과 충돌하는 문제가 발생할 수 있게 된다. 디지털세의 근본적인 문제점은 과세대상을 digital 거래를 하는 법인만 대상으로 한다는 점이다. 디지털세가 직접세라면 고정사업장을 활용하여 조세조약의 틀 안에서 과세문제에 접근이 가능할 수 있음에도 불구하고 조세조약의 기준을 배제하는 것은 설득력이 낮다는 지적도 있다.[97] 가치창출(value

---

94) 이 경우 과세분쟁이 발생하므로 권한있는 당국(competent authority) 간의 상호합의절차를 통하여 의견 차이를 조정할 수 있다. 이러한 양자 간 상호합의절차는 쟁점사항에 대한 의견 차이가 쉽게 좁혀지지 않을 경우가 종종 발생한다. 쟁점사항을 보다 객관적인 입장에서 해소하기 위한 대안으로 제3자에 의한 중재방법(arbitrage)을 사용해야 한다는 주장이 있고, 실제로 일부 국가에서는 이 방법을 사용하기도 한다. 중재방법 역시 장점과 단점이 존재하여 적용 필요성에 대한 논란이 존재한다.

95) 매상세라고도 부른다. 기업의 1년간의 총매출액을 기준으로 과세하는 세금이다. turnover tax에 대한 자세한 내용은 다음 자료를 참조
https://web.archive.org/web/20110429200233/http://www.sars.gov.za/home.asp?pid=43122

96) Mehreen Khan, October. 9, 2018), 'EU Lawyers Question Brussels Digital Tax Plan.'
https://www.ft.com/content/88e0a81a-cbf0-11e8-b276-b9069bde0956

97) Wei Cui, Oct. 26, 2018 draft, 'The Digital Services Tax: A Conceptual Defense 26'
https://papers.ssrn.com/sol3/papers.cfm?abstract_id=3273641&download=yes

creation)이라는 애매모호한 개념을 사용할 경우 더 많은 문제점을 보일 수도 있다.[98]

이러한 문제가 조세조약상의 해석으로 해결되지 않거나 조세조약의 구조로 해결되지 않을 경우 당사국은 상호합의절차를 통해 해결해야 한다. OECD 표준조세조약 제2조의 '대상조세(covered taxes)'의 범위를 확대하여 위에서 언급된 모든 조세를 포괄할 수 있도록 당사국이 합의하여 해결할 수도 있다. 여러 가지 특성이 섞여있는 조세(hybrid tax)가 가지고 있는 애매모호성을 명확하게 구분하기 위하여 법원판결이나 중재(arbitration)에 회부하는 것이 필요하지만 쉽지 않은 일이다.

설사 행정절차를 통한 해결이 가능하다고 하더라도 새로운 조세를 조세조약의 틀 안에 수용하는 방법의 어려움으로 인하여 행정절차가 복잡하고 까다로워질 개연성이 높아진다. 국제적 추세는 목적지 기준 과세를 통하여 원천지국의 조세수입이 증가되는 것을 선호하는 방향으로 가는 것이지만 조세조약기준에 따른 조세경감과는 근본적으로 다른 것이다. 새로운 조세제도가 안고 있는 복잡한 문제를 안고 있는 새로운 조세제도가 조세조약의 구조 속에서 틀을 잡을 가능성은 아직은 낮은 것으로 보인다.

국제법 성격을 가진 조세조약과 국내 조세법과의 관계에서 조세조약상의 기준과 국내 조세법의 기준이 동일한 의미로 해석되지 않는 경우도 발생한다. 과세주권(tax soverignty)의 관점에서 자국의 여건에 적합한 기준을 국내 조세법에서 규정할 수 있기 때문이다. 가령 거주자 판정기준을 어떻게 할 것인지, 본사의 소재지를 결정한 기준이나 피지배외국법인에 해당하는지에 대한 기준, 사업소득의 개념, 고정사업의 존재여부 등 개별조세조약의 내용과 국내 조세법이 다를 경우가 있다.[99] 또한 조세조약을 해석하고 적용하는 과정에서도 특정한 규정에 대한 해석을 국내 조세법상에 기준에 따르고 타방체약국의 주장을 수용하지 않을 수도 있다.[100]

그럼에도 불구하고 국제거래소득에 대한 과세기준을 기존의 조세조약망의 틀 안에서 해결하려고 하는 이유는, 조세조약망이 내포하고 있는 일종의 '동결효과(lock-in-effect)'로

---

98) Michael Devereux and John Vella (2018) "Value creation as the fundamental principle of the international corporate tax system", European Tax Policy Forum Policy paper.

99) Yariv Brauner & Allison Christians, 2011. ibid. p.19

100) 이 경우 과세분쟁이 발생하므로 권한있는 당국(competent authority) 간의 상호합의절차를 통하여 의견 차이를 조정할 수 있다. 이러한 양자 간 상호합의절차는 쟁점사항에 대한 의견 차이가 쉽게 좁혀지지 않을 경우가 종종 발생한다. 쟁점사항을 보다 객관적인 입장에서 해소하기 위한 대안으로 제3자에 의한 중재방법(arbitrage)을 사용해야 한다는 주장이 있고, 실제로 일부 국가에서는 이 방법을 사용하기도 한다. 중재방법 역시 장점과 단점이 존재하여 적용 필요성에 대한 논란이 존재한다.

인한 결과로 볼 수 있다.[101] 조세조약망을 벗어나서 다른 방법으로 전환하려면 여러 가지 측면에서 많은 대가를 치루어야 하기 때문이다.

② 조세조약의 동결효과

유사한 구조를 가진 조세조약의 확산은 '망효과(network effect)'를 만들어 낸다. 그 망효과의 역설은 그 망에서 벗어나는 것이 어려운 점이다.[102] 조세조약에 규정한 공통의 과세기준을 따르는 국가가 늘어날수록 혜택도 늘어난다.[103] OECD 표준조세조약을 기초로 체결된 개별조세조약은 '조약망외부긍정효과(positive network externalities)'로서 법률제도의 내용과 집행의 예측가능성, 국제제도의 준수에 대한 신호를 준다.[104] 하나의 조약망이 형성되어 안정되면 그 조약망 속에서 안주하려는 경향이 생기고, 새로운 조약망이 생기더라도 주요한 국가들이 참여하기 전까지는 기존의 조세조약을 더 선호하는 동결효과(lock-in-effect)가 발생하게 된다.[105]

그러나 조약망이 커짐에 따라 비용도 늘어나게 된다. 첫째, 처음 시작한 국가(first mover)는 잠재적 경쟁자로부터 일종의 'cartel 이익'을 얻고 그 사용자인 납세자로부터 일종의 독점지대를 추구하게 된다.[106] 둘째, 새로운 기준이 바람직하다고 하더라도 기존의 조약망에서 벗어나 새로운 조세기준으로 바꾸는 비용과 위험에 대한 두려움이 있다.[107] 한때 자본수출국이었던 국가들 중 자본수입국으로 전환된 후에도 여전히 거주지국 과세기준에 동결되어 있는 것은 이를 그대로 보여주는 사례라고 볼 수 있다.

---

101) Tsilly Dagan, 2016, 'Tax Treaties as a Network Product,' Brooklyn Journal of International Law Volume 41, p.1081

102) Tsilly Dagan, International Tax Policy: Between Ccompetition and Cooperation., Cambridge Law Series, 2018, p.170; Tsilly Dagan, 2016, Tax Treaties as a Network Product, Brooklyn Journal of International Law Volume 41, p.1081

103) Tsilly Dagan, 2016, op. cit. p.1082

104) Eduardo Baistrocchi, The Structure of the Asymmetric Tax Treaty Network: Theory and Implications 10-11 (Bepress Legal Servs. Working Paper No. 1991, Feb. 8, 2007, pp.32~34(5가지의 긍정적 외부효과를 설명하고 있다)
http://law.bepress.com/cgi/viewcontent.cgi?article=9408&context=expresso

105) Mark A. Lemley & David McGowan, Legal Implications of Network Economic Effects, 86 California Law Review Volume 86, 1998, p.497. 합리적인 소비자는 새로운 대안이 있을 때 다른 사람들이 먼저 선택하여 치르는 대가를 살피고 난 다음에 판단해서 새로운 대안을 선택한다.

106) Tsilly Dagan, 2018, op. cit. p.173

107) Tsilly Dagan, 2018, ibid. p.176

개별국가들이 기존의 표준조세조약과 다른 내용을 가진 조세조약을 국제 투자자본이나 국제상거래에 적용할 경우에는 거주자나 투자자들이 표준조세조약과 유사한 조세조약구조를 적용하는 국가로 거래처를 옮길 가능성이 커진다. 독자적인 입장을 고수하는데 따라 치러야 하는 대가이다. 따라서 현재의 조세조약체계에서 나타나는 범위(scope)의 불완전성, 국가 간 조세배분의 불공평성 등은 근본적인 새로운 조세조약체계로 개편하기보다는 일부 개정하거나 기준을 개선하는 편이 대가를 덜 치르게 된다.[108]

따라서 조세조약의 망구조(network structure)는 새로운 변화를 가로막는 내재적 장벽이 된다. 기존의 거대한 조세조약망을 벗어나서 새로운 조세조약의 구조를 추구하는 것은 매우 어려운 환경에 놓여 있다.[109] 이것이 바로 조세조약망의 동결효과(lock-in effect)에 해당한다. 그러나 2017년 OECD 표준조세조약의 개정에 개발도상국을 중심으로 한 비회원국의 의견을 적극 반영하는 시도를 한바 있다.[110] OECD 비회원국은 주로 개발도상국에게 유리한 과세권의 배분기준을 적용하려는 표준조세조약의 구조는 'UN 표준조세조약'이다.[111]

최근의 BEPS Project는 OECD/G20을 통하여 강력한 리더십이 뒷받침하고 있어서 새로운 국제조세체계로 발전해 갈 수 있을 것으로 보인다. 새로운 BEPS Action Plan과 관련 보고서들은 조세회피를 방지하려는데 상당한 노력을 기울이고 있다. 특히 Action Plan 15[112]는 포괄적인 다자간 제도로 발전해 갈 수 있을 것으로 보고 있다. 또한 Digital 과세제도는 고정사업장을 중심으로 하는 기존의 과세체계를 근원부터 바꾸고 있다.

문제는 BEPS와 같은 새로운 기준이 정착되더라도 여전히 조약망 속에 내제된 cartel 동맹과 동결효과의 폐해는 발생할 여지가 있다는 것이다.[113] 새로운 제도에 참여한 국가들의

---

108) 이점 때문에 대부분의 UN 표준조세조약, 미국 표준조세조약을 비롯한 대부분의 조세조약은 OECD 표준조세조약의 기본구조를 따르는 것으로 볼 수 있다.

109) Richard J. Vann, A Model Tax Treaty for the Asian-Pacific Region?, Bulletin for International Fiscal Documentation, Volume 45, 1991, p.103. OECD 표준조세조약의 규정과 주석을 새로운 상황에 맞추어 개정하고 다듬는 것은 가능하지만 기존의 조세조약망 구조 속에서는 대폭적인 개정은 어렵다. 2차대전 후 무역이나 금융통화분야에서는 새로운 국제기준이 확립되었지만, 국제조세기준은 1차 세계대전시대에 만들어진 기본틀에서 벗어나지 못했다. OECD 표준조세조약에 기초한 국제조세기준은 발전을 해왔지만 새로운 출발은 아직 하지 못했다는 것이다.

110) Yariv Brauner, What the BEPS?, Florida Tax Review Volume 16, Issue 55, 2014, p.64. 중국, 인도, 브라질 등 OECD 비회원국의 적극적인 역할에 따라 OECD 회원국들이 선호하는 거주지국과세를 억제하고 원천지국 과세의 범위를 넓히도록 했다.

111) Michael Lennard, The UN Model Tax Convention as Compared with the OECD Model Tax Convention - Current Points of Difference and Recent Developments, Asia-Pacific Tax Bulletin Volume 15, 2009, pp.4~11

112) OECD, Developing a Multilateral Instrument to Modify Bilateral Tax Treaties, 2015

113) Diane M. Ring, One Nation Among Many: Policy Implications of Cross-Border Tax Arbitrage, Boston College Law Review Volume 44, 2002, p.171

cartel 효과로 국가들 간의 조세제도 개선경쟁이 제한되어 납세자들은 여전히 일종의 독점적 지대를 지불할 가능성이 있다.[114] 조세경쟁은 국가의 세금징수를 과도하게 하는 것을 억제하고 불필요한 서비스의 제공을 억제할 수 있지만, 내부적으로 끼리끼리 힘을 합치는 cartel 동맹은 이러한 경쟁을 제한할 수 있기 때문이다.

제4절 조세조약상의 주요과제

① 조세조약과 국내 조세법 간의 관계

조세조약은 체약국의 거주자가 획득한 국제거래소득에 대한 과세권의 배분문제를 규정하고 있으므로 국내세법과 특별법 관계에 있다.[115] 조세조약과 국내세법의 내용이 서로 상이한 경우는 조세조약이 우선 적용된다. 국내 조세법의 개정을 통하여 조세조약의 효력을 정지(treaty override)시킬 수 없게 된다. 조세조약상 과세대상이라도 국내 세법상 과세되지 않는 경우는 과세되지 아니하고 조세조약상 과세대상이 아니면 국내 세법상 과세대상이더라도 과세되지 아니한다. 조세조약상 규정되지 아니한 내용은 국내세법에 의하는 것이며, 조세조약에 규정되어 있더라도 특별히 명시되지 않는 한 일반적으로는 국내세법의 구체적인 적용 방법 절차 등에 의하여 과세된다. 국제거래에 있어서 명의자와 사실상 귀속되는 자가 다르면 사실상 귀속되는 자를 납세의무자로 하여 조세조약을 적용한다.[116]

OECD 표준조세조약 제3조 제2항은 '조세조약이 규정하지 않은 사항은 국내법을 적용한다'고 규정하고 있다.[117] 또한 조세조약의 적용과 관련하여 체약국 간에 의견이 다른 사항은

---

114) Christians et al., Taxation as a Global Socio-Legal Phenomenon, International Law Students Association (ILSA) Journal of International and Comparative Law Vol. 14, 2008, p.303

115) 헌법에 의하여 체결 공포된 조약과 일반적으로 승인된 국제법규는 국내법과 같은 효력을 가지므로 조세조약은 국내법률과 동일한 효력을 가진다. 조세조약은 특별법의 위치에 있으므로 국내세법보다 우선 적용된다. 국제조세조정에 관한 법률 제28조 및 제29조 참조

116) 국제조세조정에 관한 법률 제2조의2 ① 국제거래에서 과세의 대상이 되는 소득, 수익, 재산, 행위 또는 거래의 귀속에 관하여 사실상 귀속되는 자가 명의자와 다른 경우에는 사실상 귀속되는 자를 납세의무자로 하여 조세조약을 적용한다. ② 국제거래에서 과세표준의 계산에 관한 규정은 소득, 수익, 재산, 행위 또는 거래의 명칭이나 형식과 관계없이 그 실질 내용에 따라 조세조약을 적용한다. ③ 국제거래에서 조세조약 및 이 법의 혜택을 부당하게 받기 위하여 제3자를 통한 간접적인 방법으로 거래하거나 둘 이상의 행위 또는 거래를 거친 것으로 인정되는 경우에는 그 경제적 실질에 따라 당사자가 직접 거래한 것으로 보거나 연속된 하나의 행위 또는 거래로 보아 조세조약과 이 법을 적용한다.

117) 국내법을 적용하는 이유는 조세조약 적용과 관련한 불확실성을 줄이고 조세회피행위를 차단하기 위한 목적

상호합의절차(MAP)를 통하여 해결하도록 하고 있다. 이와 같이 조세조약의 규정 자체만으로는 집행하기 어려운 경우가 있으므로 이를 보완할 수 있도록 국내 조세법에서 필요한 사항을 보완해야 한다. 그 보완내용은 용어의 정의와 조세조약상의 혜택에 해당하는 제한세율의 적용절차 등에 대하여 국내 조세법에서 규정하는 것이 필요하다.[118]

② 자국의 과세권 보호

조세조약의 기본목적은 이중과세와 조세회피를 방지하는 것이다. 이를 통하여 납세자는 거주지국과 원천지국에서 적정한 조세부담을 질 수 있게 된다. 만약 원천지국에서 획득한 소득을 거주지국으로 송금하지 않는 경우에는 거주지국에서는 과세할 수 없게 된다.[119] 이렇게 되면 국내에 거주하면서 소득을 획득한 납세자만 중과세되는 결과를 초래할 수 있다.

이러한 불합리한 점을 방지하기 위하여 두 가지의 특별한 제도를 두는 경우가 있다. '자국민 과세권유보 조항(saving clause)'과 '조세조약의 적용으로 조세부담이 오히려 늘어나는 것을 방지하는 조항(reservation clause)'이다. 자국민 과세권 유보조항은 주로 미국과 체결한 조세조약에서 두고 있다. 부동산 소득의 경우에는 부동산이 소재하는 국가에서 과세권을 행사하고 거주지국에서는 과세할 수 없게 된다. 미국에서는 국적주의를 채택하여 미국 시민권자에게는 전 세계 모든 소득을 합산하여 과세하고 있지만 이러한 자국민 과세권 유보조항을 두어 조세조약상의 규정과 상관없이 자국민의 국외원천소득에 대하여 과세할 수 있는 근거로 삼고 있다.

조세조약을 체결하는 목적은 이중과세를 방지하여 체약국 거주자의 조세부담을 경감하려는데 있으므로, 조세조약의 체결로 인하여 조세부담이 늘어나지 않도록 해야 한다.[120] 조세

이 있다.

118) '법인세법 제98조 외국법인에 대한 원천징수 또는 징수의 특례'와 '국제조세조정에 관한 법률 제29조 제2항 과세당국은 체약상대국이 제한세율의 적용과 관련하여 거주자나 내국법인에 거주자증명을 요구하는 경우에는 대통령령으로 정하는 바에 따라 그 증명을 발급할 수 있다' 등이 여기에 해당할 수 있다. 거주자증명제도는 '국세청고시 제2009-89호'로 규정되어 있다.

119) 외국원천소득을 비과세(exemption)하더라도 원천지국에서 조세부담을 하지않는 경우에는 거주지국에서 과세할 수 있도록 하여 이중비과세(double non-taxation) 문제를 배제하고 있다.

120) 조세조약의 체결을 통하여 중과세할 수 없는 근거는 법인세법 제93조 제5호에서 찾을 수 있다. 법인세법 제93조 제5호에서 '외국법인이 경영하는 사업에서 발생하는 소득(조세조약에 따라 국내원천사업소득으로 과세할 수 있는 소득을 포함한다)으로서 대통령령으로 정하는 것. 다만, 제6호에 따른 소득은 제외한다.'라고 규정하여 국내법과 조세조약상의 원천소득의 범위가 다른 경우에는 '조세조약에 따라 국내원천소득으로 과세할 수 있는 경우'라고 한정하고 있다.

조약이 내국세법에서 규정된 비과세, 감면 등을 제약하는 것으로는 해석하지 못한다는 원칙을 적용하고 있다.[121]

③ 원천지국의 과세범위: 고정사업장과 사업소득

고정사업장에 사업소득을 귀속시키는 방법에 대하여 오랜 기간의 연구와 토론을 거쳐 보고서를 발표하였다.[122] 그 보고서내용을 기준으로 2007년 OECD 표준조세조약 제7조과 그에 대한 주석을 2008년 7월에 개정하였다.[123] 고정사업장(PE)에 귀속되는 소득은 정상가격 기준(arm's length standard)을 적용하여 계산하도록 하였다. 이는 동일 또는 유사한 조건하에서 제3자와 거래했을 경우에 성립할 수 있는 가격을 말한다.[124]

이는 고정사업장(PE)의 개념을 구성하고 있는 기본 논리에 부합하는 방법이다. 그 논리는 비거주자가 원천지국에서 위험부담과 사용자산과 관련된 사업활동에서 발생한 소득만 원천지국에서 과세된다는 것이다. 정상가격기준에서는 고정사업장을 독립된 별개의 실체로 가정하고 있기 때문이다. 고정사업장에 소득을 귀속시키기 위하여 분석해야 하는 항목은 첫째, 사업자의 활동(people function), 둘째 특정기능에 자산의 귀속, 셋째 위험의 귀속, 넷째 자본의 귀속, 특수관계거래의 내용 등이다.

2008년 OECD 표준조세조약 제7조의 주석을 개정할 때 중요하게 다룬 부분은 다음의 두 가지이다.[125] 첫째는 일방체약국의 사업자가 얻는 사업소득은 타방체약국에 고정사업장이 없으면 과세되지 않는다는 국제적인 과세기준을 유지하는 것이고, 둘째는 고정사업장이 소재하는 원천지국의 과세권은 고정사업장에 귀속된 소득에 국한하도록 하는 것이었다.[126]

---

121) 미-일 조세조약 제1조 제2항의 규정이 대표적인 예이다. The provisions of this Convention shall not be construed to restrict in any manner any exclusion, exemption, deduction, credit, or other allowance now or hereafter accorded: (a) by the law of a Contracting State in the determination of the tax imposed by that Contracting State; or (b) by any other bilateral agreement between the Contracting States or any multilateral agreement to which the Contracting States are parties.

122) OECD Report on the Attribution of Profits to Permanent Establishments, December 21, 2006

123) OECD 표준조세조약, 2010, 제7조 개정안에 대한 The TEI(tax executives institute)의 검토의견 TNT 11-148, January 15, 2009

124) OECD 표준조세조약, 2017, 제7조 제2항 주석 Para. 16, 제9조 제1항 주석 para. 4

125) OECD 표준조세조약, 2017, 제7조 제1항 및 주석 Paras 10-12

126) 소위 'Force of Attraction Rule'을 배제하는 것이었다.

④ 표준조세조약과 주석

표준조세조약의 주석(Commentary)은 특정한 조항을 해석하는 방법에 대한 다수 국가의 의견을 담아 놓은 것이다. 이러한 주석은 조세조약을 해석하는데 있어서 지침의 기능을 한다. OECD 표준조세조약의 경우에는 UN 표준조세조약과는 달리 회원국들은 다수의견에 따르지 않는 유보의견(reservations)을 제시하고 있다.

최근에는 비회원국에서도 이러한 유보의견을 제시할 수 있도록 허용하고 있다. 이러한 다양한 의견을 수렴하여 주석에 반영하고 이를 토대로 주석을 개정하는 작업을 계속하고 있다. 따라서 주석은 표준조세조약에 대한 새로운 해석의견을 얻는 중요한 수단으로도 활용되고 있다.[127]

⑤ 투자소득의 과세

투자소득(investment income)의 범위는 OECD 및 UN의 표준조세조약뿐 아니라 개별조세조약에서도 규정되어 있다. 일반적으로 배당소득, 이자소득, 임대소득, 양도소득 등이다. 조세조약은 체약국의 거주자가 이러한 투자소득을 획득하는 경우에도 상호주의 원칙에 따라 원천지국에서 과세할 수 있는 조세부담율의 제한하는 방법으로 조세감면혜택을 부여하고 있다.

조세조약에서 투자소득에 대한 과세권은 거주지국에서 보유하는 것을 전제로 하고 있다. 이것은 투자자의 소득획득활동과 투자자본이 소재하는 장소가 분리되어 있으므로 '사업소득'에서 적용되는 원천지국의 과세권을 모두 인정하기 어려운 점이 있기 때문이다. 따라서 원천지국과 거주지국은 조세조약을 체결하는 과정에서 원천지국에서 최대한 과세할 수 있는 한도를 설정하는 것으로 절충하고 있다.

---

127) Michael J. McIntyre, 2010, op. cit., p.7

현재 시행되고 있는 OECD 및 UN의 표준조세조약은 1920년대 국제연맹시대에 입안된 주요내용을 그대로 담고 있다. 따라서 현대의 변화된 경제환경을 반영할 수 있도록 두 표준조세조약은 개정되어 왔다. 가장 최근에는 2017년에는 OECD 표준조세조약과 UN 표준조세조약이 각각 개정되었다.

조세조약을 체결하는 기본적인 목적은 조세주권(tax sovereignty)의 충돌로 인한 이중과세(double taxation) 문제를 해소하면서 자국의 과세권을 일부 양보하는 상호주의과세원칙을 실현하려는데에 있다. 이러한 과세원칙은 체약국의 거주자에게만 적용된다.

현재는 조세회피방지와 관련한 과제에 관심이 높아지고 있다. 조세조약상의 경과세 혜택 규정을 이용하기 위하여 비거주자이면서도 거주자로 위장을 하거나 이전가격을 통하여 과세소득을 저세율국가로 이전하는 방법 등으로 체약국의 과세기반을 잠식하고 있기 때문이다. 이를 방지하기 위하여 조세조약이 적용되는 거주자를 확인하는 기준을 엄격히 적용하는 조항(Limitation on Benefit)을 두거나 과세정보의 교환을 강화하는 협력을 강화해 나가고 있다.[128]

조세조약은 그 자체만으로 자동적으로 집행될 수는 없고 국내 조세법과 함께 적용되어야 한다. 조세조약상에 규정되지 않은 부분은 국내 조세법이 보완해야 하기 때문이다. 이점과 관련하여 우리나라도 조세조약상의 거주자 개념을 일률적으로 적용하는 것을 개선하여 일정한 요건 하에서 '한국 국적'을 가진 납세자에게 특별규정을 적용하는 방안의 검토가 필요한 시기라고 볼 수 있다. '자국민 과세권유보 조항(saving clause)'을 적극적으로 적용하는 방안을 검토할 필요가 있다.

'구슬이 서말이라도 꿰어야 보배'라는 말과 같이 이와 같은 이해를 바탕으로 조세조약을 실제 사례에 적용하는 것이 중요하게 된다. 조세조약을 적용하려면 아래 사항을 유념해야 한다.

첫째, 조세조약은 체약국의 거주자에게 적용되는 것이 원칙이다.

둘째, 체약국 중 어느 국가의 거주자에 해당하는지를 확인해야 한다.

셋째, 소득의 유형을 결정해야 한다. OECD 표준조세조약 제6조에서 제22조까지 규정된 소득 중 어떤 소득에 해당하는지를 분류해야 한다.

---

128) Brian J. Arnold and Michael J. McIntyre, International Tax Primer, Second Edition, 2002, Chapter 6. Tax Treaties, pp.127~132

넷째, 원천지국이 과세하면 거주지국이 OECD 표준조세조약 제23A조와 제23B조에서 규정하고 있는 이중과세 방지 조치를 취해야 한다.

마지막으로 조세조약과 함께 국내 조세법의 규정에 따른 과세여부와 과세방법을 인식해야 한다.

제 **2** 편

조세조약 해석론

제5장

조세조약의 해석

　조세조약은 이중과세 문제를 해결하여 국가 간의 경제적 관계를 촉진하려는데 목적을 두고 체결된 국제공법의 성격을 가진다.[1] 국가 간의 합의로 체결된 조세조약이 그 자체로 완벽하여 적용과정에서 아무런 문제가 발생하지 않는 것은 아니다. 적용과정에서 발생하는 문제는 조세조약의 목적을 원활하게 달성하는데 지장을 초래하므로 당사국의 진정한 의사를 확인하는 해석이 필요하다. 조세조약의 해석은 조세조약의 반영되어 있는 당사국의 의사에 부합하도록 조세조약의 의미와 범위를 확정하는 것을 말한다. 조세조약을 해석하는 이유는 조세조약을 국제거래에 구체적으로 적용하여 체약국의 의사를 실현하기 위해서이다. 조세조약을 해석하는 주체는 조약을 체결한 당사자의 의사가 담긴 조약 자체에서 규정한 해석조항, 조약을 적용하는 체약국의 과세관청, 그리고 과세분쟁을 최종적으로 처리하는 체약국의 법원에 의하여 이루어진다.[2]

　조세조약의 해석은 광의와 협의의 개념으로 구분할 수 있다. 넓은 의미에서는 특정 용어나 표현을 '설명(explanation), 이해(understanding), 이론화(theorizing)하는 것을 말한다.[3] 좁은 의미로는 어떤 대상의 의미(meaning)를 이해하거나 설명하는 것을 말한다.[4] 조세조약의

---

1) Klaus Vogel, Klaus Vogel on Double Taxation Conventions, Third Edition, Springer Netherlands, 1997, Introduction, p.28; Reuven S. Avi-Yonah, International Tax as International Law-An Analysis of the International Tax Regime, Cambridge Tax Law Series, 2007, pp.1~4

2) 이를 입법해석, 사법해석, 행정해석이라고 한다. 입법해석은 조세조약 자체에서 용어의 정의규정을 두어 해석하는 것을 말하고, 행정해석은 과세관청이 조세조약을 적용할 때 해석하여 적용하는 것을 말하고, 사법해석은 납세자가 행정해석에 대하여 이의를 제기할 때 법원이 해석하는 것을 말한다. 이는 법제정 또는 적용 권한을 가진 국가기관에 의하여 법규범의 의미가 해석되어 확정되는 것이므로 구속력이 있는 유권해석이라고 한다.

3) Klaus Vogel, Klaus Vogel on Double Taxation Conventions: A Commentary to the OECD-, UN- and US Model Conventions for the Avoidance of Double Taxation on Income and Capital, 3d ed.(The Hague: Kluwer Law International, 1997), p.33; Andrei Marmor, Interpretation and Legal Theory, 2d ed. rev. (Oxford: Hart, 2005) p.9

4) Andrei Marmor, Interpretation and Legal Theory, 2d ed. rev. Oxford:Hart, 2005. p.9

해석은 조문에 담긴 표현에 양 체약국의 진정한 의사를 반영할 수 있는 정도로 의미를 부여하는 지적활동으로써[5] 그 용어나 표현이 가지는 여러 가지 의미 중에서 의미론적으로 가장 적정한 의미를 결정하는 것을 말한다.

국제법 성격을 가진 조세조약을 해석하는 방법은 일반 국내법을 해석하는 방법과는 차이가 있다. 용어의 의미를 찾은 것이 해석의 가장 중요한 목표라는 점에서는 일반 국내법의 해석과 다를 바가 없지만 조세조약의 경우에는 체약당사국의 진정한 의사를 확인하여 조세조약을 체결한 기본목적을 실현한다는 관점에서 '문리해석이나 법리적 해석이 아닌 자유해석(liberal interpretation)'이 강조되는 특징이 있다.[6]

조약의 해석에 관한 일반적 원칙은 '조약법에 관한 비엔나 협약(Vienna Convention on the Law of Treaties, 이하 '비엔나 협약'이라 한다)'[7]에서 규정하고 있다. 비엔나 협약 제31조에서 규정한 조약해석의 일반원칙은 세 가지이다. 첫째, 조약은 항상 성실의 원칙(in good faith)에 따라 해석해야 한다. 둘째, 조약에서 사용된 용어는 통상적인 의미로 해석해야 한다. 셋째, 조약에서 사용된 용어의 통상적인 의미는 조약의 목적에 비추어 조약의 문맥 속에서 해석해야 한다. 제32조에서는 일반적 해석기준에 따라 해석할 경우에 의미가 비합리적이거나 엉뚱한 해석이 되거나, 용어의 의미가 불확실해지는 경우에는 보충적인 수단을 사용하여 명확한 해석을 하도록 규정하고 있다.

조세조약의 해석기준에 대하여 OECD 표준조세조약 제3조 제2항에서 규정하고 있다. 하나의 특징은 조세조약의 해석기준으로서 조세조약과 체약국의 국내 조세법 간의 특별한 관계를 언급하고 있는 점이다. 이는 체약국의 조세주권을 보장하고 조세조약은 단독으로 진공상태에서 존재하는 것이 아니고 체약당사국의 조세법률을 기초로 하여 작동되는 것을 보여주는 것이다.[8]

조세조약을 체결한 당사국의 의사를 확인하는 방법에 따라 달라진다. 당사국의 의사는 조세조약의 조문으로 모두 표현된 것으로 보고 문자로 표현된 조약의 규정을 있는 그대로 해석하여 적용하는 방법이다. 이는 가장 객관적인 기준을 통하여 해석하는 방법이기도 하다.

---

5) Aharon Barak, Purposive Interpretation in Law: Princeton: Princeton University Press, 2005, p.3
6) Michael N. Kandev, Tax Treaty Interpretation: Determining Domestic Meaning Under Article 3(2) of the OECD Model, Canadian Tax Journal, Volume 55, No.1, 2007, p.36
7) Vienna Convention on the Law of Treaties, signed at Vienna on 23 May 1969. Entered into force on 27 January 1980. United Nations, Treaty Series, vol.1155, p.331
8) Klaus Vogel, Klaus Vogel on Double Taxation Conventions: A Commentary to the OECD-, UN- and US Model Conventions for the Avoidance of Double Taxation on Income and Capital, 3d ed.(The Hague: Kluwer Law International, 1997), p.209

조세조약에 표현되어 있는 용어의 통상적인 의미에 따라 해석해야 한다는 입장이다. 그러나 문자로 표현되지 않은 부분이 있을 수 있다. 조세조약의 체결목적이나 취지라는 주관적인 의사 부분은 조세조약의 규정에 모두 담을 수 없다.

따라서 이러한 주관적인 의사를 확인하는 해석을 강조하는 방법이 있다. 조세조약을 체결하는 과정에서 고려된 여러 가지 사정들을 종합적으로 반영하여 조세조약의 규정을 해석하는 방법이다. 그러나 주관적인 의사를 확인하는 것은 자의적으로 흐르기 쉽고 조세조약의 각 규정에서 표현된 내용에 대한 객관적 해석의 기준이 부정될 수도 있으므로 조세조약의 적용이 불안정하게 된다.

어느 방법을 사용하더라도 약점이 있으므로 절충적인 방법을 사용하여 해석하려는 입장이다. 조세조약의 해석목적은 조세조약을 구체적인 국제거래에 적용하여 이중과세를 방지하면서 양 체약국 간의 과세권을 합리적으로 분할하려는데 있는 점을 감안하여 최선의 해석을 할 수 있도록 노력하는 방법이다. 따라서 원칙적으로는 조세조약에서 객관적으로 표현된 문언에 따라 해석을 하되 그렇게 할 경우에 불명확하거나 비합리적인 결과가 발생할 경우에는 주관적인 의사를 확인할 수 있는 보충적인 자료를 활용하여 해석하는 방법이다.

과세관청은 국제거래를 하는 납세자가 획득한 소득에 대하여 조세조약의 규정을 적용할 때 그 규정의 의미를 해석하여 적용하게 된다. 이때는 두 가지의 기준이 동시에 적용된다. 하나는 국가 간의 합의로 체결된 국제법의 성격을 가진 조세조약을 적용하는 기준이고, 다른 하나는 자국의 국내세법을 타방체약국의 납세자가 자국에서 획득한 소득에 대하여 적용하는 기준이다. 하나는 국제법의 적용기준이고 다른 하나는 국내법의 적용기준이다. 국제법 존중의 원칙에 따라 조세조약이 우선 적용되지만, 일정한 요건 하에서는 국내 조세법이 우선 적용될 수 있다. 이는 조세조약에서 규정하고 있는 조세회피방지조치(anti-avoidance measures)를 적용하는 경우에는 조세조약의 적용을 배제(treaty override)하고 국내 조세법을 적용하여 과세하게 된다.[9]

조세조약의 해석이 필요한 경우는 과세분쟁이 발생한 때이다. 과세분쟁은 국제거래소득이 있는 납세자와 과세당국 간에 발생되며 궁극적으로 해당 납세자의 거주지국과 소득이 발생한 원천지국이 체결한 조세조약의 해석과 적용문제로 연결된다. 조세조약을 체결한 당사국

---

9) 조세회피방지조치는 소위 실질과세원칙(substance over form rule)을 적용하는 것을 말한다. OECD 표준조세조약 제1조 적용대상자에서 체약당사국의 거주자에 해당하지 않는 경우에는 조세조약을 적용하지 않는다. 또한 제9조 특수관계자 간의 거래에도 조세조약을 적용하지 않는 경우가 있다. 특히 제10조 배당소득, 제11조, 제12조 사용료 소득에 대하여는 '수익적 소유자(beneficial owner)'의 개념을 사용하여 조세조약의 적용을 배제할 수 있는 근거를 두고 있다. 최근의 조세조약에서는 일반적인 조세회피방지규정(GAAR) 또는 조세조약 혜택제한 규정(LOB) 등을 두어 일정한 요건 하에서 조세조약의 적용을 배제하고 있다.

간에 조세조약의 특정조항이나 용어 등에 대한 견해의 차이를 제거하기 위하여 조세조약을 해석하게 된다. 조세조약의 해석에 대한 의견이 다를 경우에는 최종적으로 법원이 개입하여 해석하게 된다.[10)

조세조약이 가지는 국제법적인 성격으로 인하여 조세조약을 해석할 때 국내 조세법상의 해석기준을 적용하기 어렵기 때문에 국제법상의 해석기준에 따라야 한다. 국제법의 기본내용은 제도와 문화, 관습 등이 다른 국가 간에 합의된 의무의 이행에 관한 것이므로 개별국가의 내국법에 따라 해석하는 것은 불합리하기 때문이다.

국가 간의 합의로 성립된 국제법인 조세조약의 해석은 비엔나 협약 제31조 내지 제33조에서 규정한 원칙을 따르게 된다. 비엔나 협약의 해석기준은 기존의 국제관습법의 내용을 성문화(codify)한 것으로 인식되고 있다. 따라서 모든 국제조약에 적용된다.[11) 이러한 국제법 해석의 기본원칙에 따르면서 개별국가 간에 조세조약을 체결할 때 기본으로 삼고 있는 'OECD 표준조세조약과 그 주석'도 개별조세조약의 해석과정에서 중요한 준거의 틀(framework)이 된다.[12)

다음에서 조세조약의 해석과 관련한 주요 사항을 살펴보기로 한다. 구체적으로 비엔나 협약상의 국제조약의 해석기준, OECD 표준조세조약의 해석에서 주석(commentary)의 역할, 조세조약을 체결한 후에 변동된 상황을 조세조약의 해석에 반영하는 방법, 조세조약의 적용의 적격성(qualification) 등에 대한 내용을 검토하기로 한다.

---

10) 과세가 이루어진 국가의 법원에 과세불복청구 소송을 제기하는 방법이 일반적이며, 때로는 국제사법재판소(International Court of Justice)에 제소하는 경우도 있다.

11) Klaus Vogel and R. Prokisch, General Report, in IFA, Cashiers de droit fiscal international, Volume LXXVIIIa, 1993, pp.66~67; F. Engelen, Interpretation of Tax Treaties under International Law, 2004, p. 57; R. Vann, Interpretation of tax treaties in new holland, in H. van Arendonk/F. Engelen/S. Jansen (eds.) A Tax Globalist-Essays in honour of Maarten J. Ellis, 2005, p.151; J. Heinrich/H. Moritz, Interpretation of Tax Treaties, ET 2000, p.147

12) OECD 표준조세조약 서문 29.1

비엔나 협약의 일반적 해석기준

① 비엔나 협약과 조약의 해석기준

조세조약은 국제공법에 따라 체결된 국가 간의 협약이므로 그 해석은 국제법의 기준에 따라야 한다.[13] 국제조약의 해석기준은 비엔나 협약 제31조 내지 제33조에서 규정되어 있다. 국가 간의 합의인 조약의 해석기준은 '조약법에 관한 비엔나 협약' 제31조 내지 제33조에서 규정하고 있다. 비엔나 협약에서 규정한 조약의 해석기준은 기존의 국제관습법을 성문화 (codify)한 것이므로 모든 국제조약에 적용된다.[14]

따라서 비엔나 협약에 규정된 조약의 해석기준은 모든 국제조약에 적용될 수 있다. 조세조약은 국가 간의 합의사항을 문서화한 국제조약이므로, 이를 해석할 때는 조약의 해석에 관한 관습법을 성문화한 비엔나 협약상의 용어를 참조하여 개별조세조약을 해석하는 것이 바람직하다. 국가 간에 체결된 조세조약의 해석이 국제법의 해석기준에 따라 이루어져야 한다는 것은 비엔나 협약이 규정하고 있는 해석조항은 조약의 해석에 관한 관습법상의 기준을 반영하고 있으므로 설사 체약국 중 일방 체약국이 비엔나 협약의 적용을 거부한다고 하더라도 타방체약국은 비엔나 협약을 조세조약의 해석기준으로 적용할 수 있다는 의미로 볼 수 있다.[15]

비엔나 협약 제31조 제1항은 '해석의 일반원칙'을 선언하고 있다. '조약은 조약문의 문맥 및 조약의 대상과 목적으로 보아, 그 조약의 용어에 부여되는 통상적 의미에 따라 성실하게 해석되어야 한다'는 조약해석의 원칙을 규정하고 있다. 비엔나 협약 제31조 제2항에서 '문맥 (context)'에 대하여 정의하고 있다. 문맥은 '조약의 본문, 조약의 체결과 관련하여 당사국 간에 이루어진 모든 합의사항, 조약의 체결과 관련하여 일방이나 복수의 당사국이 작성한 문서로서 타방이 이를 조약과 관련된 문서로 인정한 것'으로 규정하고 있다.

비엔나 협약 제31조 제3항에서 조약의 해석에서 문맥과 함께 고려해야 할 사항으로서 '조약의 해석 또는 그 조약규정의 적용에 관한 당사국 간의 합의, 조약의 해석에 적용에 관하여 당사국 간의 합의로 성립된 관행, 당사국 간의 관계에 적용될 수 있는 국제법의 관계규칙'을

---

13) Klaus Vogel, Klaus Vogel on Double Taxation Conventions, Third Edition, Springer Netherlands, 1997, Introduction. p.28

14) Klaus Vogel and R. Prokisch, General Report,in IFA, op. cit. pp.66~67

15) Michael Lang and Florian Brugger, The role of the OECD Commentary in tax treaty interpretation, Australian Tax Forum, 23, 2008, p.97

규정하고 있다. 비엔나 협약 제31조 제4항은 당사국 간의 합의로 '특별한 의미를 특정용어에 부여하기로 한 경우'에는 그 의미를 사용하여 조약을 해석하는 원칙을 규정하고 있다.

비엔나 협약 제32조는 해석의 '보조적 수단'으로서 '조약의 교섭 기록 및 조약체결 당시의 상황' 등을 규정하고 있다. 조약의 해석은 비엔나 협약 제31조에서 규정한 해석원칙에 따르되 조약의 적용과정에서 '그 의미가 모호해지거나 또는 애매하게 되는 경우 또는 불투명한 것이 명백하거나 또는 불합리한 결과를 초래하는 경우'에 보조적인 해석수단을 사용하여 조약의 의미를 명확하게 해야 한다는 것이다.

② 비엔나 협약 제31조

비엔나 협약 제31조 제1항에서 조약법을 해석하는 '일반적 원칙'을 명시하고 있다. 그 내용은 '조약은 조약의 문맥(context)과 목적(object)과 취지(purpose)에 비추어 조약상의 용어에 주어진 통상적인 의미에 따라 성실하게 해석하여야 한다'는 것이다.[16] 조약을 해석하는 기본원칙은 단어 그 자체보다는 '문맥, 취지, 목적' 등을 고려하여 '통상의 의미(ordinary meaning)로 성실하게(in good faith)' 해석을 한다는 것이다.

'문맥 속에서(in treaty's context)' 해석한다는 의미는 체약국들의 주관적인 의사가 조약상의 문언으로 표현되어 있으므로 그 조약상의 문언 속에 표현되어 있는 체약국의 의사를 당해 조약의 전체 문맥 속에서 객관적으로 해석해야 한다는 의미이다. 따라서 문언에 포함되어 있지 않은 당사국의 의사는 배제하는 것이므로, 곧 문리주의 해석의 원칙을 최대한 존중한다는 의미로 볼 수 있다.

'조약의 문맥'은 전문과 부속문서로 구성된 조약문과 조약체결당사자 간에 합의된 모든 문서에서 사용되는 문맥을 의미한다. 또한 비엔나 협약 제31조 제3항에서 말하는 후속적인 합의와 관련한 문서도 포함한다. 후속 합의사항은 의정서나 교환공문에서 표명되어 있어야 한다.

'목적과 취지를 감안하여(in light of its object and purpose)'라는 문구는 조약의 해석이 체약당사국의 주관적인 의사를 당사국에게 직접 확인하는 것이 아니라, 조약의 문언 속에서 객관적으로 표현되어 있는 범위 안에서 해석한다는 의미이다. 조약은 국가 간의 합의내용을 문언으로 표현한 것이므로 조약의 해석은 '당사국의 의사를 확인'하는 것이다. 당사국의 의사는 조약문언에 표현되어 있다는 점에서 당사국의 의사는 주관적인 의사가 아니라 문언으

---

16) 비엔나 협약 제31조 제1항 "a treaty shall be interpreted in good faith in accordance with the ordinary meaning to be given to the terms of the treaty in their context and in the light of its object and purpose."

로 표현된 객관적인 의사를 의미하는 것으로 볼 수 있다.

"통상적 의미(ordinary meaning)"는 '체약당사국 간에 다툼이 없이 통용될 수 있는 의미'로서 국제적으로 통일적인 이해가 이루어지는 개념이 된다. 또한 체약국이 합의하여 통상적인 의미와 다른 특별한 의미가 부여하고 있는 경우에는 그 의미가 포함된다.[17]

비엔나 협약 제31조 제2항에서 '문맥(context)'의 기본적인 의미를 설명하고 있다. 문맥은 '조약의 규정 자체의 내용(text)뿐 아니라 당해 조약을 체결하는 과정에 참여한 모든 당사자들이 합의한 내용과 그 조약의 체결당사국 중 일방 또는 복수의 국가가 작성한 법률문서(instrument)로서 다른 국가들이 수용한 것'까지 포함한다고 정의하고 있다.

비엔나 협약 제31조 제3항에서는 이러한 문맥에 따른 해석기준을 더 구체적으로 설명하고 있다. 조약을 해석할 때 추가적으로 고려해야 할 3가지 요소를 열거하고 있다.

(1) 조약의 해석이나 적용과 관련한 후속 합의내용

(2) 조약의 해석과 관련하여 당사국이 동의한 적용관행

(3) 당사국 간의 관계에 적용가능한 국제법의 관련규정

해당조약 규정의 적용이나 조약의 해석에 관한 당사자들 간의 후속적인 합의와 적용관행과 당사자들 간의 관계에 적용되는 국제법상의 모든 관련규정들이 조약의 해석에 적용된다는 것이다.

비엔나 협약 제31조 제4항에서 일반적인 용어와 다른 특별한 용어를 사용하는 경우에 해석하는 방법을 규정하고 있다. 조약을 체결한 당사국이 합의하는 경우에는 특정한 용어에 특별한 의미(special meaning)를 부여한 경우에는 그 부여한 의미대로 해석된다는 것을 명확히 하고 있다. 양 당사국이 체결한 조약에서 사용하는 용어에 통상적인 의미와 다른 특별한 의미를 부여할 수 있다는 것을 말한다. 이는 각국은 서로 다른 법률체계를 가지고 있으므로 동일한 용어에 대하여 서로 다른 해석을 할 수 있다. 따라서 특정한 용어에는 정의조항을 두어 해석상의 차이가 발생하는 것을 방지할 수 있다.

③ 비엔나 협약 제32조

비엔나 협약 제32조에서는 '보충적 해석수단(supplementary means of interpretation)'을 설명하고 있다. 비엔나 협약 제31조에 의하여 조약에서 표현된 문맥만으로 해석한 결과 의미가 비합리적이거나 이상하거나, 용어의 의미가 불확실할 경우에는 다른 보조적인 자료를 사

---

17) 비엔나 협약 제31조 제4항

용하여 해석할 수 있는 방법을 설명하고 있다. 보충적인 해석수단으로는 '조약체결준비문서, 조약체결관련 종합상황 기록' 등을 열거하고 있다. 이러한 보충적인 자료는 조약을 체결할 당시에 존재했던 자료들을 말한다.[18]

　　조약의 해석은 우선적으로 제31조의 규정에 따라 해석하고 예외적으로 보충적인 방법으로 해석할 수 있다는 것이 비엔나 협약 제32조의 내용이다. 이는 비엔나 협약 제31조의 기준을 따라 해석을 한 결과가 애매모호(ambiguous or obscure)하거나 불합리한 결과를 초래할 것이 분명한 경우이다. 이때는 조약의 의미를 보다 정확하게 해석하기 위하여 보충적인 참고자료를 사용하여 조약의 의미를 해석하게 된다. 목적이나 취지를 살펴 제한적으로 해석하려는 것으로 보인다. 하지만 비엔나 협약 제31조의 기본원칙을 벗어나지 않도록 해야 한다.[19]

④ 비엔나 협약 제33조

　　비엔나 협약 제33조는 조약의 정본이 복수의 언어로 작성된 경우에 해석하는 방법에 대한 것이다. 조약문은 체약당사국이 모두 동일한 언어를 사용하는 경우를 제외하고는 각 체약국의 자국어를 포함한 복수의 언어로 작성된다. 비엔나 협약 제 33조 제1항은 복수의 언어로 작성된 조약의 정본은 각각 동등한 권위와 효력을 가지는 것을 분명히 하고 있다.

　　통상적으로 체약당사국이 사용하는 언어가 다른 경우에는 영어와 자국어로 조약을 체결하면서 자국어를 사용한 조약문에서 서로 다르게 해석되는 부분은 영어로 작성된 조약문을 기준으로 해석하도록 하는 규정을 두고 있다. 우리나라는 영어로 작성된 조약문을 한국어와 상대체약국의 언어로 번역한 조약문을 별도로 작성하는 것이 일반적이다. 따라서 조약의 해석을 위하여 사용하는 조약문은 자국어로 작성된 것 외에 제3의 언어인 영어로 작성된 조약

---

18) 조약의 해석내용은 체약국이 공감하여 수용될 수 있어야 한다. 따라서 해석의 보충적인 수단은 양 체약국이 공동으로 인지하는 자료를 사용하는 것이 원칙이다. 조약체결과정에 사용된 문서라 하더라도 일방체약국이 내부적으로 준비하여 사용하고 상대체약국과는 공유하지 않은 자료는 해석의 보충자료가 될 수 없다. 따라서 조약체결당사국이 국내의 비준절차과정에서 작성한 설명문(technical explanation) 등은 조약해석의 보충자료에서 제외된다. 이 경우에도 동 자료가 상대체약국과 교환되어 공유되고 공감이 이루어진 경우에는 해석의 보충자료로 활용될 수 있다.

19) 조약상의 문언으로 해석이 어려운 경우에 '조약의 흠결'로 보고 해석을 하지 않거나 다른 조약의 개정방법을 사용할 것인가 아니면 최대한 '조약의 목적과 취지'에 비추어 해석할 것인가의 문제가 남는다. 이에 대하여 비엔나 협약에서는 달리 규정하지 않고 있다. 일반 법률의 해석원칙에 따라 제한된 범위 내에서 목적론적 해석 내지 유추해석이 가능한지를 검토할 수 있으나 '조세주권(tax sovereignty)'과 상충되는 경우 상대방국의 조세주권을 침해할 소지가 발생하는 점을 고려해야 한다. 따라서 과세관청이 독자적으로 해석하기보다는 양국 간의 협의(OECD 표준조세조약 제25조의 규정에 의한 상호합의가 그 예에 해당한다)를 하거나 법원의 판결(국제사법재판소 포함)을 통하여 해석하거나 조약자체의 개정을 하는 방법을 고려할 수 있다.

문으로 한다는 합의사항을 두고 있다.[20]

두 개 이상의 언어로 조약문을 작성하면서 특정한 언어를 우선적으로 적용한다는 합의 규정을 두지 않고 각각 자국어로 작성하거나 제3국어를 포함하여 작성하는 경우[21]와 단일 언어로 작성되는 경우[22]가 있다. 이때에는 비엔나 협약 제33조 제4항의 규정에 따라 '조약의 대상과 목적을 고려하여 조약문과 최대한 조화되는 의미'로 해석하는 기준을 따른다. 물론 비엔나 협약 제31조 및 제32조에서 규정한 해석의 원칙이 적용된다.

제3절 조세조약의 해석과 표준조세조약의 주석

 주석의 역할

OECD 표준조세조약의 주석은 OECD 표준조세조약과 함께 개별 양자 간 조세조약 체결의 기준점을 제공한다.[23] 대부분의 개별 양자 간 조세조약은 OECD 표준조세조약에서 표현된 용어를 그대로 사용하거나 필요에 따라 일부 변경하여 사용하고 있다. 국제조세관련 실무에 종사하는 과세당국자는 물론이고 법원과 조세전문가들도 국제거래와 관련한 조세문제를 다룰 때 OECD 표준조세조약의 주석을 참조하고 있다.

비엔나 협약에서 규정하고 있는 조약해석의 원칙은 조세조약의 해석에도 적용된다. 일차적으로 조약에 표현된 문언을 기준으로 해석하며, 이차적으로는 조약체결 당사국의 의사를 확인하는 것이다.[24] 조약의 해석은 조약이 무엇을 말하려고 하는 것인가를 확인하려는 것이 아니라 표현된 문언을 통하여 실제로 말하고 있는 내용을 확인하는 것을 우선으로 한다.

비엔나 협약의 기준을 조세조약의 해석에 적용하는 경우에 논의의 초점은 두 가지의 주제에 맞추어진다. 첫째는 OECD 표준조세조약의 주석(commentary)이 조세조약의 해석 측면

---

20) 의정서(protocol)에서 규정하고 있다.
21) 한국 – 캐나다 조세조약은 영어, 한글, 불어로 작성하였고, 한국 – 미국 및 한국 – 영국의 조세조약은 한국어와 영어로 작성한 것이 그 예이다.
22) 한국 – 일본, 한국 – 뉴질랜드, 한국 – 노르웨이 등 다수국가들과는 영어로 작성하고, 각국은 임의로 자국어로 번역하고 있다.
23) American Law Institute, Federal income tax project : international aspects of United States income taxation II : proposals on United States income tax treaties, Philadelphia, PA : The American Law Institute, 1992, p.54
24) 비엔나 협약 제31조 내지 제32조

에서 가지는 법적인 성격에 대한 것이고, 두 번째는 조세조약에서 규정하지 않은 사항에 대하여 국내 조세법을 자율적으로 적용할 수 있는 범위에 대한 것이다. 두 번째 주제는 제4절에서 설명하고 여기서는 첫 번째의 주석과 관련한 사항을 다룬다.

② 주석의 법적 성격

OECD 표준조세조약의 주석이 비엔나 협약 제31조에서 말하는 '문맥'의 관점에서 독자적인 해석기준으로 사용할 수 있는지 아니면 동 협약 제32조에서 규정한 '보조적 해석수단'의 관점으로 보아야 하는지에 대하여 논란이 있다.[25]

David A. Ward는 독자적인 기준이 될 수 있다고 주장한다. OECD 표준조세조약의 주석 (commentary)은 현실적으로 개별국가 간에 체결된 여러 조세조약의 해석과정에서 매우 중요한 역할을 하고 있다. 이는 OECD 표준조세조약의 주석이 국제법률체계의 중요한 축을 형성하고 있는 것을 보여준다. 따라서 OECD 표준조세조약의 주석은 비엔나 협약 제31조에 의한 국제조약의 해석원칙인 '문맥 속에서 자율적으로 해석'할 수 있는 기준이 되고 있는 것으로 본다는 것이다.

한편, OECD 표준조세조약의 주석은 독자적인 해석기준으로 보기에는 한계가 있다는 주장도 있다. Klaus Vogel은 비엔나 협약 제31조 제2항에서 말하는 문맥의 의미는 너무 제한적이므로 주석을 참고사항을 포함하기 어렵다는 견해이다.[26] 조약의 문맥은 조약체결과정에서 양 체약국이 합의한 것에 한정되어야 한다는 입장이다. 따라서, OECD 표준조세조약의 주석은 비엔나 협약 제32조에서 규정한 보조적 수단으로 사용하여 조세조약을 해석하는데 사용할 수 있다는 것이다.

이러한 학술적인 논란에도 불구하고 대다수의 회원국들은 OECD 표준조세조약의 주석은 조세조약의 해석에 있어서 실질적으로 중요한 역할을 하고 있는 것으로 인식하고 있다.[27] 따라서 OECD 표준조세조약의 주석은 비록 형식적으로는 국가 간에 합의된 조약의 성격을

---

25) David A. Ward et al., The Interpretation of Income Tax Treaties with Particular Reference to the Commentaries on the OECD Model, 2005, pp.4~5; David A. Ward et al., General Principles of Treaty Interpretation, IFA Canadian Branch, Special Seminar on Interpreting Tax Treaties, 1 April 1977

26) Klaus Vogel, The Influence of the OECD Commentaries on Treaty Interpretation, IBFD Bulletin 2000, p.614; P. Wattel/O. Marres, The Legal Status of the OECD Commentary and Static or Ambulatory Interpretation of Tax Treaties, ET 2003, p.228

27) 판례는 물론이고 과세당국 간의 조세조약적용에 관한 상호합의회의(MAP) 과정에서 OECD 표준조세조약의 주석은 주요한 참고자료로 활용되고 있다.

가지고 있지 않다고 하더라도 실질적으로는 비엔나 협약상의 조세조약 해석 기준으로서 역할을 하고 있는 것으로 볼 수 있다.

③ 조세조약 해석의 특수성과 주석의 구속력

(1) 조세조약 해석의 특수성

조세조약은 국가 간에 체결된 국제조약이므로, 그 해석은 비엔나 협약에서 규정된 해석기준을 따르는 것이 타당하다. 조세조약의 최종적인 해석권자는 과세관청과 법원이다. 과세관청은 OECD 표준조세조약 제3조 제2항과 그에 대한 주석이 제시하는 조세조약의 해석내용을 적용하게 된다. 법원은 과세관청이 적용하고 있는 기준과 비엔나 협약상의 해석원칙을 조화시킬 수 있는 해석기준을 결정하고 있다.

두 개의 국가 간에 체결된 국제법의 성격을 가지는 조세조약은 해당 체약국의 국내 조세법과 대등하고 독립적인 법적인 지위를 가지고 있다.[28] 국제법의 규범이 적용되는 조세조약은 국내 조세법과 구별되고 각기 서로 다른 법 영역을 가지고 있다. 따라서 조세조약에서 사용하는 용어를 해석할 때 국내 조세법상의 개념을 그대로 적용하기 어렵다.[29]

조세조약에서 사용된 용어는 국내 조세법이 아닌 조세조약상의 문맥 속에서 가지는 통상적인 의미(ordinary meaning)로 해석해야 하며, 국내 조세조세법의 일반적인 해석기준을 그대로 따르는 것은 적절하지 못하다.[30] 조세조약의 최종적인 집행은 체약국별로 자국의 조세법을 통하여 이루어지므로 조세조약의 내용이 자국의 조세주권을 직접적으로 규제하는 데는 한계가 있다고 하더라도 조세조약의 해석은 조약의 일반적인 해석기준을 따라야 하기 때문이다. 조세조약은 국가 간의 합의사항을 문서로 작성한 것이므로 국제법적 성격을 가지고 있기 때문이다.

이러한 조세조약 해석의 특성을 감안하여 OECD 표준조세조약은 제3조 제2항에서 별도의 해석지침을 제시하면서 주석에서 각 조항이 가지는 의미를 해석하고 있다. OECD 표준조세조약의 주석은 OECD 재정위원회(CFA)가 일방적으로 결정하는 것이 아니라 회원국들의

---

28) 헌법 제6조 제1항 '헌법에 의하여 체결·공포된 조약과 일반적으로 승인된 국제법규는 국내법과 같은 효력을 가진다.'

29) 체약국별로 조세제도, 언어, 거래관행, 문화 등의 차이로 인해 조세용어가 동일하더라도 그 의미를 이해하는 개념에는 상당한 차이가 존재할 수 있기 때문이다.

30) 조세조약을 체결하는 목적은 체약국의 조세제도가 상이하고 주요한 조세용어에 대한 의미를 다르게 이해하는 것을 조정하여 이중과세나 조세회피행위를 방지하려는 것이기 때문이다.

의견을 종합하여 합의된 내용을 규정하고 있다.[31] 조약의 국제법적 특성을 감안한다면 주석의 독자적인 해석기준성을 인정하는지 여부와 상관없이 표준조세조약의 해석에 대한 공통적인 의견을 담고 있는 주석은 개별국가 간에 체결된 양자 간 조세조약의 해석과 관련하여 OECD 표준조세조약의 주석은 매우 중요한 역할을 한다고 할 것이다.

(2) 주석의 구속력

비엔나 협약은 문맥과 함께 고려할 사항으로서 '조약의 해석이나 적용에 관한 당사국 간의 추후의 합의'를 규정하고 있다.[32] 그러한 합의사항은 양 체약국에게 구속력이 존재하게 된다. 그러나 OECD 표준조세조약과 그 주석은 법률적인 구속력이 없다.[33]

OECD는 조세조약의 체결하거나 개정할 경우에는 'OECD 표준조세조약을 따를 것(conform to the Model Tax Convention)'을 권고(recommendation)하고 있다.[34] 조세조약을 적용할 경우에도 OECD 표준조세조약의 주석을 따라야 하고, 이러한 주석이 개정된 경우에는 그 개정된 내용을 따라서 해석하도록 권고하고 있다.[35]

이와 같이 OECD는 개별국가 간에 조세조약을 체결하거나 개정하는 경우는 물론이고 조세조약의 적용과 관련하여 해석이 필요한 경우에는 OECD 표준조세조약과 그 주석을 따를 것을 요구하고 있다.[36] 법률적 구속력은 없지만 사실상의 구속력은 존재한다는 것을 의미하는 것으로 볼 수 있다. 특히 OECD 표준조세조약 서문에서 주석이 조세조약의 해석지침으로서 가지는 사실상의 구속력에 대하여 다음과 같이 설명하고 있다.[37]

---

31) 주석의 내용에 대하여 반대하는 국가는 '유보(reservation)' 또는 '관찰(observation)'의 의견을 제시하고 그 내용은 그 의견이 제시된 조문별로 주석에 표기된다. OECD 표준조세조약 제3조 제2항에 대한 반대의견을 표시한 국가는 없다.

32) 비엔나 협약 제31조 제3항 a)

33) Frank Engelen, 'Some Observations on the Legal Status of the Commentaries on the OECD Model,' IBFD Bulletin 2006, pp.105~106; D. Ward. et al. The Interpretation of Income Tax Treaties with Particular Reference to the Commentaries on the OECD Model, 2005, p.99

34) OECD 표준조세조약, 2017, 서문 paragraph 3. 상단

35) ibid. paragraph 3. 후단

36) OECD, Recommendation of the Council concerning the Model Tax Convention on Income and on Capital, October 23, 1997 – C(97)195/Final

37) OECD 표준조세조약, 2017, 서문 paragraph 29

> '~the Commentaries are not designed to be annexed in any manner to the conventions signed by member countries, which unlike the Model are legally binding international instruments, they can neverthless be of great assistance in the application and interpretation of the conventions, in particular, in the settlement of any disputes.'
>
> (~주석은 회원국이 서명한 조약에 법률적 구속력을 가진 부속문서로 첨부하기 위하여 설계된 것은 아니지만 조세조약의 적용과 해석, 특히 분쟁의 해결에 큰 도움이 될 수 있다.)

④ 사법적 해석

비엔나 협약 제32조의 규정에 의하면 OECD 표준조세조약과 주석은 보충적 해석수단이 될 수 있다.[38] 동 협약 제32조에서 해석의 보충적 수단으로서 조약체결을 위한 준비문서와 체결과정에 관한 상황을 기록한 문서 등을 열거하고 있다. 해석의 보충수단은 동 협약 제32조에서 언급한 자료에 한정되는 것은 아니다. 양 체약국의 공통적인 입장을 확인할 수 있는 모든 증거를 사용할 수 있다.

조세조약체결당사국이 OECD 표준조세조약을 기준으로 조세조약을 체결하였다면 OECD 표준조세조약의 주석은 조세조약을 해석할 수 있다. 이 경우에 OECD 표준조세조약의 주석이 비엔나 협약 제31조의 규정에 따라 '문맥' 속에서 독자적으로 해석할 수 있는 지위를 가질 수 있는지에 대하여 앞에서 본바와 같이 의견이 갈리고 있다.

사법부의 판단은 비엔나 협약에 의한 조약의 해석원칙을 적용하지만, OECD 표준조세조약의 주석은 조세조약의 해석에 있어서 독자적이고 자율적인 지위를 가지는 것에 대하여 대체로 부정적인 것으로 보인다.[39]

호주 법원은 Thiel 사건에서 OECD 표준조세조약의 주석을 조세조약 해석의 기준으로 삼을 수 있다는 최초의 판결을 한 것으로 알려져 있다.[40] 이 판결에서 비엔나 협약의 해석규정은 조약의 해석에 관한 관습법을 반영하고 있으므로 국가 간의 조약을 해석하는 기준으로

---

38) Michael Lang and Florian Brugger, The role of the OECD Commentary in tax treaty interpretation, Australian Tax Forum, Vol. 23, 2008, p.98

39) 이의영, 조세조약의 해석 – 비엔나 협약의 기능과 한계, 국내법원 해석의 상호발전, 조세학술논집 제35집 제2호(2019), p.204. OECD 표준조세조약의 주석은 비엔나 협약 제32조의 보충적자료로서 참고자료이므로 법원의 판결을 통하여 해석법리를 찾아가야 한다는 입장이다.

40) Richard Vann, Interpretation of Tax Treaties in New Holland, Legal Studies Research Paper No. 10/121, November 2010, pp.1~2

삼는 것이 타당하지만 비엔나 협약 제32조에 의한 조세조약 해석의 보충수단으로 사용할 수 있다는 입장이다.[41] 또한 동일하거나 유사한 용어에 대하여 다른 국가 간에 체결된 조세조약이나 다른 국가의 법원에서 해석한 내용을 참조할 수 있는 것으로 보고 있다.[42]

우리나라 법원도 같은 입장을 보이고 있다. 국제거래에 관한 실질과세원칙[43]을 해석함에 있어서 사용되는 OECD 표준조세조약의 주석은 헌법 제6조 제1항에 의해 체결·공포된 조약이나 일반적으로 승인된 국제법규가 아니므로 법적인 구속력이 인정될 수는 없지만, 대한민국을 포함한 OECD 회원국가 사이에 체결된 조세조약의 해석기준으로서 국제적으로 권위를 인정받고 있으므로 OECD 회원 국가 사이의 조약 해석에 있어서 하나의 참고자료가 될 수 있는 것으로 판시하고 있다.[44]

조세조약의 해석을 위한 보충적인 수단이라는 것은 1차적으로는 조약의 문언에 따라 해석을 하되, 그 해석의 결과가 애매모호하거나 명백히 불합리한 경우에 한하여 제한적으로 적용된다는 의미이다.[45]

비엔나 협약 제31조 제1항에 의하면 '조세조약은 문맥에 따라 조약의 용어에 주어진 통상적인 의미와 목적과 취지에 따라 해석해야 한다'고 규정하고 있다. 제31조 제1항은 조세조약의 해석에서 '문리해석(textual approach)'을 기본으로 삼고 있다. 조약의 문장(text)은 체약당사국의 원래 의도를 문자로 표현한 것이므로 해석의 출발점이 되는 것은 당연하다. 조세조약의 용어에 주어진 '통상적인 의미'는 문리해석을 통하여 얻을 수 있고, 그러한 의미는 조약의 조항에 포함된 문맥과 조약의 목적과 취지 및 조약의 전체적인 측면에서 도출되어야 한다.[46]

개별조세조약이 OECD 표준조세조약을 기준으로 하여 체결되었다면 그 조세조약의 해석은 OECD 표준조세조약의 주석을 참고하여 성실하게 해석할 수 있다.[47] 따라서 비엔나 협약 제31조 및 제32조에서 말하는 조약해석의 원칙과 OECD 표준조세조약의 주석은 연관성을

---

41) Thiel v Federal Commissioner of Taxation(1990) 171 CLR 338, p.350: Jock McCormack and Aushu Maharaj, Subject I-Is there a Permanent Establishment?, IFA 2009 Vancouver Congress, pp.4~5

42) Lamesa Holdings BV v. Federal commissioner of Taxation, Full Federal Court(1997) 36 ATR 58: Thiel v. Federal Commissioner of Taxation(1990) 171 CLR 338 High Court of Australia

43) 국제조세조정에 관한 법률 제3조

44) 대전지방법원2010구합3550, 법인세부과처분 취소, 2012. 5. 16.

45) Klaus Vogel, The Influence of the OECD Commentaries on Treaty Interpretation, IBFD Bulletin 2000, p. 614; P. Wattel and O. Marres, The Legal Status of the OECD Commentary and Static or Ambulatory Interpretation of Tax Treaties, ET 2003, p.228

46) Michael Lang and Florian Brugger, 2008, op. cit., p.99

47) 해석에 있어서 성실의 원칙(principle of good faith)은 합리적인 사람이 그것을 이해할 수 있을 정도로 해석해야 한다는 것을 말한다.

가진다.[48] 그러나, OECD 표준조세조약의 주석은 조세조약 해석의 보충적인 수단이므로 조세조약 자체의 문장에 담긴 표현과 유사한 비중을 가지는 것은 아니다. OECD 표준조세조약의 주석은 조세조약 본문의 일부를 구성하는 것은 아니고 단지 해석을 한 것에 지나지 않기 때문이다.[49]

제4절 국내 조세법과 조세조약의 해석

① 조세조약과 국내 조세법 간의 관계

(1) OECD 표준조세조약 제3조 제2항

OECD 표준조세조약 제3조 제2항은 다음과 같이 규정하고 있다.

> '2. As regards the application of the Convention <u>at any time</u> by a Contracting State, <u>any term</u> not defined therein shall, unless the context otherwise requires *or the competent authorities agree to a different meaning pursuant to the provisions of Article 25*, have the meaning that it has <u>at that time</u> under the law of that State for the purposes of the taxes to which the Convention applies, <u>any meaning</u> under the applicable tax laws of that State prevailing over a meaning given to the term under other laws of that State.'
>
> '(일방체약국이 조세조약을 적용할 때는 언제나(at any time) 그 조세조약에서 정의되지 않은 모든 용어(any term)는 문맥상 달리 해석되거나 *권한있는 당국자(CA) 간에 제25조(상호합의)의 규정에 따라 다른 의미로 해석하기로 합의한 경우*를 제외하고 본 조세조약이 적용되는 조세의 목적상 본조세조약을 적용할 당시에 체약국에서 시행되는 국내 조세법에서 규정된 의미를 가지며, 그 국가의 조세법에서 규정한 모든 의미는 그 국가의 다른 법률에서 규정한 의미에 우선한다.)'
>
> * 이탤릭체로 된 부분은 2017년 개정을 통하여 추가된 표현이다.

OECD 제3조 제2항에 대한 주석에 이의를 제기한 국가는 없다.[50] OECD 표준조세조약과 주석에서는 비엔나 협약이나 비엔나 협약과의 관계에 대하여 아무 언급이 없지만 학자 간의

---

48) Michael Lang and Florian Brugger, op. cit. p.100
49) OECD 표준조세조약의 주석내용에 대하여 동의하지 않는 경우에는 '유보(reservation)' 또는 '관찰(observation)' 의견을 제시하는 방법으로 그 해석의 적용을 거부할 수 있다. OECD 표준조세조약, 2017, 서문 paras. 30~31
50) OECD 표준조세조약 제3조 제2항에 대한 주석에서 '유보(reservation)나 관찰(observation)의견'은 없다.

논쟁은 치열하다.[51] 논쟁의 핵심내용은 불확정 개념의 용어를 해석하기 위하여 사용될 해석 방법의 위계를 정할 수 있느냐에 대한 것이다.[52] 현재의 통설은 제3조 제2항은 비엔나 협약 제31조 및 제32조와의 관계에서 특별규칙으로서 일반규정인 비엔나 협약 제31조와 제32조에 우선하여 적용된다는 것으로 보인다.[53]

(2) 제3조 제2항과 국내 조세법

개별국가 간에 체결된 양자 간 조세조약(bilateral tax treaty)은 대부분 이와 동일하거나 유사한 규정을 두고 있다. 이 규정에 따르면 조세조약에서 사용된 어떤 용어의 의미가 (1) 조세조약에서 '정의되어 있지 않고 있는 경우', (2) 조세조약에서 정의된 것이 '불충분한 경우'에는 조세조약을 적용할 당시의 국내 조세법에서 규정한 의미로 해석한다는 것이다.

이와 같이 OECD 표준조세조약 제3조 제2항에서 규정한 해석기준은 조세조약과 체약국의 국내 조세법 간의 특별한 관계를 언급하고 있다. 이는 체약국의 조세주권(tax sovereignty)을 보장하고 조세조약은 다른 법률과 독립되어 홀로 법률적 진공상태(vaccum)에서 존재하는 것이 아니라 체약국의 조세법률과 상호작용하면서 운영되는 것임을 보여주는 것이다.[54]

현실적으로는 납세자, 과세당국, 법원이 자국의 국내 조세법에서 사용되어 익숙하게 잘 알고 있는 용어의 의미에 따라 정확하게 해석할 수 있으므로 법적 확실성을 높일 수 있다.[55] 체약국의 국내 조세법의 규정으로 위임하지 않고 모든 용어에 대하여 일일이 조세조약에서 정의하는 것은 각국의 조세제도가 동일하지 않다는 점에서 설사 규정하더라도 엄청난 노력과 부담이 들고 집행 측면에서도 상당한 어려움이 발생하게 될 것이다. 이러한 곤란함을 더

---

51) 이와 관련한 주요학자들의 논문을 일부 예시하면 다음과 같다.
John F. Avery Jones et al., "The Interpretation of Tax Treaties with Particular Reference to Article 3(2) of the OECD Model Tax Convention" British Tax Review no. 1, 1984. pp.14~54; Edwin van der Bruggen, "Unless the Vienna Convention Otherwise Requires: Notes on the Relationship Between Article 3(2) of the OECD Model Tax Convention and Articles 31 and 32 of the Vienna Convention on the Law of Treaties" European Taxation, Vol. 43, no. 5, 2003. pp.142~156; David A. Ward, "Principles To Be Applied in Interpreting Tax Treaties" Canadian Tax Journalvol. 25, no. 3. 197, pp.263~270; Klaus Vogel, Klaus Vogel on Double Taxation Conventions: A Commentary to the OECD-, UN- and US Model Conventions for the Avoidance of Double Taxation on Income and Capital, 3d ed. The Hague: Kluwer Law International, 1997, pp.208~216
52) Edwin van der Bruggen, 2003, ibid. p.143
53) Klaus Vogel, 1997, op. cit. p.143
54) Klaus Vogel, 1997, ibid. p.209
55) Michael N. Kandev, Tax Treaty Interpretation: Determining Domestic Meaning Under Article 3(2) of the OECD Model. Canadian Tax Journal, Volume 55, No.1, 2007, p.38

하는 것을 방지할 수 있게 하는 측면도 있다.[56]

국내 조세법의 해석기준은 국가마다 차이가 있다. 영미법과 대륙법 간에 대조를 보이고 있다. 영국의 경우에는 엄격한 문리해석원칙에 따라 법문 자체의 표현내용에 집중하여 해석하는 원칙을 고수하고 있다. 따라서 원칙적으로 조세법의 취지나 목적 또는 기타 참고자료를 보충적인 해석자료로 삼지 않고 있다. 한편, 독일의 경우에는 취지나 목적에 의한 해석을 허용하고 있다. 경우에 따라서는 법문의 표현과 다른 결정도 가능하고 해석에 필요한 참고자료에는 제약을 두지 않고 있다. 다른 국가에서는 이러한 해석관행의 양극단 사이에 위치할 수 있다.[57]

따라서 국가마다 차이가 나는 국내법 해석의 기준을 따라 국제조약을 해석하는 것은 어려움이 있다. 조세조약의 해석방법과 국내법의 해석방법이 다른 이유는 여기에 있다. 그럼에도 불구하고 OECD 표준조세조약 제3조 제2항에서는 조세조약을 해석할 때 비엔나 협약의 규정에 의한 조약해석의 일반적인 원칙을 따르면서 체약국의 국내 조세법을 따라 해석할 수 있도록 규정하고 있다.

OECD 표준조세조약 제3조 제2항에서 국내법의 적용을 강제하는 의미를 가진 용어(shall)를 사용하고 있다. 이것의 의미는 조약상 정의되지 않은 용어의 의미는 국내 조세법상의 용어를 항상 사용해석 해석해야 한다는 것이다. 여기서 동일한 용어에 대하여 양 체약국이 자국의 조세법에서 규정한 의미가 다를 경우에 양 체약국이 각가 다르게 해석하게 되고, 그 결과 이중과세 문제가 해소되지 않거나 이중비과세가 발생할 우려가 있을 수 있다.[58]

그러나 우려하는 문제는 발생하지 않을 것으로 보인다. 제3조 제2항에서 규정한 '일방체약국이 조세조약을 적용할 때'에서 말하는 일방체약국은 제23A조 및 제23B조와 관련하여 보면 제3조 제2항이 말하는 '적용'의 주체는 원천지국이 되고 거주지국은 이중과세 방지조치를 할 때 원천지국이 조세조약이 규정에 따라 과세했다는 것을 확인하는 것으로 만족해야 한다.[59] 거주지국이 원천지국의 과세처분에 만족하지 않으면 제3조 제2항 본문에 새로 추가된 내용인 제25조의 상호합의절차를 통하여 용어의 의미를 원천지국과 합의하는 과정을 선택할 수 있다.[60]

56) Michael N. Kandev, 2007, ibid. p.38
57) Klaus Vogel, The Role of Domestic Law in Tax Treaty Interpretation, 7 December 2001, p.20
   http://www.fitindia.org/downloads/Klaus%20Vogel__2001.pdf
58) Klaus Vogel, 1997 op. cit. pp.208~209
59) OECD 표준조세조약, 2017, 제23A조와 제23B조에 대한 주석 para. 32
60) OECD 표준조세조약, 2017, 제3조 제2항에 대한 주석 para. 13.2

(3) 제3조 제2항에 대한 주석의 설명

OECD 표준조세조약 제3조 제2항에 따라 조세조약을 해석하는 기준에 대하여 주석에서 규정하고 있는 내용은 다음과 같다. 먼저, 조세조약이 체결 당시에는 국내 조세법에 없었던 용어를 조세조약이 체결된 후에 추가한 경우에 그 용어의 해석은 어느 시점을 기준으로 할 것인지에 대하여 OECD 재정위원회(CFA)는 '조세조약체결 당시가 아니라 조세조약을 적용할 시점'으로 한다고 해석하고 있다.[61]

또한 조세조약의 문맥상 국내법이 아닌 다른 방법으로 해석해야 할 필요가 없는 것이 분명한 경우에만 체약국의 국내 조세법을 적용하여 해석한다. 문맥상 의미는 조세조약체결 당시에 양 체약국이 의도하고 있었던 의사와 함께 그 후 체약국이 내국세법에서 추가한 용어에 대한 의미에 따라 결정된다. 새로이 추가되는 조항의 표현방법은 해당 체약국 과세당국의 재량사항이지만 조세조약은 국제법이므로 상호주의 원칙(principle of reciprocity)이 적용된다.[62]

다음으로 양 체약국이 체결한 조세조약은 당초 체결 당시의 상황에만 구속받을 것인가 아니면 변동되는 상황을 반영하여 탄력적으로 해석하여 적용할 것인가에 대하여 OECD 재정위원회(CFA)는 조세조약체결 후 시간의 흐름에 변동되는 상황을 반영하여 조세조약을 해석할 수 있는 것으로 보고 있다.[63]

마지막으로 조세조약상 정의되지 않은 용어는 체약국의 국내 조세법이나 다른 법률에서 사용되는 의미로 해석할 수 있다. 그러나 양 체약국이 서로 다른 의미로 규정한 경우에는 상호합의를 통하여 입장 차이를 조정하여 통일적으로 해석할 수 있도록 해야 한다.[64]

② 국내 조세법과 조세조약의 충돌 방지

(1) 충돌의 발생

조세조약체결 당사국은 국제거래에 적용하여 공통의 법률효과를 달성하려는 의사를 문서로 작성한 것이므로 조세조약의 해석결과가 이러한 공통의 법률효과를 가져오는 것이 될 때

---

61) OECD 표준조세조약, 2017, 제3조 제2항 주석 para. 11. 이 조항은 후술하는 캐나다-독일 간의 이자소득 과세 분쟁(Melford Case)과 관련하여 1995년 추가된 내용이다.
62) OECD 표준조세조약, 2017, 제3조 제2항 주석 para. 12. 체약국이 자국의 조세법을 적용하는 것을 이용하여 상대체약국 거주자에게 과도한 조세부담을 주어서는 안된다는 의미가 포함된다. 이렇게 하면 제24조의 무차별(non-discrimination) 기준에도 위배하게 된다.
63) OECD 표준조세조약, 2017, 제3조 제2항 주석 para. 13
64) OECD 표준조세조약, 2017, 제3조 제2항 주석 para. 13.1과 13.2

양 체약국은 그 해석의 결과를 수용할 수 있다. 그러나, 체약국이 조세조약을 체결한 이후에 국내 조세법을 통하여 조세조약을 자율적으로 새롭게 해석하는 경우에 양 체약국이 당초에 체결한 조세조약에 담긴 내용과 충돌하는 문제가 발생할 수 있다.

조세조약에서 규정하지 않은 사항에 대하여 '거의 전적으로' 국내 조세법을 우선하여 적용할 경우에는 조세조약의 체결목적을 달성할 수 없고,[65] 국제법률관계의 안정성도 저해될 수 있다. 따라서 국내세법과 조세조약의 충돌이 발생하지 않도록 하는 것은 중요한 의미를 가진다.

(2) 개별조세조약상의 해석 조항

조세조약과 국내 조세법이 충돌하는 것을 방지하기 위하여 대부분의 조세조약에서는 OECD 표준조세조약 제3조와 유사한 용어의 정의에 관한 조항을 두고 있다. 조세조약에서 사용된 용어를 체약국이 공통적으로 해석할 수 있는 지침을 별도로 설정하는 방법이다. 양 체약국의 특수한 경제협력관계를 고려하여 일반조세조약에서는 적용되지 않는 새로운 용어를 '특별히' 정의하는 규정을 둘 수 있다. 양 체약국이 합의하는 경우에는 통상적인 의미와는 다른 내용을 규정할 수 있다는 뜻이다. 이는 비엔나 협약 제31조 제4항에서 허용하고 있는 내용이다. 다만, 상대방 국가에서 수용하지 않는 경우에는 이를 규정하기 어렵다.

개별조세조약에서 정의하는 용어에 포함되지 않은 경우에는 국내 조세법의 용어를 적용하고 그 법에서 새기는 의미로 해석할 수 있다. 이때 국내 조세법상의 용어를 어느 정도까지 사용할 수 있느냐는 해당 소득에 대하여 우선적인 과세권이 어느 나라에 있느냐 하는 문제와 직접 연결된다. 부동산 소득의 경우에는 원천지국에서 우선과세권이 있으므로, 그 부동산의 소재국의 국내 조세법에서 규정하는 용어를 사용할 수 있다.[66]

용어의 정의규정은 체약당사국 간의 조세제도에서 존재하는 차이를 인식하고 동일한 거래에 공통적인 법률효과를 발생시켜서 이중과세를 방지하면서 과세권을 공평하게 분할할 수 있게 한다. 이러한 용어의 정의 규정에 포함되지 않은 내용의 해석에는 비엔나 협약에 의한 조약의 일반적인 해석기준을 적용하게 된다.

---

65) OECD 표준조세조약, 2017, 서문(introduction) paras. 2-3

66) 국내 조세법상의 용어에는 조세법에서만 사용되는 고유개념과 민법 등 다른 법률에서 차용하여 사용되는 차용개념이 있다. 국내 조세법을 기준으로 해석할 경우에는 이 두 가지의 개념을 모두 포함하는 것으로 볼 수 있다. 국내 조세법이 개정되면 그 개정된 내용을 적용한다. 조세조약의 체결 당시의 상황에 고정되어 있지 않고 변화된 여건을 반영하여 해석하는 효과를 얻게 된다.

(3) 적용조항의 결정(qualification issue)

조세조약의 해석에서 양 체약국이 충돌하는 현상은 실제로 발생하고 있다. 조세조약의 해석에서 차이가 발생하게 되면 양 체약국은 각자의 과세주권에 입각하여 과세하게 되므로 이중과세가 발생하거나 조세회피를 방지할 수 없게 되어[67] 조세조약의 체결목적을 달성할 수 없다.

양 체약국의 해석이 충돌하는 경우에 해결하는 방법은 두 가지의 대안이 있을 수 있다. 하나는 개별국가의 조세주권(tax sovereignty)을 존중하여 각국이 자율적으로 과세하는 방법이고, 다른 하나는 원천지국이나 거주지국에게 우선권을 부여하는 방법이다.

먼저, 양 체약국이 자율적으로 과세하는 방법에서는 양 체약국의 입장이 서로 다르고 해결될 여지가 없는 경우에 적용이 가능하다. 이중과세 문제는 자국의 국내 조세법에서 규정하고 있는 이중과세 방지 제도를 적용하여 해결할 수 있다.[68] 이 방법의 단점으로 들 수 있는 것은 이중비과세 문제는 해결하기 어렵다는 것이다. 조세회피행위를 방지하는데 한계가 있다는 의미이다.

다음은 원천지국이나 거주지국에서 사용하는 개념을 상대방 국가에서 수용하는 방법이다.[69] 이 경우에는 일방국가의 개념이 타방국가의 개념에 종속되는 결과를 초래하므로 조세조약의 취지인 양 체약국이 동등원칙이 저해되는 결과를 초래하므로 거주지국에서 수용하기 어려운 방법이다. 거주지국의 개념을 원천지국에서도 사용하는 방법이지만, 이 경우에도 원천지국의 개념을 사용할 때와 동일한 문제를 발생시키게 된다.

마지막으로 양 체약국이 합의하여 결정하는 방법을 사용할 수 있다. 그러나, 양 체약국의 조세법체계가 너무 크게 차이가 나는 경우에는 현실적으로 합의가 이루어지기 어렵다. 이때는 양 체약국이 조세조약의 개정등을 통하여 해석에 대한 새로운 기준을 마련할 필요가 있다.

그 후 David Ward and Jean Marc Déry가 제안한 방법에 따라 OECD 표준조세조약 제23조의 이중과세 방지장치를 사용하게 되었다.[70] David Ward and Jean Marc Déry가 제안한 내용은 John F. Avery Jones 등에 의하여 더 발전되었다.[71] 이 방법은 2005년도에 OECD

---

67) 과세권이 충돌하면 양 체약국 간에 협력관계가 차단되므로 과세정보의 교환 등이 이루어지지 않기 때문이다.
68) 이중과세 방지제도는 조세조약을 체결하지 않은 국가에서 소득을 획득하는 거주자에게도 적용하고 있다. 자국 거주자의 해외시장 경쟁력을 제고하기 위하여 각국이 시행하고 있는 방법이다.
69) 이 방법은 1984년 구성된 OECD 전문가 그룹(a group of experts, 의장은 John Avery Jones)이 제시한 방안이지만, 여러 국가들의 반대에 부딪혀 시행되지 못하였다.
70) David Ward and Jean Marc Déry, Interpretation of double taxation conventions – National Report Canada, Cahiers de droit fiscal international, Volume LXXVIIIa, 1983, pp.281 이하
71) Avery Jones et al, Credit an Exemption under Tax Treaties in Cases of Differing Income Characterization,

표준조세조약을 개정하여 반영하였다. 그 내용은 원천지국은 OECD 표준조세조약 제3조 제2항을 적용하여 자국세법에 의해 소득을 분류하여 과세하고, 거주지국은 상대체약국인 원천지국이 과세한 내용이 조세조약상의 기분에 부합하는지만을 확인하여 제대로 과세한 경우에는 이중과세 방지제도를 적용하는 방법이다.[72]

제5절 조세조약체결 후의 변동상황의 반영

 ① 시제법에 의한 해석기준(inter-temporal rule)

조세조약이 개정되기 전까지는 그 내용이 고정되어 있으나, 조세조약이 적용되는 환경은 계속 변화하고 있다. 조세조약을 적용하는 과정에서 과거의 조세조약을 체결할 당시의 상황을 그대로 고려하여야 하는지 아니면 변화된 새로운 상황을 감안할 수 있는지가 문제된다.

이 문제는 1928년 국제중재재판소 Max Huber 판사가 Island of Palmas 사건에 대한 판결에서 언급한 국제법 적용원칙에서 유래한다. Huber 판사가 적용한 원칙은 두 가지이다.

첫째, 국제영토분쟁과 관련한 법적인 사실은 조약의 체결 당시의 상황에 의하여 평가하고 분쟁이 발생한 시점에서 평가하지 않는다. 권리의 존속에 관한 내용은 권리가 발생한 당시의 상황을 기준으로 판단하는 것이며, 현재의 변화된 상황을 소급하여 적용하지 않는다는 법불소급(non-retroactivity of law)의 기준을 적용하였다.[73]

둘째, 새로운 권리의 창설에 관한 내용은 권리가 발생할 당시의 법률을 적용한다.[74] 새로

European Taxation 1996, pp.141 이하

72) 이중과세 문제를 해결하려면 거주지국이나 원천지국에 대한 과세우선권을 인정해야 한다. 역사적으로는 원천지국에 과세우선권을 인정하는 것(first bite to the host country)으로부터 시작하였다. 이는 1923년 국제연맹에 제출된 이중과세보고서(Report on Double Taxation)에서 이미 언급되고 있다. "Report on Double Taxation", League of Nations Doc. 341.014(00) IIA (1923). "A survey of the whole field of recent taxation shows how completely the Governmentsare dominated by the desire to tax the foreigner. It seems to be clearly instinctive in laying down general principles to treat "origin" as of first importance, and residence as of "secondary" importance; Le., if the origin and source of income are within a country's borders, it is assumed that that country has the prime right of taxation on that income, although it goes to some person abroad. There are a few modifications, but this is the main instinctive principle. From this flows the consequence that, when double taxation is involved, Governments would be pre ared to give up residence rather than origin as establishing the prime right.

73) 정태적 해석방법이라고 한다. fixed reference, static approach 또는 contemporaneous rule이라고 부른다.

74) 동태적 해석방법이라고 한다. mobile reference, dynamic approach, evolutionary rule이라고 부른다.

운 권리는 과거에는 존재한 것이 아니므로, 그 권리가 발생된 시점에서 적용되는 법률을 적용하는 것이 가능하다는 것이다.

Huber 판사의 판결은 시제법 이론으로 발전하였다. 모든 행위와 사건은 그것이 발생하고 존속되었던 시간 동안에 유효하게 적용되는 규범에 따라야 한다는 이론이다.[75] 국제법에 시제법이론을 적용하면 국제법에는 시간적인 적용범위가 있다는 것이다. OECD 표준조세조약 제31조에서 종료(termination)에 대한 조항을 두는 것은 시제법이론에 근거하고 있다.

UN 국제법위원회[76]에서 조약법의 해석기준이 되는 비엔나 협약 제31조 내지 제33조를 처음에 기초하면서 '조약의 문맥 속에서 조약의 대상과 목적에 비추어, 조약체결 당시에 유효했던 일반 국제법의 규칙에 비추어 통상적인 의미로 성실하게 해석'하는 기준을 설정하였다. 조약체결 당시의 상황을 고정적으로 적용하는 방법을 제시하였다.

그러나, 이러한 시제법의 적용은 비판에 부딪쳤다. 조약의 해석은 궁극적으로 체약당사국의 문제로 귀착되므로 시간적인 요소를 엄격하게 적용하기 어렵고 신의성실의 원칙(in good faith)에 따라 해석하면 된다는 것이다. 또한 법의 발전이 조약상의 법률용어를 해석하는데 주는 영향을 무시할 수 없으며, 상황변동과 법 간의 괴리문제가 발생하게 된다는 점을 들어서 조약이 살아있는 문서(a living instrument)가 될 수 있도록 조약이 체결된 후의 변화된 상황을 감안하여 발전적으로 해석해야 한다는 주장이 제기되었다. 이를 감안하여 비엔나 협약 최종안에서 시간적인 요소에 대한 언급이 삭제되었다. 그러나 국제사법재판소(ICJ)의 판결에서는 조약체결 당시의 의미로 해석하여 법적용의 안정성을 유지하려는 시제법원리를 적용하고 있다.

② 조세조약의 특성과 시제법의 적용

국제사법재판소에서 다루는 사건의 판결 결과에 따라 체약당사국 중 어느 일방국가에게 승패가 결정된다. 그러나, 조세조약은 체약당사국 간의 호혜성(reciprocal benefit)이 강조되는 특성을 가지고 있다. 조세조약을 통하여 체약국 간의 원활한 경제교류를 통하여 후생을

---

75) Hans Kelsen, Principles of International Law, Rinehart, New York, NY 1952; Pure Theory of Law, University of California Press, Berkeley, CA, 1967; Bruno Simma, 'Reflections on Article 60 of the Vienna Convention on the Law of Treaties and its Background in General International Law', 1970, p.20

76) 국제법위원회(international law commission)는 UN 헌장 제13조 제1항에 따라 1948년에 설립된 조직으로서 여러 가지 국제법을 제정하였다. 1961년 비엔나외교관계협약, 1969년 조약법에 관한 비엔나 협약, 1978년 조약의 국가승계에 관한 비엔나 협약, 1994년 국제형사재판소규정초안, 2001년 국가책임협약초안, 2006년 외교적보호협약초안 등을 작성하였다.

극대화하는데 목적을 두고 있기 때문이다. 따라서 체약국은 상대체약국의 거주자의 자국 내 원천소득(곧, 비거주자의 원천소득)에 대하여 국내 거주자에게 과세할 때보다 더 낮은 조세부담을 적용하는 방법을 사용하는 것이 특징이다.

따라서 조세조약의 해석과 관련하여 정태적인 시제법이론은 적용되기 어렵고, 동태적인 접근방법을 따른다는 것이 일반론이다. OECD 표준조세조약에서는 1995년 이후 동태적인 접근방법을 명확히 규정하고 있다.[77]

이렇게 명시한 이유는 1982년의 Melford Development Inc. 사건[78]에 대한 캐나다 대법원의 판결로부터 영향을 받았기 때문이다. 동사건은 1956년 체결된 캐나다-독일 조세조약 적용과 관련된 사건이다. 독일은행(비거주자)이 캐나다 거주자에게 대출하고, 캐나다 거주자는 그에 대한 수수료를 지급하는 거래를 한 것에 대하여 캐나다 국세청이 지급 수수료를 이자로 보고 과세하였다.

캐나다-독일 조세조약이 체결된 1956년에는 캐나다 소득세법에는 이자소득에 대한 규정이 없었고, 그 후 1974년 소득세법의 개정으로 이자소득에 대한 규정이 신설되었다. 납세자의 지급수수료에 대하여 1956년 조세조약체결 당시의 기준으로 비과세할 것인가 아니면 1974년을 기준으로 과세할 것인가의 문제가 발생하였다. 납세자는 조세조약체결 당시의 상황을 기준으로 이자소득으로 과세할 수 없다고 주장하였다. 캐나다 대법원은 1982년 납세자의 주장대로 조세조약체결 당시의 내용으로 조세조약을 해석해야 한다고 판결하였다.[79] 이에 대하여 캐나다 정부는 1984년 '조세조약 해석법(income tax conventions interpretation Act)'을 제정하여 대법원 판결의 적용을 입법적으로 배제(override)하였다.

이 사건 이후 조세조약은 동태적 해석(ambulatory interpretation)을 원칙으로 받아들이기 시작하였다. OECD는 후속조치로서 1995년 OECD 표준조세조약 제3조 제2항을 개정하면서 'at any time, at that time'이라는 용어를 추가하여 동태적 해석방법을 명문화하였다.[80]

 조항의 변경과 주석의 변경에 따른 효과

OECD 표준조세조약의 조항이 개정(신설포함)되고 그에 따른 주석의 개정이 있는 경우에, 이러한 개정이 있기 전에 체결된 조세조약에 미치는 효력은 어떻게 되는가의 문제가 있다.

---

77) OECD 표준조세조약 , 2017, 제3조 제2항 및 동조 주석 13 참조

78) Supreme Court of Canada R. v. Melford Developments Inc., [1982] 2 S.C.R. 504(1982-09-28)

79) 위 주석의 Melford 사건에 대한 캐나다 대법원의 판결

80) OECD 표준조세조약, 2017, 제3조 제2항 및 동조 주석 11-13.1 참조

이 문제에 대하여 OECD 재정위원회(CFA)의 입장은 OECD 표준조세조약 서문(introduction) 제35항에서 다음과 같이 규정하고 있다.

표준조세조약의 조항과 관련 주석이 개정된 경우에는 이러한 개정 전의 표준조세조약에 근거하여 체결한 개별조세조약의 해석과 적용에는 영향을 주지 않는다(예를 들어, 제5조에 대한 주석 paragrah 4). 그러나, 표준조세조약 본문의 개정이 아니라 단순히 주석을 변경하거나 추가한 경우에는 이러한 주석의 변경이나 개정이 있기 전에 체결한 조세조약의 해석과 적용에도 영향을 준다. 그 이유는 OECD 회원국들이 기존의 조항을 적정하게 해석하고, 그 해석을 특정한 상황에 적용하는 것에 대하여 회원국들이 합의한 것을 의미하기 때문이다.[81]

이와 같은 OECD 재정위원회(CFA)의 입장에 대하여 주석의 개정은 이미 체결된 조세조약과 관련하여 이루어진 것이 아니기 때문에 비엔나 협약 제31조 및 제32조에 부합하지 않는다는 견해가 있다. 조세조약의 체결 이후에 개정된 주석은 기존 조세조약 체결국가의 의사에 영향을 주지 못한다는 주장과[82] 또한 개정된 주석의 내용은 비엔나 협약 제31조 제2항에서 규정한 '문맥'의 일부에 해당하지 않는다는 주장이다.[83] 그러나 제31조 제3항에 의하여 '조약체결 후 조항의 적용이나 조약의 해석에 관하여 당사자 간에 이루어진 모든 합의와 조세조약의 적용과 관련한 조약의 해석에 관하여 이루어진 합의'의 기능은 할 수 있다는 입장은 같다.

이와 달리 부합한다는 의견이 있다. OECD 재정위원회(CFA)는 OECD 표준조세조약의 주석이 후속조치로 개정된 경우에는 '회원국이 조약의 적용과정에서 주석을 일상적으로 (routinely) 참조하고 있으며, 과세당국은 조세조약을 집행하는 과정에서 주석에 포함된 지침을 중요하게 감안하고 있다'는 입장이다.[84] 이 경우에는 개정된 주석의 내용을 과거에 소급적용하는 것은 비엔나 협약의 조약해석기준에 어긋나는 것은 아니다.

비엔나 협약 제31조 제3항 b)목은 조약해석을 동태적으로 할 수 있는 요소를 포함하고 있다.[85] 개별 조세조약을 체결할 때 근거로 삼은 OECD 표준조세조약이 사후적으로 개정된

---

81) OECD 표준조세조약, 2017, 서문, para. 35

82) Avery Jones, The Effect of Changes in the OECD Commentaries after a Treaty is Concluded, IBFD Bulletin 2002, p.103

83) Klaus Vogel, The Influence of the OECD Commentaries on Treaty Interpretation, IBFD Bulletin 2000, p.614 ; H. Ault, The Role of the OECD Commentaries in the Interpretation of Tax Treaties, Intertax 1994, pp.146~147

84) OECD 표준조세조약, 2017, 서문, para. 29.1 및 29.2

85) UN 국제법위원회가 당초 비엔나 협약을 입안하는 과정에서 고려했던 정태적 해석기준을 제외하고 동태적인

경우에 그 개정된 내용에 대한 주석은 체약당사국의 의사에 불구하여 새로이 개정되거나 추가된 조항에 따른 해석내용을 담은 주석이 현실적으로 영향을 주게 된다. 변화된 환경을 반영하는 최적의 내용을 기준으로 작성된 주석의 내용은 조세조약을 적용할 당시를 기준으로 실제적인 영향을 주고 있다.

따라서 개별조세조약이 체결된 후 발생한 주석의 개정등과 같은 후속적인 조치는 조약해석 기준에서 중요한 내용이 된다.[86] 그러한 후속적인 조치와 관련된 여러 가지 사실관계와 거래행위 등은 양 체약국에 직접적으로 영향을 주고 있으므로,[87] 체약국은 그러한 상황변화를 이해하고 조세조약을 적용하게 된다.[88] OECD 표준조세조약을 기초로 하여 체결된 개별 조세조약의 각 조항이 가지는 의미에 대한 공감대는 당해 개별조세조약을 체결한 이후에 양 체약국이 보여주는 여러 가지 구체적인 행동을 통하여 나타난다. 이러한 행동은 비엔나 협약 제31조 제3항 b)목에서 의미하는 '합의(agreement)'의 속성에 포함되는 것으로 볼 수 있다.

이 문제는 Lamesa 사건에서 '동태적 해석'의 관점에서 소급적용을 허용하는 해석한바 있다.[89] 이 사건은 조약의 해석과정에서 OECD의 표준조세조약과 주석의 개정연도와 개별 양자 간 조세조약의 체결연도가 다른 경우에 이를 적용하는 문제를 다룬 사건이다. 담당판사는 1977년 주석을 사용하여 1976년에 호주와 네덜란드 간에 체결된 조세조약을 해석하는 것이 가능한지에 대하여 판단하였다.

판결내용은 다음과 같다.

OECD 표준조세조약과 주석은 원칙적으로 그 표준조세조약과 주석이 제정된 이후에 체결된 양자 간 조세조약에만 적용된다. 그러나 1977년의 OECD 표준조세조약과 그에 대한 주석은 네덜란드와의 조세조약을 체결하기 전인 1974년에 성안되어 발간되었으므로 1977년의 주석은 네덜란드 조세조약의 해석에 참고할 수 있다. 나아가서 1977년 OECD 표준조세조약의 관련규정은 1963년의 해당규정과 동일하거나 거의 동일한 것으로 볼 수 있다.

해석기준을 추가하였기 때문이다.

86) Frank Engelen, Interpretation of Tax Treaties under International Law, 2004 pp.218~219

87) Ian Sinclaire, The Vienna Convention on the Law of Treaties, American Society of International Law, Volume 78, April 12~14, 1984, p.137

88) 실제로 각국은 OECD 표준조세조약의 본문개정이나 주석의 개정, 그와 관련한 이전가격지침 등의 개정내용에 민감하며 그 변경내용을 반영하여 국내 조세법을 개정하기도 한다.

89) Lamesa Holdings BV v Commissioner of Taxation (1997) 35 ATR 239 at 247. 그러나 법률 이론적인 측면에서는 소급적용의 문제가 남아 있다.

조세조약은 국가 간의 합의로 체결된 국제공법의 성격을 가지므로, 그 해석에는 국제조약에 대한 해석의 일반기준을 규정하고 있는 비엔나 협약 제31조 내지 제33조가 적용된다. 조세조약의 해석은 조세조약을 체결한 당사국의 의사에 부합하도록 조세조약의 의미와 범위를 확정하여 국제거래에 구체적으로 적용하는데 목적이 있다.

OECD 표준조세조약과 주석은 조세조약의 해석에 있어서 상당한 비중을 가진다. 조세조약이 원칙적으로 OECD 표준조세조약을 근거로 하고 있고 특정조항이 OECD 표준조세조약의 규정에서 사용한 용어를 그대로 사용하고 있다면 체약국은 그 조항이 OECD 표준조세조약에서 주석을 통하여 해석된 의미를 가지는 것으로 추정하는 것은 당연하다.

개별조세조약이 체결된 이후에 그 기준이 된 OECD 표준조세조약의 본문과 그에 따른 주석이 개정된 경우에는 상황이 달라진다. 뒤에 개정된 주석은 조세조약체결 당시의 당사국의 의사를 반영하고 있는 것으로 보기 어려운 측면이 있기 때문이다. 이 경우에 변화되는 환경을 조세조약에 반영하지 못할 수 있게 결과적으로 살아있는 조약으로서 기능을 하는데 한계가 있게 된다.

OECD 재정위원회(CFA)에 의한 OECD 표준조세조약의 개정작업은 2년을 주기로 계속 이루어지고 있다. 문제는 이러한 개정내용이 OECD 표준조세조약이나 주석이 개정된 이후에 체결된 조세조약의 해석에만 영향을 준다면 주석이 해석의 기준으로서 가지는 권위가 손상될 수 있다.[90] 계속 이어지는 개정내용을 조세조약에 반영하여 적용할 수 없다면 조세조약의 규정이 어느 시기의 주석에 근거하고 있는지가 불분명해지기 때문이다.

따라서 정태적 해석방법이 아닌 동태적인 해석방법을 적용할 필요성이 높아지고 있다. 또한 조세조약에서 사용된 용어에 대한 해석은 국내 조세법이 아닌 조세조약상의 문맥 속에서 가지는 통상적인 의미(ordinary meaning)로 해석해야 하며, 국내 조세법의 해석기준을 그대로 따르는 것은 적절하지 못하다.[91] 조세조약의 최종적인 집행은 체약국별로 자국의 조세법을 통하여 이루어지므로 조세조약의 내용이 자국의 조세주권을 직접적으로 규제

---

90) Hugh J. Ault, The Role of the OECD Commentaries in the Interpretation of Tax Treaties, Intertax 1994, p.148; Klaus Vogel, The Influence of the OECD Commentaries on Treaty Interpretation, IBFD Bulletin 2000, pp.615~616

91) 조세조약을 체결하는 목적은 체약국의 조세제도가 상이하고 주요한 조세용어에 대한 의미를 다르게 이해하는 것을 조정하여 이중과세나 조세회피행위를 방지하려는 것이기 때문이다.

하는 데는 한계가 있다고 하더라도 조세조약의 해석은 조약의 일반적인 해석기준을 따라야 하기 때문이다.

이러한 조세조약 해석의 특성을 감안하여 OECD 표준조세조약은 제3조 제2항에서 별도의 해석지침을 제시하면서 주석은 각 조항이 가지고 있는 의미를 해석하고 있다.

제6장

주석과 조세조약의 해석

제1절 주요쟁점

OECD 표준조세조약은 각 조문별로 그 조문에서 사용된 용어나 표현을 이해하는 데 도움을 주기 위하여 해석(interpret)하거나 관련된 사례를 제시(illustrate)하고 있는 주석을 별도로 제시하고 있다.[1] 주석은 조세행정관청 관계자, 법원, 납세자 들이 OECD 표준조세조약에 대한 주석을 참조하여 국제거래관련 조세문제를 분석하고 대응하는 수단으로 널리 이용하고 있다.[2] 주석의 이용자들은 주석의 설명내용을 근거로 하여 조세문제에 대한 자신의 주장이나 대응방안이 정당함을 주장하는 수단으로도 사용한다. 이 경우 주석에 일종의 법률적 구속력(legal binding)이 있는 것을 전제로 하는 것처럼 보인다.[3] 원칙적으로 주석은 OECD가 권고형태[4]로 회원국들에게 사용할 것을 요청하는 것이므로 법률적 구속력은 없다.

Recommendation of the OECD Council Conerning the Model Tax Convention on Income and on Capital

(Adopted by he Council on 23 October 1997)

THE COUNCIL,

[내용 생략]

I. RECOMMENDS the Governments of Member Countries:

　1. (생략);

　2. when concluding new bilateral conventions or revising existing bilateral conventions,

---

1) OECD 표준조세조약, 2017, 서문(introduction) para. 28
2) OECD 표준조세조약, 2017, 서문(introduction) paras. 29.1－29.3
3) OECD 이사회(council)는 회원국들이 OECD 표준조세조약과 주석을 참조하여 이중과세 방지조약을 체결하도록 권고(recommendation)하고 있다. 권고는 그 내용을 반드시 수용해야 할 의무(obligation)가 있는 것이 아니므로 법적 구속력을 가지는 것은 아니다.
4) OECD 표준조세조약, 2017, ANNEX

> to conform to the Model Tax Convention, as interpreted by the Commentaries thereon;
>
> 3. that their tax administrations follow the Commentaries on the Articles of the Model Tax Conventions, as modified from time to time, when applying and interpreting the provisions of their bilateral tax conventions that are based on these Articles.

국제법 전문가들의 관심은 OECD 주석이 개정된 경우에 그 개정 전에 체결된 조세조약에 대하여 개정주석이 미치는 효과에 모아져 있다.[5] 조세조약의 체결시기와는 무관하게 새로운 주석의 내용을 소급하여 적용할 것인지 아니면 주석의 변경 이후 체결된 조세조약의 해석에 만 적용할 것인지의 문제이다. 학술적으로는 전자는 '동태적 방법(ambulatory approach)', 후자는 '정태적 방법(static approach)'으로 구분하고 있다. 동태적 방법을 취할 경우 조세조약체결 후 개정된 주석을 수용하여 해석할 수 있지만, 정태적 방법을 취하면 조세조약체결 당시의 주석을 가지고 해석하게 된다.

국제법 전문가들은 국제법 적용의 이론에 근거하여 OECD 주석을 동태적 방법으로 해석하는 것을 꺼리는 경향이 있다.[6] 국제법 이론상 조세조약 당시에는 없었던 주석을 통하여 조세조약체결 당사국의 의사를 확인하려고 하는 것은 합리적인 방법으로 볼 수 없다는 것이다. 조세조약은 국가 간에 체결되므로 국제법의 규율을 받기 때문이다. 국가 간의 합의인 조세조약의 해석에서도 '조약법 해석에 관한 비엔나 협약(1969 Vienna Convention on the Law of Treaties, VCLT)' 제31조 내지 제33조에서 규정한 조약의 해석기준을 따라야 한다.

---

5) Klaus Vogel, The Influence of the OECD Commentaries on Tax Treaty Interpretation, Bulletin 2000, pp.612~616; J. Avery Jones, The Effect of Changes in the OECD Commentaries after a Treaty is Concluded, Bulletin 2002, pp.102~104; M. Lang and F. Brugger, The Role of the OECD Commentary in Tax Treaty Interpretation, Australian Tax Forum Vol. 23. 2008. pp.95~108; S. Douma and F. Engelen (eds.), The Legal Status of the OECD Commentaries, IBFD 2008; H., Ault, The Role of the OECD Commentaries in the Interpretation of Tax Treaties, Intertax 1994, pp.144~148; P. Wattel and O. Marres, The Legal Status of the OECD Commentary and Static or Ambulatory Interpretation of Tax Treaties, European Taxation 2003, pp.222~235; F. Engelen, Some Observations on the Legal Status of the Commentaries on the OECD Model, Bulletin 2006, pp.105~109; D. Ward, The Role of Commentaries on the OECD Model in the Tax Treaty Interpretation Process, Bulletin 2006, pp.97~102; R. Vann, Interpretation of Tax Treaties in New Holland, in H. van Arendonk, F. Engelen, and S. Jansen (eds.), A Tax Globalist: Essays in honour of Maarten J. Ellis, IBFD 2005, pp.152~155; B. Arnold, Tax Treaties and Tax Avoidance: The 2003 Revisions to the Commentary to the OECD Model, Bulletin 2004, pp.244~260

6) D. Ward, The Role of Commentaries on the OECD Model in the Tax Treaty Interpretation Process, Bulletin 2006, pp.101~102; J. Avery Jones, The Effect of Changes in the OECD Commentaries after a Treaty is Concluded, Bulletin 2002, p.102; M. Lang and F. Brugger, The Role of the OECD Commentary in Tax Treaty Interpretation, 2008 23 Australian Tax Forum, p.107

비엔나 협약에서 말하는 조약해석의 출발점은 조약을 체결할 당시에 체약당사국이 표시한 '공통 의사(common intention)'를 확인하는 것이다. 비엔나 협약에서 동태적 해석방법과 정태적 해석방법에 대하여 명시적으로 규정하고 있지 않다. OECD 표준조세조약에서도 마찬가지로 명시적인 규정을 두고 있지는 않다.

정태적 입장을 취하는 국제법전문가들은 동태적인 접근방법이 필요한 경우는 언제이고 어떤 상황에서 동태적으로 해석하는 것이 바람직한지에 대한 논의에는 관심을 덜 보이는 것은 자연스러운 면도 있다. 조세조약체결 후 개정된 주석은 극히 예외적인 경우에만 사용되어야 한다는 견해가 대표적이다.[7] 조세조약체결 당시에 양 당사국이 개정될 주석의 내용에 대하여 인지하였을 경우에 한하여 새로운 주석을 사용하여 해석할 수 있다는 것이다. 조세조약체결 후 개정된 주석은 조세조약체결 당사국이 조세조약 체결 당시에 표시한 공통의사에 반영되어 있지 않기 때문에 이를 참조하여 해석하는 것은 논리적으로 불합리하다는 것이다.

'단계적 접근법(step-by-step approach)'을 주장하는 견해도 있다.[8] 주석이 개정된 후 경과된 시간의 양을 고려할 수 있다는 입장이다. 조세조약체결 후 개정된 주석이 오랜기간 동안 적용되어 왔다면 비엔나 협약 제31조 제1항에서 말하는 '통상적 의미(ordinary meaning)'가 조세조약의 적용과정에서 상당히 통용되었을 것이므로 주석이 개정되기 전에 체결된 조세조약의 해석 수단으로 사용하더라도 문제가 없을 것으로 보는 것이다.

다른 견해는 조세조약체결 당시의 주석이 조세조약체결 후에 개정된 경우에는 의미가 변경된 것이라는 입장이다.[9] 따라서 해석의 출발점은 항상 정태적인 방법이 되어야 한다는 입장이다. 주석의 지위는 비엔나 협약 제32조의 규정에 따라 해석의 보조수단일 뿐이기 때문이다.[10]

한편 동태적 접근법을 주장하는 입장에서는 주석은 법률적 구속력을 가지고 있지는 않지만, 조세조약의 해당 조문에 대한 보다 정확한 이해력을 높이는 수단으로서 개정된 주석을 통한 새로운 해석과 의미의 명확화는 조세조약의 체결 목적에 비추어 중요하다는 점을 강조한다.[11] 조세조약의 해석수단을 선택하는 것은 현실적으로 당사국이 임의로 결정할 수 있는 사항이다. 조세조약은 체약당사국이 여러 차례의 협상과정을 거치고 비준절차를 통하여 발효될 때까지 상당한 시간이 걸리는 것이 통상적이다. 그 사이에 체약당사국은 OECD 재정위

---

7) M. Lang and F. Brugger, 2008, op. cit. p.107

8) K. Vogel, The Influence of the OECD Commentaries on Tax Treaty Interpretation, Bulletin 2000, p.616

9) P. Wattel & O. Marres, 2003, op. cit. p.224

10) Ibid. pp.228~229

11) R. Vann, 2005, op. cit. pp.152~155; B. Arnold, Tax Treaties and Tax Avoidance: The 2003 Revisions to the Commentary to the OECD Model, Bulletin 2004, p.260

원회가 새로운 환경변화를 감안하여 주석을 개정할 준비를 하고 있는 사실을 대부분 주석이 개정되기 전에 인지할 수 있다. 따라서 조세조약이 체결된 후 주석이 개정된 경우에도 그 내용을 당사국들이 미리 인지하고 조세조약에 그 내용을 수용할 수도 있고 설사 조문으로 수용하지 않았더라도 새로운 주석을 기준으로 조세조약을 해석하는 것이 당사국의 의사에 반하는 것이 아니라는 점에 공감대를 형성할 수도 있는 현실적인 측면도 있다.

주석을 조세조약의 해석수단을 사용하는 것과 관련된 주요쟁점사항은 다음 세 가지로 요약할 수 있다.

첫째, 조세조약 체결 당사국의 공통의사(common intent)와 비엔나 협약 제31조 내지 제 33조의 규정 간의 상호작용 관계

둘째, 주석이 조세조약의 해석수단이 되는 국제법상 정당성의 근거

셋째, 주석의 사용방법: 정태적 방법과 동태적 방법

제2절 체약당사국의 공통의사

 비엔나 협약 제31~33조

비엔나 협약은 국제법으로서 대부분의 국가들이 국제법을 해석하는 기준으로 제31조 내지 제33조를 인용하고 있다. 비엔나 협약의 이 조항들은 국제관습법을 성문화하여 조약의 해석에 관한 국제법의 일반원칙을 규정하고 있다.[12] 비엔나 협약 제4조에서는 '소급적용 금지'의 원칙을 규정하고 있다.[13] 조세조약을 해석할 때 성문법인 비엔나 협약이 발효되기 이전에 체결된 조약의 해석에 비엔나 협약을 소급하여 적용하는 것은 금지한다는 원칙이다. 그러나 제31조 내지 제33조의 규정은 관습법을 반영하고 있어서 제4조의 규정과 다른 표현

---

12) Island of Palmas Arbitration, Award of 4 April 1928, UNRIAA, Vol. 2, p.829; Dispute Regarding Navigational and Related Rights (Costa Rica v. Nicaragua), Judgment of 13 July 2009, ICJ Reports 2009, p.213(para. 47)

13) 비엔나 협약 제4조(Non-retroactivity of the present Convention) "Without prejudice to the application of any rules set forth in the present Convention to which treaties would be subject under international law independently of the Convention, the Convention applies only to treaties which are concluded by States after the entry into force of the present Convention with regard to such States."(협약의 소급적용 금지) 이 협약과는 별도로 국제법에 따라 조약이 준수해야 하는 이 협약의 규칙을 위반하지 않도록, 본 협약은 이 협약이 발효된 후에 체결되는 조약에만 적용된다.

을 사용하여 조약당사국의 의사를 존중하여 해석하는 것을 기본 전제로 삼고 있다.

조세조약의 해석은 당사국이 조세조약을 체결한 시점에 가졌던 의사를 확인하는 것에서 해석의 출발점을 삼고 있다. 그 의사를 확인하는 방법에 대하여 비엔나 협약 제31조 내지 제33조에서 규정하고 있다. 특히 제31조와 제32조는 접근방법에서 차이가 있다.[14] 제31조는 조약 조문에 사용된 용어를 문리적, 객관적인 방법으로 해석하고, 제32조는 조약체결 당시까지 거슬러 올라가서 여러 가지 관련 자료와 그 당시의 상황에 비추어 그 용어를 사용한 체약당사국의 주관적인 의사를 확인하여 해석하는 방법을 각각 규정하고 있다. 여기서 비엔나 협약 제32조에 말하는 체약당사국의 주관적인 의사 또는 진정한 의사(true intention)를 어떻게 확인할 것인가 하는 점, 둘째, 비엔나 협약 제31조와 제32조 중 어느 조항을 근거로 해석할 것인가의 문제가 있다. 진정한 의사를 확인할 수 있다면 그 의사대로 해석하면 된다. 그러나 문리적 해석보다 우선해야 하는지의 문제는 남는다.

② 체약당사국의 공통의사

비엔나 협약 제32조는 조약해석의 목적은 체약당사국의 의사(intention) 또는 체약당사국의 공통의사(common intention)[15]를 확인하는 것으로 규정하고 있다. 그러나 '당사국의 의사'는 확인하기 어려운 모호성을 가진다. 하나의 개념에 대하여 체약당사국이 동일한 의미로 합의를 한 것이 명백해야 한다. 조세조약을 체결할 때 가령 '조세회피'의 개념에 대하여 일방 체약국과 타방체약국이 동일한 개념으로 이해한 것인지의 여부를 확인하는 것은 쉽지 않다. 체약당사국의 공통의사는 조세조약에 사용된 특정용어의 개념이나 조약체결의 목적에 대한 공통적인 이해(understanding)일 수 있다. 조세조약체결 후 상황이 변동될 경우에 개정할 수 있다는 것에 대한 공통적인 이해일 수도 있다.

비엔나 협약 제31조에서 제33조까지의 내용과 국제사법재판소 등에서 적용한 관행을 보면 조약의 해석수단은 용어의 의미를 명확하게 할 수 있어야 하는 것으로 보인다. 조약에서

---

14) H. Ault, The Role of the OECD Commentaries in the Interpretation of Tax Treaties, Intertax 1994, p.146: D. Ward, The Role of Commentaries on the OECD Model in the Tax Treaty Interpretation Process, Bulletin 2006, p.99: K.Vogel and R.G. Prokisch, General Report on Subject I: Interpretation of Double Taxation Conventions, Cahiers de droit fiscal international, Vol. 78a 1993, p.73

15) C. McLachlan, The Principle of Systemic Integration and Article 31(3)(c) Quarterly, Vol. 54, 2005, p.279: Oppenheim's International Law, 9th ed., Vol. 1, eds. R. Jennings and A. Watts, 1992, p.1267: G. Ress, The Interpretation of the Charter, The Charter of the United Nations: A Commentary, (ed.) B. Simma 1994, p.25: I. Sinclair, The Vienna Convention on the Law of Treaties, 2nd ed. 1984, p.115

사용된 용어나 표현에 대한 의미가 문맥 속에서 일관성을 유지하고 그 조약안에서 상호모순 되지 않는 의미로 해석해야 한다는 것이다.[16) 조약의 해석을 통하여 조약을 체결한 목적을 실현할 수 있기 때문이다.

조세조약의 경우 OECD 표준조세조약의 주석 중 일부내용이 체약당사국의 의사를 반영하 거나 반영하지 못한 경우가 있다. 유보(reservation)나 관찰의견(observation)을 표현할 수 있기 때문이다.[17) 그러나 체약당사국의 실제의도와 관계없이 비엔나 협약 제31~33조에서 규정하고 있는 해석기준을 적용하여 해석하는 것은 가능하다. 일방체약국과 상대체약국 간 의 상호의사소통을 통하여 비엔나 협약 제31조 내지 제33조에서 규정한 조약해석의 기본원 칙에 따라 양 체약국의 진정한 의사를 확인하는 절차를 적용할 수 있다.

조세조약의 경우에는 당국자(competent authority) 간의 상호합의절차(mutual agreement procedure)를 통하여 합의한 의미로 해석할 수 있다.[18) 2017년에 개정된 OECD 표준조세조 약 제3조 제2항에서 체약당사국의 조세조약에서 정의되지 않은 용어에 대한 해석에 대하여 도 이를 다시 한번 더 명시하고 있다.[19) 체약당사국의 공통의사에 따라 조약을 해석한다는 기본원칙을 재확인하고 있다.

③ 비엔나 협약 제31조와 제32조의 적용

앞에서 언급한대로 조약의 해석은 체약당사국의 진의를 확인하는 과정이라고 할 수 있다. 제32조를 적용할 경우에는 체약당사국의 의사를 확인과정이 해석이 되지만, 제31조에 따르 면 조약에서 사용된 용어의 의미를 문맥 속에서 통상적인 의미로 파악하는 것이 해석의 과 정이 된다.[20) 제31조에서 말하는 '조약에서 사용한 표현의 통상적인 의미'에 대한 이해가 필

---

16) 이런 기준은 국제사법재판소가 적용하고 있는 기준이다. Case of Soering v. The United Kingdom, Judgment of 7 July 1989, available through the HUDOC database: http://hudoc.echr.coe. int, p.33(para. 101) and p.34(para. 103); Case Concerning Application of the International Convention on the Elimination of All Forms of Racial Discrimination (Georgia v. Russian Federation), Preliminary Objections, Judgment of April 1, 2011
http://icj-cij.org.paras. 133-134

17) 주석의 해석내용에 동의하지 않을 경우 '유보의견'이나 '관찰의견'을 표시하고 있다. OECD 표준조세조약, 2017, 서문 paras. 3, 30-32

18) OECD 표준조세조약, 2017, 제25조(mutual agreement procedure)

19) OECD 표준조세조약, 2017, 제3조 제2항 개정규정에 'the competent authorities agree to a different meaning pursuant to the provisions of Article 25'의 표현을 추가하고 있다.

20) H. Ault, The Role of the OECD Commentaries in the Interpretation of Tax Treaties, Intertax 1994, p.146; D. Ward, The Role of Commentaries on the OECD Model in the Tax Treaty Interpretation Process, Bulletin

요하다. 조약에서 사용된 용어는 양 체약국이 의사소통과정에서 합의된 의사를 문자로 표현한 것이다. 제31조에서 말하는 통상적인 의미는 객관적으로 명확하게 정의된 사전적인 의미라기보다는 양 체약국이 각자 주관적으로 이해한 내용을 바탕으로 그 표현에 대하여 같은 의미로 이해한 것으로 보는 것이다. 체약당사국의 주관적인 의사가 일치하였다는 증거로 볼 수 있는 자료는 제31조의 제2항에서는 '조약의 전문, 부속서, 준비문서 등'을, 제3항에서는 '체약국 간의 후속적인 합의사항 등'을, 그리고 제4항에서는 '당사국의 주관적인 의사가 확정된 경우 등'을 각각 예시하고 있다.[21]

이와 같이 조약의 목적, 다른 조항, 전문, 부속서류, 후속합의사항, 국제법의 관련규정을 참고하도록 한 것은 조세조약의 해석을 문자적으로만 해석하는 것은 아니라는 것을 의미한다. 제31조에 대한 국제법위원회(International Law Commission)의 주석은 다음과 같다.[22]

> The article as already indicated is based on the view that the text must be presumed to be the authentic expression of the intention of the parties; and that, in consequence, the starting point of interpretation is the elucidation of the meaning of the text, not an investigation ab initio into the intentions of the parties.
>
> (이 조항은 이미 언급한대로 조약에서 문자로 표현된 내용은 당사국의 진정한 의사표현임을 추정해야 한다는 관점에 근거를 두고 있으며, 결과적으로 해석의 출발점은 표현된 문자의 의미를 설명하는 것이고, 당사자의 의사를 조사하는 것이 아니다.)

국제법위원회의 견해에 따르면 제31조와 제32조의 관점은 근본적으로 다르다는 것이다. 국제법 위원회는 체약당사국의 진의는 '문맥(context)'이 아니라 '문자(text)' 속에 담겨 있으므로 문자적 의미를 먼저 이해하는 것이 해석의 출발점이 된다는 것이다.

2006, p.99; K.Vogel and R.G. Prokisch, General Report on Subject I: Interpretation of Double Taxation Conventions, Cahiers de droit fiscal international, Vol. 78a 1993, p.73

21) 비엔나 협약 제31조 제2항~제4항

22) Draft Articles on the Law of Treaties With Commentaries, Report of the International Law Commission on the second part of its seventeenth session and on its eighteenth session, Part II, ILC Yearbook, Vol. 2, 1966, p.220

주석의 비구속성

오늘날 국가 간에 체결된 조세조약의 숫자는 3,000개가 넘고 있지만 그 내용은 유사하고, 용어도 거의 동일하다.[23] 이러한 결과를 가져온 가장 주된 요인은 OECD 표준조세조약과 주석이 있기 때문이다.[24] 조세조약은 체결되면 일반적으로 10년에서 20년간은 개정되지 않고 그대로 존속할 것으로 기대하고 있다.[25] 표준조세조약의 개정내용에 대하여 회원국 간의 합의가 이루어진 후 이를 개별국가 간에 체결된 조세조약에 반영하려면 상당한 기간이 필요하게 된다.[26]

따라서 현재의 개별조세조약은 대부분 새롭게 개정되는 OECD 표준조세조약의 내용과 조화를 이루지 못하는 현상이 발생할 수밖에 없다. 특히 최근에 추진되고 있는 OECD의 BEPS Project와 관련된 내용을 개별 조세조약에 신속하게 반영하는데 많은 어려움이 있다는 것을 OECD에서도 인정하고 있다.[27]

OECD의 기구 중 조세조약의 주석에 관한 업무는 '재정위원회(CFA)에서 담당하고 있다.[28] CFA를 구성하는 위원들은 일부는 회원국 정부의 대표자들이고, 일부는 회원국 정부에서 실무에 종사한 경력이 있는 전문가 중에서 OECD가 직원으로 채용한 전문가(appointed expert)들이다. 따라서 CFA가 제정한 주석은 민간분야에서 볼 때는 정부에 유리한 내용으로 채워지는 경향이 있다는 지적을 할 수 있다.[29] 그러나 민간분야도 주석의 제정과정에 적극적으로 참여하여 많은 영향을 주고 있는 것도 사실이다.

주석은 현재 조세조약을 해석하는 중요한 참고자료가 되고 있고 앞으로 그 중요성은 더

---

23) R. Avi‒Yonah, International Tax as International Law, Cambridge University Press, 2007, p.3

24) OECD 표준조세조약, 2017, 서문 A. Historical background, paras. 4‒11.2

25) R. Vann, Interpretation of Tax Treaties in New Holland, in H. van Arendonk, F. Engelen, and S. Jansen (eds.), A Tax Globalist: Essays in honour of Maarten J. Ellis, IBFD 2005, p.147; Sasseville, The Role of Tax Treaties in the 21st Century, Bulletin 2002, p.247

26) OECD/G20 Base Erosion and Profit Shifting Project, Developing a Multilateral Instrument to Modify Bilateral Tax Treaties, OECD, 2014, p.12

27) 2014, 2014, ibid. pp.11~14

28) 표준조세조약과 주석에 관한 업무는 OECD 재정위원회(CFA) 소속 '제1 실무작업반(working party I)'에서 관할하고 있다.

29) R. Vann, Interpretation of Tax Treaties in New Holland, in H. van Arendonk, F. Engelen, and S. Jansen (eds.), A Tax Globalist: Essays in honour of Maarten J. Ellis, IBFD 2005, p.158

커질 것으로 보인다.[30] 주석은 OECD 표준조세조약의 조항에 담긴 용어의 의미를 단순히 해석하는 선에서 그치지 않고 있다. 해당 조항이 도입된 배경과 그러한 조항이 필요한 이유 등도 설명하고 있다.[31] 주석의 제정과정을 보면 조세조약의 체결과정과 유사하게 OECD 회원국들의 토론과 협의과정을 통하여 의견차이를 절충하여 합의를 도출하고 있다.[32] 주석에서 사용되는 용어는 단정적인 의미보다는 서로 다른 의견을 가진 국가의 입장을 상황에 맞게 탄력적으로 수용할 수 있는 용어이다.[33]

OECD 주석에 대하여 회원국들은 '유보의견(reservation)'이나 '관찰의견(observation)'을 표현할 수 있다. 유보의견은 OECD 표준조세조약의 조문에 대한 이견(異見)이고 관찰의견은 조문의 해석에 대한 이견을 의미한다.[34] 유보의견을 표현한 국가는 향후 개별조세조약을 체결할 경우 OECD 표준조세조약의 규정 중에서 유보의견이 표현된 조항은 사용하지 않겠다는 뜻을 선언한 것이다. 관찰의견은 주석의 내용 중 일부에 대하여 반대하는 입장이고 표준조세조약 본문에 대한 반대의견은 아니다. 관찰의견을 표현한 주석부분은 조세조약의 해석과정에서 적용하지 않고 다른 해석을 하겠다는 뜻을 선언한 것이다.

OECD 표준조세조약에 대한 주석이 법률적 구속성이 있는지에 대한 문제는 국제법에서 미해결상태로 남아있는 여러 과제 중 하나에 해당한다.[35] OECD 회원국이 조세조약을 해석할 때 주석의 내용을 수용해야 할 법률적 의무(legal obligation)는 없지만[36] OECD 표준조세조약을 기준으로 개별조세조약이 체결되고 있는 점에서 보면 주석은 개별조세조약의 해석을 현실적으로 구속하는 법률적 연관성(legal relevance)을 가진다고 볼 수 있다.

OECD 표준조세조약은 그 해석방법으로 정태적 방법과 동태적 방법 중 어느 것을 더 선호하는지에 대하여 명시적으로 규정하지 않고 있다. 다만, OECD 표준조세조약 제3조 제2항 등에서 국내 조세법을 적용하여 해석할 수 있도록 하여 동태적 접근법이 사용될 여지를 두

---

30) OECD 표준조세조약, 2017, 서문 para. 29.3

31) M. Ellis, The Influence of the OECD Commentaries on Treaty Interpretation—Response to Prof. Dr. Klaus Vogel, Bulletin 2000, p.618

32) R. Vann, Interpretation of Tax Treaties in New Holland, in H. van Arendonk, F. Engelen, and S. Jansen (eds.), A Tax Globalist : Essays in honour of Maarten J. Ellis, IBFD 2005, p.158

33) B. Arnold, The Interpretation of Tax Treaties : Myth and Reality, Bulletin 2010, p.8; M. Ellis, The Influence of the OECD Commentaries on Treaty Interpretation—Response to Prof. Dr. Klaus Vogel, Bulletin 2000, p.618

34) OECD 표준조세조약, 서문, paras. 30-32

35) N. Blokker, Skating on Thin Ice? On the Law of International Organizations and the Legal Nature of the Commentaries on the OECD Model Tax Convention, in S. Douma and F. Engelen (eds.), The Legal Status of the OECD Commentaries, IBFD 2008, p.24

36) S. Douma and F. Engelen (eds.), The Legal Status of the OECD Commentaries, IBFD 2008, p.24

고 있다.[37] 따라서 조세조약의 해석을 위한 주석의 적용기준은 OECD 재정위원회의 입장에 따르면 동태적 기준이 포함될 수 있다.[38]

② 사실상의 구속성이 존재하는 이유

주석이 OECD 회원국들에게 사실상의 구속력을 가지는 이유는 회원국들의 묵인(acquiescence)이나 금반언의 원칙(estoppel)[39]에 따르기 때문이라는 의견이 있다.[40] 이 의견에 따르면 OECD 주석은 비엔나 협약 제31조 제2항 a)에 근거하여 해석목적으로 사용될 수 있다.[41] 묵인이든 금반언의 원칙에 의하든 OECD 표준조세조약의 주석에 영향을 받는 당사국은 조세조약의 체결 당사국이다.[42] 그 영향을 받는 당사국은 해당 조세조약을 해석하는 수단으로 주석을 사용할 수 있다.

그러나 '묵인'과 '금반언의 원칙'은 단순히 다른 목소리를 내지 않는 침묵이나 권리행사 정지와는 다른 의미이다.[43] 조세조약의 체결과정이 통상적으로 1년 이상 상당히 긴 시간 동안 진행되는 점을 감안하면 체약당사국이 입장을 표명할 수 있는 기회가 있음에도 불구하고 묵인과 같이 반응을 보이지 않는 일은 현실적으로 발생하기 어렵다. 그 협상기간 동안 주석의 해석내용에 대하여 체약당사국은 다양한 의견을 표명할 수 있다. 다른 입장을 주장할 수도 있다. 그런 점에서 보면 주석이 사실상의 구속력을 가지는 것으로도 보기 어려운 면이 있다.

---

37) OECD 표준조세조약, 2017, 서문 para. 35; 제3조 제2항에 대한 주석 para. 11; 조세조약에서 정의되지 않은 용어의 해석은 체약국의 국내 조세법상의 개념을 적용하되 그 국내 조세법은 조세조약의 체결 당시가 아니라 '조세조약이 적용될 당시'의 법으로 본다고 설명하고 있다.

38) OECD 표준조세조약, 2017, 서문, paras. 3, 33 – 36. 이러한 동태적 접근법에 대한 비판의견도 있다. M. Ellis, The Influence of the OECD Commentaries on Treaty Interpretation – Response to Prof. Dr. Klaus Vogel, Bulletin 2000, p.618

39) 금반언(estoppel)의 원칙은 일단 표시한 의견은 번복할 수 없다는 원칙을 말한다. 행위자가 의사 표시를 하거나 일정한 행위를 한 후에는 이와 모순되는 의사 표시나 행위가 허용되지 않는다는 원칙이다.

40) F. Engelen, How "Acquiescence" and Estoppel can Operate to the Effect that the States Parties to a Tax Treaty Are Legally Bound to Interpret the Treaty in AccordanceWith the Commentaries on the OECDModel Tax Convention, S. Douma and F. Engelen (eds.), The Legal Status of the OECD Commentaries, IBFD 2008

41) F. Engelen, Some Observations on the Legal Status of the Commentaries on the OECD Model, Bulletin 2006, pp.105~109

42) H. Thirlway, The Role of the International Law Concepts of Acquiescence and Estoppel, in S. Douma and F. Engelen (eds.), The Legal Status of the OECD Commentaries, IBFD 2008, p.29

43) ICJ, Case Concerning the Temple of Preah Vihear(Cambodia v. Thailand), Merits, Judgment of 15 June 1962, ICJ Reports 1962, p.6

주석이 법률적 구속력을 가진다면 주석의 내용은 모든 체약국이 의무적으로 수용해야 하고 달리 유보의견이나 관찰의견 등을 통하여 반대의견을 표현할 수 없게 된다. 조약의 해석에 관한 일반법인 비엔나 협약의 제31조 내지 제33조를 인용할 필요도 없어진다. 비엔나 협약 제31조 내지 제33조는 '임의조항(jus dispositivum)'이므로 조약 당사국의 해석 의견이 일치하지 않을 경우에만 적용되는 조항이다.[44] OECD 표준조세조약의 주석에 대한 비엔나 협약 제31조 제2항 a)의 적용요건은 여러 가지 해석수단 중의 하나에 지나지 않는다. 따라서 OECD 표준조세조약의 주석도 조약을 해석하는 수단 중의 하나에 해당하기 때문에 조세조약을 해석할 때는 항상 주석을 사용해야 하는 것은 아니다.

OECD 표준조세조약의 주석은 조약을 해석할 수 있는 여러 가지 수단 중의 하나라는 점에서 법률적 구속력이 가지는 것으로 보기는 어렵다고 할 것이다. 비엔나 협약 제31조 내지 제33조에서 해석수단은 조세조약과 관련된 여러 가지 문서 등이다.[45] 이점에서 OECD 표준조세조약의 주석과 비엔나 협약 제31조 내지 제32조 간의 관계를 명확히 인식할 필요가 있다.

③ 조세조약의 해석과 주석의 지위

주석이 조세조약의 해석수단이 될 수 있는 근거는 앞에서 설명한대로 비엔나 협약에서 찾을 수 있다. 비엔나 협약 제31조 내지 제33조의 관점에서 보면 주석은 조세조약을 해석하는 하나의 수단으로서 정당성을 가진다.

첫째, 조세조약에서 사용된 용어에 대하여 비엔나 협약 제31조 제1항에서 규정한 '통상적 의미'를 부여하는 과정이 조세조약의 해석이 된다.[46] 비엔나 협약에서 사용하는 '통상적 의미'는 일상적 용어의 의미를 말한다. 따라서 조세조약에 사용된 용어를 해석하는데 사용할 수 있는 도구는 사전, 문법구조, 용어의 사용례, 조약의 원본에서 사용된 용어 등이 될 수 있다. 조세조약에 사용되고 있는 용어는 일상적으로 사용하는 용어와 국제조세분야에서 기술적으로 정의되어 사용되는 전문용어(technical language)를 함께 포함하고 있다. 이 경우에 통상적 의미와 전문용어를 구분하여 별도의 해석절차를 통하여 용어의 의미를 밝혀야 한다.

사법절차에서 조세조약상의 전문적인 용어의 해석을 위하여 전문가의 증언에 의존하기도

---

44) Ulf Linderfalk and Maria Hilling, 'The use of OECD commentaries as interpretative Aid-the static/ambulatory-appraches debate considered from the perspective of international law, Nordic Tax Journal, 2015, p.43

45) K. Vogel, The Influence of the OECD Commentaries on Tax Treaty Interpretation, Bulletin 2000, p.614

46) P. Wattel and O. Marres, The Legal Status of the OECD Commentary and Static or Ambulatory Interpretation of Tax Treaties, European Taxation 2003, p.226

한다. 예를 들어 미국과 이란 간 분쟁사건에서 증권계좌의 'all funds'의 의미에 대하여 금융 전문가의 증언을 들었던 사례가 있다.[47]

Prévost Car 사건에서도 조세조약상의 용어에 대한 통상적인 의미를 확정하기 위하여 법원은 OECD 표준조세조약을 사용하였다.[48] 이 사건은 1977년 OECD 표준조세조약을 기준으로 캐나다와 네덜란드가 체결한 1986년에 체결한 조세조약 제10조 제2항에서 규정한 '수익적 소유자(beneficial owner)'의 의미에 대한 분쟁으로, 캐나다 법원이 2008년에 판결한 사건이다. 캐나다와 네덜란드 간 조세조약에서 수익적 소유자에 대한 개념의 정의가 없었다.

캐나다 국세청은 수익적 소유자는 배당의 최종적 수익자를 말한다고 주장하였으나 법원은 국세청의 주장을 기각하였다. 법원은 1977년 OECD 표준조세조약, 2003년 주석, 1986년 도관회사 보고서(OECD Conduit Companies Report) 등을 검토하고 수익적 소유자의 통상적 의미와 기술적 의미, 대륙법과 영미법, 네덜란드법과 국제법에서의 의미를 모두 고려하였다. 그러나 그 어디에서도 국세청 주장대로 해석할 수 있는 근거를 찾을 수 없기 때문에 기각한다고 판결하였다. 조세조약의 해석과 관련하여 이 사건은 법원이 OECD 표준조세조약 관련자료를 사용하였다는 점에서 주석이 해석도구로서의 의미를 가진다는 것을 확인할 수 있는 사례이다.

둘째, OECD 주석은 비엔나 협약 제31조 제1항과 관련하여 조세조약의 목적을 결정하는 데 도움을 줄 수 있다.[49] 조세조약의 대상과 목적(object and purpose)은 조약의 체결 당사국이 조세조약의 적용를 통하여 달성하고자 하는 최종결과를 의미한다.[50] 최종결과는 하나일 수도 있고 여러 개일 수도 있다. 조세조약의 최종 목적을 결정하기 위하여 OECD 표준조세조약의 주석을 사용할 수 있다.[51] 캐나다 법원은 조세조약의 남용이 존재하는지를 판단하기 위하여 조세조약체결 당시에 존재하던 OECD 표준조세조약의 주석을 참조하였다. 그 결과 조세조약은 조세회피행위를 조장하는 것을 목적으로 삼지 않는다고 판단했다.[52]

셋째, OECD 표준조세조약은 비엔나 협약 제31조 제3항 b)에서 말하는 조약의 문서에 해당한다.[53] 동 조항에서 규정된 '동의(agreement)'의 개념에는 조세조약의 적용관행(practice)도 포

---

47) 증권계좌의 개설과 운용에 관한 문제에 대한 판결. Case A/1, Separate opinion of members of the tribunal Aldrich, Holtmann, andMosk, International Legal Materials, Vol. 22, p.591

48) Prévost Car Inc. v. The Queen. [2008] FCA 57

49) P. Wattel and O. Marres, 2003, op. cit. p.226

50) U. Linderfalk, On the Interpretation of Treaties 2007, Ch 2. pp.211~217. 비엔나 협약 제31조 제1항의 표현과 달리, 조세조약에서 여러 개의 목적을 언급하고 있는 경우에는 그 목적을 모두 사용하여 해석할 수 있다.

51) The Queen v. Garron [2009] TCC 450

52) The Queen v. Garron [2009] TCC 450, paras. 375~376

53) M. Lang and F. Brugger, 2008, op. cit. pp.103~104

함되는 것으로 볼 수 있다.[54] 조세조약 체결당사국 간의 공통적인 이해(common understanding)는 OECD 표준조세조약의 주석을 통하여 이루어지는 것이므로, 그러한 공통이해는 비엔나 협약 제31조 제3항 b)에서 말하는 동의의 범주에 포함되는 것이다. OECD 주석은 조세조약의 적용과 해석에 대한 사례를 바탕으로 하여 작성된 것이므로 그 자체로서 하나의 관행(practice)이 성립될 수 있고, 따라서 비엔나 협약 제31조 제3항 b)에서 말하는 '관행'에 포함될 수 있다.

넷째, 조세조약이 OECD 표준조세조약을 기준으로 체결될 경우에 표준조세조약의 주석은 비엔나 협약 제32조에 규정하는 '조약체결의 상황'을 구성하는 요소가 될 수 있다. 이것은 국제사법재판소에서 조약의 체결목적으로 조약을 체결하기 전에 작성되어 사용된 문서들을 참고하는 경우가 많이 있는 것에서도 이를 확인할 수 있다.[55] Thiel 사건[56]은 OECD 표준조세조약 제3조 제1항 c)에서 규정한 'enterprise'의 개념과 관련이 있다. 이 사건을 담당한 판사(Dawson)는 1977년 OECD 표준조세조약을 기준으로 호주와 스위스가 체결한 조세조약에 대하여 1977년 표준조세조약의 주석은 조세조약체결 당시에 그 조세조약 체결의 기초가 된 문서에 해당하고 따라서 체약당사국들이 체결한 조세조약에서 사용된 용어를 해석하는 지침(guide)이 될 수 있다고 보았다. 조세조약상의 용어가 가지는 의미의 불명확성을 해소하기 위하여 1977년 OECD 표준조세조약 제3조 및 제7조에 대한 주석을 참고하였다. 다른 판사(McHugh)도 1977년 표준조세조약의 주석은 조세조약 해석의 보충적 수단이 된다고 보았다. 이 두 판사는 모두 OECD 주석을 사용하여 조세조약을 해석하는 것은 정당하다고 본 것이다. 사건과 관련된 조세조약의 조문에 대한 주석은 비엔나 협약 제32조에서 규정한 조세조약을 체결할 당시 상황의 일부에 해당하기 때문이다.

OECD 표준조세조약을 기준으로 체결된 조세조약의 규정을 해석할 때는 OECD 표준조세조약의 주석을 사용하지 않을 수도 있다. 체약국 중 어느 일방체약국이 관련 주석의 규정에 '관찰의견'을 표현한 경우가 있기 때문이다. 관찰의견은 주석에 대한 반대의견이다. 비엔나 협약을 적용하여 해석할 경우 이러한 관찰의견이 미치는 영향은 상황에 따라 달라질 수 있다. 그 관찰의견이 조세조약의 목적과 관련된 경우에는 관련 조항의 해석에서 그 관찰의견과

---

54) Heathrow Airport User Charges (n. 27), p.353 (paras. 6.7-6.8)

55) Navigational and Related Rights (n. 12), pp.239~240(paras. 55-56); European Communities-Measures Affecting the Importation of Certain Poultry Products, WT/DS69/AB/R, Report of the WTO Appellate Body, adopted on 13 July 1998, para. 83

56) Thiel v. Federal Commissioner of Taxation 22 August 22, 1990; R. Vann, Interpretation of Tax Treaties in New Holland, in H. van Arendonk, F. Engelen, and S. Jansen (eds.), A Tax Globalist: Essays in honour of Maarten J. Ellis, IBFD 2005, p.150

관련된 목적부분은 제외해야 한다. 체약당사국 중 일방은 '동의'하고 타방은 '반대'하여 결과적으로 양 체약국이 공통의 이해에 바탕을 둔 것이 아니므로 비엔나 협약 제31조 제1항에서 말하는 '목적'에 부합하지 않기 때문이다. 그러나 특정 용어에 대한 '통상적 의미'를 결정하기 위하여 해석할 경우에는 관찰의견은 직접적으로 영향을 주지 못한다. 관찰의견은 용어의 통상적인 의미에 대한 것이라기 보다는 대부분 정책적인 요소에 대하여 반대하는 의견이기 때문이다. 따라서 주석은 조세조약을 해석하는 수단이라는 지위를 부인하기 어렵다.

④ 비엔나 협약 제31조와 제32조에 따른 근거

OECD 표준조세조약의 주석은 비엔나 협약 제31조 제2항 b)에서 규정한 조약체결과 관련된 문서에 해당하고,[57] 제31조 제3항 c)에서 규정한 국제법의 관련법률이 해당하고,[58] 제31조 제4항에서 규정한 특별한 의미를 조세조약상의 용어에 부여하는 것과도 관련된다.[59] 또한 제32조에서 규정한 두 가지의 보충적 해석수단의 요건을 가지고 있다.[60]

비엔나 협약 제31조 제2항 b)에 따르면 조약의 문맥을 구성하는 것은 '조약의 체결과 관련된 당사국이 작성한 문서와 조약과 관련된 문서로서 타방체약국이 수락한 문서' 등이다. 이 점에서 보면 주석은 여기에 해당하는 문서로 보기는 어렵다. OECD 주석은 체약당사국이 만든 것이 아니다. 조세조약의 체결과 관련하여 작성된 것도 아니다. 체약당사국은 앞에서 본대로 주석에 구속되는 것이 아니므로 OECD 주석을 조약관련 문서로 수락했다고 보기도 어렵다.

OECD 주석에 표시된 표준조세조약의 본문에 대한 유보의견은 조약의 본문에 동의하지 않는다는 뜻을 표명한 것이므로, 비엔나 협약 제31조 제2항 b)에서 말하는 조약체결의 부속문서로 보기 어렵다. 조약체결의 부속문서는 그 성격상 체약당사국 간의 합의과정을 설명하는 자료이지만, OECD 주석에 표현된 유보의견은 체약당사국과의 관계와 관련이 없기 때문이다.

제31조 제3항 c)의 규정에 따르면 조약의 해석을 위하여 당사국 간의 관계에 적용가능한 관련 국제법의 규정을 참고해야 한다. 제31조 제3항 c)는 관련 국제법의 규정을 참고하여

---

57) R. Vann,IBFD 2005, op. cit. p.151
58) D. Ward, 2006, op. cit. p.99
59) H., Ault, The Role of the OECD Commentaries in the Interpretation of Tax Treaties, Intertax 1994, p.146;
K. Vogel, The Influence of the OECD Commentaries on Tax Treaty Interpretation, Bulletin 2000, pp.614~615
60) P. Wattel and O. Marres, 2003, op. cit. p.228

조약을 해석하더라도 체약당사국 간의 관계에 손상이 가지 않을 것을 전제로 하고 있다.[61]

제31조 제4항에서 '체약당사국들이 특정용어에 특별한 의미를 부여하기로 한 경우에는 그 용어는 합의한 특별한 의미를 가지게 된다'고 규정하고 있다. 제1항이 통상적 의미와 제4항의 특별한 의미 간의 관계에서 통상적인 의미가 아니면 특별한 의미에 해당하는 것이 된다. 특별한 의미는 일반적으로 사용되는 평범한 말(conventional language)이 가지는 의미가 아니라는 뜻이다. 통상의 의미로는 체약당사국의 의사를 정확하게 표현하지 못하는 경우에 제31조 제4항에서 말하는 특별한 의미를 부여하는 합의를 할 수 있다. 체약당사국의 의사를 상호 간에 전달하여 통상적인 의미로 확인되는 경우에는 제1항의 규정에 따르면 되지만, 그것만으로는 부족하여 의미를 제대로 해석할 수 없을 경우에는 특별한 의미를 부여하여 체약당사국의 의사를 명확히 할 필요가 있다. 제32조에서 말하는 특별한 의미를 부여하려면 첫째, 통상의 의미로는 불분명하고 모호하거나 불합리한 의미를 가지는 것이 명백하고, 둘째, 일상의 평범한 표현을 사용하면 다른 의미로 해석될 수 있어야 한다. OECD 주석이 조세조약의 용어에 특별한 의미를 부여하는 것인지의 문제가 있다. 조세조약상의 용어가 통상적인 의미로 해석하면 불합리하거나 뜻이 분명하지 않을 경우에는 주석은 특별한 의미를 부여하는 것이 될 수 있다. 제31조 제4항에서 말하는 '특별한 의미' 부여 그 자체가 OECD 주석을 해석수단으로 사용하는 것을 정당화하는 근거라고 볼 수는 없다. 앞에서 열거한 제반상황이 모두 주석을 해석의 기준으로 사용하는 것을 정당화할 수 있기 때문이다.

비엔나 협약 제32조는 조세조약의 체결을 위한 준비문서와 체결과정의 제반 상황을 해석의 보충적 수단으로 허용하고 있다. 그렇다고 모든 것이 해석의 보충적 수단이 될 수 있는 것은 아니다. 해석의 보충적 수단은 국제관습법상 허용되는 것이어야 한다.[62] 조세조약의 체결 상황이나 준비문서 외에 다른 자료가 해석의 보충적 수단으로 사용되려면 체약당사국의 관행이나 국제사법재판소의 판결과 같은 자료 등으로 인식될 수 있어야 한다. 이 경우 주석은 그러한 관행과 유사한 것이다.

---

61) Award in the Arbitration regarding the Iron Rhine ("Ijzeren Rijn") Railway between the Kingdom of Belgium and the Kingdom of the Netherlands, Decision of 24 May 2005, UNRIAA, Vol. 27, pp.72~73(para. 79)

62) U. Linderfalk, On the Interpretation of Treaties 2007, Ch 2. pp.238~239

조세조약의 해석방법

비엔나 협약과 주석의 조화

(1) 해석기준

조세조약의 당사국들은 상대체약국과의 계속적인 소통을 통하여 조세조약의 적용과 해석을 하면서 조세조약의 체결목적을 달성하려고 한다. 이 과정에서 당사국들은 조세조약에 사용된 용어에 일관성 있는 의미를 부여하고 조세조약에 담긴 규범들이 서로 충돌하지 않고 거기에 담긴 모든 내용들이 원활하게 기능하기를 기대한다.

비엔나 협약에서 말하는 조약의 해석원칙과 관련하여 조세조약을 해석하는 기준을 요약하면 다음과 같이 정리할 수 있다. 첫째, '통상적 의미'가 하나 이상인 경우에는 어느 용어를 사용하는 것이 조세조약의 전체 맥락 속에서 논리적으로 모순이 되지 않는 용어를 선택해야 한다. 둘째, 통상적 의미를 가지는 복수의 용어가 모두 논리적으로 모순이 되지 않는 경우에는 비엔나 협약 제32조에서 규정한 원칙에 따라 그 용어가 조세조약의 전체기능 중 일부의 기능을 약화시키는 용어를 제외해야 한다. 셋째, 해석은 일관성을 유지해야 한다. 넷째, 배가 산으로 가는 엉뚱한 해석이 되지 않도록 조약이 체결될 당시의 상황 등을 보충적 해석수단으로 사용해야 한다.

(2) 해석기준의 적용시점

이러한 기준을 조세조약에 적용하여 해석하는 주체는 'OECD 재정위원회, 체약당사국, 납세자, 조세관련 전문가, 사법당국 등'으로 구분할 수 있다.[63] 이들 주체들이 조세조약을 해석할 때 가지는 주된 관심사항은 해석기준을 어느 시점에 맞추어 적용할 것인가에 대한 것이다. 해석의 기준을 적용하는 시점을 조세조약의 체결시점으로 할 것인지 아니면 조세조약이 체결된 후 실제로 적용되는 시점으로 할 것인지에 대한 것을 말한다.

조세조약은 일단 체결되면 최소한 5년의 기간 동안은 유지되고 그 이후 외교경로를 통하여 타방체약국에 서면으로 조세조약의 종료통고를 하지 않으면 계속 효력을 가지게 된다.[64] 조세조약체결 당시의 상황과 조세조약을 적용하는 시점에서의 상황은 변화되어 다를 수 있

---

63) OECD 표준조세조약, 2017, 서문, paras. 29 – 29.3
64) 대부분의 경우 조세조약의 발효일로부터 5년이 경과한 후에 일방체약국이 타방체약국에게 외교경로로 조세조약의 종료통보를 하는 절차를 통하여 종료된다.

다. 예를 들어 '세원잠식소득이전(BEPS)'과 관련된 혼성조직(hybrid entity), 이중비과세 등의 문제는 최근에 집중적으로 논의되는 분야이다. 그 이전에 체결된 조세조약에서 이와 관련된 내용이 직접적으로 명시되어 있지 않은 경우에도 조세조약의 체결 목적과 관련하여 이를 수용할 수 있어야 한다. 대안은 근본적으로 새로 판을 짜는 방안과 기존의 틀 속에서 수용하는 방안으로 나누어 볼 수 있다. 새로운 판을 짜는 방안은 기존의 조세조약을 종료하고 새로운 조세조약을 체결하는 방안과 기존의 조세조약을 개정하는 방안,[65] 그리고 다자간 조세조약을 체결하는 방안[66] 등이 된다. 기존의 틀 속에서 수용하는 방안 중의 하나는 조세조약을 해석하는 방법이다.[67] OECD는 표준조세조약 자체의 개정 외에 주석의 개정을 통하여 변화된 환경의 요구에 대응하는 방법이다.

OECD 표준조세조약에 대한 주석의 개정은 해석의 변경을 의미한다. 개정된 주석을 개별 조세조약의 해석기준으로 사용하는 방법에 대하여 많은 논의가 진행되고 있다. 핵심적인 쟁점은 개정된 주석을 언제부터 적용할 것인가에 대한 것이다. 개정된 주석을 그 개정시점 이후에만 적용할 것인지 아니면 소급적용도 가능한 것인지에 초점이 모아져 있다.[68] 다른 말로 하면 '정태적 해석방법(static approach)'과 '동태적 해석방법(ambulatory approach)'에 대한 것이다. 비엔나 협약에서는 단지 해석의 기준만을 제시하고 있으므로 어느 방법이 더 바람직하다는 규정을 명시적으로 두고 있지 않다. 조세조약의 해석수단으로 OECD 주석을 사용하는 경우에 비엔나 협약에서 규정한 조약의 해석기준과 연결하여 보면 OECD 주석을 통한 해석방법의 일정한 한계 기준선을 그을 수 있다. 그 한계 기준선은 조세조약의 목적을 원활하게 달성할 수 있도록 통상적인 의미로 해석해야 한다는 것이다. 그렇다면 정태적 해석방법이나 동태적 해석방법의 이분법적인 틀에 고착된 사고에서 벗어나서 비엔나 협약과 주석의 해석기준을 조화시켜 합리적으로 해석할 수 있는 유연성을 가질 수 있을 것을 보인다.

---

65) OECD 표준조세조약, 2017, 서문, paras. 15.1－15.6

66) OECD 표준조세조약, 2017, 서문, para. 39. 그러나 OECD는 para. 40에서 조세조약의 특성상 다자간 조세조약의 체결은 극히 예외적인 분야에 한정해야 한다는 입장을 밝히고 있다.

67) BEPS Project의 효과적인 추진을 위하여 BEPS Project Action Plan과 관련한 공통적인 기준을 '다자간 조약(Multilateral Instrument)'으로 진행하고, 표준조세조약 제26조 및 제27조에서 규정한 정보교환과 조세징수 협조와 관련한 공통적인 사항에 대하여 역시 다자간 조세조약을 체결하고 있다. 조세조약분야에서의 다자간 조약의 대상은 다른 국제조약과 달리 일부 공통적인 부분에 한정되어 있는 것이 특징이다..

68) Klaus Vogel, Klaus Vogel on Double Taxation Conventions, Kluwer, 1999, Introduction, paras. 82(a)(b); Michael Lang, Introduction to the Law of Double Taxation Convention, IBFD 2010, para. 94; Klaus Vogel, The Influence of the OECD Commentaries on Tax Treaty Interpretation, Bulletin 2000, p.615; D. Ward, 2006, op. cit. p.101; M. Lang and F. Brugger, 2006, op. cit. p.102

2 당사국의 의사 확인

(1) 참고자료

비엔나 협약 제31조 내지 제33조는 체약당사국의 의사를 확인하여 해석할 수 있는 해석방법을 제시하고 있다. 당사자의 의사를 확인하려면 조세조약상의 용어와 관련이 있는 참고자료를 확인할 필요가 있다. 참고자료(reference)는 한편으로는 외형적으로 이루어진 언어적 표현(expression) 그 자체가 되고, 다른 한편으로는 그 표현이 상징하는 것(stand for)이 있다. 따라서 참고한다는 것은 언어로 표현된 것과 그 표현의 대상물 간의 관계를 인식하는 것과 같다.[69] 이에 따르면 조약에 표현된 글자는 참고대상인 표현(referring expression)이 된다.

이러한 표현의 대상물은 하나인 경우도 있고 복수인 경우도 있다. 복수인 경우에는 일반적이고 보편적인 용어가 되고 하나인 경우에는 그 대상에 특정된 의미를 특수한 용어 내지는 기술적이고 전문적인 용어가 된다.[70] 이해를 쉽게 하기 위하여 예를 들어 A국과 B국은 두 나라 간에 이중과세 방지를 위한 조세조약을 2017년 개정된 OECD 표준조세조약을 기준으로 체결하기로 합의하였다고 가정한다. 여기서 '두 나라'는 A국과 B국의 복수를 의미하므로 일반적인 표현이 되고, 'OECD 표준조세조약'은 하나밖에 없는 것이므로 표현이 하나로 국한되는 '특수 표현'에 해당한다고 볼 수 있다.

(2) 융통성(flexible) 있는 표현

일반적 용어와 기술적 용어의 구분기준이 단순히 글자의 '단수' 또는 '복수'의 개념인 것은 아니다. 예를 들어 '사업(business)'은 단수이지만 사업의 종류가 다양하다는 점에서 하나의 의미로만 해석되는 '특수 표현 또는 기술적 표현'이 아니라 여러 개념으로 해석될 수 있는 '일반적 표현'에 해당한다. 이러한 표현을 조약에서 사용하여 통상적인 의미로 해석하거나 특별한 의미로 해석할 수 있도록 하는 것은 체약당사국의 공통의사(common intent)를 반영한 것으로 볼수 있다.[71]

이러한 표현의 구분이 조약의 체결 당시와 그 이후 시간의 흐름에 따라 달라질 가능성이 있다는 점이 조약의 해석을 좀 더 복잡하게 만들 수 있다. 앞에서 예를 들었던 '사업(business)'의 개념은 OECD 표준조세조약 제3조 제1항 h)에서 다음과 같이 정의하고 있다.

---

69) J. Lyons, Semantics, Cambridge University press, 1977, p.177

70) ibid. p.178

71) 비엔나 협약 제31조 제1항, 제4항

> h) the term 'business' includes the performance of professional services and of other
> activities of an independent character.

사업의 개념을 단정적으로 규정하지 않고 있다.[72] 사업의 개념은 경제의 발전에 따라 그 내용이 변경되고 범위가 확대되거나 축소되고 의미도 달라질 수 있기 때문이다. 필요한 상황을 포섭할 수 있는 융통성 있는 용어를 선택한 것으로 볼 수 있다. 이러한 논리를 주석에 적용할 경우에 조세조약을 체결할 당시에 존재하지 않았던 주석을 사용하여 조세조약을 해석할 수 있는 기준을 정리할 수 있다. 그 기준을 결정하는 것은 앞에서 설명한 '참고 (reference)'의 개념과 연결된다. 조세조약을 체결한 당사국의 공통의사를 참고자료를 통하여 확인하여 그에 공통의사에 따라 해석하면 된다.

조세조약에서 사용된 용어의 의미가 동태적(dynamic)이면 개정된 OECD 주석도 마찬가지로 동태적으로 사용할 수 있을 것이다. OECD 주석이 조세조약의 적용관행, 조세조약상의 용어, 조세조약관련 법률의 적용관행 등을 통하여 체약당사국의 공통의사를 확인하고 그 공통의사를 존중할 수 있도록 해석하기 위하여 주석의 사용방법을 동태적으로 할 것인지 정태적으로 할 것인지를 결정하는 것은 당연하다고 할 것이다.

③ 성실한 해석의 의미

(1) 비엔나 협약의 기준

비엔나 협약 제26조는 '발효 중인 모든 조약은 그 당사국을 구속하며 또한 당사국에 의하여 성실하게 이행되어야 한다'고 규정하고 있다.[73] 조약의 이행을 성실하게 하는 것(in good faith)은 국제법의 일반원칙이다.[74] 조약을 성실하게 이행하는 것은 그러한 의무이행을 통하여 다른 국가들에게 신뢰감을 주어 조약의 목적을 원활하게 달성할 수 있게 한다.[75]

---

72) OECD 표준조세조약 제3조 제1항에서 정의하고 있는 용어는 f) competent authority, g) national을 제외한 나머지는 포괄적인 형태로 규정하고 있는 것으로 보인다.

73) 비엔나 협약 Article 26(Pacta sunt servanda) Every treaty in force is binding upon the parties to it and must be performed by them in good faith.

74) Bin Cheng, General Principles of Law as Applied by International Courts and Tribunals, reprinted, Cambridge, 1987., Part Two – The Principle of Good Faith. Chapter 3 – Good Faith in Treaty Relations.

75) Ulf Linderfalk, The Concept of Treaty Abuse: On the Exercise of Legal Discretion, November 17, 2014. SSRN: http://ssrn.com/adstract=

비엔나 협약 제26조의 성실의무(good faith)를 염두에 둘 경우 제31조 내지 제33조의 해석기준을 적용할 때 임의로 적용할 수 있는 재량은 그 폭이 제약될 수밖에 없다. 성실한 해석의 기준을 벗어나 임의로 해석할 경우 조약의 목적을 달성할 수 없게 되고 조약의 적용이 사실상 종료되는 결과가 초래될 수도 있다. 따라서 조약의 해석과정에서 항상 '성실의무(good faith)'를 준수하는 것이 중요하다.

이러한 기준이 국제법에서 적용된 사례는 다음의 국제사법재판소의 판결문을 통하여 살펴볼 수 있다.[76]

The terms used in a treaty must be interpreted in light of what is determined to have been the parties' common intention, which is, by definition, contemporaneous with the treaty's conclusion.(조약에서 사용된 용어의 해석은 당사국의 공통의사가 조약체결 당시의 개념으로 결정된 것에 비추어 이루어져야 한다)

There are situations in which the parties' intent upon conclusion of the treaty was, or may be presumed to have been, to give the terms used - or some of them - a meaning or content capable of evolving, not one fixed once and for all, so as to make allowance for, among other things, developments in international law.(조약체결 당시의 당사국의 의사에는 국제법의 발전을 감안할 때 조약에 사용된 용어의 의미나 그 의미를 구성하는 내용이 영구히 고정되지 않고 변화될 것에 대한 예상이 포함되어 있는 것으로 추정되거나 추정될 수 있는 상황이 있다.)

In such instances it is indeed in order to respect the parties' common intention at the time the treaty was concluded, not to depart from it, that account should be taken of the meaning acquired by the terms in question upon each occasion on which the treaty is to be applied.(그러한 경우에는 조세조약체결 당시 양 체약국의 공통의사를 존중하기 위하여 그 공통의사를 벗어나지 않으면서 조약이 적용될 각 상황에 맞추어 용어의 의미를 고려해야 한다.)

이 판결을 통하여 비엔나 협약 제26조에 근거한 '성실해석'의 원칙이 무엇을 의미하는지를 이해하는데 도움을 받을 수 있다. 당사국의 의사는 조약의 체결 당시를 기준을 판단하는 것이 원칙이지만 조약에서 사용된 의미가 영구불변하는 것이 아니고 변화될 수 있는 것이라면 그 변화를 포섭하여 상황에 부합하게 해석하는 것이 당사국의 의사에 반하는 것은 아니라는 것이다. 동태적 해석방법도 사용할 수 있다는 것이다.

---

76) Dispute Regarding Navigational and Related Rights(Costa Rica v. Nicaragua), Judgment of 13 July 2009, ICJ Reports 2009, p.242, paras. 63~64

(2) 조세조약의 성실한 해석기준

조약의 성실한 해석기준은 조세조약에도 적용할 수 있다. 현재의 OECD 표준조세조약의 기본구조는 1920년대 국제연맹시대에 만들어져서 계속 유지되어 오고 있다. 그 당시에는 국제무역관계는 대부분 직접적인 상품(goods)의 교역으로 구성되고 용역(service)의 거래관계는 활성화되지 못하였다. 또한 통신기술이 수준도 현재와 같지 않았으므로 현재의 '전자상거래(electronic commerce)'와 같이 통신기술을 이용한 거래에 대한 개념은 현재와 같이 형성되지 못하였다. OECD는 새로운 환경변화를 조세조약에 반영할 수 있도록 표준조세조약을 여러 차례 개정하고 그에 따라 주석도 함께 개정해 오고 있다.[77] 그 과정에서 '통상적인 의미'에 대한 해석을 상황에 맞추어 해석해 왔다. 동태적인 방법이냐 정태적 방법이냐의 이분법적 접근이 아니라 앞에서 설명한대로 비엔나 협약 제31조 내지 제33조의 원칙에 따라 상황에 맞는 가장 적정한 방법을 선택하고 있다. 이러한 해석방법은 비엔나 협약 제26조의 '성실한 해석'과 같은 방향에 서 있는 것으로 볼 수 있다.

 주석 해석방법의 적용

OECD 표준조세조약에 대한 주석은 조약을 해석하는 기준에 대하여 어떤 입장을 가지고 있는지를 '해석의 목적, 조세조약의 적용기간, 제3자(납세자나 제3국 등)에게 미치는 영향등'과 연결하여 분석할 필요가 있다. 조세조약을 체결할 때 사용한 용어의 의미가 시간의 흐름 속에서도 변화하지 않는다면 조세조약을 체결할 당시의 개념을 그대로 계속 적용하더라도 문제는 없다. 그러나 특정용어의 의미가 '시간의 흐름'에 따라 변한다면 그 변화를 수용할 수 있는 해석방법을 찾을 수밖에 없다. 그렇지 않으면 조세조약을 체결한 목적을 달성하기 어렵기 때문이다.

따라서 조세조약의 해석방법은 '조세조약의 목적'과 관련하여 특정용어의 의미를 해석할 필요가 있는지에 따라 선택해야 한다. 상대체약국과의 '공통적 이해(common understanding)'를 형성할 수 있도록 해석할 수 있어야 한다. 용어의 의미가 시간의 흐름에 따라 달라지지 않고, 조세조약의 목적 달성에 무리가 없고, 체약국 간의 공통적 이해가 형성되어 있다면 정태적 해석방법을 적용할 수 있고, 그 반대라면 동태적 해석방법을 적용해야 한다. 어느 하나의 요소만을 사용하여 정태적 방법이나 동태적 방법의 기준을 선택하기보다는 위의 모든 요소를 종합적으로 고려하여 합리적으로 결정하는 것이 바람직할 것으로 보인다. 해석방법의 선택

---

77) OECD 표준조세조약, 2017, 서문 para. 11.2

과정에서 고려해야 할 요소들은 다음과 같다.

(1) 조약의 적용기간

조세조약의 일반적인 적용기간은 앞에서 언급한대로 5년 이상이다. 통상적으로는 10년 내지 20년 정도가 지나야 일부 또는 전면개정하고 있다. 조세조약의 적용기간이 가지는 의미는 조세조약의 적용대상이 되는 경제현실의 변화와 연관되어 생각할 필요가 있다. OECD 표준조세조약과 그에 대한 주석은 1992년 이후 2년 내지 3년의 주기로, 1994, 1995, 1997, 2000, 2003, 2006, 2008, 2010, 2014, 2017년 등 10차례 개정되어 왔다.[78]

그럼에도 불구하고 개별 조세조약은 이보다 훨씬 긴 시간인 10년 내지 20년 동안 개정되지 않고 유지되고 있다. 이것이 조세조약의 해석과 관련하여 시사하는 것은 조세조약의 적용기간은 숫자적인 의미로 쉽게 판단하기 어렵다는 것이다. 조세조약의 해석과 관련하여 생각할 수 있는 것은 두 가지이다. 첫째는 개별조세조약의 체약국들은 조세조약의 체결시점이 아니라 미래의 10년 내지 20년 앞을 내다보면서 그 기간 동안에도 적용이 가능한 용어를 '공통의사'로 합의하여 결정하고 있는 것으로 볼 수 있다. 둘째는 경제상황의 변화에 따라 OECD 표준조세조약과 주석이 상대적으로 신속하게 개정되고 있으므로 개별조세조약이 그 내용을 그때마다 반영하더라도 무리가 없는 것으로도 볼 수 있다. 이러한 점에서 보면 조세조약의 체약국들은 조세조약의 체결목적과 관련하여 시간이 지나도 변화되지 않는 것과 변화해야 하는 것을 구분하여 그에 맞추어 정태적 또는 동태적으로 접근하는 지혜를 발휘하고 있는 것으로 볼 수 있다.

(2) 조세조약과 국내 조세법의 적용

국가 간의 조세분쟁 대상은 국가별 국내 조세법으로 부과된 조세에 대한 것이다. 국내 조세법의 적용은 해당 국가의 고유한 주권에 관한 사항이다. 따라서 국가 간의 합의를 통하여 국내 조세법의 적용기준을 정하기 위하여 조세조약을 체결하게 된다. 조세조약의 집행은 국내 조세법을 통하여 이루어지기 때문이다. 체약국 간의 경제교류의 활성화, 무역거래의 증진 등은 부차적인 목적이 된다. 조세조약상의 용어는 대부분 국내 조세법에서 규정하는 정의규정을 따르도록 규정하고 있다.[79] 여기서 국내 조세법의 적용방법에 대한 문제가 발생할

---

78) OECD 표준조세조약, 2017, 서문, para. 11.2
79) OECD 표준조세조약, 2017, 제3조(일반적 정의) 제2항, 제4조(거주자) 제1조, 제6조(부동산소득) 제2조 등 대부분의 규정에서 국내 조세법의 정의를 수용하고 있다.

수 있다. 조세조약 체결 당시의 국내 조세법을 말하는 것인지 아니면 조세조약을 적용할 당시의 국내 조세법을 말하는 것인지에 대한 문제이다. 일반적으로 조세조약을 적용할 당시의 국내 조세법을 말하는 것으로 이해되고 있다. 2014년 OECD 표준조세조약 제3조 제2항의 개정을 통하여 이 문제를 명확히 하고 있다.[80)]

OECD 표준조세조약 제3조 제2항의 규정은 조약상의 다른 조항을 해석할 때도 적용할 수 있다. 제3조 제2항에서 사용하고 있는 'the law of that State(Contracting State)'라는 표현은 법(law)의 변화를 감안할 때 정태적 의미라기보다는 동태적 의미를 가진다. 제3조 제2항의 해석기준은 조세조약의 다른 조항에도 적용할 수 있으므로 조세조약의 해석은 이점에서 동태적인 의미가 적용되는 것으로 보는 것이 논리적으로 타당하다고 할 것이다.

국내 조세법은 경제상황의 변화에 따라가기 위하여 또는 정부의 정책목적을 달성하기 위하여 빈번하게 개정되고 있다. 이러한 현실 속에서 조세조약에서 규정한 국내 조세법의 의미를 조세조약 체결 당시로 고정시키는 것은 오히려 조세조약의 목적에 부합하지 않는 결과를 가져오게 될 수 있다. 같은 논리로 2~3년 주기로 개정되는 주석을 사용하여 조세조약을 해석하여 적용하는 것이 옳지 않다고 하기는 어렵다.

(3) 조약의 목적

조약의 목적은 비엔나 협약 제31조의 각 조항과 관련하여 보면 체약당사국의 의사를 나타내 주는 지표의 기능을 한다. 비엔나 협약 제20조에서는 조약의 특정조항에 대한 유보의견을 표시할 수 있고, 제41조에서는 조약에서 명시적으로 금지되어 있지 않으면 당사국 간의 합의에 의하여 당사국 간에만 적용하기 위하여 다자간 조약의 일부조항을 변경하는 합의를 할 수 있는 것으로 규정하고 있다. 비엔나 협약 제2조에서 유보의견의 의미를 다음과 같이 규정하고 있다.

비엔나 협약 Article 2(1)(d) 'reservation' means a unilateral statement, however phrased or named, made by a Stated, when signing, ratifying, accepting, approving or acceding to a treaty, whereby it purports to exclude or to modify the legal effect of certain provisions of the treaty in their application to that State,("유보"라 함은, 자구 또는 명칭에 관계없이, 조약의 서명 · 비준 · 수락 · 승인 또는 가입 시에, 국가가 그 조약의 일부 규정을 자국에 적용함에 있어서 그 조약의 일부 규정의 법적 효과를 배제하거나 또는 변경시키고

---

80) OECD 표준조세조약 제3조 제2항에서 '~have the meaning that it has at that time under the law of that State~'라고 명시하고 있다.

자 의도하는 경우에, 그 국가가 행하는 일방적 성명을 의미한다.)

'유보'는 조약상의 특정조항의 법적 효과를 당해 국가에 대하여 적용을 배제하거나 배제하려는 일방적 선언이다. 조약의 당사국이 의무의 일부를 배제하려는 선언이다. 조약의 전반적인 내용에는 찬성하여도 일부 내용에 대하여 이견이 있는 의사를 표시하는 방법이 '유보'이다. 유보제도는 일부 조항에 이견이 있는 국도 조약의 체계 속으로 이끌어 들일 수 있는 기능을 한다. 비엔나 협약에서 말하는 유보는 특별히 다자간 조약에만 해당한다고 명시되어 있지는 않지만 성격상 양자 간 조약에는 적용되는 것으로 보기 어렵다.[81] 양자 간 조약의 경우에는 일방당사국의 선언으로 조약내용의 일부를 일방적으로 배제할 수 없기 때문이다. 양자 간 조약에서의 유보선언은 개정요청으로 해석함이 적절하다.

조약의 목적을 통하여 당사국의 공통의사를 확인할 수 있다는 점에서 보면 비엔나 협약 제20조와 제41조에 의한 결과는 그것을 보여 주는 좋은 사례가 된다고 할 것이다. 이러한 목적을 고려할 경우에는 동태적 해석이 아니라 정태적 관점의 해석이 되어야 한다고 볼 수 있다.

그러나 이것을 지나치게 일반화하는 것은 신중할 필요가 있다. 조약의 목적은 하나만 있지 않고 여러 개가 있는 것이 일반적이기 때문이다. 조세조약의 경우 단순히 이중과세(double taxation)의 방지 목적만 있는 것이 아니다.[82] 조세회피(tax avoidance)와 탈세(tax evasion) 방지의 목적도 포함되어 있다. 개발도상국의 경우 외국자본의 직접투자(Foreign Direct Investment) 유치목적도 있다. 또한 체약당사국 간의 인적 및 물적자본의 자유로운 이동을 통한 통상의 확대와 우호증진의 목적도 있다. 이렇게 하여 국제거래소득에 대하여 국내거래 소득보다 불리한 과세를 하지 않도록 하려는 목적도 있다.[83]

그러나 경제현실은 빠르게 변화하고 있다. 신기술의 발전, 새로운 사업형태의 등장, 국제 거래방식의 변화, 보다 정교화되어가고 있는 조세회피 기법 등과 관련하여 체약당사국은 이러한 변화에 어떻게 잘 적응하느냐의 과제를 발 앞에 두게 된다. 이런 변화에 따라가려면 동태적 접근방법으로 해석할 필요성이 있다. 동태적 해석방법이 제한된다면 조세조약이 경제환경의 변화에 따라가지 못하게 되어 조세조약의 목적을 효과적으로 달성할 수 없게 된다.

---

81) 국제법상 유보에 대한 자세한 내용은, 정인섭, 「신국제법 강의 – 이론과 사례」, 박영사(2013), pp.261~275 참조
82) OECD 표준조세약, 2017, 서문 paras. 1, 19,41 등
83) S. van Weeghel, The Improper Use of Tax Treaties – With Particular Reference to the Netherlands and the United States(1998), pp.33~34

(4) 체약당사국 외 제3자(납세자)에 미치는 효과

대부분의 국제조약은 체약당사국을 규율한다. 조약에서 규율대상을 구체적으로 언급하고 있지는 않지만, 조약은 상대체약국과 함께 체약당사국의 국가기관이나 공무원들과 관련되는 제3자 등에 영향을 주게 된다. A국과 B국이 조세조약을 체결한 경우 그 조세조약의 영향을 받는 당사자는 양 체약국의 국가기관, 납세자 등이다. 따라서 조세조약을 적용하면 체약당사국과 함께 그 조세조약의 영향을 받는 제3자에게도 규율의 효과를 미치게 된다.

조세조약의 가장 중요한 목적은 양 체약국의 각각 타방체약국의 납세자에게 과중한 세금을 부과하는 것을 방지하려는 것이다. 그러나 국내 조세법에 관한 사항은 주권국가의 국내문제에 해당한다. 따라서 조세조약상의 의무를 국내 조세법을 통하여 이행하는 방법에 대하여는 조세조약에서 규정하지 않고 있다. 조세조약상의 의무이행을 위하여 단계적으로 국내 조세법을 개정하여 의무를 점진적으로 이행하는 방안과 전면 개정을 통하여 일시에 이행문제를 해결하는 방안 등을 타방체약국이 결정할 수 없고 당사국이 가진 고유한 주권에 근거하여 결정하고 있다.

조세조약을 국내 조세법에 따라 적용할 경우에 그 효과는 조세조약 체결 당사국과 함께 조세조약의 적용을 받는 납세자에게도 미치게 된다. 납세자는 자신에게 적용되는 조세조약의 용어가 가지는 의미가 미치는 영향은 부담해야 할 조세의 수준으로 나타나므로 직접적이다. 따라서 이러한 제3자 관계에 해당하는 납세자의 이해관계를 감안한다면 조세조약을 체결하는 당사국의 공통의사는 조세조약이 '해석되는 시점'이 아니라 그 조세조약이 '체결되는 시점'에서 가지는 의미로 표현되어 문서화된다고 보는 것이 합리적이다. 제3자의 범위에는 해당 납세자가 거주하는 국가와 그 납세자가 국제거래에서 소득을 획득한 원천지국가를 포함한다.

제5절 조세조약의 해석에 적용되는 기본원칙

조세조약을 해석하는 수단은 OECD 표준조세조약에 대한 주석이다. 조세조약은 국가 간에 체결된 국제법의 성격을 가지고 있으므로 주석을 사용하여 조세조약을 해석하는 방법은 국제법의 해석기준을 따라야 한다.

첫째, 조약법의 해석에 관한 일반법인 비엔나 협약 제31조 내지 제33조의 기준을 적용하여 당사국의 의사를 확인하여 해석해야 한다. 비엔나 협약 제31조 내지 제33조의 기준에 따라 조세조약을 해석할 때 당사국은 각기 자국의 의사를 상대체약국에 표시하는 과정을 통하여 용어의 의미를 확정하게 된다. 당사국의 입장은 서로 다를 수 있으므로 통일된 입장을 가진 것으로 보기 어렵다.

당사국이 구두나 문서로 표현한 입장과 실제로 조문화된 내용이 일치하지 않을 수도 있다. 따라서 비엔나 협약 제31조 내지 제33조에서는 당사국의 진의가 존재했는지을 따지는 것이 아니라 조세조약에 표현된 문자(text)의 내용이 가지는 의미를 여러 가지 해석수단을 사용하여 밝혀서 당사국의 의사를 확인하는 절차를 규정하고 있다.

둘째, 조세조약의 해석수단은 주석이다. 조세조약의 해석은 특정용어의 의미를 밝히는 것뿐 아니라 분쟁이 된 사례에 대한 사실관계를 확실하게 결정하는 과정도 포함된다. 주석이 조세조약의 해석수단으로서 가지는 정당성의 근거는 비엔나 협약 제31조 제1항에서 규정한 '통상적 의미(ordinary meaning)'와 조세조약의 목적에 따라 해석해야 한다는 원칙에서 찾을 수 있다.

양 체약국이 조세조약체결 후 성립된 해석관행 등은 비엔나 협약 제31조 제3항 b)의 요건에 부합한다고 볼 수 있다. OECD 표준조세조약과 주석은 함께 묶여 있으므로 당사국이 조세조약을 체결할 때 표준조세조약과 주석의 내용을 함께 검토하는 것이 일반적이다. 따라서 조세조약에서 표현된 용어의 의미를 해석하기 위하여 주석을 참조할 수 있다. 비엔나 협약 제32조의 관점에서도 주석을 사용한 해석은 정당성을 가진다고 볼 수 있다.

셋째, 조세조약의 해석은 동태적 방법과 정태적 방법 중 어느 하나만을 선택하여 적용해야 하는 이분법적 접근방법이 아니라 두 가지 방법을 상황에 맞게 조화롭게 사용해야 한다. 특정한 사건별로 적용될 해석기준을 결정해야 하는 것이 타당하다는 의미이다.

양 체약국이 조세조약을 체결할 당시에 특정사안에서 사용된 용어의 의미를 그 당시의 주석에 표현된 내용으로 명시하였다면 그 의미를 적용해야 하므로 정태적 해석방법의 적용이 타당할 것이다. 그 사안을 제외하고 조세조약의 다른 부분에서 사용된 용어는 통상적인 의미나 조세조약의 목적에 비추어 해석할 수 있다. 비엔나 협약 제31조 제3항 b)를 기준으로 해석할 경우에는 당사국의 재량에 따라 정태적 또는 동태적인 해석방법을 선택할 수 있을 것이다. 어느 일방당사국의 자의적인 재량이 아니라 OECD 표준조세조약 제25조에서 규정한 상호합의절차를 통하여 충분한 소통을 하면서 해석방법을 선택할 수 있는 재량을 의미한다.

따라서 조세조약의 해석수단으로 주석을 사용할 수 있고 그 사용방법은 정태적 방법과 동태적 방법을 상황에 따라 조화시켜 선택할 수 있다. 이것은 비엔나 협약에서 규정한 조약법의 해석기준을 따르는 해석방법이 된다.

제**7**장

조세조약과 실질과세기준

조세조약을 체결하는 가장 주된 목적은 이중과세의 방지이다.[1] 이중과세의 방지혜택은 조세조약을 체결한 당사국의 거주자[2]에게 적용된다. 조세조약을 통하여 이중과세를 방지하는 이유는 경제 측면에서 국가 간의 상호의존성이 높아지고 있기 때문이다.[3]

조세조약에는 체약국거주자에 대하여 국제적인 이중과세[4]의 방지 외에 여러 가지 조세감면이 주어진다. 거주지국과 원천지국 간의 과세권을 적정하게 배분하기 위하여 원천지국의 과세권을 제한하고 거주지국의 과세권을 강화하거나 그 반대의 경우도 있다.[5] 개별국가 간에 체결하는 조세조약은 기본적으로는 OECD 표준조세조약 또는 UN 표준조세조약을 기준으로 하고 있지만 체약국 간의 경제적인 교류, 협상내용에 따라 그 내용에서 차이가 있다. 이러한 차이는 납세자들이 가장 유리한 조세전략(tax planning)을 고려하게 되는 요소가 된다.

가장 기본적인 조세전략은 당해 조세조약을 체결한 국가의 거주자가 아님에도 그 조세조약을 체결한 당사국의 거주자로 위장하는 방법이다. 그 위장의 방법은 일견하여 발견하기 어려울 정도로 매우 교묘하다.[6] 이는 그 조세조약의 적용대상이 아닌 사람이 그 조세조약을 적용받기 때문에 조세조약을 체결한 당초의 목적과 취지와 맞지 않게 된다. 이는 조세조약의 체결로 발생하는 혜택(benefits)이 체약국의 거주자가 아닌 제3국의 거주자에게 돌아가는

---

1) OECD 표준조세조약, 2017, 서문(introduction) para. 2
2) OECD 표준조세조약, 2017, 제1조 및 제4조
3) OECD 표준조세조약, 2017, 서문(introduction) para. 5
4) 국제적 이중과세는 '법률적 이중과세(juridical double taxation)'를 말한다. OECD 표준조세조약, 2017, 서문(introduction) para. 1
5) 이자소득, 배당소득, 사용료 소득 등과 같이 간접투자소득(portfolio investment)에 대하여 원천지국에서 정상세율보다 낮은 세율을 적용받는다. 또한 체약국의 거주자는 사업소득, 양도소득, 근로소득 등 소득의 종류에 따라 조세조약에서 규정된 조건을 적용받게 되므로 조세조약을 체결하지 않은 다른 국가의 거주자에 비하여 유리한 조건으로 과세를 받는다.
6) 구체적인 주요 사례는 후술한다.

것을 의미한다. 양 체약국이 조세조약을 체결한 의미가 약화되고 세수의 결손(revenue loss)을 가져온다.[7] 궁극적으로는 체약국 간의 원활한 경제교류를 통하여 국민복지(national welfare)를 증진시키려는 목적이 달성되지 못하게 된다.

따라서 OECD 재정위원회(CFA)는 조세조약의 체결당사국이 아닌 제3국의 거주자가 조세전략을 통하여 조세조약을 잘못 적용하는 것을 조세조약의 남용(improper use of conventions)이라고 하고 이를 방지하기 위한 노력을 강화하고 있다.[8]

이러한 조세조약의 남용행위가 세후수익을 극대화하려는 납세자의 이기적인 조세전략의 결과로 발생하는 것만은 아니다. 선진국과 개발도상국들의 이해관계와 연결되어 조장되는 측면도 있다.[9] 제3국 거주자의 조세조약 남용이 정당하지 않더라도 자국의 세수결함이 크지 않다면 다른 목적을 감안하여 눈감는(허용) 측면이 있다. 외국기업의 유치나 자국기업의 해외시장 경쟁력을 감안하기 때문이다. 자국기업이 해외투자(outbound FDI) 소득에 대한 외국납부세액을 줄이는데 관대하게 대한다. 개발도상국은 외국자본 또는 기술의 유치를 위한 지원책(incentive)[10]으로 간주하고 조세조약의 남용행위가 전개되는 장소를 적극적으로 제공하고 있다.

그러나 조세조약의 남용행위로 인하여 정당하게 부담하여야 할 조세를 회피하는 행위는 조세평등주의의 이념에 반하는 것이다.[11] OECD 재정위원회(CFA)와 개별국가에서는 계약자유의 원칙에 따라 유효하게 성립된 국제경제거래 자체를 무효화하는 것이 아니라 조세 측면에서 거래형식과 실질내용이 부합하는지를 기준으로 다시 판단하는 방법을 통하여 조세조약의 남용을 방지하려는 조치를 취하고 있다. 이러한 조치는 OECD가 1986년에 발간한

---

7) 체약국의 거주자로 위장하는 경우는 대부분 저세율국가 등에 본사 또는 자회사를 설립하고 있으므로 소득을 이곳으로 이전하고 체약국은 물론이고 다른 어느 국가에서도 조세를 부담하지 않는 결과를 가져온다. 결국 양 체약국의 세수 손실만 발생하게 된다. 조세부담의 회피행위가 더 심각한 이유는 소득의 획득을 위해 투자된 공공재(도로, 전기, 통신 등 인프라)에 지출된 국가예산에 대하여 전혀 보상을 하지 않거나 불충분한 대가를 지불한다는 것이다. 따라서 조세부담회피자들은 무임승차(free riding)를 하고 추가지출은 고스란히 체약국의 거주자들이 부담해야 한다. 이것이 반복될 경우 국가는 경제성장을 통한 복지증진 목표를 달성하기 어려워진다.

8) OECD 표준조세조약, 2017, 서문(introduction) para. 41

9) David A. Ward, 'Access to Tax Treaty Benefits', Research Report prepared for the Advisory Panel on Canada's system of International Taxation, september 2008. p.28

10) 조세부담을 낮게 하고 과세정보에 대한 비밀을 보장하는 것 등을 말한다. 전형적인 조세피난처(tax haven) 지역의 제도 운용방법이다. 최근 인도가 'Mauritius conduit'를 통하여 외자를 유치하는 수단으로 삼고 있는 것이 하나의 예가 된다.

11) 서울행정법원 2009. 2. 16. 선고 2007 구합 37650에서 '헌법상 조세평등주의의 이념을 실현하기 위한 법 제도의 하나가 바로 국세기본법 제14조에 규정한 실질과세의 원칙이라고 할 수 있어, 실질과세의 원칙은 국가 간의 조세조약의 규정을 해석함에 있어서 문언 자체의 의미를 유추 확장하거나 문언에 반하는 것이 아닌 한 그 해석의 기준으로 삼을 수 있고~'라고 판시하고 있다.

두 가지의 보고서에 기초를 두고 있다. 하나는 기지회사 악용보고서이고 다른 하나는 도관회사 악용보고서이다.[12] 이 내용은 OECD 표준조세조약 제1조에 대한 주석으로 수용되어 있다.[13]

연혁적으로 보면 OECD 표준조세조약에 포함되어 있는 내용은 국내 조세법에서 규정된 실질과세원칙 내지는 부당행위계산부인의 기준을 국제거래에서 확대하여 적용하는 것이다.[14] 조세조약의 남용을 통하여 조세부담을 회피하려는 행위를 차단하기 위해 거주자의 개념과 이자소득, 배당소득, 사용료 소득에서 '수익적 소유자(beneficial owner)'의 개념 등 국내법상의 실질과세개념을 적용하고 있다.

국제거래에서 발생하는 조세조약의 남용행위의 개념 및 범위와 성립요건, 이의 차단을 위한 조세조약 및 국내법상의 조치내용, 수익적 소유자 개념 등을 중심으로 살펴보기로 한다.

제2절　조세조약의 남용행위

 개 념

OECD 재정위원회(CFA)는 조세조약 남용행위의 기준을 2003년 개정된 주석에서 규정하였다. 그 내용은 거래의 주된 목적이 조세상 유리한 조건을 얻기 위한 것이면 조세조약의 목적이나 취지에 위반되므로 조세조약의 적용을 배제한다[15]는 것이다. 조세조약의 남용행위는 조세조약을 이용하여 조세의 회피 또는 탈세를 추구하려는 목적을 가지고 있을 뿐 아니라 그 목적을 실행에 옮겨서 조세조약의 목적이나 취지를 위반하는 결과를 가져온 경우에 해당한다. 앞의 것을 주관적인 요건이라 하고, 뒤의 것을 객관적인 요건으로 분류하기도 한다.[16]

이러한 조세조약의 남용(improper use of conventions)은 조세조약의 악용(abuse of

---

12) OECD, Double Taxation Conventions and the Use of Base Companies, 1986; doubel Taxation Conventions and the Use of Conduit companies, 1986

13) OECD 표준조세조약, 2017, 제1조 주석 paras. 54-56

14) Amanda P. Varma and R. Philip. West, Tax Treaties and tax avoidance: applicationn of anti-avoidance provisions, IFA General Report, Cahieres, de droit fiscal international, Vol. 95a, 2010, p.826

15) OECD 표준조세조약, 2017, 제1조 주석 para. 61

16) Geoffrey T. Loomer, Tax Treaty Abuse: Is Canada Responding Effectively?, Oxford University Centre for Business Taxation, WP 09/05. 2009

conventions)보다 넓은 의미로 이해된다.[17] 조세조약의 남용에는 국제거래소득에 대한 조세부담을 회피하기 위하여 거래구조를 왜곡하거나 거주지를 변경하거나 당해 조세조약의 일방체약국에 가공(架空)의 법적인 실체(legal entity)를 설립하는 행위가 포함된다. 또한, 형식상으로는 조세조약을 체결한 당사국의 거주자로 표현되지만 실질에 있어서는 제3국의 거주자가 경제적 실체가 없는 유령회사(paper company)를 설립하여 체약국의 거주자로 위장하는 것을 포함한다.

조세조약을 체결하는 목적과 취지는 이중과세의 방지를 통하여 체약당사국의 거주자 간 재화와 용역의 교환과 인적 및 물적 자본의 원활한 이동과 교류의 촉진을 위하여 혜택을 부여하는 것이며, 그 혜택은 조세조약을 체결한 당사국의 거주자에게 부여되어야 한다.[18]

조세조약의 남용이 발생했다는 구체적이고 객관적인 증거가 필요한 것인가에 대하여 의견이 갈리고 있다.[19] 그러나 최근의 경향은 조세조약의 남용행위가 성립하는 요건에 이중비과세(double non-taxation) 현상이 반드시 발생할 필요는 없다는 것이다.[20] 그러나 문제는 납세자의 거래형식과 내용이 국내법과 조세조약의 규정에 부합하지만 거래의 결과가 조세조약의 목적과 취지에 어긋나는 경우에 이를 조세남용거래로 볼 것인가 하는 것이다.[21]

조세조약의 남용행위(improper use of conventions)는 납세자가 자신의 조세부담을 최소화할 수 있는 방법을 적용할 수 있는 조세조약을 선택하는 방법(treaty shopping)[22]을 사용

---

17) 후술하는 수익적 소유자(beneficial owner)의 개념과 관련하여 경제적 편익(economic benfits)을 조세조약의 목적이나 취지에 반하여 취하려는 행위로 보기 때문이다. OECD 표준조세조약, 2017, 제10조 제2항 주석 paras. 12-12.7

18) Stef van Weeghel, The Improper Use of Tax Treaties, Kluwer Law International, 1998, p.117

19) 엄격한 문리해석의 기준을 적용하는 경우와 조세조약의 체결목적과 취지를 고려하는 경우로 나누어진다. 전자는 Stef van Weeghel, 후자는 Klaus Vogel이 각각 지지한다. Klaus Vogel, On Double Tax Conventions (Deventer/Boston: Kluwer Law and Taxation Publishers, 1991) Introduction, p.110.
자세한 내용은 조세조약 남용해석에서 설명한다.

20) Stef van Weeghel, 1998, op. cit. p.35

21) Stef van Weeghel, ibid. p.87. 이에 대하여는 조세조약 남용해석 부분에서 후술한다.

22) Reuven S. Avi-Yonah and Christiana HJI Panayi, Rethinking Treaty-Shopping Lessons for the European Union, Public Law and legal Theory, Working Paper Series, Working Paper No. 182 January 2010, Empirical Legal Studies Cnter Working Paper No.10-002, p.2. 미국에서 유래한 것으로 알려져 있다. 원래는 forum shopping에서 그 의미를 인용하여 사용한 것으로 알려져 있다. 처음 사용자는 1977년에서 1981년까지 미국 재무부 국제조세법무관(international tax counsel)을 지낸 David Rosenbloom으로 알려져 있다. '일부 투자자들이 투자대상국인 원천지국과 가장 유리한 조세조약을 체결한 국가에 법인과 같은 조직을 설립하여 소득을 획득하기 위하여 조세조약을 빌리는 행위(borrowing)'로 설명하고 있다. 곧 원래는 조세조약의 혜택을 얻을 수 없지만 복잡한 구조를 만들어서 조세조약을 얻는 행위라는 것이다. David Rosenbloom, Derivative Benefits: Emerging US Treaty Policy, 1994, Intertax Volume 22, p.83. Rosenbloom이 사용하기 전에 1970년대에 미의회에서 역외조세피난처에 대한 청문회를 통하여 사용된 것으로 나타난다.

하게 된다. 납세자가 가장 유리한 조세부담의 결과를 가져올 수 있는 조세조약을 선택하는 행위[23]를 조세조약의 남용행위라고 볼 수는 없다. 그 행위가 조세조약의 목적과 취지를 위반하는지 여부와 관련이 된다.[24]

Klaus Vogel은 조세회피목적의 조세조약선택행위(treaty shopping)는 조세 측면에서 유리한 결과를 얻으려는 목적만으로 제3국의 거주자가 자신의 거주지국이 해당 조세조약의 체약당사국이 아닌 조세조약을 이용하는 행위로 정의하고 있다.[25]

현재는 대체로 이러한 정도로 정의되고 있다. 조세회피의도 측면에서 어느 정도까지를 허용할 것인가에 대하여는 차이가 있다. 조세회피의도가 유일한 동기(only motive)여야 하는지 아니면 여러 동기 중에서 주된 동기(main motive)에 해당하는지에 대하여 차이가 있다.

이 문제는 조세조약 남용행위의 성립요건과 연관하여 살펴볼 필요가 있다. 조세조약의 남용행위는 앞에서 본대로 주관적인 요건과 객관적인 요건이 모두 필요하지만 조세회피목적의 조세조약선택행위(treaty shopping)는 조세회피의도라는 주관적인 요소만을 가지고 평가한다.

조세조약의 남용행위는 조세회피를 주된 목적으로 하므로 조세조약의 체결목적이나 취지와 상충된다는 것이다. 한편, 조세조약선택행위는 그 자체가 반드시 금지되어야 하는 행위가 아니라는 점에서 조세회피의 결과에 초점을 두기는 어렵다.[26] 그 대신 국제조세법의 관점에서 조세조약은 체결당사국 간에 성실하게 해석되고 적용되어야 한다는 기본원칙에 어긋나는 결과를 가져온다는 관점에서 판단해야 한다는 것이다.[27]

---

23) treaty shopping이라는 용어는 개별조세조약이나 OECD 표준조세조약 본문에서는 사용하지 않지만 주석에서 설명하고 있다. OECD 표준조세조약, 2017, 제29조 주석 paras. 1-7(2014년에는 제1조에 대한 주석 도관회사 부분에서 13-20에 있었던 것을 2017년 개정을 통하여 제29조의 주석으로 이동하였다). 이는 이미 treaty shopping 문제는 별도로 정의할 필요가 없을 정도로 잘 알려진 내용임을 인식하고 이를 방지하는 대책에 관심을 가지고 있다는 의미이다. 조세조약의 체결목적이나 취지와 상충되는 행위로 이해하면서 이를 방지하는 구체적인 대책으로서 Limitation on Benefits 등의 제도를 구체적으로 마련하여 적용하는 것을 중시하고 있다는 것이다.

24) UN 경제사회이사회(Economic and Social Council), 조세관련국제협력에 관한 전문가위원회 제4차 회의 Committee of Experts on International Cooperation in Tax Matters, Fourth session, Geneva, 20-24 October 2008, Progress Report of Subcommittee on Improper Use of Tax Treaties: Beneficial Ownership, online:
http://www.un.org/esa/ffd/tax/firstsession/ffdtaxation-abuse_of_tax_treaties.doc

25) Stef van Weeghel, 1998, op. cit. p.117

26) 최선의 조세효과를 가져오는 조세조약을 탐색하는 행위가 모두 조세조약의 남용에 해당하는 것은 아니기 때문에 간접적으로 조세조약의 목적이나 취지와 충돌하는 경우에 규제대상이 될 수 있다.

27) 조약법에 관한 비엔나 협약 제31조 제1항 '조약은 조약문의 문맥 및 조약의 대상과 목적으로 보아, 그 조약의 문면에 부여되는 통상적 의미에 따라 성실하게 해석되어야 한다.'

유리한 조세조약선택행위(treaty shopping)는 그 주된 목적이 조세조약상의 혜택만을 누리는 것이 아니라면 정당한 것이 될 수 있다. 따라서 조세조약선택행위(treaty shopping)가 조세조약남용의 요건을 구성하려면 조세회피 목적(의도)과 조세조약의 목적과 취지와 충돌해야 한다는 것이다. 이는 조세조약선택행위(treaty shopping)는 주관적인 조세회피 의도와 관련되며, 이를 국제적인 관점에서 보면 유해한 결과를 가져온다는 것이다.

② 조세조약 선택행위 유형과 문제점

(1) 유형

OECD 표준조세조약 제1조에 대한 주석 제9항 및 제11항에서 조세회피목적의 조세조약선택행위(treaty shopping)에 대하여 규정하고 있다.

첫째는 조세조약상의 혜택을 얻기 위하여 해당 국가에 법인을 직접 설립하는 방법이다.[28]

둘째는 이중거주자인 경우에 조세부담을 최소화할 수 있는 국가로 거주지를 이전하는 방법이다.[29]

셋째는 제3국의 거주자가 조세 측면에서 가장 유리한 국가에 도관회사를 설립하여 그 도관회사 소재지국이 조세조약을 체결한 국가와의 거래에서 조세조약상의 혜택을 얻는 방법이다.[30]

여기서 첫 번째와 두 번째 방법은 조세조약선택행위에는 해당하지만 직접 해당 국가에 참여하는 행위를 한다는 점에서 세 번째 방법과는 차이가 있다. 세 번째 방법은 조세조약상의 혜택을 얻기 위하여 거래단계를 의도적으로 복잡하게 변경하고 있기 때문이다.[31] 따라서 사실과 다른 거래를 통하여 조세조약상의 혜택을 추구한다는 문제가 부각된다.

도관회사의 전형적인 구조는 다음과 같이 설명할 수 있다.[32] 자회사가 획득한 소득을 배당으로 모회사에 직접 송금할 경우에 조세조약상 감면혜택이 적은 경우이다. 모회사 소재지국(거주지국)과 자회사 소재지국(원천지국) 간의 조세조약에서는 자회사의 소재지국이 '제

---

28) OECD 표준조세조약, 2017, 제1조 주석 para. 56 전단
29) OECD 표준조세조약, 2017, 제1조 주석 para. 56 후단
30) OECD 표준조세조약, 2017, 제29조 주석 para. 6
31) 도관회사를 통한 조세부담회피사례의 유형은 다음 보고서를 참조. OECD Conduit Companies Report in OECD, Committee on Fiscal Affairs of the OECD, International Tax Avoidance and Evasion, Four Related Studies, Double Taxation Conventions and the Use of Conduit Companies, Issues in International Taxation Series, no. 1, OECD, Paris, 1987
32) ibid.

한세율'을 적용하는 규정이 없는 경우에 정상세율로 과세하게 된다. 이때는 거주지국의 모회사는 수취하는 소득이 줄어들게 된다. 따라서 원천지국과 가장 유리한 조세조약을 체결하고 있는 동시에 거주지국과도 조세조약을 유리한 조건으로 체결하고 있는 제3국에 지주회사(holding company)를 설립한다. 이 지주회사는 자회사가 송금하는 배당소득을 모회사에 전달하는 통로(conduit)역할만을 수행하게 된다. 원천지국의 자회사에서 배당소득을 모회사로 직접 송금하지 않고 지주회사를 통하는 방법으로 우회하여 송금함으로써 원천지국에서의 조세부담을 최소화한다. 이러한 도관회사 거래의 기본구조를 요약하면 아래 그림과 같다.

[그림 7-1] 도관회사 거래 기본구조[33]

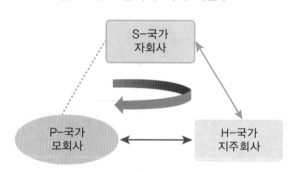

이러한 도관회사를 통한 거래구조의 특성은 다음과 같이 요약된다.

소득을 수취하는 모회사(수익적 소유자)[34]와 자회사는 같은 국가에 소재하지 않고 분리되어 있으며, 지주회사의 경제활동은 자회사로부터 소득을 수취하는 것 외의 다른 활동은 미미하고, 지주회사의 소재지국(H국)에서 부담하는 조세는 최소화된다.

이러한 거래구조가 정상적인 거래인지 아니면 허위거래인지를 구분하는 것은 이론적으로나 현실적으로 쉽지 않다.

---

33) Reuven S. Avi-Yonah and Christiana HJI Panayi, January 2010, op. cit. p.4의 그림 중 일부 수정하여 재인용. http://ssrn.com/abstract=1531192
34) 수익적 소유자에 대하여는 후술한다.

(2) 문제점

유리한 조세조약을 선택하는 행위(treaty shopping)는 조세전략(tax planning)의 일종이므로, 이것이 나쁜 것으로 평가할 수 있는가에 대하여 논란이 있다.[35] 그러나 일반적으로 주장되는 문제점은 다음과 같다.

첫째는 treaty shopping은 조세조약의 체결목적과 상충된다는 것이다. 체약국이 아닌 제3국의 거주자가 유리한 조세조약상의 혜택을 얻는 것이므로 조세조약체결의 상호주의기준(reciprocity)에 위반된다는 것이다.[36] 제3국의 거주자가 끼어들어 조세조약의 혜택을 가로채어 가면 그 국가는 혜택만 누리고 그에 상응하는 보상을 상대방 국가에 제공하지 않는다. 이는 조세조약의 기본원칙인 호혜주의 원칙(quid pro quo)에 어긋난다는 것이다.

둘째는 조세조약체결 과정에서 일방체약국에서 과세하지 않은 조세가 타방체약국에서 과세할 것이라는 기대와 어긋나는 결과를 초래한다. 조세조약에 의하여 과세소득은 양 체약국에 적정하게 배분하기로 약정을 한 것이다. 그 약정의 내용은 당사국에만 배타적으로 적용하기로 합의되어 있다. 여기에 제3자가 그 약정의 내용을 가로채어 가는 것은 아무런 경제적인 기여가 없이 과실만 챙기는 결과를 초래한다.[37]

셋째는 소득의 최종귀속자의 거주지국은 간접적인 방법으로 자국거주자가 조세조약의 혜택을 누리고 있으므로 직접 상대방 국가와 조세조약을 체결할 필요성이 없어지게 된다는 점

35) David Rosenbloom & Stanle ,Langbein, United States Tax Treaty Policy: An Overview Columbia Journal of Transnational Law Volume 19, 1981, p.359; David Rosenbloom, Tax Treaty Abuse, 1983: Policies and Issues, Law & Policy in International Business Volume 15, p.763; Helmut Becker & Felix J. Würm, Treaty Shopping: An Emerging Tax Issue and its Present Status in Various Countries, Kluwer, Deventer, 1988; Stef van Weeghel, The Improper Use of Tax Treaties, Kluwer Law International, 1998; Richard L. Reinhold, What is Tax Treaty Abuse? (Is Treaty Shopping an Outdated Concept?), Tax Lawyer Volume 54, 2000; Kenneth A. Grady, Income Tax Treaty Shopping: An Overview of Prevention Techniques North Western Journal of International Law & Business Volume 5. 1983−4, p.626; Julie A. Roin, Rethinking Tax Treaties in a Strategic World with Disparate Tax Systems, Virginia Law Review Volume 81, 1995, p.1753; William P. Streng, Treaty Shopping: Tax Treaty Limitation of Benefits Issues, Houston Journal of International Law, 1992, p.789

36) OECD Report on Conduit Companies와 UN Report on the Prevention of Abuse of Tax Treaties. Conduit Companies Report의 7항 (a)에서 사용한 용어이다. The OECD Report on Conduit Companies (paragraph 7(a)) and the UN Report on the Prevention of Abuse of Tax Treaties. Conduit Companies Report, paragraph 7 (a) in 'international Tax Avoidance and Evasion, Four Related Studies, Double Taxation Conventions and the Use of Conduit Companies, Issues in International Taxation Series' no. 1(OECD, Paris, 1987). UN Department of International Economic and Social Affairs, Report of the Ad Hoc Group of Experts on International Co−operation in Tax Matters, Contributions to international cooperation in tax matters.

37) David Rosenbloom & Stanley Langbein, United States Tax Treaty Policy: An Overview, Columbia Journal of Transnational Law Volume 19, 1981, p.359, pp.397~398

등이다.[38]

넷째는 체약국의 세수감소를 초래한다.[39] 조세조약을 체결하는 국가는 쌍방간의 자본과 소득의 흐름이 어느 정도 균형을 이룰 것으로 예상하고 있다.[40] 제3자가 끼어들 경우에 균형이 깨어지고 자본과 소득의 흐름은 왜곡현상이 발생한다. Treaty shopping을 통하여 하나의 체약국이 체결한 조세조약이 전 세계와 체결한 다자간 조세조약으로 변경될 수도 있다.[41] 이 경우에 해당 국가에게는 엄청난 세수결함이 발생할 수 있다.[42]

조세부담의 회피(avoidance)에 내포된 긍정적인 성격을 평가하는 입장도 있다. 조세부담의 회피액 만큼 늘어나는 소득은 재투자 재원이 될 수 있다는 주장은 납세자에게 일방적으로 유리하게 조세조약을 적용하는 결과만 가져올 수 있다는 점에서 설득력이 없다.[43]

네덜란드가 금융거래소득에 대하여 저율로 과세함에 따라 발생하는 유리한 점은 국제자본이 집중되어 자문(consulting), 신탁(trusts), 회계용역 등과 관련한 사업이 번창함에 따라 과세소득이 증가하는 장점이 주장되고 있다.[44] 그러나, 단점은 타방체약국(원천지국)의 과세소득이 감소하여 재정수입이 줄어들고 결과적으로 조세부담이 전가(노동 등)되고 중소기업의 국제경쟁력이 약화될 수 있다는 것이다. 그러나 유리한 조세조약을 이용하는 거래가 모두 조세부담을 회피하는 조세조약 남용행위에 해당하는 것은 아니라는 점에서 유해한 treaty shopping과 정상적인 조세전략(international tax planning)을 구분하기란 쉽지 않다.[45]

---

38) Conduit Companies Report, paragraph 7 (c); Becker & Würm (1988) 6; Rosenbloom & Langbein, 1981, p.676

39) David Rosenbloom & Stanley Langbein, 1981, op. cit., p.84

40) UN Department of International Economic and Social Affairs, Report of the Ad Hoc Group of Experts on International Co-operation in Tax Matters, 1988, op. cit. p.6

41) US Treasury Department, June 27, 1979, New Release B-1694 relating to the US treaty with the Netherlands Antilles.

42) David Rosenbloom, Derivative Benefits: Emerging US Treaty Policy, Intertax Volume 22, 1994, p.84

43) Submission sent to the Advisory Panel on International Taxation by The Joint Committee on Taxation of the Canadian Bar Association and the Canadian Institute of Chartered Accountants, 15 July 2008, p.4

44) 네덜란드에 특별금융기관이 12,500개 정도가 있고 주로 우편물수신(mail box company), 서류상회사(paper company) 등으로 구성되며 고용창출효과는 2,500명, 세수효과는 17억 유로 정도로 추산하고 있다.

45) Reuven S. Avi-Yonah and Christiana HJI Panayi, Janurary 2010, op. cit. pp.7~10

제3절 · 조세조약 남용행위의 방지방법

조세조약의 남용행위는 체약국의 거주자가 아닌 제3국의 거주자가 조세조약상의 혜택을 얻는 것에 주된 목적을 두고, 어느 일방체약국의 거주자인 것처럼 거래구조를 인위적 (artificially)으로 조작하여 조세조약을 적용받는 행위를 말한다. 이러한 조세조약의 남용행위는 과세기반(tax base)을 잠식하는 등 여러 가지 문제[46]가 있으므로 각국에서는 여러 가지 대응책을 마련하고 있다. 이 분야에서 선두주자는 미국과 OECD이다. 또한 EU에서는 EU연합국으로서 다른 개별국가와 다른 독특한 기준을 적용하고 있다. 또한 과세당국이 조세조약의 내용을 해석적용한 결과에 대하여 법원의 판단사항이 다른 경우도 있다. 이러한 내용을 중심으로 다음에서 살펴보기로 한다.

① 실질과세기준과 수익적 소유자

(1) 개요

조세조약의 남용행위를 판단하는 기준은 조세조약상의 혜택을 받는 수익자가 체약국의 거주자에 해당하는가에 있다. 조세조약을 체결한 당사국의 거주자가 아닌 제3자가 당해 중간에 끼어드는 행위를 조세조약선택행위(treaty shopping)라고 부르고 있다. 조세조약을 이용하여 조세부담을 최소화하려는 조세전략(tax planning) 자체는 금지하기 어렵지만, 그 전략의 내용이 단지 조세부담을 절감할 목적만을 추구하는 것이면 이는 경제활동의 실체가 없는 것으로 보고 규제[47]하는 대상으로 삼으려는 것이 실질과세원칙이다.

조세조약에서 규정한 혜택의 적용대상자는 체약국의 거주자로서 원천지국 또는 거주지국과 경제적으로 충분한 연관성(sufficient nexus)를 가진 실체(entities)이어야 하는 것을 전제로 한다. 이러한 경제적 연관성의 존부에 대한 판단기준은 소득의 귀속자가 그 소득에 대하여 실질적인 지배권(dominion and control)을 행사할 수 있는 권한(power)을 가지고 있는지의 여부에 대한 사실관계이다. 소득귀속자가 그러한 권한을 가지고 있는 경우에는 수익적 소유자(beneficial owner)에 해당한다.[48]

---

46) 제1편 제2장 설명 참조

47) OECD Report on Restricting the Entitlement to Treaty Benefits, 2002, paras. 17-31

48) 수익적 소유자의 용어는 OECD 표준조세조약 제10조 배당소득, 제11조 이자소득, 제12조 사용료 소득의 주석에서 각각 사용하고 있다. OECD 표준조세조약, 2017, 제10조 제2항 주석 paras. 9-22, 제11조 제4항 주석

수익적 소유자의 개념은 연혁적으로 '1945년 미국 – 영국 조세조약'에 대한 의정서에서 처음 사용되었고, 그 후 1966년 '캐나다 – 영국 조세조약'에서 규정하고 1977년 OECD 표준조세조약에서 이를 규정하고 있다. 수익적 소유자(실질적 소유자, 실질적 귀속자)에 해당하면 조세조약상의 제한세율(낮은 원천징수세율)을 적용하게 된다.

(2) 수익적 소유자(beneficial owner)의 개념

수익적 소유자의 개념은 OECD 표준조세조약에서 구체적으로 정의하지 않고 있다. 다만, 1986년 OECD 보고서[49]에서 규정했던 도관(conduit)의 개념을 OECD 표준조세조약에서 그대로 사용하면서 수익적인 소유자에 해당하지 않는다고 규정하고 있을 뿐이다.[50] 또한 수익적 소유자의 개념은 고정된 개념이 아니라 구체적인 상황을 고려하여 적정하게 해석되어야 하는 개념으로 보고 있다.[51]

수익적 소유자의 개념을 학술적으로 정의하고 있는 대표적인 학자는 Philip Baker이다.[52] 그의 의견에 따르면 수익적 소유자는 소득의 귀속자가 아닌 단순한 명목상의 소유자이거나 대리인(mere nominees or agents)을 말한다. 이러한 형식적소유자는 소득에 대하여 매우 제한적인 권한(power)만을 가지고 실제 귀속자(BO)를 위한 수탁자(fiduciary) 또는 집행자(administrator)로서 도관(conduit)과 같은 역할을 수행하는 사람을 말한다.[53]

Philip Baker는 수익적 소유자의 개념은 체약국의 국내 조세법이 아닌 국제조세조약을 적용하기 위한 기준이라는 것을 강조하고 있다.[54] 국가 간의 조세조약이 적용되는 국제거래의 당사자인 특정한 기업이 다른 제3의 국가 거주자에 의하여 지배되어 소득의 형식적 수취자와 실질적 수취자가 다르고, 실질적 수취자는 체약국의 조세법률에 의한 납세의무를 부담하지 않는 경우에 그 실질적 수취자를 수익적 소유자로 보는 것이다.[55]

---

paras. 8–9, 24–25, 제12조 제1항 및 제2항 주석 paras. 3–19

49) OECD Report on Double Taxation Conventions and the Use of Conduit Companies 1986, p. R(6)–1
50) OECD 표준조세조약, 2017, 제10조 제2항 주석 para. 12.4.에서 agent, nominee, conduit company acting as a fiduciary or administrator라고 기술하고 있다.
51) OECD 표준조세조약, 2017, 제10조 제2항 주석 paras. 9–9.1에서 '수익적 소유자의 개념은 좁은 기술적(technical)인 의미가 아니라 이중과세 방지와 조세회피의 배제를 포함하여 조세조약의 문맥과 목적 및 취지(context, objects and purposes) 등을 고려하여 해석하고 적용해야 하는 것으로 규정하고 있다.
52) Philip Baker, Double Taxation Conventions, Sweet & Maxwell 2001, paras. 10B–10.4
53) OECD 표준조세조약, 2017, 제10조 제2항 주석 para. 10.2
54) Philip Baker, 2001, op. cit, paras. 10B–14
55) Philip Baker, 2001, Ibid, paras. 10B–15

❷ OECD 방법

(1) 연혁과 내용

조세조약의 남용방지에 대한 규정은 1977년 OECD 표준조세조약에서 도입된 이후 현재까지 계속 유지되고 있다. 그 내용은 수익적 소유자가 아닌 제3국 거주자에게는 조세조약상의 혜택을 부여하지 않는 것이다. 이를 위하여 조세조약의 체결당사국이 아닌 제3국 거주자의 조세조약선택행위인 treaty shopping을 억제하기 위하여 수익적 소유자(beneficial owner)의 기준을 적용하는 것이었다.

2003년에는 다시 수익적 소유자 개념을 포괄적으로 적용할 수 있는 '비거주자에 대한 조세조약 혜택제한(limitation on benefits)'의 내용을 추가로 도입하였다. 이와 같이 OECD 표준조세조약에서 적용하고 있는 제도는 수익적 소유자(BO)의 기준과 비거주자에 대한 조세조약상의 혜택제한(limitation on benefits)이다.

OECD 재정위원회(CFA)는 1986년의 'The OECD Conduit Companies Report'[56]에서 1977년 규정한 내용은 조세조약의 남용행위는 금지되어야 한다는 정도의 표현을 담고 있지만[57] 그것으로는 충분하지 못하다는 비판의견을 감안하여 보다 구체적인 규제방법을 제시하였다.[58]

OECD 1986년 보고서의 내용은 1992년 OECD 표준조세조약 제1조의 주석에 반영되었고, 다시 2003년에 일부 수정되었다.[59] 그러나 OECD 재정위원회(CFA)는 수익적 소유자 개념에 대하여 하나의 통일된 기준을 제시하지 않고 여러 가지 방법을 제시하고 있다.

방법에는 '수익적 소유자 방법(BO approach)',[60] '투시방법(look-through approach)',[61] '통로방

---

56) OECD Report, 1986, op. cit.

57) ibid., para. 15

58) Ibid., para. 10

59) 2003년 주석의 개정은 2002년 'OECD Report on Restricting the Entitlement to Treaty Benefits'의 내용을 반영한 것이었다.

60) 수익적 소유자 방법은 OECD 표준조세조약 제10조 내지 제12조에서 규정하고 있다. 여기서 명문으로 BO에 대하여 정의하고 있지는 않지만 그 규정의 내용을 미루어 해석할 수 있다. 즉, 특정한 소득에 대한 수익적 소유자에게만 조세조약상의 혜택을 적용하고 형식적인 수취자에게는 적용하지 않는 방법이다. 실질과세원칙(substance over form rule)을 적용하는 방법이다.

61) 투시방법은 법인(entity)의 직접 또는 간접 소유권에 초점을 맞추는 방법이다. 법인이 체약국의 거주자가 아닌 제3자에 의하여 직접 또는 간접적으로 소유 또는 지배되는 경우에는 조세조약상의 혜택을 제한하는 방법이다. OECD 표준조세조약, 2010, 제1조 주석 para. 13. 구체적인 적용기준은 당사국이 합의하여 결정할 수 있다는 것을 동조 주석 para. 14에서 제시하고 있다.

법(channel approach)',[62] '비거주자혜택제한방법(limitation on benefits approach)',[63] '배제방법 (exclusion approach)',[64] '납세의무자방법(subject-to-tax approach)'[65] 등이 있다.

앞의 세 가지 방법인 '수익적 소유자 방법, 투시방법 및 통로방법'은 중간실체의 소유권 및 지급액의 실제 수령자와의 관계를 살펴본다. 여기서는 소득의 형식적인 수취자와 실제 귀속자가 다르거나 제3국 거주자가 수취하는 경우에는 조세조약의 혜택을 배제한다. 그 다음 세가지 방법인 '제3국 거주자 조세조약혜택제한방법, 배제방법 및 납세의무자방법'은 거주지국에서 납세의무를 이행하는지 여부에 초점을 두고 있다. 원천지국에서 발생된 소득이 거주지국에서 과세되지 않고 제3국의 거주자에게로 이전되는 경우에는 원천지국에서 조세조약상의 혜택을 배제한다.[66]

OECD 재정위원회(CFA)는 이러한 6가지 방법을 개별조세조약의 체결과정에서 구체적인 조항에 표현하여 '조세조약상의 혜택은 진실한 거래(bona fide case)에만 부여'할 것을 권고하고 있다.[67]

2003년 개정 주석에서 비거주자의 조세조약편승행위(treaty shopping)를 포괄적으로 규제하기 위하여 '비거주자조세조약혜택제한(LOB)' 조항을 도입하였다.[68] 이는 미국의 표준 조세조약(US Model Convention)상의 '조세조약혜택제한(standard LOB)' 조항을 그대로 옮겨놓은 것이다.

---

62) 통로방법은 '세원잠식(base erosion)방법'이라고도 한다. 중간법인이 이자 또는 사용료의 지급이나 의무의 이행 등의 방법으로 특수관계에 있는 제3국의 거주자(지배주주 포함)에게 유리한 방법으로 소득이 이전되는 경우에는 세원(tax base)의 잠식이 있는 것으로 보는 방법이다. OECD 표준조세조약, 2017, 제29조 주석 paras 1-7

63) 비거주자혜택제한방법(LOB)은 OECD 표준조세조약 제4조 제1항에서 규정하고 있다. '일방체약국의 거주자는 그 국가의 법에 따라 주소(domicile), 거소(residence), 관리장소(place of management) 또는 이와 유사한 성격의 다른 기준에 의하여 그 국가에서 납세의무를 이행하는 사람을 말한다. 또한 여기에는 국가나 정치적 하부조직과 지방정부 등을 포함한다. 그러나 자국 내의 원천이나 자국 내에 소재하는 자본에서 발생한 소득에 대하여만 납세의무가 있는 사람은 포함하지 않는다.

64) 배제방법은 비과세 또는 거의 비과세와 다름없는 조세부담을 하는 법인에게는 조세조약상의 혜택을 적용하지 않는 방법이다. OECD 표준조세조약, 2017, 제29조 주석 paras. 1-7

65) 납세의무자방법은 원천지국에서 제공하는 조세조약상의 혜택은 그 소득이 거주지국에서 조세부담을 하는 경우에만 허용하는 방법이다. 납세방법은 배제방법과 유사하지만 거주지국에서의 비과세나 감면에만 한정하지 않는다는 점에서 차이가 있다. OECD 표준조세조약, 2017, 제29조 주석 paras. 1-7

66) Christiana HJI Panayi, Double Taxation, Tax Treaties, Treaty Shopping and the European Community, Kluwer Law International, EUCOTAX Series 2007, Chapter 2

67) OECD 표준조세조약, 2017, 제29조 주석 paras. 1-7

68) OECD 표준조세조약, 2017, 제29조 주석, paras. 1-7

(2) OECD 표준조세조약상의 수익적 소유자 개념의 적용

그러나 조세조약 남용방지와 관련된 규정의 의미가 명확하지 않고 적용범위도 넓어서 실제사례에 적용할 때 해석상의 문제를 유발할 소지를 안고 있다. OECD 주석에서 BO개념은 좁은 기술적인 의미가 아니라 조세조약의 문맥 속에서 이중과세 방지와 조세회피의 배제를 포함하여 조세조약의 목적과 취지에 따라 이해해야 한다고 규정하고 있다.[69] 현재는 개별국가별로 조세조약을 체결하는 과정에서 해당 국가 간의 형상을 통하여 기준을 결정하고 있고, 납세자와 과세당국 간의 과세분쟁건에 대하여 법원의 판결을 통하여 해결방안을 찾고 있다. 최근의 주요사례에서 '수익적 소유자(BO)'의 개념이 이러한 문제를 야기하고 있다.[70]

OECD 표준조세조약에서 규정하고 있는 수익적 소유자의 개념을 실제 사건에 적용할 경우에 명확한 판단의 기준을 제시할 수 있어야 한다. 이에 대하여 다음 사례를 중심으로 분석하기로 한다.

가. Indofood 사례[71]

Indofood 사례(case)는 인도네시아 무역회사(Indofood)가 자금을 조달하면서 국제금융기관인 JP Morgan의 자문을 받아 모리셔스에서 자금을 조달하면서 Indonesia - Mauritius 조세조약의 혜택[72]을 이용하기 위하여 자회사(Mauritian SPV)를 설립하였으나, 인도네시아 정부는 2년 뒤 모리셔스와의 조세조약을 종료하였다. 이로써 원천징수세율은 20%로 상승하게 된다. 따라서 Indofood는 수탁은행에 조기상환을 통보[73]하였으나, 조기상환이자율에 대하여 이견이 발생하였다. 수탁은행(JP Morgan)은 Indofood가 적정한 조치를 취하지 못한 책임이 있다고 주장하면서 다른 자회사(Dutch SPV)를 설립하여 Indonesia - Netherlands 조세조약의 혜택을 적용받도록 요구했다.[74] 이를 Indofood가 거부하자 소송이 제기되었다. 영국의 일

---

69) OECD Commentary to Article 10, paragraph 12. In other words, the limitation of source country taxes by virtue of a tax treaty would not be available "when, economically, it would benefit a person not entitled to it who interposed the conduit company as an intermediary between himself and the payer of the income" See Conduit Companies Report, paragraph 14(b).

70) Lee Sheppard, "Beneficial ownership too onerous?" Tax Analysts, 10th September 2008, 2008 WTD 176-4

71) Indofood v. JP Morgan (2006) High Court of Justice Chancery Division [2006] EWCA Civ. 158 and Court of Appeal [2006] STC 1195

72) 인도네시아 - 모리셔스 간 조세조약의 규정에 따라 모리셔스에서의 원천징수세율은 10%가 된다. 인도네시아에서 채권을 발행하면 원천징수세율이 20%를 적용받는다.

73) JP Morgan과의 계약조건에 상황이 악화되면 Indofood는 '조기상환' 등 적절한 조치를 취하여 불리한 상황에 대처할 수 있도록 하는 내용이 들어 있었다.

74) JP Morgan의 Dutch SPV 안에 따르면 자금을 Indofood에서 Dutch 법인으로 이전하고 이를 모리셔스 법인을 거쳐 주주에게 이전할 수 있다는 것이었다. Indofood가 모리셔스 법인에 지고 있는 채무는 Ductch SPV의

심법원(High court)[75]에서는 수탁은행이 승소하였다. Indofood가 항소하였다. 영국의 항소법원(Court of Appeal)은 OECD 표준조세조약의 관련 주석을 검토한 후 Philip Baker 교수가 주장한 것처럼 BO는 국제적인 개념이며 체약국의 국내법에서 도출된 것이 아닌 것을 긍정적으로 수용하였다.[76] 수익적 소유자(BO)의 개념은 OECD 표준조세조약의 문맥과 목적 및 취지의 관점에서 이중과세의 방지와 조세회피의 배제 측면을 고려하여 해석하는 것이 옳다고 보았다. 따라서 항소법원은 소득의 수익을 직접적으로 누릴 권한(privilege)을 가지지 못한 형식적 소유자와 수익적 소유자(BO)는 양립할 수 없는 개념이라고 판시하였다.[77] 법적·사업적 및 실제적 거래구조상 Mauritian SPV와 Dutch SPV는 모두 수익적 소유자(BO)가 아니며[78] 단지 소득의 관리자(administrator)에 지나지 않는다고 판결하였다.[79]

이 사건에서 영국항소법원은 '중간자(intermediate entity)'의 소득처분권의 존부에 초점을 맞추고 있다. 법원은 기술적(전문적)인 측면에서만 검증하고 전체적인 맥락 속에서 실질과세의 기준이 최종결과와 어떻게 실질적으로 연관이 되는지를 판단하지 않고 있다. 구체적인 지급행위와 자금의 흐름에 대한 계약내용과 그러한 것이 중간자(SPV)에게 어떤 영향을 주었는지만 판단하였다.[80] 이러한 판단기준은 너무 범위가 좁다는 측면에서 비판을 받고 있다.[81]

채무로 대체가능하다는 것이었다. JP Morgan의 설명에 따르면 Dutch SPV가 모리셔스 법인에 이자를 지급하면 Dutch SPV는 모리셔스 법인에 대한 Indofood의 채무가 상환되고 Dutch SPV에 대한 채무로 전환된다는 의미가 된다.

75) 재판을 영국법원이 담당한 것은 계약조건에 포함된 '준거법(governing law)' 조항 때문이었다. 해석상 다툼이 있는 경우 영국법을 적용하기로 했기 때문이다.

76) Indofood v. JP Morgan, 2006, para. 42(Lord Justice Chadwick)

77) Ibid, para. 42

78) Ibid, para. 42

79) Ibid, para. 44. 이 판결의 결과는 Indofood에게 유리하다. Dutch SPV는 수익적 소유자가 아니므로 Indofood는 그 법인에 이자를 지급할 필요가 없기 때문이다.

80) 이 판결의 의미는 수익적 소유자(BO)의 의미를 구체적으로 판단한 데서 찾을 수 있다. 즉, 수익적 소유자(BO)의 국제법상의 개념과 소득수익에 대한 완전한 향유권(full privilege)은 조세조약의 문맥 속에서 적용된다는 것이다. 이 판결 후 영국 국세청은 2006년 10월 9일 금융상품거래에 대한 별도과세지침을 고시하면서 항소법원의 판결과 영국국세청의 입장은 일치한다는 것을 확인하였다.
http://www.hmrc.gov.uk/manuals/intmanual/updates/intmupdate101007.htm.

81) Ross Fraser & J.D.B. Oliver, Treaty Shopping and Beneficial Ownership: Indofood International Finance Ltd v. JP Morgan Chase Bank NA London Branch [2006] British Tax Review Volume 4, pp.422~426; M. Kandev, Beneficial Ownership: Indofood Run Wild, CCH Tax Topics No. 1812, November 30, 2006, p.1; Philip Baker, 'Beneficial Owner: After Indofood,' Grays Inn Tax Chamber Review, Vol. VI, No. 1, February 2007, p.15; Metha and Habershon, 'UK. Issues Guidance in Response to Indofood Decision,' Tax Notes International, p.490, November 13, 2006; Jakob Bundgaard and Niels Winther-Sørensen, Beneficial Ownership in International Financing Structures, Tax Notes International Volume 50, May 19, 2008, p.587

나. Bank of Scotland 사례[82]

프랑스 행정대법원(French Supreme Administrative Court)도 영국항소법원과 유사한 접근방법을 사용하였다. 미국 모회사가 영국은행과 용익권(usufruct) 계약[83]을 체결하고 그 계약에 따라 영국은행은 미국 모회사의 프랑스자회사가 발행한 3년 만기 무의결권우선주 배당권을 취득하였다. 용익권 계약의 구조는 영국은행이 채무불이행(default) 위험을 지지 않는 것이었다.[84]

프랑스 자회사는 영국은행에 배당소득을 지급하면서 25% 세율로 원천징수하였다. 그러나, '프랑스-영국 조세조약' 제9조에서 원천징수세율은 15%였기 때문에 영국은행은 15%를 초과하여 징수한 세금의 환급과 외국납부세액공제를 요구하였다. 프랑스 국세청은 이를 거절하면서 배당소득의 수익적 소유자(BO)는 영국은행이 아니라 미국의 모회사이기 때문이라는 이유를 제시했다.

이에 대한 소송에서 프랑스 행정대법원이 국세청의 입장을 인용하였다. 영국은행과 미국은행 간에 체결된 계약내용을 감추고 있었지만, 배당소득의 수익적 소유자(BO)는 미국의 모회사이며, 영국은행에게는 단지 프랑스 자회사와 대출계약을 체결하고 이자와 대출금의 상환업무를 위임한 것에 지나지 않는다고 보았다. 프랑스 행정대법원은 거래의 전체구조를 보기는 했지만 구체적인 요소인 지급계약과 위험부담 문제 등에 초점을 맞추고 있다. 프랑스 국세청과 행정대법원이 중시한 부분은 영국은행의 수익은 사전에 결정되어 있고 지급이 보증되어 있었다는 것이었다. 프랑스 자회사의 지급불능문제는 영국은행에 위험요인이 되지 못한다는 것이다.

다. Prévost 사례[85]

Prévost 사례는 사실관계에 따라 기술적으로 접근한 사건이다.[86] 네덜란드 법인(Prévost

---

82) Lee Sheppard, Indofood and Bank of Scotland: Who Is the Beneficial Owner?, Tax Notes International Volume 45, February 5, 2007 p.406; Christiana HJI Panayi, Recent Developments to the OECD Model Tax Treaty and EC Law, European Taxation Volume 47, issue 10, 2007, pp.452~465

83) 용익권(usufruct)은 민법상의 개념으로써 타인의 자산을 사용 수익할 수 있는 권리를 말한다.

84) 미국 모회사는 정부가 환급을 하지 않는 경우에 영국은행에게 대신 보상해주는 것을 합의하고, 배당금액은 미리 결정함과 동시에 용익권계약에는 관련조세법에 따라 영국은행이 미국 모회사에 지분권을 되팔 수 있는 내용도 포함하고 있었다.

85) Prévost Car Inc. v. Canada, 2009 FCA 57, [2010] 2 F.C.R. 65

86) Michael Kandev, "Prévost Car: Canada's First Word on Beneficial Ownership" Tax Notes International Volume 50, May 19, 2008, p.526; Louise Summerhill, Jack Bernstein, and Barb Worndl, "Taxpayer Prevails in Canadian Beneficial Ownership Case", Tax Notes International Volume 50, May 5, 2008, p.363; Michael N. Kandev and Brandon Wiener, "Some thoughts on the Use of Later OECD Commentaries After Prévost

Holding)은 영국법인(Henlys)의 지분 59%를 보유하고 51%의 지분은 스웨덴 회사(Volvo)가 소유하고 있었다. Volvo는 1995년 캐나다법인(Prévost)의 지분권을 모두 인수한 후 Prévost Holding에게 이전하였다. Volvo는 Prévost Holding의 지분중 49%를 영국법인 Henlys에게 매각하였다. Prévost는 배당소득으로 80백만 캐나다 달러(CAD)를 Prévost Holding에게 1996년에서 1999년까지와 2001년 과세연도에 각각 지급하였다. 캐나다 과세당국은 5% 세율을 적용하여 원천징수하였다. Prévost Holding은 Prévost로부터 수취한 배당소득에 대하여 네덜란드에 납세의무가 없었다. 네덜란드는 외국원천사업소득 비과세제도(participation exemption)를 채택하고 있기 때문이다.

'캐나다-네덜란드 조세조약'의 규정에 따라 5%의 원천징수세율을 적용하는 경우는 배당소득 수취자가 배당지급법인의 의결권 있는 주식을 10% 이상 보유하거나 자본의 25% 이상을 소유하고 있을 때이다.[87] 캐나다 국세청은 '캐나다-네덜란드 조세조약'의 적용대상이 아니라고 보았다. Prévost Holding은 Prévost로부터 수취하는 배당소득의 수익적 소유자(BO)가 아니고, Prévost Holding은 네덜란드에서 사무실, 자산, 사업활동, 고용 등을 하지 않고 오직 Prévost에 대한 지분권과 주주가 지급한 비용을 수령할 뿐이라고 주장했다. Prévost가 지급한 배당은 Henlys와 Volvo에 직접 지급한 것으로 간주하였다. 따라서 배당 중 49%는 캐나다-영국 간 조세조약에 따라 10%의 세율로 과세되며 배당액 중 51%는 캐나다-스웨덴 조세조약에 따라 15%의 세율로 과세된다는 것이다.[88]

이에 대하여 납세자는 기업의 결합구조는 두 개 이상의 기업이 공동으로 자원을 투자해서 사업을 운영하는 일반적인 방식이므로 조세회피목적이 없으므로 Prévost Holding은 캐나다-네덜란드 간 조세조약에 따라 제한세율을 적용을 받을 수 있다고 주장하였다.

캐나다 조세법원[89]과 연방항소법원[90]은 납세자의 의견을 인용하였다. Prévost Holding은

Car" Tax Notes International Volume 54, May 25, 2009, p.667; Christiana HJI Panayi, "Recent Developments to the OECD Model Tax Treaty and EC Law", European Taxation, Volume 47 Issue 10, 2007, p.452; Sander Bolderman, "Tour d'Horizon of the Term Beneficial Owner", Tax Notes International Volume 54, June 8, 2009, p.881; Vern Krishna, "Using Beneficial Ownership to Prevent Treaty Shopping", Tax Notes IInternational Volume 56, November 16, 2009, p.537; Jack Bernstein and Louise Summerhill, "Canadian Court Respects Dutch Holding Company", Doc 2009-4953 or WTD 43-2, March 9, 2009

87) 캐나다-네덜란드 조세조약 제10조 제2항

88) 캐나다 국세청은 처음에는 캐나다-스웨덴 간 조세조약 제10조 제2항 (a)목의 규정에 따라 5%의 원천징수세율을 적용하였으나 그 후에는 15%의 세율을 적용하였다. 5%의 세율은 배당소득의 수익적 소유자가 법인인 경우로서 의결권 있는 주식을 10% 이상 보유하거나 자본의 25% 이상을 보유한 경우에 적용한다.

89) Prévost Car Inc. v. The Queen, 2008 TCC 231 (Apr. 22, 2008). Judgment by the Associate Chief Justice Rip.

90) Prévost Car Inc. v. The Queen, 2009 FCA 57 (Feb. 26, 2009)

배당소득의 수익적 소유자에 해당한다고 판단했다. 연방항소법원은 조세법원의 판결을 인용하여 배당소득의 수익적 소유자는 자기 자신의 사용과 향유목적(for his or her use and enjoyment)으로 수취하는 사람이며, 그 수취자는 배당소득과 관련한 위험을 부담하고 또 배당소득을 지배한다고 판시하였다.[91]

대리자의 이름으로 존재하는 자산이나 기관 또는 위임명령(mandate) 등이 있다면 누구를 대신하여 그러한 위임을 행하는지 또는 명의를 빌려주었는지를 찾아야 한다. 법인이 관련되면 개인과는 다르다. 그 법인이 다른 사람의 도관(conduit)이거나 도관으로서 자금의 사용이나 운용에 대한 재량권이 전혀 없거나 대리인으로서 전혀 독자적인 권한이 없다면 다른 사람의 지시에 따라 행동하게 되므로 조직 자체의 활동과의 연관성은 없다고 할 수 있다. 예를 들면 고객을 위하여 주식을 보유하는 주식 중 개인(stockbroker)과 같은 사람은 법인조직의 구조와는 상관이 없다. 이와 같은 경우가 아니라면 법인의 조직을 무시하고 다르게 볼 수 없다는 것이었다.[92] 따라서 Prévost Holding은 배당소득의 BO로서 캐나다-네덜란드 간 조세조약에 의한 제한세율을 적용받을 수 있다고 판시하였다.

이 사건에서 캐나다 법원은 넓은 의미에서 중간법인의 실제권리(real power)와 모회사와의 관계를 분석하면서 중간법인과 실제경영 및 모회사의 이사회 구성 등의 관리구조(governance model)에 초점을 맞추고 있다. 수취한 소득의 소유자와 사용 및 향유와 처분에 대한 재량권, 위험부담과 지배권 측면에서 접근하였다.

(3) 시사점

Indofood 사례와 달리 Bank of Scotland와 Prévost 사례에서는 계약내용을 세부적으로 분석하지 않고 있다. Indofood는 중간자를 끼워 넣어서 기존의 계약내용을 보호하여 Indofood가 조기에 자금을 상환할 수 있도록 하는 역할을 했으므로 그 중간자는 수익적 소유자(BO)가 아니라고 판결하였으나 Prévost 등에서는 중간자가 수익적 소유자(BO)로서 조세조약상의 제한세율 적용대상자에 해당한다고 판결하였다. 법원은 Indofood 사건과 달리 수익적 소유자 문제를 제한적으로 접근하면서 사실관계를 중심으로 판단한 것으로 보인다.

수익적 소유자(BO)의 존부에 대한 판단은 개별사안별로 '소유, 위험, 재량권 등'을 고려하면서 사안별로 다른 요소도 고려하고 있다.[93] 조세조약의 남용(abuse/sham)이 명확한 사례

---

91) Ibid, paragraph 13
92) Ibid.
93) Reuven S. Avi-Yonah and Christiana HJI Panayi, 2010, op. cit. p.21

도 있지만 그렇지 않은 경우도 있으며 이에 대한 명확한 분석기준은 없다. 법원이 어떠한 시각으로 해석하느냐에 따라 결론이 달라질 수 있다는 것이다.

납세자는 treaty shopping과 유사한 조세전략(tax planning)을 짤 때 불확실성에 직면하게 된다. 더욱이 관할구역(국가)별로도 적용기준이 다르다. 이점에서는 거의 대부분의 국가에서 통일된 기준이나 일관성 있는 접근방법을 사용하지 못하고 있는 것으로 보인다.

한편, OECD 재정위원회(CFA)는 연예인 및 체육인 조항에서 조세회피를 방지하기 위한 특례규정을 1992년 신설하였다.[94] 연예인 및 체육인은 단기공연으로 고액의 대가를 지불받지만 그 대가를 자신에게 직접 귀속하지 않고 제3자(기획사 법인)에게 귀속하는 경우에는 사업소득이 되어 고정사업장이 없으면 과세할 수 없게 되므로 이를 조세회피 수단으로 악용하는 문제가 발생하므로 "연예인 및 체육인의 활동소득이 제3자에게 귀속되는 경우에는 그 용역이 수행되는 국가에서 과세가능하다"는 특칙을 신설하였다.

❸ 미국의 방법

조세남용행위에 가장 먼저 적극적으로 제동을 걸고 나선 국가는 미국이었고, 현재도 동일한 입장을 고수하고 있다.[95] 미국의 표준조세조약(US Model Tax Convention)에서 '제3국의 거주자가 조세조약을 오용하는 것은 적극적으로 방지해야 한다'고 규정하고 있다.[96]

그러나 연혁적으로 미국이 조세조약 남용행위에 관심을 가지기 시작한 것은 제2차 세계대전 후부터였다. 미국기업의 해외진출을 지원하기 위하여 원천지국에서 미국기업에 과세하는 것을 최소화하고 거주지국인 미국이 과세하는데 관심을 두고 있었다. 미국기업의 treaty shopping을 통하여 원천지국에서 조세부담을 덜게 되면 미국에서는 외국납부세액공제액이 감소하고 미국기업이 납부할 세액이 늘어나므로 미국의 재정에 유리하다고 판단했기 때문이다.[97]

미국은 1984년 이전에는 treaty shopping의 제한규정을 두지 않았다. Aiken Industries 사례[98]에서 조세법원(Tax Court)이 미국-온두라스 조세조약에 의한 제한세율은 국제상호 직접대출(back-to-back loan)에는 적용하지 않는다고 판시하였다. 온두라스 법인은 단지

---

94) OECD 표준조세조약, 2017, 제17조 제2항

95) 조세남용에 관한 연구자료는 대부분 미국에서 출간되고 있었던 이유도 여기에 있다.

96) 미국표준조세조약의 설명서(Technical Explanation) 제22조 참조

97) Reuven S. Avi-Yonah and Christiana HJI Panayi, 2010, op. cit. p.21

98) Aiken Indus., Inc. v. Commissioner of Internal Revenue, 56 TC 925 (1971)

도관회사에 지나지 않으므로 조세조약의 적용대상이 되지 않는다고 판시하였다. 그 후 treaty shopping을 억제하는 조치들을 잇따라 시행하였다.[99]

그 결과 미국은 내국세법(IRC)에 조세조약혜택제한(LOB) 조항을 처음으로 도입하고 이를 조세조약에도 적용하였다. 미국-독일 간 조세조약에서 1989년부터 조세조약혜택제한(LOB) 조항을 처음으로 포함시킨 후 개별조약의 체결 또는 개정 때 이를 포함시키고 있다. 1993년에는 미 의회가 국세청(IRS)에게 다자간 금융거래에서 '도관약정(conduit arrangement)'을 제한하는 시행규칙을 제정할 수 있는 권한을 부여하였다.[100]

이러한 규정이 treaty shopping을 막는데 어느 정도 효과가 있는지는 불분명하다. 1997년에서 2001년 사이 미국의 여러 공공법인이 소위 'inversion' 거래를 통하여 Bermuda에 설립한 새로운 법인의 자회사로 변경되었다. Bermuda는 미국과 조세조약이 체결되어 있지 않으므로 새로운 법인은 조세목적상 Barbados의 거주자가 되었다. 따라서 새로운 법인은 자금을 미국의 자회사에 대출하고 자회사는 이자지급비용을 공제하고 Barbados와의 조세조약에 의하여 원천징수세율은 영(zero)이 되었다. 공공법인에 대하여는 조세조약혜택제한(LOB) 조항의 효과는 없었다.

Aiken Industries 사례 이후 미국의 법원은 treaty shopping이 분명한 경우에도 미국국세청(IRS)의 입장을 지지하지 않고 있다. 그 예로서, Northern Indiana Public Utilities 사례에서 항소법원은 미국국세청(IRS)이 적용한 경제적 실질의 분석을 Netherlands Antilles 소재 금융자회사에 적용한 것을 기각했다.[101] SDI Industries 사건에서 조세법원은 IRS가 네덜란드 법인이 Netherlands Antilles 소재 자회사에 license를 주고 그 자회사가 미국의 관계사에게 다시 license를 준 경우에, 미국에서 Netherlands에 지급한 사용료와 네덜란드에서 Antilles에 지급한 사용료는 모두 미국에서 원천징수대상이 아니라고 판결하였다.[102]

미국이 조세조약을 개정 또는 체결하는 과정에서 두는 조세조약혜택제한(LOB) 조항의

---

99) 미국법인이 Netherlands Antilles에 설립한 금융자회사를 통하여 유럽시장에서 차입하여 미국 모회사에 대출하는 방법의 tax plan을 억제하기 위하여 1984년 미국은 네덜란드와의 조세조약을 Netherlands Antilles에 확대 적용하는 조항을 종료시켰다. 이와 함께 IRS는 Aiken Industries 판례를 대출거래 간에 이자율의 차이(spread)가 있거나 한쪽 거래는 대차거래이고 다른 한쪽은 배당을 지급하는 거래인 경우에까지 적용하는 Revenue Rulings를 고시하였다. Rev. Rul. 84-153, 1984-2 CB 383; Rev. Rul. 84-152, 1984-2 CB 381; Rev. Rul. 85-163, 1985-2 CB 349; Rev Rul 89-110, 1989-2 CB 275. 1986년에는 지점세를 도입하여 조세조약의 효력을 정지(treaty override) 문제를 야기시켰다.

100) IRC 7701(l). Treas. Reg. 1.881-3. 이 조항 역시 treaty override 문제를 일으켰다.

101) Northern Indiana Public Service Co. v. Commissioner, 115 F.3d 506 (7th Cir. 1997)

102) SDI Netherlands v. Comm', 107 TC 161 (1996). The case was decided for a tax year before there was an LOB provision in the Netherlands treaty.

내용은 상대체약국과 협상을 통하여 결정된다. 이것이 의미하는 것은 협상을 통하여 체약상 대방 국가의 입장을 반영하게 되므로 미국의 의도와 달리 일부 tax planning 기회가 허용될 수 있다는 것이다.

따라서, 미국의 접근방법도 국가별로 차이가 있으므로 통일되지 못하고 일관성도 결여되어 있다.[103]

④ 한국의 방법

(1) 조세법상의 규정

우리나라에서는 국제조세조정에 관한 법률 및 법인세법과 국세기본법에서 조세회피방지에 관한 규정을 두고 있다.

첫째, 국제조세조정에 관한 법률 제2조의2를 2006년 5월 24일 신설하여 국제거래에 대한 실질과세의 원칙을 명문으로 규정하였다. 내·외국인 투자가가 조세피난처 등에 조세회피목적으로 명목회사를 설립하여 우회적으로 국내에 투자하면서 조세조약의 혜택을 향유하는 경우에는 실질과세원칙에 따라 과세될 수 있음을 분명히 규정함으로써 과세의 투명성 제고하려는 선언적·확인적 규정의 성격을 가지고 있다.[104]

둘째, 법인세법 제98조의5를 2006년 7월 1일 신설하여 조세회피지역에 소재하는 펀드 등에 대한 원천징수제도의 특례를 설정하였다. 이 조항은 말레이시아 라부안지역에서 투자하는 자금에 대해 선 원천징수하기 위한 제도이다.[105] 내외국인 투자가가 조세피난처 등에 조세회피목적으로 명목회사를 설립하여 우회적으로 국내에 투자하면서 조세조약의 혜택을 향유하면 실질과세원칙에 따라 과세됨을 분명히 규정하였다.[106] 따라서 제3자를 통한 간접적

---

103) Reuven S. Avi-Yonah and Christiana HJI Panayi, 2010, op. cit. p.23

104) 2007년 개정세법해설, 국세청, p.246

105) 국내법인이 특정 조세회피지역에 소재한 펀드 등에 투자소득(배당, 이자, 주식양도소득 등)을 지급할 경우 우선 국내세법에 따라 원천징수한 후 소득수취자가 3년 이내 과세관청에 소득의 실질귀속자를 입증하는 서류를 갖춰 경정청구하는 경우 6월 이내 해당 조세조약을 적용하여 기납부세액을 환급한다. 다만, 국세청에 사전 신고하여 승인을 받은 펀드 등의 경우는 처음부터 조세조약을 적용할 수 있도록 예외를 허용(safe harbour)한다.

106) 외국도 유사한 제도를 시행하고 있다. 우리나라와 차이는 다음과 같다. 외국은 지역적 제한을 두지 않고 포괄적 제한을 하지만 우리나라는 일부 지역을 지정하여 제한하고 있다. 독일은 비거주자에게 지급하는 배당소득은 원천징수 후 거주자증명서를 제출하면 환급 등 조치를 하고, 미국은 비거주자에 대하여 원천징수 후 증빙자료를 제출하면 조세조약을 적용한다. 스위스는 비거주자에 배당소득을 지급할 때 선 원천징수 후 증빙자료를 제출하면 조세조약을 적용한다. 캐나다는 주식양도거래에 대하여 소득세를 선납한 후 증빙자료를 제출하는 경우에 조세조약을 적용한다.

인 방법, 다단계거래 등에 의해 조세를 부당히 감소시키는 경우에 경제적 실질에 따라 과세할 수 있도록 한 것이다.[107]

셋째, 국세기본법 제14조 제3항을 2007년 12월 31일 신설하여 제3자를 통한 간접적인 방법이나 2 이상의 행위 또는 거래를 거치는 방법으로 세법의 혜택을 부당하게 받기 위한 것으로 인정되는 경우 그 경제적 실질내용에 따라 당사자가 직접 거래를 한 것으로 보거나 연속된 하나의 행위 또는 거래를 한 것으로 보아 과세할 수 있도록 규정하였다.[108]

(2) 국제조세조정에 관한 법률상의 실질과세원칙의 의미

국제거래에 관한 실질과세원칙은 국세기본법 제14조와 국제조세조정에 관한 법률 제3조가 적용된다.[109] 이러한 국내법의 일반조항을 조세조약에 적용할 수 있는지에 대하여 OECD 회원국 간에 의견이 나뉘고 있다.[110] 다수의견은 국내법의 일반조항은 국제거래에도 효력을 가진다는 것이다. 이는 헌법 제6조 제1항에 의해 헌법상 조약과 국내법은 일원적으로 하나의 법체계를 이루기 때문이다.[111] 다른 의견은 국제거래는 조세조약에 별도의 제한규정을 마련하여 규율해야 한다는 입장이다.[112]

국내 조세법의 실질과세원칙을 조세조약에 적용하여 조세조약 남용행위에 대응하는 것은 중요하다.[113] 조세조약의 남용행위에 대하여 조세조약이 특별히 규정하지 않으면 국내 조세법의 규정을 우선 적용할 수 있다.[114] 다만, 국내 조세법의 적용이 조세조약과 충돌하는 경우

---

107) 법인세법 제98조의5에 대하여 treaty override에 해당한다는 주장이 있으나 OECD 재정위원회(CFA)의 입장은 그와 다른 의견이다. OECD 표준조세조약, 2010, 제1조 주석 para. 26.2 '조세조약 체결국가는 조세조약에서 정하는 소득발생지국의 과세제한을 적용하기 위해 자국 국내법에서 정하는 절차를 자유롭게 사용할 수 있다'고 규정하고 있다.

108) 이 조항은 일종의 GAAR 형식으로 도입되었다. 2008 개정세법해설, 국세청, 국세기본법 편

109) 2019년 이전에는 법인세법 제4조에서도 실질과세 규정을 두었으나 2018년 삭제하고 국세기본법의 규정에 통합하였다. 기획재정부가 사단법인 세무학회에 의뢰한 연구용역 '새로 쓴 법인세법 개정조문 연구'의 최종 보고서(2016. 12.)에서 건의한 내용에 따른 것이다. 동보고서 p.41

110) OECD 표준조세조약, 2017, 제1조의 주석 paras. 57–65(adressing tax avoidance through tax conventions), 66–67(addressing tax avoidance through domestic anti–abuse rules), paras. 76–77(general legislative anti–abuse rule), 국내 조세법과 조약이 충돌되는 것을 방지하는 방법에 대하여는 paras. 71–75에서 자세하게 규정하고 있다.

111) OECD 표준조세조약, 2017, 제1조에 대한 주석 para. 58. '국내 조세법을 통하여 부과된 조세가 조세조약에 의하여 제약을 받는 것이므로 조세조약의 남용은 곧 국내 조세법의 남용과 같다'고 규정하고 있다.

112) OECD 표준조세조약, 2017, 제1조의 주석, para. 59. 조세조약의 내용을 잘 구성하면 조세조약으로도 조세회피행위를 충분히 방지할 수 있고, 조약법에 관한 비엔나 협약 제31조에서 규정한 해석원칙에 따라 조세조약을 성실하게 해석하면 된다는 입장이다.

113) OECD 표준조세조약, 2017, 제1조의 주석 paras. 66–67

114) OECD 표준조세조약, 2017, 제1조의 주석 para. 68

에는 '조약법에 관한 비엔나 협약 제26조에서 규정한 pacta sunt servanda(약속은 지켜야 한다)'의 원칙에 따라 조약을 우선 적용하는 것이 당연한 것은 조세조약과 국내법 간의 관계에서도 특별법 성격을 가진 조세조약에 우선 적용권을 부여하는 성격도 있다.[115]

따라서 국내 조세법에서 조세조약남용 방지에 관한 일반규정(general rule)을 설정하는 것은 OECD 입장과 상충되는 것은 아니다. 국내 조세법과 조세조약의 규정이 충돌할 경우에 해결하는 방안에 대하여 OECD 표준조세조약 제1조의 주석에서 상세하게 규정하고 있다.[116]

국제조세조정에 관한 법률 제3조의 조세조약남용방지규정은 미국, 독일, 캐나다 등에도 있다. 미국은 일반규정은 없으나, IRC 및 Regulations 등에서 특정한 형태의 거래에 대한 조세회피방지규칙(Anti-Avoidance Rule)을 두고 있다. 독일은 일반적 조세회피방지규정(GAAR)에 따라 그 실체가 부인되고 실체가 있는 외국법인의 투자자에게 소득이 귀속되는 것으로 간주하고 있다. 캐나다는 소득세법 제245조에서 "GAAR을 2004년 개정하여 조세조약에도 적용됨을 명시하고, 1988년부터 소급적용하고 있다. 이는 창설적 규정이 아니라 선언적 확인적 규정이기 때문이다.

국제조세조정에 관한 법률 제3조에서 규정한 실질과세원칙은 선언적·확인적 규정이므로 국세기본법의 규정으로도 충분하다는 주장을 할 수 있다. 그러나 국세기본법과 달리 국제거래를 규율하는 국제조세조정에 관한 법률에서 실질과세원칙을 규정함으로써 국제거래에도 실질과세원칙이 적용된다는 것을 명확히 하여 이에 대한 분쟁의 소지를 차단할 필요가 있다. 국제거래에 대한 과세기준의 투명성과 국내세법 및 조세조약 적용상의 예측가능성을 제고할 수 있는 측면도 있다.

 제4절 조세조약남용규정의 해석

① 개 요

조세조약에서 규정된 조세조약남용을 방지하기 위한 수익적 소유자(BO)의 개념은 차용 개념[117]으로서 명확하게 정의되지 못하고 있다. 현재로서는 판례에 그 해석을 맡기고 있다.

---

115) OECD 표준조세조약, 2017, 제1조의 주석 para. 70
116) OECD 표준조세조약, 2017, 제1조의 주석 paras. 71-75
117) 원래는 신탁법에서 사용되는 개념이다.

여기서 수익적 소유자 개념이 신탁법이라는 개인의 상거래에서 사용되는 개념을 차용하여 국제거래의 맥락 속에서 사용하고 있으나 조세조약상 용어가 정의되지 않은 경우에는 다양하게 해석되어 그 내용이 서로 모순되고, 전체 문맥과 다르게 될 소지가 있다.

수익적 소유자의 개념을 해석하는 방법에 대하여 완전히 새로운 정의를 요구하는 입장, 조세조약상의 혜택을 얻을 목적이 있다는 것만으로는 부족하고 조세조약을 남용하는 요소에 대한 증거를 요구하는 입장 등이 있다. 조세조약남용에 대한 입장은 국가마다 다르고 그 형태도 다양하다. 납세자가 정당한 자신의 이익을 보호하기 위해 조약을 사용하는 것은 설사 부적절하더라도 조세조약편승행위(treaty shopping)에는 해당하지 않는 것으로 보는 것이 일반적이다. 조세조약의 내용을 그대로 준수할 것을 과도하게 요구(excessively correct)하는 것이 아니라 탈세를 유발하는 방식으로 조세조약을 사용해서는 안된다는 의미로 이해하는 것이 통상적인 해석방법이다.

② 국제적으로 통용되는 정의

Klaus Vogel은 조세조약의 남용행위는 조세조약 체결당사국 중 일방국가와 제3국 간 체결된 조세조약상의 혜택만을 목적으로 하는 경우에 발생한다고 본다. 이와 다른 입장도 있다. 거래의 유일한 동기가 조세조약상 혜택을 얻는 것에 중점을 두는 견해로서 거래의 주된 목적이 조세혜택에 있는 경우를 조세조약의 남용행위로 정의하는 입장이다. 조세조약의 남용행위는 '객관적 요소'에 해당하는 조세조약 목적의 위반에 대한 증거가 필요하다.

③ 조세조약의 용어에 대한 개념

OECD 표준조세조약 제10조 내지 제12조에서 조세조약의 남용에 대한 해석문제와 관련되는 주요 용어의 해석에 대해 입장이 서로 대립하고 있다.

(1) Klaus Vogel의 입장[118]

먼저 'paid to'라는 용어는 실제 지급받을 자격을 가진 사람에게 지급이 이루어져야 한다는 의미로 해석하고 있다.

다음 'payment'는 일반적으로 통용되는 개념(generally accepted definition)으로서 오직

---

118) Vogel, Klaus, Klaus Vogel on Double Taxation Conventions, London 1997, p.563

채권자(creditor)만이 지급받을 권리를 가지는 것을 의미한다. 따라서 agent and nominee가 채권자와 채무자 중간에 들어오면, 채권자나 채무자의 대리인 또는 명의인에 불과하므로 대리인 또는 명의인(중간자)에 대한 지급은 BO개념 적용 이전에 조세조약의 보호대상에서 자동적으로 제외된다는 것이다.

중간자에게 지급하는 것은 원소유자(principal)에게 지급된 것으로 간주되지만, 중간자는 채권자와 채무자 관계에서 충분한 법률적인 관계성이 부족하다는 점으로 인해 지급대상자가 아니다.

모든 조세조약에는 이러한 '암묵적 수익적 소유요건(implicit BO requirement)'을 포함하고 있다. '도관문제(conduit scheme)'는 BO개념요건을 적용하여 분석하거나 '조세조약의 배당(제10조), 이자(제11조), 사용료(제12조)의 규정을 적용하여 해석하거나 또는 조세회피방지를 위한 일반적인 규정(LOB 등)을 사용하여 해석하더라도 결과는 동일하다.

(2) Weeghel의 입장[119]

'payment' 개념은 'beneficial ownership' 요건과는 다르므로 조세회피방지 목적으로는 사용하기 어렵다. 'paid to'의 개념은 채권자 - 채무자 간의 관계에서 발생한 내용이므로 조세조약의 개념에 적용하기 어렵다.

'OECD Report on Double Taxation and the Use of Conduit Companies'[120]에서 '회원국들은 조세조약에서 규정한 조세회피방지규정을 사용해야 한다'고 규정하고 있기 때문이라는 이유를 들고 있다.

조세조약상 별도의 조세회피방지규정을 두고 있지 않다면 당사자 간의 계약을 존중하여 조세조약상의 혜택을 부여해야 한다고 주장한다.

이는 조세법의 엄격해석 원칙에서 취하는 입장으로 보인다.

(3) Vogel과 Weeghel의 입장과 사법부 판결

유사한 성격의 두 가지의 사건에 대한 판결에 서로 다른 기준이 적용되고 있다. 하나는

---

119) Weeghel은 원칙적으로 'pacta sunt servanda Doctrine' 적용해야 한다는 입장이다. 우리나라 대법원에서도 '계약준수의 원칙'이라는 용어를 사용하고 있다(대법원 2007.3.29 선고, 2004다 31302 판결).

120) OECD Committee on Fiscal Affairs "Double Taxation Conventions and the Use of Conduit Companies" in OECD Committee on Fiscal Affairs International Tax Avoidance and Evasion: Four Related Studies, Issues in International Taxation No 1(OECD, Paris, 1987).

Vogel의 입장을 적용한 Aiken Industries 사례[121]이고 다른 하나는 Weeghel의 입장을 적용한 MacMillan Bloedel 사례[122]이다.

먼저 Aiken Industries 사례에서 납세자는 배당수취라는 유일한 목적을 바탕으로 온두라스에 자회사를 설립하였다. 이에 대하여 법원은 납세자의 거래가 조세조약상의 혜택 적용대상인지를 판단할 때 조세조약상에 표현된 구체적 용어의 의미는 체약국 간에 형성된 공통된 기대(genuine shared expectations)에 따라야 한다고 전제하였다.

그리고 이자의 '수취(received by)'는 체약국의 법인이 직접 수취하는 것을 의미하며, 단순히 체약국 법인으로부터 지급된 이자를 일시적 보유 의미가 아니라 완전한 지배 통제권(complete dominion and control)을 가지는 것을 말한다고 판시하였다.

MacMillan Bloedel 사례에는 조약이 문리적으로 해석되어야 한다는 입장이 반영되어 있다. 조세조약에는 조세회피를 방지하는 내용이 분명하게 규정되어 있지 않다고 판결하고 있다. 사적계약관계는 복잡하지만 궁극적으로는 계약의 구체적인 조건을 분석하여 법률효과를 발생시키게 된다. 대륙법(civil law)과 영미법(common law)에서 agency의 실질에 대한 입장에서 차이가 있다.

(4) 상반되는 입장의 판례에서 얻는 시사점

영미법은 objectivity, 대륙법은 subjectivity 입장에서 "international fiscal meaning"(or economic approach)을 적용하고 있으므로 양자의 입장은 일치하지 않는다. 이점에서 수익적 소유자의 개념은 조세조약에서 조세조약의 남용을 방지하는 방안으로 도입되었지만 배당, 이자, 사용료에 적용하기 어려운 점이 존재한다는 것이다.

자산의 실질적 소유자 문제는 법률의 해석문제이고 납세자의 객관적·주관적인 의사의 문제에는 해당하지 않을 수 있다. treaty shopping 억제에만 초점을 맞출 경우에는 거래 당사자의 거래의사를 무시하게 되므로 실효성이 낮아지는 문제점도 발생한다.

거래의사 내지 목적이라는 주관적인 요소는 유일한 목적(for the only purpose of~)이 조세회피인지를 판단하는 기준으로 사용할 수 있는 요소가 될 수 있다.

Vogel 주장과 유사하게 모든 조세조약에는 BO개념이 내포되어 있다는 입장에서 보면 BO개념과 조약상의 용어는 의미가 겹치는 부분이 있으므로 엄격한 해석을 하지 않는 것이 바람직할 수도 있다.

---

121) Aiken Indus., Inc. v. Commissioner of Internal Revenue, 56 TC 925(1971)
122) MacMillan Bloedel Ltd. v. Simpson, [1995] 4 SCR 725,Case Number 24171

④ BO개념의 해석방향

첫째는 캐나다 대법원의 판결방식을 따르는 방법이다.

캐나다 대법원은 Prevost Car 사례[123]에서 중간자가 법적 의무에 따라 소득을 최종 수취자에게 전달되도록 할 경우에는 조세조약혜택의 적용대상이 된다고 판결하였다. 영미법에 의한 해석으로 기대할 수 있는 결과와 동일하면서도 대륙법상 의미에 아주 가깝도록 해석한 것이다. 네덜란드 법인(Dutch Co)은 주주에게 배당 전까지 완전지배권을 소유한 것으로 보았다.

이에 대하여 캐나다 국세청은 BO는 배당금의 실질소유자로서 수취자가 직접 사용할 수 있고, 편익을 얻으며 배당에 대한 위험과 지배권을 가지므로 배당소득의 처분에 대해 누구의 간섭도 받지 않는다는 입장이다.

이 판결의 문제점은 조세조약의 체결목적에 대하여 고려하지 않았다는 것이다. 판결에 의하면 법인은 조세절감을 목적으로 중간법인을 설립한 후 모든 소유권을 그 중간법인에게 이전하는 세무계획(tax planning)이 가능하다. 배당소득을 모회사에게 즉시 이전한다고 하더라도 조약편승행위(treaty shopping)의 전형적인 거래구조를 용인하는 문제가 남게 된다.

둘째는 좀 더 폭넓은 해석방법을 적용하는 것이다. 최종수익자에게 재이전(재이전이 법상의 의무는 아님)하는 경우 수익적 소유자(BO)의 개념을 적용하지 않는 것이다. 해석상 고려할 수 있는 요소는 조세조약혜택제한(LOB) 조항에서 사용하는 요소인 '직접소유(direct ownership), 거주성(residence), 종업원수(number of employees)' 등이 된다. 이 방법은 조약편승행위(treaty shopping)에 대한 대응수단 역할이 아니라 조세회피 요소를 중심으로 수익적 소유자(BO)를 정의하는 방법이 된다. 따라서 복잡하고 불확실성이 발생할 수 있다.

셋째는 새로운 해석방법으로서 경제적 접근방법을 사용하는 것이다. 경제적 수익자를 파악하여 필요한 부분만 수정(mutadis mutandis)하는 방법을 적용하는 것이다. 경제적 접근방법은 '형식보다 실질과세접근방법(substance-over-form approach)' 또는 '경제적 접근방법(economic approach', '사업목적 접근방법(business purpose approacch)' 등으로 부르고 있다. 수익적 소유자(BO)는 경제적 편익(economic benefits)의 수취자로 정의하면서 순수한 법률형식을 배제하는 점에서 실질과세원칙 접근방법(substance-over-form approach)이 된다.

이러한 경제적 접근방법은 2003년 이후 OECD에서 선호하는 방법이다. 조세조약의 체결

---

123) Prévost Car Inc. v. Canada, 2009 FCA 57, [2010] 2 F.C.R. 65

목적인 조세회피(tax avoidance)의 방지방법으로 도입된 개념으로써 경제적 수익자를 확인하는 것에 중점을 두고 있다. Indofood 사례의 판결에서 적용된 방법이 바로 경제적 접근방법이다.

민사법 측면에서 거래내용이 결정되고 수익적 소유자(BO) 개념은 가상적인 것이며, 법원은 네덜란드 법인(Dutch Co)은 수익적 소유자가 아니라고 판결하고 인도네시아 국내 조세법에서 규정하고 있던 실질과세원칙(domestic substance-over-form approach)을 법원이 적용하였다.

현재로서는 2003년 개정 주석의 내용이 국제기준으로 통용되며 구체적인 사례에 적용할 때는 국가별로 사용하는 세부기준은 차이가 있다. 조세조약규정과 국내 조세법상의 조세회피방지에 관한 일반규정(GAAR 규정)은 상충되지 않고 조약의 남용은 자동적으로 국내세법의 악용을 의미하는 것으로 인식되고 있다.[124]

국내규정을 적용하는 경우에 발생하는 문제로서 각국 입장에서 유리한 방법으로만 적용하기 때문에 조세조약 적용의 통일화가 이루어지지 않는다는 것이다. 조세조약을 체결할 때 분명한 목적이 없이 동상이몽의 입장에서 형식적으로 규정을 둘 가능성도 존재한다. 조세조약상 규정이 애매모호해도 내국세법에서 자국입장을 반영해서 규정할 수 있다고 생각하기 때문이다.

그러나, 국내와 국제차원에서의 과세목적은 차이가 있고 abusive element의 입증이 더 어려워지고 있다. 실제 사례에서 main purpose 기준을 적용하기 어려운 경우가 있다. 결국 사실관계 확인이 중요한 요소가 될 수 있다.

거래의 주된 목적을 분석하는 요소는 다섯 가지로 요약된다. 거래구성자의 의도, 거래구성자의 의도와 상관없이 보통 평균인이 동일 유사한 상황에서 취할 거래구조, 거래구성자의 거래결과 나타난 실제결과, 거래구성자의 행동이 특정한 활동과 밀접하게 관련이 있거나 특정한 기능과 부합하는지 여부, 이를 종합하여 합리적인 이유가 없이 조세상 유해한 효과를 발생시키는지 여부 등이다.

---

124) 아직 consensus가 이루어진 것은 아니지만 다수의 의견이 이를 지지하고 있다. 특히 BEPS Project와 관련하여 국내 조세법을 통한 조세회피방지의 중요성이 높아지고 있다.

제5절 │ 조세회피와 탈세에 대한 적극대응 환경

OECD/G20의 BEPS Project 추진과 함께 조세조약의 남용을 통한 조세회피와 탈세를 방지하기 위해 여러 가지 실행계획(action)을 추진하고 있다. 이와 관련하여 각국이 개별적으로 움직이는 것이 아니라 협력체제를 통하여 적극적으로 대응하고 있다. BEPS Project를 원활하게 추진하기 위하여 다자간 조약[125]을 통하여 모든 국가들이 통일된 기준을 적용할 수 있는 환경을 조성하고 있다. 이제 조세조약을 통한 조세회피행위의 종말이 다가오는 것처럼 보인다.[126]

기본적으로 조세조약의 남용에 대한 판단 기준은 OECD 재정위원회(CFA)가 2003년 개정된 주석에서 도입한 '거래의 주된 목적이 조세상 유리한 조건을 얻기 위한 것이면 조세조약의 목적이나 취지에 위반되므로 조세조약의 적용을 배제한다'는 기초 위에서 출발하고 있는 것으로 보인다. 조세조약을 체결하는 목적과 취지는 이중과세의 방지를 통하여 체약당사국의 거주자 간 재화와 용역의 교환과 인적·물적자본의 원활한 이동과 교류의 촉진을 위하여 혜택을 부여하는 것이며, 그 혜택은 조세조약을 체결한 당사국의 거주자에게 부여되어야 한다.

조세조약의 남용행위(improper use of conventions)는 납세자가 자신의 조세부담을 최소화할 수 있는 방법을 적용할 수 있는 조세조약을 선택하는 방법(treaty shopping)을 사용하지만 그 자체만으로는 조세조약의 남용이라고 단정할 수는 없다. 그 행위가 조세조약의 목적과 취지를 위반하는지 여부와 관련하여 판단해야 하기 때문이다.

조세조약의 남용행위는 조세회피를 주된 목적으로 하므로 조세조약의 체결목적이나 취지와 상충된다. 조세조약은 국제조세법의 관점에서 체결당사국 간에 성실하게 해석되고 적용되어야 한다는 기본원칙에 따라 조세조약의 남용행위를 해석하고 적용하는 것이 바람직하다. 조세조약남용의 성립요건은 조세회피 목적(의도)과 조세조약의 목적 및 취지가 충돌하는 것이다. 주관적인 조세회피 의도와 관련되며, 이를 국제적인 관점에서 보면 유해한 결과를 가져온다는 것이다.

OECD 재정위원회(CFA)와 개별국가에서는 계약 자유의 원칙에 따라 유효하게 성립된 국제경제거래 자체를 무효화하는 것이 아니라 조세 측면에서 거래형식과 실질내용이 부합

---

125) Multilateral Convention to Implement Tax Treaty Related Measures to Prevent Base Erosion and Profit Shifting.

126) BEPS Project Action Plan 6는 조세조약편승행위(treaty shopping)를 종식시키기 위하여 여러 가지 조세조약 남용행위를 방지하는 대책을 추진하고 있다.

하는지를 기준으로 다시 판단하는 방법을 통하여 조세조약의 남용을 방지하려는 조치를 취하고 있다.

연혁적으로 보면 OECD 표준조세조약에 포함되어 있는 내용은 국내 조세법에서 규정된 실질과세원칙 내지는 부당행위계산부인의 기준을 국제거래에도 적용하는 것이다. 조세조약의 남용을 통하여 조세부담을 회피하려는 행위를 차단하기 위해 거주자의 개념과 이자소득, 배당소득, 사용료 소득에서 '수익적 소유자(beneficial owner)'의 개념 등 국내법상의 실질과세개념을 적용하고 있다.

조세조약에서 규정된 조세조약 남용을 방지하기 위한 수익적 소유자(BO)의 개념은 차용개념으로써 명확하게 정의되지 못하고 있다. 현재로서는 판례에 그 해석을 맡기고 있다. 여기서 수익적 소유자 개념이 신탁법이라는 개인의 상거래에서 사용되는 개념을 차용하여 국제거래의 맥락 속에서 사용하고 있으나 조세조약상 용어가 정의되지 않은 경우에는 다양하게 해석되어 그 내용이 서로 모순되고, 전체 문맥과 다르게 될 소지가 있다.

현재는 납세자가 정당한 자신의 이익을 보호하기 위해 조약을 부적절하게 사용하는 것은 treaty shopping에서 제외하는 것이 일반적이며 조세조약내용 그대로 준수할 것을 엄격하게 요구(excessively correct)하는 것이 아니라 탈세를 유발하는 방식으로 조세조약을 사용해서는 안된다는 의미로 이해하는 것이 통상적인 해석방법이다.

BEPS Project의 추진과 이를 원활하게 추진할 수 있도록 도입된 다자조약 구조하에서 새로운 국제조세환경으로 변화하고 있다. 모든 국가들이 참여하는 '포괄적 협력체제(inclusive framework)'를 구축하여 조세조약의 남용을 통한 조세회피를 효과적으로 차단하기 위하여 나서고 있다. 조세조약의 혜택은 그 혜택을 받을 수혜자에게 실질적으로 돌아가도록 하여 조세조약의 적용과 관련한 적용질서를 확립하는 것에 대한 공동인식이 그 어느 때보다 강하게 나타나고 있다. 따라서 조세조약의 적용을 통한 실질과세 환경도 충분히 개선될 것으로 보인다.

제8장

조세조약 적용의 적격성

 적격성 충돌의 유형

OECD 표준조세조약에서 국제거래소득에 대한 과세기준을 규정하고 있는 Chapter Ⅲ(taxation of income)과 Chapter Ⅳ(taxation of capital)에서 조세조약의 적용기준을 규정하고 있다. 조세조약을 체결한 국가는 이러한 국제거래소득에 대한 과세를 통하여 조세조약을 체결한 목적을 달성하려고 한다. 양 체약국 간의 경제교류를 보다 활성화하는 것이 주된 목적이다. 그러한 목적은 조약의 전문(preamble)에 집약적으로 표현된다. 이러한 목적을 원활하게 달성하기 위한 수단은 '이중과세의 방지'이다.

이중과세의 방지방법을 규정한 OECD 표준조세조약 제23A조 및 23B조의 제1항에서 체약국의 거주자가 국제거래에서 획득한 소득은 '이 조세조약에 따라 과세된다(in accordance with the provisions of this Convention, may be taxed)'라고 규정하고 있다. 체약국의 거주자가 국제거래에서 얻은 소득은 양국이 합의한 조세조약의 규정을 적용하여 과세된다는 것을 분명히 하고 있다. 조세조약의 규정에는 여러 가지 용어에 대한 의미를 조세조약 자체에서 정의하고 있지만, 상당부분은 체약국의 국내 조세법에서 사용하는 의미를 사용할 수 있도록 하고 있다.[1]

조세조약에서 사용하는 용어의 의미는 국가마다 다를 수 있다. 양 체약국의 국내 조세법이 규정한 내용이 서로 다를 경우에는 동일한 소득을 서로 다르게 분류되고 그에 따라 적용하는 조세조약의 조항도 달라질 수 있다. 그 결과 OECD 표준조세조약 제23A조 및 제23B조에 대한 주석에서 말하는 '적격성의 충돌(conflicts of qualification)'이 발생하게 된다.[2] 적격성의 충돌은 원천지국과 거주지국이 '동일한 사실관계에 대하여 국내 조세법의 규정 내용이

---

1) OECD 표준조세조약, 2017, 제3조 제2항
2) OECD 표준조세조약, 2017, 제23A조 및 23B조 주석, E. conflicts of qualification, paras. 32.1－32.7

서로 달라서 조세조약에 서로 다르게 적용하는 상황'을 의미한다.[3]

조세조약의 적용과 관련하여 발생할 수 있는 '적격성의 충돌'은 다음과 같이 세 가지의 유형으로 나눌 수 있다.

첫째 유형은 원천지국과 거주지국이 조세조약에서 정의되지 않은 용어를 OECD 표준조세조약 제3조 제2항의 규정에 따라 국내 조세법에서 규정한 의미로 해석하여 조세조약의 규정을 서로 다르게 적용하는 경우이다.[4] 체약국 간의 국내 조세법이 일치하지 않아 서로 다른 조세조약의 규정을 적용하는 것을 말한다. 용어에 대한 해석차이로 발생하는 적격성 충돌이다.

둘째 유형은 원천지국과 거주지국이 동일한 상황을 서로 다르게 해석하는 경우이다.[5] 조세조약의 해석차이로 인하여 서로 다른 조세조약의 규정을 적용하는 것을 말한다. 소득의 분류기준에 대한 의견차이로 발생하는 적격성 충돌이다.

셋째 유형은 사실관계(facts and circumstances)를 양 체약국이 서로 다르게 평가하는 경우이다. 이것은 '혼성조직(hybrid entity)'[6]이 국제거래를 통하여 획득한 소득에 대하여 그 혼성조직의 실체를 인정하는 경우와 투과조직(fiscally transparent entity)[7]으로 보아 실체를 부인하는 경우에 따라 서로 다른 조세조약의 규정을 적용하는 것을 말한다. 소득이 배분되는 귀속자에 대한 의견차이로 인한 적격성 충돌이다.

둘째 유형과 세 번째 유형은 소득의 분류와 귀속자의 차이로 인하여 조세조약의 다른 규정을 적용한다는 점에서 첫 번째 유형과 성격이 약간 다르다. 이러한 세 가지 유형을 요약하면 동일한 상황에 대하여 서로 다른 조세조약의 조항을 적용하거나 동일한 조항이라고 하더라도 그 의미를 다르게 해석하는 경우에 발생하는 것이 조세조약의 '적격성 충돌'이라고 할 수 있다. 이러한 적격성 충돌로 인하여 발생하는 결과는 일반적으로는 '이중과세(double taxation)'이지만, 양 체약국 중 어느 국가에서도 과세되지 아니하는 '이중비과세(double non-taxation)'가 발생할 수도 있다.[8] 따라서 조세조약의 체결목적을 원활하게 달성할 수 없게 된다.

---

3) OECD 표준조세조약, 2017. 제23A조 및 23B조 주석 para. 32.3 전단

4) OECD 표준조세조약, 2017. 제23A조 및 23B조 주석 para. 32.4

5) OECD 표준조세조약, 2017. 제23A조 및 23B조 주석 para. 32.5

6) 혼성조직(hybrid entity)은 조세목적상 일방체약국에서는 실체가 있는 조직으로 인정되지만, 타방체약국에서 실체가 없는 투과조직으로 간주되는 것을 말한다. 이러한 혼성불일치 조직을 이용하여 조세회피를 추구하는 세무전략을 '혼성불일치계약(hybrid mismatch arrangement)'이라고 한다.

7) OECD 표준조세조약, 2017. 제1조 제2항에 대한 주석 para. 7

8) OECD 표준조세조약, 2017. 제23A조 및 23B조 주석 para. 32.3은 '이중과세'가 발생하는 상황을 설명하고, para. 32.6은 '이중비과세'가 발생하는 상황을 설명하고 있다. Michael Lang은 '이중과세'가 발생하는 적격성 충돌을 'positive qualification conflict'라고 하고, '이중비과세'가 발생하는 경우를 'negative qualification conflict'라고 부르고 있다. Michael Lang, 'Conflicts of Qualification and Double Non-Taxation', Bulletin for International Taxation, Number 5/6, 2009, pp.204~207

② OECD의 대응방법

(1) 2003년 OECD 표준조세조약 제23조와 주석의 개정

OECD 표준조세조약 제23조에 대한 주석 32.1 – 32.7에서 OECD 표준조세조약 제23조에서 원천지국에서 과세한 것이 조세조약의 규정에 따른 경우 거주지국은 조세조약을 적용하여 이중과세 방지를 위한 조치로써 세액의 공제 또는 국외원천소득 면세를 해야 한다. 거주지국과 원천지국은 OECD 표준조세조약 제3조 제2항[9]에 따라 적법하게 각각 자국의 국내 조세법 규정을 적용하여 원천지국이 과세한 조세를 거주지국에서 이중과세 방지조치하였으나 양 체약국의 국내 조세법에서 규정한 내용이 달라서 이중과세가 발생할 수 있다. 또한 양 체약국이 국내 조세법에 따라 조세조약의 용어나 사실관계를 해석할 때 서로 다르게 규정한 국내 조세법의 내용으로 인하여 사실관계나 조세조약의 용어 등에 대한 해석이 다른 경우에 이중비과세의 문제가 발생할 수 있다.[10]

이러한 문제를 해결하기 위하여 OECD 재정위원회(committe on fiscal affairs)는 2003년 OECD 표준조세조약 제23A조에 제4항을 신설하였다. 그 내용은 '타방체약국이 이미 조세조약의 규정에 따라 이중과세 방지 조치를 한 소득에 대하여는 거주지국이 동일한 규정을 적용하여 이중과세 방지조치를 하지 않는다'는 것이다.[11] 이 규정으로도 해결되지 않으면 양 체약국의 권한있는 당국자 간의 상호합의절차를 통하여 해결하게 된다.[12]

(2) 2017년 OECD 표준조세조약 개정

가. 제3조 제2항의 개정

OECD 재정위원회(committe on fiscal affairs)는 2017년 OECD 표준조세조약 제3조 제2항에 '권한있는 당국자가 서로 다르게 해석하기로 합의한 경우'라는 표현을 추가하여 조세조약의 적격성 충돌에 대한 해결방안을 아래와 같이 규정하고 있다.

---

9) 조세조약에서 정의되어 있지 않은 용어는 그 적용당시에 체약국의 국내 조세법에서 규정하는 의미를 사용한다고 규정하고 있다.

10) OECD 표준조세조약 제23A조 주석 56.1 – 56.3

11) OECD 표준조세조약 제23A조 제4항 'The provisons of paragraph 1 shall not apply to income derived or capital owned by a resident of a Contracting State where the other Contracting State applies the provisions of this Convention to exempt such income or capital from tax or applies the provisions of paragraph 2 of Article 10 or 11 to such income.'

12) OECD 표준조세조약 제25조 Mutual Agreement Procedure

2. As regards the application of the Convention at any time by a Contracting State, any term not defined therein shall, unless the context otherwise requires or *the competent authorities agree to a different meaning pursuant to the provisions of Article 25*, have the meaning that it has at that time under the law of that State for the purposes of the taxes to which the Convention applies, any meaning under the applicable tax laws of that State prevailing over a meaning given to the term under other laws of that State.

(일방체약국이 조세조약을 적용할 때는 언제나(at any time) 그 조세조약에서 정의되지 않은 모든 용어(any term)는 문맥상 달리 해석되거나 *권한있는 당국자(CA) 간에 제25조 (상호합의)의 규정에 따라 다른 의미로 해석하기로 합의한 경우*를 제외하고 본 조세조약이 적용되는 조세의 목적상 본 조세조약을 적용할 당시에 체약국에서 시행되는 국내 조세법에서 규정된 의미를 가지며, 그 국가의 조세법에서 규정한 모든 의미는 그 국가의 다른 법률에서 규정한 의미에 우선한다.)

OECD 표준조세조약 제3조 제2조의 조항이 전제로 삼는 것은 조세조약에서 정의되지 않은 용어는 체약당사국의 국내 조세법에서 정의되어 있을 것으로 보는 가정이다.[13] 이러한 가정을 뒷받침하고 있는 사실은 OECD 표준조세조약 제23A조 및 제23B조의 제1항에서 거주지국이 이중과세 방지조치를 취하도록 규정하고 있는 점에서 찾을 수 있다.

OECD의 해결방안은 제3조 제2항과 관련하여 양 체약국의 '국내 조세법'에서 규정한 내용의 차이로 인하여 발생하는 적격성 충돌문제에 대한 것만을 다루고 있다. '사실관계의 해석이나 조세조약의 규정 자체의 적용'과 관련하여 발생하는 적격성 충돌문제는 규정되어 있지 않은 것으로 보인다. 따라서 일방체약국의 해석이나 조세조약의 적용을 타방체약국이 수용하지 않을 경우에 적격성 충돌이 발생하게 된다. 이 문제는 OECD 표준조세조약 제25조에서 규정한 양 체약국의 권한있는 당국자(competent authority) 간의 상호합의절차(mutual agreement procedure)를 통해 해결해야 한다.

OECD 표준조세조약 제3조 제2항에 대한 주석 para. 12에서 제2항을 적용하여 용어를 해석할 때 '문맥상' 달리 해석되지 않는 경우에 한정된다고 하면서 문맥은 '조세조약을 체결할 당시 양 체약국의 의사(intention)'와 '체약국의 국내 조세법이 조세조약상의 상호주의 원칙을 반영하여 그 용어에 부여한 의미'라고 설명하고 있다. 이어서 para. 13에서 이것이 가지는

---

13) Klaus Vogel, Klaus Vogel on Double Taxation Conventions, Kluwer Law International, 4th Edition, 2015, London.

의의를 양국이 조세조약 체결 시에 맺은 '약속의 영속성(permanency of commitments)'과 시간이 지남에 따라 낡아진 의미(outdated concept)를 사용하지 않고 새로운 해석을 하는 '실용성과 편의성(conveniency and practicality)' 간의 만족스러운 균형이라고 결론 내리고 있다.[14]

나. 제1조의 개정

앞에서 언급한 혼성조직(hybrid entity)과 관련하여 소득의 귀속자가 체약국별로 다르게 해석하는 경우가 있다. 또한 동일한 상황에 대한 인식이 다른 경우에는 동일한 소득을 다른 소득으로 분류할 수도 있다. 예를 들어 근로나 용역을 제공하고 받는 대가에 대하여 종업원의 자격으로 받는 것인지 경영에 참가하는 중역(director)의 자격으로 받는 것인지의 문제가 있다.[15] 장비를 대여하고 수령하는 대가를 사업소득(business profits)으로 볼 것인지 아니면 사용료 소득(royalty)으로 볼 것인지의 문제와 이들 소득을 누구에게 귀속시킬 것인지의 문제도 있다. 이러한 점을 감안하여 OECD 재정위원회(committe on fiscal affairs)는 2017년 OECD 표준조세조약 제1조를 개정하여 제2항과 제3항을 다음과 같이 신설하였다.

1. This Convention shall apply to persons who are residents of one or both of the Contracting States.
   (이 조약은 일방 또는 양 체약국의 거주자인 사람에게 적용한다.)

2. **For the purposes of this Convention, income derived by or through an entity or arrangement that is treated as wholly or partly fiscally transparent under the tax law of either Contracting State shall be considered to be income of a resident of a Contracting State but only to the extent that the income is treated, for purposes of taxation by that State, as the income of a resident of that State.**
   (이 조약의 목적상 체약국 중 어느 일방국가의 국내 조세법에 따라 전부 또는 일부가 투과조직으로 취급되는 조직이나 계약구조를 통하여 발생되거나 그 조직이나 계약구조에 의하여 발생되는 소득은 일방체약국이 과세목적상 자국의 거주자의 소득으로 취급하는 경우에만 그 국가의 거주자의 소득으로 간주한다.)

---

14) UN 표준조세조약에서는 이러한 적격성 충돌문제에 대하여 직접 논의하지 않고 단지 제3조 제2항에 대한 주석 para. 14에서 OECD 표준조세조약 제3조 제2항에 대한 주석 paras. 12-13을 그대로 인용해 놓고 있다.

15) OECD 표준조세조약, 2017, 제15조(income from employment), 제16조(directors' fees)

> 3. **This Convention shall not affect the taxation, by a Contracting State, of its residents except with respect to the benefits granted under paragraph 3 of Article 7, paragraph 2 of Article 9 and Articles 19, 20, 23 [A] [B], 24, 25 and 28.**
> (이 조약은 제7조 제3항, 제9조 제2항, 제19조, 제20조, 제23A 및 B조, 제24조, 제25조와 제28조에 따라 부여되는 조약상의 혜택을 제외하고는 일방체약국의 거주자에 대한 과세에 영향을 주지 않는다.)

OECD 표준조세조약 제1조의 개정을 통하여 귀속자의 충돌문제 해결을 기대할 수 있지만 소득의 분류기준의 차이로 인한 충돌의 문제는 명확하지 않다. 궁극적으로 체약국의 권한있는 당국자(competent authority) 간의 상호합의절차를 통하여 해결해야 할 과제로 남아 있다.

(3) 적격성 충돌의 해결방안

적격성 충돌문제를 해결하기 위한 방안에 대하여 OECD는 거주지국과 원천지국 중 어느 한쪽에 우선권을 주는 방식을 제시하고 있다.

제1조와 관련된 적격성 충돌에는 거주지국에 우선권을 주고 있다. 원천지국은 거주지국의 해석에 따르도록 하는 방법이다. 한편 제3조 제2항과 관련된 적격성 충돌에는 원천지국에 우선권을 주고 있다. 원천지국이 자국의 국내 조세법에 따라 해석한 결과를 거주지국이 수용하도록 하고 있다.

이와 같이 적격성 충돌에 대하여 OECD가 제시한 해결방안은 일관되지 않고 사안에 따라 정반대가 되고 있다.

제2절   국내 조세법의 해석과 적격성 충돌

OECD 표준조세조약 제23A조와 제23B조의 제1항은 국내 조세법의 해석으로 과세권을 행사할 경우에 발생하는 적격성 충돌문제를 다루고 있다. 그와 관련하여 2000년 처음 도입한 주석은 현재까지 사실상 그대로 유지되고 있지만 여러 가지 문제점을 보이고 있다.

① 제23조 주석 para. 32.6의 적용

적격성의 충돌(conflict of qualification)로 인하여 발생하는 결과는 이중과세 또는 이중비과세 문제이다. 이중비과세 문제는 2000년에 OECD 표준조세조약 제23조의 주석 paragraph 32.6을 신설하면서 처음으로 언급되었고 2008년에 일부 표현의 보완을 거쳐 현재에 이르고 있다.[16] 새로운 주석규정을 신설한 취지는 원천지국이 원천소득에 대하여 비과세한 경우에는[17] 거주지국은 이중과세 방지제도를 적용할 의무를 부여하지 않는 것을 명확히 하려는 것이었다.[18] 조세조약의 목적은 이중과세의 방지에 있는 것이고 이중비과세의 발생을 용인하는 것이 아니라는 것을 강조한 것이다.[19]

2000년 도입된 OECD 주석 32.6은 Jean-Marc Dery와 David Ward가 1983년에 처음 제안하고[20] 이를 John F. Avery Jones 등이 1996년에 개선한 내용[21]을 'OECD partnership Report'에서 수용한 것을 반영한 것이다.[22] OECD 표준조세조약 제23A조 및 제23B조의 본문에서 사용한 'in accordance with the provisions of this Convention'이라는 표현이 중요한 의미를 갖는다. 이 표현은 '이중과세 문제' 외에 '이중비과세 문제'도 포괄하는 것이다. 이중과세 문제를 해결하는 방법은 원천지국이 적용한 과세방법을 거주지국은 존중하고 이중과세의 방지를 위하여 필요한 조치를 취해야 한다.[23] 한편 거주지국은 이중과세 방지조치를 취할 필요가 없이 과세할 수 있도록 하여 이중비과세의 발생을 막도록 한 것이다.

---

16) OECD 표준조세조약, 2017, 제23A조 및 23B조 주석 32.6

17) 원천지국이 비과세하는 이유는 두 가지이다. 하나는 자국의 국내 조세법상 비과세대상이므로 과세하지 않는 경우이고, 다른 하나는 자국의 국내 조세법상 과세대상이지만 조세조약의 규정이나 조세정책 목적에 따라 과세하지 않는 경우이다.

18) Raffaele Russo, The 2008 OECD Model: An Overview, European Taxation 2008, p.464

19) OECD 표준조세조약, 2017, 제23A조 및 23B조 주석 32.6에서 '~a result which is consistent with the basic function of Article 23 which is to eliminate double taxation.'라고 표현하고 있다.

20) Jean-Marc Dery and David A. Ward, Interpretation of double taxation conventions-National Report Canada, Cahiers de droit fiscal international, Volume LXXVIIIa, 1983

21) John F. Avery Jones et al, Credit an Exemption under Tax Treaties in Cases of Differing Income Characterization, European Taxation 1996

22) OECD, Report on 'The Application of the OECD Model Tax Conventio to Partnerships'(Issues in International Taxation No.6, Paris 1999)-Partnership Report(이하 'PSR보고서'라 한다), paragraph. 102

23) Michael Lang, The Application of the OECD Model Tax conventions to Partnerships, A Critical Analysis of the Report Prepared by the OECD Committee on Fiscal Affairs, 2000

주석 해석의 일관성

제23A조 및 제23B조의 주석 para. 32.6에 표현된 'taxed~in accordance with the provisions of this Convention'의 법률적 의미에 대한 해석은 일률적이지 않다. 제3조 제2항에서 조세조약에서 정의되지 않은 용어는 문맥상 달리 해석되는 것이 아니라면 용어를 적용할 당시에 조약에 적용되는 조세에 대하여 체약국의 국내법에서 정의한 의미를 가진다고 규정하고 있지만 이 조항의 해석과 관련하여 학자들 간에 의견이 대립하고 있기 때문이다.

일부 의견은 '문맥상 달리 해석해야 할 필요 있는 것이 아니라면'의 표현에 초점을 두고 국내 조세법에 의하지 않고 가능한 자율적으로 조세조약을 해석해야 한다는 것을 확인하는 것이라고 주장한다.[24] 이와 반대로 '문맥상 달리 해석해야 할 필요가 있는 것이 아니라면'이라는 표현은 거의 무시하고 조세조약에서 정의되지 않은 용어는 국내 조세법에 따라서 해석해야 한다는 주장도 있다.[25] 다른 의견은 절충적인 입장에서 문맥을 고려해서 용어를 달리 해석해야 할 '필요가 있는 경우(require)'라는 표현을 감안하여 꼭 필요한 경우에만 제한적으로 조세조약의 규정에 따라 해석하고 그렇지 않으면 국내 조세법의 규정에 따라 해석하도록 한다는 입장이다.[26]

❸ 사례 분석

[사례 1]은 국제법학회의 2008년 하계학술대회에서 발표된 자료를 인용한 것이다.[27]

> [사례 1]
> 법인의 대표자(CEO)의 거주지는 A국이고 법인의 실질적 관리장소는 B국이다. 대표이사는 직무를 A국과 B국에서 각각 일부씩 수행한다.

---

24) Michael Lang, Die Bedeutung des originär innerstaatlichen Rechts für die Auslegung von Doppelbesteuerungsabkommen(Art.3(2)OECD MA), in Burmester and Endres (eds.) Außensteuerrecht, Doppelbesteuerungsabkommen und EU Recht im Spannungsverhältnis, Festschrift für helmut Debatin, 1997, p.283

25) John F. Avery Jones et al, The Interpretation of Tax Treaties With Particular Reference to article 3(2) of the OECD Model, British Tax Review 1984, p.107

26) Michael Lang, Double non-taxation, Cahiers de droit fiscal international 89a, 2004, p.97

27) Karin Simader, International Tax Law Summer Conference in Rust: Taxation of CEO Income-Case Study, Steuer & Wirtschaft International 2008, p.531

> [A국과 B국 과세당국의 입장]
> A국 과세당국: 대표이사의 급여소득이 OECD 표준조세조약 제15조(근로소득)인지 제16조(임원보수)인지에 대한 판단은 국내 조세법의 규정에 따라야 한다.
> B국 과세당국: 대표이사가 이사회의 구성원이고 대표이사의 책임 중 일부는 이사로서의 활동에 관한 것이고 일부는 회사의 경영활동에 관한 것이라면 대표이사의 활동은 그러한 구분기준에 따라 분리되어야 한다.

A국 과세당국은 OECD 표준조세조약 제23조의 규정을 적용하여 이중과세 또는 이중비과세의 문제를 방지하려고 하지만, B국 과세당국은 자신들의 해석과 다르면 틀린 것이므로 제23조는 적용되지 않는 것으로 본다. 이 경우에는 양 체약국의 의견차이로 인해 이중과세 방지 제도인 OECD 표준조세조약 제23조의 규정은 적용될 수 없는 상황이 발생할 수 있다.

B국 과세당국의 방법에 따르면 대표이사가 이사회의 구성원으로서 활동한 부분에는 OECD 표준조세조약 제16조(이사의 보수)의 규정을 적용하게 된다. B국의 과세당국은 이 문제를 국내 조세법에 의한 해석과 상관없는 조세조약상의 소득분류에 해당한다는 관점에서 보는 것이다.

이에 대하여 OECD 표준조세조약 제23조 제1항의 적용요건은 일방체약국의 거주자가 타방체약국에서 "세금을 부과받을 수 있는 경우"의 조건을 충족해야 한다는 주장이 있었다.[28] 달리 말하면 제23조에 따라 이중과세 방지조치는 원천지국이 국내 조세법뿐 아니라 조세조약에 의하여도 과세되지 않는 상황에까지 확대하여 원천지국이 실제로 과세할 수 있는 경우에만 적용하고 실제로 과세할 수 없는 경우에는 적용할 수 없다는 주장이다. 납세자는 원천지국에서 '이 조세조약의 규정에 따라(in accordance with the provisions of this Convention)' 과세될 수 있는 경우는 조세조약에서 원천지국의 과세를 금지하는 때이다. 조세조약에서 원천지국의 과세를 금지하는 경우라면 원천지국에서 실제로 과세될 수 있는지의 문제와 조세조약의 적용과는 관련이 없기 때문이다.

> [사례 2]
> 원천지국이 조세조약에 따라 과세권을 행사할 수 있는지와 상관없이 거주지국이 외국원천소득에 면세(exemption)를 하는 경우

---

28) 이 주제에 토론자로 참석한 Heinz Jirousek과 Andrew Dawson이 주장한 내용이다.

원천지국에서 조세조약의 용어를 국내 조세법에 따라 해석하여 과세권을 행사할 때 국내 조세법상 비과세가 되는 경우에 거주지국의 입장에서는 그 소득은 여전히 조세조약의 규정 (in accordance with the provisions of this Convention)의 범위 내에 있게 된다. 따라서 거주지국은 자국의 국내 조세법의 해석에 따라 해당소득은 귀속기준을 달리 적용하여 과세권을 행사할 수 있게 된다. 이러한 상황에서 OECD 표준조세조약 제23A조 제1항이 적용되지 못할 이유가 없다는 것이 OECD 표준조세조약 주석 para. 32.6의 입장이다.

④ 과세권의 합리적 조정문제

OECD 표준조세조약 제23조에 대한 주석이 채택하고 있는 현재의 방법에 대해서는 앞에서 본 것처럼 서로 다른 해석을 할 수 있는 경우가 있다. 의견의 차이는 OECD 표준조세조약 제23A조 및 제23B조 제1항은 원천지국의 과세권을 확대하여 국내 조세법에 의하거나 국내 조세법의 단순한 해석만으로도 과세할 수 있는가에 대한 점이다. 거주지국의 입장에서는 원천지국에 과세의 우선권을 부여하는 방식으로 과세권을 자발적으로 포기하는 것을 원하지 않을 경우에는 조세조약의 자율적인 해석에 따라 과세권을 유지하면서 원천지국의 입장을 따를 필요가 없다고 항변할 수 있다. '문맥'의 개념을 강조하여 조세조약을 해석하려는 것이다.

OECD는 거주지국의 이러한 입장에도 불구하고 원천지국에 대한 과세우선권을 계속 유지해 오고 있다. 그러나 OECD 표준조세조약 제3조 제2항에서 말하는 국내 조세법을 참조하여 해석할 수 있다는 점과 '문맥상 달리 해석할 필요가 있는 경우가 아니라면(unless the context otherwise requires)'이라는 표현을 어느 정도까지 실제 사례에 적용해야 하는지는 여전히 불명확한 상태로 남아 있다.

국내 조세법을 통하여 조세조약상의 용어를 해석하는 경우가 적어질수록 양 체약국이 조세조약의 문맥 속에서 해석하기 위해 노력할 가능성은 커지고, 그에 따라 양 체약국이 공통적으로 수용할 수 있는 의미로 해석될 수 있다. 이를 감안하여 2017년 OECD는 제3조 제2항을 개정하여 'the competent authorities agree to a different meaning pursuant to the provisions of Article 25'라는 표현을 추가하여 거주지국과 원천지국 간의 과세권 조정이 좀 더 합리적으로 이루어지도록 하였다. 이 방법이 이중과세와 이중비과세를 방지하는 방법이 될 수 있지만 용어의 정의와 함께 규정의 표현과 연혁, 문맥, 목적과 대상 등을 종합적으로 고려하여 해석하는 일은 쉽지 않다.[29]

---

29) Michael Lang and Florian Brugger, The Role of the OECD Commentary in Tax Treaty Interpretation, Australian Tax Forum 2008, pp.95~108

OECD가 적극적으로 추진하고 있는 BEPS Project와 관련하여 혼성조직(hybrid entity)과 관련된 혼성불일치 세무계획(hybrid mismatch arrangement) 문제는 조세조약의 남용방지 측면에서뿐 아니라 조세조약규정의 적용에 있어서 적격성 충돌의 방지 측면에서 많이 주목을 받고 있다. 이 문제는 OECD 표준조세조약 제23조에서는 다루고 있지 않지만 OECD는 1999년 발표한 파트너십 보고서(PSR보고서)를 통해 해결방안을 모색해 오고 있다. 그 노력의 일환으로 2017년 OECD 표준조세조약 제1조의 개정이 이루어졌다.

제3절 　배타적 과세권과 적격성 충돌

① 파트너십 보고서가 제기한 두 가지 문제

OECD가 1999년에 발간한 '파트너십에 대한 OECD 표준조세조약 적용에 관한 보고서'에서 제기된 두 가지의 적격성 충돌 문제가 있다.

첫째는 소득활동을 하는 사람과 소득의 실제 귀속자가 다른 경우에 발생하는 적격성 충돌이다. 이는 혼성조직(hybrid entity)이 조세회피목적으로 진행하는 공격적 세무계획(agressive tax planning)과 연관되어 있다. PSR 보고서에서는 구체적인 사례를 중심으로 원천지국과 거주지국의 조세조약 적용과 관련된 문제를 설명하고 있다. 이와 관련된 PSR 보고서의 내용은 BEPS Project Action 2에 반영되어 있고 2017년 OECD 표준조세조약 제1조를 개정하여 제2항을 신설하였다.

둘째는 양 체약국이 소득의 성격을 다르게 분류하는 경우에 발생하는 적격성 충돌이다. 이와 관련된 PSR 보고서의 내용을 반영하여 2003년 OECD 표준조세조약 제23A조를 개정하여 제4항을 신설하였다.

② 혼성조직(hybrid entity)의 적격성 충돌

PSR 보고서는 혼성조직으로 인하여 발생하는 3가지의 대표적인 적격성 충돌상황을 설명하고 있다.

(1) 상황(situation) 1

아래 [그림 8-1]에서 보는 것처럼 거주지국과 원천지국이 혼성조직을 실체가 있는 것으로 간주하는 상황이다.[30]

파트너십(P)은 P국(state P)에서 설립되었고, S국(state S)에 소재하는 법인 X(company X)의 주식을 보유하고 있다.

A와 B는 파트너십의 파트너로서 R국(state R)에 거주하고 있다. 파트너십에 대하여 S국, P국이 모두 실체가 있는 조직으로 간주하고 있다.

이때 S국의 X법인이 파트너십(P)에게 배당소득을 지급한 경우에 조세조약을 적용하는 방법에 대한 문제이다.

[그림 8-1] 양 체약국(P국 및 S국)이 실체를 인정하는 파트너십

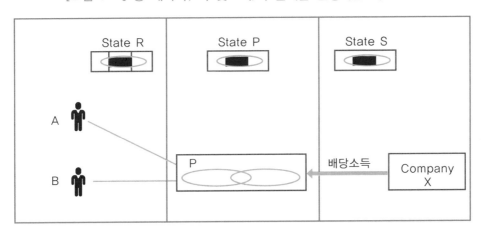

파트너십은 설립지국인 P국은 거주자로 취급하므로 S국의 X법인으로부터 지급받은 배당소득에 대하여 S국과 P국 간에 체결된 조세조약의 혜택을 적용받을 수 있다. 조세조약에 따라 원천지국의 과세권을 제한하는 제한세율이 적용될 수 있다. 그러나 A와 B는 R국-S국 간의 조세조약에 따른 혜택의 적용대상자는 아니다.

(2) 상황(situation) 2

여기서는 상황 1과 달리 아래 [그림 8-2]에서 보는 것처럼 거주지국과 원천지국이 혼성조직을 실체가 없는 것으로 간주하는 상황이다.[31]

---

30) PSR 보고서, p.28. Example 8
31) PSR 보고서, p.18. Example 1

파트너십(P)은 P국(state P)에서 설립되었고, A와 B는 파트너십의 파트너로서 파트너십이 설립된 P국(state P)에 거주하고 있다. S국(state S)은 이자소득이 발생한 원천지국이다. P국과 S국이 모두 파트너십 P를 실체가 없는 조직으로 간주하고 있다. 이때 S국이 파트너십(P)에게 이자소득을 지급한 경우에 조세조약을 적용하는 방법에 대한 문제이다.

[그림 8-2] 양 체약국(P국 및 S국)이 실체를 부인하는 파트너십

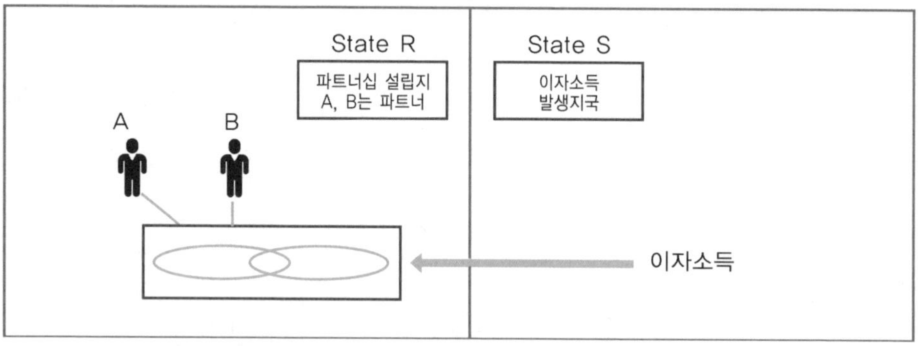

S국은 파트너십은 실체가 없으므로 파트너인 A와 B를 S국과 P국 간에 체결된 조세조약상의 납세의무자로 보고 원천소득인 이자소득에 대하여 조세조약을 적용한다. S국과 P국은 P를 파트너십의 실체가 없는 것으로 보기 때문에 이자소득의 실질귀속자는 파트너십인 P가 아니라 파트너인 A와 B에게 귀속되는 것으로 보기 때문이다. 파트너들에게 배분된 소득으로서 거주지국에서 과세되는 경우에는 거주지국과 원천지국이 체결한 조세조약상의 혜택을 적용받을 수 있다.

상황 2와 달리 파트너의 거주지국과 파트너십의 설립지국, 그리고 소득의 발생지인 원천지국이 모두 파트너십의 실체를 부인하는 경우를 보여 주는 것이 아래의 [그림 8-3]이다.[32]

파트너십(P)은 P국(state P)에서 설립되었고, A와 B는 파트너십의 파트너로서 R국(state R)에 거주하고 있다. S국(state S)은 이자소득이 발생한 원천지국이다. P국, R국, S국이 모두 파트너십 P를 실체가 없는 조직으로 간주하고 있다. 이때 S국이 파트너십(P)에게 이자소득을 지급한 경우에 조세조약을 적용하는 방법에 대한 문제이다.

---

32) PSR 보고서, p.18. Example 2

[그림 8-3] 관련 체약국(R국, P국, S국)이 실체를 부인하는 파트너십

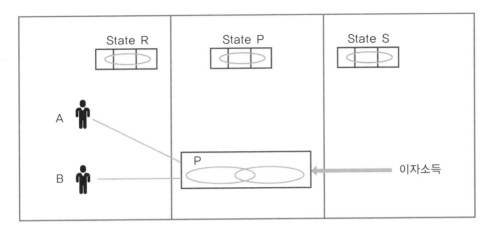

S국은 파트너십은 실체가 없으므로 파트너인 A와 B를 S국과 P국 간에 체결된 조세조약 상의 납세의무자로 보고 원천소득인 이자소득에 대하여 조세조약을 적용한다. P국은 P를 파트너십의 실체가 없는 것으로 보기 때문에 거주자로 인정하지 않는다. 따라서 P국과 S국 간에 체결된 조세조약의 적용대상이 아니다. S국은 이자소득의 실질귀속자는 파트너십인 P 가 아니라 파트너인 A와 B에게 귀속되는 것으로 보기 때문에 S국과 R국 간에 체결된 조세 조약상의 납세의무자로 보고 조세조약을 적용한다.

(3) 상황(Situation) 3

가. 사례 분석

아래 그림 [8-4]에서 보는 것처럼 일방체약국에서는 실체가 있고, 타방체약국에서는 실 체가 없는 것으로 간주되는 상황이다.[33] 이 상황은 PSR 보고서의 핵심내용으로서 2017년 개정된 OECD 표준조세조약 제1조 제2항에서 명기되어 있다.

파트너십(P)은 P국(state P)에서 설립되었고, A와 B는 파트너십의 파트너로서 R국 (state R)에 거주하고 있다. S국(state S)은 사업소득이 발생한 원천지국이고 고정사업장이 없다. P국과 S국은 파트너십 P의 실체를 부인하고 R국은 실체를 인정하고 있다. 이때 S국이 파트너십(P)에게 사업소득을 지급한 경우에 조세조약을 적용하는 방법에 대한 문제이다.

---

33) PSR 보고서, p.20. Example 3

[그림 8-4] 관련 체약국 중 일부가 실체를 부인하는 파트너십

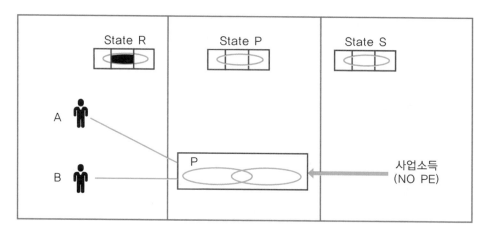

S국은 국내 조세법에 따라 파트너인 A와 B를 S국과 R국 간에 체결된 조세조약상의 납세의무자로 보고 조세조약 적용하게 된다. 그러나 파트너가 거주하는 R국은 P의 실체를 인정하므로 사업소득을 파트너인 A와 B의 귀속소득으로 보지 않게 된다. 따라서 S국과 R국 간의 조세조약은 적용되지 않게 된다. 그 결과 파트너십(P)과 파트너들(A, B)은 S국과 R국 간의 조세조약을 적용받지 못하게 된다. 원천지국(S국)은 원천징수세율의 한계세율에 구애받지 않고 자국에서 발생한 사업소득에 대하여 과세할 수 있다.

이 상황은 앞에서 설명한 두 가지의 사례와는 근본적으로 다르다. 파트너십의 실체를 인정하는 R국이 조세조약을 어떻게 적용할 것인가의 문제가 발생한다. R국은 국내 조세법상 파트너십의 실체를 인정하므로 납세의무자는 파트너십이 된다. 그러나 다른 국가인 P국과 R국은 파트너십의 실체를 인정하지 않으므로 조세조약의 적용대상이 되지 못하는 상황이 발생한다.

이러한 상황에서 원천지국인 S국은 자국에서 발생된 파트너십의 원천소득에 대하여 S국과 R국 간의 조세조약에 불구하고 조세조약의 적용대상이 아닌 소득으로 보고 자국의 국내 조세법의 규정에 따라 과세를 주장할 수 있다.[34] 반면 거주지국(R국)은 파트너십이 납세의무자이므로 원천지국이 파트너에게 귀속된 소득으로 보는 소득에 대하여 파트너가 아닌 파트너십에게 과세하게 된다. 그러나 파트너십은 원천지국이 실체를 인정하지 않았으므로 원천지국에서 과세된 조세부담액에 대한 조세조약상의 혜택인 이중과세 방지를 위한 외국납부세액공제 또는 외국원천소득면제의 적용을 받지 못하고 거주지국의 국내 조세법에 따라

---

34) 조세조약의 적용대상이라면 실질귀속자인 파트너 A, B에게 조세조약상의 원천징수세율을 적용하여 과세하게 될 것이다.

과세를 받는다. 결과적으로 파트너인 A와 B, 파트너십은 조세조약의 적용을 받지 못하는 결과가 발생한다.

이러한 결과는 조세조약의 목적에 부합하지 않는다. OECD 재정위원회(Committe on Fiscal Affairs)는 원천지국이 파트너십의 실체를 인정하지 않는다고 하더라도 조세조약의 적용을 배제하고 국내 조세법을 적용해서는 안되며, 그 소득의 수익적 소유자(beneficial owner)는 파트너라고 보고 그 귀속자를 전제로 조세조약을 적용해야 한다고 결정했다.[35] 일방체약국에게만 유리하게 조세조약이 해석되어 적용되는 것은 바람직하지 않고 조세를 실제로 부담하는 자에게는 조세조약상의 혜택을 부여하는 것이 조세조약의 목적과 대상 측면에서 올바르기 때문이다.[36] OECD 표준조세조약 제3조 제2항에서 조세조약이 규정되지 않은 용어는 문맥상 다른 의미로 달리 해석되지 않는다면, 체약국의 국내 조세법이 그 용어에 대하여 정의한 의미를 조세조약에 적용한다는 원칙에 부합한다.[37]

나. OECD 표준조세조약 제1조 제2항 신설

OECD는 2017년 표준조세조약 제1조를 개정하여 제2항을 신설하여 위의 사례에서 조세조약의 혜택이 배제되지 않고 조세를 실제로 부담하는 파트너십이나 파트너에게 조세조약을 적용할 수 있도록 하였다.

상황 3의 내용은 OECD BEPS Action 2(paras, 434-435)와 관련하여 2017년 개정된 OECD 표준조세조약 제1조 제2항에 반영되어 있다.

OECD 표준조세조약 제1조(persons covered) 제2항

2. For the purpose of this Convention, income derived by or through an entity or arrangement that is treated as wholly or partly fiscally transparent under the tax law of either Contracting shall be considered to be income of a resident of a Contracting State but only to the extent that the income is treated, for purposes of taxation by that State, as the income of a resident of that State.

새로운 조항에 근거하여 파트너십에 대한 조세조약상 혜택 조건은 일방 및 타방체약국이 그 파트너십을 거주자로 인정해야 한다.[38] 거주지국이 자국 거주자에 대하여 행사하는 과세

---

35) PSR 보고서, para. 61
36) PSR 보고서, para. 61
37) PSR 보고서, para. 62
38) OECD 표준조세조약, 2017, 제1조에 대한 주석 para. 5. PSR 보고서 Example 3

권은 제한하지 않는다.[39] 그리고 타방체약국이 일방적으로 거주지 기준을 적용하여 과세할 경우에는 그에 대한 이중과세 방지규정을 적용하지 않도록 2017년 OECD 표준조세조약 제23조에 대한 주석을 개정하였다.[40]

제4절 양자 간 조세조약과 적격성 충돌

① 파트너십 실체를 양 체약국이 부인[41]

아래의 그림과 같이 파트너십의 실체는 양 체약국에서 부인하므로, 투과조직(fiscally transparent entity)이 되고 파트너가 실체가 되는 상황이다.

[그림 8-5] 양 체약국의 파트너십 실체 부인 상황

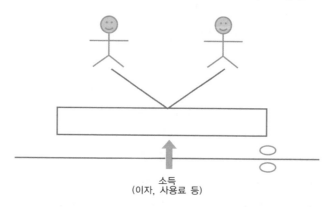

소득
(이자, 사용료 등)

파트너십 설립지국은 파트너십의 실체가 부인되므로 파트너십의 구성원인 파트너가 원천지국에서 납부한 세액에 대한 이중과세 방지조치를 거주지국에서 요구할 수 있다. 원천지국은 파트너십 구성원인 파트너를 납세자로 간주하고 파트너 거주국가와 체결한 조세조약에 따른 혜택을 부여한다.[42] 이를 요약하면 아래 [표 8-1]과 같다.

---

39) OECD 표준조세조약, 2017, 제1조 제3항과 주석 para. 15
40) OECD 표준조세조약, 2017, 제23A조 및 제23B조에 대한 주석 para. 11.1-11.2
41) PSR 보고서, p.18 Example 1
42) 2017년 개정 전 OECD 표준조세조약 제1조 주석 6.4; PSR 보고서, p.18. Example 1

[표 8-1] 양 체약국의 투과조직 관련 조세조약의 적용

	일방체약국(설립지국)	타방체약국(원천지국)
파트너십	실체부인	실체부인
파트너	조세조약 적용대상	조세조약 적용대상

❷ 파트너십 실체에 대한 양 체약국의 입장 불일치[43]

(1) 설립지국 부인 VS. 원천지국 인정

아래 그림과 같이 파트너십의 실체는 설립지국에서는 부인되고, 소득이 발생한 원천지국에서는 인정되는 상황이다.

[그림 8-6] 원천지국만 실체인정 상황

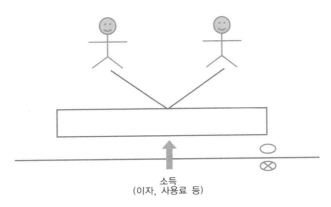

소득
(이자, 사용료 등)

파트너십의 설립지국은 파트너십은 거주자가 아니므로 조세조약상의 혜택을 부여하지 않고 실질적 귀속자인 파트너에게 과세한다.[44] 파트너는 원천지국이 파트너십에게 과세하여 납부한 세금에 대하여 이중과세 방지를 위한 외국납부세액 공제 요구를 할 수 있다.

파트너는 원천지국이 자국의 국내 조세법에 따라 파트너십의 실체를 인정하고 납세의무자로 인정하는지 여부와는 상관없이 자신에게 귀속된 파트너십의 지분에 대하여 이중과세 조정을 요구할 수 있다.[45]

---

43) PSR 보고서, p.23. Example 4
44) 2017년 개정 전 OECD 표준조세조약 제1조에 대한 주석 para. 5
45) 2017년 개정 전 OECD 표준조세조약 제1조에 대한 주석 paras. 6.3-6.4, 제4조에 대한 주석 para. 8.7; PSR 보고서, p.23. Example 4.

원천지국은 파트너십이 타방체약국에서 실체를 부인하여 납세의무자에 해당하지 않으므로 실제로 납세의무자가 되지 않는 점을 감안하여 파트너십에 대한 조세조약상의 혜택을 부인하고 파트너에게 혜택을 부여할 수 있다.

이를 요약하면 아래 [표 8-2]와 같다.

[표 8-2] 설립지국 부인 VS. 원천지국 인정

	일방체약국(설립지국)	타방체약국(원천지국)
파트너십	실체부인	실체인정
파트너	조세조약 적용대상	조세조약 적용요구 가능

(2) 설립지국 인정 VS. 원천지국 부인[46]

위의 사례와 반대로 파트너십 설립지국은 파트너십의 실체를 인정하고 원천지국은 파트너십의 실체를 부인하는 상황이다.

[그림 8-7] 설립지국만 실체인정 상황

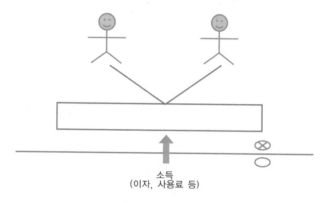

소득
(이자, 사용료 등)

파트너십 설립지국에서 파트너십이 실체로 인정받기 때문에 파트너십은 거주자로서 조세조약상의 혜택을 적용을 요구할 수 있다. 원천지국이 파트너십의 실체를 부인하고 파트너에게 과세했다고 하더라도 파트너십 설립지국은 파트너십에게 조세조약상의 이중과세 방지제도를 적용하여 원천지국에서 납부된 세액을 공제 또는 면제하는 조정을 해야 한다.

원천지국이 자국의 국내 조세법에 의하여 파트너십의 실체를 부인하고 파트너가 납세의무자라고 결정하더라도 파트너십은 조세조약상의 혜택을 요구할 수 있다.[47] 이를 요약하면

---

46) PSR 보고서, p.25. Example 5
47) 2017년 개정 전 OECD 표준조세조약 제1조에 대한 주석 para. 5

아래 [표 8-3]과 같다.

[표 8-3] 설립지국만 실체인정 시 조세조약 적용

	일방체약국(설립지국)	타방체약국(원천지국)
파트너십	실체인정	실체부인
파트너	조세조약 적용배제	조세조약 적용대상

(3) 파트너의 거주지국 인정 VS. 파트너의 설립지국은 부인[48)

파트너의 거주지국은 파트너십의 실체를 인정하고 원천지국은 파트너십의 실체를 부인하는 상황이다.

[그림 8-8] 파트너 거주지국만 실체인정 상황

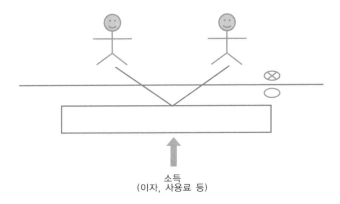

소득
(이자, 사용료 등)

파트너의 거주지국은 파트너십의 실체를 인정하므로 파트너십이 납세의무자이고 그 구성원인 파트너는 조세조약상 납세의무자가 아닌 것으로 간주한다. 한편, 소득의 원천지국은 파트너십의 설립지국이지만 파트너십의 실체를 부인하므로 원천소득에 대한 조세조약의 적용을 배제하고 파트너에게 과세할 수 있다. 이를 요약하면 아래 [표 8-4]와 같다.

[표 8-4] 파트너 거주지국만 실체인정 시 조세조약 적용

	파트너 거주지국	파트너 설립지국(원천지국)
파트너십	실체인정	실체부인
파트너	조세조약 적용배제	조세조약 적용대상

---

48) PSR 보고서, p.26. Example 6

(4) 파트너의 거주지국은 부인 VS. 파트너의 설립지국은 인정[49]

위 (3)의 상황과 반대로 파트너의 거주지국은 파트너십의 실체를 부인하고 원천지국은 파트너십의 실체를 인정하는 상황이다.

[그림 8-9] 파트너십 거주지국만 실체인정 상황

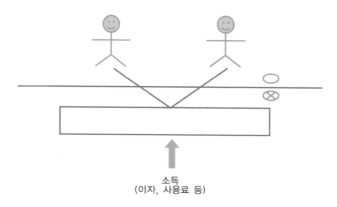

소득
(이자, 사용료 등)

파트너의 거주지국은 파트너에게 귀속된 소득에 대하여 국내 조세법의 규정에 따라 과세할 수 있지만 이중과세 방지를 위한 조치를 해야 한다.[50] 비과세 또는 면세된 소득에 대하여는 이러한 이중과세 방지제도를 적용하지 않는다.[51] 파트너십의 실체를 인정하는 원천지국은 파트너십 설립지국으로서 파트너십이 거주자이므로 그에 대한 과세에는 제한을 받지 않는다.[52]

파트너에게 배분된 소득은 배당소득으로 과세되지만 파트너의 거주지국이 파트너에 대하여 과세하는 방법이나 내용은 파트너십 설립지국(원천지국)의 과세에 영향을 주지 않는다.[53]

이를 요약하면 아래 [표 8-5]와 같다.

[표 8-5] 파트너십 설립지국만 실체인정 시 조세조약 적용

	파트너 거주지국	파트너 설립지국(원천지국)
파트너십	실체부인	실체인정
파트너	조세조약 적용대상	조세조약 적용배제

---

49) PSR 보고서, pp.47~48. Example 17 및 18
50) PSR 보고서, paras. 135와 137
51) PSR 보고서, para. 136. Example 18
52) PSR 보고서, para. 136. Example 17. 2017년 개정 후 OECD 표준조세조약 제1조 제3항, 2017년 개정 전 OECD 표준조세조약 제1조 주석 para. 6.1
53) PSR 보고서, para. 131

(5) 파트너의 일부 거주지국 부인 VS. 파트너십 설립지국 인정[54)]

파트너십의 설립지국은 파트너십의 실체를 인정하고, 파트너 거주지국 중 어느 한 개 국가는 부인하는 상황이다.

파트너십의 설립지국은 파트너십이 거주자이므로 파트너십은 국내 조세법에 의한 납세의무자이므로 과세권의 행사대상이 된다. 따라서 원칙적으로 파트너십 설립지국과 파트너의 거주지국 간의 양자 간 조세조약에서 규정된 이중과세 방지제도를 적용하게 된다.[55)]

[그림 8-10] 파트너 거주지국 중 1개국이 실체부인 상황

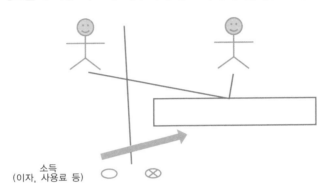

파트너 거주지국 중 파트너십의 실체를 부인하는 국가는 파트너십의 소득에 대하여 파트너십에게 과세하는 것이 아니라 파트너에게 귀속된 소득에 대하여 과세한다.[56)] 이를 요약하면 [표 8-6]과 같다.

[표 8-6] 파트너 거주지국 중 1개국이 실체부인 시 조세조약 적용

	파트너 거주지국 중 1개국	파트너 설립지국(원천지국)
파트너십	실체부인	실체인정
파트너	조세조약 적용대상	타방체약국 거주자에게 조세조약 적용

여기서 파트너의 거주지국가 중 파트너십의 실체를 부인하는 국가는 파트너에게 귀속된 소득에 대한 과세는 어떻게 할 것인가의 문제가 발생한다. 파트너십의 실체를 인정하는 파트

---

54) PSR 보고서, p.45. Example 16
55) 2017년 개정 전 OECD 표준조세조약 제1조 주석 no.5
56) PSR 보고서, paragrah 126

너십의 설립지국에서 파트너십은 납세의무자의 자격을 가지므로 파트너십의 설립지국에서만 과세되고 파트너의 거주지국에서는 과세되지 않는다는 의견이 있을 수 있다.[57]

한편, 파트너십의 실체를 부인하는 파트너의 거주지국이 파트너에게 과세하는 것은 자국의 영토 안에서 발생된 소득에 대하여 자국의 거주자에게 과세하는 것이므로 외국원천소득이 아니라는 점에서 조세조약의 적용대상이 아니라는 의견도 있을 수 있다.[58] 파트너십의 외국원천소득 중 파트너가 가진 파트너십의 지분권에 상당하는 비율을 지급받은 경우에는 파트너 거주국가의 과세권은 조세조약상의 제약을 받지 않게 된다. 조세조약은 일방체약국의 거주자가 타방체약국에서 획득한 소득에 대하여 적용는데, 파트너십의 실체를 부인하는 국가의 거주자인 파트너는 조세조약상 거주자에 해당하지 않기 때문이다. 또한 원천지국은 파트너십에게 발생된 소득 중 원천지국의 거주자에게 귀속된 소득에는 조세조약상의 이중과세 방지제도를 적용하지 않아도 된다.[59] 원천지국에 대한 이중과세 방지제도는 타방체약국의 거주자에게 귀속된 소득에만 적용되기 때문이다.

따라서 OECD 재정위원회(Committee on Fiscal Affairs)는 OECD 표준조세조약 제1조에 대한 주석에 다음 내용을 추가하였다.[60]

> Where a partnership is treated as a resident of a Contracting State, the provisions of the Convention that restrict the other Contracting State's right to tax the partnership on its income do not apply to restrict that other State's right to tax the partners who are its own residencts on their share of the income of the partnership. Some states may wish to include in their conventions a provision that expressly confirms a Contracting State's right to tax resident partners on their share of the income of a partnership that is treated as a resident of the other State.

파트너십의 실체를 부인하는 국가에 거주하는 파트너가 가진 파트너십의 지분으로부터 발생한 소득에 대하여 파트너의 거주지국은 과세권을 행사할 수 있지만 조세조약 제23조에서 규정한 이중과세 방지를 위한 조정을 해야 한다.

파트너십의 실체를 인정하는 파트너십 설립지국은 파트너에게 과세한 것이 아니라 파트

---

57) PSR 보고서, paragrah 126

58) PSR 보고서, paragrah 127

59) 2017년 개정 전 OECD 표준조세조약 제1조에 대한 주석 para. 6.1; PSR 보고서, p.47. Example17. 2017년 개정 후 OECD 표준조세조약 제1조 제3항

60) PSR 보고서, paragrah 128

너십에게 과세한 후 파트너십이 세후소득을 파트너에게 배당하게 되고 파트너에 대한 과세는 그 배당단계에서 이루어지므로 시간차이(timing mismatch)가 발생하기 때문에 이중과세의 조정에 어려움이 발생할 수도 있다.[61]

제5절   삼각관계의 적격성 충돌

파트너십이 설립된 국가, 파트너의 거주국가 및 소득이 발생된 국가의 3개국 간에 발생한 파트너십에 대하여 조세조약을 적용하는 문제이다. 이 3개국의 국내 조세법에서 파트너십의 실체에 대하여 규정한 내용에 따라 조세조약의 적용대상이 되는지 여부가 달라질 수 있다.

'OECD의 파트너십에 대한 조세조약의 적용에 관한 보고서(PSR 보고서)'는 3가지 상황으로 분류하여 조세조약의 적용여부를 설명하고 있다. 원천지국에서 발생한 소득은 원천징수세율이 조세조약에 의해 제한되는 이자소득 등으로 가정한다.

1 상황 1

파트너십 설립지국, 파트너 거주국, 소득발생지국 등 모든 체약국들이 파트너십의 실체를 부인하는 상황이다.[62]

파트너십 설립지국은 파트너십의 실체를 부인하므로 파트너십을 거주자로 보지 않는다. 따라서 조세조약의 적용대상이 아니다.[63] 원천지국은 파트너십은 실체가 없으므로 원천소득이 귀속되지 않고 파트너가 수익적 소유자(B/O)라고 본다.

---

61) PSR 보고서, p.48. Example 18, paragrahs 133–139
62) PSR 보고서, p.19. Example 2
63) 2017년 개정 전 OECD 표준조세조약 제1조에 대한 주석 para. 5

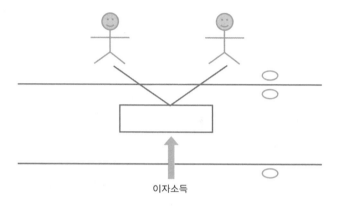

[그림 8-11] 3개국 모두 파트너십 실체부인 상황

이자소득

따라서 원천지국은 파트너의 거주지국과 체결한 조세조약을 적용한다. 파트너의 거주지국은 파트너가 수익적 소유자로서 납세의무자의 지위를 가지므로 파트너의 거주지국과 원천지국 간에 체결된 조세조약에 따른 이중과세 방지제도를 적용할 수 있다.

 상황 2

상황 1과 달리 파트너십 설립지국, 파트너 거주국, 소득발생지국 등 모든 체약국들이 파트너십의 실체를 인정하는 상황이다.[64]

파트너십 설립지국은 파트너십의 실체가 존재하므로 파트너십은 거주자가 된다. 파트너십은 조세조약의 적용대상이 되고,[65] 외국원천소득은 통상적으로 배당소득으로 과세된다.[66]

원천지국에서도 파트너십의 실체가 있으므로 원천소득의 수익적 소유자(B/O)가 되어 조세조약의 적용대상이 된다. 파트너십의 거주지국과 원천지국이 체결한 조제조약에 따라 이자소득에 대한 징수세율은 '제한세율'이 적용되므로 원천지국의 과세권이 제한된다.[67]

만약 원천지국이 파트너십의 실체를 부인하는 경우에는 어떻게 될 것인가의 문제가 제기될 수 있다. 그러나 파트너십의 거주지국이 파트너십의 실체를 인정하고 있으므로 파트너십은 원천지국에서 발생한 소득의 수익적 소유자, 즉 실질적 귀속자가 된다. 따라서 파트너십

---

64) PSR 보고서, p.28. Example 8
65) 2017년 개정 전 OECD 표준조세조약 제1조에 대한 주석 para. 5
66) 2017년 개정 후 OECD 표준조세조약 제23조에 대한 주석 para. 69.1
67) PSR 보고서, p.28. Example 8. 배당소득에 대한 제한세율의 적용은 OECD 표준조세조약 제10조에 대한 주석 para. 11.1

은 원천지국과 파트너십 거주지국 간에 체결한 조세조약의 적용대상이 된다.[68]

[그림 8-12] 3개국 모두 파트너십 실체인정 상황

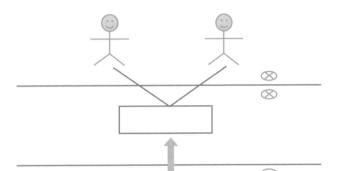

이자소득

파트너의 거주지국에서 파트너십의 실체를 원천지국이 인정하기 때문에 원천지국에서 발생한 이자의 수익적 소유자는 파트너십이 된다. 파트너는 수익적 소유자가 아니므로 원천지국과 파트너 거주지국에서 국내 조세법상 파트너는 각각 납세의무자가 되지 않는다. 따라서 파트너는 자신의 거주지국과 원천지국 간에 체결된 조세조약에 따른 이중과세 방지제도의 적용을 요구할 수 없다.[69]

③ 상황 3

파트너십의 실체에 대하여 체약국의 국내 조세법이 서로 다르게 규정하고 있는 경우이다. 일부 체약국은 파트너십의 실체를 인정하고 일부 체약국은 부인하는 상황이다.

이는 다음과 같이 3가지의 유형으로 세분화된다.

첫 번째 유형은 파트너십에 대하여 거주지국(설립지국)은 실체를 인정하고 다른 체약국(원천지국과 파트너의 거주지국)은 부인하는 경우이다

두 번째 유형은 파트너십에 대하여 거주지국과 원천지국은 실체를 부인하고 파트너의 거주지국은 인정하는 경우이다.

세 번째 유형은 파트너십에 대하여 거주지국과 파트너의 거주지국은 실체를 부인하고 원천지국은 인정하는 경우이다.

---

68) PSR 보고서, paragraph 72
69) PSR 보고서, p.28. Example 8

(1) 유형 1: 파트너십 설립지국만 파트너십 실체인정 상황

[그림 8-13] 파트너 설립지국만 실체인정 상황

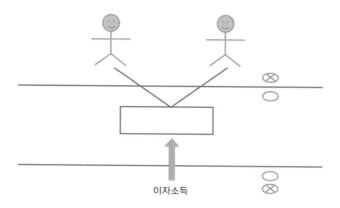

이자소득

　파트너십 설립지국은 파트너십의 실체를 인정하므로 파트너십은 거주자가 된다. 따라서 조세조약의 적용대상이 된다.[70] 파트너십의 거주지국이 파트너십의 실체를 인정하므로 원천지국에서도 파트너십은 조세조약의 적용대상이 된다.[71] 원천지국이 파트너십의 거주지국 외에 파트너의 거주지국과도 조세조약을 체결하고 있고 각 조세조약상 원천징수 제한세율이 다른 경우에는 가장 혜택이 많은 세율, 즉 가장 낮은 원천징수세율을 적용해야 한다는 것이 OECD 재정위원회(CFA)의 합의사항이다.[72]

　파트너의 거주지국은 파트너십의 실체를 부인하므로 파트너에 대하여 과세권을 행사할 수 있다.[73] 그러나 원천지국과 체결한 조세조약에서 규정한 이중과세 방지를 위한 조치를 해야 한다.[74]

---

70) 2017년 개정 전 OECD 표준조세조약 제1조에 대한 주석 para 5; PSR 보고서, pp.28~29. Example 8 및 9
71) 2017년 개정 전 OECD 표준조세조약 제1조에 대한 주석 주석 para. 5; PSR 보고서, para. 54. p.25, pp.28~29, Example 5, 8 및 9
72) 2017년 개정 전 OECD 표준조세조약 제1조에 대한 주석 para 6.5; PSR 보고서, para. 74. p.29. Example 9.
73) 2017년 개정 전 OECD 표준조세조약 제1조에 대한 주석 para 6.1; 개정 후 OECD 표준조세조약 제1조 제3항
74) OECD 표준조세조약 제23조에 대한 주석 69.3

(2) 유형 2: 파트너 거주지국만 파트너십 실체인정 상황

[그림 8-14] 파트너의 거주지국만 실체인정 상황

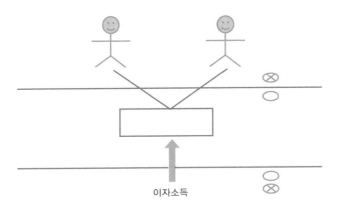

이자소득

파트너십 설립지국은 파트너십의 실체를 부인하므로 거주자로 보지 않는다. 따라서 조세조약의 적용대상이 아니다.[75] 원천지국도 파트너십의 실체를 부인하므로 파트너십에 귀속된 소득은 파트너에게 배분되는 것으로 보지 않는다. 따라서 원천지국은 파트너십은 물론이고 파트너에게도 조세조약을 적용하지 않고 원천소득에 대하여 자국의 국내 조세법에 따라 과세할 수 있다.[76] 파트너의 경우에도 파트너십의 소득이 배분되는 것으로 보지 않기 때문에 조세조약의 적용대상으로 보지 않는다.[77]

한편, 파트너의 거주지국은 파트너십은 실체를 가지고 있기 때문에 원천지국에서 발생한 소득의 귀속자가 되고 그 파트너십의 지분권을 소유한 파트너가 획득한 소득에 대하여 과세권을 행사한다. 파트너의 소득은 OECD 표준조세조약 제21조에서 규정하는 기타소득(other income)에 해당하므로 다른 체약국의 과세관할권으로부터 영향을 받지 않고 단독으로 과세권을 행사할 수 있다.[78]

---

75) 2017년 개정 전 OECD 표준조세조약 제1조에 대한 주석 para. 5; PSR 보고서, p.27. Example 7
76) 2017년 개정 전 OECD 표준조세조약 제1조에 대한 주석 para. 6.2 및 6.5; PSR 보고서, p.20, 26, 27. Example 3, 6 및 7. paragraph 70
77) PSR 보고서, p.27. Example 7
78) OECD 표준조세조약 제21조 제1항

(3) 유형 3: 소득의 원천지국만 파트너십 실체인정 상황

[그림 8-15] 소득원천지국만 실체인정 상황

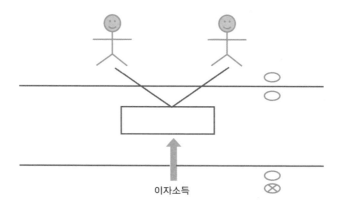

이자소득

파트너십 설립지국은 파트너십의 실체를 부인하므로 파트너십은 조세조약의 적용대상이 아니다.[79] 원천지국은 파트너십의 실체를 인정하므로 파트너십이 획득한 원천소득은 파트너십의 거주지국과 체결한 조세조약을 적용한다.[80] 원천지국이 파트너십의 실체를 부인하더라도 조세조약의 적용을 통하여 이중과세 방지를 요구할 수 있다.[81]

파트너의 거주지국에서 파트너는 수익적 소유자로서 납세의무자의 지위를 가지므로 자신의 거주지국과 원천지국 간에 체결된 조세조약에 따른 이중과세 방지제도의 적용을 요구할 수 있다.[82] 이는 원천지국에서 파트너가 조세조약의 적용을 요구할 수 있는 권리와 같다고 할 수 있다.

| 제6절 | **적격성 충돌과 이중과세 방지** |

지금까지는 적격성 충돌이 발생할 수 있는 상황에 대하여 OECD의 파트너십 보고서를 중심으로 살펴보았다. 여기에서는 적격성의 충돌로 인하여 발생할 수 있는 이중과세를 방지하는 내용을 파트너십 보고서가 제시하는 사례를 중심을 검토하기로 한다. 조세조약을 체결하

---

79) 2017년 개정 전 OECD 표준조세조약 제1조에 대한 주석 para. 5
80) 2017년 개정 전 OECD 표준조세조약 제1조에 대한 주석 paras. 5, 6.4, 6.5 및 제4조에 대한 주석 para. 8.7
81) PSR 보고서, p.19. Example 2
82) 2017년 개정 전 OECD 표준조세조약 제1조 주석 no.5, 6.4, 6.5 및 제4조 주석 no.8.7

는 주된 목적은 이중과세의 방지에 있으므로 적격성의 충돌에 따라 발생할 수 있는 이중과세의 방지를 하는 것은 아주 중요한 과제가 된다.

① 사례 1

첫 번째 사례는 거주지국과 원천지국이 혼성조직(hybrid)의 실체에 대하여 서로 다르게 취급하는 적격성 충돌로 발생하는 이중과세의 방지에 대한 것이다.

거주지국은 혼성조직의 실체를 인정하여 법인으로 보는 반면에 원천지국은 실체를 부인하는 경우로서 아래 그림 [8-16]에서와 같이 혼성조직이 사업용 자산을 처분한 경우에 거주지국과 원천지국의 조세조약 적용이 다른 경우에 발생하는 사례이다.

거주지국은 혼성조직의 실체를 인정하여 법인으로 보고 사업용 자산의 매각으로 발생한 소득에 대하여 OECD 표준조세조약 제13조 제5항에 따라 과세권을 행사하게 된다. 한편, 원천지국은 혼성조직의 실체를 부인하므로 OECD 표준조세조약 제13조 제2항의 규정에 따라 그 혼성조직이 원천지국에 고정사업장(PE)을 두고 있는 경우에만 과세권을 행사할 수 있게 된다.

이와 같이 거주지국과 원천지국이 혼성조직의 실체에 대하여 각각 자국의 국내 조세법에 따라 다르게 취급함으로써 조세조약의 규정과 관련한 적격성의 충돌이 발생한다. 그 결과 혼성조직은 거주지국과 PE가 있는 원천지국에서 각각 동시에 과세될 수 있고, 이중과세의 문제에 직면하게 된다.

[그림 8-16] 조세조약의 적용기준이 다른 경우

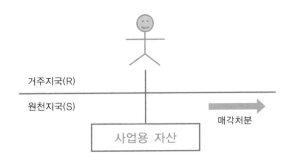

이 문제를 해결하기 위하여 OECD 표준조세조약 제23조에서 원천지국이 '조세조약의 규정에 따라(in accordance with the provisions of this Convention)' 과세를 한 경우에는 거주지국이 이중과세 방지제도로서 외국납부세액의 공제(credit) 또는 외국원천소득 면세(exemption)

제도를 적용하여 이중과세가 발생하지 않도록 하고 있다.[83]

> 2017년 개정된 OECD 표준조세조약 제23A조 제1항의 규정은 다음과 같다.
>
> 1. Where a resident of a Contracting State derives income or owns capital which <u>may be taxed in the other Contracting State in accordance with the provisions of this Convention</u>(except to the extent that these provisions allwo taxation by that other State sloley because the income is also income derived by a resident of that State or because the capital is also caital owned by a resident of that State), the first−mentioned State shall, subject to the provisions of paragraph 2 and 3, exempt such income or capital from tax.

 사례 2

두 번째 사례는 첫 번째 사례와 유사하지만 거주지국과 원천지국이 바뀐 점이 다르다. 거주지국은 혼성조직의 실체를 부인하고 원천지국이 실체를 인정하여 법인으로 간주하는 점이다. 여기서는 양 체약국이 각각 자국의 국내 조세법에서 조세조약의 적용요건을 서로 다르게 규정하여 이중비과세가 발생할 수 있는 상황이 된다. 아래 그림 [8−17]은 혼성조직이 사업용 자산을 처분한 경우에 거주지국과 원천지국의 조세조약 적용이 각각 자국의 국내 조세법의 규정에 따라 달라지는 경우이다.

[그림 8−17] 국내 조세법의 적용기준이 다른 경우

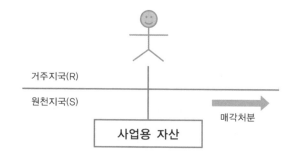

거주지국은 혼성조직의 실체를 부인하므로 OECD 표준조세조약 제13조 제2항의 규정에 따라 고정사업장(PE)이 있는 경우에 과세권을 행사할 수 있는 것으로 본다. 한편, 원천지국

---

83) OECD 표준조세조약 제23조에 대한 주석 32.3 및 32.4; PSR 보고서, p.39. Example 14

은 혼성조직의 실체를 인정하여 법인으로 보는 것이므로 OECD 표준조세조약 제13조 제5항의 규정에 따라 거주지국으로서의 과세권을 행사할 수 있게 된다.

혼성조직은 거주지국에서는 고정사업장(PE)이 없으면 과세되지 않고 원천지국에서는 법인의 실체를 인정하여 과세할 수 있지만 국내 조세법에 의하여 과세대상 소득이 아닌 경우에 비과세될 수 있으므로 이중비과세(double non-taxation)의 문제가 발생할 수 있다.

이 문제를 해결하기 위하여 OECD 표준조세조약 제23조 주석에서 원천지국이 '조세조약의 규정에 따라(in accordance with the provisions of this Convention)' 과세를 하지 않은 경우에는 거주지국은 외국원천소득에 대하여 PE가 없더라도 면세할 필요가 없다고 하여 이중비과세가 발생하지 않도록 하고 있다.[84]

③ 사례 3

세 번째 사례는 아래 [그림 8-18]이 보여주는 것처럼 거주지국과 원천지국이 조세조약의 해석에 있어서 입장이 서로 다른 경우에 발생하는 조세조약 적용상의 충돌상황이다.

[그림 8-18] 조세조약 해석이 다른 경우

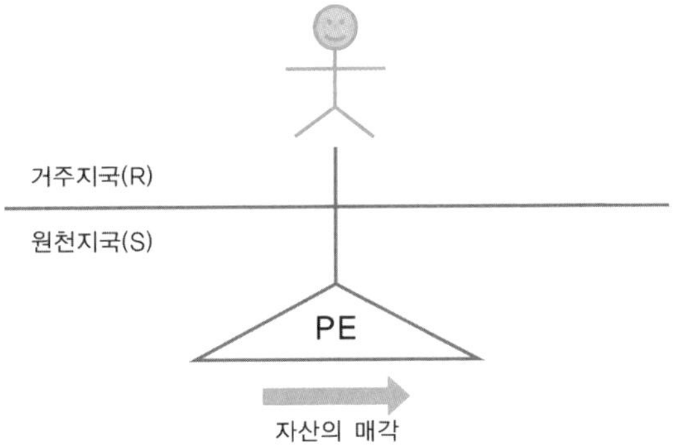

고정사업장이 자산을 매각하여 소득이 발생한 경우에 고정사업장에 귀속된 자산인 경우에는 고정사업장의 소득으로 간주되어 고정사업장의 손익계산에 포함되므로 당해 자산의 처분소득만 별도로 과세할 수 없게 된다. 그러나 거주지국은 고정사업장(PE)이 매각한 자산은 그 고정사업장에 귀속되는 자산이 아닌 것으로 보고 OECD 표준조세조약 제13조 제5항의 규정에 따라 배타적인 과세권을 행사할 수 있다. 한편, 원천지국은 고정사업장이 처분

---

84) OECD 표준조세조약 제23조에 대한 주석 32.6 및 32.7

한 자산은 고정사업장에 귀속되는 자산으로 보고 OECD 표준조세조약 제13조 제2항에 따라 고정사업장이 있는 국가에서 과세할 수 있다.

이 문제는 조세조약이 적용되는 사실관계의 해석 또는 조세조약의 규정 자체에 대한 해석의 차이로 인하여 발생한 것으로써 양 체약국의 국내 조세법의 규정차이로 인한 조세조약 적용상의 충돌과는 성격이 다르다. 이 문제가 해결되지 않고 양 체약국이 각각 자국의 입장에서 해석한 대로 조세조약을 적용할 경우에는 이중과세가 발생할 수 있다. 따라서 OECD 표준조세조약은 상호합의절차(Mutual Agreement Procedure)를 통하여 해석의 차이를 해결할 것을 권고하고 있다.[85]

4 사례 4

네 번째 사례는 아래 [그림 8-19]에서 보는 것처럼 거주지국의 소득자가 원천지국에서 자산을 처분했을 때 발생하는 조세조약 적용상의 충돌 상황에 대한 것이다. 원천지국은 자산의 처분 소득에 대하여 OECD 표준조세조약 제13조 제1항의 규정에 따라 과세할 수 있으나 자국의 국내 조세법에 의하여 면세[86]를 해야 하는 경우에 대한 것이다.

이 경우 소득자의 거주지국은 과세할 수 있는가의 문제가 발생한다. 이는 사례 3에서 본 소득의 분류에 대한 양국 간의 해석차이에서 발생한 조세조약 적용의 충돌과는 성격이 다르다.

[그림 8-19] 조세조약과 국내 조세법의 과세기준이 다른 경우

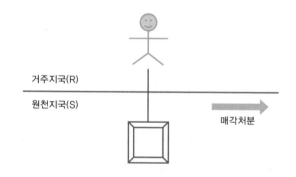

이 경우 원천지국의 비과세와 함께 거주지국도 비과세한다면 이중비과세의 문제가 발생할 수 있다. OECD 표준조세조약은 이중비과세의 문제가 발생하더라도 거주지국은 이 경우

---

85) OECD 표준조세조약 제23조에 대한 주석 32.5
86) 면세사유의 예로서 자산의 보유기간이 만료되었거나 비과세대상 자산소득에 해당하는 경우 등이 있다.

에도 과세할 수 없다고 규정하고 있다.[87] 그 이유는 OECD 표준조세조약 제23A조 제4항에 근거한다.

OECD 표준조세조약 제23A조 제4항의 규정은 다음과 같다.

4. The provisions of paragraph 1 shall not apply to income derived or capital owned by a resident of a Contracting State where the other Contracting State applies the provisions of this Convention to exempt such income or capital from tax or applies the provisions of paragraph 2 of Article 10 or 11 to such income.

위의 OECD 표준조세조약 제23A조 제4항은 일방체약국의 거주자가 획득한 소득이나 보유한 자본에 대하여 제23A조 제1항에서 규정한 이중과세 방지를 위한 조정제도를 적용하지 않는 경우를 설명하고 있다.

원천지국에서 면세된 소득에 대하여 거주지국이 과세할 수 없도록 한 것은 위의 제23A조 제4항에서 규정된 대로 조세가 면제된 소득이나 자본에 일방체약국과 타방체약국이 체결한 조세조약(this Convention)을 동일하게 적용해야 하기 때문이다. 따라서 일방체약국이 동일한 조세조약에 근거하여 과세대상소득으로 보았으나 국내 조세법의 규정에 의하여 비과세한 것이다.

결과적으로 실질적인 이중비과세(effective double non-taxation)가 발생하지만 조세조약의 목적에 위반되는 것이 아니라고 보는 것이다.

실질적인 이중비과세의 문제는 OECD 표준조세조약 제10조의 배당소득 또는 제11조의 이자소득은 수익적 소유자의 개념을 적용하여 해결책을 모색할 수 있는 것으로 보는 것 같다.

⑤ 요 약

이상의 내용을 요약하면 적격성의 충돌이 발생하는 원인은 체약국의 국내 조세법의 규정의 차이와 조세조약조약의 적용규정 차이로 요약할 수 있고, 그로 인하여 발생하는 이중과세 또는 이중비과세의 문제는 OECD 표준조세조약 제23조의 규정과 상호합의 절차를 통하여 해결해야 한다.

---

87) OECD 표준조세조약 제23조 주석 para. 56.2

이를 정리하면 아래 [표 8-7]과 같다.

[표 8-7] 적격성 충돌상황별 이중과세 및 이중비과세 방지방법

적격성 충돌	이중과세 발생 방지	이중비과세 발생 방지
국내 조세법 규정차이	OECD 표준조세조약 제23A조 제1항: 거주지국에서 이중과세 방지제도 적용	OECD 표준조세조약 제23A조 제4항: 실질적으로 이중비과세 발생을 허용
조세조약규정 적용차이	OECD 표준조세조약 제23A조 제1항: 상호합의절차를 통해 해결	OECD 표준조세조약 제23A조 제4항: 거주지국이 이중비과세 방지

제 **3** 편

조세조약의 적용

제9장

조세조약상의 거주자

거주의 일반적인 개념은 일정한 곳에 자리를 잡고 머물러 사는 것을 말한다.[1] 즉, 사람의 생활터전으로서 한 곳에 정주하는 것을 의미한다. 생활은 가정과 직장 그리고 사회에서의 행위를 통하여 생명을 유지하는 활동이다.[2] 이러한 활동은 일정한 지역에 상당기간 동안 정주하면서 형성되는 생활관계의 안정성을 바탕으로 성립할 수 있다.

우리나라에서 일상생활에 관한 법률 중 하나인 주민등록법은 거주지 개념을 거주자의 거주사실과 관련된 생활근거지로서 규정하고 있다.[3] 이러한 일반적인 거주의 개념은 납세의무의 이행 등 다른 법률행위를 직접 규율하는 것은 아니다.[4] 따라서 주민등록법상의 거주 개념을 조세법상의 거주개념으로 바로 사용할 수 없으므로 관련 조세법에서 별도로 정의하고 있

---

1) daum 국어사전
2) 주민등록법 제17조에서 '주민의 거주지 이동에 따른 주민등록의 전입신고가 있으면 「병역법」, 「민방위기본법」, 「인감증명법」, 「국민기초생활 보장법」, 「국민건강보험법」 및 「장애인복지법」에 따른 거주지 이동의 전출신고와 전입신고를 한 것으로 본다.'라고 규정하고 있다.
3) 대법원 2009. 6. 18. 선고 2008두10997 전원합의체 판결【주민등록전입신고수리거부처분취소】구 주민등록법(2007. 5. 11. 법률 제8422호로 개정되기 전)의 '주민등록지'는 '병역법, 민방위기본법, 인감증명법, 국민기초생활 보장법, 국민건강보험법 및 장애인복지법에 의한 거주지 이동의 전출신고와 전입신고를 한 것으로 간주된다(제14조의2). 주민등록지는 전입신고자의 실제 거주지와 일치하여야 하고, 주민등록의 이중등록이 금지되며(제10조 제2항) 시장·군수 또는 구청장은 전입신고 후라도 허위 신고 여부를 조사하여 사실과 다른 것을 확인한 때에는 일정한 절차를 거쳐 주민등록을 정정 또는 말소하는 권한을 가지고 있다(제17조의2). 주민들의 거주지 이동에 따른 주민등록전입신고에 대하여 행정청이 이를 심사하여 그 수리를 거부하는 것은 헌법상 보장된 국민의 거주·이전의 자유를 침해하지 않는 범위 안에서 주민등록법의 입법 목적의 범위 내에서 제한적으로 이루어져야 한다. 주민등록법의 입법 목적에 관한 제1조 및 주민등록 대상자에 관한 제6조의 규정을 고려해 보면, 전입신고를 받은 시장·군수 또는 구청장의 심사 대상은 전입신고자가 30일 이상 생활의 근거로 거주할 목적으로 거주지를 옮기는지 여부만으로 제한된다고 보아야 한다. 따라서 전입신고자가 거주의 목적 이외에 다른 이해관계에 관한 의도를 가지고 있는지 여부, 무허가 건축물의 관리, 전입신고를 수리함으로써 당해 지방자치단체에 미치는 영향 등과 같은 사유는 주민등록법이 아닌 다른 법률에 의하여 규율되어야 하고, 주민등록전입신고의 수리 여부를 심사하는 단계에서는 고려 대상이 될 수 없다.
4) ibid.

다.[5] 조세법상의 거주지와 거주자의 개념은 국가 간의 거래에서도 중요하다. 거주자와 비거주자를 구분하여 과세소득의 범위를 달리하고 있기 때문이다. 거주자는 전 세계 소득을 종합하여 과세하고 비거주자는 국내원천소득에 대하여만 제한적으로 과세하는 기준이 적용된다.[6]

최근 우리나라에서 조세법상의 거주자 개념과 관련된 몇 가지의 과세분쟁사례가 발생한 바 있었다.[7] 납세자는 자신들이 한국 내에 거주하는 기간이 1~3개월 정도에 불과하므로 한국에서 소득세법상 비거주자에 해당하는 것으로 주장하고, 국세청은 국내에서 실질적인 경영활동을 하고 있으므로 거주자라고 주장하고 있다.

두 건의 사례에서 납세자는 소득세법 제1조의2 제1항에서 규정하고 있는 '국내 거주 1년 이상'이라는 형식적인 요건을 문리적으로 해석하여 적용하려고 한다. 한편, 국세청은 소득세법상의 거주자 개념을 국제거래라는 상황속에서 실질적인 거주개념으로 파악하고 있다.[8]

국제거래소득에 대한 과세를 함에 있어서 거주자의 개념을 해석하고 적용할 때 기준으로 삼는 원칙은 국제조세조약의 내용과 체약국의 내국세법의 규정이다. 국제거래는 국내거래와 달리 국가 간의 과세권의 공평한 분할을 위하여 국내법과 다른 과세기준이 적용되고 있다.[9] 조세조약은 체약국의 거주자가 획득한 국제거래소득에 대한 과세권의 배분문제를 특별히 규정하고 있으므로 국내세법과 특별법 관계에 있다고 할 수 있다.[10] 그러므로 조세조약과 국내세법의 내용이 서로 상이한 경우에는 조세조약이 우선하여 적용된다. 국내 조세법의 개정을 통하여 조세조약의 효력을 정지(treaty override)시킬 수 없게 된다.

이와 관련하여 조세조약상 과세대상이더라도 국내세법상 과세되지 아니하는 경우는 과세되지 아니하고 조세조약상 과세대상이 아니면 국내세법상 과세대상이더라도 과세되지 아니한다. 조세조약상 규정되지 아니한 내용은 국내세법에 의하는 것이며, 조세조약에 규정되어 있어도 특별히 명시되지 않는 한 일반적으로는 국내세법의 구체적인 적용방법 절차 등에 의하여 과세된다. 국제거래에 있어서 명의자와 사실상 귀속되는 자가 다르면 사실상 귀속되는

---

5) 소득세법 제1조의2 제1항 및 법인세법 제2조

6) 대법원 2009두 22645, 2010.4. 25 판결. 소득세법 제4장 '비거주자의 납세의무', 법인세법 제4장 '외국법인의 각 사업연도의 소득에 대한 법인세' 참조

7) 소위 '구리왕' 및 '선박왕' 사례 등이다.

8) OECD 표준조세조약 제4조 제2항에 규정하고 있는 '거주지 판정기준(tie-breaker rule)'을 적용하려는 입장으로 보인다.

9) 대표적인 것으로 과세관할권이론에서 거주지국 과세기준과 원천지국 과세기준이 있다.

10) 헌법에 의하여 체결 공포된 조약과 일반적으로 승인된 국제법규는 국내법과 같은 효력을 가지므로 조세조약은 국내세법(법률)과 동일한 효력을 가진다. 그러나 조세조약은 국내세법에 대하여 특별법의 위치에 있으므로 조세조약이 국내세법보다 우선 적용된다. 국제조세조정에 관한 법률 제28조 및 제29조 참조

자를 납세의무자로 하여 조세조약을 적용한다.[11]

조세조약을 체결하는 주요 목적은 이중과세의 방지뿐 아니라 국가 간의 조세제도상의 차이나 흠결을 이용한 조세회피행위를 차단하려는 데에도 있다.[12] 납세자의 주장을 수용할 수 있는지를 판단하려면 국내법뿐 아니라 해당 납세자가 국제거래를 통하여 소득을 획득하는 원천지국과 우리나라가 체결한 조세조약의 내용도 함께 검토해야 할 것이다.[13] 우리나라와 조세조약을 체결하지 않은 국가에서 소득이 발생되는 경우에는 실질적인 거주지와 조세회피행위의 방지 측면과 연결하여 거주자의 개념을 파악할 수 있을 것이다.

국제거래소득과 관련한 거주자의 개념을 어떻게 해석하여 적용할 것인지에 대하여 살펴보기로 한다.

제2절 조세목적상의 거주자

 거주지국 결정기준

조세조약상의 거주자는 조세목적상의 거주자(tax resident)를 말한다. 일반적·상식적인 거주자나 민법상 또는 주민등록법상의 거주자와는 다소 차이가 있다. 형식적 법률적 개념에 추가하여 실질적인 거주 또는 사실상의 거주의 의미가 포함된다. 따라서 조세조약상의 거주지국 기준(residence principle)은 국제거래소득에 대한 과세관할권을 '납세자의 주소지, 거주지 또는 국적지 등'과 같은 주관적인 기준을 포함하여 결정하는 방법이다. 그러나 주소지(domicile) 등의 개념정의는 단순하지 않다. OECD 표준조세조약 및 개별국가의 조세법상 용어에 대한 해석의 차이에서 비롯된다. 미국과 같이 국적지 기준[14]이 추가되어 있는 경우

---

11) 국제조세조정에 관한 법률 제2조의2 ① 국제거래에서 과세의 대상이 되는 소득, 수익, 재산, 행위 또는 거래의 귀속에 관하여 사실상 귀속되는 자가 명의자와 다른 경우에는 사실상 귀속되는 자를 납세의무자로 하여 조세조약을 적용한다.
　② 국제거래에서 과세표준의 계산에 관한 규정은 소득, 수익, 재산, 행위 또는 거래의 명칭이나 형식과 관계없이 그 실질 내용에 따라 조세조약을 적용한다.
　③ 국제거래에서 조세조약 및 이 법의 혜택을 부당하게 받기 위하여 제3자를 통한 간접적인 방법으로 거래하거나 둘 이상의 행위 또는 거래를 거친 것으로 인정되는 경우에는 그 경제적 실질에 따라 당사자가 직접 거래한 것으로 보거나 연속된 하나의 행위 또는 거래로 보아 조세조약과 이 법을 적용한다.
12) OECD 표준조세조약, 2017. 서문(introduction) para. 41. 제1조 주석 paras. 54-65
13) 조세조약의 해석과 적용은 '조약법에 관한 비엔나 협약 제31조'에서 문리해석을 하되 전체 문맥 속에서 해석하는 것을 원칙으로 하고 있다.
14) 국적지로 거주자를 파악하는 것은 외국에 거주자하더라도 국적자에게 국가의 보호권이 미친다는 원칙을 적

에는 과세관할권의 범위를 거주지국 기준으로 결정하는 것이 더욱 복잡해진다.

대부분의 국가에서는 납세의무자와 관련 지역 간의 연관성을 전제로 하고 있다. 거주라는 개념 자체는 법률상의 주소개념을 반드시 의미하는 것은 아니다. 과세목적상 거주자 개념이 적용되기 때문이다. 따라서 법상의 개념과 조세목적상의 개념이 이중적으로 적용된다. 한국 국적을 가진 납세자가 얻은 국외원천소득에 대하여 원천지국과 함께 거주지국인 한국에서도 과세권을 가지게 되는 이유는 이 때문이다.

거주자 개념은 지리적인 한계를 벗어나는 의미를 가진다. 따라서 한국 국적을 가지지 아니한 외국인이 국내에서 가지는 지위가 조세목적상 거주자인지 비거주자인지에 따라 납세의무의 범위에 미치는 영향은 크게 달라진다. 거주자는 전 세계 소득에 대하여 납세의무를 부담하게 되지만, 비거주자는 국내원천소득에 한정하여 납세의무를 지게 된다. 아울러 국내거주자만이 국내 조세법상의 여러 가지 공제혜택을 적용받을 수 있다.[15] 비거주자의 납세의무는 그 비거주자 거주지국과 한국이 조세조약을 체결하고 있는 경우에는 그 조세조약의 내용에 따라 경감될 수 있다.[16]

거주자를 결정하는 기준은 복잡하다. 이러한 어려움을 감안하여 '거주(residence)'의 개념을 계량적인 자료를 사용하여 정의하려고 한다. 예를 들어 1년 중 체류기간, 입국목적, 거소, 이해관계의 중심, 기타사유 등을 기준으로 사용한다. 이러한 기준은 주관적일 뿐 아니라 개별국가별로도 다르게 적용하거나 해석할 수 있어서 경우에 따라서는 거주지가 전혀 없거나 (이중 비거주자) 또는 이중거주자가 발생할 수 있다.

더욱 복잡한 상황이 발생하는 경우는 '법인(legal person)'의 소재지를 결정할 때이다. 법인의 소재지는 설립지, 공식적인 주사무소의 소재지, 실제적인 주사무소의 소재지, 사업의 실질적 관리장소 등으로 정의된다. 실질적 관리장소는 형식적 기준보다는 경제적 실질 기준을 적용한 개념이지만 조직구조상의 변경이 있는 경우 거주지 개념의 적용이 어려워진다. 가령 특정조직이나 부서가 본사보다 경제적으로 더 중요한 역할을 할 경우에 실질적 관리장소 개념을 어디로 볼 것인가이다.[17]

용하는 기준이다. 이는 특정국가의 국민으로서 누리는 정치적 특권에 대하여 납세의무의 이행을 통하여 대가를 지급하도록 하려는 것이다.

15) 비거주자는 gross income에 대하여 원천징수 세율을 적용한다.

16) 조세조약의 목적은 체약당사국의 거주자에게 각각 내국세법을 적용한 경우보다 조세조약을 통하여 조세부담을 경감시켜 주기 위한 것이다.

17) 실질적 관리장소의 개념은 본사의 소재지 등이 확인되지 않을 때 적용되는 것으로 볼 수 있으므로 형식적으로 본사가 소재하는 지역이 따로 있더라도 실질적인 기능을 하는 조직이 또 하나가 존재하는 경우에는 법인의 거주지는 어떻게 결정할 것인지가 문제가 된다.

특정 연도에 거주자였다고 하더라도 그 다음연도에도 자동적으로 거주자로 되는 것은 아니다. 여러 가지 사실과 조건을 종합적으로 고려하여 판단한다. 외국인이 한국에 도착하면 법률적으로는 도착 당일부터 한국거주자가 될 수 있지만, 조세 목적상으로는 반드시 그렇지는 않다.

② 거주자의 개념

거주자의 정의는 우리나라의 소득세법과 법인세법, OECD 및 UN의 표준조세조약과 개별 국가와 체결한 양자 간 조세조약에서도 정의하고 있다.[18] 이러한 거주자 개념을 실제로 적용하려면 다음의 3가지 요건을 검증해야 한다. 첫째는 주소와 거소의 개념에 대한 일반적 요건(ordinary concepts rule), 둘째는 국내 거주자 또는 비거주자로 간주하는 거주요건(domicile rule)으로서 국내에 비거주하더라도 거주자로 보는 특별요건(special rule)이 포함되며, 셋째는 체류기간의 요건(183 days rule)이다.

거주자의 판정기준은 국내에 거주하는 외국인의 조세부담액과 관련하여 중요한 의미를 가진다. 거주자는 전 세계 소득을 합산하여 누진세율로 과세받게 되지만, 비거주자는 국내원천소득에 대하여 분리과세 받는다.[19]

(1) 일반적 요건: 주소(domicile)와 거소(residence)

거주자는 국내 조세법상 거주자와 내국법인을 포함한다. 소득세법상 거주자는 국내에 '주소'를 두거나 1년 이상 '거소'를 둔 개인으로 정의하고 있다.[20] 법인세법은 '내국법인'을 국내에 본점이나 주사무소 또는 사업의 실질적 관리장소를 둔 법인으로 정의하고 있다.[21] 표준조

---

18) 소득세법 제1조의2 제1항 제1호, 법인세법 제1조 제1호, OECD 및 UN 표준조세조약 제4조 제2항

19) 소득세법 제3조 및 제4조, 법인세법 제3조

20) 소득세법 제1조의2 제1항 제1호

21) 2005년 12월 31일 법인세법 개정 이전까지는 '본점 또는 주사무소' 요건만 적용하였으나, 법개정을 통하여 '사업의 실질적 관리장소' 요건을 추가하였다. 따라서 외국에 본점 또는 주사무소를 둔 법인이라고 하더라도 국내에서 '법인의 업무수행에 필요한 중요한 관리와 상업적 결정이 실질적으로 이루어지는 경우'에는 내국법인으로 볼 수 있게 되었다. 그럼에도 불구하고 우리나라는 OECD 표준조세조약 제4조 제3항에 대한 주석 paragraph 28에서 유보의견(reservation)을 제시하면서서 법인의 거주지 판단기준으로서 '실질적 관리장소(place of effective management)'의 개념을 사용하는 대신 조세조약에서 '본점 또는 주사무소' 개념을 적용하려는 의사를 표시하고 있다. 이 유보의견은 철회하는 것이 타당할 것으로 보인다. 차라리 미국과 캐나다와 같이 설립지(place of incorporation) 기준을 적용하는 것을 유보하는 것이 조세피난처 또는 다른 제3국에 서류상의 법인(paper company)을 설립하여 공격적 조세회피행위를 시도하는 것을 차단할 수 있는 근거가 된다는 점에서 '실질적 관리장소' 개념에 더 부합하는 것으로 보인다.

세조약[22])에서는 '주소, 거소, 본점 또는 주사무소의 소재지, 관리장소 등의 기준에 따라 납세의무를 이행하는 개인 또는 법인은 주소 또는 거소를 가진 거주자'로 규정하고 있다.

'생활의 근거가 되는' 주소는 '동시에 두 곳 이상' 있을 수 있다.[23]) 주소를 알 수 없거나 국내에 주소가 없으면 '거소'를 주소로 본다.[24]) '거소'는 주소지 외의 장소 중 상당기간에 걸쳐 거주하는 장소로서 주소와 같이 밀접한 일반적 생활관계가 형성되지 아니한 장소이다.[25]) 특정 행위의 목적상 가주소를 정한 때에는 그 행위에 관하여는 이를 주소로 간주한다.[26])

주소, 거소, 본점 또는 주사무소의 소재지, 관리장소 등의 기준은 실제 체류나 업무수행이라는 외형적으로 나타난 사실뿐 아니라 본인의 내심적인 거주의사의 확인을 필요로 한다.[27]) 거주의사는 직접적인 확인이 어렵고 외형적으로 나타난 사실관계를 가지고 추론해야 한다. '실제 체류기간, 방문빈도, 방문 시 체류기간, 가족, 사업, 사회적 유대, 국적, 주택(home)의 보유여부, 거주의사 표현 등'을 기준으로 거주자에 해당하는지를 판단하게 된다. 우리나라의 경우 국적지 주의를 채택하지 않고 있으므로 '가족상황, 사업 및 사회적 유대관계 등'이 중요한 기준이 될 수 있다.

그러나, 실제 거주자 여부를 판단할 때 여러 가지 요소들 중에서 어느 것을 더 중요하게 평가할 것인지의 문제가 있다. 외국에 거주하는 주택을 보유하고 상시 거주하면서 1년 중 183일 이하의 단기간(예: 3~4주 정도) 동안 한국을 방문하여 고객을 위하여 자문을 하거나 다른 사업활동을 할 경우에 그 방문자가 한국의 거주자에 해당될 수 있는가이다. 이러한 문제를 해결하기 위하여 요소별로 우선순위를 정하여 순차적으로 적용하는 방법을 사용한다. 곧, 항구적 주거(permanent home), 중대한 이해관계의 중심(center of vital interest), 일상적 거소(habitual abode), 마지막으로 국적지(national)를 적용하여 해결하는 '순차적 적용기준(tie breaker rule)'이다.[28]) 이렇게 해서도 거주지국가가 결정되지 않으면 과세당국 간 상

---

22) OECD 및 UN의 표준조세약 제4조 제1항

23) 민법 제18조

24) 민법 제19조 및 제20조

25) 소득세법 시행령 제2조 제2항

26) 민법 제21조

27) 우리나라 소득세법 시행령 제2조 제1항에서는 '① 「소득세법」(이하 "법"이라 한다) 제1조의2에 따른 주소는 국내에서 생계를 같이 하는 가족 및 국내에 소재하는 자산의 유무 등 생활관계의 <u>객관적 사실에 따라</u> 판정한다'라고 규정하여 주관적인 요소인 '거주의사'는 배제하고 '객관적인 사실'만을 고려하는 것처럼 보인다. 그러나 '생활관계'는 특정 개인을 중심으로 전개되는 주관적인 요소의 성격을 가지는 것으로 보는 것이 타당하다. 따라서 소득세법 시행령 제2조 제1항에서 '객관적 사실'이라는 용어를 사용하는 대신 '본인의 내심적 거주의사'를 고려할 수 있도록 '예시적인 요소'를 좀 더 상세하게 규정하는 것이 바람직할 것이다.

28) OECD 및 UN의 표준조세약 제4조 제2항 (a)(b)(c)(d) 참조. 주거의 항구성(permanence)이란 개인이 사업, 휴식, 수업참여 목적 등으로 항상(always) 사용할 수 있는 곳을 의미하고, 이해관계의 중심지(center of

호합의(Mutual Agreement) 절차를 통하여 해결하게 된다.

OECD 및 UN의 표준조세조약에서는 주소, 거소, 상시거주지역 등에 대한 구체적인 개념과 거주의사 부분에 대하여는 명확한 기준이 제시되어 있지 않다. 우리나라 소득세법에서는 출국목적이 명백하게 일시적인 것으로 인정되는 때는 그 출국기간도 국내에 거소를 둔 기간으로 보도록 규정하고 있다.[29] 외국으로 출국하는 경우 조세목적상 국내거주자의 자격을 상실하게 된다. 그러나, 외국으로 출국한 것이 일시적인 것이고 다시 귀국한다는 의사를 확인할 수 있는 상황이 존재한다는 것을 가족의 거주지나 자산소재지 등의 객관적인 사실로서 확인하여 거주자로 간주하고 있다.

조세조약을 체결할 때 거주지를 결정하는 것은 주요한 내용 중의 하나에 해당한다. 조세조약상의 혜택은 체약국의 거주자에게 적용되기 때문이다. 따라서 국적자보다는 거주자 개념이 조세조약에서는 더 중요한 개념이다. 조세조약을 체결하는 주요 목적 중의 하나는 이중과세를 방지하고 다른 하나는 조세회피를 차단하는 것이다. 조세조약은 본질적으로 각 체약국의 과세권의 행사를 제한하는 것을 합의한 내용이다.

제한의 범위는 협상의 형태로 이루어진다. 그 협상의 결과는 투자 및 투자수익의 흐름이 양국 간에 어떻게 되느냐에 따라 결정된다. 조세조약의 결론은 FDI와 국제무역 증진 등에 대한 양국의 정책방향의 일부를 보여준다. 양 체약국의 협력관계는 자국거주자에게는 종합과세 하되 타방체약국의 거주자에게는 일정한 조건에서 과세권을 포기하는 내용을 담는다. 이것이 가능한 것은 양국거주자에 해당하는 납세자를 일방체약국의 거주자로 취급하고 타방체약국에서는 비거주자로 보도록 하기 때문이다.

(2) 거주요건(domicile rule)

국내에 실제로 거주하지 않는 경우에는 비거주자에 해당[30]하고 국내에 실제로 거주하면 국내 거주자로 보아야 한다.[31] 거주지역이 국내이면 국내거주자에 해당하고,[32] 국외이면 국

---

vital interest)는 가족, 사회관계(social relations), 직업, 정치적, 문화적 또는 활동, 사업장소, 재산관리 장소등을 고려하여 판단할 사항이다.

29) 소득세법 시행령 제4조(거주기간의 계산) 제2항 '국내에 거소를 두고 있던 개인이 출국 후 다시 입국한 경우에 생계를 같이 하는 가족의 거주지나 자산소재지 등에 비추어 그 출국목적이 명백하게 일시적인 것으로 인정되는 때에는 그 출국한 기간도 국내에 거소를 둔 기간으로 본다.'

30) 소득세법 시행령 제2조 제4항

31) 소득세법 제1조의2 제1항 제1호

32) 소득세법 시행령 제2조 제3항 제1호 및 제2호

외거주자에 해당한다.[33] 다만, 거주자의 직업이 외국항행 승무원인 경우에는 가족과의 생활관계나 근무기간 외의 기간 중 체류하는 장소를 기준으로 거주지국을 결정한다.[34]

정부공무원, 해외파견근무 종업원, 학생 및 훈련생, 교수 등에 대하여는 국내에 거주하지 않더라도 거주자로 보아야 하는 경우와 국내에 거주하지만 비거주자로 보아야 하는 경우가 있다. 국외근무 공무원 또는 거주자나 내국법인의 국외사업장 또는 해외현지법인(내국법인이 발행주식총수 또는 출자지분의 100분의 100을 출자한 경우에 한정한다) 등에 파견된 임원 또는 직원은 국외에 거주하더라도 국내거주자로 간주한다.[35] 표준조세조약에서 외교관, 정부공무원, 학생, 훈련생, 교수 등과 같이 특별한 지위를 고려하여 거주자로 규정하고 있다.[36] 이러한 거주지국 결정의 특례는 사실상 국적지 기준[37]을 적용하는 것과 동일한 효과를 가진다.

(3) 체류기간의 요건(183 days rule)

근로소득자는 근로용역이 제공되는 국가에서 183일 초과하여 체류하는 경우에는 원천지국에서 과세권을 행사할 수 있다.[38] 체류기간의 계산은 OECD 및 UN의 표준조세조약은 회계연도(fiscal year) 중에 입국하여 계속 체류하는 경우에는 12개월 단위로 합산하여 계산하고 있다.[39] 이는 국내에 거소를 둔 기간이 두 과세기간에 걸쳐 1년 이상인 경우에는 국내에 1년 이상 거소를 둔 것으로 본다는 의미이다.[40] 따라서 입국일이 포함된 회계연도(fiscal year)의 체류기간을 포함하여 12개월의 기간 중(in any twelve month period commencing or ending in the fiscal year concerned)에 183일을 초과하면 용역수행지국에서 과세권을 행사한다.

구체적인 체류기간의 계산방법은 소득세법 시행령에서 규정하고 있다. 국내의 거주기간은

---

33) 소득세법 시행령 제2조 제4항 제1호 및 제2호
34) 소득세법 시행령 제2조 제5항
35) 소득세법 시행령 제3조(거주자 판정의 특례)
36) OECD 및 UN의 표준조세조약 제4조 거주자(Resident) '제1항~This term, however, does not include any person who is liable to tax in that State in respect only of income from sources in that State or capital situated therein.'
37) 미국은 거주자 판정기준으로 국적지주의를 채택하고 있으므로 다른 국가와 체결한 조세조약에서 외국에 거주자하는 미국 시민권자에게 과세권을 행사할 수 있는 근거조항인 'Savings Clause'를 두고 있다. 이 조항은 조세조약의 규정에 불구하고 '미국 거주자와 시민권자에게 미국은 마치 조세조약이 체결되지 않은 것처럼 미국에서 과세'하려는 목적을 가진다.
38) OECD 및 UN의 표준조세조약 제15조 제1항 및 제2항
39) 이와 관련한 자세한 내용은 위 1) 및 2) 참조
40) 소득세법 시행령 제4조 제3항. 이 규정의 내용은 앞에서 언급한 기획재정부 예규 '국조 22604 - 785, 1985. 7. 23.'과 상충되는 것으로 보인다.

입국하는 날의 다음 날부터 출국하는 날까지로 한다.[41) 국내에 거소를 두고 있던 개인이 출국 후 다시 입국한 경우에 생계를 같이 하는 가족의 거주지나 자산소재지 등에 비추어 그 출국목적이 명백하게 일시적인 것으로 인정되는 때에는 그 출국한 기간도 국내에 거소를 둔 기간으로 간주한다.[42) 이는 항구적 거소가 중복되는 경우에 '이해관계의 중심(center of vital interest)'으로 거주지를 판단하는 것은 개인의 인적 및 경제적인 관련성을 판단하는데 중요한 기준이 된다는 것이다. 이 부분은 개인의 사적인 행동을 특별히 고려하여 판단해야 한다고 규정하고 있다.[43) 곧 거주자의 주관적인 의사를 고려해야 하는 것으로 보인다.

③ 거주지국 기준의 장·단점

거주지국 기준의 장점은 다음과 같다. 먼저 납세자에게 수평적 공평을 실현할 수 있다. 동일한 상황에 동일한 과세기준을 적용하므로 내국세법상 누진과세의 적용을 방해하지 않는다는 것이다. 또한 조세피난처를 이용한 유해조세경쟁을 효과적으로 방지할 수 있다는 점이다.

한편, 거주지국 기준의 단점으로는 먼저 조세행정이 복잡하다는 것이다. 거주지국은 자국 거주자가 획득한 소득에 대한 그 원천지별로 적용되는 자국의 조세제도를 전 세계적으로 적용해야 하므로 조세제도 및 정보교환제도에서 복잡한 내용과 절차가 필요하다. 다음은 다른 국가에서 원천지국 과세제도를 유지하면 국제거래소득에 대한 이중과세 방지조치를 조세조약 또는 국내법을 통해 일방적으로 취하여야 한다. 또한, 국가 간 생산요소 간의 비용차이를 무시하고 일률적으로 거주지국에서 과세하게 되므로 국가 간의 비용차이로 인한 자본투자 수익효과의 차이를 고려하지 못한다. 마지막으로 투자자가 원천지국에서 겪는 경제적인 위험과 어려움도 무시한다는 것이다.

거주지국에서 자국기업의 외국원천소득을 인위적으로 늘리는 방법으로 사용할 경우에는 원천지국과 거주지국 간의 과세권의 분할이 왜곡된다. 현재 원천지국 결정에 대한 명확한 기준이 표준조세조약이나 국내 조세법에서 규정되어 있지 않다. 국제거래 당사자는 해당 소득의 원천을 관련거래가 이루어진 장소와 다른 곳으로 지정할 가능성이 있다. 사업가의 목적

---

41) 소득세법 시행령 제4조 제1항
42) 소득세법 시행령 제4조 제2항. 여기서는 근로자의 '거주의사'가 표현된 것으로 보아야 한다. '1) 주소(domicile)와 거소(residence)의 개념' 참조
43) OECD 표준조세조약(2010) 제4조 제2항에 대한 주석 15. '~상황은 전체적으로 검토되어야 하지만 개인의 사적인 행동을 특별히 고려하여 판단해야 한다. 만약 첫 번째 주거지가 있는 국가에서 계속 살아오면서 일하고 그의 가족과 재산 등을 소유하고 있으면 그곳이 중요한 이해관계의 중심지가 된다는 것을 의미한다.'

은 조세부담을 경감하는 것이므로 납세자는 소득원천을 한국 또는 외국으로 하는 것이 유리한지를 판단하여 결정하기 때문이다. 양 체약국의 조세부담을 비교하여 한국에서 과세받는 것이 유리하다면 계약조건도 그렇게 작성할 것이다.

 제3절 거주자 기준의 국제비교[44]

❶ 한 국

우리나라에서 조세목적상의 거주자 기준은 제1절 및 제2절에서 이미 설명하였으므로, 여기서는 주요내용을 중심으로 기술한다.

(1) 개인[45]

개인에 대한 조세목적상의 거주지 판정은 개인별로 '모든 상황'을 고려하여 이루어진다. 개인이 '한국 내에 주소를 둔 경우, 1년간 183일 이상 거주가 필요한 직업을 가지고 있는 경우, 가족을 동반하여 1년간 183일 이상 거주할 것으로 간주되는 경우, 한국에 상당한 자산을 보유한 경우'이다. 예외적으로 외국에 직업을 가지거나 외국에서 1년 중 183일 이상 체류하는 경우에도 '가족이나 재산 등 전반적인 생활관계'를 감안할 때 생활의 근거지가 한국에 있는 경우에는 한국의 거주자로 본다.[46]

거주자가 아닌 개인은 비거주자가 된다.[47] 한국의 거주자인 동시에 외국의 거주자인 경우 이중거주자로서 한국과 외국의 과세권이 경합한다. 이 경우에는 조세조약의 규정에 따라 거주지국을 주된 거주지국이 결정된다.[48]

---

44) OECD, Tax Residency, Rules governing tax residence, 7 January 2021
   https://www.oecd.org/tax/automatic-exchange/crs-implementation-and-assistance /tax-residency/
45) 소득세법 제1조의2 및 소득세법 시행령 제2조
46) 소득세법 시행령 제2조 제3항 제2호
47) 소득세법 제1조의2 제1항 제2호
48) OECD 표준조세조약, 2017, 제4조

(2) 법인[49]

내국법인은 본점, 주사무소 또는 사업의 실질적 관리장소가 국내에 있는 법인을 말한다.[50] 외국법인은 사업의 실질적 관리장소가 국내에 있지 않은 경우에는 본점 또는 주사무소가 외국에 있는 단체로서 설립된 국가의 법에 따라 법인격이 부여된 단체(entity), 유한책임사원으로만 구성된 단체를 말한다.[51] 국세청장은 외국법인의 유형별 목록을 고시할 수 있다.[52] 다음에서 다른 나라의 제도에 대하여 살펴보기로 한다.

② 미 국

(1) 개인[53]

개인은 거주자(tax resident)는 시민권자(US citizens), 거주자(US residents), 비거주주(Alien individual)로 구분하고 있다.[54] 시민권자와 조세목적상 거주자는 전 세계에서 획득한 소득을 종합하여 신고·납부해야 한다. 비거주 외국인(alien individual)은 다음 두 가지 기준 중 어느 하나에 해당하면 거주자로 본다. 하나는 미국 이민법(immigration law)의 규정에 따라 합법적으로 취득한 영주권(Lawful permanent resident)을 기준으로 하는 것이고, 다른 하나는 역년을 기준(annual calendar year basis)으로 계산한 거주기간의 요건을 충족한 경우이다.

가. 영주권 기준(Green Card Test)

외국인이 미국의 이민법에 의하여 미국의 영주권(green card)을 취득한 경우 그 취득일이 속하는 연도에 미국의 거주자가 된다. 영주권자는 미국이민국(US Citizenship and Immigration Services, 'USCIS')이 이민자로서 미국에 영주권을 부여한 사람이다. 이민국은 영주권자에게 'green card'라고 부르는 외국인 등록증(alien registration card)을 발급하게 된다. 영주권자는 조세목적상 미국의 거주자로 간주된다. 따라서 전 세계에서 획득한 소득을 합산하여 계산

---

49) 법인세법 제2조 및 법인세법 시행령 제2조
50) 법인세법 제2조 제1호
51) 법인세법 제2조 제3호 및 법인세법 시행령 제2조 제2항
52) 2013. 2. 15. 법인세법 시행령 제2조 제3항에서 규정하고 있으나 아직 고시된 것은 없다.
53) OECD, Tax Residency, Rules governing tax residence, 7 January 2021
　　IRS Publication 519, U.S. Tax Guide for Aliens. http://www.irs.gov/pub/irs-pdf/p519.pdf
54) IRC 제7701조 (b)항

한 소득세를 납부해야 한다.

나. 거주기간 기준(Substantial Presence Test)

미국의 시민권자, 영주권자 등이 아닌 외국인은 미국의 내국세법(Internal Revenue Code) 상 다음 기준에 따라 거주기간을 계산하여 거주자인지 여부를 판단한다.

당해연도에 31일 이상 거주한 자로서 당해연도를 포함하여 3년간의 합산 거주기간이 다음의 산식에 따라 183일 이상인 경우에는 거주자로 본다. 거주일의 기산은 미국에 실제로 도착한 날이다.

[미국의 비거주자의 3년간 거주기간 합산방법]
당해연도의 체류일(100%)×1+직전 연도 체류일×1/3+직전 전년도 체류일×1/6

[거주기간 계산 사례: 예시]
A가 2018, 2019, 2020년 3년 동안 각 연도에 각각 120일씩 미국에 체류한 경우, 2020년 A의 거주자 기준 충족여부는?
- 2020년 거주기간: 100% 인정＝120일
- 2019년 거주기간: 1/3 인정 ＝ 120일 × 1/3 ＝ 40일
- 2018년 거주기간: 1/6 인정 ＝ 120일 × 1/6 ＝ 20일
- 3년 합계 총거주일 ＝ 2020년 거주기간 120일 + 2019년 거주기간 40일 + 2018년 거주기간 20일 ＝ 180일

따라서 3년간의 총거주일이 183일에 미달하여 2020년은 미국의 조세목적상 거주자에 해당하지 않는다.

거주기간을 계산할 때 체류일에서 제외되는 경우는 다음과 같다.[55]
(1) 미국에서 근무하기 위하여 캐나다 또는 멕시코의 거주지에서 정기적으로 출퇴근하는 경우 그 출퇴근한 일수
(2) 미국 외의 지역으로 가는 비행기나 선박을 환승하기 위하여 미국에 24시간 미만 체류한 일수
(3) 외국 선박이나 항공기의 승무원으로서 미국에 체류한 일수
(4) 미국에서 발병하여 치료목적상 불가피하게 체류한 일수
(5) 거주제외 대상자(exempt individual)인 경우: 세금면제대상자(tax exempt individual)라는 의미가 아니라 거주자로 간주하지 않는 대상자라는 의미이다.
 - 외국 정부공무원으로서 일시 체류자(A 또는 G비자 소지자)

---

55) http://www.irs.gov/pub/irs-pdf/p519.pdf

- 교사 또는 훈련생으로서 일시 체류자(J 또는 Q비자 소지자)
- 학생으로서 일시 체류자((F, J, M 또는 Q비자 소지자)
- 직업운동선수가 자선경기에 참석하기 위하여 일시 체류하는 경우

(2) 법인[56]

가. 일반법인

미국법에 의하여 설립된 일반법인은 미국법인으로 간주된다. 실질적 관리장소와 관련된 다른 어떤 기준으로도 미국법인의 거주자 판정기준으로 삼지 않는다. 그러나 예외적으로 일부 외국법인의 경우에는 내국법인으로 간주한다.[57]

다른 국가에서 실질적 관리장소를 기준으로 거주자로 보더라도 미국에서 설립된 내국법인은 미국의 거주자에 해당한다. 이중거주자에 해당하면 조세조약상 tie-break rule을 적용하여 조세목적상 단일 거주지국을 결정한다. 조세조약 체약상대방국과 조세조약상의 기준에 따라 이루어진 거주지가 결정되더라도 그 법인의 미국에서 설립된 법인의 내국법인 지위에는 영향을 주지 않는다.

나. check-the-box-rule 대상 법인

미국 재무부 시행세칙에서 사실상의 법인으로 간주되는 단체(entity)를 열거하고 있다.[58] 여기에는 미국에서 설립된 법인, 보험회사 등이 포함된다. 여기에 열거되어 있지 않는 경우에는 Limited Liability Company(LLC), 구성원이 2명 이상인 경우에는 partnership, 구성원이 1인이면 법인지위 부인하고 있다. partnership과 법인지위 부인된 실체는 투과단체(fiscally transparent entity)[59]로서 미국거주자에 해당한다.

투과단체는 Partnership, Subchapter S corporations, grantor trusts, simple trust, common trust fund(Section 584) 등이다. 그 자체로는 납세의무를 지지 않는다. 다시 말해 그 투과단체에는 법인세를 부과하거나 징수하지 않고, 그 단체의 구성원(owner)에게 지분비율에 따른 소득을 계산하여 실제 배당여부에 불구하고 '현재기준(current basis)'으로 과세한다. 투과단체는 미국의 조세목적상 거주자에 해당하지만 소득의 귀속자로 보지 않기 때문에 조세조약상의 혜택을 받을 수 없다.

---

56) http://www.irs.gov/pub/irs-pdf/p3402.pdf; http://www.irs.gov/pub/irs-pdf/f8802.pdf
57) IRC sections, 269B, 953(d), 1504(d), 7874
58) Treasury Regulation §301.7701-2(b)
59) http://www.irs.gov/pub/irs-pdf/i8802.pdf

사실상의 법인이 아닌 사업단체(business entity)는 조세조약을 적용받기 위하여 법인지위를 선택하여 법인거주자로서 납세의무 이행을 할 수 있다. 그것을 선택하는 기준을 정한 것이 check the box regulation이다. 이를 선택하지 않으면 구성원이 1인(one owner)이면 실체 지위를 부인하고 구성원이 2인 이상이면 partnership 지위를 자동적으로 부여한다. 이 경우 법인이 아니므로 투과조직에 해당하게 된다.

 일 본[60)]

(1) 개인

일본은 거주자(resident)와 비거주자(non-resident)로 구분하면서, 거주자는 다시 영주자와 비영주자(non-permanent resident)로 세분하고 있다. 결과적으로 '영주자, 비영주자, 비거주자'의 기준을 적용하고 있다. 이러한 구분의 기준은 주소이다.[61)] 영주자는 거주지를 일본 내에 두는 사람이고, 비거주자는 일본 내에 거주지를 두지 않은 사람이다. 구체적인 구분 기준은 아래와 같다.

가. 거주자

거주자는 일본에 생활의 근거지(living base)를 두거나(domicile 주소, 거주지 residence) 1년 이상 계속(거소 abode를 두고)하여 일본에 거주한 사람을 말한다.[62)] 거주자는 다시 영주거주자(permanent resident)와 비영주거주자(non-permanent resident)로 구분한다.

거주지가 있는 것으로 보는 기준은 다음과 같다.[63)]

첫째, 1년 이상 체류를 요하는 직업을 가진 경우

둘째, 일본 국적을 취득한 경우와 동거할 친족이 일본에 있는 경우 또는 직업과 재산 등 제반사항에 비추어 1년 이상 계속하여 거주할 것으로 인정되는 경우이다. 이때 동거 친족은 생계를 같이 하는 친족을 말한다.

비영주 거주자는 국적이 일본이 아닌 사람으로서 일본에 생활은 근거지가 있거나 지난 10년 동안 1년 이상 5년 미만 일본에 거주한 사람을 말한다. 비영주 거주자는 일본에서 발생한

---

60) OECD, Tax Residency, Rules governing tax residence, 7 January 2021

61) 일본 소득세법 제2조 제1항 제3호. 주소의 개념은 일본 민법 제22조의 '생활은 근거'에 해당되는 것으로 해석한다.

62) 일본 소득세법 제2조 iii호

63) 일본 소득세법 시행령 제14조

소득과 일본으로 송금된 외국원천소득에 대하여 납세의무를 진다.

영주 거주자는 일본국적을 가지고 있거나 지난 10년 동안 생활근거지를 가진 기간 또는 거주기간이 5년 이상인 사람을 말한다. 전 세계 소득을 합산하여 과세한다.

나. 비거주자

비거주자는 거주자가 아닌 개인을 말한다. 일본 내에 거주지가 없는 개인이 비거주자이다. 거주지가 없는 것으로 보는 기준은 다음과 같다.[64]

첫째, 외국에 계속하여 1년 이상 거주할 직업을 가진 경우

둘째, 외국의 국적이나 영주권을 취득했거나 일본거주 친족을 부양하지 않거나 일본 내에 재산이나 직업이 없는 경우 등 제반상황에 비추어 볼 때 일본에 거주하거나 일본으로 돌아올 것으로 보이지 않는 경우이다. 이 경우 동거인도 비거주자로 본다.

비거주자는 원천소득에 대하여 공제나 면제 없이 총액에 대하여 원천징수 세율을 적용하여 과세된다. 비거주자의 거주지국과 조세조약을 체결한 경우에는 그 조세조약에 따라 소득세는 면세되거나 낮은 세율로 과세된다.

(2) 법인

내국법인은 본사나 주된 사무소(head or main office)를 일본에 둔 법인을 말한다.[65] 주주의 국적이나 실질적 관리장소(place of central management)와는 관계 없다. 내국법인 아닌 경우에는 외국법인이다. 외국법인의 국내원천소득은 일본 국내 조세법에 따라 과세된다.[66]

외국법인으로 일본 내에 다음과 같이 간주 고정사업장(Deemed PE)을 둔 경우에는 내국법인으로 본다.

첫째, 일본 내에 사업을 수행하는 고정된 시설이나 공장 지점을 둔 경우

둘째, 일본 내에서 건설공사, 설치, 조립, 감독업무 등을 1년 이상 수행하는 장소

셋째, 종속대리인이 위임자인 법인의 이름으로 법인이 소유하거나 사용권을 가진 자산, 사용권의 양도, 소유권의 이전, 법인의 용역을 제공하기 위하여 상시적으로 계약을 체결하는 경우. 다만, 개인이 하나 이상의 법인을 위하여 배타적 또는 거의 배타적으로 사업활동을 하는 경우에는 독립대리인으로 보지 않는다.

---

64) 일본 소득세법 시행령 제15조
65) 일본 법인세법 제2조 (ⅲ)
66) 2017년 개정된 OECD 표준조세조약 제5조의 개정규정과 2017년 6월 7일 서명한 MLI의 규정에 따라 2018년 개정된 일본 법인세법과 시행령은 2019년 1월 1일부터 시행되고 있다.

④ 호주

(1) 개인[67]

호주는 실질적인 거주사실을 기준으로 거주자와 비거주자로 구분하고 있다. 그 외에 거주기간 183일 기준을 적용한다. 거주사실은 체류목적, 거주의사, 가족 및 사업과 고용상황, 자산의 소재지와 보유현황, 사회 및 일상생활관계 등의 여러 조건을 종합적으로 고려하게 된다.

호주에서 조세목적상 거주자를 판정할 때 해당자가 체류한 기간이 12개월 중 183일에 미달하는 경우에도 호주에 체류하는 목적이 앞에서 열거한 여러 가지 조건을 감안하여 거주목적이 있는 것으로 확인되는 경우에는 거주자로 보고 있다.

개인의 거주지 판정에는 다음과 같이 두 가지 기준을 적용한다.

가. 보통법 기준[68]

거주자 여부 판정은 다음 사항을 종합적으로 고려한다.

첫째, 호주에 체류하는 목적과 의도

둘째, 체류자의 가족, 사업, 고용 등 상황

셋째, 보유자산의 소재지와 관리상황

넷째, 사회적 일상생활 관계 등

나. 조세법상의 거주요건 기준[69]

보통법 기준으로 거주자 여부를 판정하기 어려운 경우에는 조세법에서 규정한 다음의 거주자 판정기준을 적용한다.

첫째, 주거지가 호주에 있는 경우

둘째, 소득의 획득연도의 1/2 이상을 호주에 거주한 경우이다. 이때는 동반가족도 포함한다.

(2) 법인

내국법인은 호주에서 설립되거나, 호주에서 사업을 영위하거나, 호주에 실질적 관리장소

---

67) Residency for tax purposes (PDF, 724KB), OECD, Tax Residency, Rules governing tax residence, 7 January 2021

68) Subsection 6(1) of the Income Tax Assesstment Act of 1936; OECD, Residency ibid.

69) subsection 6(1) of the ITAA 1936. common law test라고 하는데 상식적인 관습상의 기준을 말한다.

(central management and control, CM&C)가 있는 경우, 호주의 거주자가 지배주주인 법인을 말한다.

외국에서 설립된 법인으로서 실질적 관리장소를 호주에 두고 사업을 영위하는 경우, 호주에서 실제 거래나 투자활동이 없다고 하더라도 내국법인으로 본다. 외국에서 설립된 법인이 호주 내국법인이 되는 요건은 핵심적인 사업활동(core commercial activities)이 호주에서 수행되고 실질적 관리장소가 호주에 있는 경우이다.

⑤ 캐나다

(1) 개인[70]

개인의 경우에 거주자와 비거주자는 다음과 같이 구분한다. 거주자는 캐나다 시민권자와 영주권자와 비거주자로서 거주기간이 183일 이상인 외국인이 해당한다. 비거주자로서 조세목적상 거주자에 해당하는 개인은 캐나다 내의 체류기간이 183일인 경우뿐 아니라 다른 요소들도 고려하여 판단한다.

캐나다 내의 거주성과 연관되는 실질적인 사실관계를 확인하기 위하여 거주의 일시성 또는 장기성, 다른 국가에서의 거주성과 캐나다 내에서의 거주성 간의 비교를 통하여 어느 국가에서 이해관계가 더 밀접하게 연관되어 있는지 등을 고려하고 있다.

(2) 법인[71]

원칙적으로 실질적 관리장소가 캐나다 내에 있거나 법인 이사회의 개최 등 실질적 관리활동이 캐나다 내에서 이루어지는 경우 내국법인으로 본다.

설립지 기준은 다음과 같이 적용하고 있다.

1965년 4월 26일 이후에 캐나다에서 설립된 법인이거나 1965년 4월 25일 이전에 캐나다에서 설립된 법인으로서 1965년 4월 26일 이후 과세연도에 캐나다에서 사업을 수행했거나 여러 가지 사실관계에 비추어 거주자에 해당하는 경우에는 내국법인으로 본다.

---

70) OECD, Tax Residency, op. cit.

71) Section 89 of the Income Tax Assessment; Subsection 250(4)

⑥ 영 국

(1) 개인[72]

거주자는 다음과 같이 결정한다.

첫째, 영국에서 1년 중 183일 이상 체류한 경우

둘째, 영국에 집을 소유하고 있고 거기서 1년 중 30일 이상 체류한 경우로서 그 집은 본인
　　　명의의 소유이거나 임차 또는 연간 91일 이상 거주한 경우를 포함한다.

셋째, 영국에서 전업(full time)으로 하루 3시간 이상 일한 날수가 1년 중 75% 이상인 경우

비거주자는 다음에 해당하는 사람을 말한다.

첫째, 과거 3년 동안 1년 이상 거주자였으나 현년도에 영국에 16일 미만 거주한 경우

둘째, 과거 3년 동안 거주자가 아닌 경우에는 46일 미만 거주한 경우

셋째, 외국에서 취업하여 영국에서는 연간 91일 미만 체류하고 영국체류기간 중 하루 3시
　　　간 일한 기간이 31일 미만인 경우

이를 요약하면 영국에서 183일 이상 거주, 영국에 집이 있고 거기서 연속하여 91일 이상
거주한 경우, 영국에 직업이 있는 경우에는 자동적으로 영국의 거주자가 된다.

비거주자는 다음의 두 가지 기준을 적용하는 거주자여부를 판정한다.

가. 거주성 기준(sufficient ties test)

비거주자인 경우에는 영국에 가족이 있거나, 91일 이상 거주할 숙소가 있거나(호텔은 제
외), 하루 3시간 이상 근로를 한 날수가 40일 이상인 경우, 과거 2년 동안 영국에서 체류한
날수가 90일 이상인 경우, 2개국 이상에 거주지가 있는 경우 영국에서 보낸 날수가 더 많은
경우에는 거주자로 보는 기준이다.

과거 3년 동안 거주자가 아닌 경우에는 영국 내에서 '가족, 거소, 직업, 90일 간의 거주일
수'를 기준으로 판정한다. 과거 1년 또는 3년 동안 거주자인 경우에는 체류일수가 많은 국가
를 주된 거주지국으로 판정하고, 체류일수가 동일하면 이중 거주자가 된다.[73]

부득이한 상황(예: COVID-19 상황)으로 영국에 체류한 경우에는 60일까지 거주기간에

---

72) Guidance RDR3: Statutory Residence Test (SRT) notes Updated 22 January 2020; OECD, Tax Residency,
　　op. cit.

73) 체약국 간에 조세조약상의 tie-break rule을 적용하여 결정한다.

서 제외한다.

나. 법률상 거주자 기준(Statutory Residence Test)

첫째, 1년 중 영국거주기간: 183일 이상 거주한 경우에는 거주자로 본다. 밤 0시(midnight)에 도착한 경우 당일을 체류기간에 산입한다.

둘째, 간주기준(deeming rule) : 과거 1년 또는 그 이전 연도에 거주자였거나, 세 가지 연관성을 가지거나 30일 이상 거주한 경우에는 거주자로 본다.

셋째, 환승대기기간(transit days) : 환승대기 시간은 하루로 보지 않는다. 영국도착 후 다른 업무(회의, 친구만남 등)를 보지 않고 익일에 출국해야 한다. 그러나 단순한 식사는 업무로 보지 않는다.

넷째, 불가피한 체류: 예외적인 상황에서 불가피하게 체류한 경우에는 거주일에 산입하지 않는다.

(2) 법인

영국에서 설립된 법인은 영국의 내국법인으로 본다. 예외적으로 조세조약에 의하여 다른 국가의 내국법인으로 간주되는 경우에는 영국법인으로 보지 않는다. 다만, 외국에서 설립되었으나 실질적 관리장소(central management and control)가 영국에 있는 경우에는 영국법인으로 본다. 실질적 관리장소는 회사의 경영을 관장하는 최고임원이 소재하는 장소를 말한다.

다음의 경우에는 영국의 내국법인으로 본다.

첫째, 영국 내 외국법인의 고정사업장

둘째, 영국 내에서 토지개발이나 사업의 소득이 귀속되는 경우

셋째, 영국 내 부동산 처분 소득이 발생한 경우

넷째, 임대사업 소득이 발생한 경우

❼ 외국제도 요약

다른 국가에서도 조세목적상의 거주자를 판정하는 기준은 큰 차이가 없어 보인다. 그 나라의 상거래관행이나 사람들의 생활관습을 고려하여 '생활의 근거지 개념'으로 규정하고 있다. 이는 OECD 표준조세조약 제4조에서 규정하고 있는 내용과 유사하다.

대부분의 국가에서는 생활의 근거지에 해당하는 중대한 이해관계의 중심지가 주소와 거소

를 결정하는 기준이 되고 있다. 최소 거주기간인 183일을 적용하고 있는 점에서도 유사하다.

거주자의 개념에 거주(domicile)개념을 적용하는 것은 공통적인 사항이다. 국내에 실질적으로 거주하는 사실이 확인되면 거주자이고 그렇지 않으면 비거주자에 해당한다. 거주자의 직업이나 공무원, 외교관, 학생, 훈련생, 교수 등과 같은 경우에는 비록 이들이 국내에 거주자 하더라도 국가 간의 합의에 의하여 비거주자로 간주하고 있다. 이 경우에는 결과적으로 국적지 기준을 적용하는 것과 동일한 효과를 보인다.

거주자가 특정한 지역에 주거를 결정할 때는 자신의 가족 등 생활환경 외에 직업이나 사업활동과 관련된 사정 등을 함께 감안한다. 따라서 객관적인 거주기간이 183일에 미달하더라도 거주 의사 등이 확인되면 거주자로 간주하는 기준을 적용하고 있다.

다만, 영국의 경우 거주자 판정기준을 개정하여 이를 명확하게 하는 동시에 거주기간을 이용한 조세회피전략을 사용하기 어렵게 하고 있다. 당해연도의 상황만을 고려하여 평가하지 않고 과거 연도까지 소급하여 실질적인 거주형태와 거주의사를 고려하여 판단하고 있다는 특성이 있다.

우리나라의 경우 조세목적상의 거주자를 결정하는 기준으로 민법의 주소와 거소의 개념을 사용하고 있으나 이는 거주기간을 기준으로 판단하는 형식적인 거주개념 외에 거주목적 등 실질적인 거주개념을 적용하려는 취지로 보인다. 그러나, 이러한 취지와 달리 실질적인 거주개념을 확인하는 세부적인 기준이 마련되어 있지 않아 구체적인 사실관계에 적용할 때 불확실성이 개입할 여지가 존재한다.

제4절 이중거주자

국제거래를 통하여 소득을 획득한 납세자의 거주지국을 결정하는 기준은 개별국가의 내국세법과 개별조세조약을 통하여 규정된다. OECD 표준조세조약 제4조와 개별조세조약의 거주자에 관한 규정은 거주지국가를 결정하는 일반적인 기준을 설명하고 있다.

이러한 일반적인 기준을 구체적인 사례에 적용할 때에는 과세주권이 행사되는 과세관할권의 이론에 의하여 소득이 발생한 원천지국의 내국세법에서 규정하고 있는 거주자의 개념을 따르게 된다. 이 경우에 거주지국과 원천지국의 거주자 판정기준이 충돌할 경우에 이중거주자 또는 이중비거주자의 문제가 발생할 수 있다.

❶ 이중거주자 발생원인

거주자의 개념에 대하여 OECD 표준조세조약에서는 해당 국가의 내국세법에서 정하는 기준에 의하여 그 국가에 납세의무가 있는 사람으로 정의하고 있다.[74]

국제적 이중거주자는 국제거래에서 발생한 소득에 대한 과세권의 행사범위와 관련하여 2개국 이상이 특정 인(person)[75]을 자국세법에서 자국의 거주자로 규정하는 경우에 발생한다. 반대로 어느 국가에서도 조세법상 거주자에 해당하지 않을 수도 있다. 이때는 이중비거주자가 된다.

이중거주자가 될 경우에는 해당 거주자의 전 세계 소득을 합산하여 과세하게 되므로 해당 납세자에게는 이중과세의 문제가 발생하고, 이중비거주가 될 경우에는 어느 국가에서도 종합과세되지 않고 단지 원천소득에 대하여만 별도의 원천징수세율로 분리과세된다.

사람은 동시에 두 곳에 있을 수 없는 것처럼 동일한 납세자가 2개국 이상에서 거주자가되는 것은 자연스럽지 못하다. 따라서 이를 적정하게 해결하여야 한다. 그 해결기준은 OECD 표준조세조약에서 다음과 같이 규정하고 있다.[76]

❷ 이중거주자의 거주지국 결정기준

개인 납세자로서 이중거주자인 경우에 거주지국을 결정하는 기준으로서 OECD 표준조세조약에서 규정하고 있는 내용은 다음과 같다. 각 기준은 순서대로 적용하여 거주지국을 결정하게 되므로 이를 '순차적용기준(tie-breaker rule)'이라고 한다.[77]

첫째로 항구적인 주거(permanent home)가 있는 국가의 거주자로 간주한다. 이러한 항구적인 주거가 2개국 이상에 있는 경우에는 중대한 이해관계의 중심(center of vital interest)이 더 밀접하게 연관되어 있는 국가의 거주자로 된다.[78]

둘째로 중대한 이해관계의 중심을 결정할 수 없거나 어느 국가에도 항구적인 주거를 두고

---

74) OECD 표준조세조약, 2017, 제4조 제1항 전반부. ~, the term 'resident of a Contracting State' means any person who, under the laws of that State, is liable to tax therein by reason of his domicile, residence, place of management or any other criterion of a similar nature,~.

75) OECD 표준조세조약 제3조 제1항 a)목

76) OECD 표준조세조약 제4조 제2항 및 제3항

77) OECD 표준조세조약 제4조 제2항

78) 개인의 사적인 관계나 경제적인 측면에서 더 밀접한 관련성이 있는 장소를 의미한다. OECD 표준조세조약 제4조 제2항 주석 paras. 14-15

있지 않은 경우에는 일상적인 거소(habitual abode)를 두고 있는 국가의 거주자가 된다.

셋째로 일상적인 거소가 2개국 이상에 있는 경우에는 국적을 보유한 국가의 거주자가 된다.

넷째로 어느 국가에도 국적을 보유하지 않은 경우에는 체약국의 과세당국자(competent authorities) 간의 상호합의회의절차(mutual agreement procedures)를 통하여 결정한다.

(1) 항구적 주거

항구적인 주거의 개념은 개인이 집(home)을 소유하고 있는 장소로서 그 집의 소유는 항구적이어야 하며, 단기간 동안 특정한 목적을 위하여 일시적으로 체류하는 곳이 아닌 것을 말한다.[79] 여기서 중요한 것은 집(또는 주거)의 형태가 아니라 주거의 기간이다.[80] 일시적이 아니고 항구성이 있어야 한다는 것이다.

(2) 중대한 이해관계의 중심지

항구성의 판단기준은 개인의 행동(personal acts)이 주로 어느 곳에서 일어나는가에 초점이 있다. 개인의 인적 및 경제적 관계를 중심으로 거주지국을 판단한다. 곧 개인의 생활관계가 이루어지는 장소가 거주지국에 해당하는 것으로 본다. 업무를 수행할 수 있고 가족과 생활하고 가재도구 등 개인생활용품이 있고 사람들을 만나고 중요한 서류를 수신하거나 열람하는 등의 상황이 주로 어느 곳에서 이루어지는지를 기준으로 판단한다.[81]

(3) 일상적 주소

일상적인 거소기준이 적용되는 상황은 항구적인 주거를 2개국 이상에 두고 있어서 중대한 이해관계의 중심지를 알 수 없거나 어느 국가에서도 항구적인 주거를 두지 않은 경우이다.

앞에서 설명한 대로 OECD 표준조세조약에서는 주소, 거소, 상시거주지역 등의 개념을 구체적으로 명확하게 규정하지 않고 있다. 출국목적이 명백하게 일시적인 것으로 인정되는 때는 그 출국기간도 국내에 거소를 둔 기간으로 보고 있다.[82] 외국으로 항구적으로 출국하는 경우

---

79) OECD 표준조세조약 제4조 제2항 주석 para. 12
80) OECD 표준조세조약 제4조 제2항 주석 para. 13
81) OECD 표준조세조약 제4조 제2항 주석 paras. 15, 17, 18
82) 소득세법 시행령 제4조(거주기간의 계산) 제2항 '국내에 거소를 두고 있던 개인이 출국 후 다시 입국한 경우에 생계를 같이 하는 가족의 거주지나 자산소재지 등에 비추어 그 출국목적이 명백하게 일시적인 것으로 인정되는 때에는 그 출국한 기간도 국내에 거소를 둔 기간으로 본다.'

에는 조세목적상 국내거주자의 자격이 없어진다. 그러나, 다시 귀국한다는 의사를 가족의 거주지나 자산소재지 등의 객관적인 사실로서 확인되는 경우에는 거주자로 간주할 수 있다.

(4) 국적

항구적인 주거나 일상적인 거소를 어느 국가에도 두지 않은 경우에는 최종적으로 국적에 따라 거주지국가를 판정하고 있다.[83]

(5) 법인의 거주지국

법인은 실질적인 관리장소가 소재하는 국가의 거주자로 본다.[84] 실질적 관리의 의미는 경영권의 행사와 연관되므로 통상적으로는 본점의 소재지와 일치하게 된다. 따라서 법인은 그 본점이 소재하는 국가의 거주자가 된다.

법인의 경우 2개국 이상에서 거주자로 되는 경우가 거의 없는 이유는 본점을 복수로 하는 것이 사실상 어렵기 때문이다. 경영진이 일시적으로 장소를 변경하여 이사회를 개최하여 의사결정을 하는 것은 가능하여도 항구적으로 법인의 거주지를 변경하는 것은 쉽지 않다.[85]

(6) 상호합의회의 절차

개인 또는 법인의 거주지국 판정기준을 모두 적용하였으나 해결되지 않을 경우에는 해당국의 과세당국(competent authorities)이 머리를 맞대고 회의(MAP)를 통하여 합의하는 방식으로 거주지국을 결정하게 된다.[86]

---

83) OECD 표준조세조약 제4조 제2항 주석 para. 20
84) OECD 표준조세조약 제4조 제3항 및 동항 주석 paras. 21 - 24.1
85) 다국적기업의 본사는 그 소재지국과의 경제적, 법률적, 정치적, 사회적 유대를 가지고 있으므로 본사를 다른 국가로 이전하는 경우에는 득보다 실이 더 많다. 본사 소재지국의 국민들로부터 오는 비판과 함께 조세, 금융 측면의 유·무형의 지원 등을 희생해야 하기 때문이다. 따라서 다국적기업은 자회사나 지점을 해외에 설치하는 방법으로 사업영역을 넓혀가는 전략은 사용하지만 본사를 직접 이전하는 전략을 사용하지 않는다. 미국에서 본사의 해외이전문제(inversion)가 논의된 적이 있었지만 실제로 이전된 사례는 거의 없다.
86) OECD 표준조세조약 제4조 제2항 d)목

거주의 개념은 개인의 주관적인 생활근거지인 장소와 연관된다. 거주지는 해당 개인이 물리적으로 일정기간 동안 계속 거주하면서 자신의 개인적인 생활과 사업활동 등을 수행하는 장소가 된다. 거주지에서 형성되는 여러 가지 사회생활 및 문화환경과 가족생활 등의 관계는 거주자에게 주관적으로 '중요한 이해관계(vital interest)'를 형성하게 된다.

2017년 개정된 OECD 표준조세조약 제4조에서 일부 보완이 있기는 했지만 거주지 판정을 체약국 간에 좀 더 신중하게 할 수 있도록 상호합의절차를 거쳐야 한다는 내용을 추가한 정도에 그치고 있다.[87]

따라서 거주지는 주관적인 거주의사와 객관적인 거주사실이 결합되어 있는 '생활의 근거지'로 파악하고 있다. 국제거래소득에 대한 과세목적과 관련한 거주자개념은 주민등록법이나 다른 법률에서 규정하는 국민이나 거주자의 개념과 달리 다양한 사실관계를 통하여 '생활근거지'를 결정하고 있다.[88] 이점에서는 각국의 제도가 공통적이라고 할 수 있다.

국제거래소득에 대한 과세기준은 원천지국과 거주지국 간에 과세소득을 적정한 기준에 따라 배분하는 방법에 대한 것이다. 납세자의 거주지국을 판정하는 기준은 종합과세와 원천징수 분리과세의 기준을 적용하는 국가를 결정할 수 있게 한다. 이것이 의미하는 것은 국제거래소득을 획득한 납세자에게는 거주지국과 원천지국이 존재하며 그 국가별로 조세조약과 해당 국가의 조세법이 정하는 기준에 따라 과세를 받게 된다는 것이다. OECD 표준조세조약과 각국의 조세법에서 규정하고 있는 거주자 판정기준은 객관적인 요소인 사업 또는 근무활동, 일상생활 등이 이루어진 장소와 주관적인 요소인 거주목적과 거주장소와의 이해관계 등을 종합적으로 고려하고 있다. 거주기간이라는 객관적인 요소를 기준으로 하더라도 주관적

---

87) OECD 표준조세조약 제4조 제3항 보완내용: 3. Where by reason of the provisions of paragraph 1 a person other than an individual is a resident of both Contracting States, then it shall be deemed to be a resident only of the State in which its place of effective management is situated. the competent authorities of the Contracting States shall endeavour to determine by mutual agreement the Contracting State of which such person shall be deemed to be a resident for the purposes of the Convention, having regard to its place of effective management, the place where it is incorporated or otherwise constituted and any other relevant factors. In the absence of such agreement, such person shall not be entitled to any relief or exemption from tax provided by this Convention except to the extent and in such manner as may be agreed upon by the competent authorities of the Contracting States.

88) 국적자 또는 주민등록자는 출생이나 등록을 통하여 객관적인 공부에 기록되면 그에 의하여 법률적인 효과가 발생한다. 그러나 소득세법상의 거주자 개념은 법률적인 요건을 충족하더라도 구체적인 사실관계를 기준으로 실질적으로 거주자에 해당하는지를 판단하게 된다.

인 거주의사가 확인이 된다면 거주자로 판정할 수 있는 요소를 두고 있다. 국가공무원, 해외 파견 근무 주재원, 단기 체류 교환교수, 학생 등이 그 사례에 해당할 수 있다.

우리나라의 소득세법에서 규정하고 있는 거주자 판정기준은 OECD 표준조세조약에서 사용하고 있는 기준 중에서 주소지에 비중을 두고 있다. 따라서 소위 '구리왕' 또는 '선박왕'과 같은 역외탈세 사건에서 거주지국을 결정하는데 납세자와 분쟁이 발생하고 있다. 거주자 판정기준에 대한 해석에서 과세적부심사위원회 등에서 민간위원과 국세청의 입장이 대립하고 있는 것으로 보인다. 민간위원들은 소득세법상의 거주기간 개념을 획일적으로 적용하고 있는 반면, 국세청은 주관적인 거주목적을 고려하고 있는 듯하다. 민간위원들은 조세법률주의를 엄격하게 적용하여 국세청의 거주목적에 대한 판정요소를 주관적인 판단기준으로 보고 의도적으로 배제한 것으로 보인다.

거주자 판정기준의 적용에 대한 논란은 우리나라뿐 아니라 다른 국가에서도 발생하고 잇다. 이러한 분쟁의 소지를 방지하기 위하여 현재의 제도를 보완할 필요가 있을 것이다.

하나의 방법은 주거의 목적을 객관화하는 방법이다. 그 일환으로 영국과 같이 거주기간의 개념을 세분화하여 판정하는 방법이다. 현행 1년 이상이라는 기준은 개방화 시대에는 너무 장기간에 해당하기 때문이다. 최소한 OECD 표준조세조약에서 제시한 183일 이상으로 보완하는 방법도 검토할 필요가 있어 보인다.

주민등록법상 국내에서는 주소를 복수로 두는 것이 어려울 수 있으나 국제적으로는 국가별로 주소를 두는 것이 용이하다. 따라서 주소를 기준으로 거주지국가를 결정하는 것은 납세자뿐 아니라 상대방 국가 측에서도 우리와 다른 입장을 가질 수 있게 된다. 주소가 아니라 실제 거주사실 개념을 사용할 경우에는 거주기간과 개인의 실제생활이 이루어지고 있는 장소, 곧 '중대한 이해관계의 중심지'를 기준으로 거주지국가를 결정할 수 있다는 점에서 현재의 주소지 기준보다는 합리적일 수 있다.

거주자를 판정할 때 OECD 표준조세조약에서 규정하고 있는 포괄적이고 추상적인 개념인 '항구적 거주, 생활 관련성' 등의 개념을 실제로 적용하기는 상당히 어렵다는 점에서 원칙적으로 체류기간을 세분화하여 우선적용하고 보완적으로 주소나 거소개념을 적용하는 방법이 하나의 대안이 될 수 있을 것이다.

아울러 납세자가 조세부담을 회피할 목적으로 거주지국을 불명확하게 하는 전략을 사용하는 경우에는 현재 영국이나 미국과 같이 과거에 소급하여 거주자로 보고 과세하는 제도를 도입하는 방안도 검토해 볼 필요가 있어 보인다.

제 10 장

사업소득의 과세기준

제1절 **국제거래소득의 과세권 행사기준**

국제거래소득을 과세하는 방법은 두 가지에 초점이 맞춰진다. 하나는 소득이고, 다른 하나는 그 소득의 획득자이다. 이는 소득이 발생한 원천지국과 소득을 획득한 사람의 거주지국 간의 과세권을 조정하는 문제가 내제되어 있는 것을 의미한다. 일방체약국의 거주자가 국제 거래에서 획득한 사업소득은 그 소득자의 거주지국에서 과세하되, 타방체약국에 설치된 고정사업장(permanent establishment, 이하 PE라고 한다)[1]에 귀속되는 소득은 원천지국에서 과세하는 것이 일반적으로 적용되는 국제과세기준이다.[2]

거주지국과 원천지국이 과세권을 행사할 수 있는 기준은 OECD 표준조약 제7조에서 다음과 같이 제시되어 있다. 원천지국은 고정사업장(PE)에 귀속되는 소득만을 과세대상소득으로 삼는다.[3] 고정사업장에 귀속되는 소득의 범위는 당해 고정사업장이 독립기업(separate entity)[4]으로서 동일 또는 유사한 조건에서 동일 또는 유사한 활동을 하는 경우에 획득할 것으로 기대되는 소득으로 한다.[5] 한편, 거주지국은 원천지국에서 세금을 납부한 소득을 비과세하거나 해당 세액을 공제한다.[6]

OECD 및 UN의 표준조세조약[7]에서 지점(branch)에 귀속되는 사업소득의 과세기준을 규정하고 있으나 다국적기업의 실제 사업형태와는 다른 점이 많다. 대부분의 다국적기업은 자회사의 설립을 통하여 현지에 직접 진출하는 방식을 취하고 있다. 따라서, 오히려 '표준조세

---

1) '자회사'에 대응하는 용어로서 '지점(branch)'이라고도 한다. 이하, 혼용한다.

2) OECD 및 UN의 표준조세조약, 2017, 제7조 참조

3) OECD 표준조세조약, 2017, 제7조 제1항

4) OECD 표준조세조약, 2017, 제9조의 특수관계기업(Associated Enterprises), 즉 자회사(subsidiary)로 간주한다는 의미이다. 고정사업장(PE)는 지점(branch)으로서 본사와 독립성이 없는 단일 조직의 성격을 지니고 있지만, 과세소득의 계산 측면에서는 본사와 구분되는 독립적 실체로 간주한다는 뜻이다.

5) OECD 표준조세조약, 2017, 제7조 제2항

6) OECD 표준조세조약, 2017, 제7조 제3항

7) OECD 및 UN의 표준조세조약은 제7조에서 동일하게 사업소득의 과세기준을 규정하고 있다.

조약' 제9조의 특수관계기업 (associated enterprises) 조항이 더 중요하게 보일 수 있다.[8] 그러나, 고정사업장(PE)에 대한 국제적인 관심이 높은 데는 몇 가지 이유가 있다. 먼저 OECD가 2006년에 발표한 '고정사업장 귀속소득에 대한 보고서'[9]에서 고정사업장에 귀속되는 소득의 범위와 귀속방법을 제시하고 이를 OECD 표준조약에 반영하고 있다. 전자상거래(Electronic Commerce)의 발달로 인하여 고정사업장이나 자회사 등을 설치하지 않고 사업할 수 있게 됨에 따라 고정사업장의 개념에 대한 관심이 점점 높아지고 있다.[10] 일부 국가는 종속대리인에 해당하는 고정사업장(dependent agent PE)의 범위를 넓게 인정하는 경우가 있다.[11] 셋째는 금융기관(은행, 증권회사등)의 국제금융거래(global trading)는 주로 지점을 통하여 영업을 한다는 점이다. 또한 다국적기업은 고정사업장에 귀속되는 사업소득의 구조를 이용하여 조세부담을 회피하는 전략(tax planning)을 구사한다.[12]

OECD 표준조세조약에서는 사업소득에 대한 과세기준으로서 'OECD 인가기준'[13]을 적용하고 있다. 이는 OECD 표준조세조약 제9조의 '특수관계기업(associated enterprises)'의 개념과 'OECD 이전가격지침'[14]의 정상가격기준을 원용한 기준이다. 고정사업장은 본점(head office)과 동일구성체로서 별도의 법적실체(separate entity)가 될 수 없지만 이를 '특수관계기업'과 같이 별도의 독립된 실체로 간주하여 소득을 귀속시키고 과세소득을 산정하기 위해서 사용하는 특별한 방법이다.

연혁적으로 보면 OECD가 2001년에 고정사업장에 소득을 귀속시키는 방법으로 도입한 '작업가설(working hypothesis)'이다. 이 '작업가설'을 2006년 12월 'OECD 인가기준(AOA)'으로 확정하고, 2010년 개정된 OECD 모델조약 제7조에 반영한 것이다. 새로운 기준은 고정사업장을 기능적으로 독립된 실체(functionally separate entity)로 가정하고 정상가격산출방법[15]을 사용하여 거기에 귀속되는 소득금액을 산정하는 방법이다.[16]

---

8) 예외적으로 은행 등 금융업과 국제금융거래(global trading) 등은 영업의 특성상 지점형태로 하는 경우가 많다.
9) OECD가 2006년 12월 21일 발표한 'Report on the Attribution of Profits to Permanent Establishments'이다.
10) OECD는 BEPS Project에 Digital taxation 문제를 포함하여 검토 중에 있다.
11) Jean-Pierre Le Gall, "When Is a Subsidiary a Permanent Establishment of Its Parent?" Tillinghast Lecture, New York University 2007, Tax Law Review Vol.60, No.3
12) 특히 Check the box rules을 악용하는 사례가 대표적이다.
13) 이를 'Authorized OECD Approach'라고 하고 줄여서 'AOA'라고 한다.
14) Transfer Pricing Guidelines for Multinational Enterprises and Tax Administrations. 이하 'OECD TPG'라 한다.
15) OECD 이전가격지침(TPG), 2010, Chapter II, 국제조세조정에 관한 법률 제5조 제1항 참조
16) 이러한 개정이 있기 전에는 고정사업장은 다국적기업과 분리되는 독립된 실체로 보지 않았다. '관련사업활동 (relevant business activity)' 기준을 적용하여 고정사업자에 귀속되는 소득을 산정하였다. 이에 대하여는 뒤에서 상론한다.

고정사업장을 일종의 '특수관계 자회사'로 간주하는 것은 OECD 모델조약 제9조와 이전가격 지침(OECD TPG)과 같이 고정사업장과 관련한 여러 가지 문제를 잘 해결할 수 있을 것으로 기대하기 때문이다.[17] 그러한 기대와 달리 여러 가지 문제점이 지적되고 있다. 자주 논란이 되고 있는 사항은 다음과 같이 요약된다. 첫째는 고정사업장(PE)의 기준이 조세조약의 체결목적 중의 하나인 '조세회피(tax evasion)를 방지'하지 못하고 오히려 조장할 소지가 있다.[18] 조세조약에서 규정한 기준만 피하면 고정사업장에 해당하지 않을 수 있다. 따라서 납세자는 저세율국에 고정사업장을 설치하고 그곳으로 소득을 이전하는 방법을 사용할 수 있다. 둘째는 고정사업장 제도는 과세당국 보다는 다국적기업에게 더 유리한 제도라는 것이다. 다양한 조세회피전략을 합법적으로 구사할 수 있는 기회를 제공하기 때문이다. 또한 다국적기업은 고정사업장의 기준에만 충족하면 다른 불필요한 간섭을 과세당국으로부터 받지 않을 수 있다는 것이다.

제2절   조세조약과 사업소득

① 사업소득의 개념

(1) 표준조세조약 제7조

OECD 및 UN의 표준조세조약 제7조에서 사업소득(business profits)에 대한 과세규정을 두고 있지만, 사업소득의 개념을 직접적으로 정의하고 있지는 않다. 다만, OECD 표준조세조약 제3조에서 '사업(business)'의 의미에는 '전문용역과 기타 독립적 성격의 활동을 수행하는 것을 포함한다.'라고 규정하고 있다.[19] 또한 배당소득, 이자소득, 사용료 소득은 별도 조문에서 규정하고 있더라도 고정사업장에 귀속되는 경우에는 사업소득으로 취급하도록 규정하고

---

17) Richard Vann, Problems in the International Division of the Business Income Tax Base (2007); Richard Vann, Tax Treaties: The Secret Agent's Secrets, British Tax Rev. 345 (2006)

18) 조세조약의 체결목적은 두 가지로 요약된다. 곧 인적 및 물적자본의 국제적인 이동과 교류를 통하여 발생하는 소득에 대하여 원천지국과 거주지국의 과세권을 국제적으로 통용되는 과세기준에 따라 적정하게 조정하여 이중과세를 방지하고 조세부담의 회피와 탈세를 차단하는 것이다. OECD 모델조약. 서론 (introduction) paras. 1 내지 3 및 41 참조

19) OECD 표준조세조약, 2017, 제3조 제1항 h) the term "business"includes the performance of professional services and of other activities of an independent character. UN 모델조세조약, 2011에서는 이에 대한 규정을 두지 않고 있다.

있다.[20] 이와 같이 조세조약에서는 사업소득의 개념을 적극적으로 정의하기보다는 사업소득과 구분되는 다른 소득을 별도의 조문에서 규정함으로써 기업활동에서 발생하는 모든 소득에서 조세조약상 별도의 조문으로 규정한 소득을 차감하고 남은 소득을 사업소득으로 보는 방법을 사용하고 있다.[21]

사업소득에 대하여 조세조약에서 구체적인 정의 규정을 두지 않는 것은 '사업'의 개념은 국가마다 차이가 있으므로[22] 조세조약 체결당사국의 국내법에서 규정하고 있는 사업소득을 적용하는 것이 더 바람직하기 때문이다.[23] 이러한 기준을 구체적인 사례에 적용하는 방법에 대하여 규정하고 있지는 않지만, 미국의 재무부 시행규칙에서는 사업소득을 판정할 때 사용할 수 있는 요소를 예시하고 있는 것을 참고할 수는 있을 것이다.[24] 따라서 사업소득의 개념은 개별 사례별(case by case)로 판례를 통하여 정리되어 왔다.

사업소득에 해당하느냐 다른 소득에 해당하는 것이냐를 구분하는 이유는 과세대상소득의 범위와 관련이 있기 때문이다. 조세조약상 과세대상소득은 사업소득의 경우에는 비용을 공제한 순 소득금액(net income)이지만, 다른 소득은 이러한 비용공제가 없는 총소득(gross income)에 대하여 과세한다.

(2) 판례에서 적용된 사업소득의 개념

우리나라를 비롯한 각국의 과세당국은 국제거래에서 발생한 사업소득을 과세함에 있어서 국내 조세법의 규정뿐 아니라 OECD 모델조세조약 제7조와 그에 대한 주석의 규정을 참고하고 있다. OECD 모델조세조약의 주석을 참고하는 직접적인 근거는 'OECD에서 결정된 사항의 준수를 권고(recommendations)'하고 있는 OECD 협약(Convention on the OECD) 제5조의 규정이다.[25] 사법부에서도 조세조약을 해석하여 적용할 때 표준조세조약의 주석을

---

20) OECD 표준조세조약, 2017, 제10조 제4항, 제11조 제4항, 제12조 제3항

21) 불확정 개념으로써 구체적인 사실관계를 기준으로 개별 사례별로 판단해야 한다.

22) 우리나라 소득세법 제19조 제1항 제1호 내지 제20호까지 사업소득의 유형을 열거하고 있다.

23) OECD 표준조세조약, 2017, 제3조 제1항 h)에 대한 주석 para. 10.2

24) Treasury Regulations § 1.183−2 (b)에서 사업소득으로 판정할 때 고려해야 할 대표적인 요소로서 9개를 들고 있다. 이 요소들을 모두 고려해야 하며, 또한 이것만을 고려해서 판단해서도 안된다고 규정하고 있다. 9개의 요소는 '납세자의 활동형태, 납세자의 전문성, 활동의 시간과 노력, 사용자산의 가치평가액, 유사한 활동의 성공여부, 활동관련 손익획득 경력, 일시소득금액, 재정상태, 개인적 취미활동적인 요소 포함여부' 등이다.

25) Convention on the Organization for Economic Co−operation and Development Article 5 In order to achieve its aims, the Organization may: (a) take decisions which, except as otherwise provided, shall be binding on all the Members; (b) make recommendations to Members; and (c) enter into agreements with Members, non−member States and international organizations.

참고자료로 사용하고 있다. 비록 표준조세조약의 주석은 국가 간에 체결·공포된 조약이 아니므로 일반적으로 승인된 국제 법규라고 볼수 없으므로 법적인 구속력은 없지만, 이는 OECD 국가 간의 조세조약의 올바른 해석을 위한 국제적 기준으로 수용되어 있으므로 국제거래에서 발생한 소득의 개념 등과 관련한 OECD 국가 간의 조약 해석에 있어서 하나의 참고자료로 삼을 수 있기 때문이다.[26]

사업소득의 개념에 대하여 판례에서 적용한 기준은 '적극적인 사업가(active trader)의 활동'과 '투자자(investor)의 활동'으로 구분하여 전자의 활동은 사업활동에 해당하며 그러한 활동의 결과로 발생한 소득이 사업소득이라고 보고 있다.

미국의 판례에서는 적극적인 사업활동에 해당하는지의 판단기준은 '규칙성(regularity)과 계속성(continuity)'으로 하고 있다. 전업 도박꾼(full time gambler)의 도박행위로부터 얻은 소득이 사업소득에 해당하는지에 대하여 미국 대법원은 계속성(continuity)과 반복성(repetition)의 개념을 적용하였다. 납세자가 다른 직업은 갖지 않고 도박을 통하여 얻은 소득으로 생활하였다고 하더라도 사업활동으로 인정할 만큼 반복적으로 도박행위를 하지 않았으므로 사업소득에 해당하지 않는다고 판결하였다.[27]

또 다른 판결에서는 소득을 얻기 위하여 적극적으로 행위를 했는지 여부를 기준으로 사업소득을 판단하고 있다.[28] 법원은 납세자가 기업의 장기 성장잠재력에 관심을 가지고 구입한 주식을 계속 보유하면서 '배당소득'을 수령하고 단기 매매거래는 하지 않은 것은 사업활동(trading)이 아니고 자본의 투자거래(investment)에 해당한다고 보았다. 소득의 획득과 관련하여 적극적인 인적활동이 있는 경우에 사업소득이 될 수 있는 것으로 해석한 것으로 볼 수 있다.

우리나라의 법원에서도 이와 유사한 기준을 적용하여 사업소득의 개념을 판단하고 있다. 사업활동은 납세자가 특정 사업행위를 한다고 대외적으로 표방한 사실이 아니라 실제 사업활동의 영리성, 계속성, 반복성의 유무, 거래기간의 장단, 거래액의 다과 등 제반사정을 고려

---

26) 서울행정법원 2009구합56341(2010. 11. 11.) 서울고등법원 2009누8009(2010. 8. 19.), 서울행정법원 2009구합 16442(2010. 5. 27.), 서울행정법원 2007구합37520(2009. 2. 16.) 등 다수 판례

27) Commissioner v. Groetzinger (480 U.S. 23, 1987). 전업 도박꾼(full time gambler)의 도박행위가 'trade or business'에 해당하는지에 대한 판결이다. 해당 도박꾼은 일주일 6일, 연 48주(1978년) 동안 도박장에 출입하면서 일주일에 60~80시간을 보내면서 일부는 직접 도박을 하고 나머지 시간은 연구를 하였다. 연구시간이 대부분을 차지하였다. 도박행위를 할 때는 자기 자신의 승부만을 위해 도박을 하고 다른 사람을 위해 대신 승부하고 수수료를 받지 않았다. 대법원은 이 사건에 계속성과 반복성의 개념을 적용하여 납세자는 '도박행위'를 충분히 하지 않았기 때문에 사업자로 보지 아니하였다.

28) Joseph A. and Dorothy D. Moller v. United States 721 F. 2d 810 (Fed. Cir. 1983). 납세자는 주식투자거래를 하였으나 단기매매거래는 거의하지 않고 장기투자를 통하여 '배당소득'만을 받은 사례이다.

하여 사회통념에 비추어 판단해야 한다고 보고 있다.[29]

또한 사업소득의 특성은 자산과 근로가 결합하여 소득을 창출하므로 납세자의 인적용역인 근로가 소득창출행위와 직접적인 연관성이 있어야 하는 것과 이를 위하여 사업활동은 소극적으로 일정시간 동안 자산을 보유함에 따라 발생하는 가치의 증가분을 추구하는 것이 아니라 적극적으로 사업의 확장·발전 또는 지속 가능한 성장을 추구하기 위한 행위가 있어야 하는 것으로 판단하고 있다.[30]

이러한 사업소득의 개념을 국제거래에 적용할 때에는 과세관할권(tax jurisdiction)과의 실질적인 관련성에 따라 거주지국과 원천지국의 과세권 행사범위가 결정된다.

❷ 실질적 관련 소득

국제거래와 관련된 사업소득에 대한 과세는 항상 거주지국과 원천지국 간의 과세권을 합리적으로 분할하는 문제를 고려해야 한다. OECD 및 UN의 표준조세조약 제7조에서 거주지국과 원천지국이 사업소득을 과세할 수 있는 기준에 대하여 규정하고 있다. 기본적인 과세권 분할원칙은 납세자가 원천지국에 고정사업장을 설치하고 사업활동을 수행하는 경우에는 그 고정사업장에 귀속된 소득은 원천지국에서 과세하고 그렇지 않은 경우에는 거주지국에서 과세하는 것이다.[31]

표준조세조약상 사업소득에 대한 과세기준은 다음과 같이 두 가지로 요약된다. 첫째는 원천지국에서 수행된 사업소득으로서 고정사업장에 귀속되는 소득은 원천지국에서 과세하고 원천지국에서 사업이 수행되지 않은 경우에는 거주지국에서 과세한다. 둘째는 고정사업장은 조세 측면에서는 본점과 구별되는 독립된 실체로서 동일 유사한 조건에서 동일 유사한 거래활동에 종사하는 독립기업(separate entity)이 고정사업장을 통하여 사업활동, 자산의 사용 및 위험부담 등을 하는 경우에 귀속될 것으로 예상되는 소득이다.[32]

비거주자가 국제거래를 통하여 획득할 수 있는 소득은 사업소득 외에도 여러 가지 유형이

---

29) 대구지방법원 2011구합4222(2012. 3. 7.). 개인투자자는 컴퓨터프로그램을 통하여 계속적·반복적으로 주식매매행위를 쉽게 할 수 있으므로 계속성·반복성만으로 주식매매 사업성을 인정하기 어렵고 주식매매업자로서 확장·발전 또는 성장을 추구하기 위한 행위라기보다 단순한 매매차익을 얻기 위한 활동으로 보이므로 사업소득이 아닌 양도소득에 해당한다고 판시했다. 유사 판례로서 대법원 1987. 5. 26. 선고 86누96 판결 등

30) ibid.

31) OECD 및 UN의 표준조세조약 제7조 제1항. OECD 표준조세조약, 2010, 제7조 주석 paras. 1 및 10. UN 표준조세조약, 2011, 제7조 주석 paras. 4 및 6

32) 이는 곧 '독립기업원칙'으로서 2008년 OECD 최종보고서 내용을 OECD 표준조세조약 제7조 제2항이 그대로 수용한 것이다.

있다. 구체적인 소득의 유형은 표준조세조약의 개별규정에 열거되어 있으나[33] 그러한 소득이 고정사업장에 귀속되는 경우에는 사업소득으로 분류된다. 따라서 고정사업장과 국제거래 소득간의 연관성이 있는지에 따라서 국제거래소득이 사업소득으로 과세될 것인지 투자소득 (investment income)[34]으로 과세될 것인지가 결정되고 그에 따른 과세범위도 달라질 수 있다.

고정사업장과 관련하여 사업소득으로 분류될 수 있는 기준은 두 가지이다.[35] 첫째는 사업 활동에 사용되거나 사용할 목적으로 보유하는 자산에서 발생하는 소득인지 여부이고, 다른 하나는 사업활동이 소득의 실현에 중요한 기여를 하는지 여부이다. 이 두 가지 기준을 충족 한다면 고정사업장의 사업활동과 실질적으로 관련(effectively connected)이 있는 소득으로 본다. 따라서 일반적으로 소득총액(gross income)에 대하여 원천징수 세율이 적용되는 이자 소득, 임대소득, 배당소득 및 사용료 소득은 위에서 말한 사업용 자산 및 사업활동과 실질적 으로 관련이 있는 경우에는 사업소득으로 분류되어 순액(net income) 기준으로 과세될 수 있다.[36]

'사업활동의 실질적 관련성'을 판정할 때는 구체적인 사실관계를 종합적으로 고려해야 한 다. 국내원천 사업소득은 반드시 해당 사업자가 직접적으로 국내에 사업장을 설치하여 종업 원 또는 다른 자산을 보유할 필요는 없다. 인터넷이나 전화를 통하여 국외에 거주하는 사람 으로부터 제품의 주문을 받아서 판매하는 경우에도 적용될 수 있다.[37] 중요한 것은 자산보 유의 위험과 혜택이 판매자로부터 구매자에게로 이전되는 장소이다.

재화나 용역의 이전장소가 국내이면 국내의 원천소득으로서 고정사업장이 존재하는 경우 에는 그 고정사업장에 귀속되는 소득, 즉 '실질적으로 고정사업장과 관련이 있는 소득'이 될 수 있다. 또한 종업원이 정기적으로 외국의 고객을 직접 방문하여 '판매촉진을 위한 홍보, 사

---

33) OECD 및 UN의 표준조세조약 제6조 내지 제22조 참조

34) 투자소득은 OECD 표준조세조약 제7조에서 규정된 사업소득외의 소득으로서, 이자, 배당, 임대, 사용료 및 기타 이와 유사한 투자소득을 말한다. 기타 이와 유사한 투자소득은 FDAP로 분류하고 있다. FDAP는 'fixed or determinable annual or periodical gains, profits, and income.'의 약자로서 이 FDAP 소득이 고정사업장에 귀속되지 않으면 분리과세 원천징수대상 소득이다. 판례를 통하여 확립된 사업소득의 개념에 의한 투자소득 이란 소득의 획득과 관련하여 적극적인 인적활동이 없는 경우에 해당하는 소득이라고 할 수 있다.

35) OECD 표준조세조약, 2017, 제5조 제1항 및 제2항, 제5조의 주석. paras. 1, 45–46; 주석 1. ~Under Article 7 a Contracting State cannot tax the profits of an enterprise of the other Contracting State unless it carries on its business through a permanent establishment situated therein; 주석 45. This paragraph contains a list, by no means exhaustive, of examples of places of business.~.; 주석 46: The term "place of management" has been mentioned separately because it is not necessarily an "office".~

36) 이러한 분석에 대하여 자산과의 관련성 분석을 '자산검증(asset test)', 사업활동 여부의 분석을 '활동분석 (activities test)'이라고 실무상 부르기도 한다.

37) 이때는 종속대리인의 고정사업장 문제로 연결된다.

용방법 등의 교육, 재화의 설치용역 등'을 제공하고 수취하는 대가는 그 대가를 지급하는 국가에서 발생한 소득(원천소득)이 된다. 중요한 것은 그러한 용역의 제공이 규칙적으로 이루어지는가이다.[38] 외국에서 판매된 제품은 외국원천소득에 해당하지만, 그 판매와 관련된 용역이 거주지국에서 이루어진 경우에는 그 용역의 대가는 거주지국에서 발생한 소득이 된다.

국내 원천소득(gross income)이 결정되면 그 다음은 공제항목(deductions)을 결정해야 한다. 두 가지 절차를 거치게 된다. 먼저 공제항목 전체를 계산하고 그 다음에는 국내사업소득과 비사업소득에 배분하게 된다. 공제대상 항목을 산정할 때는 국내 조세법상의 세무회계기준에 따르게 된다.[39]

 ## 사업소득의 유형

OECD 표준조세조약과 UN 표준조세조약은 비거주자의 사업소득을 사업활동의 유형에 따라 분류하고 각 소득별로 과세소득의 산정과 과세방법에 관한 규정을 따라 두고 있다.

예를 들어, 부동산소득의 경우에는 제6조, 국제운송소득은 제8조, 투자소득, 무형자산의 사용허가 소득 및 자산대여 소득 등은 제10조 내지 제12조, 운동선수나 예술가의 소득은 제17조의 규정에서 각각 규정하고 있다. 이러한 소득은 소득별로 조세조약상의 해당규정을 찾아서 그 규정을 먼저 적용(throwback rule)한다. 이들 규정은 광의의 사업소득에 해당하지만 개별 소득별로 조세조약의 적용규정이 따로 있으므로, 소득별 개별 해당규정은 제7조에 우선하여 적용하게 된다.

OECD 표준조세조약에서 규정하고 있는 사업의 유형과 관련되는 조항을 정리하면 아래 표와 같다.

---

38) 빈도보다는 규칙성을 중시한다. 월별 또는 연도별로 정기적으로 방문하는 경우에는 체류기간이나 빈도에 상관없이 고정사업장이 존재하는 것으로 볼 수 있다는 의미이다.
39) 세무회계와 기업회계의 차이를 조정하는 작업을 통하여 손금항목의 범위, 손금산입시기 등을 조정하게 된다.

[표 10-1] OECD 표준조세조약상 사업의 유형

관련 조항		사업의 유형
제5조	제2항 b)	지점(branch)
	제2항 c)	사무소(office)
	제2항 d)	공장(factory)
	제2항 e)	작업장(workshop)
	제2항 f)	자연자원 채굴(mine, gas well, quarry 등)
	제3항	건설
	제5항	종속대리인
	제6항	독립대리인
	제6항 주석 para. 114	보험업
제6조	제2항	농업·산림업(agriculture and forestry)
		부동산(immovable property)
제7조 주석 para.		금융업(banking)
제8조		운송업(transport)
제10, 11, 12조		투자(lending, licensing, leasing 등)

*UN 표준조세조약에서는 제5조 제6항에서 보험업(insurance enterprise), 제7조 제3항에서 금융업(banking)을 규정하고 있다.[40]

이러한 유형의 여러 사업에서 획득한 국제거래소득에 대한 과세기준과 과세방법 등을 아래 표와 같이 요약할 수 있다.

---

40) UN 표준조세조약 제5조 제6항 'Notwithstanding the preceding provisions of this Article but subject to the provisions of paragraph 7, an insurance enterprise of a Contracting State shall, except in regard to re-insurance, be deemed to have a permanent establishment in the other Contracting State if it collects premiums in the territory of that other State or insures risks situated therein through a person.'; 제7조 제3항 '~Likewise, no account shall be taken, in the determination of the profits of a permanent establishment, for amounts charged(otherwise than towards reimbursement of actual expenses), by the permanent establishment to the head office of the enterprise or any of its other offices, by way of royalties, fees or other similar payments in return for the use of patents or other rights, or by way of commission for specific services performed or for management, or, except in the case of a banking enterprise, by way of interest on moneys lent to the head office of the enterprise or any of its other offices.'

[표 10-2] OECD 표준조세조약상 사업소득유형별 과세방법

사업의 형태	관련조항	과세기준	과세대상
일반소득	제7조	고정사업장	순소득
부동산소득	제6조	부동산 소재지	순소득
운송소득	제8조	거주지국[41]	순소득
배당, 이자, 사용료	제10조 제11조 제12조	지급자의 거주지국, PE 소득: PE소재지국	원천징수: 총소득 PE 소득: 순소득
PE귀속동산처분	제13조	PE	순소득
50% 이상 부동산으로 구성된 법인의 주식처분	제13조	부동산 소재지국	순소득
연예인과 운동선수	제17조	용역 수행지국	순소득

제3절 사업소득의 과세기준

사업소득 과세기준과 기본가설

사업소득에 대한 국제과세기준에 대한 논의는 1920년대의 국제연맹(League of Nations) 시절부터 수많은 토론과 보고서의 발표를 통하여 진행되어 왔으며, OECD[42]는 그동안의 토론과 보고서의 내용을 2010년 표준조세조약의 개정에 반영하였다. 이렇게 성립된 현행 OECD 및 UN의 표준조세조약 제7조의 사업소득에 대한 과세기준은 두 가지의 가설을 바탕으로 하고 있다. 그 가설은 조세법을 적용하여 과세할 때 본사(head office), 즉 모회사(parent company)[43]와 자회사(subsidiary) 또는 지점(branch 또는 PE) 간의 관계를 '동일 실체(single entity)'로 볼 것인가 아니면 '별도 실체(separate entity)'로 볼 것인가에 대한 것이다.

---

41) 2017년 개정으로 거주지국 기준으로 표현하고 있으나 2017년 이전의 '실질적 관리장소'와 사실상 동일하다. OECD 표준조세조약, 2017, 제8조 제1항에 대한 주석 para. 3

42) 현재의 OECD는 OEEC가 대체된 기구이다. OEEC는 2차 세계대전이 끝난 후 '유럽 부흥계획, 즉 마셜 플랜'에 따라 각국의 노력을 조정하여 유럽 경제를 복구시키기 위해 설치되었던 유럽 경제협력기구(Organization for European Economic Cooperation)였다. OEEC는 1961년 비유럽국가들도 포함시키는 경제협력개발기구(OECD)로 대체되었다.

43) 이후 본사, 본점, 모회사는 같은 의미로 사용한다.

자회사는 외국에서 그 나라의 국내법에 의하여 설립된 것이므로 법률적으로나 재무적으로 모회사와 구별되는 독립된 실체인 것이 분명하지만, 지점은 본점과 '동일 실체'인지 '별도 실체'인지에 대한 의견이 많이 있어 왔다. 지점은 한편으로는 본사와 동일 실체의 성격을 띄고 있지만, 다른 한편으로는 과세관할권이 다른 국가에서 사업활동을 한다는 점에서 자회사와 같이 별도의 독립된 실체의 성격도 동시에 가지고 있기 때문이다.

두 방법 중 어느 방법을 적용하느냐에 따라 고정사업장에 귀속되는 소득의 범위가 달라지므로 결과적으로 조세부담액에서 상당한 차이가 발생할 수 있다. 가장 큰 차이점은 '별도 실체 접근방법'은 다국적 기업이 전체적으로 손실이 발생한 경우에도 개별 고정사업장은 이익을 계산할 수 있으나 '동일 실체 접근방법'에서는 이것이 불가능하다는 것이다. 본사와 고정사업장은 동일체이므로 본사의 손익구조로부터 직접 영향을 받기 때문이다.

고정사업장을 별개 실체(separate enterprise)로 보면 본점 소득이 적자가 나더라도 고정사업장의 소득은 흑자가 날 수 있으며, 그 반대인 경우도 가능하다.[44] 그러나, 고정사업장을 본점과 동일체로 보는 경우에는 '고정사업장의 귀속소득은 다국적기업이 관련사업 활동으로부터 획득하는 전체 소득금액을 초과할 수 없다'는 원칙이 적용된다. 이것은 본점의 사업실적이 적자인 경우 지점이 흑자를 내는 것으로 보기는 어렵게 된다.

아울러 본점에서 고정사업장에 자산이나 재화를 이전한 경우에 '별도 실체 접근방법'에서는 서로 독립적인 조직이므로 그 이전시점에서 소득을 인식하게 되지만 '동일 실체 접근방법'에서는 그 자산이나 재화를 다른 제3자에게 처분하는 시점에서 소득을 인식하게 된다는 것이다.

또 하나의 큰 차이점은 '별도 실체 접근방법'에서는 해당 고정사업장의 사업활동과 '실질적으로 관련이 있는 소득(effectively connected income)'만 귀속되지만 '동일 실체 접근방법'에서는 이러한 고정사업장의 사업활동과의 '실질적 관련성'을 따질 필요가 없어진다. 결과적으로 '동일 실체 접근방법'에서는 고정사업장에 귀속되는 소득이 확대되는 '자력주의(磁力主義) 또는 절충주의(force of attraction rule)'가 적용될 수 있다.[45] 그러나, '별도 실체 접근방법'에서는 해당 고정사업장에 실질적으로 관련이 있는 소득에 한하여 귀속되므로 '자력주의

---

44) OECD 표준조세조약, 2017, 제7조 제2항에 대한 주석 para. 17

45) 자력주의(force of attraction rule)는 PE가 존재하면 그 PE의 소득창출활동 여부와 상관없이 PE 소재국에서 발생하는 모든 소득을 PE 귀속으로 간주하는 방법이다. 고정사업장을 통해서 직접판매하는 재화 및 용역 외에 그와 동일하거나 유사한 재화 및 용역이 해당 고정사업장을 통하지 않고 PE가 설치된 국가 내에서 판매되면 자석처럼 흡수하여 모두 귀속소득으로 보는 방법이다.

또는 절충주의(force of attraction rule)'를 배제할 수 있다.[46]

개별국가는 자국의 이해관계에 따라 '별도 실체 접근방법' 또는 '동일 실체 접근방법'의 입장을 취할 수 있다. 동일한 고정사업장에 귀속되는 소득에 대하여 원천지국과 거주지국이 서로 다른 기준을 적용한다면 이중과세 또는 이중비과세의 문제가 발생될 수 있다. 이와 관련하여 국제적으로 통일된 기준을 도출하기 위하여 오랜기간 동안 논의해 온 것이다.

그동안의 논의과정에서 일관되게 유지되어 온 입장은 과세소득의 계산과 관련하여 고정사업장은 본점과 구별되는 '별도의 실체'로 보는 것이다. 1927년 발표된 '국제연맹 조세조약안'[47]에서 국제거래소득에 대한 배분은 '원천지국 기준'을 적용하여 고정사업장이 존재하는 국가에서 우선 과세하는 원칙을 설정하였다. 그 후 1933년 '국제연맹 재정위원회(Fiscal Affairs Committee)에서 채택한 국제연맹조세조약안'에서 고정사업장은 독립적인 실체로 취급하는 것을 전제로 하여 과세권의 분할기준을 설정하였다. 고정사업장이 설치된 국가의 과세권은 당해 고정사업장에 귀속되는 소득에 대하여만 과세권을 행사할 수 있는 근거를 분명하게 하였다.[48] 동 조약안은 고정사업장에 귀속되는 소득의 범위를 고정사업장이 설치된 국가 내의 소득뿐 아니라 제3국에서 발생한 소득 중에서 그 고정사업장에 귀속되는 소득까지를 포함하는 것으로 규정하였다.[49] 또한 고정사업장에 귀속되는 소득은 '독립적인 회계처리(separate account)' 방법을 적용하여 본점 소득과는 별도로 결정하는 기준을 제시하였다.[50] 이러한 독립적인 회계처리(separate account) 기준은 OECD 표준조세조약 제7조에서

---

46) 2006년 12월 21일 발표 OECD 보고서. 'Final Version of Parts I to III of the Report on the Attribution of Profits to Permanent Establishments: Part I(General Considerations), Part II(Banks), Part III(Global trading), para. 69 및 2008 commentary, para 10

47) The 1927 League of Nations draft bilateral convention for the prevention of double taxation, 제5조 제1항 'income from any industrial, commercial or agricultural undertaking and from any other trades or professions shall be taxable in the State in which the prersons controlling the undertaking or engaged in the trade or profession possess a permanent establishment.'

48) The 1933 League of Nations draft bilateral convention for the prevention of double taxation, 제1조 전반부 'An enterprise having its fiscal domicile in one of the Contracting States shall not be taxable in another Contracting State except in respect of income directly derived from sources within its territory and, as such, allocable, in accordance with the articles of this Convention, to a permanent establishment situated in such State.'

49) The 1933 League of Nations draft, ibid. 제1조 후반부 'If a permanent establishment of an enterprise in one State extends its activities into a second State in which the enterprise has no permanent establishment, the income derived from such activities shall be allocated to the permanent establishment in the first State.'

50) The 1933 League of Nations draft, ibid, 제3조 'If an enterprise with its fiscal domicile in one Contracting State has PEs in other Contracting States, there shall be attributed to each PE the net business income which it might be similar activities under the same or similar conditions. Such net income will, in principle, be determined on the basis of the separate accounts pertaining to such establishment. Subject to the

그대로 사용하고 있다.

고정사업장은 엄밀한 의미에서 보면 모회사와 동일체이다. 그러나 사업소득에 과세기준을 적용할 때 '독립적인 회계처리 방법'을 사용하여 독립적인 실체로 간주하려는 것은 '자본의 대체성(fungibility)'과 '과세관할권(tax jurisdiction)' 및 '조세주권(tax sovereignty)'의 상호작용에 따른 결과라고 할 수 있다. 고정사업장은 그것이 설치된 국가와 모회사(본점)가 소재하는 국가는 지리적으로 분리되어 있으므로 모회사(본점)와 구분되는 실체로 인정하면 모회사 소재지국과 고정사업장 소재지국 간의 이해관계가 원활하게 조정될 것으로 기대할 수 있기 때문이다.

OECD 승인기준

고정사업장의 특성을 조세 측면에서 모회사와 분리된 '독립적인 실체'로 보는 것에 대한 논의가 많이 있었음에도 세부적인 과세기준에 대한 국제적인 합의도출은 쉽게 이루어지지 못했다. 관련국가에서는 과세권에 미치는 영향에 대한 이해관계에 차이가 있었고, 다국적기업 입장에서는 이중과세의 위험과 함께 실제 다국적기업의 경영내용과 고정사업장 과세제도 간에 존재하는 괴리에 대한 우려를 계속 제기해 왔기 때문이다.[51]

2006년 OECD는 '고정사업장에 대한 사업소득 귀속기준에 대한 최종보고서'[52]를 확정하여 발표하면서 국제적으로 통일된 기준을 만들 수 있는 기반을 구축하였다. 이는 2001년의 '초안(draft discussion documents)'을 바탕으로 한다. 조세목적상 고정사업장을 마치 '자회사'처럼 간주한다는 '작업가설(working hypothesis)'이 도입되었다.[53] 이 작업가설을 구체적

---

provisions of this Convention, such income shall be taxed in accordance with the legislation and international agreements of the State in which such establishment is situated.'

51) 개별국가별로는 자국 내에서 발생한 '원천소득'에 대하여 자국세법을 우선 적용하여 과세할 경우에는 이중과세 문제가 발생할 수 있다. 조세조약이 체결되어 있는 경우에도 '원천소득'에 대한 소득의 유형분류 (characterization)에 대한 입장 차이로 인한 조세조약의 적용규정이 다르거나, 동일한 조세조약규정에 대한 해석이 다른 경우에도 이중과세 문제가 발생한다. 이를 '적격성의 충돌(conflicts of qualification)'이라고 한다. OECD 모델조약 제23A 및 23B조 주석 paras. 32.1 내지 32.7 참조. 다국적기업의 경우 고정사업장에 귀속되는 소득의 범위와 귀속방법 등에 기준을 '모델조세조약 본문'과 '주석'에서 명확하게 제시해 줄 것을 요구했지만 국가 간의 이해관계의 차이로 인해 2010년 모델조세조약을 개정하기 전까지는 그러한 규정을 두지 못했다.

52) 2006년 12월 21일 발표된 보고서. 'Final Version of Parts I to III of the Report on the Attribution of Profits to Permanent Establishments: Part I(General Considerations), Part II(Banks), Part III(Global trading)'. 이 보고서에 담긴 내용을 기초로하여 'OECD 모델조세조약 본문과 주석'에 담는 작업을 한 후 모델조세조약을 2010년 개정하였다.

53) 고정사업장을 본점과는 구별되는 독립된 실체로 보는 구체적인 기준이 명확하게 제시되어 있지 않았다. 이점을 제외하면 현재의 '작업가설'의 기본적인 내용은 1927년 국제연맹 표준조세조약안에서부터 제시되어 왔던

인 거래에 적용하여 고정사업장에 귀속시킬 소득의 범위와 과세소득의 산정기준을 확정하는 방법을 '2006년 최종보고서'에 담았다. 그 방법은 바로 'OECD가 승인한 기준(Authorized OECD Approach)'이다. 고정사업장에 사업소득을 귀속시키는 방법으로서의 내용은 다음과 같다.

'OECD가 승인한 기준(AOA)'을 통하여 고정사업장에 사업소득을 귀속시키는 방법은 두 단계로 이루어진다. 먼저 고정사업장은 본점과 '기능적으로 독립된 실체(functionally separate entity)'로 가정하고(hypothesize)[54] 그 다음 이를 구체적 거래에 적용하여 과세소득을 산출하는 방법이다. 이는 고정사업장이 수행하는 기능과 위험부담, 사용자산 등의 사실관계를 분석하여 고정사업장이 '가상의 독립기업(hypothesized functionally separate entity)'에 해당하는 것으로 결정한다.[55]

고정사업장의 독립성 여부에 대한 판단은 첫 번째로 해당 고정사업장에서 사업을 운영하는 사람이 수행하는 기능의 분석에서 출발한다. 위험을 부담하고 사용자산의 소유권을 가지고 있는 사람이 '중요한 사람(significant people)'이다.[56] 이러한 '중요한 사람의 기능분석'[57]을 통하여 고정사업장이 독립 실체인지를 판정한다. 두 번째로는 이러한 가상 독립기업에 정상가격기준(arm's length standard)을 적용하여 과세소득을 산출한다.[58] 과세소득의 산출하기 '정상가격산출방법(transfer pricing method)'은 OECD 이전가격지침(OECD TPG)에

내용과 큰 차이는 없다고 할 수 있다.

54) '가정'하는 이유는 실제 다국적기업의 경영방법에서는 본점과 지점(고정사업장)은 동일체로서 작동하기 때문에 오로지 과세소득을 산정하는 기준을 적용할 때는 본점과 지점을 별개의 실체, 즉 모회사와 자회사와 같은 '가상의 관계'를 설정한다는 의미이기 때문이다.

55) OECD 표준조세조약, 2017, 제7조 제2항에 대한 주석 para. 16; The basic approach incorporated in the paragraph for the purposes of determining what are the profits that are attributable to the permanent establishment is therefore to require the determination of the profits under the fiction that the permanent establishment is a separate enterprise and that such an enterprise is independent from the rest of the enterprise of which it is a part as well as from any other person. The second part of that fiction corresponds to the arm's length principle which is also applicable, under the provisions of Article 9, for the purpose of adjusting the profits of associated enterprises(see paragraph 1 of the Commentary on Article 9).

56) 고정사업의 수행기능 및 위험부담 등 사실관계 분석을 할 때 '중요한 사람의 기능(Significant people functions)'을 확인하는 이유는 다음과 같다. 위험은 기능을 수반하고 기능은 경제적 소유와 자산의 귀속을 결정하며, 자본은 자산과 위험을 수반하기 때문이다. 따라서 고정사업장에 귀속되는 소득은 '중요한 사람'이 '소유한 자산'과 그가 '부담한 위험' 등을 기준으로 배분해야 하기 때문에 이러한 용어를 사용하고 있는 것으로 보인다.

57) '중요한 사람의 기능분석(significant people function)'은 종전의 주요위험부담기능(key entrepreneurial risk-taking function: KERT function)과 유사하다. 차이점은 종전의 'KERT'는 금융자산이나 금융업과 관련하여만 사용된 개념이지만 현행의 'SPF'는 금융업 외에 다른 사업분야도 포괄하는 개념으로 설명된다. 그러나, KERT와 사실상 동일하고 단지 "뉘앙스 차이"만 있다는 주장도 있다.

58) OECD 표준조세조약, 2017, 제7조 제2항 주석 para. 16

서 열거하고 있다.[59]

실제 다국적기업의 경영은 고정사업장은 본점과 동일한 법적 실체로 연결되어 있으므로 모회사가 과세소득을 소득을 산정할 때 고정사업장의 소득을 별도로 인식하지 않지만 자회사는 본점과 별도의 실체이므로 소득도 별도로 인식하게 된다. 그러나, OECD 승인기준(AOA)은 본점과 고정사업장을 실제와 달리 '모회사와 자회사의 관계인 특수관계기업(associated enterprise)인 것처럼 간주'하지만 회계처리결과는 자회사의 회계처리결과와 같지 않다는 것이다. 그중의 가장 큰 문제는 지점의 소득은 다국적 기업의 경영실적과 관계없이 결정되므로 동일한 거래조건이 적용되는 자회사의 소득보다 더 많아지는 결과가 발생한다는 점이다.[60] 결과적으로 고정사업장을 두는 경우 앞에서 언급한 이중과세 문제뿐 아니라 추가적인 세금부담을 하는 문제가 발생할 수 있다.

또 다른 문제는 고정사업장의 개별 실체성(separate entity)은 모회사와 완전히 독립된 별도의 제3자 기업처럼 취급한다는 것이다. 그러나, 현실적으로 고정사업장은 모회사와 동일한 조직이므로 자산의 보유, 금융거래, 사용료의 지급 등에 있어서 독립성이 상당히 제약을 받고 있다.[61]

③ OECD 표준조세조약 제7조의 구조

OECD 표준조세조약 제7조는 2008년과 2010년 두 차례에 걸쳐서 개정이 있었다. 이러한 개정은 2001년 발표된 고정사업장의 독립성에 대한 작업가설을 적용하여 고정사업장에 귀속되는 소득을 산정하는 'OECD 승인기준(AOA)'을 확정한 2006년의 최종 보고서 내용을 바탕으로 이루어졌다. 2008년의 개정은 2006년 보고서 중 일부만을 반영하였다. 주석의 개정작업이 병행되어야 했기 때문이다.

2010년의 개정은 2006년의 최종 보고서 내용을 기초로 하여 제7조의 내용을 사실상 전면

---

59) OECD 이전가격지침(TPG), 2017, Chapter II, 국제조세조정에 관한 법률 제5조 제1항 참조. 구체적으로는 '비교대상 제3자 가격방법(CUP), 재판매가격방법(RP), 원가가산방법(CP), 거래순이익률방법(TNMM), 이익분할방법(PSM), 기타 합리적인 방법 등이다.

60) 법률적으로는 모회사와 동일체라는 것을 인정하면서도 과세소득을 산정할 때는 독립적인 실체로 가정하는 모순에서 비롯된 결과이다. 다국적기업이 전체적으로 이익이나 손실을 보게되면 그 영향이 자회사나 지점에도 미치게 되는 것은 자연스러운 것이다. OECD 기준은 지점에 대하여 이러한 영향을 부인하고 있다.

61) 2008년 OECD 표준조세조약 개정 전에는 제한적인 독립성(limited independence) 가설을 적용하였으나 2008년 개정 후에는 완전독립성을 전제로 하는 독립기업원칙(separate enterprise principle)을 적용하여 고정사업장을 독립적으로 설립된 자회사처럼 취급하여 자산의 독립적인 소유, 금융거래관련 독자적인 신용평가 등을 할 수 있는 것으로 가정하고 있다.

개정하였다. 종전 7개항으로 구성된 것을 4개항으로 구성하였다. 특히, 제3항에서 이중과세 방지를 위한 대응조정방법에 관한 내용을 새롭게 추가하였다. 2010년 개정된 OECD 표준조세조약 제7조의 규정을 조항별로 요지를 보면 다음과 같다.

제1항에서는 원천지국은 자국 내에 고정사업장이 있는 경우에만 과세권을 행사할 수 있으며, 이때 과세대상소득은 고정사업장에 귀속된 소득에 한정된다는 기본원칙을 명확히 규정하고 있다.[62]

제2항에서는 고정사업장에 독립기업원칙을 적용하는 기준을 제시하였다.[63] 이것이 가지는 의미는 OECD가 제시하는 기준을 개별조세조약에서 적용할 때 기준으로 삼아야 할 내용을 제시하였다는 것이다.

제3항은 제2항의 규정에 의하여 일방체약국이 고정사업장에 귀속되는 소득을 조정하여 과세한 경우에는 동일한 소득에 대한 이중과세[64]를 방지하기 위하여 타방체약국에서도 그에 상응하는 대응조정을 해야 한다는 규정을 두면서 그러한 조정을 위하여 필요하면 양 과세당국이 MAP를 통하여 협의하도록 하고 있다. 거주지국은 원천지국에서 적용한 기준이 '정상가격기준(arm's length standard)'에 부합하는 경우에는 이를 존중하도록 하고 있다.[65] 제3항은 두 국가가 국내법에 의하여 PE에 귀속될 자기자본액을 결정하는 기준이 다르고 제23조(이중과세 방지제도)가 적용되지 않는 경우에 대한 해결책(tie breaker test)을 규정하기 위하여 기존의 다른 규정은 삭제하고 추가한 규정이다.

---

62) OECD 표준조세조약 2010 제7조 제1항 하반부는 2008년의 조항과 대비된다. 2008년 조항에서는 'the profits of the enterprise may be taxed~'라고 표현했으나, 2010년 조항에서는 'the profits that are attributable to the permanent establishment in accordance with the provisions of paragraph 2 may be taxed~'라고 표현하고 있다.

63) OECD 표준조세조약 2010 제7조 제2항 하반부 '~taking into account the functions performed, assets used and risks assumed by the enterprise through the permanent establishment and~'로 구체적으로 규정하고 있다.

64) 거주지국과 원천지국이 동일한 소득에 대하여 서로 다른 해석을 하거나 조세조약상의 적용규정을 다르게 하는 경우에는 이중과세가 발생할 수 있다. 대표적인 사례는 'National Westminster Bank v. United States, 512 F. 3d. 1347(Fed. Cir. 2008)'이다. OECD 모델조세조약 제7조의 해석이 회원국 간에 차이가 나는 경우에 발생한 과세분쟁의 대표적인 사례로 언급되고 있다. 이는 1975년 체결된 미-영 조세조약에 의하여 영국 본점과 미국 지점 간의 이자비용공제액의 결정방법에 대한 두 나라의 의견차이로 발생한 과세분쟁 사건이다. 영국은 이자비용을 고정사업장이 수행한 기능과 부담한 위험을 기준을 배분하자는 입장이었다. 반면에 미국은 내국세법 제864조의 규정을 들어서 고정사업장과 실질적으로 관련이 있는 소득(effectively connected income)인지 여부에 따라서 all or nothing 기준으로 배분하는 방법을 사용하려는 입장이었다. 이 방법은 OECD 표준조세조약 2008 제7조의 '귀속개념'과 상충된다. 이 사건에서 미국은 패소하였다.

65) 이런 규정이 없으면 이자비용을 계산할 때 원천지국에서 정상가격기준으로 이자비용을 계산하여도 거주지국에서 부채를 원천지국보다 더 많이 배분하여 이자소득에 대하여 과세할 경우 이중과세가 발생할 수 있다. 고정사업장을 운영하는 비용은 '채무' 또는 '자본'으로 조달한다. 양자를 구분하는 기준에 대하여 원천지국과 거주지국이 입장을 달리 할 경우에 이중과세가 발생하게 된다.

제4항은 소득의 개념에 대한 해석관련 사항으로서 조세조약의 다른 규정이 적용되어 과세되는 소득은 그 조항의 개념을 적용하도록 한다. 이는 소득개념과 관련한 불확실성 요인을 배제하기 위한 것이다.

2010년 개정 규정은 고정사업장의 귀속소득을 결정하는 기준은 '개별 실체 접근방법'을 적용한다는 것을 명확히 하면서 이 기준을 개별조세조약을 체결할 때 적용할 것을 권고하고 있다. 개정 전 표준조세조약을 기초로 체결된 개별조세조약은 새로운 규정과 약간 차이가 있으므로, 이로 인해 발생할 수 있는 이중과세 등의 문제는 OECD 표준조세조약 제23조 및 제25조의 규정에 의하여 해결하도록 명시하고 있다.

이를 요약하면 다음 표와 같이 정리할 수 있다.

[표10-3] OECD 표준조약 제7조(사업소득) 내용

제7조	2008년 내용	2010년 내용
제1항	PE 귀속소득은 PE 소재지국에서 과세: PE 귀속 소득만 과세한다는 내용을 규정	PE 귀속소득은 PE 소재지국에서 과세: PE 귀속소득 산정기준을 추가함.
제2항	독립기업원칙: 판단기준 없음.	독립기업원칙에 대한 판단기준 추가: 수행기능, 사용자산, 위험부담측면 등
제3항	PE 귀속소득 계산기준	이중과세 방지를 위한 대응조정
제4항	원천지국은 관례적으로 사용해온 '공식배분방법' 사용 가능	다른 조항의 과세소득은 그 조항을 적용하도록 하여 소득개념의 적용상 불확실성 해소
제5항	단순구매활동은 PE에 귀속되지 않음.	−
제6항	귀속방법의 계속성·일관성	−
제7항	다른 조항에서 과세소득이 되면 그 조항을 적용(소득개념의 적용상 불확실성 해소)	−

제4절 고정사업장 귀속소득의 계산

OECD 표준조세조약 제7조의 규정에 의하여 고정사업장에 소득을 귀속시키려면 두 가지의 분석절차가 필요하다. 하나는 고정사업장의 수행기능을 결정하는 요소를 분석하는 것이고 다른 하나는 귀속소득금액의 결정에 영향을 주는 요소를 분석하는 것이다.

'OECD 승인기준(AOA)'에 따라 고정사업장에 소득을 귀속시킬 때 고려해야 하는 주요한

요소는 '기능, 자산, 비용공제, 운영자금' 등이다.

① 고정사업장의 기능

고정사업장은 앞에서 본대로 '중요한 사람의 기능(Significant People Function)'을 통하여 운영된다. '중요한 사람'은 고정사업장에 소속된 직원들의 기능이 사업소득 창출에 관련이 있는 정도를 분석한다. 직원의 기능은 대체적으로 보조기능에서 관리기능까지 그 범위가 매우 넓다.[66]

'중요한 사람'이란 '직위(사장, 전무 등)'보다 그가 수행하는 '실질적 역할'로서 판단한다. 역할이 사업소득의 창출에 영향을 미치는 정도가 클수록 그 직원은 '중요한 사람'이 된다. '중요한 사람'의 기능은 고정사업장에서 사업소득의 창출활동을 말하는 것이므로 그와 관련된 '자산, 위험, 자본 등'을 고정사업장에 배분하는 문제와 직접 연결된다. 따라서, 고정사업장의 기능은 곧 '중요한 사람의 소득창출활동'으로 확인할 수 있다.

② 자산의 귀속

'2006년 OECD 최종보고서'에서는 유형자산과 무형자산이 고정사업장에 귀속되는 방법을 다르게 하고 있다. 유형자산은 그 자산의 소유권을 넘겨주어 귀속시키게 한다. 이유는 자산은 그것이 실제 소재하는 곳이 사용지가 되기 때문이다.[67] 한편, 무형자산의 귀속은 다소 복잡하다. 종전에는 무형자산의 제조비용 배분은 실제 사용자에게 적용하도록 하였다.[68] 그러나 '2006 OECD 최종보고서'에서는 무형자산의 제조비용은 무형자산의 취득이나 개발에 따른 위험에 대한 의사결정기능을 수행한 기업에게 배분하도록 하였다.[69] 이러한 기능을 수행하는 기업이 무형자산의 소유권을 가진 것으로 본다는 것이다. 현행 2010년 OECD 표준조세조약의 주석에서는 이에 대하여 별도의 규정을 두지 않고 있으나 논리적으로 보면 '2006 OECD 최종보고서'의 입장을 그대로 수용하고 있다고 보여진다.

---

66) global trading이나 보험회사의 경우에는 차이가 있음. OECD 2006 Report, op. cit. para. 19

67) OECD 2006 Report, op. cit. para. 104

68) OECD 표준조세조약, 2017, 제7조 제2항 주석 para. 34. 이를 '사용기준 방법(Use Approach)'이라고 한다. OECD 2006 최종보고서 내용을 적용하기 전의 기준이다.

69) OECD 2006 Report, op. cit. paras 105 to 128, 234 to 245. 이를 '기능기준 방법(Functional Approach)'이라고 한다. 무형자산의 소유권을 가진 자에게 무형자산이 귀속되는 것으로 본다.

새로운 '기능기준 방법' 하에서는 무형자산의 소유권이 없으면 무형자산의 사용대가를 지급하는 것으로 간주된다. 무형자산의 사용소득은 무형자산의 소유권을 보유한 자에게 이전된다. 따라서 '사용기준 방법(use approach)'과 '기능기준 방법(functional approach)' 간에는 고정사업장에 귀속되는 무형자산의 범위와 소득의 이전량에서 차이가 나게 된다. 따라서, 해외에서 개발된 무형자산을 주로 '사용'하는 기술수입국의 경우에는 무형자산의 사용에 따른 소득을 무형자산의 보유국으로 이전하는 것을 의미하게 된다.[70]

③ 일반관리비의 귀속

고정사업장을 설치하여 운영하는데 소요되는 비용이 일반관리비에 해당한다. 고정사업장이 수행하는 기능은 고정사업장에 귀속되는 이러한 비용을 배분액을 결정하는데도 영향을 준다. 배분되는 비용은 원칙적으로 OECD 이전가격 지침(TPG)에서 규정하고 있는 정상가격기준(ALS)을 적용하여 산출한다.[71] 다만, 고정사업장과 본점 또는 다른 특수관계기업 간의 내부자금거래에 대한 이자는 비용으로 인정하지 않는다. 이러한 내부자금거래를 통하여 소득을 인위적으로 다른 나라로 이전하여 조세부담을 회피하는 것을 방지하려는 목적이 있기 때문이다.

이와 관련한 한 가지의 문제점은 고정사업장을 통하여 획득한 소득의 일부를 본사의 '선량한 관리(good management)'에 대한 수수료의 형식으로 지급할 수 있는가에 대한 것이다. 고정사업장을 독립적 실체로 취급하는 입장에서는 그렇게 할 수 있어 보이지만, 2008년과 2010년 OECD 표준조세조약의 주석에서는 이점에 대한 확실한 견해를 표명하지는 않았지만 수수료 지급에 반대하고 있는 것으로 보인다.[72]

④ 자본과 부채의 구분

고정사업장의 운영 자금의 조달방법은 이자를 지급하는 채무(debt)와 자기 자본(equity) 방식[73]으로 구분할 수 있다. 전자는 이자를 발생시키는 거래이고 후자는 그렇지 않다. 고정

---

70) 뉴질랜드는 '기능기준 방법'에 대하여 유보의견(reservation)을 제시하는 이유는 여기에 있다. OECD 표준조약 2017 제7조 주석 para. 95
71) OECD 이전가격지침(TPG), 2017, Chapter II, 국제조세조정에 관한 법률 제5조 제1항 참조
72) OECD 표준조세조약, 2017, 제7조 제2항에 대한 주석 paras. 21, 22
73) OECD 표준조세조약, 2017, 제7조 주석 paras. 38-40

사업장의 기능을 수행하는데 따른 '필요한 자본, 위험부담, 자산보유량을 결정'할 때 '부채'와 '자기자본' 비율을 어느 정도로 할 것인지를 결정하게 된다. 이 부분에 대하여 OECD 모델조세조약에서는 차입자금(debt)의 한도 내에서 이자비용을 배분한다는 원칙적인 설명 외에 최근까지 구체적인 지침은 제시되지 않았다.[74] 특히 자기자본(equity)에 대하여는 아무런 언급이 없었다. 1994년부터 고정사업장의 운영자금과 관련한 비용공제 부분에 관심을 가지기 시작하고 2008년에는 자기자본의 배분문제에도 관심을 표명하기 시작하였다.[75]

여기서 논란이 되는 것은 고정사업장에서 이자를 지급하지 않는 '자본(free capital)'을 보유할 수 있는가에 대한 것이다. 이론상으로는 고정사업장도 적정한 자본을 보유할 수 있다. 자본의 개념은 고정사업장(PE)이 소재하는 국가(원천지국)의 국내 조세법에 의하여 조세목적상 손금으로 공제되는 이자성격을 가진 자금이 아닌 투자금[76]을 말한다. 이러한 자본이 고정사업장에 귀속되는 방법은 각국의 거래관행과 전통에 맡기고 별도로 규정하지 않고 있다.[77]

먼저 각국에서 고정사업장에 자본을 배분하는 방법은 다음과 같이 두 가지 사례를 들 수 있다. 첫째는 '비례배분방법(pro rata allocation method)'이다. 고정사업장이 사용하는 자산과 부담하는 위험을 고려하여 자본을 배분하는 방법이다. 고정사업장의 수행기능과 그 고정사업장이 속한 다국적기업의 기능은 다를 수 있다. 둘째는 제3자기업의 비용배분방법을 기준으로 하는 방법이다. 제3자의 비용배분액을 초과하는 경우에는 그 초과분을 비용으로 공제하지 않는 방법이다. 이를 과소자본규제제도(thin capitalization)[78]라고 한다.

다음으로 차입자본에 대하여 지급이자를 비용으로 배분하는 방법은 역시 각국의 관행에 맡기고 있다. 이자를 비용으로 배분하는 방법은 두 가지 유형으로 구분할 수 있다. 첫째는 자본의 '대체성(fungibility)'을 고려하여 이자지급액을 총괄적으로 배분하는 방법이다. 곧

---

74) 1963년 및 1977년의 OECD 표준조세조약의 주석을 통하여 일반원칙에 가까운 설명을 붙여 놓았을 뿐이다.

75) OECD 표준조세조약, 2017, 제7조 주석 paras. 4-6

76) 우리나라 상법은 제329조에서 액면주식제도를 채택하고, 제451조는 이러한 주식의 액면총계를 자본이라고 규정하고 있다. 그러나, 기업회계상의 자본은 자본금·자본잉여금·자본조정·기타포괄손익누계액·이익잉여금의 합계액을 말한다.

77) OECD 표준조세조약, 2017, 제7조 제2항 주석 para. 32

78) 과소자본과세제도는 특수관계에 있는 기업 간의 과다한 차입금이자를 비용으로 인정할 경우 과세소득이 부당하게 감소되어 원천지국의 과세기반이 잠식되는 것을 방지하기 위하여 이자비용을 손금으로 인정하는 한도액을 설정하고 그 한도액을 초과하면 배당으로 간주하는 제도이다. 배당으로 간주되는 금액은 비용으로 공제되지 않는다. 구체적으로 보면 자본에 대한 부채비율이 일정비율 이상인 경우 이자비용의 손금산입액을 제한하는 방법이다. 그 한도액은 매 과세연도(tax year)별로 산정하고, 손금불산입된 금액은 그 다음연도에 이월하여 한도액 산정액에 산입하여 손금으로 공제할 금액을 결정한다. 국제조세조정에 관한 법률 제14조 제1항, 동법 시행령 제25조 제1항 및 동법 시행령 제26조

대체성 방법(fungibility method)이다. 일정한 공식을 사용하여 이자를 고정사업장에 배분한 다.[79] 둘째는 개별 부채별로 이자지급액을 대응시켜서 배분하는 방법이다. 이를 추적방법 (tracing method)이라고 한다.

이와 같이 특수관계자 간에 내부 자금거래에 대하여 지급하는 이자의 비용배분에 대한 처리지침은 OECD 표준조세조약 주석에서 규정되었다.[80] 본점이 고정사업장에 자금을 지원한 경우 그 자금의 경제적 소유권과 관련하여 '중요한 사람의 기능(SPF)'이 중요한 역할을 한 경우에는 고정사업장에서 이자비용을 인식할 수 있다. 이때 적용되는 이자율은 정상가격기준(ALS)을 적용하여 산출하게 된다.

⑤ 기타 사항

그 외에도 고정사업장이 별도로 존재하지 않더라도 특정인이 본점을 위하여 계약을 체결권을 행사하는 경우에는 '중요한 사람의 기능(SPF)'은 종속대리인의 지위를 가지게 되므로 '고정사업장'에 대한 규정[81]을 적용받는다. 또한, 무형자산(intangibles)이 사용되는 경우에는 그 무형자산의 소재지는 그와 관련한 주요한 의사결정이 이루어지거나 위험관리부담을 지는 곳이 된다. 이러한 기능을 부담하는 것은 '중요한 사람의 기능(SPF)'에 해당하므로 역시 고정사업장의 사업소득 문제와 관련된다.

사업조직은 여러 가지 유형으로 설립이 가능하지만 실체가 없는 유령회사(paper company)나 파트너십(partnership) 등은 독립적인 실체로 보지 않고 일종의 '통과조직(pass-through entity)'으로 본다. 따라서 조세목적상 형식상의 조직이 아닌 그 조직을 구성하고 있는 구성원이 개별적으로 납세의무자로서의 기능을 하게 된다. 소득의 귀속, 비용공제 등은 개별 구성원을 수익적 소유자(beneficial owner)로 삼아서 처리한다.

---

79) 사업소득의 공식배분방법(formulary apportionment method)과 유사하다. OECD TPG, 2017, Chapter I, C: 'A non-arm's-length approach: global formulary apportionment' 참조
80) OECD 표준조세조약, 2017, 제7조 제2항 주석 paras. 33 및 34
81) OECD 표준조세조약, 2017, 제5조 제5항

제5절 새로운 과세기준의 발전

1 거주지국의 종합과세제도의 한계

국제거래를 하는 다국적기업의 소득을 과세할 수 있는 곳은 '사업소득자의 거주지, 모회사의 거주지, 경제활동이 이루어지는 장소, 제품이 최종적으로 소비되는 장소' 등 4곳이 될 수 있다. 앞의 두 개, 즉 '사업소득자와 모회사의 거주지'를 기준으로 과세하는 것을 '거주지국 과세기준'이라 하고 뒤의 두 개, 즉 '경제활동과 제품의 소비가 이루어지는 장소'를 기준으로 과세하는 것을 '원천지국 과세기준'이라고 한다. 이러한 이분법적인 분류는 국제거래가 없는 '폐쇄경제(closed economy)' 모형에 해당한다. 오늘날과 같은 개방경제하에서는 자본뿐 아니라 사업체 자체의 이동이 가능하다.

따라서 OECD 표준조세조약 제7조에서 고정사업장을 '본점과 관련된 사업활동(relevent business activities)'을 하는 실체가 아니라 '본점과 기능적으로 구별되는 별개의 실체(functionally separate entity)'로서 규정하고 있는 것이 적정한지에 대한 의문이 제기될 수밖에 없다. 국제거래에서 발생한 사업소득에 대한 과세기준을 규정하고 있는 표준조세조약 제7조(사업소득)와 제5조(고정사업장)의 내용은 그동안의 여러 차례 개정[82]을 거치면서 불확실성이 많이 축소되었다. 그러나, 고정사업장을 본점과 다른 별개의 실체로 보는 것은 본점과 고정사업장의 관계는 실질적으로 동일체(single entity)임에도 독립된 실체(independent entity)로 가정하는 것에 대한 비판이 여전히 남아있다.

그러한 비판은 '사업소득'에 대하여 적용하고 있는 'OECD 승인기준(AOA)'을 사용하는 '독립기업가격기준(Arm's Length Standard)'[83]을 적용하는 대신 '공식배분방법(Formulary Apportionment Approach)'[84]에 대한 관심을 불러 일으키고 있다. 이는 공식배분방법이 정상가격기준에 대하여 가지는 장점이 있기 때문이다.[85]

첫째는 다국적기업의 실제운영실태를 그대로 적용할 수 있다는 점이다. 정상가격기준은

---

82) OECD 표준조세조약과 UN 표준조세조약의 최근 개정작업은 2017년에 있었다. 특히 OECD 표준조세조약은 1992년 이후 2017년까지 개정 횟수는 10차례이다.

83) OECD TPG, 2017, Chapter I. The Arm's Length Principle paras. 1.6 – 1.13(OECD 표준조세조약 제9조와 관련된 arm's length principle의 의미를 설명하고 있다)

84) OECD TPG, 2017, paras. 1.16 – 1.32. 공식배분방법은 'non – arm's length approach'로 분류하고 있다.

85) 공식배분방법의 장점에 대한 내용은 다음 논문을 참고하였다. Reuven S. Avi – Yonah, Kimberly A. Clausing, 'Business Income(Article 7 OECD MC)', University of Michigan Law School, Working Paper 74, 2007

다국적기업을 개별적으로 독립된 실체로 보고 소득과 비용을 배분하는 방법이지만 과세관할권을 달리하는 국가 간에 비용과 소득을 배분하는 작업은 매우 복잡하다. 특히, 다국적기업은 모회사와 자회사 간의 상호작용을 통하여 소득을 창출하고 있으므로 정상가격기준은 개념적으로 정확하지 못하다는 것이다. 다국적기업의 존재 이유 중 하나는 경쟁력의 우위요소 등 소득창출 측면에서 초과이익을 발생시키는 유리한 점이 있기 때문이다.

정상가격기준은 제3자 간의 거래상황을 기준으로 다국적기업의 소득을 평가하기 때문에 다국적기업에 특유한 요소를 고려하지 않게 되므로 일종의 '인위적이고 자의적인 방법'을 적용하는 결과를 발생시킨다. 다국적기업이 가지는 초과이익 발생요인이 무시되므로 이전가격 거래를 통하여 조세부담을 축소하려는 시도가 발생하는 요인이 된다. 공식적인 접근방법을 사용하는 경우에는 조세부담은 다국적기업의 전체 소득을 기준으로 하므로 개별국가에서 조세부담은 개별 다국적기업의 경제적 활동 수준에 따라 적정하게 안분하여 계산하게 된다.

경제적 활동수준을 정확하게 측정하는 것은 어렵지만, 세계경제환경(global economy)에 적합한 과세방법을 제공할 수 있고, 특히 인위적으로 '자회사, 지점, 혼성조직 등'으로 구분하여 과세소득계산을 복잡하게 할 필요도 없어진다. 또한 모기업의 설립지가 국내인지 국외인지를 구분하지 않아도 된다.

둘째는 공식배분방법을 사용하게 되면 개별국가가 아닌 전 세계 소득을 기준으로 합산하여 과세하므로 다국적기업이 저세율국가로 소득을 이전하는 유인이 없어지게 된다. 따라서, 개별 국가별로 과세소득을 조작하여 전체 차원에서 조세부담을 줄이는 전략을 사용할 필요가 없어진다.

설사 저세율국가의 저율과세에서 유리한 점이 발생하더라도 이것은 조세회피목적의 이동에 따른 것이 아니라 그러한 국가에 위치하여 사업을 하는데서 따라 발생하는 것일 뿐이므로 다국적기업의 사업투자결정에서 왜곡을 크게 줄일 수 있을 것이다. 이로 인해 각 국가별로 독립적으로 조세정책을 수립할 수 있다. 각 국가는 유권자들의 선택에 의해 최적의 정부 지출규모를 설정하고 그 국가 내에의 각 조직에 조세부담을 배분하고 그에 따라 조세부담수준(세율)을 자율적으로 결정할 수 있게 된다. 현재의 상황은 조세경쟁을 의식하면서 조세정책을 운영하는 상황으로 볼 수 있다.

셋째는 공식배분방법을 사용하면 국제조세제도의 복잡성을 크게 단순화할 수 있다. 조세부담을 결정하기 위하여 국가 간에 소득 및 비용을 배분할 필요가 없어지기 때문이다. 결과적으로 납세자의 신고부담도 그만큼 가벼워지게 된다. 현행 제도하에서 존재하는 '이중과세 방지제도', '저세율국가 유보소득과세제도(CFC)' 등은 매우 복잡한 제도이다. 공식배분방법을 사용하게 되면 전 세계 소득을 합산하여 당해 과세연도에 일률적으로 과세하므로 '이연소득(deferred income)' 문제도 없어지게 된다.

현재 세계 각국의 동향은 OECD의 공식적인 반대 입장[86]에도 불구하고 공식배분방법을 상당히 수용하는 쪽으로 움직이고 있다.

첫째, OECD 이전가격지침에서 정상가격산출방법으로 채택한 거래순이익률방법(TNMM)과 이익분할방법(PSM)은 엄격한 의미에서 제3자 간 거래를 비교대상을 기준으로 삼지 않고 있는 방법이므로 사실상 '공식배분방법'과 같은 효과를 가지고 있다. 따라서 비교대상(comparables)을 사용하는 방법으로 부르기 어렵다.[87]

둘째, 여러 국가에서 실질적으로 공식배분방법을 적용하고 있다는 것이다. 유럽연합(EU)쪽에서 공식배분방법에 대하여 관심이 높아지고 있다.[88] 그동안 반대입장이던 독일도 긍정적인 시각으로 전환한 것으로 알려져 있다. 특히 미국은 공식배분방법을 앞장서서 사용해오고 있다. 비용배분(이자배분규칙) 및 국제금융거래 소득배분(global trading 규칙), 정상가격산출방법에서 비교이익방법(comparable profit method) 등은 모두 공식배분방법과 연관되어 있다.

다국적기업은 주로 자회사(subsidiary)를 통하여 사업활동을 하고 있으므로 지점의 소득을 별도의 기준으로 과세하는 방법은 현재의 다국적기업의 사업활동 실태와 다르다는 한계를 가지고 있다. 특히 전자상거래 등 새로운 형태의 거래구조가 출현하면서 고정사업장을 기준으로 하는 사업소득의 과세제도가 상당한 도전을 받는 이유가 되고 있다. 현재로서는 OECD가 우려하고 있는 사항을 적절한 수준에서 보완하면서 공식배분방법의 확대·적용하는 절충방법을 찾아가는 것이 바람직할 것으로 보인다.

 새로운 움직임

이러한 움직임은 오늘날 개방경제하에서 자본뿐만 아니라 사업 자체도 국가 간의 이동이 점점 용이해 지고 있는 현상으로부터 영향을 받고 있다. 따라서 사업소득에 대한 과세는 더

---

86) OECD TPG, 2017, para 1.32: For the foregoing reasons, OECD member countries reiterate their support for the consensus on the use of the arm's length principle that has emerged over the years among member and non-member countries and agree that the theoretical alternative to the arm's length principle represented by global formulary apportionment should be rejected.

87) Brian J. Arnold and Thomas E. McDonnell, Report on the Invitational Conference on Transfer Pricing: the Allocation of Income and Expenses Among Countries, Tax Notes, 13 December 1993, p.1377

88) European Commission, The Mechanism for Sharing the CCCTB, CCCTB\WP\047\doc\en 2006; Christoph Spengel, The Common Consolidated Corporate Tax Base 2007

이상 한 나라에 국한되어 진공상태로 있는 것이 아니다. 조세관련 문제로서 관심사항으로 등장한 것이 조세회피문제 특히 저세율국가로 소득을 이전하는 문제이다.

2013년에서 2015년에 걸쳐 이루어진 BEPS Project는 이러한 소득이전을 방지하는데 목적을 두고 있다. 사업소득에 대한 과세가 지속된다면 소득이전에 견딜 수 있는 새로운 제도를 설계해야 한다. 사업소득의 이전뿐 아니라 실제 사업활동 자체도 이전이 가능하다. 사업소득에 대한 고세율의 부과는 사업 자체를 저세율국가로 이전하게 만들 수 있다. 국가들은 국제기업의 경제활동을 유치하기 위한 조세경쟁을 하고 있다. 영국은 1982년 법인세율 52%에서 2020년 4월 현재 17%로 인하하고 있다.

미국은 2017년 미국기업의 외국자회사가 모회사에 송금하는 배당소득에 대한 합산과세를 포기하고 영토주의 과세제도를 전환하면서 '저세율국가에 유보된 무형자산소득(Global Intangible Low Taxed Income, 'GILTI') 과세제도'와 '세원잠식(Base Erosion and Anti-Abuse Tax, 'BEAT') 과세제도'를 도입한 바 있다.[89]

이러한 새로운 움직임은 현재의 거주지국과 원천지국을 기준으로 하는 과세기준은 복잡하여 다국적기업에게 조세회피 전략의 기회를 제공하는 등 문제가 많기 때문이다. 특히 다국적기업의 경우 외국인의 주식지분율이 높아지면서 고전적인 거주지(residence)의 개념이 흔들리고 있다. 통계에 따르면 외국인의 주식보유비율은 미국의 경우 2015년 기준으로 26%에 이르고 영국은 1967년 7%에서 2014년에는 54%로 높아졌고, 독일의 경우에는 상위 30개 법인의 경우 56%에 이르고 있다.[90]

이는 주주의 거주지와 모회사의 거주지가 동일하다는 것을 전제로 하는 현재의 거주지국 과세기준에 대한 신뢰성이 낮아진 것을 의미한다. 모회사 소재지 국가에서 법인소득을 높은 세율로 과세하면 모회사를 해외로 이전(inversion)하는 현상이 현실화될 가능성이 높아질 수 있다. 특히 대형 다국적기업을 많이 소유하고 있는 미국의 경우 이러한 본사 해외 이전 압력이 발생하고 있다. 이에 대하여 미국은 anti-inversion rules를 적용하고 있다. 그 일환으로 제시된 방안이 바로 GILTI와 BEAT라는 새로운 과세제도이다. 이런 방안에 대하여 OECD도 많은 관심을 보이고 있다. 국제거래에서 발생한 사업소득을 좀 더 합리적으로 과세할 수 있는 방안에 대한 연구과제가 우리 발 앞에 놓여 있다.

---

89) Grubert와 Altshuler가 제안한 제도를 입법화한 제도이다. Grubert, H. and Altshuler, R. (2013), 'Fixing the system: an analysis of alternative proposals for the reform of international tax', National Tax Journal, vol. 66, pp.671~712; Grubert, H. and Altshuler, R. (2016), 'Shifting the burden of taxation from the corporate to the personal level and getting the corporate tax rate down to 15 Percent', National Tax Journal, vol. 69, pp.643~76

90) Office for National Statistics 2016, Ownership of UK Shares, Newport: Office for National Statistics.

제11장

비거주자 원천소득의 과세

제1절 비거주자와 국내 조세법

 개방경제하에서 인적·물적인 교류가 국가 간에 자유로운 현대에는 다른 국가에 거주하는 '사람(개인)'이나 '사람으로 구성된 조직체(법인)'가 국경을 통과하여 다른 국가에서 소득을 획득하는 경우가 있다. 이때 발생하는 소득에 대하여 과세문제가 발생하는 관련국가는 거주지국과 원천지국이 된다. 조세조약에서는 국제거래소득에 대한 과세목적상 거주자와 비거주자를 구분하고 있다. 국제거래소득이 귀속된 납세자인 개인이나 법인은 자신의 거주지국과 원천지국에서 조세조약과 해당 국가의 조세법이 정하는 기준에 따라 과세를 받게 된다.

 거주자와 비거주자는 그 과세소득의 범위와 과세방법에서 차이가 난다.[1] 비거주자는 소득을 획득한 원천지국에서 세금을 납부하지 않는 것이 아니라 과세방법이 거주자와 다르다는 점이다. 현재의 조세조약의 과세기준 하에서 거주지국은 자국의 납세자가 전 세계에서 획득한 모든 소득(worldwide income)을 합산하여 과세한다. 거주자에 대하여 거주지국이 과세하는 소득의 범위는 국내와 국외에서 획득한 모든 소득이다. 한편, 원천지국에서는 비거주자에 대하여 그 원천지국에서 발생한 소득에 대하여만 과세소득으로 산입하고 있다. 비거주자가 자신이 주소를 두고 있는 거주지국에서 획득한 소득이나 다른 국가에서 획득한 소득은 원천지국에서는 과세대상으로 삼지 않는다.[2] 원천지국이 비거주자의 거주지국과 조세조약을 체결하고 있는 경우에는 비거주자는 그 조세조약에서 규정한 기준에 따라 원천지국에서 과세된다.

 비거주자로서 외국에서 획득할 수 있는 소득은 다양하다. 조세조약상 열거된 소득으로서 '부동산소득, 사업소득, 운송소득, 배당소득, 이자소득, 사용료 소득, 양도소득, 근로소득, 이

---

1) 이 장에서는 OECD 표준조세조약 제4조에서 말하는 거주자에 해당하지 않는 비거주자로서의 개인과 법인만을 설명한다. 혼성조직(hybrid entity)이나 투과조직(fiscally transparent entity) 등에 대하여는 별도의 장에서 다룬다.
2) 원천지국이 비거주자의 과세소득에 거주지국의 원천소득을 포함시키면 이중과세 문제 외에 과세관할권이 미치지 않는 국가의 과세주권을 침해하는 문제가 발생한다.

사의 보수, 예술인 및 체육인 공연소득, 연금소득, 학생 및 교수와 공무원 등이 얻는 소득' 등이 해당한다.[3]

이러한 비거주자의 소득에 대하여 원천지국에서 과세하는 방법은 소득의 종류별로 차이가 있다. 그러나, 기본적으로는 종합과세하지 않고 원천지국에서 발생한 소득만을 분리하여 별도의 세율을 적용하여 과세하는 방법을 사용하고 있다.[4] 특히 비거주자가 원천지국에 보유하고 있는 고정사업장이 있는 경우에는 종합과세의 방법이 적용될 수 있다. 또한 형식적으로는 거주기간을 기준으로 특정 연도에는 비거주자에 해당하더라도 직업이나 거주의사 등 실질적인 기준을 적용하여 거주자로 판정되면 원천지국이 그 납세자가 전 세계에서 획득한 모든 소득을 종합과세할 수 있다. 또한 원천지국에서 획득하는 소득이 복수인 경우, 예를 들어 이자소득, 배당소득, 사용료 소득, 양도소득 등 여러 가지 소득을 동시에 획득하고 있는 경우에도 종합과세의 방법이 적용될 수 있다.

원천징수 분리과세의 방법과 종합과세의 방법은 적용세율의 차이 외에 비용이나 기타 인적공제 등을 받을 수 있느냐도 다르다. 종합과세의 방법이 적용되면 비용이나 인적공제를 반영한 후의 순소득(net income)에 대하여 과세한다. 그러나, 원천징수 분리과세의 방법에서는 이러한 공제가 반영되지 않은 총소득(gross income)에 대하여 과세한다. 따라서 적용세율면에서도 차이가 있다. 종합과세의 방법에서는 순소득에 대하여 누진세율을 적용하고, 원천징수 분리과세의 방법에서는 총소득에 대하여 단일세율을 적용하되 비용공제를 하지 않은 점을 감안하여 순소득에 적용되는 세율보다는 낮은 세율을 적용한다.

국적자가 아닌 지위에서 국제조세조약의 적용목적상 거주자의 지위를 가지게 된 경우, 즉 OECD 표준조세조약 제4조의 규정에 따라 거주자로 판정된 경우에는 앞에서 말한 대로 전 세계 소득을 모두 합산하여 과세하는 것이 원칙이지만 현실적으로 이를 실행하기는 쉽지 않다. 과세관할권이 다른 국가에서 발생한 소득에 대한 과세정보를 모두 확보하기가 어렵기 때문이다. 따라서 우리나라와 같은 경우에는 객관적으로 확인이 가능한 범위 안에서 합산하는 현실적인 방법을 사용하고 있다.[5]

---

3) OECD 표준조세조약 제6조에서 제22조까지 열거된 소득을 말한다.

4) 양자 간 개별 조세조약(bilateral tax treaty)에서 비거주자의 원천소득에 대하여 과세하는 방법을 합의한다. 그 내용에는 원천지국이 자국에서 발생한 소득중에서 별도로 분리하여 원천징수하는 소득에 대한 규정이 포함되어 있다.

5) '소득세법 제3조 제1항 단서에서 '~다만, 해당 과세기간 종료일 10년 전부터 국내에 주소나 거소를 둔 기간의 합계가 5년 이하인 외국인 거주자에게는 과세대상 소득 중 국외에서 발생한 소득의 경우 국내에서 지급되거나 국내로 송금된 소득에 대해서만 과세한다.'와 같이 규정하여 비거주자로서 거주자가 된 경우에 종합과세하는 방법에서 차등을 두고 있는 것이 여기에 해당한다고 볼 수 있다.

비거주자의 국내 원천소득은 조세조약과 원천지국의 국내 조세법의 규정에 따라 과세된다. 개별국가의 내국세법에서 규정하고 있는 과세제도는 차이가 있으므로 조세조약에서는 국제적 이중과세가 발생하지 않도록 하고 동일한 소득에 대하여 거주자보다 비거주자에게 중과하지 않도록 규정하고 있다.[6]

제2절 비거주자 원천소득의 과세제도

 관련 제도

비거주자[7]의 원천소득에 대한 과세제도는 소득세법, 법인세법, 조세특례제한법, 국제조세조정에 관한 법률 및 개별조세조약의 규정이 적용된다. 소득세법과 법인세법에서는 비거주자의 범위, 국내 원천소득의 유형, 과세대상 소득, 과세방법, 과세절차 등에 관하여 규정하고 있다. 조세특례제한법에서는 비거주자의 국내원천소득에 적용되는 소득세 또는 법인세의 감면에 관한 내용을 규정하고 있다. 개별조세조약에서는 국제적 이중과세 방지를 위하여 거주지국과 소득원천지국 간에 적용되는 세율 및 거주자 판정 등에 관한 기준을 규정하고 있다. 국제조세조정에 관한 법률에서는 국제거래소득에 대한 국가 간의 과세조정 및 조세행정 협조에 관한 사항을 규정하여 개별조세조약의 목적을 원활하게 달성할 수 있도록 지원한다.[8]

(1) 비거주자의 납세의무

비거주자인 개인의 경우에는 소득세법 제119조에서 규정하는 국내원천소득에 대하여만 제한적으로 납세의무를 지게 된다. OECD 표준조세조약 제4조의 기준을 적용하여 거주자가 된 경우에도 일정한 요건 하에서만 전 세계 소득을 종합하여 과세하고 있다. 거주자로 된 과세기간 종료일로부터 10년 전까지 소급하여 거주기간을 계산하여 그 기간이 5년 이상인 경우에만 완전한 종합과세를 하고 그 기간이 5년 이하인 경우에는 국내에서 지급되거나 국

---

6) 이중과세를 방지하기 위하여 OECD 제23A조 및 제23B조에서 세액공제(credit system) 또는 외국원천소득과세면제(exemption system)를 적용해야 하고, 동일한 상황에서 외국에게 중과세하지 않도록 제24조는 차별과세금지(non-discrimination)를 규정하고 있다.

7) 비거주자는 소득세법 제1조의2 제1항 제2호에서 말하는 개인인 비거주자와 법인세법 제1조 제3호의 외국법인과 제4호의 비영리외국법인을 포함한다.

8) 국제조세조정에 관한 법률 제1조 (목적) 참조

내로 송금되는 소득만을 제한적으로 합산하여 과세하는 방법을 사용하고 있다.[9]

비거주자인 외국법인의 경우에는 영리법인과 비영리법인을 구분하여 각각에 대한 과세범위가 다르다. 영리 외국법인은 국내원천소득에 대하여 모두 과세하지만, 비영리 외국법인은 국내원천소득 중 수익사업에서 발생한 소득에 대하여만 과세한다. 외국법인의 청산소득은 비과세한다.[10]

(2) 비거주자의 과세대상 소득

비거주자의 과세대상소득은 국내 조세법에서 구체적으로 열거하고 있으며, 개별조세조약에서는 국내 조세법에 의한 과세권을 일부 제한하는 규정을 두고 있다.

국내 조세법에서 규정하고 있는 원천소득은 국내원천소득을 구체적으로 열거하고 있다. 이를 열거주의라고 한다. 비거주자의 과세대상소득은 소득세법 제119조와 법인세법 제93조에서 구체적으로 열거하고 있다. 이 조항에서 열거되지 않는 소득에 대하여는 과세하지 못한다. 국내원천소득의 범위는 다음 표와 같다.

[표 11-1] 국내원천소득의 유형

원천소득의 종류	소득세법 제119조	법인세법 제93조
이자소득	제1호	제1호
배당소득	제2호	제2호
부동산소득	제3호	제3호
선박·항공기 등의 임대소득	제4호	제4호
사업소득	제5호	제5호
인적용역소득	제6호	제6호
근로소득	제7호	
퇴직소득	제8호	
토지·건물의 양도소득	제9호	제7호
사용료 소득	제10호	제8호
유가증권양도소득	제11호	제9호
기타소득	제12호	제10호

---

9) 소득세법 제3조 제1항 단서
10) 법인세법 제3조 제1항 단서

조세법에서 구체적으로 열거하지 않은 소득은 과세대상소득에 해당하지 않는다. 따라서, 국내 조세법상 원천소득에 해당하지 않으면, 설사 조세조약상 국내원천소득으로 규정되어 있다고 하더라도 그 소득을 과세할 수 없다는 의미이다. 국내 조세법에서 열거하고 있는 국내원천소득은 그 종류에 따라 세율이나 과세방법이 다르다.[11]

조세조약에서 규정한 국내원천소득의 범위와 조세법상의 내용이 서로 다른 경우에는 국내 조세법의 적용이 제한된다. 이는 조세조약을 체결하는 목적이 체약국의 거주자에게 유리한 과세기준을 적용하려는 것이므로 국내 조세법을 적용할 경우에 조세조약을 적용하지 않았을 경우에 비하여 상대방 체약국의 거주자에게 불리한 결과를 초래해서는 안되기 때문이다.[12]

예를 들어, 사용료는 국내 조세법상 사용료의 대상인 자산이나 권리 등을 국내에서 사용하거나 또는 그 대가를 국내에서 지급하면 국내원천소득으로 취급한다. 대부분의 조세조약에서도 국내거주자가 지급하는 경우에만 국내원천소득으로 취급하고[13] 국내 조세법상의 범위와 차이가 나는 경우에는 조세조약의 규정에 따르도록 한다. 유가증권양도소득은 거주지국에서만 과세하고, 사업소득, 인적용역소득 등은 일정한 요건을 충족하는 경우에 원천지국에서 과세권을 행사할 수 있도록 하여 국내 조세법상의 과세권을 제한하고 있다.[14] 아울러 이자소득, 배당소득 및 사용료 소득에 대하여 원천지국에서 과세할 수 있는 최고세율을 제한하고 있다.[15]

② 국내원천소득 과세방법

(1) 고정사업장과 국내원천소득

국내에 고정사업장(permanent establishment)[16]을 보유하고 있거나 부동산 관련 원천소득[17]이 있는 비거주자는 국내원천소득을 합산하여 종합과세된다.[18] 그러나 그 국내사업장

---

11) 소득의 종류에 따른 원천징수방법과 적용세율은 제3절에서 설명한다.
12) 동일한 상황에서 거주자에 비하여 비거주자에게 더 많은 세금을 물리면 국적(nationality)에 의한 차별과세가 되어 OECD 표준조세조약 제24조 제3항에서 규정한 차별과세에 해당하게 된다.
13) OECD 표준조세조약, 2017, 제12조 royalties
14) OECD 표준조세조약, 2017, 제7조 business profits, 제13조 capital gains, 제15조 income from employment 등
15) 법인세법 제98조의7(이자, 배당 및 사용료에 대한 세율의 적용특례)
16) 소득세법 제120조, 법인세법 제94조 제2항
17) 소득세법 제119조 제3호, 법인세법 제93조 제3호
18) 소득세법 제121조 제2항, 법인세법 제91조

에 귀속되지 아니하는 소득은 종합과세되지 않는다. 비거주자의 독립적 인적용역소득[19]은 그 소득이 비거주자 등의 국내사업장에 귀속되는 경우에도 그 국내사업장이 사업자등록[20]이 되어 있지 않으면 종합과세되지 않고 원천징수 분리과세대상이 된다.

한편, 국내에 고정사업장이 없는 비거주자의 국내원천소득과 외국법인의 국내사업장에 귀속되지 아니하는 소득은 각 소득의 종류별로 원천징수 분리과세한다.[21] 이때 부동산소득 등은 종합과세 된다.[22]

전문인적용역소득의 경우에 개인인 비거주자는 분리과세 또는 종합과세의 방법을 본인이 선택할 수 있고,[23] 법인인 비거주자는 용역제공기간 종료일부터 3개월 이내 관련비용을 공제한 순소득으로 법인세를 신고·납부할 수 있다.[24]

토지, 건물, 부동산에 대한 권리, 기타자산(비상장부동산 주식 포함)[25]을 처분하여 발생한 양도소득의 경우에는 예납적 원천징수[26]를 하여야 하지만 비거주자 등이 양도소득세를 미리 납부하였거나, 관할 세무서장으로부터 비과세 또는 과세미달 확인서를 받아 양수자에게 제출하는 경우에는 예납적 원천징수를 면제한다.[27] 원천징수의무자는 원천징수한 소득세를 원천징수납부 기한 내에「국세징수법」에 의한 납부서와 함께 원천징수 관할 세무서·한국은행 또는 체신관서에 납부하여야 하며, 원천징수이행상황신고서를 원천징수 관할 세무서장에게 제출(국세정보통신망에 의한 제출을 포함한다)하여야 한다.[28] 원천징수하여 납부할 세액이 없는 자에 대하여도 원천징수이행상황신고서를 제출하여야 한다.[29]

(2) 원천징수 방법

비거주자에게 국내원천소득이 발생한 경우에는 그 원천소득에 대하여 소득세 또는 법인세를 원천징수한다. 그 원천징수를 하는 사람은 비거주자에게 원천징수대상 소득을 지급하

---

19) 소득세법 제119조 제6호
20) 법인세법 제111조, 부가가치세법 제8조
21) 소득세법 제121조 제3항, 법인세법 제98조
22) 소득세법 제121조 제2항
23) 소득세법 제121조 제5항
24) 법인세법 제99조 제1항
25) 소득세법 제119조 제9호 가목(소득세법 제94조 제1항 제1호, 제2호 및 제4호 관련 소득)
26) 소득세법 제156조 제1항
27) 기획재정부 국제조세과-74, 2004. 2. 10.
28) 소득세법 시행령 제185조 제1항
29) 소득세법 시행령 제185조 제2항

는 자 또는 세법에서 원천징수의무자로 지정된 자이다.[30] 원천징수의무자가 국내에 없는 경우에는 납세관리인을 지정하여 신고하여야 한다.[31] 원천징수세액의 납부장소는 원천징수 관할 세무서, 한국은행 또는 체신관서이다.[32]

비거주자의 국내원천소득에 대한 납부세액의 원천징수 시기는 비거주자에게 국내원천소득을 지급하는 때이다.[33] 원천징수세액은 지급총액(gross income)에 원천징수세율을 적용하여 산출한 금액이다. 세율은 조세조약에 의하여 규정된 세율을 우선하여 적용한다. 국내의 법인세법 또는 소득세법에서 규정하고 있는 원천징수세율보다 낮은 제한세율이 적용된다.[34] 그러나 실질귀속자가 불분명하거나 고정사업장에 귀속되거나 또는 조세조약상 특별규정이 있는 경우에는 제한세율을 적용하지 않는다.[35]

(3) 원천징수 특례

가. 조세회피지역 경유 투자자에 대한 거주지 확인 특례

체약국의 실제거주가 아니면서 조세회피 목적으로 국내에 투자하는 경우를 차단하기 위하여 원천징수 절차 특례를 적용하고 있다. 이는 조세조약을 남용하는 경우에 OECD 표준조세조약은 다음과 같이 조세조약상의 비거주자에 대하여 제한세율을 적용하기 위한 절차를 규정하지 않고 각 체약국이 자국의 조세법에서 조세회피행위 등을 감안하여 조세조약상의 제한세율 적용혜택을 적용하는 절차를 자유롭게 규정할 수 있도록 하고 있다.[36]

> '원천지국과세의 제한: 절차적 측면
>
> *(Limitations of source taxation: procedural aspects)*
>
> *제10조의 주석 paragraph 19에서 언급한대로 OECD 표준조세조약에서 절차적인 문제는 결정하고 있지 않기 때문에 각 체약국은 조세조약에서 규정한 혜택제한내용을 적용하*

---

30) 소득세법 제156조 제1항 및 법인세법 제98조 제1항
31) 국세기본법 제82조 제1항 및 제6항
32) 비거주자의 납세지는 소득세법 제6조 제2항 및 법인세법 제9조 제2항과 제3항 참조.
33) 소득세법 제130조, 제131조, 제134조 등 및 법인세법 제98조
34) 소득세법 제156조의6, 법인세법 제98조의6
35) 소득세법 제156조의6 제3항, 법인세법 제98조의6 제3항, 국세청 국제세원-429, 2011. 9. 5., 기획재정부 국제조세협력-600, 2011. 12. 15., 기획재정부 국제조세협력-252, 2011. 5. 16., 국세청 국제세원-466, 2011. 10. 4.
36) OECD 표준조세조약, 2017, 제1조 제3항에 대한 주석 para. 109. 조세조약의 남용방지를 위해 조세조약상의 제한세율을 적용하기 위해 필요한 절차를 원천지국이 국내 조세법에서 자유롭게 규정할 수 있음을 분명히 하고 있다.

기 위하여 자국의 조세법이 규정한 절차를 자유롭게 사용할 수 있다. 따라서 체약국은 납세자가 조세조약적용 요건을 총족한 경우에는 조약의 관련규정에 따라 징수하는 조세에 제한세율을 적용하거나 또는 국내 조세법에 따라 먼저 과세한 후 조세조약의 규정에 의하여 징수할 세액을 초과한 부분은 환급할 수 있다.~(~As noted in paragraph 19 of the Commentary on Article 10 as concerns the taxation of dividends, the Convention does not settle procedural questions and each State is free to use the procedure provided in its domestic law in order to apply the limits provided by the Convention. A State can therefore automatically limit the tax that it levies in accordance with the relevant provisions of the Convention, subject to possible prior verification of treaty entitlement, or it can impose the tax provided for under its domestic law and subsequently refund the part of that tax that exceeds the amount that it can levy under the provisions of the Convention.~)'

OECD는 납세자의 편의를 위해서는 조세조약상의 혜택적용 대상자에 해당하는지를 각 체약국이 확인하여 조세조약상의 제한세율을 적용하는 것이 가장 바람직한 방법이지만, 선(先) 과세 후 환급절차를 채택한 경우에는 환급요건에 해당하면 환급이자를 지급하지 않는 경우에는 부당하게 지연하지 않고 즉시 환급할 것을 권고하고 있다.[37]

우리나라는 기획재정부장관이 고시하는 국가 또는 지역(말레이시아 라부안)[38]에 소재하는 펀드 등에게 투자소득(이자, 배당, 사용료, 유가증권양도소득)을 지급하는 자에게 적용하고 있다. 조세회피지역을 경유하는 투자에 대하여 조세조약상의 비과세·면제 또는 제한세율의 규정에 불구하고 국내세법에 따라 우선 원천징수한 후 소득 수취자가 실질적인 거주자로 확인되는 경우에는 정산하는 방법을 채택하고 있다.[39]

나. 비거주 연예인 등에 대한 원천징수 절차 특례

비거주 외국법인이 국내에 고정사업장(PE)이 없거나 원천소득이 고정사업장에 귀속되지 아니하는 경우에는 OECD 표준조세조약 제7조 제1항이 규정에 의하여 우리나라에서 과세권을 행사할 수 없다. 비거주 연예인이나 운동선수가 이러한 비거주 외국법인에 소속되어 우리

---

37) OECD 표준조세조약, 2017, 제1조 제3항에 대한 주석 para. 109 후단
38) 재정경제부 고시 제2006-21호 '비거주자·외국법인에 대한 원천징수절차특례 적용지역 지정고시'
39) 법인세법 제98조의5, 소득세법 제156조의4. 투자자가 체약국의 실제 거주자인 경우에는 원천징수된 날이 속하는 달의 말일부터 3년 이내에 소득의 실질 귀속자임을 입증하는 서류를 갖춰 경정청구할 수 있으며, 경정청구 받은 세무서장은 6월 이내에 그 심사결과를 청구자에게 통지하게 된다. 심사결과 실제 거주자인 경우에는 선(先) 원천징수한 세액에서 조세조약상의 제한세율 등을 적용하여 산출한 세액과의 차액을 환급하게 된다.

나라에서 공연 등의 용역을 제공하고 그 대가를 비거주 외국법인을 통하여 지급받는 경우에 대한 원천징수 절차이다.

비거주자인 외국법인에 소속된 비거주 연예인 또는 체육인이 우리나라에서 경기나 공연 등의 용역을 제공한 대가를 그 비거주 외국법인을 통하여 수취하는 경우에는 해당법인으로부터 경기 또는 공연대가를 지급받을 때 소득세를 한국에 신고·납부하여야 한다. 그러나 과세관할권이 외국이므로 우리나라에서 과세권을 효과적으로 행사하는데 어려움이 있음을 감안하여 특례를 두고 있다.

한국에서 공연이나 경기를 한 비거주 연예인 또는 체육인이 대가를 비거주 외국법인이 수취하여 지급하는 경우에는 비거주 외국법인에게 지급하는 단계에서 미리 일정액을 원천징수한 후 사후 정산하는 절차를 사용하고 있다.[40] 소득세법 제156조의4에서 규정한 선(先)원천징수 후(後) 정산하는 원천징수 특례제도를 적용하는 것이다.

원천징수 특례제도에 따라 이들에게 지급하는 대가에 대하여 조세조약상의 규정에 불구하고 그 지급하는 금액의 100분의 20을 우선 원천징수하여 납부한 후 그 연예인 또는 체육인이 소속된 법인이 비거주자인 연예인 또는 체육인의 용역제공과 관련하여 보수 등을 지급할 때 원천징수하는 금액보다 당초에 한국에서 원천징수하여 납부한 금액이 큰 경우에는 환급하는 방법이다.[41] 환급을 받으려면 비거주 외국법인은 관할 세무서장에게 환급을 신청해야 한다.[42]

이 방법도 역시 앞에서 설명한 조세조약상의 제한세율을 적용하기 위한 절차를 구체적으로 규정한 것에 해당한다.

다. 비거주자의 국내원천소득에 대한 원천징수 특례

국내원천소득으로서 국내사업장과 실질적으로 관련되지 아니하거나 그 국내사업장에 귀속되지 아니한 소득의 금액(국내사업장이 없는 비거주자에게 지급하는 금액을 포함한다)을 비거주자에게 지급하는 자는 그 소득을 지급할 때 '일정금액'을 그 비거주자의 국내 원천소득에 대한 소득세로서 원천징수하도록 규정하고 있다.[43] 일정금액을 원천징수하기 위하여 적용하는 소득별 원천징수 세율은 다음과 같다.[44]

---

40) 소득세법 제156조의5 제1항
41) 소득세법 제156조의5 제2항
42) 소득세법 제156조의5 제3항
43) 소득세법 제156조 제1항 본문 및 법인세법 제98조 제1항 본문
44) 소득세법 제156조 제1항 제1호에서 제8호 및 법인세법 제98조 제1항 제1호에서 제8호

[표 11 - 2] 비거주자에 대한 원천소득별 원천징수 세율

원천소득 유형	소득분류 근거		원천징수 세율 (소득세법 제156조 제1항 및 법인세법 제98조 제1항)
	소득세법	법인세법	
이자소득	제1호	제1호	(1) 국채 등의 이자: 지급금액의 14% (2) 그 외 이자: 지급금액의 20%
배당소득	제2호	제2호	지급금액의 20%
선박 등 임대소득	제4호	제4호	지급금액의 2%
인적용역 소득	제6호	제6호	(1) 원칙: 지급금액의 20% (2) 예외[45]: 지급금액의 3%
부동산 등 양도소득	제9호	제7호	(1) 원칙: 지급금액의 10% (2) 예외[46]: 지급금액의 10% 또는 양도차익의 20% 중 적은 금액
사용료 소득	제10호	제8호	지급금액의 20%
유가증권 양도소득	제11호	제9호	(1) 원칙: 지급금액의 10% (2) 예외[47]: 지급금액의 10% 또는 양도차익의 20% 중 적은 금액
기타소득	제12호	제10호	(1) 원칙: 지급금액의 20% (2) 예외[48]: 지급금액의 15%

주) 소득분류근거: 소득세법 제119조, 법인세법 제93조

---

45) 국외에서 제공하는 용역 중 '소득세법 시행령 제179조 제5항 제2호 및 법인세법 시행령 제132조 제6항 제4호에서 규정하는 용역'을 제공함으로써 발생한 소득이 조세조약에 따라 국내에서 발생하는 것으로 보는 소득을 말한다. 그 용역은 '과학기술·경영관리 기타 이와 유사한 분야에 관한 전문적 지식 또는 특별한 기능을 가진 자가 당해 지식 또는 기능을 활용하여 제공하는 용역'을 규정하고 있다.

46) 소득세법 제156조 제1항 제5호 단서: 양도한 자산의 취득가액 및 양도비용이 확인되는 경우에는 그 지급금액의 100분의 10에 해당하는 금액과 그 자산의 양도차익의 100분의 20에 해당하는 금액 중 적은 금액으로 한다.

47) 소득세법 제156조 제1항 제7호 단서: 제126조 제1항 제1호에 따라 해당 유가증권의 취득가액 및 양도비용이 확인되는 경우에는 그 지급금액의 100분의 10에 해당하는 금액과 같은 호에 따라 계산한 금액의 100분의 20에 해당하는 금액 중 적은 금액으로 한다.

48) 소득세법 제119조 제12호 카목: 사용지 기준 조세조약 상대국의 거주자가 소유한 특허권 등으로서 국내에서 등록되지 아니하고 국외에서 등록된 특허권 등을 침해하여 발생하는 손해에 대하여 국내에서 지급하는 손해배상금·보상금·화해금·일실이익 또는 그 밖에 이와 유사한 소득. 이 경우 해당 특허권 등에 포함된 제조방법·기술·정보 등이 국내에서의 제조·생산과 관련되는 등 국내에서 사실상 실시되거나 사용되는 것과 관련되어 지급하는 소득으로 한정한다.

라. 비거주자의 비과세·면제 및 제한세율 적용신청

비거주자가 조세조약에 따라 비과세와 면제 또는 제한세율을 적용받으려면 신청서를 제출하여야 한다.[49] 국내원천소득에 대하여 조세조약에 따라 비과세와 면제 또는 제한세율을 적용받고자 하는 비거주자는 비과세·면제신청서 또는 제한세율 적용신청서를 원천징수의무자에게 제출하고 해당 원천징수의무자는 소득을 최초로 지급하는 날의 다음 달 9일까지 소득지급자의 납세지 관할 세무서장에게 제출하여야 한다.[50]

그 신청서에는 당해 비거주자의 거주지국의 권한 있는 당국이 발급하는 거주자 증명서를 첨부하여야 한다.[51] 다만, 소득세 또는 법인세가 과세되지 아니하거나 면제되는 국내원천소득에는 신청서를 제출하지 않는다.[52] 외국법인이 조세조약에 따른 비과세·면제를 받기 위한 신청을 하지 않고 당해 외국법인에게 소득을 지급하는 내국법인도 지급명세서를 제출기한까지 제출하지 않은 경우 지급명세서 미제출가산세를 징수한다.[53]

 제3절　국내원천소득 종류별 과세방법

❶ 소득분류의 기준

비거주자의 국내원천소득에 대한 과세는 그 소득의 유형에 따라 과세방법과 적용세율이 달라진다. 비거주자가 원천지국에서 획득한 소득의 유형은 먼저 원천지국의 국내 조세법에 의하여 분류된다. 그 다음 비거주자의 거주지국과 체결한 조세조약상의 소득분류 기준을 적용하게 된다. 조세조약상의 내용이 국내 조세법의 내용에 우선하는 것이 원칙이다.

구 국제조세조세조정에 관한 법률 제28조에서 '비거주자 또는 외국법인의 국내원천소득의

---

49) 소득세법 제156조의2 및 제156조의6, 법인세법 제98조의4 및 제98조의6
50) 소득세법 시행령 제207조 제1항 및 법인세법 시행령 제138조의4 제1항
51) 소득세법 시행령 제207조 제2항 및 법인세법 시행령 제138조의4 제2항
52) 소득세법 시행령 제207조 제7항 및 법인세법 시행령 제138조의4 제7항
53) 법인세법 제76조 제7항, 국세청 법규과-1339, 2010. 8. 23. 「법인세법」제93조에 따른 국내원천소득(사업소득 및 인적용역소득 제외)이 있는 외국법인이 같은 법 제98조의4에 따라 조세조약상 비과세·면제를 받기 위한 신청을 하지 않고 당해 외국법인에게 동 소득을 지급하는 내국법인도 같은 법 제120조의2 제1항에 따른 지급명세서를 그 제출기한 내에 제출하지 않은 경우로서, 동 제출기한 경과 후에 동 소득에 대하여 조세조약에 따른 국내 비과세·면제 대상임이 확인되는 경우에도 지급명세서를 미제출한 내국법인에게는 같은 법 제76조 제7항에 따른 가산세를 징수한다.'

구분에 관하여는 「소득세법」 제119조 및 「법인세법」 제93조에도 불구하고 조세조약이 우선하여 적용된다.'고 규정하였으나 2018. 12. 31. 개정을 통하여 삭제하였다.[54] 삭제 이유는 '조세조약상 소득구분이 국내 조세법상 소득구분을 결정하는 것이 아니고 원천지국 과세여부 및 제한세율 적용의 판단에 한하여 우선 적용하는 것임을 명확하게 하기 위한 것'이라는 판결을 반영한 것이다.

이어서 '비거주자 또는 외국법인의 국내원천소득의 구분에 대하여 현재 국내법보다 조세조약이 우선하여 적용되도록 규정하고 있으나, 조세조약상 소득 구분이 국내법상 소득 구분을 결정하는 것으로 오해할 소지가 있기 때문'이라고 했다. 따라서 조세조약에 의한 소득분류가 우선 적용되는 것은 변함이 없다고 할 것이다. 대법원은 특별법 우선의 원칙에 따라 조세조약이 국내 조세법에 우선적 지위를 가지므로 국내 조세법의 해석 및 적용이라는 사법적 작용을 통하여 조세조약의 취지를 저해하는 것은 조약배제이고 조약법에 관한 비엔나 협약 제27조의 취지에도 반한다고 판시하였다.

이 사건의 원고는 금융업을 영위하면서 지급이자를 원고 본점의 출자지분의 6배를 초과하여 지급한 것에 대하여 국세청이 그 초과부분은 법인세법의 규정에 따른 배당소득으로 보고 '기타 사외유출'로 소득처분한 것에 대하여 원고는 이자지급액은 배당소득이 아니라 이자소득이므로 제한세율을 적용해야 한다고 주장하였다.[55]

이 사건에 대한 대법원의 판결문을 보면 한 가지 아쉬운 점이 있다. 조세조약 및 국내 조세법상의 기준을 적용하여 소득의 구분할 때 조세조약의 다른 조문과 함께 고려하여 전체의 맥락(context) 속에서 판단하는 것이 '조약법에 관한 비엔나 협약'의 조약해석 기준에 부합한다.[56] 또한 국내법인이 이 사건과 '동일한 상황'일 경우에 외국납세자의 주장과 같이 이자소득으로 과세를 내국납세자와 다르게 취급한 '차별과세'에 해당하는지에 대한 판단은 없는 것으로 보인다.[57]

---

54) 대법 2018. 2. 28. 선고 2015두2710 판결: '외국법인 국내지점에 대한 과소자본세제의 적용에 따른 한도초과이자의 소득구분 관련 판결' 조약 우선에 관한 판례로는 '대법원 2012. 1. 27. 선고 2010두5950 판결, 대법원 2006. 4. 28. 선고 2005다30184 판결, 대법원 2004. 7. 22. 선고 2001다67164 판결 및 대법원 1986. 7. 22. 선고 82다카1372 판결' 등 참조

55) http://www.scourt.go.kr/sjudge/1520228264005__143744.pdf

56) 조약법에 관한 비엔나 협약(이하, '비엔나 협약'이라 한다) 제31조 내지 제33조. 대법원 판결에서 인용한 비엔나 협약 제26조는 'pacta sunt servanda'로서 '국가 간의 약속은 지켜져야 한다'는 기본원칙을 선언한 것이다. 그 원칙을 지키기 위한 조약법의 해석에 관한 기준은 제31조 내지 제33조에 있다. 조약법의 해석기준은 '단지 표현된 조문뿐 아니라 당사국의 의사(intent)를 확인해야 하고, 그 의사는 조약의 체결 당시에 고정되어 있는 것이 아니고 조약을 적용할 당시의 상황을 고려해 한다'는 원칙을 규정하고 있다.

57) OECD 표준조세조약, 2017, 제24조(non-discrimination)

이 사건에서 법인의 분류에 대하여 원고인 일방체약국에서는 법인으로 보지 않고 피고인 타방체약국에서는 법인으로 보는 사항에 대하여 대법원은 조세조약에서 특별히 규정하고 있지 않다고 하여 법인이라고 볼 수 없다는 판단을 하는 것은 조세조약이 터잡고 있는 '실질과세의 원칙'과 '고정사업장에 대한 소득의 귀속기준'에 대한 판단을 단지 '문리해석'만 적용한 것으로 보인다. 또한 조세회피방지 대책(anti-avoidance rule)으로서 적용되는 '과소자본세제(thin capitalization rule)'는 BEPS(Base Erosion and Profit Shiting)를 차단하기 위한 대책과도 연결되어 있는 부분이다. 조세조약은 국가 간의 합의로서 상호주의 원칙도 적용된다. 이 부분은 별도의 장에서 후술한다.[58]

소득의 분류와 관련하여 다국적기업과 과세당국 간의 분쟁은 다른 국가에서도 많이 발생하고 있다. 불명확 개념이 존재하는 경우가 발생하기 때문이다. 이 경우에는 OECD 표준조세조약 제3조 제2항의 적용과 제25조의 상호합의절차 등을 통하여 해결할 수 있다.

OECD 표준조세조약에서 구분하고 있는 소득의 유형 중 소득세법상의 소득분류 기준을 감안하여 이자소득, 배당소득, 사용료 소득, 사업소득, 임대소득, 근로소득, 양도소득, 기타소득을 중심으로 과세방법을 살펴보기로 한다. 근로소득은 자유직업소득을 포함한다.

② 이자소득

(1) 이자소득의 범위

이자소득은 금전대차거래에서 채무자가 채권자에게 지급하는 금전의 사용대가로서의 성격을 가진 소득을 말하며,[59] 국내에서 발생하는 이자소득의 유형은 소득세법 제16조 제1항에서 열거하고 있다.[60]

우리나라가 체결한 대부분의 조세조약에서는 이자소득의 범위를 넓게 인정하고 있다. OECD 표준조세조약 제11조의 규정과 같이 '모든 종류의 채권으로부터 발생되는 소득'으로 규정하는 하는 동시에 '이자소득이 발생한 국가의 국내 조세법에서 이자소득으로 규정하고 있는 소득'이라는 표현도 함께 포함하여 규정하고 있다.

---

58) 이와 관련한 논의는 제5장 조약의 해석, 제7장 조세조약과 실질과세기준, 제16장 조세조약과 무차별 원칙, 제17장 BEPS와 조세주권 등을 참조
59) 소득세법 제16조 제1항 제12호
60) 이자소득은 소득세법 제16조 제1항 제1호에서 제13호까지 열거하고 있다. 이자소득금액은 해당 기간의 총수입금액으로 하고, 이자소득의 범위는 소득세법 시행령 제26조에서 규정하고 있다.

(2) 이자소득의 원천지국

우리나라 세법은 거주자, 내국법인 또는 외국법인 및 비거주자의 국내사업장이 지급하는 이자를 국내원천 이자소득[61]으로 규정하고 있다. 원칙적으로 지급지 기준을 채택하면서 거주자 또는 내국법인의 국외사업장을 위하여 그 국외사업장이 직접 차용한 차입금의 이자는 국내원천소득에서 제외[62]하여 사용지 기준으로 보완하고 있다.

우리나라가 체결한 모든 조세조약에서도 이자지급자의 거주지국에 그 원천이 있는 것으로 규정하고, 고정사업장이 자금을 차입하고 그에 대하여 지급하는 이자소득의 원천은 고정사업장의 소재지국으로 하고 있다.[63]

(3) 과세기준

비거주자가 국내에서 획득한 이자원천소득에는 조세조약 체결당사국이 합의한 제한세율을 적용하여 과세한다. 제한세율은 '체약당사국 체결한 개별조세조약에서 규정하고 있는 세율(A)'과 '체약당사국의 국내 조세법, 우리나라의 경우에는 소득세법 제156조의8 및 법인세법 제98조의7에서 규정하고 있는 세율(B)' 중 낮은 세율을 적용한다.[64]

즉, 아래와 같이 A)의 세율과 B)의 세율을 서로 비교하여 낮은 세율을 적용한다는 의미이다.

A) 체약국가와 체결한 개별조세조약에서 규정된 '이자소득, 배당소득, 사용료 소득'에 대한 원천징수 제한세율

B) 소득세법 제156조의8 및 법인세법 제98조의7의 원천징수 세율;
조세조약의 규정상 비거주자의 국내원천소득 중 이자, 배당 또는 사용료 소득에 대해서는 제한세율과 다음 각 호의 어느 하나에 규정된 세율 중 낮은 세율을 적용한다.
1. 조세조약의 대상 조세에 지방소득세가 포함되지 아니하는 경우에는 제1호, 제2호, 제8호에서 규정하는 세율
2. 조세조약의 대상 조세에 지방소득세가 포함되는 경우에는 제156조 제1항 제1호, 제2호 및 제8호에서 규정하는 세율에 「지방세법」 제103조의18 제1항의 원천징수하는 소득세의 100분의 10을 반영한 세율

---

61) 법인세법 제93조 제1호
62) 법인세법 제93조 제1호 단서
63) OECD 표준조세조약, 2017, 제11조 제5항
64) '구 국제조세조정에 관한 법률 제29조 제1항'에서 규정하였으나 2020. 12. 22. 개정을 통하여 이를 소득세법과 법인세법으로 신설 이전하여 각각 규정하였다. 소득세법 제156조의8(이자, 배당 및 사용료에 대한 세율의 적용특례) 제1항 및 제2항, 법인세법 제98조의7(이자, 배당 및 사용료에 대한 세율의 적용특례) 제1항 및 제2항

제한세율은 앞에서 설명한 대로 이자의 수취인이 수익적 소유자가 아니거나 지급자와 특수관계에 있는 경우에는 적용되지 않는다. 또한 수취인이 국내 소재 고정사업장인 경우에도 적용되지 않는다.[65]

(1) 배당소득의 범위

배당소득은 비거주자가 내국법인 등으로부터 지급받는 소득으로서 소득세법 제17조에서 배당소득의 유형을 열거하고 있다. 조세조약상 배당소득은 '주식 기타 이윤의 분배를 받을 권리(채권은 제외)로부터 생기는 소득 및 배당소득과 동일한 취급을 받는 소득'으로 규정하고 있다.[66]

(2) 원천지국

배당소득의 원천지국은 지급지 기준을 적용하여 판단한다. 비거주자 등이 받는 배당소득의 지급자가 내국법인인 경우에 국내원천 배당소득이 된다는 의미이다. 따라서, 비거주자가 외국법인으로부터 지급받는 배당은 비거주자 등의 국내원천소득에 해당되지 않는다.

(3) 과세기준

비거주자의 배당소득에는 제한세율이 적용된다. 배당소득에 대한 제한세율의 적용방법은 비거주자의 이자소득에 대한 제한세율의 적용방법과 동일하다.[67] 즉, 제한세율은 '개별조세조약에서 규정하고 있는 세율(A)'과 '소득세법 제156조의8 및 법인세법 제98조의7에서 규정하고 있는 세율(B)' 중 낮은 세율을 적용한다. 다만, 수익적 소유자가 아니고 고정사업장에 귀속되거나 특수관계자 간의 거래인 경우에는 제한세율의 적용이 배제된다.[68]

---

65) OECD 표준조세조약 제11조 제4항에 의하여 제7조의 사업소득으로 과세된다.

66) OECD 표준조세조약, 2017, 제10조 제3항 및 동항에 대한 주석 paras. 23-24

67) 제3절 ❷ 이자소득 (3)에서 설명한 '과세기준' 참조

68) 수익적 소유자가 따로 있는 경우에는 실질 수익적 소유자를 확인하여 제한세율을 적용하고, 고정사업장에 귀속된 배당소득은 사업소득으로 과세되며, 특수관계자 간의 거래에는 조세조약상의 혜택을 배제한다.

④ 사용료 소득

(1) 사용료 소득의 범위

사용료 소득은 무형자산(intangible property)을 국내에서 사용하거나 그 대가를 국내에서 지급하는 경우에 그 사용 대가 및 그 권리등을 양도함으로써 발생하는 소득을 말한다.[69) 산업상·상업상·과학상의 기계·설비·장치 등을 임대함으로써 발생하는 소득을 조세조약에서 사용료 소득으로 구분하는 경우에 그 사용대가를 포함한다.[70) 조세조약에서 말하는 사용료 소득은 체약국에 따라 그 범위에 다소 차이가 있으나, 대체로 우리나라 조세법에서 규정하고 있는 범위와 유사하다.[71)

(2) 원천지국

사용료 소득의 원천지국은 사용지 및 지급지 기준을 사용한다.[72) 내국법인이 국내사업장이 없는 외국법인으로부터 사용료를 발생시키는 무형자산을 도입하여 제3국에 소재하는 동 내국법인의 해외지점 또는 건설공사현장에서 사용하고 지급하는 대가는 국내원천 사용료 소득에 해당한다.[73) 대부분의 조세조약은 사용료 지급자의 거주지국가에서 소득이 발생한 것으로 보는 지급지 기준을 적용한다. 그러나, 한·미 조세조약은 사용료를 발생시키는 자산 등이 사용되는 국가에서 소득이 발생하는 것으로 보는 사용지 기준을 적용하고 있다.[74)

---

69) 소득세법 제119조 제10호 및 법인세법 제93조 제8호. 무형자산은 인간의 정신작용을 통하여 만들어진 결과물로서 법률적인 측면에서 특허법 등 관련 법률에 의하여 등록되어 법적으로 보호되는 것과 등록되지 않고 거래당사자가 인정하는 경제적 실질가치에 의존하는 것으로 구분된다. 앞의 의미는 법률적 소유자 개념과 관련되고 뒤의 것은 경제적 소유자의 개념과 관련된다. 법적인 보호대상의 관점에서는 법률적 소유자의 개념이 중요하지만 이전가격의 관점에서는 법률적 소유자와 함께 경제적 소유자의 개념도 중요하다. 무형자산의 용어는 법적 측면에서는 지적재산이라고 하지만, 이전가격 측면에서는 무형자산(intangible property)이라고 부르고 있다. 이러한 무형자산의 사용이나 권리의 양도 등에서 발생하는 소득을 사용료 소득이라고 한다.

70) 소득세법 제119조 제10호 본문 및 법인세법 제93조 제8호 본문

71) OECD 표준조세조약, 2010, 제12조 제2항 및 주석 para. 8 및 8.3. 다만, 외국기업이 국내기업과 기술제공계약에 따라 기술을 제공하기 위하여 국내에 파견된 기술자에 대한 항공료, 숙박비, 식사비 등을 항공회사, 숙박업자, 음식업자에게 국내기업이 직접 지급한 경우에는 이를 기술제공에 대한 대가에서 제외한다(소득세법 제119조 제6호 후단 및 소득세법 시행령 제179조 제7항).

72) 소득세법 제119조 제10호 및 법인세법 제93조 제8호. 다만, 조세조약에서 사용지주의를 채택하는 경우 국내에서 사용이 안되면 국내지급여부에 불구하고 국내원천소득으로 보지 아니한다.

73) 법인세법 기본통칙 93-132…15 '내국법인이 국내사업장이 없는 외국법인으로부터 법 제93조 제8호에서 규정한 자산, 권리, 정보 등을 도입하여 제3국에 소재하는 동 내국법인의 해외지점이나 건설공사현장에서 사용하고 동 법인이 지급하는 대가는 국내원천 사용료 소득에 해당한다'

74) 한-미 조세조약 제14조 제1항

사용료를 발생시키는 무형자산의 사용지를 어디로 것인가 하는 문제가 있다. 한·미 조세조약에서는 명확한 규정이 없다. 따라서 '특허권의 등록지'를 기준해야 한다는 의견과 특허권의 속지주의 원칙과 조세법상의 실질과세원칙은 다른 것이므로 등록지 기준의 적용은 문제가 있다는 주장도 있다.[75]

(3) 과세기준

비거주자의 사용료 소득에도 제한세율이 적용된다. 사용료 소득에 대한 제한세율의 적용방법은 비거주자의 이자소득 및 배당소득에 대한 제한세율의 적용방법과 동일하다.[76] 즉, 제한세율은 '개별조세조약에서 규정하고 있는 세율(A)'과 '소득세법 제156조의8 및 법인세법 제98조의7에서 규정하고 있는 세율(B)' 중 낮은 세율을 적용한다.

다만, 수익적 소유자가 아니거나 고정사업장에 귀속되거나 특수관계자 간의 거래인 경우에는 제한세율의 적용이 배제된다.

❺ 임대소득

(1) 임대소득 범위

비거주자의 임대소득은 거주자, 내국법인, 외국법인 또는 비거주자의 국내사업장에 선박·항공기 또는 등록된 자동차나 건설기계, 산업상·상업상·과학상 장비의 임대로 발생하는 소득을 말한다.[77] 조세조약상의 임대소득은 해당 국가와의 조세 조약에 따라 소득의 유형이 달라진다.

---

75) 강성태, "국외등록 특허권 사용료 소득의 과세기준", 조세학술논집 제31집 제1호, 한국국제조세협회(2015. 2.); 김석환, "사용료 소득의 원천지 판단기준", 저스티스 통권 제140호, 한국법학원(2014. 2.); 박종수, "국내 미등록 특허에 대한 사용료의 과세상 취급에 관한 소고", 조세학술논집 제30집 제2호, 한국국제조세협회(2014. 6.); 안경봉, "국내 미등록특허의 사용료와 한미조세조약상 국내원천소득", 법학논총 제30권 제2호, 국민대학교출판부(2017. 10.); 오윤, "조세조약 해석상 국내세법의 지위 – 조세조약상 '특허권의 사용' 개념의 해석을 중심으로 –", 조세학술논집 제32집 제2호, 한국국제조세협회(2016); 유철형, "국내 미등록 특허와 국내원천소득인 사용료: 관련 대법원 판결을 중심으로", 조세학술논집 제32집 제3호, 한국국제조세협회(2016. 10.); 이재호, "미국 특허권의 사용료 과세에 대한 규범체계", 홍익법학 제17권 제3호, 홍익대학교 법학연구소(2016); 이준봉, "국내 미등록 특허 사용료와 국내원천소득: 한미조세협약의 해석을 중심으로", 조세학술논집 제33집 제3호, 한국국제조세협회(2017. 10.); 이창희, 양한희, 미등록특허권 침해에 따르는 손해배상금의 과세, 조세법연구 제25집 제3호(2019. 11.)
76) 제3절 ❷ 이자소득 (3) 및 ❸ 배당소득 (3)에서 설명한 '과세기준' 참조
77) 소득세법 제119조 제4호 및 법인세법 제93조 제4호

국제운수기업이 장비·인원 및 설비를 온전히 갖춘 선박 또는 항공기의 임대인 선원부 용선계약으로부터 얻는 소득은 국제운수소득으로 분류된다.[78] 한편, 나용선 계약에 의하여 지급하는 대가는 사용료 소득, 사업소득, 기타 소득 등으로 분류하고, 산업상·상업상·과학상 장비의 임대소득은 그 특성에 따라 사용료 소득과 사업소득으로 분류된다.[79] 한·미 조세조약은 임대인이 선박 또는 항공기의 국제운송에 종사하면 사업소득으로 분류하고,[80] 그렇지 않은 경우에는 사용료 소득으로 분류한다.[81]

(2) 원천지국

자산 등의 임대소득 원천지국이 국내인지의 판정은 자산의 운용장소가 아니라 임차인이 거주자인지를 기준으로 한다. 따라서, 국내의 거주자와 내국법인 및 국내소재 고정사업장이 비거주자로부터 자산 등을 임차하고 그 대가로서 지급하는 임대료의 원천지국은 한국이 된다.[82]

(3) 과세기준

임대소득은 그 지급액에 대하여 원천징수세율과 원천징수세액을 결정한다. 선박 및 항공기의 임차인 경우에 선원부 용선계약이면 국제운수소득으로서 상호면세기준이 적용되고, 나용선 계약이면 임대소득으로서 임차인의 거주지국에서 과세된다.[83]

⑥ 사업소득

(1) 사업소득의 범위

비거주자의 사업소득은 비거주가 경영하는 사업에서 발생하는 소득을 말하며 여기에 인적용역소득은 제외된다.[84] 사업소득은 순수한 국내원천 사업소득[85]과 국외에서 발생한 소

---

78) OECD 표준조세조약, 2017, 제8조 제1항 주석 para. 5
79) 사용료 소득에서 설명한다.
80) 한-미 조세조약 제8조 제5항
81) 한-미 조세조약 제8조 제4항 가목
82) 국조 1264.1-1084, 1981. 7. 24.
83) 원천징수 세율은 2%이다. 과세표준은 지급액(gross)이다. 소득세법 제156조 제1항 및 법인세법 제98조 제1항
84) 소득세법 제119조 제5호 및 동법 시행령 제179조 제2항과 제3항, 법인세법 제93조 제5호 및 동법 시행령 제132조 제2항과 제3항
85) 소득세법 제19조 제1항

득 중에서 국내 고정사업장에 귀속되는 소득[86]을 포함한다. 또한 소득세법이나 법인세법에서 열거하지 않은 소득으로서 우리나라가 다른 국가와 체결한 조세조약에서 국내원천사업소득으로 규정한 것을 포함한다. 따라서 비거주자의 사업소득 범위는 다음 표와 같다.

[표 11 – 3] 비거주자 사업소득 범위

납세자의 사업활동으로 발생되는 소득은 본질적으로는 사업소득에 관련되지만 조세조약에서 별도의 조항으로 규정하고 있는 경우에는 그 별도의 조항이 사업소득 조항에 우선하여 적용된다. 따라서 이자, 배당, 사용료 소득, 부동산소득, 양도소득, 인적용역소득, 국제운수소득 등이 사업활동과정에서 발생한 경우에도 조세조약에서 별도의 조항으로 규정하고 있으므로 조세조약에서는 사업소득으로 취급하지 않는다.

(2) 원천지국

사업소득의 원천지국은 해당 사업활동이 전개되는 장소이다. 비거주자의 국내원천사업소득은 소득세법 제19조에서 열거한 사업 중에서 국내에서 경영하는 사업에서 발생하는 소득을 말한다.[87]

(3) 과세기준

비거주자의 사업소득은 국내의 고정사업장에 귀속되는 부분에 한하여 국내에서 과세할 수 있다.[88]

---

86) 소득세법 시행령 제179조 제3항 및 법인세법 시행령 제132조 제3항
87) 소득세법 시행령 제179조 제2항 및 법인세법 시행령 제132조 제2항
88) OECD 표준조세조약, 2017, 제7조 제1항

⑦ 인적용역소득

(1) 인적용역소득

국내 조세법상 인적용역소득[89]은 비거주자가 국내에서 전문적인 인적용역[90]을 제공하고 얻는 소득으로 규정하면서 근로를 제공하고 받는 급여소득[91]과는 구분하고 있다. OECD 표준조세조약에서는 전문인적용역소득을 연예인 및 운동가 등이 제공한 인적용역에 대한 보수로 규정하고 공인회계사 등 전문가들의 인적용역소득은 사업소득으로 분류하고 있다.[92]

(2) 근로소득

근로소득은 고용관계에 의하여 근로를 제공하고 그 대가로서 지급받는 급여·수당·상여 및 기타 이와 유사한 보수를 말한다.[93] 비거주자의 근로소득은 거주자 조항을 준용하여 과세된다.[94] 근로소득을 지급받는 자가 기술자이거나 공무원 등인 경우에는 비과세 및 감면을 적용받는다.[95]

(3) 과세기준

인적용역소득과 근로소득은 용역수행지국에서 과세한다. 비거주자의 독립적 인적용역소득에 대한 과세기준은 조세조약에 따라 다소 상이하나, 다음 세 가지 요건 중 어느 하나에 해당되면 용역수행지국인 국내에서 과세할 수 있다.

---

89) 소득세법 제119조 제6호 및 법인세법 제93조 제6호
90) 소득세법 시행령 제179조 제6항 및 법인세법 시행령 제132조 제6항에서 규정한 전문인적용역으로서 '연예인, 직업운동가, 변호사, 공인회계사, 과학기술 및 경영관리 등의 분야에 관한 전문가 등'이 제공하는 용역을 말한다.
91) 소득세법 제119조 제7호
92) OECD 재정위원회(CFA)는 2000년 4월 OECD 표준조세조약 제14조에 있던 독립적 인적용역에 관한 규정을 삭제하고 제7조의 사업소득과 같은 차원에서 과세하도록 개정하였다.
93) OECD 표준조세조약 제15조 제1항, 소득세법 시행령 제179조 제8항. 거주자 또는 내국법인이 운용하는 외국항행선박·원양어업선박 및 항공기의 승무원이 받는 급여와 내국법인의 임원의 자격으로서 받는 급여를 포함한다. 조세조약에서 임원이 받는 급여는 '이사의 보수(director' fee)'로 별도 조항에서 규정하고 있다(OECD 표준조세조약 제16조).
94) 소득세법 제124조
95) 조세특례제한법 제18조의2 제2항, 소득세법 제12조 제4호 자목 및 동법 시행령 제14조, 조세특례제한법 제18조의2(일용근로자를 제외한 외국인인 임원 또는 사용인이 국내에서 근무함으로써 2012년 12월 31일까지 지급받는 근로소득에 대한 소득세는 소득세법 제55조 제1항의 규정에 불구하고 당해 근로소득에 100분의 15를 곱한 금액을 그 세액으로 할 수 있다)

첫째, 비거주자가 국내에 고정시설을 가지고 있는 경우

둘째, 비거주자 등이 당해 회계연도(fiscal year) 중에 총 183일을 초과하여 국내에 체재하는 경우

셋째, 비거주자 등이 국내에서 제공한 독립적 인적용역에 대한 대가가 국내의 거주자에 의하여 지불되거나 국내에 소재하는 국내사업장 또는 고정시설에 의하여 부담되고 당해 회계연도 중에 그 대가가 일정한 금액[96]을 초과한 경우

근로소득의 경우에는 단기체재자에 대하여 일정한 요건 하에서 용역수행지국에서 과세하지 않도록 규정하고 있다. 즉, 비거주자가 당해 역년 또는 어느 12개월 중 183일 미만 국내에 체재하고, 당해 소득이 우리나라 거주자가 아닌 자에 의하여 지급되며, 당해 소득이 고용주가 우리나라에 가지고 있는 고정사업장에 의하여 부담되지 않아야 하는 요건을 모두 충족하는 경우에는 단기체류자에게 면세를 적용한다.

(4) 연예인 · 운동가의 용역소득

비거주자인 연예인과 운동가는 단기간의 용역수행으로 거액의 보수를 수취할 수 있다. 따라서 조세조약에서는 별도의 조항으로 분리하여 과세에 관한 사항을 규정하고 있다.

연예인과 운동가의 용역소득에 대한 과세권은 용역수행지 국가에서 보유하고 있다. 즉, 공연 또는 경기가 국내에서 수행되는 경우에 한하여 국내에서 과세할 수 있다.[97]

⑧ 양도소득

(1) 양도소득 범위

국내 조세법상 비거주자가 국내에 소재하는 자산을 양도하고 얻는 소득은 양도소득에 해당한다.[98] 양도자산의 범위에는 토지 또는 건물, 부동산에 관한 권리, 사업용 고정자산과 함께 양도하는 영업권, 시설물 이용권, 상장되지 아니한 부동산 주식 등이 내국법인이 발행한 주식 또는 출자증권(증권시장에 상장된 부동산주식, 예탁증서 및 신주인수권 포함)과 기타

---

96) 한-미 조세조약 제18조(독립적인적용역) 제2항 나목, 제19조(근로소득) 제2항 라목에서는 3,000달러를 초과하는 경우로 규정하고 있다. 제21조(학생 및 훈련생)의 경우에는 상황에 따라, 2,000달러, 5,000달러, 10,000달러 기준을 각각 규정하고 있다.

97) 소득세법 제156조의5 제3항에서 '비거주 연예인 소득에 대한 先 원천징수 後 정산제도에 관한 규정을 두고 있다. 현재는 미국법인에만 적용된다.

98) 소득세법 제119조 제9호 및 제11호, 법인세법 제93조 제7호 및 제9호

재산적 이익을 얻을 수 있는 모든 종류의 유가증권 및 외국법인이 발행한 주식 또는 출자증권(증권시장에 상장된 것에 한함)과 외국법인의 국내사업장이 발행한 기타의 유가증권을 양도함으로 인하여 발생하는 소득을 말한다.[99]

조세조약에서는 유가증권 양도소득에 대하여 별도의 조항을 두지 아니하고 양도소득 조항에서 통합하여 규정하고 있다.[100] 주식양도소득에 대하여는 다른 양도소득과 구분하여 규정하고 있는 경우가 많으나, 기타유가증권(채권 등)의 양도소득에 대하여는 따로 규정하지 않는다. 그 경우 주식 이외의 유가증권 양도소득은 기타자산의 양도소득에 해당하게 된다.

비거주자의 유가증권 양도소득은 국내에 사업장이 있는지와 양도대상 유가증권의 종류와 거래방식 또는 양수자가 거주자에 해당하는지 등에 따라 다음과 같이 과세여부가 달라진다. 이를 정리하면 아래 [표]와 같다.

[표 11-4] 비거주자·외국법인의 유가증권 양도소득 과세기준 요약[101]

구 분	양도자	과세여부
주식 또는 출자증권	국내사업장 있는 외국법인	과세: 증권시장에서 양도한 주식 포함
	국내사업장 있는 비거주자	과세: 증권시장에서 양도하는 경우로서 양도일이 속하는 연도와 직전 5년 기간 동안 계속하여 25% 미만 소유한 경우 제외
	국내사업장 없는 외국법인, 비거주자	
기타 유가증권 (채권 등)	국내사업장 있는 외국법인, 비거주자	과세: 이자소득으로 과세되는 소득은 제외
	국내사업장 없는 외국법인, 비거주자	과세: 내국법인, 거주자, 비거주자 외국법인의 국내사업장에 양도하는 경우 과세. 이자소득으로 과세될 경우는 제외

(2) 원천지국

양도소득이 발생하는 원천지국가는 양도자산의 소재지 국가이다. 양도소득이 발생하는 자산 등이 소재하는 국가가 원천지국이 되므로, 그 자산 소유자의 거주지국과 반드시 일치하는 것은 아니다.[102]

---

99) 비거주자의 양도소득 = (소득세법 제94조 제1항에서 말하는 양도소득) - (소득세법 제94조 제1항 제3호 및 제4호 다목의 자산) + (법인세법 제93조 제7호 나목의 비상장부동산주식의 양도소득)

100) OECD 표준조세조약, 2010, 제13조

101) 소득세법 시행령 제179조, 법인세법 시행령 제132조 제8항

102) 비거주자의 고정사업장에 귀속되는 양도소득은 원천지국과 고정사업장의 소재지가 일치한다.

(3) 과세기준

조세조약상 양도소득에 대한 과세기준은 양도된 자산의 유형에 따라 다르다. 부동산과 사업용 동산의 양도소득은 부동산 소재지국가에서 과세한다.[103] 국제운수용 선박 또는 항공기의 양도소득은 선박 또는 항공기를 운용하는 기업의 거주지국에서 과세한다.[104]

주식의 양도소득에 대하여는 OECD 표준조세조약에서는 양도자의 거주지국에서 과세하도록 규정하고 있으나 개별 조세조약별로 차이가 있다. 우리나라가 유가증권의 양도소득과 관련하여 다른 국가와 체결한 조세조약은 주식양도자의 거주지국에서 과세하는 규정을 둔 조약, 일정한 요건[105] 하에서 원천지국에서 과세하는 조약과 원천지국과 거주지국에서 각각 과세하는 조약으로 나누어 있다.[106]

⑨ 기타소득

(1) 기타소득의 범위

이상의 소득을 제외한 소득을 비거주자 등의 기타소득이라고 한다.[107] 조세조약상의 기타소득은 조세조약의 각 조항에서 규정하지 않은 모든 소득을 의미하는 개념이다.[108] 조세조약에서 규정한 기타소득은 법인세법상의 기타소득과 그 범위가 다르다.[109]

(2) 과세기준

OECD 표준조세조약에서는 거주지국과 원천지국의 과세기준을 규정하고 있다. 개별조세조약에서는 거주지국에서만 과세하는 경우,[110] 고정사업장의 소재지국에서 과세하는 경우,[111] 거주지국과 원천지국에서 과세하는 경우,[112] 기타소득에 관한 규정이 없는 경우(양국

---

103) OECD 표준조세조약, 2017, 제13조 제1항 및 제2항
104) OECD 표준조세조약, 2010, 제13조 제3항
105) 일정한 요건이란 '자산이 주로 부동산으로 구성되어 있는 법인의 주식을 양도하는 경우(OECD 표준조세조약 제13조 제4항)와 법인소유지분이 일정률 이상(예: 25% 이상)인 경우를 말한다.
106) 우리나라와 조세조약을 체결한 국가는 '이용섭, 이동신, 2012, op. cit. pp.339~342' 참조
107) 소득세법 제119조 제12호 법인세법 제93조 제10호
108) OECD 표준조세조약, 2017, 제21조
109) 조세조약에서 규정한 소득과 소득세법 및 법인세법에서 열거하고 있는 소득의 범위에서 차이가 나기 때문이다.
110) OECD 표준조세조약, 2017, 제21조 제1항
111) OECD 표준조세조약, 2017, 제21조 제2항
112) 원천지국에서 과세할 수 있는 조약은 UN 표준조세조약, 2017, 제21조 제3항

과세)가 있다.[113]

(3) 과세방법

내국법인의 과세소득은 순자산증가설에 따라 그 법인의 자산을 증가시키는 거래에서 발생된 모든 소득을 의미한다. 그러나 비거주자인 외국법인의 경우에는 소득원천설에 따라 조세법에서 구체적으로 열거된 소득에 대하여만 과세된다.

거주자의 기타소득에 대하여는 필요경비가 인정되고 있으나, 비거주자의 기타소득에 대하여는 필요경비가 인정되지 않는다. 그러나 공익법인 등이 시상하는 상금·부상은 필요경비로 80% 공제(필요경비가 80%를 초과하면 그 초과금액 포함) 후 원천징수한다.

제4절　국내사업장

 국내사업장의 의의

비거주자의 국내원천소득에 대한 과세방법은 국내에 고정된 사업장소가 존재하느냐 여부에 따라 달라진다. 국내사업장은 비거주자가 사업의 전부 또는 일부를 수행하는 고정된 사업장소를 말한다.[114] 조세조약상으로는 고정사업장(permanent establishment)이라고 한다. 국내사업장은 일반적인 국내사업장과 종속대리인의 고정사업장, 그리고 자회사의 고정사업장 기능수행 등이 있다.

국내 고정사업장은 사업소득에 대한 과세기준에 직접 영향을 준다. 조세조약이 체결되어 있는 경우에 국내사업장이 없는 외국법인의 사업소득에 대하여 과세하지 않으나, 조세조약이 체결되지 않은 경우에는 국내사업장이 없는 비거주자의 사업소득에 대하여 원천징수 분리과세한다.[115]

---

113) 기타소득에 대한 규정이 없는 경우를 포함하여 우리나라의 기타소득에 대한 조세조약의 체결유형에 대하여는 '이용섭, 이동신, 2012, p.398' 참조
114) 소득세법 제120조 제2항 및 법인세법 제94조 제2항
115) 법인세법 제98조 제1항 제1호 법인은 2%, 소득세법 제129조 제1항 제3호 개인의 사업소득에는 3%, 개인인 비거주자는 종합과세를 선택할 수 있다. 소득세법 제121조

② 비거주자의 국내사업장의 설치

비거주자의 국내사업장을 설치하려면 사업자 등록을 통하여 신고해야 한다.[116] 개인이 사업장을 개설하려면 사업개시일부터 20일 이내에 사업장 관할 세무서장에게 사업장을 등록하여야 한다.[117] 법인의 경우에는 납세지[118] 관할 세무서장에게 국내사업장을 가지게 된 날부터 2개월 이내에 국내사업장 설치신고서를 제출하여야 한다.[119] 이와는 별도로 사업의 개시일로부터 20일 이내에 사업자 등록을 하여야 한다.[120]

③ 국내사업장의 특성과 귀속소득의 범위

고정사업장은 외국법인 등과 별개의 법인격체가 아니고 사실상 동일체로 볼 수 있다.[121] 그러나, OECD 재정위원회는 조세 측면에서 모회사와 분리된 '독립적인 실체'로 가정하고 있다. 이 방법은 바로 'OECD가 승인한 기준(Authorized OECD Approach)'이다.

이 방법에 따라 고정사업장에 사업소득을 귀속시키는 내용은 두 단계로 이루어진다. 첫 번째 단계로서 고정사업장은 본점과 '기능적으로 독립된 실체(functionally separate entity)'로 가정하고(hypothesize)[122] 두 번째 단계로서 이를 구체적인 거래에 적용하여 과세소득을 산출하는 방법이다.

해당 고정사업장에 귀속되는 사업소득은 그 사업을 운영하는 사람이 부담하는 위험이나 사용자산 등과 관련하여 실제로 수행한 기능의 분석을 통하여 결정된다.

이러한 부분은 상당부분 사실관계에 대한 판단에 의존하게 되므로 납세자와 과세당국 간의 분쟁이 발생될 수 있는 가능성이 많은 분야이다.

---

116) 소득세법 제168조 및 법인세법 제109조
117) 소득세법 제168조 제1항 및 부가가치세법 제5조
118) 법인세법 제9조 제2항. 외국법인의 법인세 납세지는 국내사업장의 소재지로 한다. 다만, 국내사업장이 없는 외국법인으로서 '부동산 또는 자산의 양도소득'(법인세법 제93조 제3호 및 제7호 소득)이 있는 외국법인의 경우에는 각각 그 자산의 소재지로 한다.
119) 법인세법 제109조 제2항
120) 법인세법 제111조 및 부가가치세법 제5조
121) 대법원 88누9978, 1989. 8. 8. 대법원 80누495, 1982. 10. 12.
122) '가정'하는 이유는 실제 다국적기업의 경영방법에서는 본점과 지점(고정사업장)은 동일체로서 작동하기 때문에 오로지 과세소득을 산정하는 기준을 적용할 때는 본점과 지점을 별개의 실체, 즉 모회사와 자회사와 같은 '가상의 관계'를 설정한다는 의미이기 때문이다.

조세조약은 상호주의 원칙에 따라 적용되는 국가 간의 약속이다. 조세조약은 거주지국과 원천지국 간의 힘의 균형이 과세권의 분할을 통하여 유지될 수 있어야 한다. 비거주자에 대한 과세제도는 국가마다 차이는 있지만 대체로 유사하다. 조세조약망 속에서 움직이기 때문이다. 일방체약국이 비거주자에 대하여 중과세할 경우에는 상대체약국에서도 동일하게 일방체약국의 거주자(타방체약국의 입장에서는 비거주자에 해당)에게 무거운 세금을 물리게 된다. 이러한 결과는 양 체약국 간의 조세조약 체결목적인 경제교류의 활성화에 장애요소로 작용하게 된다.

OECD 표준조세조약 제24조에서 거주자와 비거주자 사이에 동일한 상황인 경우에는 과세측면에서 차별금지(non-discrimination)을 규정하고 있는 이유이다. 따라서 외국인 중에서 거주자인 경우에는 내국법인이나 거주자와 동일하게 과세를 받게 된다. 거주자는 전 세계 소득을 종합과세하고 비거주자는 국내원천소득만을 분리과세한다. 다만, 비거주자였다가 거주자로 변경된 경우에는 그 즉시로 종합과세하는 것이 아니라 과거 10년간을 소급하여 5년 이상 거주자였던 경우에만 전 세계 소득을 합산하여 과세하는 일종의 유예기간(grace period)을 두고 있다.

국내에서 획득한 원천소득이 여러 개 있는 비거주자는 본인의 선택에 의하여 국내원천소득을 모두 합산하여 종합과세하는 방법과 각 원천소득별로 분리하여 과세하는 방법 중 유리한 방법을 적용받을 수 있다. 종합과세하면 비용공제 등을 적용받아 순소득(net income)에 대하여 과세되지만, 분리과세하면 이러한 비용공제를 받지 못하고 총소득(gross income)에 대하여 과세된다.

국내사업장이 있거나 국내에 부동산소득(양도소득 제외)이 있는 경우에는 국내원천소득을 합산하여 '종합과세'되므로 거주자와 동일한 과세기준을 적용받는다. 반면에 국내사업장이 없는 비거주자의 원천소득은 개별 소득별로 '원천징수방법'을 적용하게 된다. 원천징수방법은 소득발생지별로 적용이 되며 국내사업장이 있는 경우에는 사업장별로 과세된다.

과세대상소득은 이자소득, 배당소득, 임대소득, 사업소득, 근로소득, 인적용역소득, 양도소득, 기타소득 등으로 분류된다. 이들 소득은 합산하여 종합과세되지만 이자와 배당소득은 1997년까지는 종합과세되었으나 그 이후 잠정적으로 종합과세대상에서 제외하고 있다. 이자배당소득의 합계액이 연간 4천만 원을 초과하면 종합과세되고, 그 외에는 14% 세율로 분리과세 원천징수하도록 별도로 관리하기 때문이다.

비거주자의 경우에는 조세조약에서 규정하고 있는 제한세율 등이 국내 조세법의 규정보다 우선하여 적용된다.

제 12 장

고정사업장

 고정사업장 검증기준의 중요성

고정사업장(PE)에 대한 국제적인 관심이 높은데는 몇 가지 이유가 있다. 첫째, OECD 표준조세조약 제5조의 고정사업장 요건을 남용하는 사례가 많이 발생한다. OECD는 BEPS Project의 일환으로 PE의 지위를 이용하여 조세회피를 하는 행위를 차단하기 위하여 2015년 '고정사업장 지위의 인위적 회피방지에 관한 BEPS Action 7 보고서'[1]를 발표하고 그 보고서에서 제시된 내용을 2017년 개정된 표준조약에 반영하였다. 둘째는 전자상거래(Electronic Commerce)의 발달로 인하여 고정사업장이나 자회사 등을 설치하지 않고 사업할 수 있게 됨에 따라 고정사업장의 개념에 대한 관심이 높아지고 있다. 일부 국가는 종속대리인에 해당하는 고정사업장(dependent agent PE)의 범위를 넓게 인정하는 경우가 있다.[2] 셋째는 금융기관(은행, 증권회사등)의 국제금융거래(global trading)는 주로 지점을 통하여 영업을 한다는 점이다. 넷째는 다국적기업은 고정사업장에 귀속되는 사업소득의 구조를 이용하여 조세부담을 회피하는 전략(tax planning)을 구사한다.[3]

고정사업장의 요건을 검증하는 기준은 OECD 표준조세조약 제5조에서 규정하고 있다. 그 내용은 다음 두 가지로 요약할 수 있다. 첫째는 해당국내에서 고정된 사업장을 보유하고 있는지의 여부이고, 둘째는 그러한 고정된 사업장이 없는 경우에는 일반대리인이 아닌 종속대리인이 기업을 대신하여 상시적으로 계약체결권을 행사하는지 여부이다.

고정사업장에 해당하는지 여부는 거주지국과 원천지국 간의 과세권을 배분하는 중요한 기준이 된다. OECD 표준조세조약 제5조의 고정사업장은 제7조의 사업소득에 대한 과세기

---

1) OECD, Preventing Artificial Avoidance of Permanent Establishment Status, Action 7, 2015 Final Report
2) Jean-Pierre Le Gall, "When Is a Subsidiary a Permanent Establishment of Its Parent?" Tillinghast Lecture, New York University 2007, Tax Law Review Vol.60. No.3
3) 특히 Check the box rules를 악용하는 사례가 대표적이다.

준과 연결되어 고정사업장에 귀속되는 소득에 대하여 원천지국은 과세권을 행사할 수 있으나 그렇지 않은 경우에는 거주지국이 과세권을 행사한다. 조세조약상 원천지국의 과세권은 원칙적으로 고정사업장(PE)에 귀속되는 소득에만 행사될 수 있기 때문이다.[4]

고정사업장에 귀속되는 소득의 범위는 당해 고정사업장이 독립기업(separate entity)[5]으로서 동일 또는 유사한 조건에서 동일 또는 유사한 활동을 하는 경우에 획득할 것으로 기대되는 소득으로 한다.[6] 거주지국은 원천지국에서 세금을 납부한 소득을 비과세하거나 해당 세액을 공제하여 이중과세를 방지한다.[7] 고정사업장에 귀속된 소득을 원천지국이 다시 조정한 경우에는 거주지국은 그에 상응하는 대응조정을 통하여 이중과세를 방지한다.[8] OECD 표준조세조약에서 지점(branch)에 귀속되는 사업소득의 과세기준을 규정하고 있으나, 다국적기업의 실제 사업형태와는 다른 점이 많다. 대부분의 다국적기업은 자회사의 설립을 통하여 현지에 직접 진출하는 방식을 취하고 있다. 따라서, 오히려 'OECD 표준조세조약' 제9조의 특수관계기업(associated enterprises) 조항이 더 중요하게 보일 수 있다.[9]

② 고정사업장 지위의 남용방지

OECD 표준조세조약에서는 사업소득에 대한 과세기준으로서 'OECD 승인기준(Authorized OECD Approach, AOA)'[10]을 적용하고 있다. 이는 OECD 표준조세조약 제9조의 '특수관계기업(associated enterprises)'의 개념과 'OECD 이전가격지침'[11]의 정상가격기준을 원용한 기준이다. 고정사업장은 본점(head office)과 동일구성체로서 별도의 법적실체(separate entity)가 될 수 없지만 이를 '특수관계기업'과 같이 별도의 독립된 실체로 간주하여 소득을 귀속시키고 과세소득을 산정하기 위해서 사용하는 특별한 방법이다. 종전에는 특수관계자에 대하여 OECD 표준조세조약에서는 직접 규정하지 않았다. 2017년에 개정된 표준조세조약

---

4) OECD 표준조세조약, 2017, 제7조 제1항 및 주석 para. 1

5) ibid. 제9조의 특수관계기업(Associated Enterprises), 즉 자회사(subsidiary)로 간주한다는 의미이다. 고정사업장(PE)은 지점(branch)으로서 본사와 독립성이 없는 단일 조직의 성격을 지니고 있지만, 과세소득의 계산 측면에서는 본사와 구분되는 독립적인 실체로 간주한다는 뜻이다.

6) ibid. 제7조 제2항

7) ibid. 제23A조 및 제23B조

8) ibid. 제7조 제3항. 대응조정은 필요한 경우 상호합의를 통하여 이루어진다.

9) 예외적으로 은행 등 금융업과 국제금융거래(global trading) 등은 영업의 특성상 지점형태로 하는 경우가 많다.

10) 이를 'Authorized OECD Approach'라고 하고, 줄여서 'AOA'라고 한다.

11) Transfer Pricing Guidelines for Multinational Enterprises and Tax Administrations. 이하 'OECD TPG'라 한다.

제5조에서 제8항을 신설하여 명시적으로 특수관계자의 요건을 규정하고 있다.

연혁적으로 보면 OECD은 2001년에 고정사업장에 소득을 귀속시키는 방법으로 '작업가설 (working hypothesis)'을 처음 도입하였다. 이 '작업가설'을 2006년 12월 'OECD 승인기준 (AOA)'으로 확정하고, 2010년 개정된 OECD 표준조세조약 제7조에 반영한 것이다. 새로운 기준은 고정사업장을 기능적으로 독립된 실체(functionally separate entity)로 가정하고 정상가격산출방법[12]을 사용하여 거기에 귀속되는 소득금액을 산정하는 방법이다.[13] 그리고 2017년에는 고정사업장 남용행위를 차단하는 기준을 구체적으로 명시하였다. 예를 들면, 계약의 주요부분을 완성한 후 최종적인 체결은 다른 국가에 하거나 특수관계자 회사의 독립대리인 역할을 하거나 계약의 쪼개기 방법 등을 차단하는 기준을 명시하고 있다.

고정사업장의 지위에 대하여 OECD 표준조세조약은 일종의 '특수관계 자회사'로 간주한다. OECD 표준조세조약 제9조가 이전가격 지침(OECD Transfer Pricing Guidelines)처럼 고정사업장과 관련한 여러 가지 문제를 잘 해결할 수 있을 것으로 기대하기 때문이다.[14] 그러한 기대와 달리 여러 가지 문제점이 지적되고 있다. 자주 논란이 되고 있는 사항은 다음과 같이 요약된다. 첫째는 고정사업장(PE)의 기준이 조세조약의 체결 목적 중의 하나인 '조세회피나 탈세(tax avoidance or evasion)를 방지'하지 못하고 오히려 조장할 소지가 있다.[15] 조세조약에서 규정한 기준만 피하면 고정사업장에 해당하지 않을 수 있다. 따라서 납세자는 저세율국에 고정사업장을 설치하고 그곳으로 소득을 이전하는 방법을 사용할 수 있다. 둘째는 고정사업장 제도는 과세당국 보다는 다국적기업에게 더 유리한 제도라는 것이다. 다양한 조세회피전략을 합법적으로 구사할 수 있는 기회를 제공하기 때문이다. 또한 다국적기업은 고정사업장의 기준에만 충족하면 다른 불필요한 간섭을 과세당국으로부터 받지 않을 수 있다는 것이다.

OECD는 BEPS Project를 통하여 다국적기업의 탈세 또는 조세회피행위를 차단하는 것을 중요목적으로 삼으면서 2017년에 개정된 고정사업장에 대한 규정도 상당폭 변경되었다. 실

---

12) OECD 이전가격지침(TPG), 2010, Chapter II. 국제조세조정에 관한 법률 제5조 제1항 참조

13) 이러한 개정이 있기 전에는 고정사업장은 다국적기업과 분리되는 독립된 실체로 보지 않았다. '관련사업활동 (relevant business activity)' 기준을 적용하여 고정사업자에 귀속되는 소득을 산정하였다. 이에 대하여는 후술한다.

14) Richard Vann, Problems in the International Division of the Business Income Tax Base 2007: Richard Vann, Tax Treaties: The Secret Agent's Secrets, British Tax Review, 2006, p.345

15) 조세조약의 체결목적은 두 가지로 요약된다. 곧 인적 및 물적자본의 국제적인 이동과 교류를 통하여 발생하는 소득에 대하여 원천지국과 거주지국의 과세권을 국제적으로 통용되는 과세기준에 따라 적정하게 조정하여 이중과세를 방지하고 조세부담의 회피와 탈세를 차단하는 것이다. OECD 표준조세조약. 서론(introduction) paras. 1 내지 3 및 41

질적으로는 고정사업장에 해당하면서도 겉모습으로는 고정사업장의 요건에 해당하지 않도록 여러 가지 수단을 사용하는 것을 차단하기 위한 방법을 보완하였다.

제2절 **고정사업장의 기준**

고정사업장은 기업의 사업이 전부 또는 일부가 수행되는 고정된 사업장소를 말한다.[16] 고정사업장의 기준에 대하여 OECD 표준조세조약 제5조 제1항에서 제8항까지 규정하고 있다.

제1항에서 제4항까지의 규정은 물리적으로 존재하는 고정사업장(physically present PE)을 구성하는 요건과 관련한 내용을 설명하면서 구체적으로 예시를 하고 있다.

제5항과 제6항은 이러한 물리적인 고정사업장이 없는 경우에 존재할 수 있는 간주고정사업장(deemed PE)의 기준을 규정하고 있다. 제7항에서는 모회사와 자회사 간의 관계에서 간주고정사업장이 성립하는 예외적인 경우를 설명하고 있다.

2017년도 개정을 통하여 신설된 제8항에서는 특수관계자의 기준에 대하여 규정하고 있다.

① 물리적 존재 요건

일반적인 의미의 고정사업장은 타방체약국에 눈으로 쉽게 확인할 수 있는 고정된 시설물 등이 일정한 기간 동안 존속하면서 사업활동이 전개되는 장소를 말한다.[17] 이러한 정의에서 물리적인 고정사업장이 성립하기 위한 요건을 세 가지로 나누어 볼 수 있다. 첫째는 사업활동을 전개하는 장소(place of business)가 존재해야 하고, 둘째는 그러한 사업장소는 시설물 등과 같이 일정기간 동안 고정되어 있어야 하고(fixed place), 셋째는 사업활동이 그 고정된 장소를 통하여 실질적으로 이루어져야 한다.

(1) 사업장소(place of business)의 물리적 존재

고정사업장이 성립하려면 사업장소가 타방체약국에 물리적으로 존재(physically present)해야 한다. 사람이 직접 현장에 있지 않고 금융계좌를 개설하거나 website를 개설하는 것 등

---

16) OECD 표준조세조약, 2017, 제5조 제1항 및 동조 주석 para. 2. 법인세법 제94조에서는 '국내사업장'이라고 한다.
17) OECD 표준조세조약, 2017, 제5조 제1항 주석 para. 6

은 사업장소의 요건을 충족하지 못한다.[18] 표준조세조약에서 말하는 장소(place)의 개념은 협의가 아니라 광의로 사용된다.[19] 따라서 해운사업을 하는 경우에는 부두가, 유전 개발사업을 하는 경우에는 채굴선이 정박한 장소가 각각 사업장이 될 수 있다. 또한 가정집에서 일부 공간을 사업용 사무실로 사용하는 경우에도 사업장이 될 수 있다. 따라서 사람이 실제로 현장에 있으면서 사업활동을 하는 곳이면 어느 곳이나 사업장을 구성할 수 있다.[20] OECD 재정위원회(CFA)도 같은 입장을 취하고 있다.[21]

사업장소는 사업자가 그 장소를 임의로 지배할 수 있는(at his disposal) 특정한 공간을 말하며, 그 지배는 법률적인 개념이 아니라 실질적인 지배의 개념을 의미한다.[22] 따라서 판매원이 고객을 정기적으로 방문하여 주문을 받거나 상담을 하면서 고객의 사무실에서 고객을 직접 면담하는 경우에 그 면담장소는 판매원이 임의적으로 지배할 수 있는 공간이 아니므로 사업장소를 구성하지 못한다.[23]

사업을 직접 수행하는 장소가 사업장이 되느냐의 문제가 있다. 예를 들어, 건물 외벽에 페인트를 칠하는 공사를 하는 경우 그 공사를 하는 건물 자체가 사업장을 구성할 수 있느냐 하는 것이다. 사업장소(place of business)와 사업활동의 대상(object of business)을 구분할 필요가 있느냐의 문제와 연결된다. 이에 대하여는 구분하지 않는 국가[24]와 구분하는 국가[25]로 나누어진다. OECD 재정위원회(CFA)의 입장은 구분하지 않는 것이다.[26] 대부분의 국가에서는 사업활동 장소를 사업장소로 보고 있다.[27]

동물의 경우에 사업장소의 해당여부가 문제된다. 가축인 경우에는 OECD 표준조세조약 제6조의 규정에 의하여 부동산으로 보는 것이지만, 경주마 또는 경주견 등과 같은 경우에

---

18) 유사한 행위로서 우편함이나 우편물 수신주소를 설정하는 것도 사업장소가 되지 못한다.

19) OECD 표준조세조약, 2010, 제5조 제1항 주석 para. 4. 'The term place of business covers any presmises, facilities or installations used for carrying on the busness of the enterprise whether or not they are used exclusively for that purpose. ~it simply has a certain amount of space at its disposal.~'

20) 지하광물을 채굴하는 경우에는 지하공간이 사업장이 될 수 있고, 기계설비나 컴퓨터를 설치한 장소도 사업장이 된다.

21) OECD 표준조세조약, 2017, 제5조 제1항에 대한 주석 paras. 10-11

22) ibid. paras. 10-12

23) ibid. para. 10

24) 오스트리아, 독일, 이탈리아, 멕시코 등

25) 스웨덴

26) OECD 표준조세조약 제5조 제1항에 대한 주석 para. 17

27) 예를 들어 건물 외벽을 페인트칠하는 공사를 하는 경우에 그 건물이 사업장소가 될 수 있는가 하는 것이다. 사례의 경우 건물은 사업자의 사업활동의 대상물(object)인 동시에 사업자가 계약상의 조건에 따라 실제로 사업활동을 하는 장소(place)에 해당한다.

그 동물 자체가 사업장소가 될 수 있는가 하는 것이다. 논리적으로는 경주마와 경주견의 경주 자체가 사업활동이므로 경주마와 경주견은 사업장소에는 해당할 수 있다.[28] 그러나 고정사업장의 구성요건 중 다른 요건인 고정성 요건을 충족하기 어렵다.

일부 국가에서는 사람이 없이 기계만 설치된 경우에도 고정사업장을 구성할 수 있는 것으로 보고 있다. 자동판매기, 게임기, 위성방송수신기, 유선방송연결전선, 변환기지국(transformer stations), 지하통신선 등[29]과 통신 서버(server)의 소재지[30]를 사업장으로 보고 있다.[31]

(2) 사업장소의 고정성(fixed)

사업장소(place of business)가 지리적인 밀접성이 유지되고 있어야 한다. 지리적 연관성은 지상뿐 아니라 지하의 고정시설도 포함한다.[32] 지리적인 밀접성은 멋있는 건물을 짓거나 기계적으로 토지와 어떤 연관성을 가지는 것을 의미하는 것은 아니다. 천막이나 가건물 등을 설치하더라도 고정성의 요건을 충족할 수 있다.[33] 중요한 것은 토지와 시설물이 접촉하여 연결되어 있어야 한다는 것이다. 그러한 고정성이 어느 정도의 기간 동안 유지되어야 하느냐는 사업활동의 내용에 따라 다르다.[34]

사업의 성격상 사업장소가 수시로 변경되는 경우에 사업장소의 고정성 요건을 충족하는가의 문제가 있다. 사업의 특성상 사업장소의 이동이 불가피한 경우에는 사업장소의 고정성이 유지되는 것으로 본다.[35] 그러나, 이때에는 사업활동 장소가 복수인 경우에는 고정사업장이 두 개로 인식될 수도 있다.[36] 그러나, 광산과 같이 장소를 이동하더라도 동일한 하나의 장소로 볼 수 있을 정도로 동일사업을 수행하는 경우에는 하나의 고정사업장을 구성하게 된다.[37]

다만, 국경을 통과하는 선박, 철도, 트럭 등은 사업장소의 고정성 요건을 충족하지 못한다. 특정한 하나의 장소에서 사업활동이 이루어지지 않기 때문이다. 그러나, 부두에 정박한 상태에서 사업활동을 하는 경우에는 사업장소의 고정성 요건을 충족하게 된다.

---

28) 미국에서는 고정사업장으로 본다.
29) 칠레, 핀란드, 오스트리아 등
30) 미국, 이탈리아 등
31) 이 부분에 대하여는 전자상거래의 과세기준과 관련하여 논란이 많이 있는 분야이다.
32) 지하의 고정시설은 지하송유관, 철도, 광산 등이 해당한다.
33) OECD 표준조세조약, 2017, 제5조 제1항에 대한 주석 para. 21
34) ibid. para. 28. 최소존속기간은 국가 간에 조세조약을 체결할 때 협의하여 결정하고 있다.
35) ibid. paras. 22-25, 27
36) ibid. para. 22
37) ibid. paras. 22-24

(3) 사업장소를 통한 사업의 수행성(business connection)

고정사업장을 구성하려면 사업장소의 물리적인 존재만으로는 부족하다. 사업활동이 이루어져야 한다. 사업활동은 전부가 아니라 일부가 수행될 수도 있고, 반드시 수익성을 요건으로 하는 것은 아니며, 중단없이 계속 사업활동이 이루어져야 하는 것이 아니라 일부 중단이 있더라도 계속적 반복적으로 이루어지는 것을 말한다.[38]

이때 사업활동은 조세조약 또는 고정사업장이 존재하는 국가의 법률에 의하여 규정된 활동을 말한다. OECD 표준조세조약 제7조에서 사업소득(business profits)에 대한 과세규정을 두고 있지만, 사업소득의 개념을 직접적으로 정의하지는 않고 있다. 다만, OECD 표준조세약 제3조에서 '사업(business)의 의미에는 '전문용역과 기타 독립적 성격의 활동을 수행하는 것을 포함한다.'라고 규정하고 있다.[39] 또한 배당소득, 이자소득, 사용료 소득은 별도조문에서 규정하고 있더라도 고정사업장에 귀속되는 경우에는 사업소득으로 취급하도록 규정하고 있다.[40]

이와 같이 조세조약에서는 사업소득의 개념을 적극적으로 정의하지 않고 사업소득과 구분되는 다른 소득을 별도의 조문에서 규정하고 있다. 그렇게 함으로써 기업활동에서 발생하는 모든 소득에서 조세조약상 별도의 조문으로 규정한 소득을 차감하고 남은 소득을 사업소득으로 보는 방법을 사용하고 있다.[41] 즉, OECD 표준조세조약에서 제7조 사업소득 외에도 제6조에서 22조까지 각 조문별로 소득을 규정하고 있다. 이러한 각 조문별 소득을 제외한 소득을 사업소득으로 본다는 것이다. 사업소득을 조세조약에서 구체적을 정의하지 않는 것은 '사업'의 개념은 국가마다 차이가 있으므로[42] 조세조약 체결당사국의 국내 조세법에서 규정하고 있는 사업소득을 적용하는 것이 더 바람직하기 때문이다.[43]

---

38) ibid. para. 35
39) OECD 표준조세조약, 2017, 제3조 제1항 h) the term "business"includes the performance of professional services and of other activities of an independent character
40) ibid, 제10조 제4항, 제11조 제4항, 제12조 제3항
41) 불확정 개념으로써 구체적인 사실관계를 기준으로 개별 사례별로 판단해야 한다.
42) 우리나라 소득세법 제19조 제1항 제1호 내지 제21호까지 사업소득의 유형을 열거하고 있다.
43) OECD 표준조세조약, 2017, 제3조 제1항 h) 주석 10.2

② 비물리적 존재 요건

사업자가 실제로 사업활동 장소에 물리적으로 존재하지 않는 경우에 고정사업장이 되는 경우이다. 이를 간주고정사업장(deemed PE)이라고 한다. 이에 대하여 OECD 표준조세조약 제5조는 세 가지의 경우로 분리하여 규정하고 있다.

첫째는 외국법인(본인)을 대신하여 계약을 체결할 수 있는 권한을 부여받은 대리인이 외국법인(본인)을 위하여 계약체결권을 보유하고 외국법인(본인)의 이름으로 상시적으로 행사하는 경우이다. 이때 대리인은 종속대리인으로서 외국법인의 간주고정사업장(deemed PE)을 구성한다.[44]

둘째는 대리인이 외국법인(본인)을 위하여 계약체결권을 보유하고 행사하는 점은 동일하나, 다만 대리인이 외국법인에게 종속되어 있지 않고 자기 자신의 일상적인 사업활동의 일환으로 대리행위를 하는 경우이다. 이때 대리인은 독립대리인으로서 고정사업장을 구성하지는 않는다.[45]

셋째는 모회사와 외국자회사 간의 관계에서 외국자회사는 모회사의 고정사업장이 되지는 않는다.[46] 다만, 자회사가 종속대리인과 같이 모회사의 이름으로 계약을 체결할 권한을 보유하고 이를 상시적으로 행사하고 그 결과에 대하여 모회사가 책임을 지는 경우에는 종속대리인의 기능을 하는 것이므로 그 기능의 범위 안에서는 간주고정사업장이 된다.[47]

우리나라 법인세법에서는 외국법인이 자신의 종업원을 통하여 용역을 제공하는 경우에 성립하는 간주고정사업장에 대하여 규정하고 있다.[48] 고용인을 통하여 용역을 제공하는 경우에는 용역의 제공이 계속되는 12월 기간 중 합계 6월을 초과하는 기간 동안에 용역이 수행되는 장소 또는 용역의 제공이 계속되는 12월 기간 중 합계 6월을 초과하지 아니하는 경우로서 유사한 종류의 용역이 2년 이상 계속적·반복적으로 수행되는 장소는 간주고정사업장에 해당하는 것으로 보고 있다.

(1) OECD 표준조세조약 제5조 제5항

간주고정사업장을 구성하는 종속대리인의 요건을 규정하고 있다. 간주고정사업장은 일반

---

44) ibid. 제5조 제5항
45) ibid. 제5조 제6항
46) ibid. 제5조 제7항
47) ibid. 제5조 제7항 주석 paras. 116-117
48) 법인세법 제94조 제2항 제5호

고정사업장의 기준[49]에 따르면 고정사업장에 해당하지 않지만 해당기업의 특정한 활동(기능)과 연결하여 고정사업장이 존재하는 것으로 보는 것을 말한다. 어떤 인(person)이 외국법인을 위하여 수행한 특정한 행위로 인하여 그 외국법인이 타방체약국에서 고정사업장을 소유한 것으로 간주하게 된다.[50] 그 행위는 외국법인의 이름으로 계약을 체결할 권한을 보유하고 이를 상시적으로 행사하는 경우에 그 개인이 외국법인의 간주고정사업장으로서 기능을 하는 것으로 본다.

OECD 표준조세조약 제5조 제5항에서 대리인을 정의하면서 '외국법인을 대신하여(on behalf of)[51] 상시적으로(habitually)[52] 계약체결권[53]을 그 외국법인의 이름으로(in the name of the principal) 행사하는 사람'으로 규정하고 있다. 영미법에서는 대리인이 외국법인을 위하여 대리행위를 할 때 그 외국법인이 누구인지가 공개된 상태로 대리행위를 하는 경우와 반대로 비공개된 상태에서 대리행위를 하는 경우로 구분하고 있다. 전자의 경우에는 공개된 외국법인의 이름으로 계약을 체결하고 그 계약에 대하여 그 외국법인이 책임을 지게 되고, 후자의 경우에는 대리인이 본인의 이름으로 계약을 체결하고 그 대리인이 계약에 대하여 책임을 지게 된다. 전자를 직접대리(direct representation), 후자를 간접대리(indirect representation)라고 한다. 영미법에서는 간주고정사업장이 성립하는 대리행위는 전자인 직접대리를 의미하는 것으로 보지만 대륙법에서는 이와 다르게 보고 있다.[54]

---

49) OECD 표준조세조약, 2017, 제5조 제1항 내지 제4항에서 규정하고 있는 기준에 따른 고정사업장을 일반고정사업장(basic PE)이라고 말한다.

50) ibid. 제5항 주석 para. 100에서 간주고정사업장은 일반고정사업장을 대체할 수 있는 것(alternative)으로 보고 있다.

51) 대리한다는 말에 대하여 영미법에서는 acting for the account of another, acting in the name of another라는 표현에는 의미의 차이가 있는 것으로 구분하고 있다. 대륙법에서는 on account of의 의미는 당사자가 대리인으로서 계약을 체결하고 그 계약에 대리인이 구속되지 않는 것을 의미하는 것으로 본다.

52) '상시적'의 의미는 일정한 기간의 지속성(permanence)의 개념으로 보는 것이 각국의 일반적인 입장이다. 구체적인 기간은 개별 국가별로 차이가 있으나 일반적인 고정사업장의 기준과 같은 6개월 이상으로 이해하고 있는 것으로 보인다.

53) Phillip Morris Case, Italian Supreme Court, Tax Division, judgement n. 7682, December 20th 2001 delivered on May 25th 2002. 동 사건에서 이탈리아 대법원은 대리인의 계약체결권한과 관련하여 계약의 협상과정과 체결과정에 이탈리아 자회사의 대표가 참여한 것은 그 참여가 공식적인 대표권한이 없다고 하더라도, 외국법인의 이름으로 계약을 체결할 권한을 가진 것을 의미한다고 판결하였다. 이 판결 이후 OECD 재정위원회(CFA)는 OECD 표준조세조약 제5조 제5항 주석 para. 33을 개정하여 '계약체결과정에 참석했다는 사실은 계약체결권한의 행사가 있었는지 여부를 판단하는 참고자료는 될 수가 있으나 그것만으로는 간주고정사업장의 요건을 충족한 것으로 보기에는 부족하다고 규정하였다(33주석 후단).'

54) 대륙법에서는 이러한 구분을 하지 않는 것으로 보이지만 OECD 표준조세조약, 2017, 제5조의 주석에서는 이를 분명하게 표현하지 않고 있어서 국가 간에 동일한 사안에 대하여 다르게 이해하는 문제가 발생하고 있다. 대륙법에서는 'on account of'의 의미는 당사자가 대리인으로서 계약을 체결하고 그 계약에 대리인이 구속되지 않는 것을 의미하는 것으로 보고 있다. 자세한 내용은 John F.Avery Jones and David A. Ward, Agent as

간주고정사업장이 존재하는지를 결정하는 요건은 두 가지로 분리할 수 있다. 하나는 외국법인의 이름으로 계약을 체결할 권한을 보유하고 있어야 하며, 둘째는 그 권한을 상시적으로 행사해야 한다는 것이다. 이러한 대리인은 실제로 대리행위를 수행하는 국가의 거주자이거나 또는 그 국가에 물리적인 사업장을 가지고 있어야 하는 것은 아니고 계약체결권한을 가지고 있다는 사실이 중요하다.[55] 외국법인의 이름으로 계약을 체결할 권한을 가지고 있다는 의미는 대리인이 계약에 직접 서명을 하지 않거나 계약체결을 위한 대표권을 공식적으로 부여받지 않은 경우에도 간주고정장의 성립요건을 충족할 수 있다는 것이다.[56]

여기서 OECD 표준조세조약에서 사용하고 있는 '외국법인의 이름으로'라는 의미를 가진 'in the name of'와 'on behalf of'를 구분하는 견해가 있다.[57] 영미법 국가에서는 'in the name of'라는 용어를 주로 사용하고 대륙법 국가에서는 'on behalf of'라는 용어를 사용한다. 'in the name of'는 대리인이 체결한 계약에 외국법인이 구속을 받을 때에는 고정사업장을 구성한다는 의미이고 'on behalf of'는 외국법인을 구속하는 계약을 체결하는 권한(authority to conclude contracts binding the enterprise)[58]의 의미로 새기고 있다.

종속대리인의 범위에서 제외되는 개념은 중개인(broker)이나 위탁매매인(commission agent) 등이다.

먼저 중개인은 불특정다수의 상인 간의 거래를 위한 중개활동, 의뢰인과의 계약내용에 따라 고용계약과 도급계약의 성질이 공존하므로 거래를 중개만 할 뿐 체약대리인과 달리 대리권이 없고 타인 간의 계약의 성립을 위해 계약의 중개와 계약체결의 기회를 제공하기 위해 전력을 다하는 사실행위만을 수행한다.

다음으로 위탁매매인(commission agent)은 자신의 명의(간접대리)로 물건, 유가증권 등의 매매를 위한 계약을 체결하고 매매거래를 하는 자로서 자기의 명의로 계약을 체결한다는 것은 위탁매매인이 법률적으로 당해 거래의 당사자로서 권리·의무의 주체가 된다는 것을 의미한다. 따라서, 중개라는 사실행위만을 하는 중개인과 다르고, 본인의 명의로 거래를 대리하는 체약대리상이나 상업사용인과 다르다.

Permanent Establishments under the OECD Model Tax Convention, European Taxation, May 1993, 참조

55) OECD 표준조세조약, 2017, 제5조 제5항 주석 para. 83

56) OECD 표준조세조약, 2010, 제5조 제5항 주석 para. 97

57) John F.Avery Jones and David A. Ward, May 1993, op. cit. pp.154~181

58) 한－호주 조세조약 제5조 제6항 (a) '~, an authority to conclude contracts binding the enterprise,~'라고 표현하고 있다.

(2) OECD 표준조세조약 제5조 제6항

OECD 표준조세조약 제5조 제6항은 제5항의 간주고정사업장의 요건이 적용되지 않는 경우를 규정하고 있다. 독립대리인의 기능을 수행하는 경우에는 고정사업장에 해당하지 않는 요건을 명시하고 있다.

대리인이 독립적인 지위를 가지고 있느냐의 여부는 대리인이 대리계약을 체결한 외국기업만을 위하여 배타적으로 활동하는지와 관련이 된다. 외국기업만을 위하여 배타적으로 활동하는 경우에는 종속대리인으로서 간주고정사업장의 요건을 충족하게 된다. 그러나, 대리행위를 수행하면서도 경제적·법률적으로 독립성을 유지하는 경우에는 배타적인 종속성이 없으므로 고정사업장을 구성하지 않게 된다는 의미이다.

대리인의 독립성 요건은 다음 두 가지의 기준으로 판단한다. 첫째는 그 대리인이 그 외국법인으로부터 법적 또는 경제적으로 독립된 지위에 있고, 둘째 그 외국법인을 위한 대리행위가 대리인 자신의 통상적인 사업의 일환으로 수행되는 경우이다. 이 두 가지 요건은 대리인이 외국법인에 종속되지 않고 독립적인 지위를 가지는 기준을 말하는 것이다. 여기서 이러한 독립성 요건을 충족하더라도 대리행위가 오직 하나의 외국법인만을 위해 배타적으로 이루어지면 어떻게 되는가 하는 문제가 발생한다. 이에 대하여 OECD 재정위원회(CFA)는 배타성 요건이 아니라 독립성 요건이 우선한다는 의견을 가지고 있다.[59]

구 OECD 표준조세조약(2000년 4월 삭제되기 전) 제14조의 독립적 인적용역에 대한 과세권의 배분에서 원천지국에서 고정시설(fixed base)을 두고 전문적 인적용역을 제공하는 경우에 그 고정시설은 고정사업장 요건을 구성하였다.[60] 구 OECD 표준조세조약이 개정되기 전에 우리나라가 체결한 개별조세조약중에서 개정되지 않은 경우에는 여전히 독립적 인적용역소득에 대하여는 고정시설을 기준으로 고정사업장 여부를 판정하고 있다.

---

59) OECD 표준조세조약, 2017, 제5조 제6항 주석 109에서 '~However, this fact is not by itself determinative.~'. 즉, 한 사람만을 위한 대리라도 통상적인 활동의 일환으로 이루어지면 독립대리인이 된다는 의미이다. 동항의 주석 38.8에서도 '통상의 사업활동의 과정(ordinary course of business)'에서 이루어진 대리행위는 독립대리인의 대리행위로 규정하고 있다. Taisei Fire and Marine Insurance Co(104 TC 535, 1995) 사건은 보험계약체결을 대리한 것은 '종속적인 요소'가 있지만 통상적인 보험모집활동의 일환으로서 대리한 것이므로 간주고정사업장으로 보지 않는다고 본 사례이다.

60) 전문적 인적용역을 제공하는 변호사, 공인회계사, 의사, 변리사 등이 원천지국에 사무실을 두고 인적용역을 제공하는 경우에 그 사무실은 고정시설(fixed base)로서 고정사업자에 해당한다. 그러나, 고정시설과 고정사업장 간의 개념차이를 구분하기 어렵고 또한 고정시설을 두고 전문인적용역을 제공하고 얻은 소득과 사업소득을 구분하기도 어려워 OECD 표준조세조약에서 구 제14조를 삭제하고 현행 제7조 사업소득의 규정을 적용하도록 개정하였다.

(3) OECD 표준조세조약 제7항

OECD 표준조세조약 제5조 제7항은 '일방체약국의 거주자인 법인이 타방체약국의 거주자인 법인을 지배하거나 타방체약국의 거주자인 법인의 지배를 받거나, 타방체약국에서 PE를 통하거나 다른 방법으로 사업을 수행하는 기업에 의하여 지배되고 있다는 <u>사실만으로(of itself)</u> 다른 기업의 PE를 구성하지 않는다'[61]고 규정하고 있다. 곧 모회사와 외국자회사 간에는 원칙적으로 고정사업장의 관계가 성립하지 않는다는 의미이다.[62] 이는 자회사는 별개의 법적 실체이므로 자회사의 과세문제는 모회사와 독립적으로 이루어진다는 원칙을 따르고 있다.[63]

그러나, OECD 표준조세조약 제5조 제7항의 본문 중에서 '<u>사실만으로(of itself)</u>'라는 표현은 일반적인 고정사업장 요건을 규정한 제5조 제1항 내지 제6항의 요건을 충족하면 모회사와 자회사 간에도 고정사업장이 성립될 수 있다는 것을 의미한다.[64]

따라서 자회사가 종속대리인과 같이 모회사의 명의로 계약을 체결할 권한을 보유하고 이를 상시적으로 행사하는 경우에는 종속대리인으로서의 기능을 하게 되므로 간주고정사업장 또는 일반고정사업장이 될 수 있다.

모회사와 자회사 간에 고정사업장의 요건이 적용되는 사례에 있어서 고정사업장의 정의와 그 고정사업장에 귀속되는 소득의 범위 등에 대하여는 국가별로 다르게 해석하고 있다.[65]

---

61) OECD 표준조세조약, 2017, 제5조 제7항의 원문은 다음과 같다. 'The fact that a company which is a resident of a Contracting State controls or is controlled by a company which is a resident of the other Contracting State, or which carries on business in that other state(whether through a permanent establishment or otherwise), shall <u>not of itself</u> constitute either company a permanent establishment of the other.'

62) 이 조항은 1943년 Mexico 조약 및 1946년 London 조약 때부터 유지되어 오고 있다. 이러한 기준이 규정된 이유는 독일이 1934년까지 자회사는 독일 법률에 의해 자동적으로 고정사업장에 해당하는 것으로 본데서 유래한 것으로 알려져 있다.

63) OECD 표준조세조약, 2017, 제5조 제7항 주석 para. 115

64) Luis Eduardo Schoueri and Oliver Christoph Günther, The Subsidiary as a Permanent Establishment, Bulletine for International Taxation, February 2011, p.69

65) Luis Eduardo Schoueri and Oliver Christoph Günther, 2011, ibid., p.74. 주요 사례로서 소개하고 있는 판례는 다음과 같다. Supreme Administrative Court, 31 March 2010, Société Zimmer Limited v. Ministre de l''Économie, des Finances et de l''Industrie, Nos. 304715 and 308525; US Tax Court, 12 May 1997, InverWorld Inc. et al. v. Commissioner, T.C. Memo 1997-226 (1997); Delhi Income Tax Appellate Tribunal, 26 October 2007, Rolls Royce Plc v. Deputy Director of Income Tax, ITAT Nos. 1496 to 1501/DEL of 2007; Italian Supreme Court, 7 March 2002, "Philip Morris", Nos. 3667, 3368, 7682 and 1095

제3절　고정사업장 남용행위 방지

 1 2017년 개정 배경

2013년 2월 OECD가 발표한 '세원잠식 및 소득이전에 관한 보고서(Addressing Base Erosion and Profit Shifting)'[66]에서 조세회피 내지 탈세의 근본 원인과 다양한 공격적 세무계획에 대하여 분석하면서 대응방안을 제시하였다. 고정사업의 지위를 이용한 조세회피와 탈세 문제에 대한 검토가 'BEPS Projecct Action Plan 7'으로 시작되었다.[67]

BEPS Project가 시작되기 전부터 고정사업장의 개념은 상당한 물리적 시설의 존재와 종속대리인을 통하여 비거주자가 사업을 수행하는 상황을 의미하고 있었다. OECD 표준조세조약 제5조 제5항 및 제6항에서 고정사업장의 기본개념을 규정하고 있다. 통신기술의 발달로 물리적 시설이나 종속대리인 등을 통하지 않고 인터넷을 통하여 다른 국가에 있는 고객들과 직접거래를 하는 시대가 도래하였다. 따라서 비거주자가 다른 나라의 고객들과 거래하면서 상당한 이익을 얻을 수 있는 시대를 맞이하여 현재의 고정사업장 기준이 적정한 것인지에 대한 문제가 제기되고 있다.

2013년 7월 발표된 BEPS Action Plan 7에 따라 고정사업장의 과세기준을 보완하는 작업을 시작하여 2015년에 최종보고서를 통하여 개선방안을 발표하였다. BEPS Action Plan 7의 내용은 다음과 같다.[68]

Action 7 – Prevent the Artificial Avoidance of PE Status

'Develop changes to the definition of PE to prevent the artificial avoidance of PE status in relation to BEPS, including through the use of commissionnaire arrangements and the specific activity exemptions. Work on these issues will also address related profit attribution issues.'

(실행계획 7 – PE 지위의 인위적 회피 방지

커미셔네어 약정과 고정사업장 제외요건을 이용하여 세원잠식 및 소득이전 목적으로 PE 지위의 인위적인 회피를 방지하기 위한 고정사업장의 개념에 대한 개정작업을 한다. 작업 내용에는 사업소득의 고정사업장 귀속문제에 대한 해결방안도 다룬다.)

---

66) OECD, 2013, Addressing Base Erosion and Profit Shifting, OECD Publishing; http://dx.doi.org/10.1787/9789264192744 – en

67) OECD, Preventing Artificial Avoidance of Permanent Establishment Status, Action 7 – 2015 Final Report (이하 'PE 보고서'라 한다). para. 1. p.13

68) ibid. para. 2. p.14

이러한 작업결과를 담은 보고서가 제시한 개선방안은 제5조의 제4항과 제5항의 해석을 포함하여 제4항, 제5항, 제6항을 개정하고 제8항을 신설하는 것이었다. 이 중에서 가장 제5항으로서 'commissionaire arrangement' 개념을 새롭게 도입하였다. 그 개선방안은 2017년 표준조세조약 개정에 반영되었다.

② 제5항과 제6항을 이용한 조세회피

(1) 개정 전 규정을 이용한 조세회피 사례[69]

[사례]

> X국 소재 Xco는 의료기 제품을 생산한다.
> Y국 소재 Yco는 2000년까지는 같은 MNEs의 자회사로 있다가 2000년에 모든 자산과 주식을 Xco에 이전하고 Xco와 수수료 중개인 계약(commissionaire arrangement)을 체결하였다.
> 계약조건: X co 제품을 Yco 이름으로 판매하되 위험과 책임은 Xco가 부담한다.
> 그 결과 Y국에서 Yco의 과세소득은 크게 감소

위의 사례는 commissionaire의 개념과 commissionaire arragement의 특성을 이용하여 고정사업장 적용요건을 회피하고 있다. 형식적으로는 자신의 이름으로 제품을 판매하지만 실질적으로는 그 제품의 소유자인 외국기업을 대리하고 있는 계약이다. 이러한 약정을 통해 외국기업은 조세목적상 매출을 귀속시킬 수 있는 고정사업장 시설을 갖추지 않고도 다른 국가에서 제품을 판매할 수 있다. 개정 전의 표준조세조약 규정에 의하면 제품의 판매자는 판매제품의 소유자가 아니므로 해당 판매에서 발생한 소득에 대해서 과세되지 않고 그 대리판매로 받은 보수, 일반적으로 커미션만 과세된다.

(2) commissionaire의 개념

위의 사례를 이해하려면 commissionaire의 개념과 commissionaire arragement의 특성을 먼저 알고 있어야 한다. Commissionaire의 사전적 정의(cambridge 사전)로는 'a person wearing a uniform who stands at the entrance of a hotel, theatre, etc. and whose job is to open the door for guests and generally be helpful to them when they arrive(제복을 입은

---

69) ibid. para. 5. p.15. 법원에서 판결된 사례로서 'PE 보고서'에서 다루고 있는 내용이다.

사람. 호텔, 극장 등의 입구에 서서 손님에게 문을 열어주고 일반적으로 손님이 왔을 때 도움이 되는 사람)'으로 되어 있다.[70]

commissionaire(수수료 중개인)의 개념은 프랑스, 독일, 네덜란드, 스위스와 대륙법 국가의 민법 제도에 기반을 두고 있다. 영미법에서는 이러한 개념이 없고 유사용어로서 대리인(agent)를 사용한다. commissionaire arragement는 일반 대리인계약과 다른 점은 일반대리인 계약에서는 대리인이 책임과 위험을 부담하지만 수수료 중개인의 경우에는 책임과 위험을 부담하지 않고 본인이 부담하는 점이다. 자기 명의로 물건을 파는 사람을 일컫는 말이지만, 판매 대금은 주인의 계정에 이체된다.

commissionaire arrangement(수수료 중개 약정)의 특성을 나누어 보면 다음과 같다.

첫째, 수수료 중개인 자신의 이름을 판매한다.

둘째, 본인(principal)은 수수료 중개인이 고객과 계약한 제품을 고객에게 직접 인도해야 한다.

셋째, 제품의 소유권은 본인이 고객에게 직접 이전한다.

넷째, 수수료 중개인은 고객으로부터 받은 제품판매대금을 본인에게 송금해야 한다. 본인은 수수료 중개인에게 수수료(commission)를 지급한다.

다섯째, 고객과 본인 간의 계약관계는 존재하지 않고, 고객은 커미셔네어에게만 물건값의 상환청구권을 행사한다.

(3) 개정 전 표준조세조약을 이용한 조세회피 전략

두 가지의 조세회피 전략을 사용할 수 있다.

하나는 '수수료중개 약정(commissionaire arrangement)'을 통하여 계약체결단계에 이르기까지의 모든 상담을 마치고 최종 계약체결 절차만 다른 국가에서 진행하는 방법을 사용할 경우이다. 사실상 종속대리인의 요건을 충족하지만 개정 전 표준조세조약 제5조 제5항에서 규정한 PE 요건인 '계약체결권의 행사'라는 기준에 해당하지 않기 때문에 고정사업장에 해당하지 않게 된다.

두 번째는 개정 전 표준조세조약 제6항의 '독립대리인'에 대한 예외규정을 이용하여 특수관계인 경우에도 독립대리인의 요건을 충족하게 되면 고정사업장의 요건에서 벗어나는 경우이다.

---

70) 이들은 손님들로부터 수고비조로 팁을 받는 경우가 있다. 따라서 고정사업장의 대리인 개념으로 해석하면서 이해를 편하게 하기 위하여 commissionaire는 '수수료 중개인'이라 하고 commissionaire arrangementsms '수수료 중개약정'이라고 번역하려고 한다.

위의 사례에서 Y국 소재 Yco는 2000년까지는 같은 MNEs의 자회사로 있다가 2000년에 모든 자산과 주식을 Xco에 이전하고 Xco와 수수료 중개인 계약(commissionaire arrangement)을 체결하고, 계약조건은 Xco 제품을 Yco 이름으로 판매하되 위험과 책임은 Xco가 부담하는 것이었다.

이 사례는 개정 전 표준조세조약 제6항에 의하면 독립대리인 요건을 충족하기 때문에 Xco와 Yco가 설사 특수관계자에 해당하더라도 고정사업장을 구성하지 않는다.

(4) OECD 표준조세조약의 관련규정 개정

가. OECD 표준조세조약 제5항과 제6항의 개정

위의 조세회피 전략을 차단하기 위하여 OECD 표준조세조약 제5항과 제6항을 2017년에 각각 다음 표와 같이 개정하였다.

[표 12-1] 2017년 개정 규정 비교

구분	종전 규정	개정 규정
제5항	제1항 및 제2항의 규정에 불구하고 제6항의 독립대리인이 아닌 사람이 특정기업을 대리하여 그 기업의 이름으로 계약체결권을 상시적으로 행사하는 경우 그대리인이 그 기업을 대리하여 계약을 체결하는 국가에 PE가 존재하는 것으로 간주. 단, 대리인 활동이 제4항에서 규정하는 PE 제외 대상 활동에 해당하는 경우에는 제외	제6항의 규정에 따라, 일방체약국에서 어떤 기업을 대리하고, 계약을 체결하거나 그 기업이 계약을 체결하는데 상시적으로 중요한 역할을 하여 통상적으로 그 기업이 계약의 내용을 거의 수정하지 않는 행위를 하고 그 계약이, a) 그 기업의 이름으로 또는 b) 그 기업이 소유하는 자산의 소유권을 양도하거나 사용할 권리를 부여하거나 그 기업이 사용할 권리를 가진 자산을 사용할 권리를 부여하거나 c) 그 기업이 용역을 제공하는 경우에는 PE로 간주 단서는 동일
제6항	중개인, 일반수수료대리인, 독립대리인이 자신의 일상적인 사업과 관련하여 대리하는 경우에는 PE 제외	제5항을 적용하지 않는 경우, 일방체약국에서 타방체약국의 기업을 대리하여 활동하는 사람이 독립대리인으로서 사업을 수행하면서 그 기업을 위하여 자신의 사업의 일상적인 과정에서 대리하는 경우이다. 그러나 그 사람이 자신과 특수관계에 있는 하나 이상의 기업을 대리하는 경우에는 이 항에서 의미하는 독립대리인으로 보지 않는다.

나. OECD 표준조세조약 제8항 신설

OECD 표준조세조약 제6항의 단서에서 규정한 '특수관계자'에 대한 정의규정을 제8항에 신설하였다.

특수관계자는 제8항 상단에서 '일방이 타방을 지배하거나 일방과 타방이 모두 같은 사람이나 기업의 지배를 받는 경우'로 정의하고 있다. 그리고 다음의 경우에는 무조건 특수관계 기업으로 간주한다.

첫째, 일방(개인이나 법인)이 타방의 수익권(beneficial interest)을 50% 이상 소유하는 경우(법인은 일방이 타방의 의결권 주식과 지분가치를 50% 이상 소유하거나 그 법인의 출자자본(beneficial equity interest)의 50% 이상 소유하는 경우)

둘째, 일방(개인이나 법인)이 직접 또는 간접으로 그 사람이나 기업 또는 두 기업의 수익권을 50% 이상 소유하는 경우(법인은 법인의 출자자본 또는 수익지분의 총의결권 및 가치의 50% 초과하여 소유하는 경우)

③ 제5조 제4항을 이용한 조세회피

(1) 활동과 계약 쪼개기

가. 활동쪼개기(fragmentation of activities)

OECD 표준조세조약 제5조 제4항은 고정사업장 시설을 갖추고 있지만 그 시설을 통한 활동의 성격이 본격적인 사업활동이 아니라 '예비적이고 보조적(preparatory or auxiliary)'인 경우에는 고정사업장으로 보지 않도록 규정하고 있다.

전체적으로 결합된 한 덩어리의 사업(cohesive operating business)을 인위적으로 분할하여 예비적이고 보조적인 별도의 사업인 것처럼 보이게 하고 자회사나 특수관계를 가진 기업에게 각각의 사업을 수행하게 하여 고정사업장 요건을 피하는 방법이다.

활동쪼개기는 '전체 사업계획을 인위적으로 분할하여' 예비적·보조적 성격으로 보이도록 가장하여 고정사업장 적용요건을 회피하는 방법이다.

나. 계약쪼개기(splitting up of contracts)

OECD 표준조세조약 제5조 제3항에 따라 공사기간이 12개월 이상 지속되는 경우에 고정사업장 요건을 구성하게 된다. 이러한 기간요건을 피하기 위하여 계약의 기간을 12개월이 되지 않도록 쪼개기 하는 방법이다.

(2) OECD 표준조세조약의 관련규정 개정

가. 제5조 제4항 개정

활동쪼개기를 방지하기 위하여 제5조 제4항 e)목과 f)를 개정하였다. 개정 전 제4항에서 a)목에서 d)목과는 달리 e)목과 f)목에만 'preparatory or auxiliary character'라는 표현을 달아 놓아 마치 a)목에서 d)목은 예비적·보조적 성격을 가지고 있는 활동인 것처럼 보인다는 지적이 제기되었다. 따라서 제4항에서 열거된 활동은 모두 예비적·보조적 성격을 가지는 것으로 한다는 원래의 취지를 명확하게 하기 위하여 e)목과 f)목에 표기되었던 'preparatory or auxiliary character'라는 표현을 삭제하였다. 대신, a)목에서 f)목 전체에 해당하는 것으로 이해되도록 마지막 문단으로 이동하여 표기하였다.

나. 제4.1항 신설

특수관계자 간의 활동쪼개기를 통하여 고정사업장 요건을 회피하는 것을 방지하기 위하여 제4.1항을 신설하였다.

동일한 기업이 다른 사업장에서 사업수행하거나 특수관계기업이 다른 장소나 동일한 사업장에서 사업수행을 하는 경우에는 예비적·보조적 성격의 활동에 해당하지 않는 것으로 보도록 하였다. 결과적으로 특수관계자 간의 활동쪼개기는 제4항에서 규정하고 고정사업장에 대한 예외규정을 적용받지 못하게 한 것이다.

다. 계약쪼개기 관련

계약쪼개기는 고정사업장의 12개월 지속요건을 피하기 위해 계약을 여러 개로 나누어 각 계약의 기간이 12개월 미만이 되도록 하는 방법이다. 계약상대방은 같은 그룹의 다른 기업이 된다.

이러한 계약은 법률적 또는 사법적 조세회피규정(legislative or judicial anti-avoidance rules)에 저촉되므로 OECD 표준조세조약 제29조(Entitlement to Benefits) 조항과 국내 조세법상의 일반적 조세회피방지규정(General Anti-Avoidance Rule) 등에 의하여 해결될 수 있다. 또한 OECD 표준조세조약 제25조의 상호합의절차를 통하여 해결할 사항이기도 하다.

따라서 이와 관련한 조문의 개정은 하지 않았다.

| 제4절 | 고정사업장 귀속소득의 범위 |

1 고정사업장의 기능

OECD 표준조세조약 제7조의 규정에 의하여 고정사업장에 소득을 귀속시키려면 두 가지의 분석절차가 필요하다. 하나는 고정사업장의 수행기능을 결정하는 요소를 분석하는 것이고, 다른 하나는 귀속소득금액의 결정에 영향을 주는 요소를 분석하는 것이다.

'OECD 승인기준(AOA)'에 따라 고정사업장에 소득을 귀속시킬 때 고려해야 하는 주요한 요소는 '기능, 자산, 비용공제, 운영자금' 등이다.

고정사업장은 앞에서 본대로 '중요한 사람의 기능(Significant People Function)'을 통하여 운영된다. '중요한 사람'은 고정사업장에 소속된 직원들의 기능이 사업소득 창출과 관련된 정도를 분석하여 판단한다. 직원의 기능은 보조기능에서 관리기능까지 그 범위가 매우 넓다.[71]

'중요한 사람'이란 '직위(사장, 전무 등)'보다 그가 수행하는 '실질적 역할'로서 판단한다. 역할이 사업소득의 창출에 영향을 미치는 정도가 클수록 그 직원은 '중요한 사람'이 된다. '중요한 사람'의 기능은 고정사업장에서 사업소득의 창출활동을 말하는 것이므로 그와 관련된 '자산, 위험, 자본 등'을 고정사업장에 배분하는 문제와 직접 연결된다. 따라서, 고정사업장의 기능은 곧 '중요한 사람의 소득창출활동'으로 확인할 수 있다.

2 자산의 귀속

'2006년 OECD 최종보고서'에서는 유형자산과 무형자산이 고정사업장에 귀속되는 방법을 다르게 하고 있다. 유형자산은 그 자산의 소유권을 넘겨주어 귀속시키게 한다. 이유는 자산은 그것이 실제 소재하는 곳이 사용지가 되기 때문이다.[72] 한편, 무형자산의 귀속은 다소 복잡하다. 종전에는 무형자산의 제조비용 배분은 실제 사용자에게 적용하도록 하였다.[73] 그러나 '2006 OECD 최종보고서'에서는 무형자산의 제조비용은 무형자산의 취득이나 개발에

---

71) global trading이나 보험회사의 경우에는 차이가 있다. OECD 2006 Report, op. cit. para. 19

72) OECD 2006 Report, op. cit. para. 104

73) OECD 표준조세조약, 2008, 제7조 제3항 주석 para. 34. 이를 '사용기준 방법(Use Approach)'이라고 한다. OECD 2006 최종보고서 내용을 적용하기 전의 기준이다.

따른 위험에 대한 의사결정기능을 수행한 기업에게 배분하도록 하였다.[74] 이러한 기능을 수행하는 기업이 무형자산의 소유권을 가진 것으로 본다는 것이다. 현행 2010년 OECD 표준조세조약의 주석에서는 이에 대하여 별도의 규정을 두지 않고 있으나 논리적으로 보면 '2006 OECD 최종보고서'의 입장을 그대로 수용하고 있다고 보여진다.

새로운 '기능기준 방법' 하에서는 무형자산의 소유권이 없으면 무형자산의 사용대가를 지급하는 것으로 간주된다. 무형자산의 사용소득은 무형자산의 소유권을 보유한 자에게 이전된다. 따라서 '사용기준 방법(use approach)'과 '기능기준 방법(functional approach)' 간에는 고정사업장에 귀속되는 무형자산의 범위와 소득의 이전량에서 차이가 나게 된다. 따라서, 해외에서 개발된 무형자산을 주로 '사용'하는 기술수입국의 경우에는 무형자산의 사용에 따른 소득을 무형자산의 보유국으로 이전하는 것을 의미하게 된다.[75]

③ 일반관리비의 귀속

고정사업장을 설치하여 운영하는데 소요되는 비용이 일반관리비에 해당한다. 고정사업장이 수행하는 기능은 고정사업장에 귀속되는 이러한 비용을 배분액을 결정하는데도 영향을 준다. 배분되는 비용은 원칙적으로 OECD 이전가격 지침(TPG)에서 규정하고 있는 정상가격기준(ALS)을 적용하여 산출한다.[76] 다만, 고정사업장과 본점 또는 다른 특수관계기업 간의 내부자금거래에 대한 이자는 비용으로 인정하지 않는다. 이러한 내부자금거래를 통하여 소득을 인위적으로 다른 나라로 이전하여 조세부담을 회피하는 것을 방지하려는 목적이 있기 때문이다.

이와 관련한 한 가지의 문제점은 고정사업장을 통하여 획득한 소득의 일부를 본사의 '선량한 관리(good management)'에 대한 수수료의 형식으로 지급할 수 있는가에 대한 것이다. 고정사업장을 독립적 실체로 취급하는 입장에서는 그렇게 할 수 있어 보이지만, 2008년과 2010년 OECD 모델조세조약의 주석에서는 이점에 대한 확실한 견해를 표명하지는 않았다. 그러나 수수료 지급에 반대하고 있는 것으로 보인다.[77]

---

74) OECD 2006 Report, op. cit. paras. 105 to 128, 234 to 245. 이를 '기능기준 방법(Functional Approach)'이라고 한다. 무형자산의 소유권을 가진 자에게 무형자산이 귀속되는 것으로 본다.
75) 뉴질랜드가 '기능기준 방법'에 대하여 유보의견(reservation)을 제시하는 이유는 여기에 있다. OECD 모델조약 2010 제7조 주석 para. 95
76) OECD 이전가격지침(TPG), 2010, Chapter II, 국제조세조정에 관한 법률 제5조 제1항 참조
77) OECD 표준조세조약, 2017, 제7조 주석 paras. 104 내지 115

④ 자본과 부채의 구분

고정사업장의 운영 자금의 조달방법은 이자를 지급하는 채무(debt)와 자기 자본(equity) 방식[78]으로 구분할 수 있다. 전자는 이자를 발생시키는 거래이고 후자는 그렇지 않다. 고정사업장의 기능을 수행하는데 따른 '필요한 자본, 위험부담, 자산보유량을 결정'할 때 '부채'와 '자기자본' 비율을 어느 정도로 할 것인지를 결정하게 된다. 이 부분에 대하여 OECD 표준조세조약에서는 차입자금(debt)의 한도 내에서 이자비용을 배분한다는 원칙적인 설명 외에 최근까지 구체적인 지침은 제시되지 않았다.[79] 특히 자기자본(equity)에 대하여는 아무런 언급이 없었다. 1994년부터 고정사업장의 운영자금과 관련한 비용공제 부분에 관심을 가지기 시작하고 2008년에는 자기자본의 배분문제에도 관심을 표명하기 시작하였다.[80]

여기서 논란이 되는 것은 고정사업장에서 이자를 지급하지 않는 '자본(free capital)'을 보유할 수 있는가에 대한 것이다. 이론상으로는 고정사업장도 적정한 자본을 보유할 수 있다. 자본의 개념은 고정사업장(PE)이 소재하는 국가(원천지국)의 국내 조세법에 의하여 조세목적상 손금으로 공제되는 이자성격을 가진 자금이 아닌 투자금[81]을 말한다. 이러한 자본이 고정사업장에 귀속되는 방법은 각국의 거래관행과 전통에 맡기고 별도로 규정하지 않고 있다.[82]

먼저 각국에서 고정사업장에 자본을 배분하는 방법은 다음과 같이 두 가지 사례를 들 수 있다. 첫째는 '비례배분방법(pro rata allocation method)'이다. 고정사업장이 사용하는 자산과 부담하는 위험을 고려하여 자본을 배분하는 방법이다. 고정사업장의 수행기능과 그 고정사업장이 속한 다국적기업의 기능은 다를 수 있다. 둘째는 제3자 기업의 비용배분방법을 기준으로 하는 방법이다. 제3자의 비용배분액을 초과하는 경우에는 그 초과분을 비용으로 공제하지 않는 방법이다. 이를 과소자본규제제도(thin capitalization)[83]라고 한다.

---

78) OECD 표준조세조약, 2017, 제7조 주석 paras 171 내지 189

79) 1963년 및 1977년의 OECD 표준조세조약의 주석을 통하여 일반원칙에 가까운 설명을 붙여 놓았을 뿐이다.

80) OECD 표준조세조약, 2008, 제7조 주석 paras. 5 - 7. 이 주석은 새롭게 추가되었으므로 2008년 이전에 체결된 개별 조세조약에는 소급적용되지 않는다.

81) 우리나라 상법은 제329조에서 액면주식제도를 채택하고, 제451조는 이러한 주식의 액면총계를 자본이라고 규정하고 있다. 그러나, 기업회계상의 자본은 자본금·자본잉여금·자본조정·기타포괄손익누계액·이익잉여금의 합계액을 말한다.

82) OECD 표준조세조약, 2010, 제7조 제2항 주석 para. 32

83) 과소자본과세제도는 특수관계에 있는 기업 간의 과다한 차입금이자를 비용으로 인정할 경우 과세소득이 부당하게 감소되어 원천지국의 과세기반이 잠식되는 것을 방지하기 위하여 이자비용을 손금으로 인정하는 한도액을 설정하고 그 한도액을 초과하면 배당으로 간주하는 제도이다. 배당으로 간주되는 금액은 비용으로

다음으로 차입자본에 대하여 지급이자를 비용으로 배분하는 방법은 역시 각국의 관행에 맡기고 있다. 이자를 비용으로 배분하는 방법은 두 가지 유형으로 구분할 수 있다. 첫째는 자본의 '대체성(fungibility)'을 고려하여 이자지급액을 총괄적으로 배분하는 방법이다. 곧 대체성 방법(fungibility method)이다. 일정한 공식을 사용하여 이자를 고정사업장에 배분한다.[84] 둘째는 개별 부채별로 이자지급액을 대응시켜서 배분하는 방법이다. 이를 추적방법 (tracing method)이라고 한다.

이와 같이 특수관계자 간에 내부 자금거래에 대하여 지급하는 이자의 비용배분에 대한 처리지침은 2010년 개정 OECD 표준조세조약에서 규정되었다.[85] 본점이 고정사업장에 자금을 지원한 경우 그 자금의 경제적 소유권과 관련하여 '중요한 사람의 기능(SPF)'이 중요한 역할을 한 경우에는 고정사업장에서 이자비용을 인식할 수 있다. 이때 적용되는 이자율은 정상가격기준(Arm's Length Standard)을 적용하여 산출하게 된다.

⑤ 기타 사항

그 외에도 고정사업장이 별도로 존재하지 않더라도 특정인이 본점을 위하여 계약을 체결권을 행사하는 경우에는 '중요한 사람의 기능(SPF)'은 종속대리인의 지위를 가지게 되므로 '고정사업장'에 대한 규정[86]을 적용받는다. 또한, 무형자산(intangibles)이 사용되는 경우에는 그 무형자산의 소재지는 그와 관련한 주요한 의사결정이 이루어지거나 위험관리부담을 지는 곳이 된다. 이러한 기능을 부담하는 것은 '중요한 사람의 기능(SPF)'에 해당하므로 역시 고정사업장의 사업소득 문제와 관련된다.

사업조직은 여러 가지 유형으로 설립이 가능하지만 실체가 없는 유령회사(paper company) 나 파트너십(partnership) 등은 독립적인 실체로 보지 않고 일종의 '통과조직(pass-through entity)'으로 본다. 따라서 조세목적 측면에서는 형식상의 통과조직이 아니라 그 조직을 구성하고 있는 구성원이 개별적으로 납세의무자로서의 기능을 하게 된다. 소득의 귀속, 비용공제 등은 개별 구성원을 수익적 소유자(beneficial owner)로 삼아서 처리한다.

공제되지 않는다. 구체적으로 보면 자본에 대한 부채비율이 일정비율 이상인 경우 이자비용의 손금산입액을 제한하는 방법이다. 그 한도액은 매 과세연도(tax year)별로 산정하고, 손금불산입된 금액은 그 다음연도에 이월하여 한도액 산정액에 산입하여 손금으로 공제할 금액을 결정한다. 국제조세조정에 관한 법률 제22조

84) 사업소득의 공식배분방법(formulary apportionment method)과 유사하다. OECD TPG, 2010, Chapter I, C A non-arm's-length approach: global formulary apportionment 참조

85) OECD 표준조세조약, 2010, 제7조 제2항 주석 paras. 33 및 34

86) OECD 표준조세조약, 2017, 제5조 제5항

고정사업장 귀속소득 과세기준

 사업소득 과세기준과 기본가설

　사업소득에 대한 국제과세기준에 대한 논의는 1920년대의 국제연맹(League of Nations) 시절부터 수많은 토론과 보고서의 발표를 통하여 진행되어 왔으며 OECD[87]는 그동안의 토론과 보고서의 내용을 2010년 표준조세조약의 개정에 반영하였다. 이렇게 성립된 현행 OECD 및 UN의 표준조세조약 제7조의 사업소득에 대한 과세기준은 두 가지의 가설을 바탕으로 하고 있다. 그 가설은 조세법을 적용하여 과세할 때 본사(head office), 즉 모회사(parent company)[88]와 자회사(subsidiary) 또는 지점(branch 또는 PE) 간의 관계를 '동일 실체(single entity)'로 볼 것인가 아니면 '별도 실체(separate entity)'로 볼 것인가에 대한 것이다.

　자회사는 외국에서 그 나라의 국내법에 의하여 설립된 것이므로 법률적으로나 재무적으로 모회사와 구별되는 독립된 실체인 것이 분명하지만, 지점은 본점과 '동일 실체'인지 '별도 실체'인지에 대한 의견이 많이 있어 왔다. 지점은 한편으로는 본사와 동일 실체의 성격을 띠고 있지만, 다른 한편으로는 과세관할권이 다른 국가에서 사업활동을 한다는 점에서 자회사와 같이 별도의 독립된 실체의 성격도 동시에 가지고 있기 때문이다.

　두 방법 중 어느 방법을 적용하느냐에 따라 고정사업장에 귀속되는 소득의 범위가 달라지므로 결과적으로 조세부담액에서 상당한 차이가 발생할 수 있다. 가장 큰 차이점은 '별도 실체 접근방법'은 다국적 기업이 전체적으로 손실이 발생한 경우에도 개별 고정사업장은 이익을 계산할 수 있으나 '동일 실체 접근방법'에서는 이것이 불가능하다는 것이다. 본사와 고정사업장은 동일체이므로 본사의 손익구조로부터 직접 영향을 받기 때문이다. 고정사업장을 별개 실체로 보면 본점 소득이 적자가 나더라도 고정사업장의 소득은 흑자가 날 수 있으며, 그 반대인 경우도 가능하다.[89] 그러나, 고정사업장을 본점과 동일체로 보는 경우에는 '고정사업장의 귀속소득은 다국적기업이 관련사업 활동으로부터 획득하는 전체 소득금액을 초과

---

87) 현재의 OECD는 OEEC가 대체된 기구이다. OEEC는 제2차 세계대전이 끝난 후 '유럽 부흥계획, 즉 마셜 플랜'에 따라 각국의 노력을 조정하여 유럽 경제를 복구시키기 위해 설치되었던 유럽 경제협력기구(Organization for European Economic Cooperation)였다. OEEC는 1961년 비유럽 국가들도 포함시키는 경제협력개발기구(OECD)로 대체되었다.

88) 이후 본사, 본점, 모회사는 같은 의미로 사용한다.

89) OECD 표준조세조약, 2010, 제7조 제2항에 대한 주석 para. 17

할 수 없다'는 원칙이 적용된다. 이것은 본점의 사업실적이 적자인 경우 지점이 흑자를 내는 것으로 보기는 어렵게 된다는 것이다.

아울러 본점에서 고정사업장에 자산이나 재화를 이전한 경우에 '별도 실체 접근방법'에서 는 서로 독립적인 조직이므로 그 이전시점에서 소득을 인식하게 되지만 '동일 실체 접근방 법'에서는 그 자산이나 재화를 다른 제3자에게 처분하는 시점에서 소득을 인식하게 된다는 것이다.

또 하나의 큰 차이점은 '별도 실체 접근방법'에서는 해당 고정사업장의 사업활동과 '실질 적으로 관련이 있는 소득(effectively connected income)'만 귀속되지만 '동일 실체 접근방법' 에서는 이러한 고정사업장의사업활동과의 '실질적 관련성'을 따질 필요가 없어진다. 결과적 으로 '동일 실체 접근방법'에서는 고정사업장에 귀속되는 소득이 확대되는 '자력주의(磁力主 義) 또는 절충주의(force of attraction rule)'가 적용될 수 있다.[90] 그러나, '별도 실체 접근방 법'에서는 해당고정사업장에 실질적으로 관련이 있는 소득에 한하여 귀속되므로 '자력주의 또는 절충주의(force of attraction rule)'를 배제할 수 있다.[91]

개별국가는 자국의 이해관계에 따라 '별도 실체 접근방법' 또는 '동일 실체 접근방법'의 입 장을 취할 수 있다. 동일한 고정사업장에 귀속되는 소득에 대하여 원천지국과 거주지국이 서로 다른 기준을 적용한다면 이중과세 또는 이중비과세의 문제가 발생될 수 있다. 이와 관 련하여 국제적으로 통일된 기준을 도출하기 위하여 오랜 기간 동안 논의해 온 것이다.

논의과정에서 일관되게 유지되어 온 입장은 과세소득의 계산 측면에서 고정사업장은 본 점과 구별되는 '별도의 실체'라는 것이다. 1927년 발표된 '국제연맹 조세조약안'[92]에서 국제 거래소득은 '원천지국 기준'을 적용하여 고정사업장이 존재하는 국가에서 우선 과세하는 원 칙을 설정하였다. 그 후 1933년 '국제연맹 재정위원회(Fiscal Affairs Committee)에서 채택 한 국제연맹조세조약안'에서 고정사업장은 독립적인 실체로 취급하는 것을 전제로 하여 과

---

90) 자력주의 또는 절충주의(force of attraction rule)는 PE가 존재하면 그 PE의 소득창출활동 여부는 상관하지 않고 그 PE 소재국에서 발생하는 모든 소득은 PE에 귀속되는 것으로 간주하는 방법이다. 고정사업장을 통해 서 직접판매하는 재화 및 용역 외에 그와 동일하거나 유사한 재화 및 용역이 해당 고정사업장을 통하지 않고 그 고정사업장이 설치된 국가 내에서 판매되는 경우에는 당해 고정사업장의 귀속소득으로 보는 방법이다.

91) 2006년 12월 21일 발표 OECD 보고서, 'Final Version fo Parts I to III of the Report on the Attribution of Profits to Permanent Establishments: Part I(General Considerations), Part II(Banks), Part III(Global trading), para. 69 및 2008 commentary, para. 10

92) The 1927 League of Nations draft bilateral convention for the prevention of double taxation, 제5조 제1항 'ncome from any industrial, commercial or agricultural undertaking and from any other trades or professions shall be taxable in the State in which the prersons controlling the undertaking or engaged in the trade or profession possess a permanent establishment.'

세권의 분할기준을 설정하였다. 고정사업장이 설치된 국가의 과세권은 당해 고정사업장에 귀속되는 소득에 대하여만 과세권을 행사할 수 있는 근거를 분명하게 하였다.[93] 동 조약안은 고정사업장에 귀속되는 소득의 범위를 고정사업장이 설치된 국가 내의 소득뿐 아니라 제3국에서 발생한 소득 중에서 그 고정사업장에 귀속되는 소득까지를 포함하는 것으로 규정하였다.[94] 또한 고정사업장에 귀속되는 소득은 '독립적인 회계처리(separate account)' 방법을 적용하여 본점 소득과는 별도로 결정하는 기준을 제시하였다.[95] 이러한 독립적인 회계처리(separate account) 기준은 현행 OECD 모델조세조약 제7조에서 그대로 사용하고 있다.

고정사업장은 엄밀한 의미에서 보면 모회사와 동일체이다. 그러나 사업소득에 과세기준을 적용할 때 '독립적인 회계처리 방법'을 사용하여 독립적인 실체로 간주하려는 것은 '자본의 대체성(fungibility)'과 '과세관할권(tax jurisdiction)' 및 '조세주권(tax sovereignty)'의 상호작용에 따른 결과라고 할 수 있다. 고정사업장은 그것이 설치된 국가와 모회사(본점)가 소재하는 국가는 지리적으로 분리되어 있으므로 모회사(본점)와 구분되는 실체로 인정하면 모회사 소재지국과 고정사업장 소재지국 간의 이해관계가 원활하게 조정될 것으로 기대할 수 있기 때문이다.

② OECD 승인기준

고정사업장의 특성을 조세 측면에서 모회사와 분리된 '독립적인 실체'로 보는 것에 대한 논의가 많이 있었음에도 세부적인 과세기준에 대한 국제적인 합의도출은 쉽게 이루어지지 못했다. 관련국가에서는 과세권에 미치는 영향에 대한 이해관계에 차이가 있었고 다국적기

---

93) The 1933 League of Nations draft bilateral convention for the prevention of double taxation, 제1조 전반부 'An enterprise having its fiscal domicile in one of the Contracting States shall not be taxable in another Contracting State except in respect of income directly derived from sources within its territory and, as such, allocable, in accordance with the articles of this Convention, to a permanent establishment situated in such State.'

94) ibid, 제1조 후반부 'If a permanent establishment of an enterprise in one State extends its activities into a second State in which the enterprise has no permanent establishment, the income derived from such activities shall be allocated to the permanent establishment in the first State.'

95) ibid, 제3조 'If an enterprise with its fiscal domicile in one Contracting State has PEs in other Contracting States, there shall be attributed to each PE the net business income which it might be similar activities under the same or similar conditions. Such net income will, in principle, be determined on the basis of the separate accounts pertaining to such establishment. Subject to the provisions of this Convention, such income shall be taxed in accordance with the legislation and international agreements of the State in which such establishment is situated.'

업 입장에서는 이중과세의 위험과 함께 실제 다국적기업의 경영내용과 고정사업장 과세제도 간에 존재하는 괴리에 대한 우려를 계속 제기해 왔기 때문이다.[96]

2006년 OECD는 '고정사업장에 대한 사업소득 귀속기준에 대한 최종보고서(이하 '2006년 최종보고서'라고 한다)'를 확정하여 발표하면서 국제적으로 통일된 기준을 만들 수 있는 기반을 구축하였다.[97] 이에 앞서 2001년에 '초안(draft discussion documents)'을 작성하였다. 여기서 고정사업장을 조세 측면에서는 마치 '자회사'처럼 간주한다는 '작업가설(working hypothesis)'을 도입하였다.[98] 이 작업가설을 구체적인 거래에 적용하여 고정사업장에 귀속시킬 소득의 범위와 과세소득의 산정기준을 확정하는 방법을 '2006년 최종보고서'에 담았다. 그 방법은 바로 'OECD가 승인한 기준(Authorized OECD Approach)'이다. 고정사업장에 사업소득을 귀속시키는 방법으로서의 내용은 다음과 같다.

'OECD가 승인한 기준(AOA)'을 통하여 고정사업장에 사업소득을 귀속시키는 방법은 두 단계로 이루어진다. 먼저 고정사업장은 본점과 '기능적으로 독립된 실체(functionally separate entity)'로 가정하고(hypothesize)[99] 그 다음 이를 구체적인 거래에 적용하여 과세소득을 산출하는 방법이다. 좀 더 구체적으로 말하면 첫 번째는 고정사업장이 수행하는 기능과 위험부담, 사용자산 등의 사실관계를 분석하여 고정사업장을 '가상의 독립기업(hypothesized functionally separate entity)'으로 본다.[100]

고정사업장의 독립성에 대한 판단은 첫 번째로 해당고정사업장에서 사업을 운영하는 사람이 수행하는 기능의 분석에서 출발한다. 위험을 부담하고 사용자산의 소유권을 가지고 있

---

96) 개별 국가별로는 자국 내에서 발생한 '원천소득'에 대하여 자국세법을 우선 적용하여 과세할 경우에는 이중과세 문제가 발생할 수 있다. 조세조약이 체결되어 있는 경우에도 '원천소득'에 대한 소득의 유형분류(characterization)에 대한 입장 차이로 인한 조세조약의 적용규정이 다르거나, 동일한 조세조약규정에 대한 해석이 다른 경우에도 이중과세 문제가 발생한다. 이를 '적격성의 충돌(conflicts of qualification)'이라고 한다. OECD 표준조세조약 제23A 및 23B 주석 paras. 32.1 내지 32.7 참조. 다국적기업의 경우 고정사업장에 귀속되는 소득의 범위와 귀속방법 등에 기준을 '모델조세조약 본문'과 '주석'에서 명확하게 제시해 줄 것을 요구했지만 국가 간의 이해 관계의 차이로 인해 2010년 표준조세조약을 개정하기 전까지는 그러한 규정을 두지 못했다.

97) 2006년 12월 21일 발표된 보고서. 'Final Version of Parts I to III of the Report on the Attribution of Profits to Permanent Establishments: Part I(General Considerations), Part II(Banks), Part III(Global trading)'. 이 보고서에 담긴 내용을 기초로 하여 'OECD 모델조세조약 본문과 주석'에 담는 작업을 한 후 표준조세조약을 2010년 개정하였다.

98) 종전에도 고정사업장을 본점과는 구별되는 독립된 실체로 본다는 입장은 표현되어 있었지만 구체적인 기준이 명확하게 제시되어 있지 않았다는 점에서 차이가 있다. 이를 제외하면 '작업가설'의 기본적인 내용은 1927년 국제연맹 표준조세조약안에서부터 제시되어 왔던 내용과 큰 차이는 없다고 할 수 있다.

99) '가정'하는 이유는 실제 다국적기업의 경영방법에서는 본점과 지점(고정사업장)은 동일체로서 작동하기 때문에 오로지 과세소득을 산정하는 기준을 적용할 때는 본점과 지점을 별개의 실체, 즉 모회사와 자회사와 같은 '가상의 관계'를 설정한다는 의미이기 때문이다.

100) OECD 표준조세조약, 2017, 제7조 제2항 주석 para. 17

는 사람이 '중요한 사람(significant people)'이다.[101] 이러한 '중요한 사람의 기능분석'[102]을 통하여 고정사업장이 독립실체인지를 판정한다. 두 번째로는 이러한 가상 독립기업에 정상가격기준(arm's length standard)을 적용하여 과세소득을 산출한다.[103] 과세소득을 산출하기 위한 '정상가격산출방법(transfer pricing method)'은 OECD 이전가격지침(OECD TPG)에서 열거하고 있다.[104]

실제 다국적기업의 경영은 고정사업장은 본점과 동일한 법적 실체로 연결되어 있으므로 모회사가 과세소득을 소득을 산정할 때 고정사업장의 소득을 별도로 인식하지 않지만, 자회사는 본점과 별도의 실체이므로 소득도 별도로 인식하게 된다. 그러나, OECD 승인기준(AOA)은 본점과 고정사업장을 실제와 달리 '모회사와 자회사의 관계인 특수관계기업(associated enterprise)인 것처럼 간주'하지만 회계처리결과는 자회사의 회계처리결과와 같지 않다는 것이다. 그중의 가장 큰 문제는 지점의 소득은 다국적 기업의 경영실적과 관계없이 결정되므로 동일한 거래조건이 적용되는 자회사의 소득보다 더 많아지는 결과가 발생한다는 점이다.[105] 결과적으로 고정사업장을 두는 경우 앞에서 언급한 이중과세 문제뿐 아니라 추가적인 세금부담을 하는 문제가 발생할 수 있다.

또 다른 문제는 고정사업장의 개별 실체성(separate entity)은 모회사와 완전히 독립된 별도의 제3자 기업처럼 취급된다는 것이다. 그러나, 현실적으로 고정사업장은 모회사와 동일한 조직이므로 자산의 보유, 금융거래, 사용료의 지급 등에 있어서 독립성이 상당히 제약을 받고 있다.[106]

---

101) ibid. para. 21. 고정사업의 수행기능 및 위험부담 등 사실관계 분석을 할 때 '중요한 사람의 기능(Significant people functions)'을 확인하는 이유는 다음과 같다. 위험은 기능을 수반하고 기능은 경제적 소유와 자산의 귀속을 결정하며, 자본은 자산과 위험을 수반하기 때문이다. 따라서 고정사업장에 귀속되는 소득은 '중요한 사람'이 '소유한 자산'과 그가 '부담한 위험' 등을 기준으로 배분해야 하기 때문에 이러한 용어를 사용하고 있는 것으로 보인다.

102) '중요한 사람의 기능분석(significant people function)'은 종전의 주요위험부담기능(key entrepreneurial risk-taking function: KERT function)과 유사하다. 차이점은 종전의 'KERT'는 금융자산이나 금융업과 관련하여만 사용된 개념이지만 현행의 'SPF'는 금융업 외에 다른 사업분야도 포괄하는 개념으로 설명된다. 그러나, KERT와 사실상 동일하고 단지 "뉘앙스 차이"만 있다는 주장도 있다.

103) OECD 표준조세조약, 2017, 제7조 제2항 주석 para. 22

104) OECD 이전가격지침(TPG), 2010, Chapter II, 국제조세조정에 관한 법률 제5조 제1항 참조. 구체적으로는 '비교대상 제3자 가격방법(CUP), 재판매가격방법(RP), 원가가산방법(CP), 거래순이익률방법(TNMM), 이익분할방법(PSM), 기타 합리적인 방법 등이다.

105) 법률적으로는 모회사와 동일체라는 것을 인정하면서도 과세소득을 산정할 때는 독립적인 실체로 가정하는 모순에서 비롯된 결과이다. 다국적기업이 전체적으로 이익이나 손실을 보게되면 그 영향이 자회사나 지점에도 미치게 되는 것은 자연스러운 것이다. OECD 기준은 지점에 대하여 이러한 영향을 부인하고 있다.

106) 2008년 이전에는 제한적인 독립성(limited independence) 가설을 적용하였으나, 2008년 이후에는 완전독립성을 전제로 하는 독립기업원칙(separate enterprise principle)을 적용하여 고정사업장을 독립적으로 설립된

③ OECD 표준조세조약 제7조의 기본내용

고정사업장의 독립성에 대한 작업가설에 따라 고정사업장에 귀속되는 소득을 산정하는 'OECD 승인기준(AOA)'을 적용하고 있다.

제1항에서는 원천지국은 자국 내에 고정사업장이 있는 경우에만 과세권을 행사할 수 있으며, 이때 과세대상소득은 고정사업장에 귀속된 소득에 한정된다는 기본원칙을 명확히 규정하고 있다.[107]

제2항에서는 고정사업장에 독립기업원칙을 적용하는 기준을 제시하였다.[108] 이것이 가지는 의미는 OECD가 제시하는 기준을 개별조세조약에서 적용할 때 기준으로 삼아야 할 내용을 제시하였다는 것이다.

제3항은 제2항의 규정에 의하여 일방체약국이 고정사업장에 귀속되는 소득을 조정하여 과세한 경우에는 동일한 소득에 대한 이중과세[109]를 방지하기 위하여 타방체약국에서도 그에 상응하는 대응조정을 해야 한다는 규정을 두면서 그러한 조정을 위하여 필요하면 양 과세당국이 MAP를 통하여 협의하도록 하고 있다. 거주지국은 원천지국에서 적용한 기준이 '정상가격기준(arm's length standard)'에 부합하는 경우에는 이를 존중하도록 하고 있다.[110]

제3항은 두 국가가 국내법에 의하여 PE에 귀속될 자기자본액을 결정하는 기준이 다르고 제

자회사처럼 취급하여 자산의 독립적인 소유, 금융거래관련 독자적인 신용평가 등을 할 수 있는 것으로 가정하고 있다.

107) OECD 표준조세조약, 2017, 제7조 제1항 하반부에서 '~the profits that are attributable to the permanent establishment in accordance with the provisions of paragraph 2 may be taxed~'라고 표현하고 있다.

108) OECD 표준조세조약 2017, 제7조 제2항 하반부 '~taking into account the functions performed, assets used and risks assumed by the enterprise through the permanent establishment and~'로 구체적으로 규정하고 있다.

109) 거주지국과 원천지국이 동일한 소득에 대하여 서로 다른 해석을 하거나 조세조약상의 적용규정을 다르게 하는 경우에는 이중과세가 발생할 수 있다. 대표적인 사례는 'National Westminster Bank v. United States, 512 F. 3d. 1347(Fed. Cir. 2008)'이다. OECD 표준조세조약 제7조의 해석이 회원국 간에 차이가 나는 경우에 발생한 과세분쟁의 대표적인 사례로 언급되고 있다. 이는 1975년 체결된 미-영 조세조약에 의하여 영국 본점과 미국 지점 간의 이자비용공제액의 결정방법에 대한 두 나라의 의견차이로 발생한 과세분쟁 사건이다. 영국은 이자비용을 고정사업장이 수행한 기능과 부담한 위험을 기준으로 배분하자는 입장이었다. 반면에 미국은 내국세법 제864조의 규정을 들어서 고정사업장과 실질적으로 관련이 있는 소득(effectively connected income)인지 여부에 따라서 all or nothing 기준으로 배분하는 방법을 사용하려는 입장이었다. 이 방법은 OECD 표준조세조약, 2008, 제7조의 '귀속개념'과 상충된다. 이 사건에서 미국은 패소하였다.

110) 이러한 규정이 없으면 이자비용을 계산할 때 원천지국에서 정상가격기준으로 이자비용을 계산하여도 거주지국에서는 부채를 원천지국보다 더 많이 배분하여 이자소득에 대하여 과세할 경우 이중과세가 발생할 수 있다. 고정사업장을 운영하는 비용은 '채무' 또는 '자본'으로 조달한다. 양자를 구분하는 기준에 대하여 원천지국과 거주지국이 입장을 달리 할 경우에 이중과세가 발생하게 된다.

23조(이중과세 방지제도)가 적용되지 않는 경우에 대한 해결책(tie breaker test)을 규정하기 위하여 기존의 다른 규정은 삭제하고 추가한 규정이다.

제4항은 소득의 개념에 관한 내용으로서 조세조약의 다른 규정이 적용되어 과세되는 소득이면 그 조항의 개념을 적용하도록 하는 내용을 담고 있다. 이는 소득개념과 관련한 불확실성요인을 배제하기 위한 것이다.

고정사업장의 귀속소득을 결정하는 기준은 '개별 실체 접근방법'을 적용한다는 것을 명확히 하면서 이 기준을 개별조세조약을 체결할 때 적용할 것을 권고하고 있다. 개정 전 OECD 표준조세조약을 기초로 체결된 개별조세조약은 새로운 규정과 약간 차이가 있으므로, 이로 인해 발생할 수 있는 이중과세 등의 문제는 OECD 표준조세조약 제23조 및 제25조의 규정에 의하여 해결하도록 명시하고 있다.

제6절 고정사업장의 새로운 도전

① 고정사업장의 기본적 요건

일반적인 고정사업장의 요건은 물리적으로 사업장소가 존재하고, 그 사업장소가 일정기간 동안 고정되어 있고, 그 사업장소를 통하여 실제로 사업활동이 이루어져야 한다. 이러한 고정사업장은 형식적으로 실체가 존재하기 때문에 객관적인 사실관계를 통하여 확인할 수 있다.

그러나 이러한 물리적인 사업장소가 존재하지 않는 경우에도 고정사업장이 성립하는 경우가 있다. 이를 간주고정사업장이라고 한다. 기업을 대신하여 계약을 체결하고 그 계약의 효과는 기업에게 귀속되는 경우에 그 역할을 수행한 중간자인 종속대리인이 고정사업장으로 간주된다. 간주고정사업장인 종속대리인과 중개인(broker), 위탁매매인(commission agent) 등과는 구분된다.

OECD 표준조세조약에서 고정사업장의 지위는 '본점과 관련된 사업활동(relevant business activities)'을 하는 실체가 아니라 '본점과 기능적으로 구별되는 별개의 실체(functionally separate entity)'로서 규정하고 있다. 국제거래에서 발생한 사업소득에 대한 과세기준을 규정하고 있는 OECD 표준조세조약 제7조(사업소득)와 제5조(고정사업장)의 내용은 그동안의 여러 차례 개정[111]을 거치면서 불확실성이 많이 축소되었다. 그러나, 고정사업장을 본점과 다

---

111) OECD 표준조세조약과 UN 표준조세조약의 최근 개정작업은 각각 2017년에 있었다.

른 별개의 실체로 보는 것은 본점과 고정사업장의 관계는 실질적으로 동일체(single entity)임에도 독립된 실체(independent entity)로 가정하는 것에 대한 비판이 여전히 남아있다.

② 새로운 환경과 도전

OECD의 BEPS(Base Erosion and Profit Shifting) Project는 2013년부터 새로운 디지털 소득에 대한 과세에 본격적으로 도전하고 있다. 그 이전에는 대부분의 국가들이 이 문제에 대하여 큰 관심을 기울이지 않았다. 그 이유는 국제거래소득에 대한 과세에 큰 어려움이 없었기 때문이다.[112] 전자상거래가 조세수입에 주는 영향이 크지 않았기 때문으로 볼 수 있다.

BEPS 실행계획 1로 인하여 OECD 표준조세조약 제5조의 고정사업장에 대한 개념이 개정되었다. 종전에는 예비적 보조적인 활동에 해당하던 것이 전자상거래 시대에는 핵심적인 사업활동이 될 수 있는 점을 '디지털경제 대책반(Task Force on the Digital Economy)'이 주목하였기 때문이다.[113] 대책반의 견해와 실행계획 7(PE 지위의 인위적 회피 방지)의 작업 결과,[114] 전자상거래의 새로운 활동은 보조적 예비적 활동에 해당하지 않는 것으로 보았다. 새로운 접근법은 타방체약국에 물리적 시설등이 존재하지 않으면서 상당한 판매 수익을 얻는 경우에는 예비적 보조적 활동에 해당하지 않은 것으로 바뀌게 된 것이다.

예를 들어, 대규모 온라인 상품 판매자를 생각할 수 있다. 이 판매자가 국가 X의 소비자에게 신속하게 판매상품을 전달하기 위해 국가 X에 상당수의 직원이 근무하는 창고를 설립하게 된다. 개정조약의 규정에 따라 이 창고는 더 이상 준비 활동 또는 보조 활동으로 간주되지 않을 수도 있다.[115]

또한, 관련 기업 간의 사업활동 쪼개기를 차단하기 위한 새로운 '쪼개기 방지' 규정이 도입되었다. 제5조 제5항과 제5조 제6항에서 고정사업장의 정의를 개정한 것은 디지털 경제하에서 계약의 대부분이 사실상 이루어진 후 계약서에 서명하는 절차만 다른 국가로 변경하여 그곳으로 소득을 이전하려는 공격적 조세전략을 차단하려는 목적을 담고 있다.[116]

---

112) Arthur Cockfield, Walter Hellerstein, Rebecca Millar, Christophe Waerzeggers, Taxing Global Digital Commerce (Kluwer Law International 2013) Chapter 4, Chapter 6

113) OECD, Addressing the Tax Challenges of the Digital Economy, Action 1: Final Report, 2015, p.132

114) OECD, Preventing the Artificial Avoidance of Permanent Establishment Status, Action 7-2015 Final Report, 2015, p.15

115) ibid. pp.15~27. 소위 말하는 'commissionaire arrangement'나 이와 유사한 방법에 의한 고정사업장 회피행위가 발생할 수 있다.

116) ibid. p.17

또 다른 예로, 다국적 기업은 최종판매장소는 조세부담율이 높은 국가일지라도 판매계약의 체결은 저세율국가로 하여 고정사업장의 존재가 고세율국가가 아닌 저세율국가 되도록 하는 전략을 사용할 수 있다.[117) 온라인 판매사업자의 경우 재화나 용역의 판매계약을 고객과 체결하는데 주된 역할을 상시적으로 수행하고 그 내용에 대하여 모회사의 별다른 수정이 없는 경우에는 고정사업장을 구성할 수 있다.

특히, 글로벌 디지털 과세에 대한 '실행계획(action plan) 1'은 아직 최종보고서가 제출되지 않고 있다. 중요한 것은, 비거주자인 외국기업이 원천지국에서 상당한 이익을 창출하는 상황에서 원천지국의 과세권을 보장할 수 있도록 고정사업장기준을 개정한 것이다. 물리적인 고정시설을 전제로 하는 고정사업장의 개념이 변화하고 있는 것이다.

디지털과세제도의 개혁과 함께 혼성조직(hybrid entity), 조세조약 편승행위, 이전가격, 피지배외국법인 과세제도(controlled foreign corporation rules)의 허점을 이용한 공격적 조세회피행위는 점점 어려워질 것으로 보인다. 국제거래환경의 변화와 함께 고정사업장과 관련한 도전과제가 쌓이고 그에 대한 해결대안도 만들어지고 있다.

---

117) OECD, Addressing the Tax Challenges of the Digital Economy, Action 1: Final Report, 2015, p.145

제13장

과세정보의 교환

제1절 **배 경**

 과세정보의 중요성

국제교역과 투자의 증가로 인한 경제의 자유화와 세계화는 자연스럽게 국제금융거래의 활성화를 가져왔다. 정보통신기술의 발전은 인적 및 물적자본의 국가 간 이동을 더욱 용이하게 만들고 있다. 이러한 국제거래의 흐름에 수반하여 부와 소득이 한 국가에서 다른 국가로 움직이는 것은 당연하다. 부와 소득이 국가 간에 자유롭게 이동할 수 있는 것은 세계경제의 발달 측면에서는 바람직하지만, 조세와 관련한 정책이나 행정 측면에서는 새로운 문제를 제기하게 된다. 현행 국제조세의 기준의 거주지국에서 종합과세하는 것을 전제로 구성되어 있다. 그러나 조세정책이나 조세행정 측면에서 국내에서 국경을 넘어 다른 국가로 흘러간 소득이나 부를 추적하여 적정하게 과세할 수 있는 기술에 한계가 있다.

일국의 과세당국(tax authority)의 관할범위는 그 특성상 자국의 영역으로 한정되어 있고 따라서 국가별로 조세제도와 조세행정은 서로 다르다. 하나의 보편적이고 공통적인 기준에 따라 통일된 형식으로 국제과세 제도를 운용하기가 어렵다. 과세주권의 원칙에 따라 타국의 조세제도와 조세행정에는 원칙적으로 관여하지 않기 때문에 국제거래에 대한 과세문제에 있어서도 자국의 영토 내에서 발생하는 소득에 대한 과세에 주로 행정력을 집중하게 된다.

이로 인해 해외로 나간 자본은 국내로 회귀하지 않고 조세피난처로 이동하여 숨어 있는 '은닉자본'으로 변화할 수 있게 된다. 이러한 은닉자본은 주로 조세피난처(tax heavens)의 금융기관에 예치되어 있고 금융거래비밀보호원칙(de jure bank secrecy)[1]에 따라 관련정보

---

1) 『금융실명거래 및 비밀보장에 관한 법률』 제1조(목적) '이 법은 실지명의(實地名義)에 의한 금융거래를 실시하고 그 비밀을 보장하여 금융거래의 정상화를 꾀함으로써 경제정의를 실현하고 국민경제의 건전한 발전을 도모함을 목적으로 한다.'; 헌법재판소 2010. 9. 30. 선고 2008헌바132 전원재판부 '법원의 제출명령이 있을 때 그 사용목적에 필요한 최소한의 범위 안에서 거래정보 등을 제공할 수 있음을 규정하고 있는 '금융실명거래 및 비밀보장에 관한 법률'(1997. 12. 31. 법률 제5493호로 제정된 것, 이하 '금융실명법'이라 한다) 제4조 제1항

의 확보도 쉽지 않다.

금융거래정보의 교환은 상대국의 요청에 의하거나 자동정보교환형식에 의하여 이루어진다. 그러나 제공되는 금융거래정보의 내용은 정보제공국가와 정보수보국가의 이해관계는 다를 수 있다.[2] 예를 들어 국제금융센터(global financial center)[3]가 밀집해 있는 국가의 경우 금융정보의 적극적인 제공에는 한발 물러나려고 하고 다른 국가의 금융거래정보 확보에 더 많은 관심을 보일 수 있다. 외국 금융자본을 유치하여 국가의 부를 축적해야 하기 때문이다.

무세 또는 상대적으로 낮은 조세부담, 그리고 금융거래비밀의 유지 등을 통하여 외국투자자본을 유치할 수 있다. 다른 국가의 경우에는 조세행정이나 제도를 강화할 경우 자본이탈(capital flight)이 발생할 수 있고,[4] 이전가격을 통하여 저세율국가로 소득을 이전하는 현상도 늘어날 수 있다.

이러한 상황에서 과세당국은 정부재정수요를 조달해야 하기 때문에 국제거래소득에 대한 조세수입을 확보하기 위하여 외국 과세당국으로부터 더 많은 과세정보를 확보하려고 한다. 외국으로 나간 자본에 대하여 조세수입을 확보하는 수단으로서 가장 중요한 것은 과세정보를 최대한 많이 그리고 정확하게 수집하는 것이다. 자국의 거주자가 외국에서 획득한 소득에 대한 정보를 외국으로부터 과세정보를 수집할 수 있는 수단 중에서 가장 중요한 수단은 '과세정보의 교환'이다.

 ## G20의 금융제도강화 의지

2009년 4월 2일 영국런던에서 개최된 G 20 정상회의에서 세계 금융위기[5]의 주된 원인은

단서 중 제1호의 '법원의 제출명령'에 관한 부분은 명확성원칙 내지는 포괄위임입법금지원칙에 위반되지 않는다(합헌). 자금세탁방지 등을 위하여 특정금융거래정보의 보고를 규정한 '특정 금융거래정보의 보고 및 이용 등에 관한 법률'이 있다.

2) OECD 표준조세조약, 2017, 제26조 제1항의 '~such information as is <u>foreseeably relevant</u> for carrying out the provisions of this Convention or enforcement of the domestic laws~'는 표현에 대해 동항에 대한 주석 para. 5에서 'foreseeable relevance(예상되는 관련성)'의 개념을 사용한 것은 정보교환 대상의 범위를 최대한 넓히기 위한 취지이지만 '한건주의식 정보사냥(fishing expeditions)'을 허용하는 것은 아니므로, 정보수보국가에게 요청받은 정보의 '관련성(relevance)'이 의심스러우면 이를 거부할 수 있는 권리도 규정하고 있다.

3) IMF는 금융센터를 다음의 3가지 유형으로 분류하고 있다. ① '국제금융센터(International Financial Centers, IFCs)'인 뉴욕, 런던, 도쿄, ② '지역금융센터(Regional Financial Centers, RFCs)'인 상해, 심천(深圳, Shēnzhèn), 프랑크푸르트, 시드니, ③ 역외금융센터(Offshore Financial Centers, OFCs)'인 케이만 군도, 더블린(Dublin), 홍콩, 싱가포르

4) Rabah Arezki, Gregoire Rota-Graziosi, and Lemma W. Senbet, Capital Flight Risk, Finance & Development, September 2013, Vol. 50, No. 3, pp.26~28

5) 2008년 9월 투자은행 Lehman Brothers의 파산으로 시작된 미국발 금융위기가 전 세계 금융위기를 불러온 사

금융부분에 대한 체계적 관리의 부족이라고 진단하고[6] '금융제도의 강화(strengthening the Financial System)'[7]를 위한 국제공조를 선언하였다.[8] 국제공조를 위한 실행계획(action plan)에 과세정보교환을 포함시키고 '금융거래 비밀의 시대는 끝났다(the era of banking secrecy is over)'고 선언하면서 과세정보교환에 반대하는 조세피난처(tax havens) 국가 등에게는 재제를 가할 것이라고 발표하였다.

- to take action against non-cooperative jurisdictions, including tax havens. We stand ready to deploy sanctions to protect our public finances and financial systems. The era of banking secrecy is over. We note that the OECD has today published a list of countries assessed by the Global Forum against the international standard for exchange of tax information;

OECD는 1990년 이후 조세피난처(tax havens)와 정보교환을 양자 간 조세조약을 통하여 추진해왔으나, 2008년까지 대부분의 조세피난처 국가들은 반대하고 있었다. 세계 금융위기 (global financial crisis) 기간 동안 OECD 회원국을 중심으로 조세분야의 최우선 정책과제를 탈세와의 전쟁에 두고 조세피난처에 압력을 넣기 시작했다. 각 조세피난처 국가들은 국가당 적어도 12개 이상의 국가와 조세정보교환협정을 맺을 것을 요구하고 이를 거부하면 경제재제를 하겠다는 위협을 하자, 이에 놀란 조세피난처 국가들은 정상회의 이후 2009년 말까지 300개가 넘는 조세조약을 체결하였다.[9]

건을 말한다.

6) 세계금융위기의 발생원인은 금융자유화 이후 심화된 금융기관의 도덕적 해이를 적절하게 감독하고 관리할 수 있는 제도적 장치가 없었던 것에서 찾고 있다. 이는 전통적인 금융위기이론을 바탕으로 한다. McKinnon, R., The Order of Economic Liberalization(Second Edition), The Johns Hopkins University Press, 1993.; Mishkin, F.S., "The Causes and Propagation of Financial Instability; Lessons for Policy Makers," Presented at a Symposium Maintaining Financial Stability in a Global Economy,Sponsored by FRB of Kansas City, 1997

7) 미국 연방준비은행(Federal Reserve Board) Ben Bernanke 의장은 2012년 George Washington 대학의 강의를 통하여 금융기관에 대한 감독과 규제의 실패가 세계금융위기의 원인이라고 주장하였다. Ben S. Bernanke's College Lecture Series at the George Washington University School of Business; Lecture 1: Origins and Mission of the Federal Reserve March 20, 2012; Lecture 2: The Federal Reserve after World War II, March 22, 2012; Lecture 3: The Federal Reserve's Response to the Financial Crisis March 27, 2012; Lecture 4: The Aftermath of the Crisis March 29, 2012

8) https://www.imf.org/external/np/sec/pr/2009/pdf/g20_040209.pdf

9) Niels Johannesen and Gabriel Zucman, The End of Bank Secrecy?An Evaluation of the G20 Tax Haven Crackdown, American Economic Journal: Economic Policy Volume 6 Issue 1, 2014, p.66

❸ OECD의 조세투명성 강화대책

조세의 투명성은 OECD의 'Global Forum on Transparency and Exchange of Information for Tax Purposes(이하 'Global Forum'이라 한다)'[10]에서 관장하고 있다. Global Forum은 G20의 2009 런던 선언에 따라 조세의 투명성(transparancy)을 높이기 위하여 조세피난처 국가의 조세정보교환협정체결을 적극적으로 추진하였다. 그 결과 2000년에는 35개의 조세피난처 국가를 투명성 불량국가(blacklist)로 지정하였으나 이들 국가들이 OECD의 '투명성 기준과 조세정보교환 협정체결(standards of transparency and exchange of information)'을 이행함에 따라 2009년 G20 정상회의 직후 마지막 남아 있던 3개의 조세피난처 국가[11]도 OECD의 투명성 기준을 따르기로 함에 따라 '비협력 조세피난처 국가'는 없어졌다.[12] 이에 대하여 OECD는 조세문제의 투명성을 전례없는 수준으로 높였다고 자평하고 있다.[13] 정책 당국자들은 '은행비밀의 시대는 끝났다(the era of bank secrecy is over)'고 평가한다.

그러나 부정적 평가도 있었다. 대표적인 부정평가는 blacklist에서 제외되는 기준 자체에 문제가 있다는 것이다.[14] blacklist 명단 선정위원국을 미국, 룩셈부르크, 스위스, 영국과 속령, 네덜란드, 오스트리아 등으로 구성한 것을 두고 마치 고양이에게 생선가게를 맡기는 것과 같기 때문에 금융비밀은 사실상 그대로 유지되고 있다고 평가를 하고 있다.[15] 블랙 리스트에 올랐던 조세피난처 국가들이 단지 12개국과 조세정보교환협정(TIEA)을 체결하기로 했다는 사실을 근거로 해서 블랙 리스트 국가에서 화이트 리스트 국가로 바뀌었기 때문이다.

실증분석 연구에 의하면 조세정보교환협정이 조세의 투명성에 기여하고 있는지에 대하여 여전히 의문이 남아 있다.[16] 이 연구는 국제결재은행 자료(BIS) 13개 역외 조세회피지역 금융거래자료를 분석한 결과는 조세정보교환협정이 조세피난처 지역의 금융거래에 주는 영향

---

10) 2000년에 설립하여 2009년에 재정비되었다. 임무(mission)는 '탈세, 조세피난처, 역외금융센터, 조세정보교환, 이중과세 및 돈세탁'과 관련된 과제를 수행하는 것이다. OECD 회원국과 투명성 및 조세정보교환협정체결의 이행에 동의하는 국가들이 참여하고 있다. 2020년 12월 기준 161개국이 참여하고 있다. 운영은 OECD와 G20의 후원하에 이루어진다.

11) Andorra, the Principality of Liechtenstein, the Principality of Monaco

12) https://www.oecd.org/countries/monaco/list-of-unco-operative-tax-havens.htm

13) www.oecd.org/tax/transparency

14) Nicholas Shaxson and John Christensen, "Time to Black-List the Tax Haven Whitewash." Financial Times, April 4, 2011. 기고문

15) ibid.

16) Niels Johannsesen and Gabriel Zucman, The End of Bank Secrecy?-An Evaluation of the G20 Tax Haven Crackdown, American Economic Journal:Economic Policy, Volume 6 Issue 1, 2014, pp.65~90 http://dx.doi.org/10.1257/pol.6.1.65

은 통계적으로는 유의미하지만 조세회피지역 예금잔고에 미치는 영향은 거의 없는 것으로 나타났다는 것이다.[17] 조세피난처 지역 은행에 예치된 예금이 조세정보교환협정의 체결로 거주지국으로 이동하기보다는 조세회피지역의 다른 은행으로 재배치 현상이 발견되고 있다는 것이다.[18]

그러나 OECD는 2020년 보도자료를 통하여 OECD는 자료를 바탕으로 상당한 성과가 있었음을 발표하였다.[19] 2019년까지 거의 100개국이 자동정보교환협정을 체결하였고, 그 결과 84백만 개의 금융계좌 자료를 확보하고 금액으로는 10조 유로(11조 8천억 달러)에 이른다고 평가하였다.[20]

제2절 조세정보교환의 초기단계

① 정보교환의 시작

조세정보교환의 역사는 21세기 이전에는 불투명의 역사라고 할 수 있다. 제2차 세계대전 이후 국가 간의 불신과 대립이 팽배하고 다국적기업도 거의 없는 상태였다.[21] 게다가 오늘날과 같은 국제금융기구가 없었고 일반국민들은 금융구조와 은행을 불신하고 있었다. 금융기술은 오늘날의 실시간 연결 시스템과 같은 변화에 대비하지 못하고 있었다. 최대의 관심사항은 전후복구사업이었다. 이 과정에서 탈세문제에 대한 관심은 사라졌고, 조세분야에서의 국가 간의 협력과 금융기관을 비롯한 유관기관 간의 협력은 실종되었다. 이 시기에 가장 중요시 되었던 것은 은행거래비밀(banking secrecy)의 보장이었다. 또한 점차 발달된 과학기술의 발달과 함께 금융거래기술도 발전하여 자본의 국제적 이동이 매우 빠르고 쉬운 방법으로

---

17) ibid. p.89

18) ibid. pp.87~88. 다만, 12개 조세회피국가자료만을 사용하였기 때문에 분석결과를 뒷받침할 추가연구가 필요하다는 것을 연구자들이 인정하고 있다.

19) OECD, International community continues making progress against offshore tax evasion, 30/06/2020; http://www.oecd.org/ctp/exchange-of-tax-informa tion/international-community-continues-making-progress-against-offshore-tax-evasion.htm

20) ibid.

21) 제2차 세계대전 종전 후 12년이 지난 1957년 발족한 유럽경제공동체(European Economic Community)는 초기단계였고, 1985년 발족은 남미의 안데스경제공동체(Andean Community)는 1990년대에 와서 경제공동체로 발전될 수 있었다.

이루어지게 되었다. 이러한 상황에서[22] 국제거래 소득의 탈세와 금융기법을 통한 소득이전 등의 조세문제가 발생하였지만, 이에 대한 문제의식은 없었고 이를 관리할 국제적 기구나 제도적 장치도 없었다. 조세피난처는 국가 간의 조세협력이 없던 이 시기에 생겨났다.

이로 인해 '국가 대 국가', '국제거래를 하는 다국적기업 대 국내기업', '대재산가 대 중산층 과 저소득층 시민' 간의 문제 등 3중의 문제가 발생한 것이다. 그러나 1980년대 세계경제환 경은 이러한 문제에 대한 관심을 불러 일으켰다. 학술연구, 정치인, 경제나 금융계의 관심은 조세문제가 국내에서 국제적인 문제로 변화했다는 것을 인식하기 시작했고 탈세문제는 적 어도 금융구조와 관련이 있다고 보았다.

2차대전 후 30년의 황금기[23]가 지나고 겪은 1973년과 1981년의 석유위기(oil shock)는 국 가재정적자의 확대로 이어졌다. 그 결과 재정조달문제에 국가적 관심이 모아지게 되었다. 1980년대에 이르러 탈세문제가 세계적으로 문제가 되면서 EC 공동체는 1989년 Scrivener Directive[24]를 입안하여 역내 거주자의 이자수입에 대하여 15%의 원천징수세율을 부과하는 결의를 하였다.[25] 독일은 결의안이 발의되자 이에 근거하여 독일금융기관이 역내 회원국의 거주자에게 지급한 이자나 배당소득에 대하여 15%의 세율을 적용하여 원천징수하겠다는 발표를 하자 1988년부터 1989년 4월까지 4,300만 달러에 이르는 자본이동이 발생했다. 이에 독일은 1989년 4월에 과세방침을 철회하였다.[26] ECC의 예금이자 과세 결의안도 회원국들의 동의를 받지 못하였다.

자본이동의 자유화는 1990년대 이후 더 확대되었고 그에 따라 잠식된 세원은 무세 또는 저세율국가로 이전되고 있었다. OECD는 이에 대하여 1996년 EU의 작업을 이어받아 조세문 제에 대한 조치를 검토하여 1998년 '유해조세경쟁방지방안'을 발표하였다. 그러나 1998년 이 후 2008년까지의 OECD가 마련한 조치는 조세회피와 탈세문제의 해결에 별로 효과적이지 못했다.[27]

---

22) 금융거래구조가 가지는 두 가지 특성으로 인하여 국제조세 문제가 발생한다. 첫째는 금융거래 비밀주의에 따른 금융구조의 불투명성으로 인해 탈세의 보호처가 되는 점이고, 둘째는 자본의 자유로운 이동으로 인해 종전에는 생각하지 못했던 방법으로 조세회피 목적의 세무계획을 추진할 수 있게 된 점이다.

23) 1945~1975년의 30년을 말한다. 서구 중심의 고성장경제구조가 성립되었던 시기이다.

24) 이 조치를 제안한 사람의 이름을 붙여 Scrivener Directive라고 부르기도 한다.

25) 국가 간의 제도차이를 이용한 탈세나 조세회피문제를 제거하고 역내 거주자의 은행예금을 과세하기 위하여 만든 결의안이었다.
https://ec.europa.eu/commission/presscorner/detail/en/P_89_4

26) I. Walter and R. Smith, "High Finance in the Euro-zone: Competing in the New European Capital Market", published by the Pearson Education. September 11, 2000, p.241

27) 유해조세경쟁에 관한 1988년 보고서에 대하여 스위스와 룩셈부르크는 2000년까지 동의하지 않았다. 그러나 은행정보에 대한 접근의 실행을 위한 일정표가 없었기 때문에 실효성이 약했다.

EU의 다음 조치내용을 보면 OECD 방안에 비하여 상대적으로 더 효과적으로 보였다.

- 1999~2000: EU 회원국 간의 유해조세경쟁을 방지하기 위한 '행동강령(Code of Conduct)'[28] 을 예외없이 준수하도록 조치
- 2003: EU 2005년부터 시행할 예금거래 관련 원천지수 지침을 승인하고 2014년에는 일부 개정.[29] EU 회원국 간 금융거래정보 교환이 대규모로 이루어짐.
- 2006: 'EU 공동이전가격 포럼(Joint Transfer Pricing Forum)' 개최. 역사상 처음으로 이전가격에 관한 문제를 다루면서 탈세방지를 위하여 국가 간 및 기관 간 협력방안을 논의.[30] 다국적기업의 이전가격을 통한 탈세행태에 주목하면서 국가 간의 협력은 기술적인 측면에서 극복할 어려움에 대하여 논의

이와 관련하여 금융거래비밀 보장제도를 폐지하고 소득의 실질 소유자를 확인하기 위한 '수익적 소유자' 개념의 정립을 시도하기 위하여 '자금세탁방지 연구반(Financial Action Task Force on Money Laundering)'을 운영하게 되었다.

 요청에 의한 정보교환

2009년 이전에는 정보교환에 대한 다자간 협력이 시작되었지만, 전체적으로 보면 미흡한 점이 있었다. 그 이유는 다음과 같았다.

첫째, OECD 조치는 앞에서 언급한대로 효율성이 높지 않았고, 둘째, EU는 지역경제공동체라는 점을 고려하더라도 EU의 조치는 기술적 한계가 있었고,[31] 셋째, 개발도상국가들과 같이 조세제도와 조세행정수준의 높지 않는 국가들의 관심도가 낮았고, 넷째, 이러한 영향으

---

http://ec.europa.eu/taxation__customs/resources/documents/primarolo__en.pdf

28) Code of Conduct에 대하여는 다음 자료 참조
http://ec.europa.eu/taxation__customs/resources/documents/taxation/gen__info /economic__analysis/tax__papers/taxation__paper__10__history__en.pdf

29) Directive 2003/48/EC
http://eur-lex.europa.eu/legal-content/ES/TXT/?uri=URISERV%3Al31050

30) http://ec.europa.eu/taxation__customs/taxation/company__tax/transfer__pricing/f orum /in dex__en.htm

31) EU의 'Savings Directive'가 실패한 가장 큰 이유는 EU외에 소재한 '지급기관(paying agents)'을 적용대상에 포함하지 않았고, 적용대상은 모든 예금이 아니라 이자소득과 일부 투자펀드만이었고, 룩셈부르크, 벨기에, 오스트리아의 원천징수에 예외를 허용한 것 등이다. 예금지침은 2014년 대폭 개정되었다. 행동강령(code of conduct)은 passive income이 무엇인지에 대한 정의, CFC의 투명성기준에 대한 평가 등이 없고 EU 내 이주 납세장에 대한 과세문제를 다루지 않았기 때문에 조세목적의 국적이동(tax migration) 가능성도 높게 했다. 그 당시의 이전가격에 대한 개선도 별 진전이 없었다.

로 서류상 합의된 정보교환에 대한 협력의 이행에도 어려움이 발생하였고, 다섯째, 은행의 금융정보에 대한 무제한적 접근을 위한 국제적 합의도출은 국가 간의 이해관계 충돌로 일부 국가들[32]의 반대로 추진에 어려움이 있었다는 점 등이다.

그러나 2008년 재정위기를 겪으면서 상황은 바뀌었다. 재정위기에 따른 재정적자의 해소와 재정위기극복과 대기업의 공격적 세무계획에 대한 일반국민들의 반발여론으로 인해 투명성 제고를 위해 선진국들이 움직일 수밖에 없었다.

대부분의 개발도상국들은 선진국의 강요에 의해 투명성 제고를 위한 조치를 하지 않을 수 없게 되었지만 여러 이익단체나 주권적 입장을 주장하는 사람들의 저항에 부딪히고 있다.

첫째, G20는 2008년 11월 조세문제를 언급한 첫 성명서를 발표한 후 2009년 4월의 세부계획을 담은 런던 선언,[33] 2009년 7월 G8의 L'Aquila 선언[34] 등이 뒤따랐다.

이러한 선언은 OECD의 평가대로 금융거래의 투명성을 높이는데 상당한 효과를 보여 주었다. 첫째, 스위스, 룩셈부르크, 오스트리아, 벨기에는 OECD 표준조세조약 제26조 (정보교환)에 대한 유보의견을 철회하였다. 이것의 의미는 스위스와 룩셈부르크 등의 반대로 진전되지 못했던 금융거래비밀의 종말이 다가왔다는 것이었다. 둘째, 다른 주요 역외금융센터인 싱가포르, 마카오, 홍콩 등도 과세정보교환에 대한 찬성으로 입장을 전환하였다. 셋째, 2009년 4월 OECD 주도로 조세목적을 위한 정보교환과 투명성제고를 위한 글로벌포럼(Global Forum)이 비협조국가 명단을 담은 '진행보고서(Progress Report)'[35]를 발간하고 그 명단에 들어간 국가들은 그 목록에서 제외되기 위한 노력이 시작되었다.

조세의 투명성은 OECD의 Global Forum on Transparency and Exchange of Information for Tax Purposes(Global Forum)은 2009년 4월의 G20 선언을 뒷받침하기 위하여 조직을 재정비하여 조세정보교환을 적극적으로 추진하기 시작하였다. 정보교환대상인 조세정보의 유형에 따라 '요청정보교환(Exchange of information on request.EOIR)'과 '자동정보교환(Automatic exchange of information, AEOI)으로 정보교환형식을 구분하고 있다.

---

32) 스위스, 룩셈부르크, 싱가포르, 홍콩, 기타 금융센터가 있는 국가들이 여기에 해당한다.

33) 2009년 4월의 G20 런던선언은 앞에서 말한대로 은행거래 비밀의 시대 종식을 선언하고 금융구조의 관리강화 계획을 담고 있다:
   http://www.oecd.org/g20/meetings/london/Annex-–Declaration–Strengthen ing–Financial–System.pdf

34) http://www.g8italia2009.it/static/G8__Allegato/G8__Declaration__08__07__09__final%2c 0.pdf

35) http://www.oecd.org/ctp/42497950.pdf

(1) 요청정보교환

구체적인 사건에 대한 정보교환으로서 다른 국가 과세당국의 요청에 따라 금융거래, 회계 관련 정보, 수익적 소유자에 대한 정보 등을 제공하는 것을 말한다. 정보제공요청을 받은 국가는 그 요청이 정당한 것이라면 응해야 하고 금융거래 비밀보호를 이유로 거부하지 못한다. 자료의 제공은 조세조약상의 정보교환규정(OECD 표준조세조약 제26조), 다자간정보교환협정(tax information exchange agreement, TIEA)에 의하여 이루어지고, OECD/Europe 위원회 규정 제5조 등에 따라 비밀을 유지해야 한다.

(2) 자동정보교환

미리 정해놓은 소득항목, 예를 들면 배당, 이자, 사용료, 급여, 연금 등의 소득에 대한 자료를 원천지국이 거주지국에 정기적으로 제공하는 것을 말한다. 이런 자료는 지급자나 지급기관인 고용주나 금융기관 등의 원천징수자료에서 수집되어 표준화된 형식으로 양국 과세당국 간의 합의된 절차에 따라 교환된다. 수보된 자료를 처리하는 과정에서 필요한 경우 추가 자료를 요청할 수 있다. 자료의 제공은 조세조약상의 정보교환규정(OECD 표준조세조약 제26조), 다자간정보교환협정(tax information exchange agreement, TIEA)에 따라 이루어지고 OECD/Europe 위원회 규정 제5조 등에 따라 비밀을 유지해야 한다.

제3절   자동정보교환의 활성화

❶ 제도 보완 압력

2009년 이후 조세정보의 교환은 OECD의 발표대로 많은 진전이 있는 것은 사실이다.[36] 정보교환을 담은 양자 간 조세조약과 비준국가가 100여 개국이 넘는 정보교환에 관한 다자간조약(TIEA)[37]을 통한 촘촘한 정보교환망(network)이 형성되어 있다.

'요청정보교환(Exchange of information on request.EOIR)'의 성과에 대한 비판의 목소리도 있었다. 정보요청국이 요구하는 정보에 대하여 정보를 제공하는 국가는 조세조약상의 '예

---

36) OECD, International community continues making progress against offshore tax evasion, 30/06/2020
37) Tax Information Exchange Agreements(TIEAs): http://www.eoi--tax.org/ #default

상되는 관련성(foresseable relevance)'의 조건을 들어 이의를 제기하는 경우에는 사실상 정보의 수보가 어려운 결과가 발생하기 때문이다.[38] 따라서 그동안 상대적으로 비중을 덜 두고 있었던 자동정보교환의 중요성을 2005년부터 강조하기 시작했다. 여기에는 '조세정의연대(Tax Justice Network)'의 비판적 건의가 상당한 영향을 미쳤다.[39]

자동정보교환(automatic exchange)이라는 새로운 기준을 모든 국가들이 수용하는 대변화를 가져오게 한 동력은 여러 가지 요인이 복합적으로 작용한 결과이다. 가장 큰 요인은 2008년 발생한 세계금융위기의 여파를 극복하기 위해 G20을 중심으로 한 선진국들의 적극적인 행동이었다. 경제위기 회복자금이 필요한 선진국들은 역외금융기관이나 조세피난처 등에 은닉된 탈세자금 회수가 조세정보의 교환을 통하여 신속하게 이루어져야 하지만 기대와 달리 효과적으로 이루어지지 못했다.[40] 또한 탈세방지와 관련한 여론의 압력도[41] 있었다.

② 미국의 해외금융계좌신고제도

여기서 선두에 나서서 행동하기 시작한 국가는 미국이었다. 2010년 3월 18일 '해외금융계좌신고제도(Foreign Account Tax Compliance Act, 이하 'FATCA'라 한다)를 도입하였다.[42] FATCA의 시행으로 외국금융기관은 정기적으로 미국의 시민권자, 영주권자와 거주자[43]가 보유한 해외금융계좌가 있는 국가의 금융기관은 그에 대한 정보를 자동적으로 미국국세청(IRS)에 제출해야 한다. 이를 위반하는 금융기관은 미국에서 얻은 수익에 대하여 30%에 상당하는 과태료를 물도록 하고 있다.[44] 미국은 FATCA의 효율적인 시행을 위해 미국도 상대국에 어느 정도의 금융정보를 제공하거나 '정부 간 협정(Inter-Governmental

---

38) OECD 표준조세조약 제26조 제1항에 대한 주석 paras. 5-5.5

39) http://www.taxjustice.net/cms/upload/pdf/TUIYC_2012_FINAL.pdf

40) 조세행정제도가 발달한 경우에는 '요청에 의한 정보교환(exchange on request)'은 이른바 강력한 '공시효과(announcement effect)'로 인해 탈세방지효과를 상당히 거둘 수 있지만, 조세행정이 발달되지 못한 국가에서는 그러한 효과를 기대하기 어렵다.

41) 'Tax Justice Network'는 2005년부터 '자동정보교환 제도'의 도입을 요구해 왔다.

42) FATCA는 미국 재정 적자를 해소하기 위한 방편으로 외국 세원을 확보하고자 '해외금융계좌 보고(Foreign Bank Account Reporting, FBAR)'를 보완하여 제정된 법령으로 미국 고용 촉진을 위한 법률인 HIRE Act의 하위법령이다.

43) '거주자'는 미국세법상의 기준으로 산정한 미국 내 거주기간이 183일을 초과하는 사람을 말한다. 183일의 계산은 [과세연도의 미국 체류 일수 + 직전연도의 체류 일수의 1/3 + 전전연도의 체류 일수의 1/6]을 합산하여 계산한 기간이 183일 이상이면 거주자로 본다.

44) FATCA 제도에 대하여는 별도로 후술한다.

Agreements)' 가입국은 우대하는 등의 방법으로 다른 국가와 협력망을 구축하고 있다.[45]

FATCA는 자동정보교환의 활성화에 기여하였다.

첫째, FATCA의 시행은 G20과 OECD 회원국 등 영향력이 큰 국가들이 자동정보교환에 대하여 관심을 가지게 하는 계기로 작용하였고, 둘째, FATCA의 통보대상 자료는 은행, 보험회사, 기타 금융기관이 보유한 대부분의 정보라는 점과 통보방법에서도 구체적 인적사항인 '국적자, 거주자, 명목법인' 등으로 구분되어 있어서 사실상 자동정보교환방식과 유사하고, 셋째, FATCA를 이행하지 않는 외국금융기관에 대한 재제가 주는 효과가 큰점을 이용하여 OECD의 조세 투명성 기준을 수용하지 않거나 수용이 어려운 국가들에게 FATCA의 제재수단을 활용하여 그 나라의 관련 법체계를 개선하고 정보교환과 관련된 기관의 협의[46]를 이끌어낼 수 있었고, 다섯째, 미국 국세청의 '국제데이터교환업무(International Data Exchange Service)'와 관련한 전송기술을 다른 국가와 공유할 수 있도록 '전송기술의 표준화'[47]가 이루어진 점 등을 들 수 있다.

정보교환과 관련하여 국제적인 협력을 이끌어내는 과정에서 미국의 역할은 중요한 위치에 있는 것으로 평가할 수 있다. 스위스에 대한 OECD의 압력을 미국이 주도하지 않았다면 스위스가 금융거래비밀을 풀지 않았을 것이고 다른 조세피난처 국가들도 마찬가지로 금융거래 비밀을 풀지 않았을 것으로 보고 있다.[48]

③ 보완이 요구되는 부분

자동정보교환이 활성화되면서 몇 가지 문제점이 지적되고 있다.

첫째, 이러한 변화의 속도가 일부 국가에는 너무 빠르게 느껴질 수 있는 점이다. 엄청나게 정교한 법률적, 기술적, 제도적 구조를 가진 '금융센터(financial center)'들을 압박하여 금융자료를 자동적으로 교환하도록 하는 조치를 단기간에 시행할 수 있게 한 것은 분명히 큰 성과에 해당한다. 그러나 일부 국가에서는 사회정치적, 제도적인 제약으로 인하여 금융거래 투

---

45) FATCA는 미국법령으로 해외금융기관이 고객의 정보를 미국 국세청에 제출하는 것은 개인정보보호와 관련한 각 나라들의 내국법에 상충될 수 있어, 해외금융기관들이 FATCA상 의무를 이행할 수 없다는 문제가 제기된 바 있다. 이에 따라 미국은 해외 국가들과 FATCA 시행을 위한 국가 간 협약(Inter-governmental Agreement, 이하 "IGA")을 체결하고 있다.

46) 예를 들어 특정금융거래정보의 보고 및 이용 등에 관한 법률 제2조에서 열거한 금융기관이 금융자료를 외국에 제공하는 경우에 자국민의 개인정보보호와 과세권의 충돌 등의 문제가 발생할 수 있는 점이다.

47) https://www.irs.gov/Businesses/Corporations/International-Data-Exchange-Service

48) https://www.lejournalinternational.fr/FATCA-Brings-an-End-to-Swiss-Banking-Secrecy_a994.html

명성 제도를 그렇게 빠르게 받아들이기 어렵다는 것이다. 남미나 아프리카 등의 국가가 여기에 해당할 수 있다.

둘째, 자동정보교환이 세계적으로 이루어지고 있는 상황 속에서 미국은 모호한 입장을 보이고 있는 점이다.[49] 미국은 한편으로는 FATCA를 통하여 '요청에 의한 정보교환'의 요구하면서 다른 한편으로는 다른 국가에게는 동일한 정보를 제공하지 않기 때문이다. 또 하나는 자국민이 외국금융기관에 개설한 계좌의 잔액, 이자, 배당금, 자산처분 수익 등의 내역을 통보하도록 요구하면서 미국 내에서 비거주자에게 지급된 유사소득에 대하여는 미국 금융기관으로부터 정보를 제대로 받지 않는다는 것이다.[50] 또한 미국의 델라웨어, 네바다, 사우스다코타, 와이오밍주 등에 소재한 특정 금융센터의 경쟁우위를 위해 역외금융 기반(platform)의 투명성은 요구하지 않고 있다.[51] 이러한 상황을 이용하기 위하여 세무문제에 대한 국제전문가들은 새로운 공격적 세무계획(aggressive tax planning)을 사용하고 있다.[52]

셋째, 자동정보교환이 제대로 효과를 발휘하려면 다음의 조건이 충족되어야 한다. 먼저, 어떤 국가도 적용대상에서 제외되어서는 안되고, 모든 소득에 대한 정보가 교환되어야 한다. 사업소득이든 자본이나 근로소득이든 모두 포함되어야 한다. 그리고 최종 수익적 소유자 (beneficial owner)에 이르기까지 소유의 투명성을 밝혀야 한다.

④ 소득의 실질적 소유자 파악과 국가 간 협력

소득의 최종수익자를 파악하는 방법 중의 하나는 관련국가의 국가명단을 작성하고 중간 소유자를 거쳐 최종적인 수익적 소유자에 이르기까지 금융거래정보를 제공하게 하고 위반하면 과태료를 엄정하게 부과하는 방법이 있다. 이렇게 할 경우 각 국가는 실질적 소유자를

---

49) 미국은 자국 시민권자의 전 세계 소득을 과세하는 기준은 남북전쟁 시기인 1861년에 도입하고, 조세범의 처벌에 관한 기준은 1930년대에, IRS의 전문화는 1950년대에, 그리고 최근에는 FATCA(해외금융계좌신고제도)를 도입하는 등 국제적으로 투명성 제도와 과세제도 측면에서 국제적으로 앞서가고 있다. 조세의 투명성과 관련한 미국의 선도적 역할은 다른 국가들이 이를 수용할 수 있도록 하는데에도 중요한 역할을 하고 있다.

50) 2015년 2월의 미국예산 분석자료를 보면 미국정부는 이 문제의 해결을 위해 법안을 제출하고 있지만 의회가 반대하는 것으로 나타나 있다: '이 법안은 특정 금융 기관이 외국인이 보유한 미국 금융기관 계좌의 잔액정보를 제출하고, 외국인에 의해 보유되는 미국 원천 소득에 관하여 요구되는 현재의 보고를 유사한 미국 이외 지역에서의 원천소득도 포함되도록 확대하며, 재무부 장관은 필요한 규정을 제정하여 적절한 상황에서 외국 정부와 협력하여 유사한 정보를 교환함으로써 FATCA 구현을 용이하게 하는데 필요한 기타 정보의 제출을 IRS가 요구할 수 있도록 한다. 또한 자발적인 세금납부를 독려하기 위하여 국세청에 제출된 금융계좌 정보를 그 계정의 소유자에게도 제공하도록 한다. 이 법은 2016년 12월 31일 이후 신고분부터 적용한다.'

51) 미국의 '델라웨어, 네바다, 사우스다코타, 와이오밍주'에 소재한 법인은 투명성에 문제가 있는 것으로 알려져 있다.

52) http://itep.org/itep_reports/2015/12/delaware-an-onshore-tax-haven.php#.Vp K6TRXhC71

밝히기 위하여 다른 국가와 협력에 나설 것으로 보인다. 이러한 절차는 2015년 10월 조세의 투명성을 주제로 개최된 글로벌 포럼에서 검토된 것이다.[53]

법인 식별기호 규제 감독위원회(Legal Entity Identifier Regulatory Oversiht Committee, LEI ROC)와 같은 공적인 법인등록기구가 창설되어 법인의 실체를 종합적으로 투명하게 관리하면서 법인의 정보를 공개할 수 있도록 한 것은 투명성에 대한 또 다른 중요한 기준이 된다.[54] 또한 최근 5개 EU 회원국들은 수익적 소유자 공개조건을 요구했다. 2016년 4월 프랑스, 독일, 이탈리아, 스페인과 영국은 수익적 소유자 정보의 자동교환에 관한 시범계획을 발표하였다. 이 계획의 목적은 그 수익적 소유자의 거주지국 과세당국과 기타 관련기관에 소득에 관한 모든 정보를 제공하고 범죄용으로 사용하는 복잡한 역외자금통로를 감시능력을 높이려는 데 있었다.[55] 이 계획에 35개국이 즉시 동조의사를 보였다. 2016년 4월 15일 G20 재무장관과 중앙은행 총재가 참석한 회의 후 발표한 성명에서 OECD는 2016년 7월까지 조세투명성 정책에 비협조적인 국가의 국가를 구별할 수 있는 객관적 기준을 정하여 발표하도록 요구하였다.

2014년 OECD의 과세정보의 공통보고기준(common Reporting Stanadard) 조치, 조세문제와 관련한 상호경제적공조에 관한 다자조약(Multilateral Convention on Mutual Economic Assistance in Tax Matters)과 CRS를 연결시키는 다자과세당국협정(Multilateral Competent Authority Agreement)에 100개국이 넘는 국가의 가입 등과 같은 획기적인 성과는 정보교환에서 비롯된 것으로 볼 수 있다.

여기서 더 나아가 세계 각국은 2017년과 2018년에 금융정보의 자동교환을 조세투명성에 관한 새로운 국제기준으로 채택하였다. 이러한 조치들은 본질적으로 다국적 기업과 고소득자에 대한 직접세와 자산세를 관리하는데 목적을 두고 있지만, 과세제도 전반에 파급 효과를 미쳤다. 특히 개인 소득세 비중이 그리 크지 않은 개발도상국에서는 VAT와 다른 세금에 대한 관리도 강화되기 때문이다.

---

53) OECD, Global Forum on Transparency and Exchange of Information for Tax Purposes, Bridgetown, Barbados, 29–30 October 2015, Statement of Outcomes, 30 October, 2015

54) www.leiroc.org. The Legal Entity Identifier Regulatory Oversight Committee(LEI ROC)(법인 식별기호 규제 감독위원회)는 2008년 글로벌 금융위기 당시 금융기관들은 금융거래 시 서로 다른 법인명을 사용하여 시장참여자와 금융당국은 금융거래당사자 파악과 위험 노출액 산정에 어려움을 겪었으며 이는 금융위기의 충격을 증폭시키는 요인으로 작용하여 전 세계 법인에 고유한 식별기호를 부여하는 '법인식별기회시스템'을 도입하기로 2011년 칸 G20 정상회의에서 합의하고 2013년 발족된 국제기구로서 우리나라는 '금융위원회'가 담당하고 있다. 2019. 1. 29. 금융위원회 '법인 식별기호 규제 감독위원회(LEI ROC)총회 개최' 보도자료 참조

55) https://www.gov.uk/government/publications/beneficial-ownership-countries-that-have-pledged-to-exchange-information/countries-committed-to-sharing-beneficial-ownership-information

다국적기업의 불투명성 사례

　유해조세경쟁의 문제는 그 형태와 정도의 다양성 측면에서 금융기관이 밀집된 미국과 같은 국가의 문제만은 아니다. 정보의 미공개 때문에 세수가 감소하는 것이 아니라는 점은 더 큰 문제가 된다. 현실적으로 대기업은 조세부담을 최적화하기 위하여 국가 간의 제도차이를 적극적으로 활용하고 있다. 이것이 공격적 세무계획으로서 교묘하게 불법적인 조세회피를 피하고 합법적인 조세이민(tax migration)으로 위장할 수 있게 한다.

　EU의 사례를 보면 Ireland의 Apple, Fiat, Chrysler, Netherlands의 Starbucks, Luxembourg의 Pepsi, Ikea, AIG, Deutsche Bank 등이 있다.[56] 이와 유사한 사례들이 22개 EU 회원국에서 지금도 발생하고 있다.

　EU에서 이러한 편법거래가 음지에서 양지로 나오려면 그러한 편법거래를 재제할 수 있는 EU 위원회(European Commission)와 같은 강력한 기구가 필요하다. 다국적기업의 국제 탈세망은 아주 정교하고 기술적으로 전문지식을 동원하여 기획한 세무계획을 이용하고 있다.

　복잡한 서류작업을 통하여 혼성금융상품을 구성하여 두 나라로부터 서로 다른 조세상 혜택을 받고 세금을 회피하도록 하거나 수익과 비용을 상계처리하는 회계방법을 사용하는 것으로 가공부채를 만들어 수익을 결손으로 처리하는 방법 등을 사용한다.

　국제거래소득에 대한 조세회피계획에는 전문가나 국제법무법인 등으로부터 회계, 법률 및 조세 전문가들이 개입하여 자문을 한다. 국가 간에는 조세제도와 행정 거래관행 등이 다르고 복잡하다. 단순히 금융거래비밀 장치를 통하여 소득을 은닉하는 단순논리는 통하지 않는다. 과세당국이 다른 나라의 제도를 완전히 알지 못하면 세원잠식의 문제를 제대로 파악하기 힘들다. 이것은 룩셈부르크의 소위 'LuxLeaks' 사례에서 각국의 제도상의 차이를 치밀하게 사용하고 있다.[57]

---

56) European Commission website 자료 참조: Apple case: state aid SA.38373 (2014/C); Starbucks case: state aid SA.38374(2014/C); "LuxLeaks" case: http://www.icij.org/project/luxembourg-leaks?utm_campaign =lux_release&utm_source=email&utm_medium=button_middle&mc_cid=28019c7941&mc_eid=8 0ffe22bbd

57) LuxLeaks: Juncker contre-attaque, Le Figaro, November 12, 2014: http://www.lefigaro.fr/conjoncture/2014/11/12/20002-20141112ARTFIG00258 -luxleaks-je-suis- politiquement-responsable-admet-jean-claude-juncker.php.

② 투명성 제고를 위한 BEPS Project 도입

불투명한 조세관행에 대한 대응은 1997년부터 시작되었다. 유럽의 관점에서 보면 투명성의 행동강령은 지켜지기 어려울 것처럼 보인다. 공격적인 세무계획을 기획한 다국적기업이 대부분 유럽국가에 몰려 있기 때문이다. 이점에서 유해조세구조에 대한 감시가 약화될 소지도 충분히 있게 된다. 이러한 점을 감안하여 2013년 OECD와 G20은 다국적기업의 BEPS 계획을 방지하기 위한 Project를 추진하였다. BEPS Project는 다국적기업의 조세회피 행위와 연관된 요소를 확인하고 이를 제거하려는 것이다.

BEPS Project는 15개 실행계획으로 구성되어 있지만, 그 내용의 특성에 따라 4개의 유형으로 분류할 수 있다. BEPS Project를 특성별로 분류하여 정리하면 아래 표와 같다.

[표 13-1] BEPS Project의 특성별 분류

유 형	내 용	BEPS Projects
1유형	공격적 세무계획 방지	Action 2, 5, 12
2유형	조세조약 남용의 방지	Action 6, 7, 14
3유형	이전가격 과세의 강화	Action 8-10, 13
4유형	다자간 조약	Action 15

* 'Action 1'은 '디지털 경제'와 관련한 문제를 다루고 있으나 국가 간에 이해관계가 서로 얽히는 사항이라는 특성 때문에 원론적 차원에서 권고형태의 방식을 취하고 있다.
http://www.oecd.org/tax/beps.htm

BEPS Project는 투명성의 제고와 관련하여 다음과 같이 상당히 진전된 내용을 담고 있다.

첫째, BEPS Project 이행계획을 수립하고 실행의무를 부여하고 있다.

둘째, 납세자에게 공격적 세무계획을 실행하기 전에 그 계획의 내용을 과세당국에 미리 밝히지 않으면 가산세 등 불이익을 당한다.

셋째, 다국적기업의 이전가격에 관한 조세정보의 보고방식을 표준화된 서식(country-by-country reporting)으로 통일하고 있다.

넷째, 국가 간의 이중과세 관련분쟁의 해결방법을 개선하여 효율성과 효과성을 높일 수 있도록 '강제중재제도(mandatory arbitration)'를 도입하여 상호합의절차를 보완하고 있다.

③ 전 망

앞으로 BEPS Project가 성공할 것인지 여부는 다음 요인들의 영향을 받을 것으로 보인다. 먼저 BEPS Project가 요구하는 국가별 국내 제도개선을 위해 얼마나 신속하게 국내 조세법을 개정하느냐 하는 것이다. 이는 정치적 요소이다. 그리고 모든 국가의 제도가 일치하고 한 가지 목표달성을 위해 같은 방향으로 향할 수 있는지의 문제이다. 이는 제도적 요소이다. 마지막으로 일부 국가의 반대의견 등은 BEPS Project의 성공적인 추진에 걸림돌이 될 수 있다. 또한 개발도상국에 적용할 필요성에 대한 회의적인 목소리도 있다. 개발도상국의 조세행정 및 조세제도의 취약점을 보완하는 데는 상당한 시간이 걸리기 때문이다. 조세제도와 행정수준의 차이에 따른 장애요소이다.

(1) 개발도상국의 비판적 시각

BEPS Project에 대한 개발도상국 입장에서의 주요 비판 내용은 다음과 같이 요약할 수 있다.[58]

먼저 BEPS Project는 세계의 모든 국가가 합의한 내용이 아니다. G8, G20 및 선진국 중심의 OECD가 주도하면서 개발도상국은 배제하였고, 개발도상국과 협의도 하지 않았다. BEPS Project는 일방통행식(unilateral)이고 권고사항을 이행하기 위한 국내조세제도 변경에 관한 국제기준은 너무 복합하다는 것이다.

또한 BEPS를 한다 해도 탈세가 없어지지 않는다. 개발도상국이 탈세방지를 위해 BEPS를 시행하는 것은 어렵다. 조세 및 금융제도나 기술발전, 문화적 환경 등 BEPS의 시행에 인프라가 부족한 상태에서 선진국에서나 가능한 제도를 적용하는 것은 문제가 많다.

아울러 BEPS Project는 국가 간 조세주권의 배분문제를 해결할 수 없다. 고정사업장의 기준을 확대하거나 디지털경제와 관련한 원천지국 과세기준확대 등이 더 중요한 과제라고 주장한다.

마지막으로 BEPS Project를 통하여 무한세율인하경쟁(race to the bottom)을 종식시킬 수 없다. 모든 국가들은 여러 가지 형태로 변형하여 조세경쟁을 계속할 것이기 때문이다. 법인세를 과세할 때 다양한 감면혜택을 부여하면 세원과 세수를 잠식하게 될 것이다. 달리 말

---

58) Joint agency briefing note from Oxfam, the Tax Justice Network, the Global Alliance for Tax Justice and PSI(Public Service International): PSI는 공공 부문 노동조합의 세계 연맹체로서 조세제도 등에 대하여 의견을 내고 있다.
https://www.oxfam.de/system/files/still--broken.pdf

하면 BEPS는 기존의 조세제도상의 문제점은 그대로 두고 있으므로, 이것의 개선이 없이는 BEPS를 통하여 국가 간의 조세경쟁을 막지 못한다는 것이다.

(2) 성공적 추진 가능성 기대

그럼에도 불구하고 국가 협력과 다자간 협력을 통하여 BEPS Project는 성공적으로 추진될 수 있을 것으로 보인다. 특히 조세정보의 교환과 투명성에 대한 국제포럼(Global Forum on Transparency and Exchange of Information for Tax Purposes)을 통하여 금융거래비밀, 수익적 소유자의 결정, 정보교환 등에 관한 문제를 적극적으로 다루면서 해결방안을 찾고 있기 때문이다. 또한 BEPS Project와 관련하여 그동안 논의가 덜되었던 조세정책, 예를 들어 '공식적 배분방법(formulary apportionment), 단일과세제도(unitary taxation)' 등이 활발하게 논의되는 등 새로운 조세정책대안을 찾기 위한 시도가 활발하게 이루어질 수 있을 것으로 보인다. 이러한 대안들은 제3자 거래가격 기준(arm's length rule)의 문제점을 보완하는 대안으로서 논의되는 주제이다.[59]

마지막으로 중요한 것은 법인세의 과세구조인 '소득에서 비용을 공제하여 과세표준을 산출'하는 방식은 19세기 처음 도입 후 아직까지 사실상 그대로 유지되고 있는 가운데 BEPS는 가장 큰 변화를 불러온 조세개혁이라고 불리고 있다. 그동안 과소자본세제(thin capitalization rules), 이전가격, 물가인상률 조정 등의 변화가 있었지만 실질적인 변화라고 할 만한 것은 없었다. 과거와 달리 조세의 투명성을 강조하는 새로운 과세제도를 강조하는 개혁이기 때문이다.

제5절 금융정보교환의 기준

❶ 금융정보교환의 방법

금융정보는 양자 간 조약과 다자간 조약을 통하여 교환된다. 양자 간 조약에 따라 교환하는 방법을 '요청정보교환(Exchange of Information on Request, 이하 'EOIR'이라 한다)'이라

---

59) S. Picciotto, "Towards Unitary Taxation of Transnational Corporations", Tax Justice Network(TJN), December 9, 2012
http://www.taxjustice.net/cms/upload/pdf/Towards_Unitary_Taxation_1-1.pdf. ; D. Spencer, "Transfer Pricing : Formulary Apportionment is not a panacea", Part 1 and Part 2. Journal of International Taxation, April and May, 2014

고 하고 정보교환과 관련한 다자간 조약에 따라 교환하는 방법을 '자동정보교환(Automatic Exchange of Information, 이하 'AEOI'이라 한다)'이라고 한다.

요청정보교환방법은 일방국가의 과세당국이 타방국가의 과세당국에서 특정한 과세정보 자료를 요청하는 방법으로서 수보받은 자료를 활용하여 세무조사 자료로 활용하게 된다. EIOR의 근거는 2002년 '조세정보교환협정(Tax Information Exchange Agreement, 이하 'TIEA'라 한다)'과 2005 OECD 표준조세조약 제26조에 의하여 도입된 규정에 두고 있다. 기본적으로 상대체약국의 요청이 있을 경우에 정보제공여부를 판단하여 제공하는 구조로 운영된다.

EOIR 방법은 정보요청의 범위에 대하여 과세당국 간에 분쟁이 발생하고 있다. 상대체약국이 요청할 수 있는 정보의 범위는 구체적으로 확정되어 있지 않고 단지 '예상되는 문제와의 관련성(foreseeable relevance)'을 규정하고 있을 뿐이다.[60] 이를 이용하여 예상되는 문제가 구체적으로 무엇을 말하는지에 대한 의견차이가 발생할 수 있고, 또한 특정한 조세문제와 직접 관련이 없어 보이는 정보까지 과다하게 요구하는 문제(fishing expeditions)가 발생할 가능성 있다.[61] 따라서 국내법의 규정에 따라 제공이 어렵거나 자료확보가 어려운 경우 등에는 자료를 제공하지 않은 수 있는 일정한 제약조건을 붙이고 있다.[62]

자동정보교환방법(AEOI)은 EOIR의 취약점을 보완하고 있다. BEPS Project의 추진과 함께 그 중요성이 높아지고 있다. 자동정보교환은 원천지국이 배당소득, 이자소득, 사용료소득, 근로소득, 연금소득 등 여러 가지 소득에 대한 과세정보자료를 정기적으로 그리고 체계적으로 거주지국에 전송하는 제도를 말한다.

② 자동정보교환제도의 내용

(1) 기본구조

AEOI는 OECD가 정한 기준(Standard for Automatic Exchange of Financial Account Information in Tax Matters, 이하 '자동정보교환기준' 또는 'CAA'라 한다)에 따라 이루어진다.[63]

---

60) OECD 표준조세조약, 2017, 제26조 제1항
61) ibid, 주석 paras. 5−5.5
62) ibid, 제26조 제3~5항
63) OECD, 2017, Standard for Automatic Exchange of Financial Account Information in Tax Matters, Second Edition, OECD Publishing, Paris. pp.21~27

AEOI기준은 비거주지국 개인이나 단체의 금융계좌자료를 미리 정한 양식으로 매년 정기적으로 교환해야 한다. EOIR은 상대체약국의 과세당국이 요청하는 경우에 교환되므로 비정기적으로 과세정보가 교환된다.

교환대상 정보자료는 자동정보교환협정을 체결한 국가 간에 미리 합의된 자료로서 금융계좌와 투자자료가 포함된다. 해당 금융기관이 보유하고 있는 비거주자의 계좌에 대한 정보와 그 계좌 소유자에 대한 정보를 상세하게 제출해야 한다. 금융계좌에 대한 정보는 '계좌보유 금융기관, 계좌번호, 계좌잔액에 대한 정보'를 말하고, 계좌소유자에 대한 정보는 '계좌소유자의 이름, 주소, 생년월일, 납세자확인번호(taxpayer indentification number)에 대한 정보'를 말한다.

교환절차는 자동정보교환협정을 체결한 당사국은 매년 자국소재 금융기관으로부터 정보자료를 수집하여 그 금융계좌소유자의 거주지국과 자동적으로 교환한다. 교환되는 정보는 비밀이 유지되고 안전하게 교환될 수 있도록 필요한 조치를 적정하게 취해야 한다. 대상 금융기관의 범위는 은행, 헤지펀드(hedge funds), 투자신탁회사(investment trusts) 등을 포함한다.

한국-미국 및 다자간 금융정보자동교환협정(AEOI) 참여국 간 금융계좌정보를 매년 정기적으로 상호 교환하는 제도의 기본구조를 정리하면 아래 그림과 같다.

[그림 13-1] 국가 간 자동정보 교환방식

※ 『정보교환협정에 따른 금융정보 자동교환 이행규정』 제11조에 따른 금융계좌: 예금계좌, 수탁계좌(증권거래계좌 등), 자본 및 채무지분, 보험・연금계약
※ 자료: 국세청 2019. 5. 27. 보도참고자료

(2) 구성요소

AEOI의 세 가지 주요 구성요소는 다음과 같다.[64]

---

64) Automatic Exchange of Information Implementation Report 2018, pp.12~13

첫째, 국내법 절차로서 금융기관이 법률적으로 정당하게 계좌정보를 수집하고 보고할 수 있도록 하는 장치가 마련되어 있어야 한다.[65]

둘째, 금융계좌정보 교환을 필요로 하는 국가 간에 '과세당국자 간 자동정보교환 협정(Competent Authority Agreement)'을 체결하여야 한다. 정보제공국과 정보수보국 간에 체결되며 자료에 대한 비밀유지와 안전장치기준을 준수하여야 한다.

셋째, 교환대상 금융계좌자료를 효과적으로 수집하고 관리할 수 있는 제도적 장치로서 금융기관의 의무이행장치 등이 마련되어야 한다.

이러한 세 가지 핵심요소가 구비된 금융거래정보의 자동교환은 해외에 금융자산을 보유하면서 탈세하는 것을 추적하여 확인하는 강력한 도구가 될 수 있다.

(3) 비밀유지와 안전관리 기준

AEOI를 통하여 전송되고 수보되는 금융거래 정보자료의 비밀유지와 안전한 관리를 위한 기준은 다음과 같다.

첫째, 자료의 이용은 금융정보자료의 교환목적에 국한되고 그 외의 목적으로 공개되지 않도록 국내 및 국제적 법률기준에 따라 교환되어야 한다.

둘째, 금융거래정보의 비밀을 보호하고 안전하게 관리될 수 있도록 하는 정책과 제도를 구비해야 한다.

비밀유지와 안전관리에 관한 기준은 요청정보제공(EOIR)에도 적용된다.

③ 과세당국자 간 자동정보교환협정

(1) 구조

OECD '자동정보교환기준'에서 제시된 '표준협정(Model Competent Authority Agreement)'의 구조는 다음과 같다.

전문(preamble)과 Section 1에서 Section 7까지로 구성된다.

전문에서는 금융정보교환협정 체결목적과 효과적인 교환을 위한 협력방안을 간략하게 기술하고 있다.

---

65) 우리나라는 국제조세조정에 관한 법률 등에서 규정하고 있다.

Section 1(Definitions)은 용어의 의미(meaning)를 정의하고 있다. 제1항에서는 금융기관 (financial institution)은 당사국의 거주자(resident)에 해당하는 금융기관을 말하고, 보고대상 금융기관(reporting financial institution)은 양 체약국의 거주자 금융기관으로서 보고대상제 외대상자가 아닌 금융기관을 의미하고, 보고대상계좌(reportable account)는 보고대상금융기 관이 적정한 절차(due diligence procedure)로 확인한 계좌로서 각각 상대체약국의 거주자가 보유한 계좌를 의미하는 것을 규정하고 있다.[66] 제2항에서는 용어의 의미는 협정에서 달리 규정하지 않으면 체약국의 국내법에서 규정한 용어의 의미를 사용하도록 규정하고 있다.[67]

> Model Competent Authority Agreement(CAA) 제1조 제2항
>
> Any capitalised term not otherwise defined in this Agreement will have the meaning that it has at that time under the law of the jurisdiction applying the Agreement, such meaning being consistent with the meaning set forth in the Common Reporting Standard. Any term not otherwise defined in this Agreement or in the Common Reporting Standard will, unless the context otherwise requires or the Competent Authorities agree to a common meaning(as permitted by domestic law), have the meaning that it has at that time under the law of the jurisdiction applying this Agreement, any meaning under the applicable tax laws of that jurisdiction prevailing over a meaning given to the term under other laws of that jurisdiction.

Section 2(Exchange of Information with Respect to Reportable Accounts)는 보고대상계좌 의 정보교환 방법에 대하여 규정하고 있다. 사용하는 보고서식은 표준보고서식인 'CRS'이다.

대상자의 인적사항: 개인은 '이름, 주소, 납세자확인번호(Taxpayer Identification Number), 생년월일 등'이고, 법인 등 단체는 '지배적 소유자의 이름과 주소 생년월일, 법인의 이름과 주 소, 납세자번호 등'이다.[68]

계좌관련정보: '계좌번호, 보고금융기관의 이름과 기관번호, 계좌잔고금액이나 자산가치, 미성년자명의 계좌(custodial account)의 내역, 예금계좌의 내역 등'이다.[69]

Section 3(Time and Manner of Exchange of Information)은 정보의 교환시기와 방법에 대하여 규정하고 있다.

---

66) CAA Section 1 제1항 a)~n)
67) OECD 표준조세조약, 2017, 제3조 제2항의 취지와 같은 것으로 볼 수 있다.
68) CAA Section 2 제2항 a)
69) CAA Section 2 제2항 b)~g)

보고대상계좌의 금액과 지급액의 성격은 국내 조세법이 규정한 기준에 따라 산정하고[70] 금융계좌관련정보는 암호화되어 교환된다.[71] 정보의 교환시기는 역년(calendar year) 종료일로부터 9개월 이내에 교환된다.[72]

Section 4는 교환정보의 내용에 오류가 없도록 성실한 협력의무를 규정하고 Section 5는 자료에 대한 비밀보호와 안전한 관리에 대하여 규정하고 있다. Section 6은 CAA의 이행 및 해석과 관련한 협의와 개정절차에 대하여 규정하고 있다. Section 7은 협약의 집행과 관련된 내용으로서 '발효일, 종료 및 정지 조건' 등을 규정하고 있다.

(2) 상호주의 원칙

금융정보자료의 교환은 상호주의 원칙에 따라 정보요청국과 정보제공국 간에 체결된 정보교환협정에 따라 이루어지는 것이 원칙이다. 그러나 조세제도의 차이로 인하여 상호주의 원칙을 적용할 수 없는 경우가 발생할 수 있다. 예를 들어 소득세 제도가 없는 국가와의 정보교환을 할 경우가 해당한다.

이 경우에는 소득세 제도가 있는 국가에만 정보를 제공하고 소득세제도가 없는 국가에는 정보를 제공할 필요가 없게 되므로 상호주의 원칙을 적용하지 않아도 된다. 이 경우에는 CAA의 상호주의 기준을 일부 변경한 'Nonreciprocal Model Competent Authority Agreement'을 적용하여 금융정보자료를 교환한다.[73]

(3) 다자간 정보교환협정

다자간 정보교환협정(Multilateral Model Competent Authority Agreement)은 '조세에 관한 행정공조에 관한 협정(Convention on Mutual Administrative Assistance in Tax Matters)' 제6조에 근거하여 CAA를 일부 변경하여 전문(preamble) 등을 추가하는 형식을 취하고 있다. 다자간 표준정보교환협정의 정식명칭은 'Model Agreement on the Automatic Exchange of Financial Account Information to Improve International Tax Compliance'이

---

70) CAA Section 3 제1항, 제2항 및 제4항
71) CAA Section 3 제5항 및 제6항
72) CAA Section 3 제3항
73) OECD, Standard for Automatic Exchange of Financial Account Information in Tax Matters, Second Edition, OECD Publishing, Paris, 2017, pp.223~229. 'Annex 2 Nonreciprocal Model Competent Authority Agreement'.

고, 전문(preamble)과 본문은 Section 1에서 Section 8로 구성되고 상호주의기준이 적용되지 않는 국가의 명단을 별도로 첨부한다.[74]

 **공통보고기준**

금융정보교환형식은 '공통보고기준(Common Reporting Standard, 이하 'CRS'라 한다)'을 적용한다. CRS와 관련하여 2014년 5월 6일 48개국 대표자들이 OECD에서 '자동정보교환에 관한 선언문(Declaration on Automatic Exchange of Information in Tax Matters)'[75]을 채택하고 OECD 이사회(council)는 2014년 7월 15일 '금융정보 자동교환에 대한 권고문 (Recommendation of the Council on the Standard for Automatic Exchange of Financial Account Information in Tax Matters)'을 채택하였다. OECD 공통보고기준의 정식명칭은 'Common Standard on Reporting and Due Diligence for Financial Account Information'이 다.[76] 구성은 Section I에서 Section IX까지 9개 조문으로 되어 있다. 조문별 내용을 간략하게 보면 다음과 같다.

보고기준에 대하여 Section I은 일반적 보고기준(General Reporting Requirements)을 규정하고, Section II는 구체적인 성실보고요건(General Due Diligence Requirements)을 규정하고 있다. 개인 금융계좌 중 보고대상 계좌의 확인절차에 대하여 Section III은 기존 개인계좌의 확인절차를 규정하고, Section IV는 신규 개인계좌의 확인절차를 각각 규정하고 있다. 법인 등의 금융계좌 중 보고대상계좌의 확인절차에 대하여 Section V는 기존 법인계좌의 확인절차를 규정하고, Section VI는 신규 법인계좌의 확인 절차를 각각 규정하고 있다. Section VII은 추가적인 성실보고기준(Special Due Diligence Rules)을 규정하고 있다. Section VIII은 관련 용어에 대한 상세한 정의 규정(Defined Terms)을 두고 있다. 마지막 Section IX는 금융정보 보고의 성실한 이행에 필요한 규정과 행정절차의 구비에 대하여 규정하고 있다.

---

74) ibid. pp.215~222. Annex 1

75) ibid. pp.315~318. Annex 6

76) OECD, Standard for Automatic Exchange of Financial Account Information in Tax Matters, Second Edition, OECD Publishing, Paris, 2017, pp.29~61

5 시행결과 평가

OECD는 금융정보자동교환협정을 체결한 국가들의 시행 결과를 분석한 보고서를 발간하였다.[77] 2019년에는 금융정보자동교환 협정을 체결한 100개국 간에 총 가치 약 10조 유로에 해당하는 8,400만 개의 금융 계정과 관련된 정보가 교환되었고[78] 2020년에는 금융정보자동교환협정 체약국이 105개국으로 늘어나고 교환관계망도 약 7,000개로 15% 증가한 것으로 나타났다.

AEOI 표준이 조세 회피와 탈루라는 국제사회의 목표를 실현하는데 완전히 효과적일 수 있도록 해야 할 일은 여전히 남아 있는 것으로 분석하였다. 여기에는 금융정보교환망에 참여하지 않고 있는 국가들의 참여이행을 계속 추진하고 AEOI 표준을 이행한 국가들의 이행절차가 효과적으로 작동하도록 AEOI 기준이 적절하게 구현될 수 있는 환경을 구축해 나가야 한다. 이를 위하여 국내 법률체계와 국제적인 체계를 보완하여 나갈 필요가 있는 것으로 평가하고 있다.[79]

제6절 **투명성의 진전과 새로운 과제**

투명성의 진전은 국제적인 추세이다. 강력한 국제기구가 통일된 기준으로 관리하지 못하고 법률적, 정치적, 윤리적, 기타 여러 가지 요인으로 인하여 국가별로 차이는 있지만 금융거래정보의 투명성확보에 대한 공감대는 세계적으로 확산되어 있다는 점에서 탈세와 조세회피 방지효과는 점점 커질 것으로 예상된다. 조세의 투명성은 납세자와 그들의 조세회피전략을 도우는 전문가와 과세관청 간의 조세정보에 관한 불균형을 해소할 수 있게 만들었다.

활발한 국제거래환경 속에서 자본의 국가 간 이동성은 계속될 수 있지만 노출되지 않고 숨을 곳이 없어진 것이다. 재정과 금융의 투명성 증진을 국가 간 협조가 진전되면 소득과 자본에 대한 조세정책의 변화도 빨라지게 될 것이다. 투명성의 제고는 새로운 기술적·윤리적 과제를 납세자, 조세전문가와 과세당국에 던지고 있다. 조세정보의 효율적인 관리는 납세

---

77) OECD, Peer Review of the Automatic Exchange of Financial Account Information 2020, OECD Publishing, Paris.https://doi.org/10.1787/175eeff4-en

78) ibid. pp.365~378. Annex B.Details of the exchange agreements in place

79) ibid. pp.379~381. Annex C. Extract from the AEOI Terms of Reference with respect to the legal frameworks

자와 과세당국에 새로운 서비스 부분의 확대기회를 제공하는 한편, 자료의 정확하고 공정한 관리 의무도 부여하고 있다.

국제거래 소득에 대한 조세의 불투명성으로 인한 정보의 불균형은 납세자 간의 차별대우로 이어질 수 있다는 인식이 강화되고 있다. 정치경제환경 속에서 조세정책의 결정은 불합리하게 이루어질 수 있다. 다수결의 원칙이 지배한 정책결정과정에서 조세정책에 대한 지지율을 높이거나 외연을 넓히려면 평균적인 수준에 부합하는 유권자들이 원하는 방향으로 공약이나 정책들이 집중된다는 '중위 투표자 정리(median voter theorem)'[80]가 지배한다. 그러나 고소득층의 조세부담 회피와 자본이탈, 강력한 압력단체의 반대 등으로 인하여 결국에는 저소득층의 세부담을 늘리는 역진적인 조세정책을 선택할 우려가 있다.[81]

2008년 세계의 재정위기 이후 저소득층과 개발도상국은 개인소득의 하락으로 인하여 소비지출을 줄이는 내핍생활을 감수하거나 사회복지제도를 통한 국가보조금으로 생활하게 되어 삶의 수준이 나빠졌지만, 고소득층은 조세전문가의 도움과 불투명한 금융거래제도가 있는 조세피난처 등에 자산을 은닉하여 탈세와 조세회피를 하고 있다. 조세감면은 자본의 이동을 유인하고 다국적기업의 설립과 유지를 유발하는 중요한 변수이다.[82]

이것은 조세의 투명성이 진전함에 따라 나타나 새로운 과제인 공평성 문제를 제기한다. 이에 대하여 OECD는 조세의 투명성을 제고하는 것은 시장경제를 공정하게 만들어 부익부 빈익빈의 현상을 개선할 것으로 보고 있다. 그것을 달성하게 해주는 것이 과세정보 교환으로 보는 것 같다.

---

80) 1929년 Stability in Competition이라는 논문에서 통계학자이자 경제학자인 해롤드 호텔링이 처음 제안한 이론으로서 다수결 방식의 투표에서, 중위 투표자(median voter)들이 원하는 내용이 투표의 결과를 결정한다고 한다. Harold Hotelling, Stability in Competition, The Economic Journal, Vol. 39, No. 153(Mar., 1929), pp.41~57. Published By: Oxford University Press; Roger D. Congleton, The Median Voter Model, The Encyclopedia of Public Choice. In: Rowley C.K., Schneider F. (eds) The Encyclopedia of Public Choice. 2004. pp.707~712; William S. Comanor, The median voter rule and the theory of political choice, Journal of Public Economics, Volume 5, Issues 1-2, January-February 1976, pp.169~177

81) J. Mahon, 2016, "Theories of Fiscal Politics, States, and Liberalism in Latin America". Williams College

82) Vito Tanzi, 2000, "Globalization, Technological Developments, and the Work of Fiscal Termites". IMF, Working Paper Working Paper 00/81

제**14**장

국제과세분쟁의 해결

제1절 해결절차의 특성

 당사국의 합의해결 원칙

OECD 표준조세조약 제25조는 국가 간의 과세분쟁은 조세조약을 체결한 국가의 과세당국 (competent authorities)이 상호합의를 통하여 해결하는 원칙을 규정하고 있다. 국가 간의 과세분쟁은 국제거래를 하는 납세자를 통하여 일어나지만 그 원인은 과세관할권의 충돌에 있다. 과세관할권은 국제거래소득에 대하여 개별국가에서 과세할 수 있는 권한을 말한다. 과세관할권 내에서 발생한 소득에 대한 과세는 국가의 주권(sovereign power)을 조세 측면에서 행사하는 것이므로 국가의 주권을 조세에 확장하는 것과 같다. 국가 간의 과세분쟁 해결은 개인의 권리구제에만 국한되지 않고 국가 간의 이해관계에 대한 상호주의 원칙(reciprocity principle)이 적용된다. 따라서 국가 간의 과세관할권이 충돌하는 경우에 이를 조정하여 원활한 해결책을 구하는 것은 말처럼 쉽지는 않다.

일방체약국에서 타방체약국의 거주자에 대하여 조세를 부과·징수하는 것은 조세주권적인 요소의 영향을 받게 되므로 그와 관련한 분쟁의 해결절차에서도 국내 거주자의 과세불복절차와 다른 특성을 가지고 있다. 국가 간의 분쟁사항은 원칙적으로 외교절차를 통하여 해결되어야 하지만 과세문제와 관련된 분쟁은 이러한 외교절차를 거치지 않고 과세당국 간의 협의를 통하여 해결할 수 있는 특별절차를 두고 있다.[1] 그 특별절차는 '상호합의절차(Mutual Agreement Procedures)'로서 OECD 및 UN의 표준조세조약 제25조에서 규정하고 있으며, 대부분의 개별조세조약에서도 이 내용을 따르고 있다. 국가 간의 분쟁은 언제나 주권적인 요소가 포함되어 있지만 조세문제에서는 사적계약에 따라 성립한 거래 자체의 효력문제를 다루는 것이 아니고 그 거래의 효과인 소득금액과 그에 따른 세금을 산출하기 위하여 조세

---

1) OECD 표준조세조약, 2017, 제25조 제1항 및 제2항 주석 para. 8. 'In any case, the mutual agreement procedure is clearly <u>a special procedure</u> outside the domestic law.~'

측면에서 그 거래의 구조와 결과를 재해석하는 문제라는 특성이 있다.

이는 원천적인 거래 자체의 효력을 다투는 것이 아니고 그 거래 자체의 효력은 인정하면서 과세소득이 조세조약의 목적에 맞게 제대로 산정된 것인지를 검증하는 문제와 관련하여 조세조약의 해석과 적용에서 납세자 또는 상대체약국과 의견이 다른 경우에 발생하는 문제이다. 따라서 전문직이고 기술직(technical)인 문제이므로 외교적 절차를 통하지 않고 과세문제를 전문적으로 다루는 양국의 과세당국(competent authority)이 직접적으로 협의하여 해결하는 특별절차를 이용하는 것이 효율성과 효과성 측면에서 더 낫기 때문이다.

 포괄적 권리구제

조세조약을 체결한 국가의 과세당국 간에 발생할 수 있는 국제과세 분쟁은 납세자 측면에서 보면 다음 두 가지로 요약할 수 있다.[2]

첫째는 일방체약국 또는 양 체약국의 과세당국이 납세자에게 취한 과세조치가 조세조약의 규정에 부합하지 않는 경우이다.[3]

둘째는 일방체약국 또는 양 체약국의 과세당국이 조세조약을 해석하거나 적용한 결과에 납세자가 다른 의견을 가지는 경우이다.[4]

상호합의 대상이 되는 과세분쟁은 서로 다른 과세관할권에 거주하는 납세의무자[5]가 상대방 체약국의 과세조치 등으로 인하여 불이익을 당했거나 앞으로 당할 것으로 예상되는 경우까지도 포함하고 있다.[6] 국가 간의 과세분쟁에 대한 해결방안은 사후적인 피해구제뿐 아니라 사전적인 피해예방까지도 포함하는 포괄적 구제제도의 기능을 하는 것으로 볼 수 있다.

---

2) OECD 표준조세조약, 2017, 제25조에 규정된 상호합의절차(mutual agreement procedure)의 대상은 납세자와 과세당국 간의 분쟁뿐 아니라 조세조약의 적용과 해석에 대하여 체약당사국 간의 분쟁도 포함한다. 체약당사국 간의 분쟁은 다른 장에서 다루고 있으므로, 여기서는 납세자와 과세당국 간의 과세분쟁과 관련한 내용을 중심으로 다루기로 한다.

3) OECD 표준조세조약, 2017, 제25조 제1항

4) OECD 표준조세조약, 2017, 제25조 제3항

5) 여기서 말하는 '납세의무자'는 OECD 표준조세조약, 2017, 제3조 제1항 a)목에서 정의하고 있는 '인(person)'의 개념을 의미한다. a)목에서 "'인(person)'은 개인, 법인, 기타 인(persons)의 조직체를 포함한다」고 규정하고 있다. 따라서 개인납세자뿐 아니라 법인, partnership 등을 포괄한다. 여기서는 '납세의무자'와 '납세자'를 같은 뜻으로 혼용하여 사용한다.

6) OECD 표준조세조약, 2017, 제25조 제1항에서 '1. Where a person considers that the actions of one or both of the Contracting States result or will result~'라고 표현하여 '현재뿐 아니라 예상되는 것'까지 포함하는 것을 명시하고 있다. 동항에 대한 주석 para. 14

③ 상호합의절차 개선의 진행

(1) 상호합의절차의 효과성 제고 필요성

이러한 분쟁사항은 양 체약국의 과세당국이 상호합의과정을 통하여 해결책을 모색하지만 반드시 의견의 일치를 통하여 해결방안을 도출해야 하는 의무는 지워져 있지 않다. 단지, 양 체약국의 과세당국은 과세분쟁사항을 해결할 수 있도록 노력(endeavor)하면 된다.[7] 체약국에게 납세자와의 과세분쟁을 반드시 해결해야 하는 의무(obligation)를 지우는 것이 아니라 해결하기 위하여 노력(endeavor)해야 한다는 표현을 사용하고 있다. 또한, 납세자는 거주지국 과세당국에 과세 측면에서 침해당했거나 침해당할 우려가 있는 권리의 구제신청을 할 수는 있으나 양 체약국의 과세당국이 진행하는 상호합의절차에 직접 참가할 수는 없다.[8]

과세당국 간의 상호합의를 통한 과세분쟁해결절차(mutual agreement procedure, 이하 '상호합의절차'와 'MAP'을 혼용한다)의 효과성에 대하여 비판이 제기되는 이유이다. 국제조세문제에 내포되어 있는 특성[9]을 감안하더라도 납세자의 입장에서 보면 국가 간의 과세분쟁의 해결절차가 시간이 많이 걸리고 또한 직접 피해를 입고 있는 당사자인 납세자의 참여가 제한되고 있어서 효율성과 투명성 측면에서 안고 있는 문제점이 계속 지적되어 왔다.

(2) OECD의 개선작업 진행

OECD 재정위원회(CFA)는 이를 감안하여 2008년에는 표준조세조약을 개정하여 관할 당국이 달리 분쟁을 해결할 방법이 없으면 강제중재(binding arbitration) 절차를 취할 수 있는 근거를 도입하였다.[10] OECD/G20이 추진하고 있는 BEPS Project와 관련한 실행계획(action plan) 중 '제14 실행계획(action plan 14)'에서 검토된 상호합의절차의 개선내용을 반영하여 많은 개선이 이루어지고 있다.[11]

상호합의절차와 관련된 BEPS 실행계획에서 중점을 두는 것은 MAP의 효과성과 능률성

---

7) OECD 표준조세조약, 2017, 제25조 제2항 및 3항. 'The competent authority shall endeavour~' 이에 대하여는 후술한다.

8) 일부 조세조약에서는 예외적으로 납세자가 양 과세당국에 독립적으로 의견을 진술할 수 있는 자격을 부여하는 조항을 두는 경우도 있다. 일반적으로는 대리인을 통하여 구두 또는 서면으로 양 체약국의 과세당국에 간접적으로 의견을 제출하는 것으로 갈음하고 있다.

9) 앞에서 언급한 조세문제의 국가 주권적인 요소와 관련된 사항을 말한다.

10) OECD 표준조세조약, 2017, 제25조 제5항

11) OECD/G20 Base Erosion and Profit Shifting Project – Making Dispute Resolution Mechanisms More Effective, ACTION 14: 2015 Final Report

의 강화이다.[12] 납세자에 대한 과세과정에서 조세조약의 적용과 해석의 일관성과 적정성을 유지하는 동시에 조세조약의 적용과 해석과 관련한 분쟁의 해결절차인 MAP의 효율성과 효과성을 높이는 것이다. 국제거래소득에 대한 과세에는 조세주권적 요소가 작용하기 때문에 상호합의절차를 통한 분쟁해결을 신속하고 효과적으로 하는 것에 대한 국가별 정치적 지지가 강력하게 뒷받침되어야 한다.

대부분의 국가들은 BEPS Project 제도의 도입에 동의하고 이를 적극적으로 추진하기 위하여 '포괄적 협력체계(inclusive framework)'에 참여하고 '제14 실행계획'인 MAP의 개선방법과 관련한 '최소기준(minimum standard)'을 개발하고 모든 국가들에게 조세조약의 적용이나 체결과정에 반영하도록 권고하고 있다.[13] 최소기준은 다음 세 가지로 구성된다. 첫째, 상호합의절차에 관한 조세조약상의 의무를 성실하게 이행하여 과세분쟁을 신속하게 해결한다. 둘째, 조세조약관련 분쟁의 예방과 해결을 위하여 필요한 절차를 신속하게 진행한다. 셋째, 납세자의 MAP 접근권을 보장한다.

특히 중요한 내용은 과세분쟁의 신속한 해결을 위한 대안으로서 '강제중재절차(Mandatory MAP Arbitration)'가 강조된 점이다.[14] 강제중재절차의 필요성이 강조되기 시작한 배경에는 2015년 6월 7~8일 이틀간 독일 Elmau에서 열린 제41차 연례 G7 정상회의 결과 발표된 공동성명서 내용 중 '구속력 있는 강제중재절차(binding Mandatory MAP Arbitration)'에 대한 언급이 있었기 때문이다.[15] 공동성명서에는 강제중재절차 도입을 통하여 국제조세 문제에 관한 개선 약속과 BEPS Project에 강제중재절차에 관한 사항이 포함되어 추진되는 것에 대한 지지를 담고 있다.

---

12) ibid. p.9

13) ibid. p.9

14) ibid. p.10. 보고서에서 강제중재절차를 수용하는 국가는 19개국의 이름을 나열하고 있다. Austria, Belgium, Canada, France, Germany, Ireland, Italy, Japan, Luxembourg, the Netherlands, New Zealand, Norway, Poland, Slovenia, Spain, Sweden, Switzerland, the United Kingdom, the United States 등

15) G-7 공동발표문(Leaderrs' Declaration G7 Summit, 7~8 June 2015) 중 p.3 Tax 부분의 강제중재절차에 관한 내용 : 'Moreover, we will strive to improve existing international information networks and cross-border cooperation on tax matters, including through a commitment to establish binding mandatory arbitration in order to ensure that the risk of double taxation does not act as a barrier to cross-border trade and investment. We support work done on binding arbitration as part of the BEPS project and we encourage others to join us in this important endeavour.'
https://sustainabledevelopment.un.org/content/documents/7320LEADERS%20STATEM
ENT_FINAL_CLEAN.pdf

(3) OECD 표준조세조약 제25조의 개정

BEPS Project 실행계획 중 MAP과 관련 제14 실행계획에 따라 납세자의 MAP 및 중재절차에 대한 접근권을 확대하기 위하여 제25조 제1항과 제5항 b)목이 개정되었다. 제1항은 종전에는 거주지국에서만 MAP 신청이 가능했던 것을 거주지국과 원천지국 중 납세자가 선택하여 신청할 수 있도록 하였다. 제5항 b)목은 MAP 처리기간의 2년의 기산점을 종전에는 일방체약국이 상대체약국에 MAP 절차를 신청한 날을 기준으로 하던 것을 필요한 모든 자료가 제공된 날을 기준으로 하도록 개선하였다.[16) MAP 처리기간의 기산점은 종전에는 납세자가 MAP을 신청한 경우 그 신청을 받은 국가는 타방체약국에 납세자의 MAP 신청사실과 함께 MAP 절차의 개시를 요청(통보)한 날로부터 시작하였으나, 개정된 규정에서는 형식적인 통보일이 아니라 상대체약국이 그 사건을 검토할 수 있는 충분한 자료를 통보한 날을 기준으로 변경한 것이다.

MAP 처리기한 2년이 지나면 납세자는 중재절차 신청을 할 수 있다. MAP 처리기한 2년은 사건의 복잡성에 비하여 너무 짧기 때문에 양 체약국이 자료를 충분히 검토하여 결론을 내릴 수 있는 상태에서 기산할 필요가 있다는 회원국들의 요구를 반영한 것으로 보인다. 한편으로는 납세자가 과세당국에는 필요한 자료 제출을 미루면서 2년을 경과한 후 중재절차를 통하여 유리한 결과를 얻기 위하여 이 제도를 악용할 수 있는 것을 방지하려는 의도인 것으로도 보인다. 그러나 MAP 절차의 개선목적이 과세분쟁의 신속한 처리와 효과성을 높이는 데 있는 것을 감안할 경우에 이것이 도움이 될지는 지켜봐야 할 것 같다.

제2절 과세분쟁 발생원인과 해결방법

과세분쟁 발생원인

과세관할권은 해당 국가별로 조세의 부과와 징수에 관한 권리를 행사할 수 있는 영역으로서 일반적으로 국경을 기준으로 나누고 있다. 과세관할권의 결정은 국가별로 국내 조세법의 입법절차를 통하여 이루어진다. 조세주권(tax sovereignty)은 조세법 조문으로 구체적으로 표현되어 집행되기 때문이다. 따라서 국가 간의 과세관할권에 대한 상호인정을 바탕으로 하

---

16) OECD 표준조세조약 제25조 제5항에 대한 주석 paras. 70–70.1

여 체결되는 조세조약에서 상대방 국가의 과세관할권을 명시적으로 제약하는 경우는 거의 찾아보기 어렵다.[17] 조세조약에서 과세관할권은 거주지국 과세방법[18]과 원천지국 과세방법[19]으로 표현되고 있다.

대부분의 국가는 일반적으로 거주지국 과세방법과 원천지국 과세방법을 혼용해서 사용하면서 다른 국가의 과세관할권과 조화를 모색하고 있다. 국가의 과세관할권의 영향력이 자국 내에서만 머무르면 아무런 문제가 없지만, 자국의 과세관할권을 벗어나면 다른 국가의 과세관할권과 직접 접촉하게 되므로 충돌의 문제가 발생하게 된다.[20]

과세관할권이 충돌하면 과세관할권의 범위와 해당거래와 관련된 납세자의 조세부담액에 영향을 주게 된다. 동일한 소득이나 동일한 납세자에 대하여 복수의 과세관할권이 영향을 주거나 과세관할권의 영향을 전혀 받지 않는 경우가 발생할 수도 있다. 결과적으로 이중과세 또는 이중비과세가 발생하게 된다.[21] 이러한 현상이 발생하는 것은 각국의 조세주권을 표현하고 있는 조세법을 독자적으로 운영함에 따라 각국의 조세제도가 다르기 때문이다.[22] 이전가격과세제도의 복잡성과 과세기준이 국가별로 차이가 있어서 동일한 여건에서 발생한 동일한 소득에 대한 과세기준이나 동일한 용어와 표현에 대하여도 그 의미를 다르게 이해할

---

17) 과세관할권을 제약한 사례로서 다음을 들 수 있다. 1963년의 '프랑스-모나코 조세조약'에서 모나코가 조세조약상의 세율과 과세표준을 적용하여 조세를 부과징수 하도록 한 것과 EU에서 '지침(directives)'과 '시행규칙(regulations)'이 EU 회원국들의 내국세 입법관할권에 일부 영향을 주는 경우 등이다. International Bureau of Fiscal Documentation (IBFD) 1986. Tax Treaties Database(Amsterdam: International Bureau of Fiscal Documentation Publications).

18) 국가와 납세자 간의 관련성을 기준으로 과세관할권을 정하는 방법은 "거주지국 과세기준(residence-based taxation)"이라고 한다. 거주자 또는 국적자에게 귀속되는 소득은 그 원천이 국내인지 국외인지를 불문하고 모두 종합하여 과세한다.

19) 국가와 과세대상소득 간의 관련성을 바탕으로 과세관할권을 정하는 방법은 "원천지국 과세기준(source-based taxation)"이라고 한다. 자국에서 발생한 소득은 그 취득자의 거주지에 불구하여 모두 과세한다.

20) Daniel Sandler, Tax Treaties and Controlled Foreign Company Legislation: Publishing the Boundaries, The Hague; Boston: Kluwer Law International, 1998.

21) 이중과세란 동일한 납세자가 획득한 동일한 소득에 대하여 동일한 조세를 두 번 이상 부과하는 것을 말한다. 이중과세는 경제적 이중과세와 법률적 이중과세로 구분한다. 경제적 이중과세는 동일한 소득이 서로 다른 납세자에게 2회 이상 과세(법인세와 배당)되는 것을 말하고, 법률적 이중과세는 동일한 소득이 동일인에게 동일 기간 동안에 2회 이상 과세되는 것을 말한다. 조세조약에서는 주로 법률적 이중과세 문제에 초점을 맞추고 있다. 법률적 이중과세는 각국이 자국의 법률에 따라 과세권을 행사하는 결과로서 발생하므로 국내에서는 거의 발생하지 않고, 국제적으로 발생하기 때문이다.
이중비과세는 반대로 어느 나라에서도 과세대상소득으로 간주하지 않는 경우에 발생한다. Arnold, Brian J. and M. J. McIntyre (1995). International Tax Primer(The Hague: Kluwer Law International, p.29; OECD 표준조세조약, 2017, 제23조A 및 B 주석 para. 3)

22) OECD 및 UN의 표준조세조약을 바탕으로 체결된 개별조세조약, OECD 이전가격지침(TPG) 등이 국제적으로 통일된 과세기준을 어느 정도 제시하고는 있으나 과세관할권의 충돌을 완전히 배제하기는 어렵다. 과세소득과 세액의 산출은 거주지국 또는 원천지국의 내국세법을 적용해야 하기 때문이다.

수 있다.

거주지국과 원천지국의 결정기준이 다르면 중복과세가 발생한다. 거주자의 '상시적 거소 (habitual abode)' 등이 2개국 이상에 소재하거나, 법인의 거주지국 결정기준을 다르게 적용[23]하는 경우이다. 소득이나 비용의 개념을 거주지국과 원천지국에서 다르게 해석하는 경우에 이중과세가 발생하게 된다.[24] 모회사와 자회사 간의 자금흐름을 채무거래로 보면 원금과 지급이자는 비용으로 공제하게 되므로 조세부담을 낮출 수 있지만, 자본거래로 보면 지급이자가 아닌 배당소득으로 과세된다.[25]

소득이 발생한 국가가 두 개 이상인 경우에 특정소득을 각각 자국에서 발생한 원천소득으로 보고 동시에 과세되면 이중과세가 발생한다. 통신기술의 발달로 물리적으로 현장에 직접 가지 않고도 용역을 제공할 수 있다는 점에서 '인적용역소득'과 관련하여 원천지 결정문제가 대두되고 있다. 특히 전자상거래와 같은 새로운 영역에서 소득의 원천지 결정을 두고 기술선진국과 개발도상국 간에 의견이 대립을 보이고 있다.

소득의 인식방법은 '실현주의, 현금주의, 발생주의' 등이 있다. 재무제표상의 숫자와 관련증빙자료를 통하여 소득의 인식방법이 국가별로 다르고 조세조약에서도 분명한 규정이 없으면 자국의 조세법에 따른 소득인식방법으로 과세한다. 이때 이중과세가 발생할 수밖에 없다.

이중과세의 결과는 일반적으로 과다과세(over-taxation)이지만 조세제도의 차이로 인한 과소과세(under-taxation) 또는 실질적인 비과세(non-taxation)가 발생할 수도 있다. 원천지국이 조세감면제도를 통하여 과세하지 않고 거주지국에서는 외국원천소득비과세방법(exemption)을 적용하고 있는 경우에는 거주지국과 원천지국에서 모두 세금을 부담하지 않게 된다. 사실상의 과세관할권 공백현상이 발생한다. 그 결과로 발생하는 이중비과세는 국제거래에 대한 이중과세의 방지목적과는 상충된다.[26]

---

23) A국에서는 설립지 기준으로 법인의 소재지를 결정하고 B국에서는 실질적인 관리장소를 법인의 거주지국으로 보는 경우이다. 이 경우에는 법인의 거주자 판정기준이 다르기 때문에 A국과 B국은 각기 자국의 기준을 적용하게 되고, 그 결과로 이중과세 문제가 발생할 수 있다.

24) 비거주자 또는 외국법인의 국내원천소득의 구분에 관하여는 「소득세법」 제119조 및 「법인세법」 제93조에서 규정하고 있다.

25) 이때 발생하는 이중과세는 주로 경제적 이중과세로서 국내투자와 국외투자에 대한 차별과세와 연결된다. 거주자의 국외투자를 억제하고 비거주자의 국내투자도 제약이 된다. 국내투자와 국외투자 간에 적용세율을 다르게 하는 등의 차별과세는 배제해야 한다.
OECD 표준조세조약, 2010, 제24조 차별과세금지(Non-Discrimination)

26) OECD 표준조세조약, 2017, 서문(introduction), para. 41

② 과세분쟁 해결방법

과세관할권의 충돌은 궁극적으로 이중과세의 문제와 연결된다. 과세분쟁의 해결은 곧 이중과세 문제의 해소와 연결된다.

이론적으로는 일방국가에서 거주지국 과세기준이나 원천지국 과세기준을 적용할 경우 이중과세 문제는 자동적으로 해결될 수 있다. 거주지국 과세기준 하에서는 자국거주자의 외국원천소득을 국내소득에 합산하여 과세하면서 외국납부세액을 공제하면 조정된다.[27] 원천지국 과세기준을 적용하면 원천지국에서 과세된 소득을 거주지국에서는 과세하지 않는 방법으로 조정할 수 있다.[28] 이러한 조정은 관련국가의 일방적인(unilateral) 조치와 타방국가와의 협력(international cooperation)을 통하여 이루어질 수 있다.

그러나 현실적으로는 간단한 문제가 아니다. 앞에서 언급한대로 국가의 과세주권과 연계되어 있으므로 상호주의 원칙에 따라 평등한 과세권의 배분기준을 적용해야 하기 때문이다. 동일한 과세대상소득이지만 그 소득이 귀속되는 주체의 특성이 서로 다르기 때문에[29] 과세형평성 측면과 경제의 효율성을 동시에 고려해야 하는 측면이 있다. 어디에 중점을 둘 것인지는 정책적 선택사항에 해당한다.[30] 경제적인 효율성 측면에서만 바라보면 '자본수출중립성(capital export neutrality)'과 '자본수입중립성(capital import neutrality)'의 기준[31]에 따라 과세하는 것이 바람직하다. 자본에 대한 조세의 중립성 측면을 강조하는 것도 중요하지만 '국제조세환경'의 변화에 맞추어[32] 조세부담의 형평성을 함께 고려할 필요성이 있다.[33]

해당 국가의 일방적인 조치를 통하여 과세분쟁의 원인이 되는 이중과세 문제를 해소하는 것은 그 국가의 경제정책 방향과 관련이 된다. 자국기업의 해외투자를 통하여 국부를 증진시

---

27) OECD 모델조세조약, 2017, 제23A조 주석 paras. 15-16

28) OECD 표준조세조약, 2010, 제23A조 주석 paras. 13-14

29) 소득의 귀속자는 법인, 개인으로 구분된다. 구체적으로 법인과 개인의 특성이 달라진다. 고소득자와 저소득자 또는 거주자와 비거주자로 구분된다. 또한 정책목적에 따라 조세감면대상자와 전액과세대상자 등으로 구분된다. 또 다른 기준으로도 소득귀속자의 성격을 분류할 수 있다.

30) Gauthier Blanluet and Philippe J. Durand, 'General Report on Key practical issues to eliminate double taxation of business income', International Fiscal Association, Paris Congress, Volume 96 b, 2011, p.20

31) 경제학자인 Richard Musgrave and Peggy Musgrave가 처음 제안한 이론이다. 기본적인 내용에 대하여는 다음 자료 참조. Gary Clyde Hufbauer & Ariel Assa, 2007, US Taxation of Foreign Income, Peterson Institute for International Economics, Washington DC, October 2007, pp.54~63, 65~69

32) 현재의 국제조세제도는 1920년대에 완성된 틀을 벗어나지 못하고 있다. Michael J. Graetz and Michael M. O'Hear, The Original Intent of US international taxation, Duke Law Journal, Vol. 46, 1997, p.1023

33) 국제 이중과세의 문제가 현실적으로 많이 발생하고 있음에도 불구하고 이의 해소방법에 대하여 뚜렷한 연구가 진전되지 못하고 있는 이유는 조세학자가 아니라 주로 경제학자들이 연구하고 있기 때문이라는 주장도 있다. Gauthier Blanluet and Philippe J. Durand, 2011, op. cit. p.7

키는 정책을 추진하는 경우에는 자국기업의 외국원천소득에 대한 비과세(exemption)방법을 통하여 자국기업의 국제경쟁력을 촉진하려고 한다. 한편, 자본이 부족한 국가에서는 외국기업의 국내 직접투자(foreign direct investment)를 증진시키기 위해 외국자본의 국내원천소득에 대하여 조세감면을 한다.[34] 이러한 일방적인 조치를 통하여 과세관할권의 충돌을 방지하면서 자국의 경제정책목표를 달성할 수 있도록 조세 측면에서 지원할 수 있다.

이것은 개별국가차원에서 일방적인 판단으로 취할 수 있는 조치[35]이므로 상황에 따라 가변적일 수 있다. 따라서 조세조약을 체결하는 기본취지에 비추어 일관성 있는 이중과세 방지조치가 필요하다.[36]

국제적인 협력에 의하여 과세분쟁을 해결하는 조치로서 가장 중요하고 대표적인 것은 양자 간(bilateral) 또는 다자간(multilateral)의 조세조약을 체결하는 방법이다. 조세조약을 체결하는 주요목적은 이중과세 문제를 해결하고 조세부담을 고의적으로 회피하거나 탈세하는 행위를 방지하려는 것이다.[37] 조세조약은 대부분 양자 간에 체결된 조세조약으로서 조세문제를 포괄적 또는 부분적인 방법으로 다루고 있다. 상속증여세 조세조약,[38] 항공·해운운송조약, 투자촉진 및 보호조약, 영사외교관협정, 기술과학협력협정 등을 들 수 있다. 또한 일부 다자간 조세조약도 포함될 수 있다.[39]

국가 간의 과세분쟁을 해결하는 방법은 적용하는 기준에 따라 사전적으로 과세분쟁을 차단하는 방법과 사후적으로 과세분쟁을 해결하는 방법으로 구분할 수 있다. 또한 과세당국이 적극적인 역할을 하는 행정적인 방법과 법원이 중요한 역할을 하는 사법적인 방법으로도 구분할 수 있다. 여기서는 후자의 방법을 통하여 국제과세 분쟁을 해결하는 방법을 구체적으로

---

34) 조세특례제한법 제121조의2 내지 제121조의5에서 외국인 직접투자 등에 대한 조세특례를 규정하고 있다.

35) 일방체약국에서 과세소득을 1차 조정한 경우 상대체약국에서 2차 대응조정을 하면 이중과세 문제가 발생하지 않지만, 2차 대응조정은 의무사항이 아니라 '일방적인 판단'에 따라 이루어지는 조치이기 때문이다.

36) ECJ, Grand Chamber, 13 March 2007, Test Claimants in the Thin Cap Group Litigation v. Commissioners of Inland Revenue, C－524－04, ECR 2007, I－2107, paras. 46－48. 법원은 개별국가차원에 취하는 일방적인 조치의 한계를 염두에 두고 조세조약의 기본취지에 비추어 적극적으로 이중과세 방지조치를 취해야 한다는 취지로 판결한 내용이다.

37) OECD 표준조세조약, 2017, 제26조의 과세정보교환에 관한 규정은 유용한 수단이 된다.

38) 상속증여세 관련 조세조약은 일반 조세조약(소득세 중심)보다 숫자가 상대적으로 적다. 현재의 조세조약구조는 소득세 중심으로 되어 있기 때문이다.

39) OECD 표준조세조약, 2017, 서문 paras. 37－40. 카리브지역국가 중심의 'CARICOM', 남미 일부 국가(볼리비아, 콜롬비아, 에콰도르, 페루, 베네주엘라) 중심의 'Decision 578 of the Andean Community', 북유럽 일부 국가 (덴마크, 핀란드, 아이슬란드, 노르웨이, 스웨덴) 중심의 'The Nordic Tax Treaty', 아프리카 일부 국가 (케냐, 탄자니아, 우간다) 중심의 'EAC Income Tax Agreement', 동남아시아 일부 국가(방글라데시, 부탄, 인도, 몰디브, 네팔, 파키스탄, 스리랑카) 중심의 'SAARC Multilateral Tax Treaty', 지적재산권의 사용료에 대한 다자간조세협약인 'Multilateral Convention for the Avoidance of Double Taxation of Copyright Royalties' 등이 있다.

살펴보기로 한다.

　국가 간의 과세분쟁을 해결하는 구조는 기본적으로 과세당국이 적극적으로 개입하는 행정절차와 법원이 주도적인 역할을 담당하는 사법절차로 나눌 수 있다. 행정절차에는 OECD 표준조세조약에서 규정하고 있는 내용과 국내 불복절차 중 행정심판관련 사항이 포함된다. 조세조약 측면에서는 상호합의절차(MAP)의 내용과 문제점, 이를 보완하기 위한 이전가격 사전합의제도(APA)의 내용과 체약국의 과세당국이 아닌 제3자가 문제를 해결하도록 하는 중재제도(arbitration)를 검토한다. 국내 불복절차는 행정심판절차를 소원전치주의 측면에서 살펴본다. 아울러 과세분쟁을 차단하는 기타의 방법으로서 질의회신제도를 함께 살펴보기로 한다. 그리고 사법적 절차로 구분하여 살펴보면서 조세조약상의 권리구제절차 등과의 관계를 분석한다.

제3절　행정절차를 통한 국제과세분쟁 해결

 개 요

　국제과세분쟁을 해결하는 행정절차는 두 가지로 구분할 수 있다. 하나는 조세조약에 근거하여 진행하는 방법과 다른 하나는 국내법상의 불복절차규정에 따라 진행하는 방법이다.

　조세조약에 의하여 진행하는 방법에는 체약국의 과세당국(competent authority) 간의 대화인 상호합의절차(MAP) 및 이전가격 문제의 사전합의(APA)제도가 있고, 약간 변형된 것으로서 제3자 간 중립적인 입장에서 과세분쟁을 해결하는 중재제도(arbitration)가 있다.

　국내 조세법상의 불복절차에 의한 방법은 사법절차를 진행하기 전단계의 절차를 말한다. 여기에는 국세청에서 담당하는 제도로서 과세적부심사제도, 이의신청제도, 심사제도가 있다. 조세심판원이 처리하는 국세심판청구와 감사원이 담당하는 심사청구제도가 있다. 이러한 행정절차를 통칭하여 행정심판제도라고 부른다.

　이러한 직접적인 과세분쟁해결 제도와는 별도로 국제과세분쟁이 발생되지 않도록 미리 차단하는 방법도 있다. 이전가격 신고를 성실하게 하도록 유도하는 방법이다. 채찍과 당근의 방법을 사용할 수 있다. 신고안내와 함께 조사면제기준(safe harbors)을 적용하는 동시에 세무조사제도를 통하여 다국적기업의 탈루세액을 언제든지 추징할 수 있는 가능성을 보여주는 방법이다.

② 상호합의절차

(1) 대상

OECD 표준조세조약 제25조의 규정에 따른 상호합의절차(MAP)를 진행할 수 있는 대상은 네 가지로 나눌 수 있다.

하나는 납세자의 이의신청에 의한 것으로서 이미 과세된 건과 앞으로 과세될 건을 포함한다.[40] 두 번째는 조세조약의 해석과 조약의 적용과 관련하여 발생되는 문제이다.[41] 이 부분은 내국인과 외국인 간의 차별과세금지원칙(non-discrimination)이 적용된다.[42] 세 번째는 당해 개별조세조약에서는 규정되지 않았더라도 실제로 이중과세가 발생한 경우에는 그 이중과세의 배제를 위하여 상호합의를 할 수 있다.[43] 네 번째는 조세조약의 각 조문에서 상호합의를 하도록 규정한 내용에 대한 경우이다.[44]

하나는 이미 과세가 이루어진 건이고 다른 하나는 아직 과세되지 않았으나 과세가 되면 조세조약상의 규정을 위반할 것으로 예상되는 건이다. 또한 조세조약의 해석 및 적용에 관한 사항과 과세권의 보호 또는 자국 납세자의 권리침해(차별과세 등)를 방지하기 위한 사항이 해당한다.[45]

상호합의절차가 국내 조세법의 불복제도와 차이가 나는 점은 국내 조세법상의 불복제도가 최종부과처분된 건만을 대상으로 하지만 상호합의절차는 부과처분 전의 건에 대하여도 절차를 진행할 수 있다는 것이다.[46] 따라서 상호합의절차는 사후적인 권리구제는 물론이고 사전적인 권리구제도 가능하게 한다.

(2) 상호합의절차 대상에서 제외

체약국의 국내 법원에서 확정판결이 있는 경우[47]이거나 조세조약의 체결당사국의 거주자가 아니거나 기타 조세조약에서 규정하는 이중과세 등으로 인하여 권리를 침해받지 않은 자

---

40) OECD 표준조세조약, 2017, 제25조 제1항
41) ibid. 제25조 제1항
42) ibid. 제24조
43) ibid. 제25조 제1항
44) ibid. 제25조 제1항 및 제2항 주석 paras. 9-10
45) ibid. 제1조, 제4조 제2항 d)목, 제24조 제1항, 제25조 제1항 등
46) ibid. 제25조 제1항
47) ibid. 제25조 제1항 및 제2항 주석 paras. 35. 42

가 신청하는 경우 또는 조세회피목적으로 상호합의절차(MAP)를 악용하는 경우[48])에는 상호합의 절차에서 심사할 대상이 될 수 없다. 아울러 납세자가 과세사실을 안 날로부터 3년을 경과한 경우에는 상호합의절차를 신청할 수 없다.[49])

과세당국이 납세자의 상호합의절차 신청을 거부한 경우에는 그 사유를 납세자에게 제시해야 한다.[50])

(3) 상호합의절차의 신청기한

상호합의절차를 신청할 수 있는 기한은 그 기산일로부터 3년이다.[51]) 그 기산일은 첫째, 조약규정에 위배된 과세인 경우에는 그 위배된 것을 인지한 날이다.

둘째, 과세가 행정결정이나 일반적 처분에 의해 이루어지는 경우에는 개별처분의 인지일이 된다. 개별처분의 인지일은 과세관청의 부과통지 또는 공식적인 고지서 등이 도달한 날이 된다.[52])

셋째, 납세자가 자신신고납부를 하는 경우에는 자진신고일이 기산일이 될 수 있으나 납세자가 자진신고하기 전에 자진신고를 유도하는 납세통지 또는 환급거부통지 등이 있는 경우에는 그 통지가 있은 날이 기산일이 된다.[53])

넷째, 조세를 원천징수의무자가 원천징수하여 납부하는 경우에는 그 원천징수가 이루어진 날이 기산일이 된다.[54])

다섯째, 여러 개의 처분이 있는 경우에는 가장 최근의 결정이나 처분을 처음 안 날이 기산일이 된다.[55])

여섯째, 상호합의절차 기한 3년의 요건은 국내법에 의한 불복절차가 진행되는 경우에도 중단되지 않고 적용된다.[56])

조세조약상의 상호합의절차와 국내 불복절차를 동시에 진행할 수는 있으나 전자는 조세조약을 체결한 양측의 과세당국이 개입하여 문제를 분석하지만 후자의 국내 불복절차는 일

---

48) ibid. 제25조 제1항 및 제2항 주석 para. 45
49) ibid. 제25조 제1항 및 제2항 주석 제25조 제1항 후단
50) ibid. 제25조 제1항 및 제2항 주석 제25조 제1항 및 2항에 대한 주석 para. 26
51) ibid. 제25조 제1항 및 제2항 주석 제25조 제1항 후단 및 주석 para. 16
52) ibid. 제25조 제1항 및 제2항 주석 paras. 21－22
53) ibid. 제25조 제1항 및 제2항 주석 주석 para. 23
54) ibid. 제25조 제1항 및 제2항 주석 주석 para. 24
55) ibid. 제25조 제1항 및 제2항 주석 주석 para. 21
56) ibid. 제25조 제1항 및 제2항 주석 주석 para. 25

방국가만 참여하므로 그 결론이 반드시 동일하게 나오지 않을 수도 있다. 따라서 이점을 감안하여 납세자가 상호합의절차를 진행하는 동안에는 과세당국은 국내 불복절차를 진행하지 않는 것이 일반적이다.[57] 반대로 국내 불복절차를 납세자가 먼저 진행하는 경우에는 국내법 절차가 종료될 때까지 상호합의절차의 진행을 중지하거나 상호합의절차를 통한 합의를 유보하는 방법을 사용한다.[58]

일종의 '불복절차편승(forum shopping)'[59] 행위를 방지하려는 것이다. 조세조약상의 권리 구제절차는 납세자가 선택하는 임의적인 절차이므로 국내 불복절차와 함께 동시에 진행하면서 그 결론을 비교하여 가장 유리한 것을 선택하려는 납세자의 태도에 대하여 과세당국의 입장은 소극적이기 때문이다. 이러한 Forum Shopping은 납세자 입장에서는 논리적으로 설득력이 있으나 현실적으로 쉽게 사용하기는 어려울 것으로 보인다. 조세조약상 상호합의절차 또는 강제중재절차를 이용하는 것이 오히려 권리보장에 유리할 수 있기 때문이다. 쟁점이 된 과세상황에 대한 관련정보를 가진 과세당국 간에 이루어지는 분쟁해결 방법인 상호합의절차와 제3자적 지위에 있는 법원의 판단에 대한 납세자의 기대 결과에는 현실적으로 차이가 있을 수 있다.

(4) MAP 개시일

납세자가 상호합의 신청이 있는 경우에 체약국의 과세당국은 상호합의를 개시할 수 있다. 그 개시일은 양 체약국이 상호합의절차를 시작할 것을 합의한 날이 된다. 구체적으로 그 합의한 날이 언제인가에 대하여는 체약국의 국내법에서 규정하고 있다. 우리나라의 경우 국제조세조정에 관한 법률에서는 상황에 따라 적용될 수 있는 두 가지의 기준일을 규정하고 있다.[60]

첫째는 상대방 체약국이 상호합의절차를 요청해 온 경우에는 상대체약국에 수락의사를 통보한 날이 상호합의절차 개시일이 되고, 둘째는 우리나라가 상대방 체약국에 상호합의 절차를 요청한 경우에는 상대체약국의 수락의사를 통보받은 날이 상호합의 개시일이 된다.

---

57) ibid. 제25조 제1항 및 제2항 주석 주석 para. 44
58) ibid. 제25조 제1항 및 제2항 주석 주석 para. 25
59) 불복에 대하여 유리한 결과를 얻을 수 있는 절차를 선택하는 것을 말한다. 상호합의절차와 사법절차에서 유리한 결론을 얻을 수 있는 방법을 임의로 선택하게 된다. 이는 Treaty Shopping과 비교되는 의미를 가진다.
60) 국제조세조정에 관한 법률 제45조 제1항 제1호 및 제2호;
   1. 체약상대국의 권한 있는 당국으로부터 상호합의절차 개시 요청을 받은 경우에는 이를 수락하는 의사를 체약상대국의 권한 있는 당국에 통보한 날
   2. 체약상대국의 권한 있는 당국에 상호합의절차 개시를 요청한 경우에는 체약상대국의 권한 있는 당국으로부터 이를 수락하는 의사를 통보받은 날

(5) 권한 있는 당국(CA)의 의무와 역할

OECD 표준조세조약 제25조 제2항과 제3항에서 상호합의절차 대상이 된 사안의 해결을 위해 노력해야 한다고 규정하고 있다. 이는 성실하게 노력할 의무를 지는 것을 말하고 반드시 합의에 도달해야 할 의무를 지는 것을 의미하는 것은 아니다.[61]

과세당국이 협상을 통하여 합의를 도출하면 납세자의 신청에 따라 중재절차를 진행할 수 있다.[62] 과세당국은 납세자의 신청이 없어도 직권으로 상호합의를 신청할 수 있다.[63] 또한 납세자가 상호합의절차의 신청이 있는 경우에도 납세자가 동의하는 경우에는 상호합의절차를 상대체약국가에 요청하지 않거나 이미 개시된 상호합의절차를 중단할 수 있다.[64]

(6) 상호합의절차(MAP) 종료와 후속조치

가. 종료

원칙적으로 상대체약국의 권한 있는 당국자와 상호합의절차를 진행하여 문서에 의하여 합의가 이루어진 날 상호합의절차는 종료된다.[65] 다만, 상호합의가 이루어지지 아니한 경우에는 개시일의 다음 날부터 5년이 되는 날을 상호합의절차의 종료일로 한다.[66]

5년이 경과된 후에도 상대체약국의 권한 있는 당국자와 상호합의절차를 계속 진행하기로 합의하는 경우에는 상호합의절차 개시일의 다음 날로부터 8년이 되는 날에 상호합의절차가 종료한다.[67]

또한 국내 불복절차로서 소송이 진행되어 확정판결이 있는 경우에는 그 확정판결일에 상호합의절차가 종료한다.[68]

상호합의절차의 종료일을 설정한 것은 두 가지의 의미가 있다. 하나는 과세당국이 성실하

---

61) OECD 표준조세조약, 2010, 제25조 제1항 및 2항에 대한 주석 para. 36-37
62) 이에 대하여는 중재절차에서 설명한다.
63) 국제조세조정에 관한 법률 제42조 제4항 및 제5항
64) 국제조세조정에 관한 법률 시행령 제39조 제6항: 기획재정부장관 또는 국세청장은 상호합의절차 개시 신청을 받은 이후에도 신청인이 동의하는 경우에는 체약상대국에 상호합의절차 개시를 요청하지 아니하거나 개시된 상호합의절차를 중단할 수 있다. 그러나, OECD CFA는 납세자와 과세당국은 상호합의절차를 중단할 수 있지만 상호합의가 상당히 진행된 상태에서는 이미 투입된 비용과 자원을 고려하여 합리적 사유가 없으면 계속 진행을 권고하고 있다. OECD Transfer Pricing Guidelines, 2010, Annex to Chapter IV Advance Pricing Arrangements, para. 64
65) 국제조세조정에 관한 법률 제46조 제2항 본문
66) ibid. 제46조 제2항 단서
67) ibid. 제46조 제3항
68) ibid. 제46조 제4항

게 노력하여 납세자의 과세불복을 신속하게 처리해야 한다는 의미이다. 다른 하나는 납세자가 상호합의절차의 진행에는 비협조적이면서 단지 징수유예 등을 적용받을 목적으로[69] 상호합의절차를 진행하는 것을 규제하려는 의미가 있다.

나. 후속조치

상호합의절차가 종료되면 상호합의 결과를 시행해야 한다.[70] 국세청장은 상호합의서 사본을 지체없이 기획재정부장관에게 제출해야 한다.[71] 아울러 상호합의절차의 종결과 관련된 과세당국 등 유관기관과 상호합의 개시 신청을 한 납세자에게 상호합의절차의 종료일의 다음 날부터 15일 내에 통보한다.[72] 과세당국과 지방자치단체의 장은 상호합의 결과에 따라 부과처분이나 경정결정 또는 세법상 필요한 조치를 하게 된다.[73]

상호합의절차가 종료된 후에 법원의 확정판결이 있는 경우로서 그 확정판결내용이 상호합의 결과와 다른 경우에는 그 상호합의는 처음부터 없었던 것으로 한다.[74] 이는 상호합의절차가 납세자의 신청에 따른 임의적인 절차이기 때문이다.

다. 부과제척기간의 특례

상호합의절차가 부과제척기간(조세소멸시효) 이후에 종료된 경우에 상호합의절차의 종료효과는 어떻게 되는가에 대한 것이다. OECD 표준조세조약 제25조 제2항에서 상호합의절차의 합의내용은 국내법상의 시한에 관계없이 시행된다는 원칙을 선언하고 있다.[75] 이는 국내 조세법상의 시효기간 만료일 등을 이유로 상호합의절차의 결론에 따른 과세결정이나 환급등의 처분을 하지 못하는 경우를 방지하기 위한 노력을 해야 한다는 의미이다.[76]

이 원칙을 국내법에 반영하여 국제조세조정에 관한 법률에서 부과제척기간의 특례를 두고 있다. 상호합의절차 종료일의 다음 날부터 1년의 기간과 국내 조세법상의 시효만료일 중 나중에 도래한 기간의 만료일을 적용하여 조세를 부과할 수 있도록 한 것이다.[77] 이러한 부

---

69) ibid. 제49조에 의하여 특례를 인정하고 있다.
70) 국제조세조정에 관한 법률 제47조
71) 국제조세조정에 관한 법률 시행령 제42조 제1항
72) 국제조세조정에 관한 법률 제47조 제2항
73) 국제조세조정에 관한 법률 제47조 제3항
74) 국제조세조정에 관한 법률 제47조 제4항
75) OECD 표준조세조약, 2017, 제25조 제2항; '~Any agreement reached shall be implemented notwithstanding any time limits in the domestic law of the Contracting States.'
76) OECD 표준조세조약, 2017, 제25조 제1항 및 제2항 주석 para. 39
77) 국제조세조정에 관한 법률 제51조 제1항 및 제2항. 이 내용은 한-핀란드, 스웨덴, 말레이시아, 호주, 모로코,

과제척기간 특례는 국세기본법 제26조의2 제2항에서도 규정하고 있다. 국세기본법의 규정은 1993년 12월에 도입한 것이고 국제조세조정에 관한 법률에는 1995년 12월에 규정하였다. 국세기본법의 특례조항에도 불구하고 국제조세조정에 관한 법률에서 다시 규정한 이유는 다음과 같다.

국세기본법 제26조의2 제2항에서 사용한 "경정결정 기타 필요한 처분"이라는 표현은 조사 종결 후 부과처분을 고지한 상태를 전제로 하고 있으나, 국제조세조정에 관한 법률 및 조세조약에서 규정하고 있는 상호합의절차는 "고지처분"뿐 아니라 "부당한 과세가 이루어질 것이 예견되는 것"까지 포함한다는 점에서 국세기본법 규정만으로는 부족하기 때문이다. 이러한 모순점을 해결하기 위하여 조세조약상의 취지대로 사후뿐만 아니라 사전 상호합의절차 대상에도 적용할 수 있도록 국제조세조정에 관한 법률 제25조를 도입하였다. 아울러 국세기본제 26조의2 제2항은 "국세"에만 적용되므로 "지방세법 제38조 제1항"도 함께 신설하였다.

라. 대응조정에 관한 상호합의

대응조정은 일방체약국에서 세무조사나 상호합의절차를 통하여 과세이익을 1차적으로 조정하면 타방체약국은 그에 대응하여 과세이익 조정하는 것을 말한다. 이러한 대응조정이 이루어지면 이중과세를 방지할 수 있다.[78]

이러한 대응조정은 강제성이 없다는 특성을 가진다.[79] 대응조정의 근거가 불확실한 상황에서 과세주권 존중 측면에서 일방체약국이 과세조정한 후 타방체약국에게 대응조정을 강요할 수 없기 때문이다. 물론 상호합의절차를 진행하는 과정에 대응조정방법에 대하여 합의가 이루어진 경우에는 그대로 조정이 이루어질 수 있다. 그렇지 않은 경우에는 대응조정방법에 대하여 별도로 상호합의절차를 진행하여 합의해야 한다.

노르웨이 조약 등에서 규정하고 있다.

제51조(부과제척기간의 특례) ① 상호합의절차가 개시된 경우에 다음 각 호에 해당하는 기간 중 나중에 도래하는 기간의 만료일 후에는 국세를 부과할 수 없다.

　1. 상호합의절차 종료일의 다음 날부터 1년의 기간

　2. 「국세기본법」 제26조의2 제1항부터 제4항까지의 규정에 따른 부과제척기간

② 상호합의절차가 개시된 경우에 다음 각 호에 해당하는 기간 중 나중에 도래하는 기간의 만료일 후에는 지방세를 부과할 수 없다.

　1. 상호합의절차 종료일의 다음 날부터 1년의 기간

　2. 「지방세기본법」 제38조 제1항에 따른 부과의 제척기간

78) 대응조정이 이루어지지 않으면 일방체약국에서 과세한 내용이 타방체약국에서 세액공제 등의 방법으로 조정되지 않게 되어 이중과세 문제가 발생하기 때문이다. OECD Transfer Pricing Guidelines, 2010, Chapter IV. para. 4.68

79) OECD Transfer Pricing Guidelines,, 2010, Chapter IV. paras. 4.66. 4.70

우리나라의 경우 대응조정에 대하여 법인세법 제53조, 소득세법 제42조, 국제조세조정에 관한 법률 제46조에서 규정하고 있다. 조세조약상 상호합의절차에 관한 규정에 의하여 양국 과세당국 간에 특수관계자자 간의 거래금액에 대하여 합의가 있는 경우에 그 합의에 따라 소득금액을 조정한다.[80] 체약상대국과 정상거래가격에 의한 이전가격의 조정에 대하여 합의하고 상호합의절차(MAP)가 종료된 경우에 그에 따라 소득금액 및 결정세액을 조정한다.[81]

이러한 1차 조정이 이루어지면 상대체약국에서 대응조정을 하게 된다. "당초 장부상의 이익"과 "대응조정을 통해 재결정된 이익"을 비교하여 소득조정[82]을 한 후에 그에 따라 다시 세액을 산출하는 조정을 한다.

이러한 2차 조정은 조세조약상의 의무사항은 아니며 체약국의 내국세법에 따라 이루어진다. OECD 표준조세조약 제9조 제2항의 규정은 2차 조정에 대한 것이 아니므로 2차 조정을 상대체약국에게 강제할 수 없다.[83]

상호합의절차가 종료되면 그에 따라 대응조정 절차가 원활하게 진행되는 것이 이론적으로 타당하다. 그러나, 실무적으로는 그렇지 못하고 매우 복잡한 절차를 거쳐야 한다. 대응조정을 거부하거나 상대방 국가의 조정효과를 상쇄시키는 상계조정(offsetting adjustment)은 원칙적으로 금지하고 있지만, 상호합의절차 신청시한이 3년으로 제한되어 있는 점과 상호합의절차가 최장 8년까지 진행될 수 있다는 점은 사실상 납세자에게 대응조정이 이루어질 수 없게 하는 결과를 가져올 수 있다. 이러한 점에 대하여 납세자들이 불만을 가질 수 있다.[84]

(7) 상호합의절차(MAP)의 주요쟁점

상호합의절차는 국제조세관련 문제를 직접 다루고 있는 과세당국의 전문적인 지식(expertise)을 활용하려는데 있다.[85] 이들이 가지고 있는 경험과 지식을 바탕으로 충분한 토론과 협의과정을 거쳐서 결론을 내리도록 허용하고 있다. 따라서 정형화된 집행절차(mechanism)

---

80) 법인세법 제53조, 소득세법 제42조

81) 국제조세조정에 관한 법률 제46조

82) 소득조정은 구체적인 상황에 따라 간주배당, 간주대여, 간주출자 처분 등으로 이루어진다.

83) OECD 표준조세조약. 2017, 제9조 제2항 주석 para. 9

84) 상호합의절차에 대한 납세자의 불만은 다른 부분에도 존재한다. 상호합의절차의 진행과정에서 상호합의절차의 개시요구권만 허용되고 절차의 진행과정에서 의견진술, 진행상황에 대한 정보공유 등이 제한되어 있으며, 상호합의절차 종결 시까지의 미납부세액의 징수유예 또는 가산세 부과중지가 되지 않고 가산세율이 적용되는 것 등에 대한 불만도 제기되고 있다.

85) OECD 및 UN의 표준조세조약 제2조; Adam H. Rosenzweig, Thinking Outside the (Tax) Treaty, Wisconsin Law Review, Vol. 2012, No.3, May 2012, p.759

와 처리시한을 두지 않고[86] 결론을 내려야 하는 의무도 부여하지 않고 있다.[87] 그러나 불합리하게 오랜 시간을 끌면서 일종의 주고받기식의 '흥정(horse trading)'으로 변질되었다는 비판이 있고,[88] 그 대안으로 중재제도(arbitration)가 제시되어 있다.[89]

③ 이전가격 사전합의제도

(1) 개념

이전가격사전합의제도(이하, APA라 한다)는 상호합의제도가 가지고 있는 문제점을 개선할 목적으로 도입된 제도로서 연혁적으로 1990년대에 미국이 처음으로 도입하였다.[90] 거래가 성립되기 전에 일정기간에 걸친 특수관계자 간의 거래에 적용될 이전가격을 결정하는 기준을 납세자와 과세당국이 서로 수용할 수 있는 조건으로 미리 합의하는 제도이다.[91] 합의내용은 거래의 비교가능성(comparability), 미래에 대한 주요 가정(critical assumption) 등으로 납세자가 신청하여 과세당국과 합의를 통해 결정한다. 일방 및 쌍방 APA가 진행될 수 있다.

(2) APA 절차진행

APA의 진행은 국내 절차와 타방체약국 과세당국과의 협의절차로 구성된다. 국내 절차는 납세자가 사업하고 있는 원천지국의 과세당국에 APA 적용신청서를 제출하는 절차와 관련된다. 공시적인 신청에 앞서 예비검토절차(preliminary discussions)를 거친다.[92] 예비검토과정에서 APA 신청의 적정성과 신청 시 제출할 자료 등에 대하여 협의하게 된다. 예비검토과

---

86) Hugh J. Ault, Reflections on the Role of the OECD in Developing International Tax Norms, Brooklyn Journal of International Law volume 34, 2009, pp.774~776

87) OECD 표준조세조약, 2017, 제25조 제2항 및 제3항에서 'The competent authority shall endeavour, ~, to resolve the case by mutual agreement~'라는 표현을 사용하고 있다.

88) Hugh J. Ault, Improving the Resolution of International Tax Disputes, Florida Tax Review Volume 7, 2005, pp.137~139

89) ibid. p.197

90) Diane M. Ring, On the Frontier of Procedural Innovation : Advance Pricing Agreements and the Struggle to Allocate Income for Cross-Border Taxation, 21 Michigan Journal of International Law, 2000, pp.150~158. 이전가격과세제도의 발전 및 IRC 제482조의 제정에 관한 연혁에 관한 내용 참조

91) Anja De Waegenaere, et al.,Using Bilateral Advance Pricing Agreements to Resolve Tax Transfer Pricing Disputes, p.3, Tuck School of Business Working Paper No. 2005-24, Social Science Research Network Electronic Paper Database. July 21, 2005, http://ssrn.com/abstract=766044. p.1 ; OECD TPG, 2017, Annex II to Chapter IV Advance Pricing Arrangements paras. 4-5

92) OECD TPG, 2017, Annex to Chapter IV Advance Pricing Arrangements paras. 29-33

정을 거치고 공식적으로 APA 신청서를 제출한다. 그와 함께 APA 대상거래를 분석할 수 있는 증빙서류와 자료를 제출해야 한다.[93]

과세당국은 제출된 신청서와 관련자료를 분석한다. 일방 APA인 경우에는 그 신청서를 접수한 과세당국이 단독으로 분석하지만, 쌍방 APA인 경우에는 관련되는 타방체약국(납세자의 거주지국)과 공동으로 협의하면서 분석을 진행한다. 구체적인 사실을 확인하고 검토하여 납세자의 APA 신청내용을 평가하는 절차를 거쳐 최종적으로 승인하게 된다.[94] 이 과정에서 납세자와 과세당국 간은 물론이고 상대체약국과의 협의과정에서 매우 기술적이고 전문적인 지식을 바탕으로 의견이 교환된다.

이러한 협의과정에서 납세자와 과세당국 간의 의견이 불일치하는 경우에는 APA 신청을 철회하게 된다.[95] APA 절차가 순조롭게 진행되어 납세자와 과세당국이 APA 적용조건에 합의를 하는 경우에는 합의서를 작성하고 APA절차가 종결된다.[96]

(3) APA 이행상황 확인(monitoring)

과세당국과 납세자는 APA 절차를 진행하면서 합의한 대로 납세자가 기록관리해야 할 증빙자료를 보관하고, 합의된 대로 거래가 이루어지고 있는지를 확인할 수 있도록 연차보고서를 과세당국에 제출해야 한다.[97] 그 보고서에는 주요 가정의 유지 등 APA의 합의내용이 이행되고 있는 내용을 담아야 한다. 과세당국은 이 연차보고서가 제출되면 APA 신청 당시의 원초자료와 비교하여 검증하고 APA 결정조건이 제대로 이행되고 있는지를 확인한다. 연차보고서와는 별도로 현장에서 실지조사(audit)를 통하여 직접 APA의 합의조건을 이행하는 상황을 확인할 수 있다.[98]

이행상황을 확인한 결과 사실과 다른 자료를 제시했거나 APA 합의 내용을 따르지 않고 있다면 APA의 결정을 무효(revoke) 또는 취소(cancel)하고 그 내용을 상대체약국에도 통보하게 된다.[99]

---

93) OECD TPG, 2017, ibid. paras. 35-40
94) OECD TPG, 2017, ibid. paras. 55-63
95) OECD TPG, 2017, ibid. para. 64
96) OECD TPG, 2017, ibid. paras. 65-66
97) OECD TPG, 2017, ibid. paras. 70-76
98) OECD TPG, 2017, ibid. para. 73. 과세당국과 납세자가 APA를 합의했다 하더라도 납세자가 그 합의사항을 성실하게 이행하는지를 과세당국이 확인하는 세무조사를 실시하는 것을 배제하는 것은 아니다.
99) OECD TPG, 2017, ibid. paras. 77-82. 무효가 되면 처음부터 APA는 적용되지 않지만, 취소가 되면 그 취소 일로부터 APA가 적용되지 않는다.

APA에 적용되는 이전가격결정방법은 주요가정(critical assumptions)이 계속 유지되느냐의 여부에 따라 실효성이 좌우된다.[100] 주요가정이 APA 적용기간 중에 변동이 되어 APA의 합의내용에 실질적으로 영향을 주는 경우에는 납세자가 그 사실을 과세당국에 통지하고 과세당국이 이를 검토하고 그 변동내용을 반영하여 APA를 수정하게 된다.[101]

납세자는 APA 적용기간이 만료되기 전에 동일한 조건으로 다시 APA 적용기간을 연장(renew)하는 신청을 할 수 있고, 그 신청을 과세당국이 종전과 동일하거나 수정된 조건을 적용하여 APA의 적용기간을 연장할 수 있다.[102]

(4) APA의 주요쟁점

APA는 납세자가 과세당국에 거래관련 정보를 모두 제공하여 최선의 이전가격결정방법을 도출할 수 있는 여건 속에서 협의를 진행한다. 납세자가 자신이 원하는 이전가격결정방법에 대하여 과세당국에게 설명하고 그것을 바탕으로 과세당국과 대등한 관계에서 협의를 진행할 수 있다는 것이다. 합의결과는 대외적으로 비공개(confidential)하고 있다.[103] 납세자가 제출하는 자료는 사업활동, 사업계획, 경쟁자, 시장상황, 세무환경에 전망 등 광범위하다.[104]

APA의 장점은 불확실한 조세문제에 대하여 예측가능성을 높이고 시간과 비용이 소모되는 조사와 소송에 대한 부담을 해소할 수 있다. 또한 쌍방 APA인 경우에는 체약국의 과세당국이 참여하므로 이중과세 및 이중비과세 문제를 방지할 수 있다.

APA 단점은 양 체약국 간에 APA의 합의가 이루어지지지 않으면 많은 시간과 비용만 소요되고 또한 합의결과가 어느 일방체약국에 유리한 경우에는 타방체약국의 세수손실 발생하게 된다.[105] 또 하나의 문제점은 납세자의 과세자료를 과세당국에 제출하고 이것이 다른 분야의 세무조사 등에 사용되는 잠재적 과세위험에 노출될 수 있다는 것이다.[106]

---

100) OECD TPG, 2017, ibid. para. 83

101) OECD TPG, 2017, ibid. paras. 84-85

102) OECD TPG, 2017, ibid. paras. 86-87

103) Diane M. Ring, On the Frontier of Procedural Innovation: Advance Pricing Agreements and the Struggle to Allocate Income for Cross-Border Taxation, 21 Michigan Journal of International Law, 2000, p.159

104) Diane M. Ring, ibid., p.147; OECD TPG, 2017, op. cit. paras. 38-40

105) Anja De Waegenaere, op. cit., p.16

106) 다른 비판도 있다. 세무조사비용 vs. 자발적 협력효과 세수증대 간의 비대칭 문제, 일방 APA의 이중과세 해소한계와 불확실성 잔존문제, 주요가정의 정확도 문제와 유연성의 한계, 기업체의 요구에 의해 진행되므로 과세당국의 인력활용계획에 차질이 발생할 수 있고, 시장조건을 반영할 때 동일한 거래에 대하여 APA 별로 다른 조건(선례 답습)을 적용할 수 있는 문제 등이다.

④ 중재제도

(1) 의의

중재제도는 상호합의제도가 과세분쟁을 해결하는 수단으로서 가지는 한계점을 보완하기 위한 대안으로 제시된 방법이다. 조세조약을 체결한 당사국 중 일방 또는 쌍방의 과세행위가 해당 조세조약의 규정에 위반하는 경우 그 위반행위를 한 국가의 과세당국에게 납세자가 시정요구를 신청한 날로부터 2년 이내에 해결되지 않는 경우에는 중립적인 제3자가 과세분쟁에 대한 결론을 내리는 제도이다.[107]

이러한 중재제도는 원래 GATT, WTO, 자유무역협정 등과 관련하여 사용되는 분쟁해결수단인 중재위원회에서 유래된 제도이다. 조세문제와 관련하여서도 '유럽공동체(EU) 회원국 간의 이전가격관련 중재협약(EU tax arbitration convention)'[108]과 1977년 'OECD 표준조세조약 제25조에서 독립중재자(independent arbitrators)'에 대한 규정을 두고 있었다.

(2) 강제적 중재제도 도입배경

OECD 표준조세조약에서 중재제도를 도입한 것은 국제조세분쟁을 보다 신속하고 효과적으로 해결하려는데 목적이 있었다. OECD 재정위원회(CFA)는 2007년 1월 30일 발표한 강제적 중재를 담은 '과세분쟁해결절차개선보고서'[109] 내용을 반영하여 2008년 7월 OECD 표준조세조약 제25조와 주석을 개정하였다. EU가 1995년에 도입한 조세중재협약을 원용한 것이다.

EU의 조세중재협약은 EU 국가 간 이전가격 분쟁 시 2년간 상호합의에 실패한 경우 사용하는 제도이다. 그러나, 이는 이러한 중재방식을 통한 분쟁 해결사례는 제도의 시행 후 12년간 2건에 불과한 것으로 나타나 있다. 이는 회원국들이 중재 자체를 통하여 조세분쟁을 해결하기보다는 과세당국이 과세분쟁 사안을 제3자인 중재인의 손에 넘기지 않기 위해 사전에 과세당국 간 합의를 적극 추진토록 유인하려는 수단으로 받아들이기 때문으로 보인다.[110]

---

107) OECD 표준조세조약, 2017, 제25조 제5항
108) 1995년 1월 1일 발효되었다. 2004년 5월 1일에는 중재처리기한(time limits) 등이 새롭게 추가되었다.
109) OECD CFA 2007 보고서. Improving the Resolution of Tax Treaty Disputes
　　 http://www.oecd.org/dataoecd/17/59/38055311.pdf
110) 중재제도에도 한계점이 있기 때문이다. 이는 후술한다.

(3) 중재절차의 진행

국제과세분쟁의 해결을 위하여 과세당국은 상호합의절차를 통하여 타방체약국의 과세당국과 협의를 진행할 의무를 진다.[111] 이러한 '상호합의절차(MAP)'가 개시된 날로부터 2년 내에 종결되지 않는 경우에 납세자는 중재절차를 신청할 수 있다.[112] 납세자의 중재신청은 관할당국의 사전승인을 요하지 않는다.[113]

중재절차는 상호합의절차와 다른 독립된 절차가 아니라 상호합의절차를 먼저 진행한 후 거기서 과세분쟁이 해결되지 않은 경우에 한하여 진행될 수 있는 보충적인 절차이다.[114] 납세자의 중재신청을 받은 과세당국은 10일 이내에 그 내용을 상대체약국에게 통보해야 한다.[115]

가. 중재위원회 구성

납세자의 중재신청이 있으면 양 체약국 과세당국은 60일 이내에 중재인(arbitrators)을 각 1명을 선임하여 중재위원회(Arbitration board)를 반드시 구성해야 한다.[116] 중재인을 선임한 후 2개월 이내에 두 사람의 중재인은 합의하여 제3자를 중재인으로 선임하고 중재위원회의 의장을 겸하도록 한다.[117] 정해진 기간 내에 과세당국이 중재위원을 선임하지 않거나, 선임된 중재위원이 제3자를 중재위원회 의장으로 선임하지 못한 경우에는 OECD 조세위원회(OECD Centre for Tax Policy and Administration)의 고위급 직원 중 양 체약국의 국적자가 아닌 고위급 직원이 해당 중재위원을 직접 선임한다.[118] 중재위원 선임의 교착상태를 해결하기 위하여 독립된 기구인 OECD가 직접 선임한다는 점이 중요한 의미를 가진다.[119]

---

111) OECD 표준조세조약, 2017, 제25조 제2항 및 동항에 대한 주석, para. 17

112) OECD 표준조세조약, 2017, 제25조 제5항 b)목

113) OECD 표준조세조약, 2017, 제25조 제5항에 대한 주석, para. 63

114) OECD 표준조세조약, 2017, 제25조 제5항에 대한 주석, para. 64. 중재는 상호합의절차의 대상인 과세분쟁 사건에서 쟁점이 되는 여러 사안 중 일부에 대한 의견이 합의되지 않아 타결되지 못하는 경우에 그 특정사안에 대하여 상호합의절차를 연장하여 적용하는 방법이다. 따라서 중재는 특정 사안으로 인해 합의에 이르지 못한 상호합의절차의 애로요인을 해소하여 과세분쟁해결의 효과성을 높여주는 역할을 하게 된다. 분쟁의 해결절차는 먼저 상호합의절차를 통하여 이루어지고 특정문제로 인해 합의가 이루어지지 않는 경우에는 중재절차를 활용하여 해결할 수 있다는 의미이다. 중재절차는 과세분쟁사안 중 일부 제한적인 분야에서 적용된다는 점에서 분쟁사건 전체를 포괄적으로 다루는 민간이 당사자인 중재 또는 정부-민간이 당사자인 중재와는 구분된다.

115) OECD 표준조세조약, 2017, 제25조 제5항 부록(Annex) 'SAMPLE MUTUAL AGREEMENT ON ARBITRATION, para. 5

116) ibid. para. 16

117) ibid.

118) ibid.

119) ibid. 종전에는 중재를 신청한 납세자 중에서 중재위원으로 선임하도록 되어 있었다.

중재위원의 요건은 국제조세 문제에 대한 경험이나 전문적 지식이 있어야 한다.[120] 다만, 판사나 중재인의 경험을 요구하는 것은 아니다.[121] 중재인으로 지명된 사람은 분쟁당사국과 납세자와의 관계에서 중립적이고 공정한 중재업무를 진행해야 한다.[122]

나. 중재 방식 및 심의

양 체약국은 중재위원장이 선임된 후 60일 이내에 자체 타결안을 중재위원회에 제출한다.[123] 양 과세당국이 제시한 2개 타결안 중 하나를 중재안으로 선정하는 방식을 'Last best offer' 또는 'final offer'라고 한다.[124] OECD 재정위원회(CFA)는 양 체약국의 제시자료를 기초로 중재인이 독자적 결정을 할 수 있는 'Independent Opinion' 방식도 제시하고 있다.[125]

다. 중재위원회 결정

중재위원회는 쟁점사항에 대하여 조세조약뿐 아니라 체약국 국내법규, OECD 조세조약 및 기준 등을 고려하여 단순과반수 찬성으로 결정하고 그 내용을 공개한다.[126] 중재위원들은 체약당사국이 제출한 답변서상의 해결방안 중 하나를 선택하여 결정하고 그 결정에 대한 이유나 설명문을 따로 붙이지 않는다.[127] 결정 결과는 서면으로 체약당사국에 전달하고 답신서(reply submission)를 받게 되는데, 결정에 대하여 체약당사국이 반대가 없으면 최종답신서를 받은 날로부터 60일 이내, 최종답신서 제출이 없으면 중재위원회 위원장 선임일로부터 150일 이내에 결정문을 송달한다.[128]

(4) 중재위원회 결정의 효력

중재결정은 이해관계자의 반대 의사가 없는 한 체약국 과세당국 간 상호합의결정과 동일한 효력이 있고, 양 체약국은 이에 따라야 한다. 중재위원회의 결정은 당해 상호합의건에만 효력이 있고, 선례적 효력은 없다.[129]

---

120) ibid. para. 17
121) ibid.
122) ibid.
123) ibid. para. 20
124) ibid. paras. 25-26
125) ibid., para. 2
126) ibid., para. 24
127) ibid.
128) ibid.
129) ibid., para. 24

(5) 평가 및 전망

제3자에 의한 강제적 중재제도는 과세당국의 신속한 합의를 위한 노력을 유인한다는 점에서 납세자 권리구제를 위한 실질적인 제도적 장치라 할 수 있다. 상호합의절차가 특정한 몇 개의 쟁점사항에 대하여 과세당국 간의 의견이 대립되어 타결되지 못하는 경우에 전문가인 제3자가 판정하는 간이합의절차(streamlined procedures)로 상호합의절차의 비효율성을 극복할 수 있는 대안이 될 수 있다. 중재제도는 국제조세와 관련한 분쟁을 신속하게 해결할 수 있는 대안을 납세자에게 제공하고 과세분쟁을 '주고받기식의 불합리한 흥정'으로 해결하는 것을 방지하는 효과를 기대할 수 있다.[130]

그러나, 중재제도는 납세자와 과세당국으로부터 모두 배척당하여 거의 이용되지 못하고 있다. 중재제도는 세계무역기구(WTO)의 제도를 도입한 것이지만, 국제조세분쟁과 세계무역기구에 다루는 국제무역 분쟁은 그 성격이 근본적으로 다르다. 조세는 공공재(public goods)에 대한 것이고 무역은 사적재화(private goods)에 대한 것이므로 중재를 통하여 결정된 내용을 당사자가 이행하지 않을 경우 보복(retaliation)을 가하는 방법은 국제조세에서 적용하기 어렵다.[131]

중재제도가 가지는 또 하나의 문제점은 중재를 통하여 합의될 수 있는 사항이면 상호합의절차를 이용하면 합의가 가능할 것이고, 반대로 양쪽 과세당국의 입장차이가 대립된다면 자국에게 불리한 결과가 나올 수 있다. 이 경우에는 '중재'절차를 신청하거나 또는 중재결과에 동의하지 않을 수 있다는 것이다.[132] 결국 과세당국이 업무의 상당부분을 중재위원회에 떠

---

130) Adam H. Rosenzweig, Thinking Outside the Tax Treaty, Wisconsin Law Review, Vol. 2012, June 6, 2012, p.761. Washington University in St. Louis Legal Studies Research Paper No. 12-05-19 http://ssrn.com/abstract=2079346

131) 국제조세 측면에서 보복수단으로 자국에 투자한 상대체약국 거주자의 소득에 중과세하거나 상대체약국에 투자한 자국 거주자의 소득에 중과세하는 방법을 생각할 수 있다. 이 경우에 당사자는 투자를 철수하게 될 것이다. 그러나 이 방법이 효과가 있으려면 조세경쟁 조건에서 자국에 투자할 국가가 많이 존재하여 상대체약국 거주자가 투자를 철수하더라도 아무런 영향이 없어야 하지만 실제는 투자를 희망하는 국가가 많지 않고, 현실적으로 조세경쟁은 투자유치 경쟁에 초점에 맞춰져 있는 것으로 보아야 한다. 설사 투자 희망국가가 많다고 하더라도 조세를 통하여 투자지역 선택을 결정하도록 하므로 조세중립성 원칙을 저해하는 결과를 초래하게 된다.

132) Michael J. McIntyre, Comments on the OECD Proposal for Secret and Mandatory Arbitration of International Tax Disputes, Florida Tax Review Volume 7, 2006, p.622.; William W. Park, Income Tax Treaty Arbitration, 10 George Mason Law Review Volume 10, 2002, p.803~813; Sharon A Reece, Arbitration in Income Tax Treaties: To Be or Not to Be, Florida Journal of International Law Volume 7. 1992, p.277; Diane Ring, Who Is Making International Tax Policy?: International Organizations as Power Players in a High Stakes World, Fordham International Law Journal Volume 33, 2010, p.649

넘기고 과세당국 간 합의에는 소홀히 한다는 비판이 있을 수 있다. 또한 과세주권 침해 가능성, 중재절차에서 납세자의 참여 제한, 과세당국의 일방 혹은 쌍방이 중재위원회의 결정에 불만을 가지는 경우에는 분쟁해결이 어려워지는 문제 등은 제도의 정착을 위해 해결해야 하는 과제에 해당한다.

⑤ 기타 조세행정적 접근방법

국제과세분쟁을 직접적으로 해결하는 방법은 아니지만, 그 분쟁의 발생을 사전적으로 차단하는 효과를 기대할 수 있는 방법을 생각할 수 있다. 그것은 조세행정 측면의 방법이 된다. 그 예로서 납세자에게 '이전가격 순응유도조치(TP Compliance Practices)'를 안내하여 과세당국과의 분쟁이 발생할 수 있는 소지를 예상하고 대비할 수 있도록 하는 방법이다.[133]

성실한 신고를 하지 않을 경우에 예상되는 재제조치(penalty)를 알게 하고 성실한 신고를 할 경우에 세무조사면제(safe harbours)의 적용대상이 되는 기준을 알려 주는 것은 납세자에게 과세분쟁의 소지를 미리 차단할 수 있도록 하는데 도움이 될 수 있다. 이러한 조치는 과세주권이 영향을 미치는 과세관할권 내에서만 효력을 가진다.

제4절 사법절차를 통한 국제과세분쟁 해결

사법적 절차를 통한 국제과세분쟁의 해결은 과세가 이루어진 국가의 법원에 제소하는 방법이다. 이는 행정소송으로서 소송의 당사자는 납세자와 국세청이다. 행정소송은 행정소송법의 규정에 따라 행정심판을 먼저 거치는 행정심판 전치주의에 따르고 있다. 과세건에 대하여 납세자와 과세관청간에 분쟁이 발생한 경우에는 해당 과세관청을 포함한 행정부에서 먼저 행정심사를 진행하고 그 다음에 사법심사를 받도록 하고 있다. 이러한 사법절차는 국제과세분쟁에서도 동일하게 적용되고 있다.

---

133) 불성실 납세기회를 감소시킬 수 있도록 원천징수 및 보고의무를 부과하고, 성실신고납세의 지도와 교육 및 홍보를 하고, 불성실신고납세에 대한 불이익 조치를 병과하는 것이 주요내용이 된다. 불이익조치는 세무조사(tax audit) 등을 통하여 불성실납세 사실을 확인하여 가해진다.

① 조세불복사건의 필요적 전치주의

사법제도 개혁을 통하여 1994년 7월 27일 법률 제4770호로 개정되어 1998년 3월 1일부터 시행된 행정소송법 제18조 제1항에 따라 행정소송은 임의적 전치주의로 전환되었다. 이로써 행정청의 행정행위로 인하여 발생한 피해에 대하여 피해자가 행정청에 행정심판을 제기하여 처분의 시정을 구하고 그 시정에 불복이 있는 경우에 법원에 행정소송을 제기하던 것을 행정심판을 거치지 않고 바로 행정소송을 제기할 수 있게 되었다.

그러나 조세소송은 국세기본법 제55조의 규정에 따라 필요적 전치주의를 유지하고 있다.[134] 따라서 조세불복사건에서는 행정심판절차를 거친 후에 행정소송을 제기해야 한다. 다만, 1999년 국세기본법의 개정으로 2000년 1월 1일부터 심사청구와 심판청구가 선택적으로 되어 그 전치절차의 심급이 종전의 2단계에서 1단계로 축소되었다.

조세불복사건에 대하여 필요적 전치주의의 유지 논거는 우선 헌법 제107조 제3항[135]에서 찾을 수 있다. 그 다음은 판례를 통하여 제시된 논거가 있다. 두 가지 요인을 감안하고 있다.

첫째는 세무행정처분의 전문성과 기술적 특성 및 복잡성을 감안하고 있다. 세무행정청의 전문적 지식과 경험을 활용하여 소송 전에 과세분쟁을 원만하게 해결할 수 있는 기회를 주고,[136] 처분청의 상급행정청으로 하여금 감독권에 근거하여 위법·부당한 행정처분을 시정하도록 하여 행정의 통일적인 운영을 기할 수 있도록 하며,[137] 당사자로 하여금 소송을 제기하기 전에 신속한 권리 구제를 받을 수 있는 절차를 통하여 비용과 시간을 절약할 수 있도록 한다.[138]

둘째는 조세행정 사건의 특수성을 감안하고 있다. 조세행정 처분은 다른 일반행정 처분에 비하여 전문적이고 기술이며 복잡하므로 설사 소송으로 가더라도 사실관계와 쟁점사항을

---

134) 국세기본법 제56조(다른 법률과의 관계) 제2항 '② 제55조에 규정된 위법한 처분에 대한 행정소송은 「행정소송법」 제18조 제1항 본문, 제2항 및 제3항에도 불구하고 이 법에 따른 심사청구 또는 심판청구와 그에 대한 결정을 거치지 아니하면 제기할 수 없다.~'

135) 헌법 제107조 제3항 재판의 전심절차로서 행정심판을 할 수 있다. 행정심판의 절차는 법률로 정하되, 사법절차가 준용되어야 한다.

136) 대법원 1982. 9. 28. 선고, 81누106 판결: 대법원 1983. 4. 12. 선고, 82누432 판결: 대법원 1986. 9. 9. 선고, 86누254 판결: 대법원 1988. 2. 23. 선고, 87누704 판결: 대법원 1989. 10. 10. 선고, 88누11292 판결: 대법원 1996. 7. 30. 선고, 95누6328 판결 등

137) 대법원 1982. 9. 28. 선고, 81누106 판결: 대법원1989.11.10 선3고, 88누37996 판결 등

138) 대법원 1989. 11. 10. 선고, 88누7996 판결

명확히 정리할 수 있고,[139] 또한 조세행정은 그 특성상 조세처분의 대량성·계속성·정형성을 가지고 있으므로 분쟁사건도 대량성을 보이고 있으므로 전심을 통해 정리하여 소송의 남발을 방지할 필요[140]가 있다고 본 것이다.

❷ 국세기본법 제55조 제2항 및 제9항의 적용

(1) 행정소송의 기산일

행정심판전치주의하에서 행정소송을 제기할 수 있는 기산일은 처분 등이 있음을 안 날 또는 처분이 있은 날이다. 이는 과세처분의 효력이 발생한 날 또는 행정심판의 재결서 정본이 송달된 날이다. 행정처분 등이 외부로 표시되어 도달된 날로서 그것이 현실적으로 그 내용을 인식할 필요는 없고 상대방이 알 수 있는 상태에 놓여있는 것으로 충분하다.[141]

따라서 통지, 공고 기타의 방법에 의해 당해 처분이 있은 것을 현실적·구체적으로 안 날이 해당한다. 아는 것으로 충분하고 그 내용이나 위법여부까지 알 것은 아니다. 고시와 공고는 근거법규의 처분효력 발생일이 된다. 처분서 수령거절, 수령 후 처분서 반환 등이 있는 경우에도 적법한 송달로 간주된다. 또한 제3자를 통해서 안 경우에도 본인이 안 것으로 간주한다.

(2) 필요적 전치주의 완화

조세불복전치주의의 취지에 비추어 볼 때 납세자에게 전심절차를 거치게 하는 것이 가혹할 경우에는 전심절차를 거치지 아니하고도 행정소송을 제기할 수 있도록 한다. 선행처분과 후행처분이 기본적 사실관계와 법률적 쟁점면에서 공통되는 경우에는 그 후행처분에까지 다시 전치절차를 거치도록 하는 것은 불필요한 중복적 불복절차이기 때문이다. 시간과 비용의 절약을 통한 납세자의 권리를 보호하려는데 취지가 있다.

---

139) 대법원 1989. 11. 10. 선고 88누7996 판결: 강인애, 『조세쟁송법』, 한일조세연구소(2001), p.669: 사법연수원, 『조세법총론』, 2006, pp.304~305: 사법연수원, 『행정구제법』 2006, p.156 등

140) 대법원 1988. 2. 23. 선고 87누704 판결(집36-1, 287): 대법원 1989. 11. 10. 선고 88누C7996 판결

141) 대법원 1964. 3. 31. 선고 63누158 판결, 1991. 6. 28. 선고 90누6521판결 등

③ 행정소송의 진행

(1) 행정소송의 특성

행정소송이 제기된 경우 법원이 소송요건, 소송물들에 대하여 심리하는 법 원칙으로서 변론주의와 직권탐지주의가 적용된다.[142] 변론주의는 재판의 기초가 되는 소송자료의 수집과 제출 책임을 당사자에게 지우는 것으로서 당사자 제출주의라고 한다. 한편, 직권탐지주의는 소송자료의 수집·제출이 법원의 책임으로 되는 것을 말한다. 당사자의 주장이 없는 사실도 소송자료로 채용(주장불요)하고, 당사자 간에 다툼이 없는 사실도 재판자료로 채용하지 않을 수 있고(자백의 구속력의 배제), 증거조사를 할 때 당사자가 제출한 증거 외에 직권조사(직권증거조사)도 가능하다.

행정소송법 제26조의 해석에 관한 학설은 행정소송법이 직권탐지주의 긍정적 입장과 소극적 입장(변론보충설)이 대립하고 있으나, 다수설은 행정소송의 경우 변론주의를 원칙으로 하고, 필요한 경우에 한하여 직권탐지주의 적용(변론보충설)을 한다는 입장이다.

다만, 행정소송법 제26조에서 '당사자가 주장하지 아니한 사실에 대하여도 판단할 수 있다'고 하여 독일 행정소송법 제86조 "당사자의 주장에 구애되지 않는다"고 한 규정과 유사한 규정을 두고 있다. 일본 행정소송사건법 제24조에서 '직권증거조사'를 규정하고 이를 행정소송에서 민사소송의 심리원칙을 유지하면서 직권주의 성격이 강한 행정소송의 특성을 반영하려고 했던 것을 우리나라에서 그대로 받아들인 것으로 보는 견해가 있다.[143]

(2) 관련 판례

대법원 판례(1955. 6. 7. 선고 4287민상144 판결)에서 처음으로 직권탐지주의가 언급되었고 1987년 대법원 판례 1987. 2. 10. 85누42에서 '직권탐지주의' 개념이 정착되었다. 1987년 대법원 판례 에서도 법원이 아무런 제한없이 당사자가 주장도 하지 않은 사실을 판단할 수 있다는 뜻이 아니라 원고의 청구범위를 유지하면서 공익상 필요한 경우에는 그 범위 내에서 청구 이외의 사실, 즉 일건 기록에 나타난 사실에 관하여서만 직권으로 조사를 하여 판단할 수 있다는 뜻으로 풀이해야 한다고 판시하였다. 대법원 판례 1992. 3. 20. 91누6030; 1994. 4. 26, 92누17402는 직권탐지주의가 단지 '소송기록에 현출된 사항에 한정하여 직권으로 증

---

142) 정하중, 「행정소송에 있어서 직권탐지주의와 입증책임」, 고려법학 제64호(2012. 3.), pp.207~208; 최선웅, 「행정소송법 제26조의 해석에 관한 일 고찰」, 행정법연구(1)(2003. 10.) pp.217~219
143) 길준규, 「행정소송법상의 직권탐지주의에 대한 이해」, 토지공법연구 제44집(2009), pp.259~284

거를 조사할 수 있다'고 판시하였다. 대법원 판례 2001. 1. 16. 99두8107은 '당사자가 주장하지 않은 사실에 대하여 그 제출을 권유하는 것'은 변론주의에 위배되며 석명권 행사의 한계를 일탈한 것으로 판시하고 있다.

(3) 행정소송에서의 입증책임의 분배

취소소송에 있어서는 피고인 행정청이 당해 처분의 적법성에 대한 입증책임을 지게 된다. 그러나, 무효 등 확인소송에 있어서는 원고가 당해 처분의 무효사유에 대한 입증책임을 부담한다. 부작위 위법확인소송의 경우 "일정한 처분의 신청을 한 것"에 대하여 원고가 입증책임을 부담하며, 처분을 하여야 할 "법률상 의무"의 존부 및 "상당한 기간"을 경과하게 된 것을 정당화할만한 특별한 사유에 대하여는 당해 행정청이 입증책임을 지게된다.

제5절 **조세조약과 국내법 절차의 절충**

 점진적 개선방법의 선택

2015년 G7 연례 회의에서 OECD에 요청한 '과세분쟁 해결절차'를 위하여 활발하게 논의된 주제 중의 하나는 강제중재절차(binding mandatory MAP arbitration)의 도입이다. OECD 표준조세조약 제25조 제2조와 제3조에서 규정하고 있는 권한있는 당국(competent authority) 의 역할을 납세자의 관점에서 바라보면 '소극적'이라는 인상을 지우기는 어렵다. '~shall endeavour to resolve the case by mutual agreement~'라는 표현을 통하여 적극 노력할 뿐 반드시 해결해야 한다는 의무는 부여하지 않고 있다. 제5항에서 상호합의절차로 해결이 되지 않을 경우에는 중재절차를 통하여 해결할 수 있도록 되어 있다. 중재절차는 해결 가능성을 높여줄 것으로 기대하고 있다. 특히 구속력이 있는 강제중재절차(binding mandatory MAP arbitration)라면 더 확실한 결론을 맺을 수 있을 것으로 예상할 수 있다. 이러한 예상이 그대로 실현될 것인지는 좀 더 지켜봐야 할 것 같다.

국제과세제도의 운용은 다른 통상분야의 제도와 달리 하나의 통일된 기준을 모든 국가에 일률적으로 적용하기 어려운 특성을 가지고 있다. 2015년의 G7 정상들의 요구에서도 단정적으로 중재제도의 도입을 권고한 것이 아니라 그 방안을 포함하여 '과세분쟁해결절차'의 개선

을 주문하고 있다.[144)

그리고 OECD 표준조세조약 제25조 제5항 후단에서는 '~The competent authorities of the Contracting States shall by mutual agreement settle the mode of application of this paragraph.(양 체약국의 권한있는 당국은 이 조항의 적용방법에 대하여 상호합의를 통하여 정할 수 있다)'고 규정하고 있다. 중재절차에 대부분의 국가들은 소극적인 입장을 보이고 있다.[145) 국제과세분쟁해결절차 개선에 관한 OECD의 최종보고서에는 여러 가지 개선안의 획일적 추진이 아니라 각국의 성공사례(best practice)를 보아가면서 추진하는 방법을 선택하고 있다.[146)

② 각국 조세법상의 제도와 조화

국제거래 소득에 부과한 조세에 대하여 납세자와 과세당국 간에 발생하는 과세분쟁은 국가 간의 제도와 문화의 차이로 인하여 납세자와 과세당국 간에 존재하는 근본적인 시각의 차이에서 비롯되는 경우도 많이 있다. 따라서 그 해결방법도 단순하지 않다. 납세자의 입장에서는 비용과 시간을 절약할 수 있도록 신속하게 결론이 나는 것이 바람직하다. 그러나 체약국의 입장에서는 조세부담의 회피방지와 공평한 조세부담 측면, 그리고 자국의 조세정책의 방향 등을 함께 고려해야 하기 때문에 납세자의 입장과 다를 수 있다. 이러한 입장 차이를 조화있게 조정해 나가는 지혜가 필요하다.

국제조세에 있어 분쟁해결에는 조세조약에 의한 절차와 사법상의 소송절차로 나눌 수 있다. 조세조약에 의한 절차는 상호합의절차와 이전가격 사전합의제도가 대표적이다. 여기에 추가적으로 일정한 요건 하에서 상호합의절차의 보충수단으로서 중재절차(arbitration)가 있다.

상호합의절차는 국가 간의 과세분쟁을 통상적인 외교적인 절차를 통하지 않고 과세당국 간의 협의를 통하여 해결하는 특별절차이다. 상호합의절차는 납세자의 신청에 의하여 시작하지만 과세주권과 연계되면서 반드시 합의를 해야 하는 의무를 부담하는 것은 아니라는 점에서 많은 시간이 소요되고 비효율적이라는 취약점이 지적되고 있다.

---

144) 앞에서 언급한대로 2015년 G7 공동성명서의 표현은 다음과 같다. '~to improve existing international information networks and cross-border cooperation on tax matters, including through a commitment to establish binding mandatory arbitration~'

145) 우리나라도 OECD 표준조세조약 제25조 제5항에 대하여 유보의견(reservation)을 표시하여 적용을 배제하려는 의사를 분명히 하고 있다. 동항에 대한 주석 para. 97

146) OECD/G20 Base Erosion and Profit Shifting Project-Making Dispute Resolution Mechanisms More Effective-ACTION 14: 2015 Final Report, p.9

이를 개선하기 위하여 OECD 재정위원회(CFA)는 상호합의절차를 시작한지 2년이 지나도록 주요 쟁점에 대하여 합의하지 못한 경우에는 그 주요 쟁점을 중재(arbitration)를 통하여 해결할 수 있도록 2008년 7월 OECD 표준조세조약 제25조 제5항을 신설하였다. 중재제도는 상호합의절차를 완전히 대체하는 새로운 제도라기보다는 상호합의절차를 진행하는 과정에서 일부 사안에 대하여 과세당국 간의 의견대립이 있는 경우에 그 부분에 대하여 제3자인 전문가를 선임하여 결론을 내리는 방법이다.[147] 따라서 상호합의절차의 연장선상에 있는 제도로서 상호합의절차의 결함을 보완하는 제도이다. 따라서 중재제도는 상호합의절차를 보다 활성화해서 과세당국 간에 합의를 이루어내도록 자극하는 측면이 있는 것으로 볼 수 있다.

국제거래에 대한 과세문제는 조세주권(tax sovereignty)과 연결되어 있다. 조세주권의 충돌이 있는 경우에 이중과세(double taxation)가 발생하므로 이를 해결하려면 자국의 과세권을 일부 양보하는 상호주의 과세원칙을 실현해야 한다. 조세조약에서는 기본원칙만을 규정하고 이의 집행은 체약국의 국내법을 적용하거나 상호합의절차를 통하여 해결하고 있다. OECD 및 UN의 표준조세조약 제3조 제2항에서 '조세조약에서 규정하지 아니한 사항은 국내법을 적용한다'고 규정하고 있는 것도 이러한 이유 때문이다. 국내법을 적용하는 이유는 조세조약 적용과 관련한 불확실성을 줄이고 조세회피행위를 차단하려는데 목적이 있기 때문이다.

조세조약의 적용과 관련하여 체약국 간에 서로 다른 의견이 있는 경우에는 상호합의절차(MAP)를 통하여 해결하도록 규정하고 있다. 이와 같이 조세조약의 규정 자체만으로는 집행하기 어려운 경우가 있으므로 이를 보완할 수 있도록 국내 조세법에서 필요한 사항을 보완해야 한다. 그 보완내용은 용어의 정의와 조세조약상의 혜택에 해당하는 제한세율의 적용절차 등에 대하여 국내 조세법에서 규정하는 것이 필요하다.

---

147) OECD 재정위원회(CFA)가 2008년에 도입한 중재제도가 상호합의절차를 대체하는 새로운 제도로 이해하는 것은 잘못임을 앞에서 언급하였다.

제**4**편

조세조약의 새로운 과제

제15장

양자 간 및 다자간 조세조약

 과세기준 통일화 시도 노력

국가 간에 존재하는 조세제도의 차이를 조정하여 국제거래소득에 적용되는 국제과세기준을 표준화하는 작업의 결과로 나타난 것은 OECD와 UN을 중심으로 표준조세조약(Model Tax Convention)이다. OECD와 UN에서 표준조세조약을 제정한 것은 국제무역거래에서는 동일하거나 유사한 거래가 대량으로 발생함으로 국가 간의 제도적인 차이를 제거하거나 축소하여 동일한 과세문제에는 동일한 과세기준을 적용하는 것이 중요하다는 인식을 근거로 한다.[1] 표준조세조약은 과세대상이 되는 조세와 납세자의 범위, 과세방법, 적용세율, 이중과세의 해소방법 등을 주요 내용으로 담고 있다. 이러한 표준화된 조세조약을 기본으로 하여 개별국가 간에 조세조약체결이 체결되고 있다. 현재 OECD 표준조세조약을 기준으로 체결된 조세조약은 전 세계적으로는 3,000개가 넘는 것으로 알려져 있다.

개별국가들이 조세조약을 체결하는 이유는 표준적인 국제과세기준을 적용하면 국제통상거래에 대하여 조세 측면의 장애요인이 제거되어 개별국가는 물론이고 전 세계의 후생이 극대화될 것으로 기대하기 때문이다.[2] 이러한 가정(hypothesis)이 옳다면(true) 전 세계적으로 통일적으로 적용되는 단일의 표준조세조약을 전 세계 각국 간의 경제거래와 관련된 조세문제에 직접 적용되는 것이 바람직하다. 이러한 시각으로 보면 국제조세분야에서도 세계무역기구(WTO)에서 국제무역거래의 질서를 유지하는 구조(regime)와 같이 다자간 조세조약(multilateral tax treaty)을 통하여 전 세계 조세제도의 조화(global tax harmonization)시켜

---

1) OECD 표준조세조약, 2017, 서문(introduction), para. 3 'These are is the main purpose fo the OECD Model Tax Covention, which provides a means of settling on a uniform basis the most common problems that arise in the field of international juridical double taxation.~'

2) Yariv Brauner, An International Tax Regime in Crystallization, Tax Law Review Volume 56, 2003, p.259

야 한다는 주장은 타당하다.[3]

그동안 다자간 조세조약의 체결 노력은 여러 차례 있었으나 성공과 실패를 동시에 경험했다.[4] OECD 재정위원회(CFA)는 1963년 및 1977년에 다자간 조세조약의 체결가능성을 검토하였으나 적용하기 어려운 것으로 결론을 내렸다.[5] 또한 다자간 조세조약의 성공 사례로서 스칸디나비아 국가들이 체결한 Nordic 조세조약(Nordic Double Taxation Convention)과 OECD 재정위원회(CFA)가 제정한 조세행정상호협조조약(Convention on Mutual Administrative Assistance in Tax Matters)을 열거하면서 다른 유형의 다자간 조세조약은 실패한 것으로 평가하고 있다.[6]

이와 같이 국가 간의 조약은 원칙적으로 양자 간(bilateral)으로 체결되고 다자간(multilateral)은 극히 예외적으로 체결되고 있다.[7] 다자간 조세조약의 경우에도 본질적으로는 OECD 표준조세조약의 연장선상에서 OECD 표준조세조약의 내용을 일부 수정하여 적용하는 형태이

---

3) 국제조세제도의 통일적인 운용을 주장하는 주요 학자들은 다음과 같다. Vito Tanzi, Taxation in an Integrating World, Brookings Institution Press. 1995; Vito Tanzi, Globalization, Tax Competition and the Future of Tax Systems, IMF Working Paper No. 96/141, 1996; Michael J. Graetz, Taxing International Income: Inadequate Principles, Outdated Concepts, and Unsatisfactory Policies, The David R. Tillinghast Lecture, NYU School of Law, Tax Law Review Volume 54. October 26, 2000, pp.320~323; Charles E. McLure, Jr., Tax Policies for the XXIst Century, in Visions of the Tax Systems of the XXIst Century, Internationall Fiscal Association ed., 1996; Victor Thuronyi, In Defense of International Tax Cooperation and a Multilateral Tax Treaty, ax Notes International Volume 22, Mar. 20, 2001, p.1291

4) Helmut Loukota, Multilateral Tax Treaty Versus Bilateral Treaty Network, in Multilateral Tax Treaties−New Developments in International Tax Law, Michale Lang, et,al. Chapter 5. Series on International Taxation, pp.83~104. 다자간 조세조약으로 다음과 같이 열거하고 있다. Helmut Loukota, Multilateral Tax Treaty Versus Bilateral Treaty Network, in Multilateral Tax Treaties−New Developments in International Tax Law, Michale Lang, et, al. Chapter 5. Series on International Taxation.; South−East European Multilateral Double Tax Agreement, 1922; ANDEAN Group Double Taxation Convention, 1971; Two Multilateral Double Taxation Conventions in the former COMECON area, 1977; The Assistance Directive of the European Community, 1977; The Nordic Double Taxation convention, 1983; The European convention on Mutual Assistance, 1988; The Parent−Subsidiary Directive of the European community, 1990; The Arbitration Convention of the European Community, 1990; The Double Taxation Agreement of the Caricom Group, 1994 등

5) OECD 표준조세조약, 2017, 서문(introduction), paras. 37−40. 유럽연합(EU) 통합과정에서 조세제도의 통일적인 운영을 통하여 다자간 조세조약의 체결이 추진되었으나 당초 예상과 달리 유럽연합(EU) 회원국들의 지지를 받지 못하여 실패하였다. Cordia Scott, European Finance Ministers Denounce European Tax Proposal, WTD, July 10, 2001; Scott Shaughnessy, French Finance Minister Opposes Taxes Proposed by EU's Belgian Presidency, July 11, 2001, WTD 135−1; Andrew Parker, U.K. Rejects Renewed Call for EU Tax Harmonization, WTD 104−15, May 29, 2001 등

6) OECD 표준조세조약, 2010, 서문(introduction), paras. 38−40

7) Yariv Brauner, An International Tax Regime in Crystallization, Tax Law Review Volume 56 Issue 259, 2003, p.318

므로[8] 세계무역기구(WTO)에서 주도하는 무역 관련 다자간 조약처럼 진정한 의미의 다자간 조세조약은 아니라는 비판도 있다.[9]

② OECD의 획기적 조치

최근 몇 년 동안 다국적기업의 사업관행을 바라보는 시각이 근본적으로 바뀌었다. 세원잠식과 소득이전(base erosion and profit shifting)을 통하여 천문학적인 금액의 탈세와 조세회피가 발생하고 있는 것이 각국 정부, 일반대중, 언론을 통해 밝혀지고 있기 때문이다.[10] 다국적기업을 바라보는 시각은 '납세의무의 성실한 이행(do the right thing)'과 관련된 '도덕성(morality)'과 '투명성(transparency)'에 대한 요구를 높여 가고 있다.

다국적기업(multi-national entity)과 고소득개인(high net worth individual)의 조세회피와 탈세는 그들 자신의 책임이지만, 한편으로는 제도적으로 적절하게 대응하지 못한 정부와 과세당국의 책임도 피할 수는 없다. 현재의 과세제도는 새로운 사업모델이나 관행을 쫓아가지 못하고 있는 것이 사실이다. 아울러 많은 국가들이 조세경쟁을 통하여 앞다투어 외국투자자본을 유치하고 자국의 다국적기업에게 여러 가지 조세지원을 하고 있다. 이것이 복합적으로 작용하여 공격적 세무계획을 통한 세원잠식과 소득이전과 엄청난 조세수입의 손실이 초래되고 있다.

대부분 다자간 방식으로 체결되는 국제무역분야의 조약[11]과 달리 조세조약은 양자 간 조약이 주류를 이루고 다자간 조세조약은 예외적으로 체결되고 있다. 최근 OECD가 추진하는 '세원잠식소득이득(BEPS)' 방지를 위한 대책(Project)과 다국적 기업의 조세회피방지를 위한 과세정보의 교환과 징수관련분야 등에서 협력등과 관련한 다자간 조약이 활성화되는 기미를 보이고 있다. EU, OECD, G8, G20 등이 힘을 모아 탈세방지를 위한 대응책을 마련한 것이 BEPS Project 관련 조치들(measures)이다.[12] BEPS Project 관련 조치들의 효율적 시

---

8) ibid., p.319

9) John F. Avery Jones, Are Tax Treaties Necessary?, The David R. Tillinghast Lecture, NYU School of Law (Sept. 25, 1997), in Tax Law Review Volume 53, Issue 1, 1998, p.6

10) BEPS로 인한 조세수입의 손실액은 연간 1,000~2,400억 달러에 이르는 것으로 추산되고 있다. OECD, Multilateral Instrument Information Brochure, May 2020, p.2

11) 무역분야의 다자간 조약은 General Agreement on Trade and Tariffs (GATT)와 General Agreement on Trade Services(GATS)가 대표적이다. 그러나, OECD가 1995년 추진하면서 WTO가 작업반을 만들었던 '다자간투자협정(Multilateral Agreement on Investments(MAI)은 더 이상 진전되지 못하여 실패한 것으로 평가되고 있다.

12) BEPS Project가 추진된 배경은 2008년 금융위기 이후부터 애플, 구글 등 다국적기업의 조세회피 문제, 이른

행을 위하여 마련된 방안이 바로 다자간 조약이다. 정식 명칭은 'Multilateral Convention to Implement Tax Treaty Related Measures to Prevent Base Erosion and Profit Shifting(세원잠식 및 소득이전 방지조치관련 조약의 이행을 위한 다자간협약)'이다. 이 다자간 조약(이하 'MLI'라 한다)에 가입하기로 서명한 국가는 현재 95개국이고 서명한 국가 중 61개국은 비준을 거쳐 시행하고 있다.[13] 우리나라는 2017년 6월 7일 서명하고 비준절차를 거쳐 2020년 5월 13일 비준서를 OECD에 기탁하고 2020년 9월 1일부터 시행 중에 있다.

MLI의 적용방식은 기존의 개별조세조약을 직접 개정하는 것이 아니라 기존의 개별조세조약과 함께(alongside) 적용하면서 MLI에 담긴 BEPS Project 관련 조치를 이행할 수 있도록 하는 것이다.[14] OECD는 MLI가 적용되는 조세조약(covered tax agreements)이 MLI를 병행하여 적용할 수 있는 '통합조약문(synthesised texts)'의 개발에 대한 지침(guidance)을 2018년 11월 14일 발표하였다. 지침의 명칭은 'Guidance for the Development of Synthesised Texts'로 되어 있다.[15]

MLI에 서명한 90여 개국이 전 세계적으로 체결하고 있는 양자 간 조세조약(bilateral tax treaty)은 1,650여 개에 이르고 이를 포함하여 전 세계 각국이 체결하고 있는 조세조약은 3,000여 개를 넘고 있다.[16] BEPS project 관련 조치의 내용을 이렇게 많은 개별 조세조약에 신속하면서도 통일적으로 반영하기 위하여 마련된 방안이 바로 MLI로서 조세조약 역사상 새로운 전기를 마련하고 있다.[17]

이를 포함하여 다자간 조세조약의 필요성, 현재 시행되고 있는 다자간 조세조약의 내용과 조세조약을 무역 관련 조약처럼 완전한 통합된 형태로 체결하기 어렵다면 어떻게 운용하는 것이 바람직할 것인지에 대하여 살펴보기로 한다.

바 BEPS(Base Erosion and Profit Shifting) 이슈에 대한 문제가 제기되면서 2012년부터 BEPS 문제를 국가 간의 협력을 통한 체계적인 대응방안이 OECD를 중심으로 본격적으로 추진되기 시작하였다. 2013년 7월 BEPS Project에 대한 세부 과제(Action Plan) 15개가 발표되고 2014년 9월에 일부 과제에 대한 중간 보고서를 거쳐 2015년 10월 15개 Action Plan(이하 "액션")에 대한 최종보고서를 작성하여 G20 정상회의에 제출하여 승인받았다. BEPS Project는 OECD 회원국 뿐만 아니라 비회원국도 참여하고 있으며, 세계 각국은 BEPS Action Pland의 이행을 위하여 자국의 조세법 개정 등을 적극적으로 추진하고 있다.

13) 2021. 1. 15. 기준. http://www.oecd.org/tax/treaties/beps−mli−signatories−and−parties.pdf

14) OECD, Explanatory Statement to the Multilateral Convention to Implement Tax Treaty Related Measures to Prevent Base Erosion and Profit Shifting, 2016, para. 13

15) OECD, http://www.oecd.org/tax/treaties/beps−mli−guidance−for−the−development−of−syn thesised−texts.pdf

16) OECD, May 2020, Multilateral Instrument Information Brochure, p.2

17) OECD, Explanatory Statement, 2016., op. cit. paras. 4−6; OECD, Multilateral Instrument Information Brochure,May 2020, p.2

1 다자간 조세조약의 필요성

조세조약을 체결하는 목적은 국제적인 이중과세를 방지하여 체약당사국 간의 경제교류를 촉진하고 그에 따른 혜택은 조세조약을 체결한 당사국의 거주자에게 돌아가게 하려는데 있다.[18] 그러나, 조세조약을 체결한 당사국이 아닌 제3자에게 그 혜택이 돌아가는 것은 양자 간의 조세조약이 가진 제도상의 허점을 이용하는 경우에 발생한다. 세계적인 기업인 Google과 Apple이 국제거래를 통하여 막대한 소득을 얻으면서도 미국에서 납부하는 세금은 미미한 것으로 알려져 있다.[19]

이런 현상은 OECD 표준조세조약을 기조로 하여 체결되는 양자 간의 조세조약의 문제점에서 비롯된 것이라는 지적이 있다.[20] 현행의 국제과세구조는 이중과세의 방지를 통하여 국제거래가 원활하게 이루어지도록 하려는데 목적을 두고 있다.[21] 그러나 이러한 목적은 당초 의도와 달리 제대로 달성되지 못하고 있는 것으로 평가된다. 우선 다국적기업이 이전가격을 통하여 조세부담을 회피하는 부작용을 가져왔다는 것이다.[22] 다국적기업이 이용하는 이전

---

18) Stef van Weeghel, The Improper Use of Tax Treaties, Kluwer Law International, 1998, p.117

19) Jesse Drucker, Google 2.4% Rate Shows How $60 Billion Lost to Tax Loopholes, BLOOMBERG, Oct. 21, 2010; Charles Duhigg & David Kocieniewski, Apple's Tax Strategy Aims at Low-Tax States and Nations, N.Y. TIMES April 28, 2012.

20) Edward D. Kleinbard, Stateless Income, FLorida TAX REView. Volume 11 No.9, 2011. pp.699~774. 현행 OECD의 표준조세조약을 기초로 하여 체결되는 조세조약의 기본내용은 국제거래소득에 대한 거주지국과 원천지국 간의 과세권 배분방법과 이중과세의 방지방법에 대한 것이다. 이러한 국제과세구조가 제대로 작동하면 이동성 국제자본소득은 원천지국과 거주지국에서 정상과세될 수 있다. 그러나 다국적기업의 소득은 원천지국에서 거주지국으로 송금되지 않고 조세피난처 등으로 이동하거나 거래구조를 변경하여 거주지국에서 정상과세되는 것을 회피하고 있다. 심지어 원천지국에서도 이전가격을 통하여 조세부담을 회피하고 있는 것이 실증분석을 통하여 확인되고 있다. 이와 같이 국제거래소득이 정상과세되지 못하는 현상이 발생하는 이유는 양자 간 조세조약체제하에서 국제자본이 양 국가의 과세관할권을 벗어나면 더 이상 추적하기 어려워지기 때문이다.

21) 원천지국과 거주지국이 국제거래소득에 대하여 과세권을 행사하는 '기본적인 구조'는 원천지국이 자국 내에서 발생한 소득에 대하여 과세를 하고 거주지국은 원천지국에서 과세된 소득을 납세자가 송금한 후에 과세하는 것이다. 거주지국에서 과세할 때는 원천지국에서 납부한 세액을 공제(credit method)하거나 일정한 요건 하에서 원천지국의 소득에 대하여 비과세하는 방법(exemption mehtod)으로 이중과세 문제를 조정하고 있다. 우리나라의 경우에는 외국납부세액을 비용으로 공제하는 방법(deduction method)도 사용하고 있다. 법인세법 제57조 제1항 및 소득세법 제57조 제1항. OECD 표준조세조약, 2017, 제23조A 및 B

22) Eduardo Baistrocchi, The Transfer Pricing Problem: A Global Proposal for Simplification, TaxLawyer 59(4), 2005, pp.941~979. Carlos A. Leite, The Role of Transfer Pricing in Illicit Financial Flows from Developing Countries, August 31, 2009, pp.14~15. 특히, Leite는 이전가격을 통한 조세회피의 직접적인 증거

가격의 문제점은 원천지국과 거주지국의 과세관할권으로부터 과세소득은 물론 조세부담도 동시에 벗어나게 한다는 것이다.[23] 이러한 결과는 국가 간의 과세권을 분할하려는 국제조세 제도하에서 국가 간의 제도차이를 국제소득을 획득하는 일부 납세자가 악용함으로써 발생하고 있다.[24] 이러한 과세소득과 조세의 일실을 방지하는 것은 각 국가의 조세제도가 직면하고 있는 가장 어려운 과제가 되고 있다.[25]

최근에는 조세회피방지제도의 효과성에 대한 의문이 제기되고 있다.[26] 유리한 조세조약을 선택하는 이른바 '조세조약 편승행위(treaty shopping)'는 국제거래와 관련한 세무전략(tax strategy)의 일종이므로 이것이 반드시 나쁘다고 평가할 수 없다는 주장도 많이 있다.[27] 그러나 일반적으로 지적되고 있는 조세조약 편승행위의 문제점은 다음과 같다.

로서 Bartelsman and Beetsma의 연구와 Clausing의 실증연구결과를 제시하고 있다. E. Bartelsman and R. Beetsma, Why Pay More? Corporate Tax Avoidance Through Transfer Pricing in OECD Countries, Journal of Public Economics Volume 87 issues9-10, 2004, pp.2225~2252; Kimberly A. Clausing, Tax-motivated Transfer Pricing and U.S. Intrafirm Trade Prices, Journal of Public Economics Volmune 87 issue 9, 2003, pp.2207~2223

23) Reuven S. Avi-Yonah, Globalization, Tax Competition, and the Fiscal Crisis of the Welfare State, Havard Law Review, Volume 113, No.7, May 2000, pp.1575~1676

24) Allison Christians, How Nations Share: The Role of Law in Creating and Resolving International Tax Disputes, Indiana. Law Journal, Volume 87, 2011, pp.1~54, http://ssrn.com/abstract=1815305; Thomas Rixen, From Double Tax Avoidance to Tax Competition: Explaining the Institutional Trajectory of International Tax Governance, Review of International Political Economy 2010, pp.1~31

25) Edward D. Kleinbard, op. cit. 2011, pp.712~714. 현행 국제과세제도 하에서는 '무국적 소득(stateless income)'이 발생할 수 있는 구조를 설명하고 있다. 무형자산의 소유자인 일방체약국의 거주자는 무형자산을 고세율적용국가에 거주하는 타방체약국 거주자에게 사용허가하고 받은 사용료 소득은 원천지국에서 비용으로 과세되지 않는다. 원천지국에서 지급된 사용료 소득을 조세피난처로 이전한다. 그 소득은 계속 조세피난처에 유보하면 거주지국에서 과세권이 미치지 못한다. 조세피난처 과세제도(CFC)가 있다고 하더라도 과세소득의 규모를 납세자가 자진하여 밝히지 않으면 알 수 없다. 조세피난처에서는 소득세를 부과하지 않는다. 따라서 거액의 사용료 소득은 어느 나라에서도 과세되지 않는 '무국적 소득'이 된다. 소득의 흐름구조를 변형하면 합법적인 방법을 가장할 수도 있다.

26) Adam H. Rosenzweig, Why Are There Tax Havens?, 52William & Mary Law Review Volume 52, 2010, p.923; David Hasen, Tax Neutrality and Tax Amenities, Florida Tax ReviewVolume 12, 2012, p.57

27) David Rosenbloom & Stanle ,Langbein, United States Tax Treaty Policy: An Overview, Columbia Journal of Transnational Law Volume 19, 1981, p.359; David Rosenbloom, Tax Treaty Abuse, 1983: Policies and Issues, Law & Policy International Business Volume 15, 1983, p.763; Helmut Becker & Felix J., Würm, Treaty Shopping: An Emerging Tax Issue and its Present Status in Various Countries, Kluwer, Deventer, 1988; Stef van Weeghel, The Improper Use of Tax Treaties, Kluwer Law International, 1998; Richard L. Reinhold, What is Tax Treaty Abuse? Is Treaty Shopping an Outdated Concept?, Tax Lawyer Volume 54, 2000, p.663; Kenneth A. Grady, Income Tax Treaty Shopping: An Overview of Prevention Techniques, Northwestern Journal of International Law & Bussiness Volume 5, 1983-4, p.626; Julie A. Roin, Rethinking Tax Treaties in a Strategic World with Disparate Tax Systems, Virginia. Law Review Volume 81, 1995, p.1753; Leonard O. Terr, Foreign Investors and Nimble Capital: Another Look at the US Policy Towards Treaty Shopping, Tax Forum439, Jan. 4, 1988, pp.25~26; William P. Streng, Treaty

첫째는 treaty shopping은 조세조약의 체결목적과 상충된다는 것이다. 체약국의 거주자가 아닌 제3국의 거주자가 조세조약의 혜택을 누리기 때문이다.[28] 일종의 무임승차에 해당한다.

둘째는 체약국이 아닌 제3국의 거주자가 경제적으로 유리한 조세조약상의 혜택을 얻는 것이므로 조세조약체결의 상호주의 기준(reciprocity)에 위반된다는 것이다.[29] 제3국의 거주자가 끼어들어 조세조약의 혜택을 가로채어 가면 그 국가는 혜택만 누리고 그에 상응하는 보상을 상대방 국가에 제공하지 않는다. 이는 조세조약의 기본원칙인 호혜주의 원칙(quid pro quo)에 어긋난다는 것이다.

세 번째는 과세관할권(tax jurisdiction)의 배분원칙에 어긋난다. 과세관할권은 과세소득과 직접 관련이 있는 거주지국과 원천지국에 속한다. 제3국 거주자가 개입할 경우 발생된 소득과 직접 관련이 없는 제3의 국가에서 과세권을 행사하므로 거주지국 또는 원천지국의 과세권이 침해된다.

네 번째는 조세조약의 체결당사국의 거주자가 아닌 제3자가 조세조약을 이용할 수 있는 경우에는 그 제3자가 거주하는 국가에서 조세조약을 체결할 실익이 없어진다. 조세조약을 체결하지 않고도 자국민이 다른 국가에서 조세조약상의 혜택을 누릴 수 있기 때문이다. 이 경우에는 국제조세제도의 기본구조가 흔들릴 수 있다.

다섯째는 체약국의 세수감소가 초래된다.[30] 조세조약을 체결한 국가는 양국 간 자본과 소득의 흐름이 대체로 균형을 이룰 것으로 예상한다.[31] 제3국 거주자가 끼어들 경우에 자본과 소득의 흐름은 예상과 다르게 왜곡된다. 조세조약을 체결한 당사자국의 거주자가 아닌 제3국의 거주자가 끼어들면 양국 거주자에 대한 조세조약의 배타적 적용성을 상실하게 된다. 이는 조세조약을 체결한 당사국이 원하지 않은 상황에서 다자간 조세조약으로 변질된 것을

Shopping: Tax Treaty Limitation of Benefits Issues Houston Journal of International Law, 1992, p.789: Leonard O. Terr, Treaty Routing v. Treaty Shopping: Planning for multi-country investment flows under modern limitation on benefits articles, Intertax Volume 17, 1989, p.521

28) 제3국 거주자가 조세조약의 혜택을 누리는 것을 방지하기 위한 조치 중의 하나가 조세조약에 포함되는 '조세조약혜택제한(limitation on benefits)' 규정이다.

29) 국제조세 문제에서 상호주의(reciprocity)라는 용어는 OECD Report on Conduit Companies와 UN Report on the Prevention of Abuse of Tax Treaties. Conduit Companies Report의 7항 (a)에서 처음 사용되었다.

30) David Rosenbloom & Stanle Langbein, United States Tax Treaty Policy: An Overview Columbia Journal of Transnational Law Volume 19, 1981, pp.396~397

31) UN Department of International Economic and Social Affairs, Report of the Ad Hoc Group of Experts on International Co-operation in Tax Matters. Contributions to international cooperation in tax matters: treaty shopping, thin capitalization, co-operation between tax authorities, resolving international tax disputes (United Nations 1988) UN Doc. ST/EA/203, UN Sales No. E.88. XVI, p.6

말한다.[32] 이 경우에 제3국 거주자가 조세회피를 하는 경우에는 조세조약을 체결한 국가에서는 막대한 세수결함이 발생한다.[33]

거주지국과 원천지국은 납세자가 국제거래에서 획득한 소득에 대하여 이중과세 방지제도를 적용하는 것은 '국제적인 협력의 비용'으로서 양국이 일정한 수준의 세수를 서로 포기하고 있다.[34] 따라서 제3국의 거주자가 조세조약을 이용하여 조세를 회피(avoidance)하거나 탈세(evasion)하려는 행위는 방지될 수 있어야 정의로운 세계질서가 유지될 수 있다.[35]

② 다자간 조세조약의 가능성

다자간 조세조약은 양자 간 조세조약의 단점을 보완하기 위한 대안으로 주장되고 있다. 현행의 양자 간 조세조약 구조는 과세정보의 공유가 양국거주자에 한정되고 제3국 거주자에 대한 것은 제외되므로 이전가격을 통한 조세회피와 제3국 거주자의 조세조약 남용행위를 차단하는데 한계를 보이고 있다.[36] 조세조약상의 정보교환조항[37]과 OECD의 과세정보 투명성 포럼 등이 있으나 제3국 거주자에게 영향을 주는데는 한계가 있다.

조세조약을 체결한 당사국이 서로 교환할 수 있는 과세정보는 해당 국가의 과세관할권 내에 존재하는 자료에서 확인되는 내용으로 한정되고 제3국의 관할권으로 이동한 소득에 대한 자료에는 영향을 미칠 수 없다. 따라서 제3국의 관할권에 영향을 줄 수 있는 제도적 장치가 없으면 이를 파악할 수 없게 된다.[38] 또 하나의 문제는 그 제3국들은 소위 '조세피난처(tax haven)'

---

32) US Treasury Department' June 27, 1979 News Release B-1694 relating to the US treaty with the Netherlands Antilles; Edwardes-Ker, 2001, paragraph 60. p.20

33) David Rosenbloom, Derivative Benefits: Emerging US Treaty Policy, Intertax no. 22, 1994, p.84

34) Tsilly Dagan, The Costs of International Tax Cooperation, Working Paper no. 1-03, January 2003, pp.1~31 http://www.biu.ac.il/law/unger/wk_papers.html

35) Ilan Benshalom, The New Poor at Our Gates: Global Justice Implications for International Trade and Tax Law, Faculty Working Paper 172, Northwestern University School of Law Scholarly Commons, 2009, pp.1~61

36) Julie Roin, Can the Income Tax Be Saved? The Promise and Pitfalls of Adopting Worldwide Formulary Apportionment, Tax Law Review Volume 61, 2008, p.69

37) OECD 표준조세조약, 2017, 제26조

38) Wolfgang Schön, International Tax Coordination for a Second Best World (Part. 1), World Tax Journal. 2009, pp.84~88. 제도적 장치로서 최선의 방법(first best solution)은 '응능부담원칙'과 '조세조약체결 당사국 관련 소득의 해당 국가 과세원칙'이 제대로 적용되는 것이지만, 현실적으로는 실현되기 어려우므로 '차선의 방법(second best solution)'이 선택되었으며 이는 현행의 양자 간 조세조약 구조를 바탕으로 형성된 국제과세 구조라는 것이다. 과세주권(national tax sovereignty), 효율성과 공평성의 조화문제 등 관련하여 first best solution이 항상 옳은 방법으로 보기도 어렵다고 주장하고 있다. 차선의 방안에 대하여는 다음 논문 참조; Robin, Boadway, The Role of Second-Best Theory in Public Economics, EPRU(Economic Policy Research

지역에 주로 해당하고 이들 국가에서는 조세조약의 적용대상이 되는 소득세나 법인세를 징수하지 않는 것이 일반적이므로 조세조약을 체결할 필요성을 느끼지 못하고 있다. 이에 대응하기 위해 독자적으로 이중과세 방지제도의 시행을 배제할 수도 있으나 이때는 이중과세가 발생하게 되므로 '빈대 잡으려다 초가집 태우는 결과'를 초래할 수도 있다.[39] 따라서 현재 각국이 고민하고 있는 '이중과세와 이중비과세의 방지, 이전가격문제' 등을 동시에 해결할 수 있는 최선의 방법은 전 세계 각국이 하나의 국가인 것처럼 조세 측면에서 협력하는 것이 된다.[40]

국가 간의 조세협력은 두 가지 측면에서 접근할 수 있다. 가장 중요한 것은 조세조약을 체결하지 않은 국가들의 협력을 유도해 내는 것이다. 다음은 국가 간의 일부 조세제도 등의 차이를 극복하는 것이다.[41]

조세협력을 계속 거부하는 국가는 개별 사례별(case-by-case)로 설득하거나 제재를 가하는 방법을 사용할 수 있다.[42] 그러나 이 방법을 통하여 기대한 만큼의 효과를 계속 거두기는 어렵다.[43] 이들 국가들이 양자 간 조세조약을 체결하는 것과 같이 국제조세협력을 통해서 얻을 수 있는 효과(benefits)를 계속 기대할 수 있어야 한다.[44] 조세조약의 체결당사국이 아닌 제3국의 거주자가 조세조약을 남용하는 방법을 사용하지 않더라도 그것에 버금가는 혜택이 주어진다면 모든 국가는 조세협력에 동의할 수 있을 것이다.[45]

Unit) Working Paper Series No. 95-06, 1995

39) Fred B. Brown, An Equity-Based, Multilateral Approach for Sourcing Income among Nations, Florida Tax Review Volume 11, 2011, p.565

40) Diane Ring, Democracy, Sovereignty and Tax Competition: The Role of Tax Sovereignty in Shaping Tax Cooperation, Flordia Tax Review Volume 9, 2009, pp.555~556

41) Reuven S. Avi-Yonah, Double Tax Treaties: An Introduction, Dec. 3, 2007, p.15 http://ssrn.com/abstract=1048441. Avi-Yonah는 현행 국제조세조약이 '다자간'이 아니고 '양자 간'으로 체결되고 있는 것은 각국의 조세법 구조가 상당히 차이가 많았던 제2차 세계대전 이전에 '표준조세조약'이 성안되었기 때문이라고 주장한다. 세계대전 이전에는 각국의 조세법 구조가 상당히 차이가 많았으므로 양자 간 조세조약이 대세였지만, 제2차 세계대전 이후에는 그러한 차이가 많이 줄어들었으므로 다자간 조세조약을 체결할 수 있다는 것이다.

42) Thomas Rixen, From Double Tax Avoidance to Tax Competition: Explaining the Institutional Trajectory of International Tax Governance, Review of International Political Economy Volume 18, 2011, p.202

43) 개인 또는 다국적기업이 국적을 변경하거나 소득을 유보한 장소를 이전하면 과세관할권이 달라지므로 새로운 문제가 발생한다. 최근의 스위스은행 비밀계좌사건에서 해당 납세자가 계좌를 다른 국가로 이전하고 있는 사례가 여기에 해당한다. N.Y.TIMES, Apr. 8, 2011, B4, http://www.nytimes.com/2011/04/08/business/global/08tax.html; Adam H. Rosenzweig, Why Are There Tax Havens?, William and MARY Law Review Volume 52, 2010, p.923

44) Bruce Zagaris, The Procedural Aspects of U.S. Tax Policy towards Developing Countries: Too Many Sticks and No Carrots?, George Washington International law Review Volume 35, 2003, p.331

45) May Elsayyad & Kai A. Konrad, Fighting Multiple Tax Havens, Journal of International Economy Volume 86, 2012, pp.295~304

다자간 조세조약의 체결 필요성을 검토하는 이유는 양자 간 조세조약에서 조세조약의 체결당사국이 아닌 제3국의 거주자가 treaty shopping을 통해 체약당사국의 세수를 잠식한 것을 회복하려는데 있다. 이러한 국제협력은 현실적으로 자국의 이해관계와 합치하는 방향에서 고려된다. 달리 말하면 효율성 측면과 함께 공평성의 제고 측면에서도 국제협력을 유도해 나가야 한다는 것이다. 최선의 방법(first-best solution)은 효율성 측면에 바탕을 두는 것이지만 이것은 현실적으로 달성되기 어렵다. 차선의 방법(second best solution)은 각국의 현실적 입장을 고려하여 국제협력을 이끌어내는 방법이다.[46] 조세조약의 남용으로 인해 양 체약국의 과세관할권에서 사라진 공공재인 세수는 국제조세협력이 있으면 찾을 수 있지만 국제조세협력이 없으면 회복될 수 없다는 점에서 차선의 방법(second best solution)을 적용하는 것이 보다 현실적이 대안이 될 수 있다.

최선의 해결방법(first best solution)에 집착한다면 국제조세 협력은 이끌어내기 어렵지만 차선의 방법(second best solution)으로는 가능할 것으로 보인다.

제3절 **다자간 조세조약의 구조적 특성**

다자간 조세조약은 앞에서 설명한 대로 분류기준에 따라 그 범위가 달라질 수 있다. 여기서는 다음과 같이 대표적인 다자간 조세조약으로 알려진 4개의 조약을 중심으로 분석하기로 한다.

첫째는 안데스 지역 국가인 볼리비아, 콜롬비아, 에콰도르, 페루 등을 중심으로 2005년 체결한 조세조약(Andean Community Income Tax Convention, 이하 '안데스 조세조약'이라 한다)이다.

둘째는 카리브해 연안의 14개국을 중심으로 1995년 체결한 조세조약(CARICOM Income Tax Agreement, 이하 '지중해 국가 조세조약'이라 한다)이다.

세 번째는 북유럽 국가인 덴마크, Faroe Islands, Finland, Iceland, Norway, Sweden 등이 1996년에 체결한 조세조약(Nordic Double Tax Treaty, 이하 '노르딕 조세조약'이라 한다)이다.

---

http://www.sciencedirect.com/science/article/pii/S0022199611001176.

46) Wolfgang Schön, op.cit, 2009, pp.84~88; R. Boadway, op. cit. 1995, EPRU(Economic Policy Research Unit) Working Paper Series No. 95-06

① 안데스 국가 조세조약

1969년 볼리비아, 칠레, 콜롬비아, 에콰도르, 페루가 콜롬비아 항구도시인 '카르타헤나'에서 체결한 '카르타헤나 협정(Cartagena Agreement)'을 통하여 안데스 조약의 체결노력이 시작되었다.[47]

당초 참여했던 칠레는 1976년 10월 30일 탈퇴하고 베네수엘라는 1973년 1월 31일 가입 후 2006년 4월 22일 탈퇴하였다.

안데스 조세조약은 1960년 발족한 '남미자유무역연합(Latin American Free Trade Association; LAFTA)'의 구성에서부터 시작되었다.[48] 우루과이 항구도시인 몬테비데오에서 '아르헨티나, 브라질, 칠레, 멕시코, 파라과이, 페루, 우루과이' 등이 참여한 가운데 체결된 조약이다.[49] 그러나 남미자유무역연합의 구성에 대한 논의가 지연되면서 탄생한 것이 안데스 조약이다. 볼리비아와 에콰도르가 별도의 합의를 통하여 안데스 조약을 체결하고 여기에 칠레, 콜롬비아, 페루가 참여함으로써 현재의 안데스 조약이 성립하였다. 남미자유무역연합은 안데스 조약의 체결에 간접적인 영향을 주었으나 '카르타헤나 협정(Cartagena Agreement)'은 현재의 안데스 조약체결에 직접적인 영향을 준 것으로 평가되고 있다.[50]

(1) 조세조약의 내용

안데스 조세조약의 내용은 '회원국 간의 이중과세 방지 및 비회원과 조세조약을 체결할 때 적용하는 표준조세조약'에 대한 것이다.[51] 가장 큰 특징은 OECD 및 UN 표준조세조약과 달리 원천지국(소득발생지국)의 배타적 과세권을 허용한다는 것이다. 소득종류별로 원천지국을 주로 규정하고 납세자의 거주지국과 같은 개념은 제외하고 있다.

원천지국 과세원칙의 적용은 국외원천소득, 즉 다른 국가에서 과세된 소득에 대하여 거주

---

47) 안데스 조약의 역사배경은 다음 자료 참조: Comunidad Andina Secretaria General
⟨http://www.comunidadandina.org/endex.htm⟩

48) Adolfo Atchabahian, The Andean Subregion and its Approach to Avoidance or Alleviation of International Double Taxation, Bulletin Volume 28 issue 8, 1974, p.309

49) 볼리비아, 콜롬비아, 에콰도르, 베네수엘라는 그 후에 참여하였다.

50) Adolfo Atchabahian, op. cit. Bulletin, 1974, pp.311~312. LAFTA는 남미 지역 국가의 균형적인 발전을 목적으로 선진국인 아르헨티나, 브라질, 멕시코와 저개발국으로 구분하여 선진국이 저개발국을 지원하기 위한 내용과 방법에 대하여 협의를 진행했다.

51) 조약의 공식명칭은 'Agreement among Member Countries to avoid double taxation and of the Standard Agreement for executing agreements on double taxation between Member Countries and other States outside the Subregion'으로서 1971년 11월 16일 Decision 40으로 체결되었다.

지국에서 과세하지 않는다는 것을 의미한다. 또한 회원국 간에는 조세행정에 대하여 상호 협력하는 규정을 설정하고 있다.

(2) 평가

안데스 조약은 정통적인 다자간 조세조약과 거리가 있고 실용성이 없는 다자간 조약으로 평가되고 있다.[52] 그 이유는 국제거래소득에 대한 과세권을 원천지국에만 배타적으로 부여하고 있기 때문이다. 안데스 조약은 국제적으로 통용되는 과세기준을 적용하지 않고 일방적으로 원천지국에 유리한 과세기준을 적용하는 내용이다.

안데스 조약을 체결한 회원국가 외의 비회원국가는 이를 수용하기 어려우므로 안데스 조약 체결국가와의 양자 간 조세조약의 체결을 가능성은 낮아진다.[53] 원천지국의 배타적 과세기준을 어느 정도 포기하지 않으면 다른 비회원 국가와의 양자 간 조세조약의 체결가능성이 낮아진다.[54]

❷ 카리브해 연안 국가 조세조약

카리브해 연안 국가 중 다른 나라의 식민지로서 지배받은 경험이 있는 국가를 중심으로 체결된 조세조약이다. 1973년 8월 11일 트리니다드 토바고의 도시 '차구아라마스'에서 4개국[55]의 서명으로 체결된 조약(Treaty of Chaguaramas)에 의하여 성립되었다. 그 후 1974년 8개국가의 참여를 시작으로 현재까지 카리브 연안의 국가는 대부분 가입하고 있다.[56]

그러나, Bahamas와 Haiti는 카리브해 연안 국가의 다자간 조세조약에 참여하지 않고 있다.

---

52) Richard Vann, Model Tax Treaty for the Asia-Pacific Region?, 1989; Peter Byrne, Tax Treaties in Latin America: Issues and Models in Vito Tanzi et al, Taxation and Latin American Integration, 2008

53) OECD 및 UN의 표준조세조약에서 사용하는 이중과세 방지방법인 '외국납부세액공제'를 통하여 거주지국의 과세권이 보장되지 않으므로 안데스 조약의 회원국이 아닌 국가의 거주자는 거주지국에서 다시 과세를 받는 경우에 이중과세에 노출된다. Nicasio del Castillo et al, 'Taking Advantage of Tax Treaties in Latin America, International Tax Review 1, 2003

54) Peter Byrne, Tax Treaties in Latin America: Issues and Models'in Vito Tanzi et al, Taxation and Latin American Integration, 2008, p.239

55) 최초 서명한 4개국은 Barbados, Guyana, Jamaica, Trinidad Tobago였다.

56) 1974년 가입 국가는 Antigua and Barbuda, Belize, Dominica, Grenada, Montserrat, Saint Lucia, St. Kitts & Nevis, St. Vincent & the Grenadines이고, 1983년 가입 국가는 Bahamas, 1995년 가입 국가는 Suriname, 2002년 가입 국가는 Haiti이며 그 외 준회원 5개국은 Anguilla, Bermuda, British Virgin Islands, Cayman Islands 및 Turks & Caicos Islands 등이다.

(1) 조세조약의 내용

조세분야 협력을 위해 1971년 카리브지역 조세행정가 조직(Caribbean Organization of Tax Administrators; COTA)을 구성하고 1973년 회원국들에게 공동으로 적용되는 다자간 조세조약을 체결하였다.[57] 전형적인 양자 간 조세조약과 같이 소득을 유형별 구분하여 과세 권을 국가 간에 배분하고 있다. 다만, 한 가지 특성은 회원국 중 저소득국가에게 과세권을 우선 보장하는 점이다.[58]

이 조세조약은 1973년 체결은 되었으나 공식적으로 비준절차를 거쳐서 공포되지 않았기 때문에 일부 국가에서 협약을 준수하지 않는 현상이 일어났다.[59] 또한 조세조약의 적용범위 는 회원국 중 '선진국(MDCs)'과 저개발국(LDCs) 간의 무역 및 투자 촉진에 한정되고 선진 국(MDCs) 간에는 적용되지 않는 문제점도 지적되었다. 이점을 보완하기 위하여 1994년 새 로운 역내 이중과세 방지조약[60]을 체결하여 1973년 조약을 대체하였다.

새로운 조약은 대체로 OECD 및 UN 표준조세조약과 유사하지만 개별조항에서 표현하는 용어 등에서 차이가 난다.[61] 예를 들어 새로운 조세조약 제8조 사업소득조항은 '고정사업장 (PE)' 대신 '사업활동장소(place of business activities)'라는 용어를 사용하고 있다. 이러한 용어의 차이로 인해 UN 및 OECD 표준조세조약의 주석과 판례 등과 의미의 해석에서 차이 가 존재한다는 것이다.

이보다 더 큰 차이점은 과세권의 배분에서 원천지국에게 배타적 우선 과세권을 부여하고 있다는 것이다. 원천지국 과세제도의 적용은 회원국 중 저개발국의 경제성장을 지원하기 위 한 조치로서 카리브해 연안 국가의 공동 단일시장 추구 목표와 일치한다.

---

57) 조세조약의 명칭은 다음과 같다. Agreement for the Avoidance of Double Taxation and the Prevention of Fiscal Evasion with Respect to Taxes on Income and for the Encouragement of International Trade and Investment of 1973.

58) 회원국을 선진국(more developed countries; MDC)과 저개발국(less developed countries; LDC)으로 구분하 였다. MDC에는 Barbados, Guyana, Jamaica, Trinidad & Tobago, LDC에는 Antigua, Belize, Dominica, Grenada, Montserrat, St. Kitts – Nevis – Anguilla, St. Lucia and St Vincent로 분류하고 있다.

59) Caribbean Community (CARICOM) Secretariat, Taxation. 〈http://www.caricom.org〉

60) Agreement among the Governments of the Member States of the Caribbean Community for the Avoidance of Double Taxation and the Prevention of Fiscal Evasion with Respect to Taxes on Income, Profits or Gains and Capital Gains and for the Encouragement of Regional Trade and Investment of 1994 (Intra – Regional Double Taxation Agreement of 1994)

61) Huub Bierlaagh, The CARICOM Income Tax Agreement for the Avoidance of (Double) Taxation?, January Bulletin – Tax Treaty Monitor, 2000, pp.99~104

(2) 평가

이 지역은 대부분 영국 식민지라는 공통적인 전통을 가지고 있어서 조세제도가 유사하여 다자간 조세조약체결이 가능한 것으로 평가되고 있다.

새로운 조약의 효과는 불확실한 것으로 보인다.[62] 원천지국 과세제도는 제도의 간단성은 있지만 실제 집행에서 원천지국의 결정은 그렇게 간단하지 않다는 점이 지적되고 있다.[63] 또한, 원천지국과세제도를 통하여 회원국 중 저개발국가를 지원하려는 의도와 달리 자본수출을 통하여 현지투자를 통한 경제개발증진의 목적이 오히려 저해를 받는다는 비판도 있다.[64]

OECD 및 UN 표준조세조약에서 사용하는 용어를 사용하지 않은 경우에는 조세조약의 해석과 적용에서 혼란이 발생하여 국제기준의 일관성 있는 적용이 어렵게 된다.

③ 노르딕 조세조약

세계에서 가장 오래되고 폭넓은 지역협력을 목적으로 삼고 있는 조세조약에 해당한다.[65] 1919년 덴마크, 노르웨이, 스웨덴이 체결한 노르딕 연합(Nordic Association)이 공식적인 협력조약의 시초가 된다. 그 후 참여한 국가는 1922년 아이슬란드, 1924년 핀란드이다. 현재는 '덴마크, 핀란드, 아이슬란드, 노르웨이, 스웨덴, 파로(Faroe) 군도, 그린랜드'로 구성된다.

조약체결의 주된 목적은 경제개발이 아니고, 살기 좋은 곳, 일하기 좋은 곳, 사업하기 좋은 곳으로 만드는 것을 우선적인 목표로 삼고 그 다음으로 세계에서 Nordic 국가의 위상을 높이는 두 가지의 목표를 조세 측면에서 지원하는 것으로 되어 있다.

노르딕 국가의 다자간 조세조약은 단계적으로 진행되었다. 먼저 상호조세행정협조에 관한 조약에서 출발하여 전형적인 다자간 조세조약을 체결하는 방식으로 진행되었다.

---

62) Caribbean Community (CARICOM) Secretariat, 'CARICOM Tax Experts Look at Regional Double Taxation Agreement'(Press Release 464/2009, 1 December 2009).

63) Klaus Vogel, Worldwide vs Source Taxation of Income – A Review and Re –evaluation of Arguments(Part I), Intertax no.8/9, 1988, p.216; Klaus Vogel, Worldwide vs Source Taxation of Income – A Review and Re –evaluation of Arguments(Part II), Intertax no. 19, 1988, p.310; Klaus Vogel, Worldwide vs Source Taxation of Income – A Review and Re –evaluation of Arguments(Part III), Intertax no.11, 1988, p.393; John Avery – Jones, 'Tax Treaty Problems Relating to Source' British Tax Review Volume 3, 1998, p.222

64) Huub Bierlaagh, ibid., 2000. pp.103~104

65) 역사적 배경 및 조약의 내용에 대한 자료는 다음 자료 참조: 〈http://www.norden.org/en〉

(1) 조세조약의 내용

조세조약은 1972년 덴마크, 핀란드, 아이슬란드, 노르웨이, 스웨덴 간에 체결된 상호조세행정협조에 관한 다자간 조세조약에서부터 시작되었다.[66] 1989년 12월 7일에는 현재의 상호조세행정협조 조약을 체결하여 1991년 5월 9일부터 적용하고 있다. 조세행정의 협조사항은 '과세정보교환, 조세징수, 신고서제공, 서류작성업무 등과 배당소득 및 이자소득, 은행계좌, 봉급, 연금 등의 정보 등의 교환'을 포함하고 있다. 조세행정 협조대상 세목은 직접세 외에 부가가치세(VAT), 자동차세, 상속세 등에도 적용된다.

다자간 조세조약은 1983년 3월 22일 덴마크, 핀란드, 아이슬란드, 노르웨이, 스웨덴 간에 체결되었다. 이들 국가들은 상호 밀접한 경제교류와 문화적 동질성과 함께 OECD 회원국이라는 점을 참작하여 OECD 표준조세조약을 기초로 하여 일부 수정하는 방식으로 다자간 조세조약을 작성하였다. 그렇지만 다자간 조세조약의 최종 체결까지는 10년 정도가 소요된 것으로 나타난다. 현재 노르딕 조세조약은 1996년 11월 12일 개정하여 1998년 1월 1일부터 시행되고 있고 있다.[67]

특정한 문제에 대하여 회원국 간에도 양자 간 조세조약을 체결할 수 있는 점이다. Faroe Islands, Iceland의 학생 거주자에게는 다른 비 Nordic 국가 학생에 비해 유리한 조건 적용하는 것이 그 예에 해당할 수 있다. 또한 2006년 이후 조세회피차단을 위해 역외 조세피난처와 정보교환협정체결을 개별국가별로 양자 간 조세조약 형태로 체결하면서 회원국의 공동입장을 사전에 결정하고 이를 반영하여 체결하고 있는 점도 여기에 해당한다.

(2) 평가

오늘날 다자간 조세조약이라고 부를 만한 것은 노르딕 조세조약으로 평가되고 있다.[68] 스칸디나비아 지역 국가들은 지리적 근접성, 문화 및 언어적 동질성을 이용해 무역과 사업이

---

66) Odd Hengsle, The Nordic Multilateral Tax Treaties for the Avoidance of Double Taxation and on Mutual Assistance August/September Bulletin, 2002, pp.371~376

67) 자세한 내용은 다음 자료 참조: Marjaana Helminen, Scope and Interpretation of the Nordic Multilateral Double Taxation Convention, January Bulletin for International Fiscal Documentation Volume 23, 2007, pp.23~38; Marjaana Helminen, Dividends, Interest and Royalties under the Nordic Multilateral Double Taxation Convention, February Bulletin for International Taxation 49, 2007, pp.49~64; Marjaana Helminen, Non-discrimination and the Nordic Multilateral Double Taxation Convention, March Bulletin for International Taxation Volume 103, 2007, pp.103~108

68) John F. Avery Jones, Are Tax Treaties Necessary?, The David R. Tillinghast Lecture, NYU School of Law (Sept. 25, 1997), Tax Law Review Volume 53 Issue 1, 1988, p.6

서로 밀접하게 연결되어 있고[69] 특히 노동력의 이동성이 높은 지역적 특성을 가지고 있다. 이러한 특성을 감안하여 과세당국자들은 정기적으로 만나 의사소통을 할 수 있는 것은 다자간 조세조약의 성공에 중요한 요소가 된다.

이러한 점은 회원국 간 및 비회원국과의 개별조세조약을 체결할 때 회원국이 지향하는 공통 목표에 대한 의견을 사전에 조정하여 반영하되 개별 국가별로 특수한 사항은 개별사항대로 반영하고 있다.

특히 OECD 표준조세조약을 보완하여 사용한다는 점에서 국제적 과세기준을 수용하고 있어서 비회원국들이 조세조약을 해석하고 적용하는데 공감대를 가질 수 있다는 점은 큰 장점에 해당한다. 또한 회원국 간의 조세행정협조에 관한 조약은 30년 이상 유지되고 있는 점도 높이 평가되고 있다.[70]

 ## 요 약

이상의 내용을 요약하면 다자간 조세조약의 성공적인 체결을 위한 전제조건은 기본적으로 UN 또는 OECD의 표준조세조약을 기준으로 체결해야 할 것으로 보인다. 이렇게 하는 것이 수용성을 높이고 기존의 표준조세조약과 함께 해석과 적용문제를 검토할 수 있어서 불확실성이 줄어들기 때문이다. 특히 조세조약에서 사용하는 용어는 기존의 표준조세조약상의 용어와 일치하는 것이 바람직하다는 것을 보여준다. 용어를 다르게 하면 납세자를 혼란스럽게하여 불확실성이 높아지기 때문이다.

또한 다른 중요한 요소는 경제상황의 변동에 맞추어 다자간 조세조약을 정기적으로 개정해야 하는 것과 함께 개별국가에게 특수한 사정을 반영할 수 있는 방법을 열어 두어야 하며 계속적으로 만나서 의사소통을 해야 한다는 점이다.[71] 아울러 안데스 조세조약과 카리브 조세조약의 경험은 모든 국가가 조세조약을 준수하는 것이 중요하다는 사실을 보여준다.

69) Nils Mattsson, Multilateral Tax Treaties – A Model for the Future?, Intertax Volume 28 Issue 8/9 2000, pp.301~305
70) Odd Hengsle, 2002, op. cit. p.376
71) Odd Hengsle, p.376

일반적 다자간 조세조약 체결 가능성

지금까지 살펴본 다자간 조세조약은 일부 제한된 지역을 중심으로 하는 일종의 지역공동체를 구성하는 소수의 국가들이 참여하여 체결한 것이었다. 이들 국가들의 공통적인 특징은 지리적으로 근접해 있고, 문화와 언어의 유사성과 함께 조세제도 측면에서도 공통성이 존재한다는 점이다. 이러한 점을 비추어 볼 때 소수의 국가만 참여하는 '제한적인 다자간 조세조약'에서 전 세계 모든 국가가 참여하는 '일반적인 다자간 조세조약'의 체결이 가능할 것인가에 대한 문제가 제기된다. 다음에서 이 문제를 분석하기로 한다.

① 국제관계와 상호주의 원칙

국제관계에서 상호주의 원칙에 따라 서로 양보한 만큼 대가를 얻는 평등관계를 기본전제로 한다. 이러한 평등관계가 전제되지 않고 일방적인 양보나 권리추구만 있다면 국제관계가 원활하게 작동할 수 없게 된다.

조세제도는 기본적으로 국가의 운영에 필요한 공공재(public goods)의 공급에 필요한 재원을 조달하기 위한 것이다. 개별국가에서 조세조약과 내국세법에서 규정한 방법에 따라 과세소득을 산정하는 과정에서 세수의 일실이 발생하는 원인은 두 가지이다. 하나는 과세분쟁에서 국가의 패소로 인하여 발생하는 것이고, 다른 하나는 과세제도상의 허점으로 인하여 발생하는 조세회피 또는 탈세행위로 인한 것이다.[72]

과세분쟁은 조세조약을 체결한 국가 간에 발생하는 문제로서 현재는 상호합의제도와 중재제도를 통하여 해결하는 장치가 마련되어 있다. 그러나 이러한 제도에서도 상호주의 적정하게 고려되지 않을 경우 과세분쟁이 타결되지 않는 경우가 발생한다. 국제과세기준을 적용하지 않을 경우 과세분쟁은 해결되지 않고 그 결과 이중과세가 발생하게 된다.

조세조약의 남용행위는 제3국의 거주자가 끼어들어 조세조약의 혜택을 가로채어 감으로 조세조약을 체결한 당사국은 일방적으로 불리하게 된다. 반면에 조세조약을 남용한 거주자가 속한 국가는 그에 상응하는 대가(costs)[73]를 부담하지 않으므로 일방적으로 유리한 위치

---

72) Adam H. Rosenzweig, Thinking Outside the Tax Treaty, Legal Studies Research Paper Series, Paper No. 12-05-19, May 2012, p.758. 〈http://ssrn.com/abstract=2079346〉

73) Tsilly Dagan, The Costs of International Tax Cooperation, Wroking Paper no. 1-03, January 2003, pp.22~30, 〈http://www.biu.ac.il/law/unger/wk_papers.html〉

에 서게 된다. 보상을 상대방 국가에 제공하지 않는다. 따라서 조세조약을 체결한 당사국은 세수의 결함으로 공공재를 충분히 공급할 수 없게 되므로 국가후생이 악화될 수 있다. 이러한 결과는 조세조약의 기본원칙인 호혜주의 원칙(quid pro quo)에 어긋난다는 것이다.

다자간 조세조약은 모든 국가에 동일한 과세기준을 적용하므로 이러한 문제를 상호주의 원칙에 따라 해결할 수 있다는 점에서 양자 간 조세조약에 비하여 장점을 가질 수 있다. 다음에서 이러한 두 가지 요소를 다자간 조세조약의 관점에서 살펴보기로 한다.

② 조세조약상의 과세분쟁 해결과 다자간 조세조약

(1) 다자간 조세조약의 요소

OECD 표준조세조약에서 국제조세관련 과세분쟁해결은 중요한 과제에 해당한다.[74] 국제조세의 분쟁해결을 위한 대표적인 방법은 상호합의절차(MAP)이다. 상호합의절차는 조세조약의 해석과 적용에 대한 이견을 해소할 목적으로 도입되었다.[75] 조세조약상의 과세분쟁은 조세문제를 담당하는 행정부의 전문지식에 의존하여 해결하는 방법을 사용하고 있다. 이 방법은 조세분쟁에는 전문적이고 기술적인 내용이 포함되어 있으므로 소수의 전문가들이 모여 해결하는 하는 것이 합리적일 수 있기 때문이다.[76]

상호합의절차에서 체약국의 권한있는 당국(competent authorities)이 협의하지만 쟁점사항에 대하여 반드시 의견의 일치를 통하여 결론을 내려야 하는 강제장치(enforcement mechanism)와 처리시한(time frame)등이 없다.[77] 그 이유는 당사국이 국제과세기준에 따

---

74) Allison D. Christians, Tax Treaties for Investment and Aid to Sub-Saharan Africa: A Case Study, Brooklyn Law Review Volume 71, 2005, p.653

75) OECD 표준조세조약, 2017, 제1조, 제4조 제2항 d)목, 제24조 제1항, 제25조 제1항 및 제2항에 대한 주석 paras. 9-10. 상호합의절차(MAP)를 진행할 수 있는 대상은 네 가지로 나눌 수 있다. 첫째는 납세자의 이의신청에 의한 것으로서 이미 과세된 건과 앞으로 과세될 건을 포함한다. 두 번째는 조세조약의 해석 및 시행상 발생되는 문제에 대한 것이다. 특히 이 부분은 OECD 표준조세조약 제24조의 무차별 원칙이 적용된다. 세 번째는 당해 개별조세조약에서는 규정되지 않았더라도 실제로 이중과세가 발생한 경우에는 그 이중과세의 배제를 위하여 상호합의를 할 수 있다. 네 번째는 당해 조세조약의 각 조문(개별 조세조약의 규정)에서 상호합의를 하도록 규정한 내용에 대한 경우이다.

76) OECD 표준조세조약, 2017, 제25조 제1항 및 제2항에 대한 주석 para. 8; Adam H. Rosenzweig, op. cit. May 2012, p.759. 과세분쟁은 사적계약에 따라 성립한 거래 자체의 효력을 다루는 것이 아니고 그 거래의 효과인 과세소득을 산정하기 위하여 거래의 구조를 재해석하는 문제와 열결된다.

77) OECD 표준조세조약, 2017, 제25조 제2항 및 3항에서 과세분쟁을 반드시 해결해야 하는 의무(obligation)가 주어진 것이 아니라 해결하기 위하여 노력(endeavor)해야 한다는 표현을 사용하고 있다.; Hugh J. Ault, Reflections on the Role of the OECD in Developing International Tax Norms, 34 Brooklyn Journal of International Law, 2009, pp.774~776

라 합리적인 결론을 내릴 것으로 기대하기 때문이다.[78] 이러한 기대와 달리 상호합의절차(MAP)는 효율성과 투명성 측면에서 미흡한 점이 많이 지적되어 왔다. 과세분쟁사건 처리기간의 지연, 국제적인 과세기준에 따라 합리적으로 처리되지 않고 과세당국 간의 주고받기 식의 흥정(horse-trading)과 납세자와의 거래(trade off) 문제 등이 대표적인 지적사례에 해당한다.[79]

이러한 상호합의절차의 취약점을 보완하기 위하여 OECD 재정위원회(CFA)는 2008년에 강제중재(binding arbitration)제도[80]를 도입하였다. OECD 표준조세조약상의 중재절차는 '상호합의절차(MAP)'가 개시된 날로부터 2년 내에 종결되지 않는 경우에 납세자의 일방적인 중재절차 신청[81]을 통하여 개시된다.[82] 중재절차는 상호합의절차와 다른 독립된 절차가 아니라 상호합의절차를 먼저 진행한 후 거기서 과세분쟁이 해결되지 않은 경우에 한하여 진행될 수 있는 보충적인 절차이다.[83]

중재절차는 과세당국은 배제되고 제3자가 독립적으로 결정하고 그 결정은 당해 분쟁건에 대하여 양 당사국은 반드시 따라야 한다.[84] 중재절차는 상호합의절차의 한계를 보완하고 있으므로 그 수요가 늘어날 것으로 전망된다.[85]

(2) 평가

중재절차에는 조세조약의 체약국이 아닌 제3자가 과세분쟁사건을 취급한다는 점에서 양자 간의 조세조약의 구조(frame)를 벗어나고 있다. 이점에서 다자간 조세조약의 요소가 포함된 것으로 볼 수 있다.

---

78) Ehab Farah, Mandatory Arbitration of International Tax Disputes: A Solution in Search of a Problem, Florida Tax Review Volume 9, 2009, pp.703~708

79) Hugh J. Ault, Improving the Resolution of International Tax Disputes, Florida Tax Review Volume 7, 2005, pp.137~139

80) William W. Park, Income Tax Treaty Arbitration, 10 George Mason Law Review, 2002, pp.803~813; Sharon A Reece, Arbitration in Income Tax Treaties: To Be or Not to Be, Florida Journal of International Law Volume 7, 1992, p.227

81) 납세자의 중재신청은 관할당국의 사전승인을 요하지 않는다. OECD 표준조세조약, 2017, 제25조 제5항에 대한 주석, para. 63

82) OECD 표준조세조약, 2017, 제25조 제5항 b)목

83) OECD 표준조세조약, 2017, 제25조 제5항에 대한 주석, para. 64. OECD CFA 2007 보고서: 새로운 조항(중재조항)은 상호합의절차의 대상인 과세분쟁 사건에서 쟁점이 되는 여러 사안 중 일부에 대한 의견이 합의되지 않아 타결되지 못하는 경우에 그 특정사안에 대하여 상호합의절차를 연장하여 적용하는 방법이다.

84) OECD 표준조세조약, 2010, 제25조 제5항 부록(Annex) para. 39

85) Hugh J. Ault, 2009, op. cit. pp.757~773

다자간 조세조약의 요소인 중재제도는 이론적으로는 양자 간 조세조약의 요소인 상호합의절차제도보다 훨씬 효율성이 높은 것은 사실이다. 일방체약국이 타방체약국의 거주자에게 조세조약을 위반하여 과세한 것을 제3자가 공정한 기준으로 조정하므로 양 체약국 간에 동일한 소득에 대하여 동일한 과세기준을 적용하므로 조세의 중립성(neutrality), 예측가능성, 조세조약적용의 일관성 등을 보장받을 수 있다. 양 체약국은 공공재를 공급하기 위한 재원이 되는 과세소득을 잠식할 수 있는 비협력적인 조세경쟁을 피하고 국제적인 기준을 수용하면서 협력할 수 있도록 한다.[86]

그러나, 현재 도입되어 있는 강제 중재조항은 분쟁당사국의 이해관계가 상충되는 경우 그 입장 차이로 인하여 중재결과를 수용하지 않는 경우에는 이중과세 등의 문제가 발생할 수 있고,[87] 그 불수용에 대하여 재제할 수 있는 방법도 쉽게 찾기 어렵다.[88]

다자간 조세조약의 요소인 강제 중재절차에서는 쟁점사항에 대한 기계적인 판단만을 하므로 효율성 측면에서는 바람직할 수 있다. 그러나, 조세조약 체결당사국이 직면하고 있는 국가후생증진을 위한 재정수입 조달의 필요성은 고려되지 않는다.[89] 궁극적으로 조세조약의 체결을 통하여 국가후생이 악화되는 결과를 가져올 수 있다는 점이다.[90]

특히 조세조약을 체결하지 않은 국가(조세피난처)에는 중재절차를 적용하기 어렵다는 문제도 안고 있다.[91] 조세조약을 체결한 사실이 의미하는 것은 이미 국제과세기준을 수용하여 적용하고 있으면서 단지 그 기준을 적용하는 과정에서 일부의 분쟁이 있을 뿐이라는 것이다.[92] 그러나 조세조약을 체결하지 않은 국가와의 분쟁은 성격이 다르다. 곧 그 분쟁사안에

---

86) Reuven S. Avi-Yonah, Globalization, Tax Competition, and the Fiscal Crisis of the Welfare State, Harvard Law Review Volume 13, 2000, pp.1573~1603

87) Michael J. McIntyre, Comments on the OECD Proposal for Secret and Mandatory Arbitration of International Tax Disputes, Florida Tax Review Volume 7, 2006, p.622

88) 조세주권(tax sovereignty)을 주장하는 경우에는 각국 입장대로 과세하는 방향으로 갈 가능성이 높다. 상호합의절차에서 과세당국 간에 의견이 대립되어 합의가 도출되지 않을 경우 합의를 포기하고 'agree to disagree' 방법으로 그 사건을 종결하는 경우가 있다.

89) Julie Roin, Competition and Evasion: Another Perspective on International Tax Competition, Georgetown Law Journal Volume 89, 2001, pp.543~568; Tsilly Dagan, National Interests in the International Tax Game, Virginia Tax Review Volume 18, 1998, p.363

90) '국익'과 '국가후생' 및 '국가조세주권' 등의 가치판단 변수가 관심을 끌지 못한 이유는 그동안 국제자본이 일부 선진국에 집중되어 있었고 대부분의 국가는 자본을 수입하는 입장에 있었으므로 국제자본은 대등한 관계에서 투자되지 못하였기 때문으로 보인다. 따라서 국제조세분야의 제도설계는 경제학적인 개념인 효율성을 전제로 주로 연구되고 있는 것으로 보인다.

91) 이 부분이 더 심각한 문제라고 지적한 견해는 다음 자료를 참조: Barbara Koremenos, If Only Half of International Agreements Have Dispute Resolution Provisions, Which Half Needs Explaining?, Journal of Legal Study Volume 36, 2007, p.189

92) Steven A. Dean, More Cooperation, Less Uniformity: Tax Deharmonization and the Future of the

대하여 이미 합의된 국제과세기준의 적용에 대한 것이 아니라 어떤 기준을 적용할 것인가에 대한 것이다.

③ 조세조약 남용행위 방지와 다자간 조세조약

(1) 다자간 조세조약의 요소

국제과세분쟁의 해결을 위하여 보다 직접적으로 다자간 조세조약의 요소를 개입시키는 방법은 '세계무역기구(WTO)의 분쟁해결절차'와 유사한 제도를 도입하는 것이다. 세계무역기구의 분쟁해결절차는 분쟁해결기구(DSB: Dispute Settlement Body)가 '분쟁해결규칙과 절차에 관한 양해규정(DSU: Understanding on Rules and Procedures Governing the Settlement of Disputes)'을 적용하여 해결한다. 국제무역과 관련한 분쟁이 발생하면[93] 당사자 간의 협의를 통하여 해결하되[94] 합의를 통한 해결이 이루어지지 않으면 WTO 사무총장에게 중재를 신청한다. 사무총장은 패널을 구성하여 패널심사를 거친 후 결론을 내리고 그 결론에 따라 필요한 조치를 취한다.[95] 대표적인 조치는 무역규정 위반국에 대하여 보복관세를 부과하는 방법이다.

(2) 평가

세계무역기구(WTO)의 분쟁해결제도는 성공적으로 운영되고 있는 것을 평가되고 있다.[96] 분쟁해결 절차를 통하여 결정된 사항에 대하여 모든 관련 당사국이 승복해야 하므로

International Tax Regime, Tulane Law Review Volume 84, 2009, p.146

93) 다른 국가의 불공정 무역조치가 세계제무역기구(WTO) 조약을 위반한 것이면, 직접피해를 입은 당사국은 물론 다른 회원국도 제소할 수 있다.

94) Brian Manning & Srividhya Ragavan, The Dispute Settlement Process of the WTO: A Normative Structure to Achieve Utilitarian Objectives, University of Missouri Kansas City(UMKC) Law Review Volume 79, 2010, pp.1∼4. 1차적으로는 당사국 간의 협의에 의하여 해결하는 것에서 출발한다. 양자 간 해결 기준이 적용되는 이 단계에서는 국제조세분야의 '상호합의절차'와 비교할 수 있다.
DSU에 관한 내용(영문): http://www.wto.org/english/docs_e/legal_e/28-dsu_e.htm

95) WTO 분쟁해결절차에 대한 자세한 내용은 다음 자료 참조: Daniel H. Erskine, Resolving Trade Disputes: The Mechanisms of GATT/WTO Dispute Resolution, Saint Clara Journal of International Law Volume 2, 2003, pp.40∼83

96) Adam H. Rosenzweig, op. cit. Thinking Outside the Tax Treaty, 2012, pp.763∼764. 구체적으로 성공적인 운영사례로서 'shrimp farming regulation, income subsidies for exports'를 예시하고 있다.

유사한 상황에 처한 국가 간의 분쟁해결수단으로 유효하다.[97] 중재심판결과에 승복하지 않으면 세계무역기구의 승인하에 무역보복이 가해지기 때문이다. 또한 개발개도국가에서 선진국에 대항하여 자국의 권리를 주장할 수 있는 장(forum)을 제공하고 있다는 점도 높은 평가를 받고 있다.[98]

세계무역기구의 분쟁해결방법의 실효성을 담보하고 있는 수단은 '무역보복'이다. 무역보복의 이론적 근거는 두 당사국이 전면 무역전쟁을 하면 양국가 모두에게 손해이고 무역불공정행위의 영향은 그 해당 국가에만 미친다는 것을 전제로 한다. 따라서 무역보복이 세계무역기구(WTO)의 조약을 준수하도록 유인하는 효과가 있다는 것이다.[99]

국제조세분야에서 이러한 세계무역기구의 방법을 사용할 수 있다면 '다자간 조세조약'의 효과를 기대할 수 있다. 그러나 국제조세분야에서 '무역보복'과 같은 수단을 사용하기 어렵다. 조세는 해당 국가의 공공재를 조달하기 위한 재원으로 징수하기 때문이다. 무역문제는 수출기업의 사적이익(private benefits)에 대한 것이지만 조세문제는 공공재의 공급에 필요한 재원과 관련된다. 만약 국가 간의 조세분쟁에 보복수단을 사용한다면 다음과 같이 내용이 될 것이다.[100]

A국가와 B국가 두 나라는 서로 다른 조세제도를 운용하면서 어느 한 나라가 두 나라 간에 체결한 조세조약을 위반한 경우 한 나라에서 입게되는 피해는 자국거주자의 이중과세 문제로 나타난다. 상대체약국에서 자국거주자에게 조세조약상의 합의된 세율보다 높은 세율을 임의로 적용했을 경우에[101] 생각할 수 있는 방법은 두 가지이다. 하나는 자국거주자가 상대국의 관할권에서 철수하도록 하는 방법이고 다른 하나는 자국 내에서 투자하고 있는 상대체약국가의 거주자에게 중과세하는 방법이다. 이 두 방법은 사용하기 어렵다는 데에서 문제가 발생한다. 상대체약국의 거주자에게 직접적으로 보복과세는 할 수 없다. 과세관할권이 다르기 때문이다.[102]

만약 상대체약국에 투자하고 있는 자국거주자에게 중과세할 경우에는 자국거주자의 유효조세부담률이 높아져서 국제경쟁에서 불리하게 된다. 한편 자국 내에 투자한 상대체약국의

---

97) Lisa M. Nadal, EU-U.S. Battle Over Subsidies Continues, Tax Notes, Volume 115, 2007, p.224

98) Hansel T. Pham, Developing Countries and the WTO: The Need for More Mediation in the DSU, Harvard Negotiation Law Review Volume 9, 2004, pp.331~50 (2004); Peter M. Gerhart & Archana Seema Kella, Power and Preferences: Developing Countries and the Role of the WTO Appellate Body, North Carolina Journal of International Law and Commercial Regulation Volume 30, 2005, pp.515~576

99) Adam H. Rosenzweig, op. cit. Thinking Outside the Tax Treaty, 2012, p.764

100) Adam H. Rosenzweig, ibid.

101) 조세조약상 제한세율이 적용되는 배당, 이자, 사용료 소득의 경우를 가정한다.

102) 과세관할권이 달라지면 자국의 세법이 영향을 줄 수 없다. 이것은 조세주권의 개념과 연결된다.

거주자를 중과세하여 상대체약국의 거주자가 투자를 철수하면 외국인 직접투자 유치자본이 감소하게 되므로 공공재를 공급하기 위한 과세소득이 잠식되는 결과를 초래할 수 있다.

궁극적으로는 상대체약국을 겨냥하고 빼들었던 보복카드의 효과는 자국에게 돌아오게 된다.[103] 상대방 국가에 대한 보복수단은 세계무역기구(WTO)에는 강력한 수단이 되지만, 국제조세에는 그렇지 않다는 것이다.

④ 차선의 다른 대안

(1) Positive Approach로 전환모색

조세조약을 체결하는 목적 중의 하나는 국제이동성 자본이 조세조약을 체결하지 않고 있는 저세율국가(조세피난처)로 이동하여 정당한 납세의무를 이행하지 않으려는 조세회피 내지 탈세행위를 차단하려는 것이다. 여기서 조세피난처 국가에 대하여 세계무역기구에서 사용하는 '소극적인 방법(negative approach)'을 사용하기 어렵기 때문에 다른 대안으로서 이들 국가들과 원활하게 서로 협력할 수 있는 '적극적인 방법(positive approach)'을 고려해야 한다.

소극적인 접근방법은 개발도상국 또는 조세피난처 국가의 행동은 악(fiscal termite)[104]이고 이들 국가에서 제공하는 조세상의 혜택은 유해조세경쟁(harmful tax competition)을 유발하기 때문에 배제되어야 한다는 것을 전제로 한다.

이에 대하여 개발도상국 또는 조세피난처의 입장은 다르다. 과세정보의 공개 또는 자국 내의 비거주자 원천소득에 대한 조세상 우대조치를 철회할 경우에 발생하는 과세소득의 증가분은 개발도상국 또는 조세피난처의 세수증가로 돌아오지 않고 선진국의 몫이 된다는 것이다.[105]

국제관계는 상호주의 원칙에 바탕을 두는 것이라면 개발도상국은 과세정보의 공개를 통해 잃는 것이 많다면 선진국은 개발도상국에 원천징수권을 충분히 허용하거나 투자자본량을 늘려야 하지만 투자수익성이 없으므로 실현되기 어렵다. 한편, 개발도상국은 그에 상응하는 투자를 선진국에 해야 하지만 축적된 자본이 없으므로 이를 실행할 수 없다. 개도국 투자에 대하여 선진국이 원천징수세율을 낮추어 줄 유인이 없어진다.[106] 따라서 개발도상국과

---

103) 자국기업이 타방체약국에서 철수하거나 자국 내 타방체약국 기업이 철수하면 과세소득의 감소로 세수감소, 저성장, 재정적자가 발생하고 이를 만회하기 위해서 세율인상 등의 악순환구조로 빠져들 수 있다.

104) Vito Tanzi, Globalization, Technological Developments, and the Work of Fiscal Termites, IMF Working Paper, WP/00/181, November 2000, pp.1~23

105) Adam H. Rosenzweig, op. cit. Thinking Outside the Tax Treaty, 2012, p.725

106) Allison D. Christians, 2005, op. cit. pp.660~662

선진국이 대등한 입장을 전제로하는 조세조약의 체결이나 상호투자확대 등을 통한 조세협력은 한계에 이르게 된다.[107]

국제관계의 상호주의 원칙에 따라 개발도상국 또는 조세피난처 국가에게 국제조세협력의 보상이 분배될 수 있는 방안으로 접근할 필요가 있다.

(2) 조세조약 외의 방법으로 접근(non-tax treaty approach)

조세조약을 체결하지 않고 있는 조세피난처 또는 개발도상국의 협력을 통하여 과세정보를 확보하여 조세조약을 체결한 것과 같은 효과를 얻을 수 있는 대안을 찾는 방법이다. 국제조세분야가 아닌 다른 분야에서 '국제법'을 준수하지 않는 국가를 국제법 질서 안으로 협력을 유도하여 문제를 해결했던 사례[108]를 참고(benchmark)하는 방법이다.

이는 선진국이 과세권 중 일부를 개발도상국 또는 조세피난처에 양보하여 조세조약의 체결없이 과세정보 공개 등의 협조를 얻어 내는 방법이 요체가 된다. 이 방법은 조세조약을 대신하여 OECD 또는 UN에서 각국 대표가 참석하는 회의를 하거나 또는 주요 결의문 형태로 조세 측면의 국제협력 방법을 규정하고 불이행에 따른 보상기준(일종의 default rules)을 설정하는 방법이 될 수 있다. 결의문에 담는 내용은 OECD 재정위원회(CFA)의 분쟁조정절차[109]와 세계무역기구의 분쟁조정 절차(DSU)를 수정한 것이 될 수 있다.[110]

구체적으로 국제 투명성 포럼(Global Forum on Transparency)에서 OECD 회원국과 비회원국 간의 조세정보를 공유하는 방법을 보완하는 것이 될 수 있다.[111] 선진국이 개발도상국에 상당한 정도의 과세권을 양보해야만 성공할 수 있는 제도로서 국제조세정책의 방향의 전환을 전제로 한다.[112]

---

107) Eduardo Baistrocchi, The Use and Interpretation of Tax Treaties in the Emerging World: Theory and Implications, British Tax Review Volume 4, 2008, pp.352~391

108) John D. Franchini, International Arbitration under UNCITRAL Arbitration Rules: A Contractual Provision for Improvement, Fordham Law Review Volume 62, 1994, pp.2223~2228. UN 국제무역법위원회(UN Commission on International Trade Law: UNCITRAL)는 개별 사안별(case by case)로 회원국들이 자발적으로 채택한 불이행규칙(default rules)을 적용하여 해결하였다.

109) OECD 표준조세조약, 2017, 제25조의 규정에 의한 상호합의절차(중재절차 포함)를 말한다.

110) Adam H. Rosenzweig, op. cit. Thinking Outside the Tax Treaty, 2012, p.765~766

111) OECD, Global Forum on Transparency and Exchange of Information for Tax Purposes, 2010. http://www.oecd.org/dataoecd/37/42/44824681.pdf

112) 국제조세정책의 전환문제에 대한 자세한 설명은 다음 자료를 참조
Adam H. Rosenzweig, op. cit. Thinking Outside the Tax Treaty, 2012, pp.767~773

이 방법이 잘 운용된다면 국제조세의 체결없이 국제조세 분쟁의 다자간 해결방법으로서 양자 간 조세조약 기조를 전 세계 차원에서 확대 적용하는 효과를 거둘 수 있을 것으로 보인다. 개별조세조약을 체결하지 않고 있는 국가의 조세주권을 어느 정도까지 보장해 주는 방법을 반영하고 있다는 점에서 특징을 찾을 수 있다.[113]

BEPS Project와 다자간 조세조약

 기존 조세조약 틀의 한계

현행 OECD 및 UN의 표준조세조약의 한계점은 양자 간 조세조약을 체결하지 않고 있는 국가가 여전히 많이 존재하므로 효과가 제한적이라는 점이다.[114] 기존의 조세조약 중에서도 일부는 체결된지 오래되어 체약국 간의 새로운 경제환경 변화를 제대로 반영하지 못하는 측면도 있다.[115]

제3국 거주자에 의한 조세조약의 남용문제와 이를 방지하기 위한 조세조약 혜택의 적용제한(LOB)제도의 복잡성,[116] 개발도상국가와 선진국 간의 조세조약내용의 불평등 사항[117] 등은 양자 간 조세조약의 체결을 제한하는 요인으로 지적되고 있다.

UN 표준조세조약은 개발도상국이 선진국과 조세조약을 체결할 때 도움을 주기 위해 제정되었으나 실제로는 그 목적대로 성공하지 못하고 있다.[118] 개발도상국은 자본이 부족하므로

---

113) 자세한 내용은 다음 자료를 참조
Adam H. Rosenzweig, op. cit. Thinking Outside the Tax Treaty, 2012, pp.774~783

114) 우리나라의 경우 조세조약을 체결하여 시행하고 있는 국가는 2020년 11월 현재 93개국이다. 전 세계 국가 수는 200개국이 넘는다. 세계지도정보원은 237개국, 세계은행통계는 229개국, 우리나라 통계청의 수출국은 224개국, 국정원 자료는 231개국으로 그 통계목적에 따라 약간의 차이는 있다.

115) 그 예로서 우리나라의 경우 1979년에 조세조약을 체결한 미국과 덴마크는 아직 개정되지 않고 있다.

116) Victor Thuronyi, International Tax Cooperation and a Multilateral Treaty, Brooklyn Journal of International Law Volume 26, 2000, pp.1641~1681; Michael Rigby, Critique of Double Tax Treaties as a Jurisdictional Coordination Mechanism, Australian Tax Forum Volume 8 Issue 3, 1991, pp.303~427; Richard Vann, Model Tax Treaty for the Asian-Pacific Region?, Bulletin of International Fiscal Documentation Volume 45, 1991, pp.157~160

117) 개발도상국은 FDI 유치를 위해 조세감면을 제공하면서 투자의 혜택이 세수감소를 초과할 것으로 기대하였으나, 조세감면된 소득은 단순히 선진국의 국고에 귀속되고 개발도상국에게는 기대했던 성과가 주어지지 못하고 있다는 비판이 제기되고 있다.

118) Kim Brooks, Tax Treaties as a Mechanism for the Just Distribution of Income Between Nations, July 6,

선진국과 조세조약을 체결하는 과정에서 선진국의 요구에 따라 OECD 표준조세조약을 기준으로 삼는 경우가 더 많고 결과적으로 선진국에게 유리하게 조세조약이 체결되고 있다.[119] 설사 UN 표준조세조약에는 조세조약의 남용(treaty shopping 등)에 대한 재제규정이 없으므로 제3국 거주자가 조세회피목적으로 조세조약을 이용하면 실익을 기대하기 어려운 상황이다.[120]

유럽연합(EU)의 경우에는 조세제도에서는 아직 통일된 기준을 적용하지 못하고 양자 간 조세조약을 적용하고 있으므로 유럽연합국가 간의 과세분쟁사건 중 상당수가 유럽연합사법재판소(ECJ)에 제소되고 있다. 이로 인하여 납세자와 과세당국은 모두 불확실성 문제에 노출되고 있다.[121] 따라서 유럽연합(EU)는 다자간 조세조약의 체결이 유럽공동체(EC)의 완전한 통합을 위해 매우 중요하다는 것을 강조하면서[122] 2010년 4월 이중과세 문제 해결방안 공청회에 회부하는 등 적극적인 움직임을 보여 왔다.[123]

국제관계에서 상호주의 원칙에 따라 서로 양보한 만큼 대가를 얻는 평등관계를 기본전제로 한다. 이러한 평등관계가 전제되지 않고 일방적인 양보나 권리추구만 있다면 국제관계가 원활하게 작동할 수 없게 된다. 조세제도는 기본적으로 국가의 운영에 필요한 공공재(public goods)의 공급에 필요한 재원을 조달하기 위한 것이다. 조세조약의 남용행위는 제3국의 거주자가 끼어들어 아무런 대가없이 조세조약상의 혜택을 누리기만 하므로 조세조약의 기본원칙인 호혜주의 원칙(quid pro quo)에 어긋난다는 것이다.

다자간 조세조약은 모든 국가에 동일한 과세기준을 적용하므로 이러한 문제를 상호주의

2006; United Nations, Draft Manual for the Negotiation of Bilateral Tax Treaties between Developed and Developing Countries, 2001

119) 선진국은 원천지국의 과세권을 확대하고 있는 UN 표준조세조약을 기준으로 조세조약을 체결하는 것을 꺼리고 있다. 그 사례로서 미국–멕시코 간 조세조약은 1993년 12월 28일 비준 후 1994년 1월 1일부터 시행되었는데 이렇게 양국 간의 조세조약 체결이 지연된 이유는 OECD기준으로 조세조약을 체결하자는 미국의 요구에 멕시코가 늦게 동의했기 때문이다. 자본의 흐름이 선진국에서 개발도상국으로 치우쳐 흐르는 상황에서 개발도상국이 OECD 표준조세조약을 기준으로 조세조약을 체결하는 것은 외국인 직접투자(FDI)를 유치하기 위하여 자국의 세수를 포기하는 것으로 볼 수 있다.

120) UN 표준조세조약을 기준으로 체결된 대표적인 사례는 인도와 호주 간의 조세조약이다. 반면에 인도와 모리셔스 간의 조세조약은 OECD 표준조세조약을 기준으로 체결되었다. 이 두 조세조약을 이용하여 인도에 대한 투자 구조가 변경되었다. 호주에서 직접 인도에 투자하는 양은 미미한 반면, 모리셔스를 통하여 투자하는 양이 급증한 것으로 나타났다.

121) ECJ와 유럽연합(EU) 국가의 양자 간 조세조약 간의 관계에 대하여는 다음 자료 참조 European Commission, EC Law and Tax Treaties: Workshop of Experts, 2005, pp.9~12

122) Otmar Thömmes, Tax Treaty for Europe: An Independent View Under EU Law, Speech presented at Confederation Fiscal Européenne Forum, April 2005.

123) Algirdas Šmeta, Commission Opens Public Consultation on Double Taxation Problems in the EU, Press Release, 27 April, 2010.

원칙에 따라 해결할 수 있다는 점에서 양자 간 조세조약에 비하여 장점을 가질 수 있다. 그러나, 조세조약분야에서는 세계무역기구(WTO)처럼 일반적인 기준을 적용하는 데는 한계가 있다는 점에서 다른 차선의 대안으로서 조세조약을 체결하지 않고 조세협력을 이끌어내는 방법을 고려할 수 있다. 이 방법은 개발도상국 또는 조세피난처를 바라보는 시각을 어떻게 할 것인지에 대한 국가별 정책방향의 전환을 요구하고 있다.

② OECD의 다자간 조약관련 조치

우리나라가 서명하고 비준서를 제출하고 2020년 9월 1일부터 시행에 들어간 BEPS Project와 관련한 '세원잠식, 소득이전 방지 다자협약(Multilateral Convention to Implement Tax Treaty Related Measures to Prevent Base Erosion and Profit Shifting, 'MLI')'을 이행하기 위하여 다른 국가와 개별적으로 체결한 이중과세 방지조약 중 관련규정을 개정해야 한다. 개정대상 규정은 다음과 같이 요약된다.[124] 이러한 내용이 기존 조세조약에서 이미 채택하고 있는 경우에는 그것으로 대체하고 그렇지 않은 경우에만 개정하게 된다.

첫째, 조세조약 남용방지와 관련하여 조세조약의 전문(Preamble)을 신설하거나 개정하여 '대상 조세조약은 탈세 또는 조세회피를 통한 세부담 축소의 기회를 허용하지 않는 소득 및 자본에 대한 조세 관련 이중과세 방지를 의도한다'의 표현을 추가한다. 또한 조세조약 혜택의 제한 규정 신설하거나 개정하여 '조세조약의 혜택 이용을 주요 목적 중의 하나로 삼아 거래 등을 수행한 경우에는 해당 조약 혜택을 부인한다'는 규정을 추가한다.

둘째, 상호합의절차 관련 규정 신설하거나 개정하여 다음 사항을 포함시킨다. '납세자는 특정 과세처분이 조세조약에 위반된다고 판단하는 경우에는 양 체약국 중 어느 국가에라도 이의 제기를 할 수 있고, 이의제기의 시한은 해당 처분에 대한 최초 통보일로부터 3년 이내로 한다. 납세자의 이의제기가 정당하지만 이의제기를 받은 국가가 일방적으로 해결할 수 없는 사안은 상대국과 상호합의를 통하여 해결하도록 노력한다. 양국 간 상호합의된 사항은 국내 조세법상 부과제척기간에 불구하고 이행한다. 조세조약 해석·적용 관련 문제 해결을 위해 체약국은 노력한다. 조세조약에서 정하지 않은 사안의 이중과세 방지를 위해서도 양국 간에 협의할 수 있다.'

셋째. 대응조정 의무 규정을 신설하거나 개정할 수 있도록 다음 내용을 포함시킨다. '일방

---

124) 기획재정부 아래 홈페이지의 '다자협약 적용' 참조
　　　https://www.moef.go.kr/lw/taxtrt/mltAgremnKor.do?menuNo=7050200

국 거주자와 국외특수관계자 간 거래가격을 독립기업 간 이루어졌을 가격으로 상대국이 조정하는 경우, 일방체약국은 타방체약국의 이전가격 조정이 합당하다고 판단하면 해당 거주자의 소득 및 세액을 대응조정할 의무를 부담한다.'

우리나라가 BEPS 다자협약(MLI)를 발효시킴에 따라 발생하는 조세조약의 주요 개정 효과는 다음과 같다.[125]

첫째, 개정 대상 조약은 다자협약 비준서 기탁을 완료한 다른 국가와 우리나라 간에 시행 중인 조세조약으로서 해당국과 우리나라가 모두 다자협약 적용대상으로 OECD에 통보한 조약이다. 우리나라는 비준서 기탁 시 현행 조세조약 93개 중 73개를 다자 협약 적용대상으로 통보하였다.[126] 73개를 제외한 나머지 조약은 양자 협상 등을 통해 개정을 추진해야 한다.

둘째, 주요 개정 내용은 우리나라가 BEPS 프로젝트 참여국으로서 이행의무가 있는 최소기준에 관한 규정을 개정하는 것이다. 조세조약 혜택의 제한과 관련하여 조세조약에서 정하는 낮은 세율 등의 혜택을 주목적으로 하는 거래에 대해 그 혜택을 배제하는 규정을 도입해야 한다. 또한 분쟁해결절차를 개선하기 위하여 조세조약에 배치되는 과세처분에 대해 납세자가 이의를 제기할 수 있는 대상을 종전 납세자의 거주지국 과세당국에서 조약 양 당사국의 과세당국 중에서 납세자가 선택할 수 있도록 개선해야 한다.

③ BEPS Project와 다자간 조약의 주요내용[127]

(1) BEPS 다자조약의 개요[128]

BEPS 다자조약은 전문과 본문 제1조에서 제39조까지로 구성되어 있고, 주요내용은 다음과 같다.

(제1조 및 제2조)

다자협약의 적용대상 조세조약(Covered Tax Agreement)을 규정하고 있다. 적용대상은 다자협약 당사국 간 시행 중인 조약으로서 양 당사국이 다자협약 적용을 희망하는 조약이다.

---

125) 기획재정부 보도참고자료, 2020. 5. 15. 『세원잠식·소득이전(BEPS)방지 다자협약』 비준서 기탁
126) Korea, MLI Position, Status of List of Reservations and Notifications upon Deposit of the Instrument of Ratification.(비준서 기탁 시점 기준 유보·통보 목록의 지위)
127) 기획재정부 보도참고자료, 2020. 5. 15. 『세원잠식·소득이전(BEPS)방지 다자협약』 비준서 기탁. [참고 1] BEPS 프로젝트 개요
128) 기획재정부 보도참고자료, 2020. 5. 15. [참고 3]

(제3조 내지 제26조)

대상 조세조약에 반영될 BEPS 대응 규정으로서 최소기준과 기타 사항을 규정하고 있다.

① 최소기준은 체약국 간의 입장이 같을 경우에 반드시 적용해야 하는 기준이다.

　　(제6조) 탈세 등을 통한 이중비과세 방지 목적을 조약 서문에 명시

　　(제7조) 조약남용방지 규정

　　(제16조) 상호합의절차 개선

　　(제17조) 대응조정

② 기타(우리나라가 체결한 조약에는 적용되지 않는다)

　　(제3조) 파트너십 등 투과조직의 소득에 대한 조세조약 혜택 적용

　　(제4조) 이중 거주지국을 갖는 법인의 조세조약상 거주성 판정 기준

　　(제5조) 소득면제방식 채택국의 이중비과세 방지

　　(제8조) 법인 간 배당 저세율 적용 요건 강화

　　(제9조) 부동산 주식의 양도소득 과세 요건 완화

　　(제10조) 제3국 고정사업장을 활용한 조세회피 방지

　　(제11조) 조세조약과 거주지국 국내법상 과세권 간 관계

　　(제12조 내지 제15조) 고정사업장 구성 요건 악용 방지

　　(제18조 내지 제26조) 강제적 중재

　　(제27조 내지 제39조) 최종규정: 유보, 통보, 발효, 적용시기, 탈퇴 등에 대하여 규정

　　　　　　　　　　　　 하고 있다.

(2) 최소기준(minimum standards)

2013년 9월 G20 정상회의에서 공식적으로 논의된 후 2015년 11월 OECD·G20에서 "BEPS 대응방안" 15개의 세부과제(Action Plan)를 확정하고 이중 4개를 최소기준으로 지정하여 BEPS 프로젝트 참여국가는 반드시 반영하도록 권고하였다. 4개의 최소기준은 다음과 같다.

① Action 5: 유해조세방지(countering harmful tax practices)

② Action 6: 조약남용방지(countering tax treaty abuse)

③ Action 13: 이전가격보고서 및 국가별 보고서(transfer pricing documentation and country-by-country (CbC) reporting)

④ Action 14: 분쟁해결절차 개선(improving dispute resolution mechanisms)

BEPS 대응방안(Project) 세부과제의 주요 내용은 아래 표와 같다.

[표 15-1] BEPS 대응방안 세부과제[129]

과제번호	과제명	주요 내용
1	디지털 경제	디지털거래에 대한 과세방안 마련
2	혼성 불일치 해소	국가 간 세법차이에 따라 이중 비과세되는 현상 방지
3	특정외국법인 유보소득 과세제도 강화	해외 자회사 소득 장기 유보 방지
4	이자비용 공제 제한	과도한 차입을 통한 과세회피 방지
5	유해조세 방지	국가 간 이동성이 높은 IP(지적재산권) 등에 대한 경쟁적 조세감면 제한
6	조약남용 방지	조세조약 혜택 부당 취득 방지
7	고정사업장 회피 방지	고정사업장 구성요건 악용을 통한 조세회피 방지
8~10	이전가격 세제 강화	거래가격 조정을 통한 소득이전 방지
11~12	통계분석 및 강제적 보고제도	기업의 조세회피전략에 대한 정보 확보
13	국가별 보고서	다국적기업에게 이전가격 관련 자료제출의무 부여
14	효과적 분쟁해결	조약 당사국 간 상호합의절차 개선
15	다자간 협약	다자조약을 통해 양자조세조약을 신속하게 개정

주) 세부과제 중 조세조약 관련 과제는 2, 6, 7, 14, 15이다.

---

129) BEPS 다자협약의 개별 조세조약 적용 등에 대한 세부사항은 다음 자료 참조
기획재정부 홈페이지 http://www.moef.go.kr/lw/taxtrt/mltAgremnPrgs.do?menuNo=7050000
http://www.moef.go.kr.

제16장

조세조약과 무차별 원칙

제1절 무차별 원칙의 특성

 무차별 원칙의 의미

OECD 표준조세조약 제24조에서 무차별(non-discrimination)을 규정하고 있고, 이를 바탕으로 체결된 개별 양자 간 조세조약(bilateral double tax ageement)에도 모두 포함되어 있다.[1] 국제거래소득에 대하여 과세권을 행사할 때 거주자와 비거주자를 동등하게 대우하는 원칙을 말한다. 비교대상이 되는 유사한 상황에서 객관적인 정당성에 근거하지 않고 비거주자에게 불리한 과세를 하면 안되는 원칙이다.

조세조약의 가장 중요한 목적은 체약당사국의 거주자가 체약당사국에 인적 및 물적자본의 자유로운 유통을 통한 원활한 국제교역에 장애가 되는 이중과세를 방지하는 것이다. 이와 관련하여 내국인과 외국인을 과세 측면에서 차별하지 않는 것은 사업목적을 가진 개인이나 기업의 자유로운 교류에 장애가 되는 요인을 제거하려는 의미를 가진다.

우호·통상·항해조약(friendship, commerce, and navigation treaty, 앞의 약자를 따서 'FCN 조약'이라고 약칭하기도 한다)은 상호주의 원칙에 따라 투자자를 보호하고 내·외국인 동등대우의 원칙을 적용하고 있다. FCN 조약의 원칙에 따라 외국 투자자는 투자대상국이 자국의 납세자와 차별없이 동등한 대우를 해 줄 것으로 기대하고, 투자대상국은 외국 투자자에게 투자기간 동안 투자자본과 기술 및 자산에 대한 안전성을 담보해 주게 된다.

외국투자자는 자본외에 이를 관리할 인력과 기술자 등을 본국에서 파견하므로 사업 자체뿐 아니라 파견인력에 대한 안전도 중요하다. 따라서 상호주의에 기초한 동등대우의 원칙은 FCN 조약의 핵심내용을 구성한다. 구체적으로 보면 무역에 관한 권리와 함께 상대체약국에 거주하는 자국민의 권리를 상호주의 차원에서 보장하는 것이다. 이러한 원칙이 조세분야로 확대되어 왔다.

---

1) OECD 표준조세조약, 2017, 제24조; 한-미 조세조약 제7조

대부분의 조세조약에는 무차별조항을 두고 있다. 그 기원은 FCN 조약으로 볼 수 있다. 무차별조항은 조세 측면에서 외국투자자를 자국민과 차별하지 않고 동등하게 대우한다는 의미이다. 구체적으로 보면 동일한 상황에서 자국민에게 부과되는 조세보다 더 많이 부과하거나 자국민에게는 부과하지 않는 조세를 외국투자자에게만 부과하지 않는 것이다.[2]

FCN 조약에는 차별금지조항을 두면서 조세조약에는 차별금지조항을 두지 않는 경우에도 FCN 조약의 해석원칙에 따라 조세에도 당연히 동등대우원칙이 적용되는 것으로 본다. 국내 조세법을 통하여 조세조약에서 규정한 부담을 넘어 외국 투자자에게만 중과세하는 것은 조약상의 동등대우원칙을 위반하는 것이 된다. 이를 허용하게 되면 외국과의 자유로운 통상에 장애를 초래하게 되면 상호주의 원칙도 해치는 결과를 초래하게 된다.

② 조세조약상의 무차별 원칙의 특성

OECD 표준조세조약 제24조는 이미 제목인 'non-discrimination'에서 확인할 수 있는 것처럼 '차별과세를 하지 않는 것'을 규정하고 있다. 차별대우가 발생했는지를 결정하는 기준은 내국인과 외국인의 조세부담 수준을 비교하는 것이다. 제24조의 각 문항이 규정한 대로 '조세 및 그와 연관된 부담(any taxation or any requirement connected therewith)'이 '동일한 상황(in the same circumstance)'에서 타방체약국 내국인과 비교하여 '다르거나 더 많은 (other or more burdensome)' 경우에는 차별이 발생한 것이다. 납세의무 외에 과세기준과 관련된 사항, 즉 과세표준의 산정, 부과방법, 세율, 세금의 신고와 납부방법, 납부기한 등을 외국인에게는 내국인과 다르게 적용하는 경우에는 무차별 원칙에 위반된다.[3]

조세조약의 무차별 원칙과 투자조약상의 내국민 대우(national treatment) 기준이 아주 유사하지만 약간의 차이가 있다. 통상조약의 차별금지조항의 범위는 조세조약의 무차별 원칙과 비교하면 어떤 측면에서는 더 넓고 다른 측면에서는 더 좁은 점이 있다.[4] 이러한 차이 중 가장 두드러진 차이는 OECD 표준조세조약 제24조의 무차별 원칙은 '국적기준'에 따른 '직접적인 차별'만을 금지하는 것으로 해석하는 것이 일반적이라는 점이다. 거주지(residency) 기준에 따라 차별과세하는 것은 무차별 원칙에 어긋나지 않는다.[5]

---

2) FCN 조약에서 'no other or greatert' tax and customs burdens 또는 no higher or other duties', 'no higher or other tolls or rates of ferriage, other or more burdensome, no higher taxes, no more burdensome taxes, no other, higher or more burdensome, no other or higher' 등으로 표현하고 있다.

3) OECD 표준조세조약, 2017, 제24조 제1항에 대한 주석 para. 9

4) Kees Van Raad, Nondiscrimination in International Tax Law, Kluwer, 1986, p.252

5) Kees Van Raad, ibid. pp.88~96; Klaus Vogel, Double Taxation Conventions, Kluwer, 1997, pp.1282~1297

차별은 외국납세자에 대한 불리한 대우만을 말하는 것이고 유리한 대우를 금지하는 것은 아니다.[6] 내국인과 외국인을 동등하게 대우하는 것은 최소기준이므로 그 기준을 초과하여 우대하는 것은 차별에 해당하지 않는다.

대부분 국가의 조세제도에서 비거주자는 조세목적상 거주자와 동일한 상황에 놓여 있지 않다. OECD 표준조세조약에서도 거주자와 비거주자의 과세기준을 달리 적용하고 있다. 대우에는 차이가 있기 마련이다. 조약의 대상과 목적 측면에서 투자자를 보호하고 있는 경우에는 형식적으로 차별대우를 하더라도 실질적으로는 내국인과 동등한 대우를 하는 것으로 간주될 수 있다.[7] 외국인 투자자에게는 형식적인 평등대우보다는 실질적 평등대우가 더 유리할 수 있다.[8]

OECD 표준조세조약에서는 직접적인 차별만을 금지하고 간접차별에 대하여는 아무런 언급도 없다.[9] 투자자가 내국인과 '동일한 상황'에 놓여 있는 것이 사실이라고 하더라도 국적이 아니라 '거주지' 기준으로 인해서 차별과세가 발생할 수 있다. 이러한 조세차별은 외국투자자에 대한 간접차별에 해당될 수 있다. 투자조약에서는 '동일한 상황'의 개념을 투자된 사업의 활동과 관련하여 파악한다.[10] 그러나 조세조약에서는 외국인 투자자 또는 투자의 성격과 관련하여 판단하고 있다.

조세조약의 무차별 원칙에서 대상으로 삼는 차별은 간접적(indirect) 또는 은밀한(covert) 차별이 아니고 직접적(direct)이고 공개적(overt)인 것을 말한다. 따라서 조세조약상의 차별은 일반 국제법에서 말하는 차별과는 약간 다른 의미를 가지고 있다.

거주지국 기준의 과세로 인한 차별과세는 사실상의 차별과세에는 해당하지만 조세조약의 목적과 이유에 비추어 보면 국적기준의 차별과는 동일한 차원으로 보기는 어려운 점이 있다.[11] 동일한 입장은 EU 사법재판소(ECJ)가 따르고 있지만[12] ECJ는 거주자와 비거주자는

---

6) Klaus,Vogel, ibid. p.1295

7) Giorgio Sacerdotti, Bilateral Treaties and Multilateral Instruments on Investment Protection, Recueil des Cours, Tome 269, 1997, p.349

8) 세금신고서를 제출할 때 관련 자료를 본사로부터 받아 제출하는데 따른 여러 가지 어려운 점들과 관련이 있다.

9) Avery Jones et al, "The non-discrimination article in tax treaties", British Tax Rreview, 1991, pp.451~453; Klaus Vogel, op. cit. p.1282; R J. Jefferey, The impact of state sovereignty on global trade and international taxation, Kluwer, 1999, p.91~93

10) 독일형 표준투자조약 의정서(Protocol)와 영국-Beliz 간 투자조약

11) 현재의 국제조세체계는 거주지 과세기준과 원천지 과세기준으로 틀이 잡혀 있다. 거주자는 전 세계 소득을 합산한 소득에 대하여 과세받고, 비거주자는 원천소득에 대하여만 과세받는다. 투자자가 투자대상국에서 사업활동을 통하여 소득을 획득하는 것이 거의 대부분의 현실이지만, 그 투자자가 제3국에서 사업 활동을 하는 경우에는 대개는 투자대상국의 과세대상이 되지 않는다. 내국인인 전 세계 소득에 대하여 합산과세된다. 제3국에서 사업활동을 하는 투자자에게 거주지 기준으로 차별과세를 하더라도 국적기준의 차별과세는 성격이

조세목적상 원칙적으로 '비교가능한 상황(comparable situation)'이 아니라고 보기 때문이다.[13] 국제사법재판소의 기준으로 본다면 외국인 투자자와 투자유치국 간의 관계에서 거주지 기준의 차별과세는 사실상 국적지 기준의 차별과세와 같은 것이 된다.

거주지 기준의 차별에 대하여 OECD 조세조약은 직접차별이 아니므로 무차별 원칙에 위반대상에서는 제외하고 있다. 투자자가 내국인과 '동일한 상황'에 처해 있더라도 국적이 아니라 거주지 기준을 적용하여 차별과세를 할 수 있게 된다. 이러한 결과가 나오는 이유는 '동일한 상황'을 파악하는 기준이 투자조약과 조세조약 간에 차이가 있기 때문으로 보인다. 투자조약에서의 내국민 대우는 자국민의 국내투자자에 대한 대우와 비교하여 외국인 투자자에 대우가 불리해서는 안된다는 것이다.

국적을 기준으로 차별해서는 안된다는 것이다.[14] 이점에서는 조세조약의 무차별 원칙과 차이가 없다. 그러나 투자조약상의 내국민 대우(national treatment)에서는 동일한 상황을 '투자활동 자체'와 관련되어 있는 경우로 파악하는 점에서는 조세조약과는 다르다고 볼 수 있다.[15] 내국민 대우 조항은 투자자산 자체에 적용하는 것은 물론이고 투자자산이나 자본을 사용한 사업의 운영과 관련된 활동에도 적용된다.[16] 이러한 것들은 조세조약의 무차별 원칙에서 말하는 동일한 상황이 '외국인 투자자의 국적이나 투자의 성격'과 연결되어 제한되어 있는 것과 확연하게 대비가 되는 점이다.

③ 다른 국제조약과의 조화

조세조약은 국가 간의 과세권 배분기준을 정해 놓은 규범이다. OECD 표준조세조약은 거주지국과 원천지국이 서로 평등하게 과세권을 행사할 수 있는 기준을 무차별 원칙으로 규정하고 있다.

조세조약을 체약당사국이 체결한 다른 조약과 분리하여 단독으로 다루기가 점점 어려워지고 있다. 투자조약, 무역협정, 지역통합조약, 인권협약 등은 조세문제에 있어서 새로운 권

다른 것으로 보아야 할 것이다. Klaus Vogel, op. cit, p.1290

12) Case C-330/91 The Queen v. Inland Revenue Commissioners, ex parte Commerzbank [1993] ECR I-4017, par. 14

13) Case C-279/93, (Schumacker) par. 31; C-80/94(Wielocbx), par. 28

14) Sornarajah, M., The international law on foreign investment, Cambridge University Press, 1994, p.251

15) 독일형 표준투자조약 의정서(Protocol)와 영국-Beliz 간 투자조약

16) Giorgio Sacerdotti, op. cit. p.348. 법인의 운영, 계약체결, 자금차입, 권리부여, 장비수입 등 투자활동 전반을 의미한다.

리 의무를 설정할뿐 아니라 조세조약과 상호작용을 통하여 해석과 적용방법에도 변화를 가져오게 한다.

조세조약을 해석하고 적용할 때 수직적인 방법(vertical approach)을 강조한다. 수직적 방법이란 조세조약과 체약국의 국내 조세법이 상호작용하는 형식을 말한다. 이런 수직적 관계는 본질적으로 국가 간의 수평적 관계와 연결되어 있고 조세조약에만 따로 떨어져서 존재하는 것이 아니다.

조세조약은 당사국이 체결한 다른 조약의 체결 배경과 현재 잘 시행되고 있는 이유를 바탕으로 이해되는 것이 바람직하다. 따라서 조세조약의 해석과 조약 간의 충돌문제에 접근할 때 국제적으로 좀 더 통일된 기준을 적용할 필요성이 증대되고 있다.

투자조약에서 규정한 '내국민 대우(national treatment)'와 '최혜국(most favored nation) 대우' 조항은 조세특례, 조세면제, 조세감면을 투자대상의 영토 내에 있는 투자자에게 적용하게 하는 것이다. 이러한 기준에 따르면 투자조약상의 내국민 대우를 기준으로 하는 차별금지와 조세조약의 무차별 원칙에는 상당한 차이가 존재하게 된다. 여기서 동일한 투자자에게 적용되는 투자조약과 조세조약 간에 충돌이 발생할 수 있다. 조약법에 관한 비엔나 협약 제30조에서 규정한 '동일한 주제에 관한 계승적 조약의 적용' 기준[17]에 근거하여 투자조약의 주제는 투자유치국의 외국투자자 대우에 관한 것이므로 양 체약국이 달리 규정하지 않을 경우 투자에 대한 조세문제도 포괄할 수 있다는 것이 국제법에서 일반적으로 받아들여지고 있다.[18]

따라서 차별적인 중과세(other or burdensom)는 국제법의 관점에서 보면 과중한 부담이 된다.[19] 여러 투자조약에서 명시적으로 규정하고 있는 것은 조세의 징수는 간접적인 착취에 상당할 수 있다 내용이다.[20] 많은 투자조약은 조세관련 대우는 내국민 대우기준이나 최혜국 기준으로 해결하거나 또는 투자수익의 자유로운 이전[21]과 같이 투자조약의 다른 의무의 범

---

17) 투자조약과의 관계에서 양 조약이 투자자 보호와 관련하여 충돌할 경우에는 조약법에 관한 비엔나 협약 제31조 내지 제32조에서 규정한 기준에 따라 해석하는 방법으로 충돌문제를 해결할 수 있다. A.R., Albrecht, The taxation of aliens under international law, 29 British Yearbook of International Law, 1952

18) p.173: M. Whiteman, Digest of International Law, Washington DC, Department of State Publications, 1973, p.1016: B. Wortley, Expropriation in Public International Law, Cambridge University Press, 1959, pp.50~51

19) I. Shihata, The World Bank Guidelines, Martinus Nijhoff Publishers, 1993, p.88: I. Brownlie, Principles of public international law, 6th ed, Oxford University, 2003, p.535

20) R. Dolzer, Indirect expropriation of alien property, International Centre for Settlement of Investment Dispute(ICSID) Review, 1986, p.55: K.Vandevelde, United States Investment Treaties Policy and Practice, 1992, pp.216~222

21) K. Vandevelde, ibid, p.218

주에 속하는 것임을 명시적으로 인정하고 있다.

국제투자분쟁중재기구(ICSID: International Center for Settlement of Investment Disputes)가 Goetz vs. Burundi 사건에 대한 결정에서 조세분쟁이 투자분쟁에 해당함을 분명히 하고 있다.[22] 국제법의 관점에서 외국인에 대한 과세는 외국투자자 보호와 연결된 것으로 보는 것이다. 따라서 조세조약상의 무차별 원칙은 투자조약과 '동일한 주제와 관련된' 것으로 볼 수 있다. OECD 표준조세조약 제24조의 해석과 적용에 있어서 국내법과의 관계 뿐 아니라 국제법적인 관점에서도 여러 가지 고려할 사항이 있다는 것을 알 수 있다. 따라서 투자자와 관련한 다른 국제조약과 조세조약이 조화를 이루는 방법의 모색이 필요하다고 할 수 있다.

제2절 무차별 원칙의 구조

1 OECD 표준조세조약 제24조의 구성

OECD 표준조세조약 제24조에서 무차별(non-discrimination) 원칙을 다음과 같이 규정하고 있다.

[표 16-1] OECD 표준조세조약 제24조의 구성

조 항	내 용
제1항	Nationality non discrimination
제2항	Non-discrimination for stateless person having nationality
제3항	Non-discrimination for PE
제4항	Non-discrimination for Deduction
제5항	Non-discrimination for Ownership
제6항	General(taxes covered)

제1항: 동일한 상황에서의 차별과세 금지원칙을 규정하고 있다. 일방체약국의 국민은 특히 거주성(residence)과 관련하여 동일한 상황(same circumstances)에 있는 타방체약국의 국민이 부담하는 세금과 관련의무(taxation or connected requirements)

---

22) ICSID Tribunal Decision of 2 September 1998.

와 다르거나 더 과중한(other or more burdensome) 부담을 하지 않는다. 이 조항은 제1조의 규정에 불구하고 일방 또는 양방체약국의 거주자가 아닌 사람에게도 적용한다.

제2항: 무국적자인 경우에도 동일한 상황에서는 동일한 대우를 해야 한다는 원칙을 규정하고 있다. 일방체약국의 거주자인 무국적자는 체약국 중 어느 국가에서도 특히 거주와 관련하여 동일한 상황(same circumstances)에 있는 타방체약국의 국민이 부담하는 세금과 관련의무(taxation or connected requirements)와 다르거나 더 과중한(other or more burdensome) 부담을 하지 않는다.

제3항: 일방체약국의 기업이 타방체약국에 보유한 고정사업장에 대한 과세는 동일한 활동(same activities)을 수행하는 타방체약국의 기업에 대한 과세보다 불리(less favourably)하지 않아야 한다.
   자국 거주자에게 조세목적상 국민자격(civil status)이나 가족부양의무와 관련하여 부여하는 '인적공제(personal allowances)와 조세의 감면(reliefs and reductions)'을 타방체약국 거주자에게 부여하는 것으로 이 조항을 해석해서는 안된다.

제4항: 제9조 제1항, 제11조 제6항 또는 제12조 제4항이 적용되는 경우를 제외하고 일방체약국의 기업이 타방체약국의 거주자에게 지급하는 이자, 사용료, 기타 지급급은 그 기업의 과세소득 계산목적상 일방체약국의 거주자에게 지급된 경우와 같은 조건(same conditions)으로 공제될 수 있어야 한다.
   이와 마찬가지로 일방체약국의 기업이 타방체약국의 거주자에 대한 채무는 그 법인의 과세대상 자본의 계산목적상 일방체약국의 거주자에게 지급된 경우와 같은 조건(same conditions)으로 공제될 수 있어야 한다.

제5항: 일방체약국 기업의 자본을 타방체약국 거주자 1명 이상이 직접 또는 간접적으로 일부 또는 전부 소유 또는 지배하는 경우에 그 기업은 일방체약국 내의 유사기업이 부담하거나 부담할 세금 및 세금과 관련된 의무(taxation or connected requirements)와 다르거나 더 과중한(other or more burdensome) 부담을 하지 않는다.

제6항: 이 조의 규정은 제2조에 불구하고 모든 종류의 세금에 대하여 적용한다.

② 국가별 입장

제24조는 평등의 일반원리에 대한 구체적인 발음에 불과하다. 이 원칙은 타당하고 객관적인 정당성 없이 유사한 상황을 다르게 취급해서는 안 된다고 요구한다. 이 원칙은 '개별국가 간에 체결된 양자 간 조세조약(bilateral double tax ageement)에도 대부분 반영되어 있다'를 규정하고 있고 이를 바탕으로 체결된 개별 양자 간 조세조약에도 모두 포함되어 있다.[23]

그러나 일부 국가는 조세주권의 행사 측면에서 자국 내의 투자자에 대한 과세결정권은 자국의 정책에 따르겠다는 의사를 표명하고 있다. OECD 표준조세조약 제24조에 대한 주석에서 '관찰의견(observation)'[24] 또는 '유보의견(reservation)'[25]을 표명하고 있다. 그 국가는 다음과 같다.

(1) 주석에 내용에 반대하는 '관찰의견(observation)' 표시 국가

미국은 비거주 시민권자(non-resident citizens)에게 전 세계 소득을 모두 합산하여 과세하고 있으므로 '비거주 시민권자(non-resident citizens)'와 '다른 비거주자(other non-residents)'는 동일한 상황이 아니라고 해석한다.[26]

(2) 조문에 반대하는 '유보의견(reservation)' 표시 국가

가. 제24조 전체 조항 유보의견

캐나다, 뉴질랜드, 호주는 전체 조항에 대하여 유보의견을 표시하고 있다. 호주는 원천징수와 관련하여 국내 조세법을 적용하고 있기 때문에 표준조세조약의 조항을 개정해야 한다는 유보의견을 표시하고 있다.[27]

미국은 지점세(branch tax)와 관련하여 유보의견을 표시하고 있다.[28]

---

23) OECD 표준조세조약, 2017, 제24조, 한-미 조세조약 제7조
24) OECD ibid. 서문 para. 30. '관찰의견(observation)'은 조문의 해석에 대한 견해 차이를 표시한 것이다. 본문 자체에 대한 이견은 아니다.
25) ibid. paras. 31-32. '유보의견(reservation)'은 조문 자체에 대한 견해 차이를 표시한 것이다. 이 경우에는 개별조세조세조약을 체결할 때 유보의견을 표시한 조항은 적용하지 않는다.
26) OECD 표준조세조약, 2017, 제24조 주석 para. 83
27) ibid. paras. 85-86
28) ibid. para. 87

나. 조항별 유보의견

프랑스는 제1항, 제3항, 제4항 및 제5항에 대하여 유보의견을 표시하고[29] 칠레와 영국은 제1항 둘째 문단에 유보의견을 표시하고 있다.[30]

제2항에는 칠레, 에스토니아, 일본, 스위스, 미국이 유보의견을 표시하고 있다.[31]

제3항에 대하여는 칠레가 자국의 조세제도의 특성상 고정사업장에 대한 소득귀속 형태와 세율 등을 고려하여 유보의견을 표시하고 있다.[32]

제4항에 대하여는 프랑스가 국내 조세법의 적용이 필요한 부분이 있다는 이유로 유보의견을 표시하고 있다.[33]

제5항에 대한 유보의견을 표시한 국가는 없다.

제6항에 대하여는 칠레, 그리스, 영국이 적용대상 조세의 범위를 제한해야 한다는 이유로 유보의견을 표시하고 있다.[34]

제3절 무차별 원칙의 적용

 적용기준

OECD는 무차별 원칙의 적용기준을 다음과 같이 제시하고 있다.[35]

첫째는 상황의 비교가능성(comparability)이다. 모든 상황이 동일함에도 불구하고 비거주자를 거주자와 다르게 과세하는 것은 차별대우이므로 '무차별 원칙'을 위반하게 된다. 같은 상황임에도 불구하고 특정한 개별사유, 예를 들어 국적과 같은 이유 때문에 차별과세하는 것을 방지하려는 것이다. 비교대상 상황은 여러 가지가 있을 수 있으므로 거주자와 비거주자에 적용된 각 상황을 비교하여 차별에 해당하는지를 판단해야 한다.

---

29) ibid. para. 88
30) ibid. para. 89
31) ibid. para. 90
32) ibid. para. 90.1
33) ibid. para. 91
34) ibid. para. 92
35) ibid. paras. 1-4

제24조는 각 상황을 적정하게 비교를 할 수 있도록 제1항에서 제6항까지 '비교에 대한 표현'을 각각 다르게 사용하고 있다. 예를 들어, 제1항과 제2항에서는 '동일한 상황(same circumstances)', 제3항에서는 '동일한 사업활동의 수행(carrying on the same activities)', 제5항에서는 '유사한 기업(similar enterprises)' 등의 표현을 사용하고 있다. 조세조약상 무차별 원칙은 외국기업 또는 비거주자의 상황과 거주자나 국적자의 상황을 비교한 결과 동일함에도 외국기업 또는 비거주자라는 이유로 불리하게 과세하는 것을 방지하려는 것이다. 무차별 원칙은 상황을 비교하여 동일한 경우에만 적용되고 상황이 동일하지 않다면 상황의 비교가능성이 없으므로 무차별 원칙은 적용되지 않는다. 이때 동일성을 판단하는 중요한 요소는 '거주성(residence)'이다. 동일한 거주자가 아니라면 비교가능성이 없어진다.

둘째, 적용대상의 제한성이다. 무차별 원칙의 적용대상은 모든 차별을 포괄하는 것은 아니다. 조세제도의 기본원리는 부담능력 또는 지급능력의 차이에 따라 차별과세하는 것이다. 이러한 정당한 차별의 필요성과 그렇지 않은 차별을 방지할 필요성이 공존하므로 두 가지의 필요성의 균형이 유지되어야 한다. 따라서 무차별 원칙은 정당한 차별을 무차별 원칙의 적용대상으로 삼지 않는다.

무차별 원칙의 적용대상이 되는 차별에 소위 '간접차별'도 포함되는 것으로 보는 것은 지나친 확대해석에 해당한다.[36] 간접차별은 직접적 차별요소 외의 다른 요소를 이용하여 차별하는 것을 말한다. 예를 들어 특정국가의 여권을 소지하고 있는지 또는 소지할 수 있는 권리가 있는지 여부에 따라 차별하면 무차별 원칙에 위반되지만, 국적자인 비거주자(예: 미국의 영주권자)에게 거주자와 다르게 과세하는 것을 국적자라는 이유를 들어 간접차별이라고 주장할 수는 없다.[37]

셋째, 상호주의 원칙이 적용된다. 무차별 원칙은 동일한 상황에서 비거주자를 거주자와 동일한 기준으로 대우하는 것을 의미한다. 따라서 비거주자를 거주자보다 우대하는 최혜국대우(most-favoured-nation treatment) 조건으로 해석할 수 없다. 조세조약을 통하여 체약당사국의 거주자나 국적자에게 상호 조세혜택을 부여하는 것은 양국 간의 경제교류관계를 활성화할 목적에 따른 것이다. 이러한 상호주의 원칙에 따른 조세혜택은 체약당사국의 거주

---

36) ibid. para. 1

37) 과세목적상 납세의무자는 '거주자와 비거주자'로 구분하고 '국적자와 비국적자'는 구분하지 않는다. OECD는 'BEPS Project 실행계획(action plan) 6'의 조세조약남용(treaty abuse)방지 계획에 따라 제2017년 표준조세조약을 개정하여 제1조 제3항에 'saving clause'을 신설하여 이중거주자가 조세조약을 남용하지 못하게 하는 근거를 마련하였다. 이 조항은 거주지국의 과세권을 강화하기 위한 조치이지만 제24조의 무차별 원칙에 의하여 제1조 제3항의 적용범위는 제약을 받게 된다. Georg Kofler, Some Reflections on the Saving Clause', Inter Tax, Volume 44 Issue 8&9, Kluwer Law International BV, The Netherlands, 2016, p.579

자에게만 주어지는 것이다.

제3국의 국적자나 거주자는 조세조약의 체약당사국이 아니다. 설사 그 제3국과 위 조세조약의 당사국 중 어느 한 국가와 조세조약을 하였다고 하더라도 그 조세조약상의 무차별 규정을 근거로 하여 그 제3국이 당사국이 아닌 다른 조세조약상의 조세혜택 확대적용을 요구할 수 없다. 조세조약은 체약당사국 간의 경제관계를 촉진하기 위하여 상호주의 원칙에 근거하여 체 체약당사국의 거주자에게 부여하는 조세혜택을 체약당사국이 아닌 제3국의 거주자에게 적용하지 않는 것은 당연하다.

무차별 원칙은 조세조약을 체결한 당사국 중 어느 국가의 내국법인의 소유자 또는 지배자가 국적자이거나 거주자인 경우보다 외국 국적자이거나 비거주자인 경우에 더 불리한 과세를 하지 못하게 하려는 것이다.[38] 조세조약의 당사국이 투자보장협정을 별도로 체결하고 투자유치국이 투자국의 거주자에게 조세조약 제24조에 따른 무차별 원칙의 최소기준을 보다 더 유리한 조세혜택을 주는 것을 금지하는 것은 아니다.[39]

넷째, 다른 규정과의 양립가능성이다. 무차별 원칙은 조약의 다른 규정과의 조화를 이루도록 전체 조항의 맥락 속에서 적용되어야 한다. 조세조약의 다른 조항에서 비거주자에게만 적용되는 것으로 규정한 내용을 무차별 원칙에 위반되는 것으로 보아서는 안된다. 예를 들어, 비거주자에게 과소자본기준(thin capitalization rule)을 적용하여 일정기준에 따라 이자공제를 부인하는 것은 무차별기준에 저촉된다고 볼 수 없다.[40] 그렇다고 해서 무차별 원칙에 반하지 않는다는 이유만으로 다른 조항에도 위반되지 않을 것으로 보아서도 안된다. 또한 무차별 원칙이 다른 조항보다 우선하여 적용할 수 있는 것으로 보아서도 안된다.

---

38) OECD 표준조세조약, 2017, 제24조 제3항에 대한 주석 paras. 34-39. 투자보장협정 등에서 규정한 최혜국 조항은 조세조약과 함께 상호주의 원칙에 따라 적용된다. 그러나 조세조약의 규정과 충돌문제가 발생할 개연성은 있다.

39) Klaus Vogel, Double Taxation Conventins, Klwer, 1997, p.1295

40) OECD 표준조세조약, 2017, 제24조 제5항에 대한 주석 paras. 79-80

② 제24조 각 항별 적용기준

(1) 제1항 국적기준 무차별 기준

[제1항의 주요내용]

    일방체약국의 '국민(natitonals)'은 특히 '거주성(residence)과 관련하여 동일한 상황(same circumstances)'에 있는 타방체약국의 국민이 부담하는 '세금과 관련의무(taxation or connected requirements)'와 '다르거나 더 과중한(other or more burdensome)' 부담을 하지 않는다. 이 조항은 제1조의 규정에 불구하고 '일방 또는 양방체약국의 거주자가 아닌 사람'에게도 적용한다.

조세조약을 적용할 때 동일한 상황임에도 불구하고 국적을 이유로 일방체약국의 거주자보다 타방체약국의 거주자를 불리하게 과세하면 안되는 원칙을 선언하고 있다.[41]

'국민(national)'의 개념은 제3조 제1항 g)목에서 규정하고 있다.[42] 일방체약국의 국적이나 시민권을 가진 '개인(individual), 일방체약국의 국내법에 의하여 법률적 지위를 부여받은 법인(legal person), 공동사업자(partnership), 조합(association)' 등을 국민으로 정의하고 있다.

'거주와 관련하여 동일한 상황'은 '거주성이 동일한 상황'이라는 것을 의미한다. 거주지가 다르면 동일한 상황의 요건이 성립되지 않게 된다.[43]

예를 들어 다음과 같은 상황을 보자.[44]

아래 그림에서 보는 것처럼 '모법인 S1'은 S국에서 설립되고 실질적 관리장소((place of effective management, PoEM)를 S국에 두면서 자회사를 S국과 N국에 각각 두고 있다. S국에 있는 자회사를 '자회사-S2'라 하고 N국에 있는 자회사를 '자회사-N'이라고 한다. 자회사-N의 '실질적 관리장소'는 S국이다. S국의 조세법은 모법인 S1가 거주자인 자회사에 지급하는 배당에 대하여 면세하도록 규정하고 있다. 여기서 모법인 S1이 N국에 있는 '자회사-N'에 배당을 할 경우에 S국이 면세하지 않는 경우에 조세조약 제24조의 무차별 원칙에 위반하는 것인가의 문제가 있다.

---

41) OECD 표준조세조약, 2017, 제24조 제1항에 대한 주석 para. 5
42) ibid. 제3조 제1항 g)(i)(ii) 및 동항에 대한 주석 paras. 8-10
43) ibid. 제24조 제1항에 대한 주석 paras. 7-9
44) ibid. paras. 20-25에서 예시한 사례 1에서 5까지의 내용에 대한 것이다.

[그림 16-1] 모회사와 자회사의 거주성과 무차별 원칙 상황

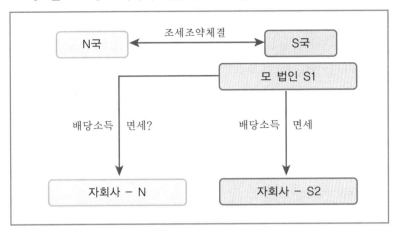

이는 상황에 따라 위반이 될 수도 아닐 수도 있다.

가. 자회사-N의 거주성이 동일한 상황

법인의 거주지국에 대하여 S국은 '설립지 기준'과 '실질적 관리장소' 중 어느 하나에 해당하면 자국의 거주자로 보고, N국은 '실질적 관리장소' 기준만 적용한다. 자회사-N은 N국에서 설립되었지만 실질적 관리장소는 S국인 상황이다.

이런 상황이면 자회사-N은 조세조약상 실질적 관리장소가 있는 S국이 거주지국이 된다. 따라서 자회사-N과 자회사-S2는 거주성이 같아지므로 '동일한 상황'이 된다. S국이 자회사-S2에 대한 모회사의 배당에 대하여 면세하면서 '동일한 상황'에 있는 N국 자회사 N에게 면세하지 않으면 무차별 원칙에 위배하게 된다.[45]

나. 자회사-N의 거주성이 동일하지 않은 상황

첫째, 법인의 거주지국에 대하여 S국과 N국이 모두 '설립지 기준'을 적용하면 자회사-N은 설립지가 N국이므로 조세조약상 N국의 거주자이고 S국에서 비거주가 되므로 자회사-N과 자회사-S2는 거주성이 '동일한 상황'이 아니다. 따라서 S국이 자회사-S2에만 모회사의 배당을 면세하고 N국 자회사 N에게 면세하지 않아도 무차별 원칙을 위반하지 않는다.[46]

둘째, 법인의 거주지국에 대하여 S국은 '설립지 기준'을 적용하고 N국은 '실질적 관리장소 기준'을 각각 적용한다. 다만, N국과 S국은 정보교환협정은 체결하고 있지 않다. S국은 정보교환협정을 체결하지 않은 N국에 소재하는 N-법인의 S국 내 원천소득(사례에서 배당소

---

45) ibid. para. 20 사례: 1
46) ibid. para. 21 사례: 2

득)에 대하여 원천징수 가산율(예를 들어 3%)를 추가로 부과한다. 자회사-N의 설립지는 외국이므로 설립지가 S국인 자회사-S법인과 거주성에서 '동일한 상황'이 아니므로 원천징수 가산율의 적용은 무차별 원칙을 위반하지 않는다.[47]

셋째, 법인의 거주지국에 대하여 S국은 모두 '설립지 기준을 적용하고 S국-N국 조세조약에서 이중거주자는 설립지 기준을 적용하도록 되어 있다. S국은 자국 내 거주법인에게는 근로소득세를 10% 경감해 주고 있다. 자회사-S는 S국에서 설립되어 거주자인 반면 N국에서 설립된 자회사-N은 비거주자에 해당하므로 자회사-N과 자회사-S2는 거주성이 '동일한 상황'이 되지 못한다. 따라서 S국이 자회사 N-2에게 근로소득세 10%를 경감하지 않아도 무차별 원칙을 위반하지 않는다.[48]

넷째, 법인의 거주지를 S국은 '설립지 기준'과 '실질적 관리장소' 요건을 모두 충족하는 경우에만 거주자로 보는 반면 N국은 '설립지 기준'만을 적용한다. S국은 거주자인 법인과 자회사관계에 있는 법인에게 '재무제표연결보고의무'를 부과한다. 이 경우 자회사-N은 모회사 S법인의 자회사이지만 조세조약상 N국의 거주자이고 S국에서는 비거거주가 되므로 자회사-N과 자회사-S2는 거주성이 '동일한 상황'이 되지 못한다. 따라서 S국은 N국 자회사-N에 대하여 대한 모회사의 배당에는 면세하고 N국 자회사 N-2에게 '재무제표연결보고의무'를 부과하는 것은 무차별 원칙을 위반하게 된다.[49]

다. 거주성 외의 상황

'거주성이 같으면' 동일한 상황이고 '거주성이 다르면' 동일한 상황이 아니다. 체약당사국의 국내 조세법과 조세조약상의 기준을 함께 적용하여 거주성을 판단하지만 조세조약상의 기준이 우선한다. 국내 조세법상 거주자이더라도 조세조약상의 거주자가 아니면 비거주자가 되어 거주성이 달라진다. 거주성이 다르면 비교가능성 측면에서 동일한 상황에 있지 않다.

'동일한 상황'을 '거주성'과 연결하여 엄격하게 해석하면 자칫 무차별 원칙이 지나치게 형식적으로 해석되어 실질적인 동일성을 배제하게 될 위험이 있다. 따라서 조세조약에서도 '특히 거주와 관련하여 동일한 상황'이라는 표현을 사용함으로써 거주성 외의 상황도 고려할 수 있음을 시사하고 있다. 가령, 공공기관이나 공익서비스는 국가와 불가분의 관계에 있어서 타방체약국의 그것과 비교대상이 될 수 없으므로 동일한 상황이 아니다.[50]

---

47) ibid. para. 21 사례: 3
48) ibid. para. 21 사례: 4
49) ibid. para. 21 사례: 5
50) ibid. paras. 10-13

라. 다르거나 과중한 조세(other or more burdensome)

동일한 상황에서 일방체약국의 거주자에게 타방체약국의 거주자와 '다른 세금을 부담하거나 다르지 않은 세금을 더 많이 부담'하게 하는 것은 무차별 원칙을 위반하게 된다. 여기에는 세금부담액 자체뿐 아니라 그와 관련된 납세의무 이행에 따른 부담인 과세표준의 계산기준, 부과방법, 적용세율, 세금의 신고납부, 납부기한 등과 관련한 차별도 포함된다.[51]

(2) 제2항 무국적자에 대한 무차별 기준

> **[제2항의 주요내용]**
>
> 일방체약국의 거주자인 무국적자는 체약국 중 어느 국가에서도 특히 거주와 관련하여 동일한 상황(same circumstances)에 있는 타방체약국의 국민이 부담하는 세금과 관련의무 (taxation or connected requirements)와 다르거나 더 과중한(other or more burdensome) 부담을 하지 않는다.

무국적자는 법률상 어느 나라의 국민에도 해당하지 않는 자를 말한다. 국제법[52]에서는 무국적자도 국민(nationals)과 동등하게 대우하도록 규정하고 있다. OECD 표준조세조약에서도 무국적자에 대하여 무차별 원칙을 적용하고 있다. 다만, 조세조약상 무차별 원칙을 받으려면 조세조약을 적용받는 국가의 거주자이어야 한다. 거주자가 아닌 무국적자는 거주자와 동일한 상황에 있지 않기 때문에 무차별 원칙이 적용요건에 해당하지 않게 된다.

(3) 제3항 고정사업장에 대한 무차별 기준

> **[제3항의 주요내용]**
>
> 일방체약국 기업이 타방체약국에 설치한 PE에 대한 과세는 동일한 활동(same activities)을 수행하는 타방체약국의 기업에 대한 과세보다 불리(less favourably)하지 않아야 한다. 자국 거주자에게 조세목적상 국민자격(civil status)이나 가족부양의무와 관련하여 부여하는 '인적공제(personal allowances)와 조세의 감면(reliefs and reductions)'을 타방체약국 거주자에게 부여하는 것으로 이 조항을 해석해서는 안된다.

---

51) ibid. para. 9

52) 'Convention Relating to the Stateless Persons,' New York, September 28, 1954

가. 비교대상

고정사업장에 귀속되는 소득(profits)은 '독립기업원칙(arm's length principle)'에 따라 계산된다.[53] 고정사업장의 소득에 대하여 과세할 때 무차별 원칙을 적용하여 원천지국의 국내기업과 동등하게 과세되어야 하고 불리하게 과세하면 무차별 원칙에 위배된다. 독립기업원칙은 '소득의 귀속기준'이고 무차별 원칙은 '과세기준'이라는 점에서 다르다. 소득의 귀속기준과 과세기준은 비교대상에서 차이가 있다. 소득의 귀속기준의 비교대상은 '유사한 활동하는 다른 독립기업의 활동'이고, 과세기준의 비교대상은 '동일한 활동을 원천지국의 국내기업의 활동'이 된다.

나. 동일한 활동

무차별 원칙의 대상이 되는 과세기준의 비교대상인 고정사업장의 '동일한 활동'은 그 고정사업장이 있는 원천지국의 국내기업의 활동이 비교대상이 된다. '동일한 활동'은 제1항에서 말하는 '동일한 상황'과 같은 의미로 해석할 수 있다.[54]

다. 불리한 과세

고정사업장에 귀속된 소득에 대한 과세기준이 그 고정사업장이 있는 원천지국의 국내기업의 과세기준보다 불리하게 적용하면 무차별 원칙을 위반하게 된다. 제1항의 국적에 의한 차별기준과 달리 제3항의 고정사업장에 적용되는 차별기준에는 '세금과 관련한 요건(~any requirements connected therewith~)을 두지 않고 있다. 고정사업장의 경우 외국 본사의 자료를 받아서 과세자료로 제출해야 하는 특성을 감안한 것으로 보인다. 따라서 고정사업장에 대하여 국내기업과 다른 과세자료를 요구하더라도 무차별 원칙을 위반하는 것은 아니다.

라. 인적공제와 조세감면 등의 차별

외국법인의 고정사업장은 인적공제등의 혜택을 적용받지 못한다.[55] 고정사업장의 인적공제 등은 거주지국에서 적용되므로 원천지국에서 이를 허용하게 되면 이중혜택을 받을 수 있기 때문이다.[56]

그러나 현실적으로 이를 구분해 내는 것은 쉽지 않은 측면이 있어서 과세당국과의 충돌

---

53) OECD 표준조세조약, 2017, 제7조 제2항
54) OECD 표준조세조약, 2017, 제24조에 대한 주석 para. 3
55) ibid. 제24조 제3항 둘째 문장
56) ibid. 제24조 제3항에 대한 주석 para. 36

개연성이 상존한다.[57]

마. 제24조 제1항과 제3항의 비교

[표 16-2] 제24조 제1항과 제3항의 비교

제24조 제1항	제24조 제3항
과세나 그와 관련된 요건이 다르거나 더 과중한 것의 방지	PE에 불리한 과세의 방지. 절차적 요구사항의 차별은 허용
방법론, 방식 및 기준의 동일성	방식과 절차의 차이 인정
"동일한 상황의" 비교	"동일한 활동"의 비교

(4) 제4항 사업관련비용 공제에 대한 무차별 기준

[제4항의 주요내용]

제9조 제1항, 제11조 제6항 또는 제12조 제4항이 적용되는 경우를 제외하고 일방체약국의 기업이 타방체약국의 거주자에게 지급하는 이자, 사용료, 기타 지급금은 과세소득 계산목적상 일방체약국의 거주자에게 지급된 경우와 같은 조건(same conditions)으로 공제될 수 있어야 한다. 이와 마찬가지로 일방체약국의 기업이 타방체약국의 거주자에 대한 채무는 그 법인의 과세대상 자본의 계산목적상 일방체약국의 거주자에게 지급된 경우와 같은 조건(same conditions)으로 공제될 수 있어야 한다.

가. 간접 무차별 원칙

일방체약국의 기업이 타방체약국의 거주자에게 지급하는 이자, 사용료 및 기타 지급금은 이를 일방체약국의 거주자에게 지급한 때와 동일한 조건을 적용하여 비용을 공제한다.

제1항에서 제3항까지의 차별기준은 외국인과 고정사업장 자체를 직접적인 대상으로 하여 차별을 금지하는 '직접 무차별 원칙'에 대한 것이었다. 이와 달리 제4항은 고정사업장이 아닌 거주자를 직접적인 적용대상으로 삼는다는 점에서 '간접 무차별 원칙'이라고 할 수 있다.[58]

---

57) Klaus Vogel, Double Taxation Conventions, Kluwer Law International, 1991, pp.1136~1137

58) 이 조항이 들어간 배경은 남미국가들이 거주자가 비거주자에게 지급하는 비용을 손금으로 인정하지 않는 것을 방지하기 위한 조치였다. Kees van Raad, Nondiscrimination in International Tax Law, Kluwer Law International, 1986, p.174

나. 예외의 허용

조세회피가능성이 있는 소득에 대하여는 비용공제를 하지 않는 예외를 허용하고 있다. 제9조 제1항의 특수관계자 간 거래소득, 제11조 제6항의 이자소득, 제12조 제4항의 사용료 소득에 대하여는 이러한 비용 불공제를 허용하고 있다. 조세회피를 방지하려는 취지이다.

다. 동일 조건의 적용

이자 등을 수령하는 비거주자와 비교대상이 되는 거주자가 '동일한 조건(same conditions)'으로 비용을 공제해야 한다. 그러나 비거주자의 거래내용이 거주자의 거래내용과 동일한 조건이 아니라면 비교대상성이 없으므로 차별과세에 해당하지 않게 된다.

예를 들면, 자금대부업을 하면서 금융기관으로 등록하지 않은 국내 사업장은 국내은행과 같은 활동을 수행하는 것으로 볼 수 없기 때문에 국내은행보다 높은 세율을 적용하여 법인세를 징수하더라도 무차별 원칙을 위반하지 않는다.[59]

(5) 제5항 사업의 소유자에 대한 무차별 기준

> [제5항의 주요내용]
>
> 일방체약국 기업의 자본을 타방체약국 거주자 1명 이상이 직접 또는 간접적으로 일부 또는 전부 소유 또는 지배하는 경우에 그 기업은 일방체약국 내의 유사기업이 부담하거나 부담할 세금 및 세금과 관련된 의무(taxation or connected requirements)와 다르거나 더 과중한(other or more burdensome) 부담을 하지 않는다.

가. 간접 무차별 원칙

일방체약국의 법인이 타방체약국의 주주에게 지배되고 있는 '외국인 투자기업'이라고 하더라도 국내의 유사한 기업이 부담하는 조세 또는 이와 관련된 으무와 다르거나 더 과중한 부담을 하도록 하면 무차별 기준을 위반하는 것이 된다. 차별금지의 대상은 직접적으로는 외국인 투자기업이지만 실질적으로는 투자자인 주주가 대상일라는 점에서 '간접 무차별 원칙'에 해당한다고 볼 수 있다.

---

59) OECD 표준조세조약, 2017, 제24조 제3항에 대한 주석 paras. 37-38

나. 유사 기업

외국인 투자기업의 비교대상은 상황이 '유사한 기업'이다. 예를 들어, 외국인 주주와 내국인 주주는 상황이 동일하거나 유사하지 않다. 과세자료의 수집방법과 절차 등이 차이가 나기 때문이다. 외국 모회사의 입장에서도 자국 내의 자회사와 외국에 소재하는 자회사의 상황은 동일하거나 유사하지 않기 때문이다. 따라서 외국인 주주에게 내국인 주주와 달리 정보제공 의무를 추가하거나 입증책임을 전환하더라도 무차별 원칙을 위반하는 것은 아니다.[60]

(6) 제6항 적용대상 조세

무차별 원칙이 적용되는 대상 조세(taxes covered)는 제2조의 대상조세에 한정하지 않고 모든 조세를 포함한다.[61] 주세(州稅)나 지방세에도 적용된다. 우리나라가 체결한 조세조약에서 적용대상 조세를 한정한 조세조약과 한정하지 않은 조세조약으로 구분할 수 있다. 조세조약상의 대상조세를 한정하고 있는 사례로는 우리나라가 '네덜란드, 덴마크, 말레이시아, 베트남, 브라질, 아일랜드, 인도네시아, 캐나다, 피지' 등과 체결한 조세조약을 들 수 있다.

제4절 무차별 원칙의 중요성

① 국제 무역거래의 무차별 원칙

(1) 국제무역거래 분야의 일반적 차별금지

OECD 표준조세조약 제24조의 무차별 원칙을 통하여 비거주자에 대한 차별과세를 보호할 수 있는 범위와 절차는 매우 제한되어 있다. 이와 달리 일반적인 통상 무역조약에서는 일반적인 차별금지 규정을 두고 있다.[62] 상품과 서비스 교역과 관련한 내외국인 차별금지에 대하여는 '관세 및 무역에 관한 일반협정(General Agreement on Tariffs and Trade, GATT)'과 '서비스 무역에 관한 일반협정(General Agreement on Trade in Service, GATS)'이 대표적이다. 이 두 협정에서 규정한 차별금지는 다소 차이가 있다. GATT는 모든 상품무역에

---

60) ibid. 제5항에 대한 주석 para. 78
61) ibid. 제6항 및 주석 para. 81
62) 대표적인 것인 최혜국 대우(Most favored nation treatment)와 내국민 대우(National treatment)이다.

대하여 내국민 대우를 적용하지만 GATS는 회원국이 서비스 시장을 개방하기로 약속한 분야에 대해서만 적용되고 그러한 분야에 대해서도 내국민 대우를 면제받는 제한조건이 설정될 수 있도록 하고 있다.[63]

특히 GATS의 경우 일반적 의무(general obligation)와 구체적 약속(specific commitment)으로 구분하여 적용한다. '일반적 의무(general obligation)'는 모든 회원국과 서비스 분야에 자동적으로 적용되는 의무로서 최혜국 대우가 여기에 포함된다. '최혜국 대우'는 특정국에 부여하는 '특혜 대우'를 모든 회원국에 동일하게 적용해야 한다는 규정이다. 최혜국 대우를 엄격하게 준수하는 GATT와 달리, GATS에서는 최혜국 대우에 대한 예외를 상당히 광범위하게 인정하고 있다. UR에서 서비스무역이 논의되기 이전에는 서비스무역에 관한 국제 협정이 없었기 때문에 각국은 각 서비스 분야별로 상호주의에 입각한 협정을 맺고 거래해 왔다. 이와 같은 기존 관행을 감안해서 GATS는 최혜국 대우를 원칙으로 하면서도 최혜국 대우에 대한 예외조치를 광범위하게 인정하지 않을 수 없었기 때문이다.

GATS에서의 '구체적 약속(specific commitment)'은 개별 회원국들의 특정 서비스분야에 대한 '시장접근'과 '내국민 대우'에 관한 약속이다. 예를 들어, 유통분야에 있어서 상대국 시장에 현지법인의 설립이 가능한지의 여부(시장접근), 시장접근 후 진출국가의 유통업체와 비교해 차별조치를 받고 있는지의 여부(내국민 대우)가 자유화의 여부를 결정한다. 이러한 구체적 약속 내용은 개별 회원국의 양허표(country schedules)에 명시되어 있는데, 개별 국의 경제상황에 따라 상당한 편차를 보인다. 구체적 약속의 내용은 조세조약상의 무차별 원칙 적용의 제한성과 다소 유사한 점이 있다.

(2) 조세조약의 무차별 원칙과의 충돌문제 조정

'서비스 무역에 관한 일반협정(General Agreement on Trade in Service, 이하 'GATS'라 한다)'의 제정과정에서 기존의 OECD 표준조세조약 제24조의 무차별(Non-Discrimination) 조항과의 충돌을 조정하는 문제가 통상분야의 관리와 조세분야의 관리들이 오랜 기간 동안 협상을 통하여 조정안이 마련되어 GATS 협정문에 포함되었다.[64] 조세분야관리의 분야별 주장을 요약하면 다음과 같다.[65]

첫째, 최혜국 대우(most-favored nation treatment)와 관련하여 조세분야 관리들은 최혜

---

63) 조수정, 「GATS 내국민 대우 분석」, 국제경제법 연구 제13권 제2호(2015. 7.), pp.101~129

64) Hugh J. Ault and Jaxques Sasseville, Taxation and Non-Discrimination: A Reconsideration, World Tax Journal, June 22, 2010, p.121

65) ibid. pp.121~122. 요약 재인용

498   제4편 조세조약의 새로운 과제

국 대우 적용에 관한 적정한 기준이 없다면 조세조약에서 가장 유리한 조건을 모든 체약국에게 확대하여 적용하게 되는 문제가 발생한다고 주장하였다.

둘째, 내국민 대우(National treatment)와 관련하여 조세분야 관리들은 내국민 대우는 적정한 적용요건을 갖추지 못할 경우에 국내 조세법에 따라 이루어지는 거주자와 비거주자 간의 차별은 정당한 것으로 인정하는 국제적 관행과 충돌될 수 있고, 조세조약에 의해서도 내국민과 동일한 조세부담의 경감이나 면세가 이루어질 수 있고 다른 조세상의 차별은 조세조약의 무차별 원칙으로 처리가 가능하다고 주장하였다.

셋째, 분쟁해결(Dispute resolution)절차 및 방법과 관련하여 조세분야 관리들은 조세조약에서 자체적으로 이미 상호합의절차 제도를 가지고 있으므로 GATS의 분쟁해결절차를 함께 적용하면 forum shopping[66]을 허용하는 것이 된다고 주장했다

조세분야 관리들의 이러한 우려를 반영하여 GATS 제14조에 '일반적 예외(General exceptions)'라는 특별규정을 만들어 조세문제를 특별히 규정한 두 개의 조항을 별도로 두었다.[67]

최혜국 대우 의무나 내국민 대우 의무와 상충되는 조치라고 하더라도 그러한 것이 조세조약에 의하여 이루어진 것이면 허용되도록 하는 것이다. 그에 대한 주석을 자세하게 달아서 이 조항이 구체적으로 적용되는 범위를 설명하고 있다. 그리고 GATS 제22(consultation) 및 제23조(dispute settlement and enforcement)는 발생된 분쟁이 조세조약의 조치와 관련된 사항에는 적용하지 않도록 규정하고 있다.

② 조세조약상의 무차별 원칙의 개선과제

OECD 표준조세조약 제24조에서 규정한 '무차별 원칙'은 체약당사국 중 일방체약국이 조세조약을 통하지 않고 일방적으로 국내 조세법을 개정하여 외국 납세자와 내국 납세자를 차별하여 과세하는 것을 방지하는 역할을 하는 점에서 국제법상으로 중요한 의미를 가진다고

---

66) 유리한 재판관할권을 찾아 재판을 하는 것을 말한다. 즉, 납세자가 조세조약상의 상호합의절차 또는 GATS상의 분쟁해결절차 중 유리한 결과가 예상되는 절차를 선택하게 된다는 의미이다.

67) 서비스 무역에 관한 일반협정(General Agreement on Trade in Service) 제14조 일반적인 예외(general exceptions) (d) inconsistent with Article XVII, provided that the difference in treatment is aimed at ensuring the equitable or effective6 imposition or collection of direct taxes in respect of services or service suppliers of other Members; (e) inconsistent with Article II, provided that the difference in treatment is the result of an agreement on the avoidance of double taxation or provisions on the avoidance of double taxation in any other international agreement or arrangement by which the Member is bound.

볼 수 있다.

조세조약상의 무차별 원칙이 내국인 대우조항보다 적용이 더 어려운 경우가 있다. 예를 들어 법인의 외국인 주주의 기준을 자본도입국의 입장에서 판단하여 차별과세를 하더라도 무차별 원칙을 위반하지 않는 것으로 본다면 투자조약의 내국인 대우원칙과 상충될 수 있다. 또한 이자, 사용료, 기타 지급액에 대한 비용공제와 관련하여 투자조약의 관점에서 보면 지적재산권 등은 투자에 해당하므로, 이를 투자한 외국인에게 지급한 이자나 사용료 등의 공제를 부인하면 투자조약상의 내국인 대우를 위반하지만 조세조약상의 무차별 원칙을 적용할 때는 '동일한 상황'이라는 까다로운 조건을 적용하여 부인이 가능하므로 차별에 해당하지 않을 수 있다.

외국인 투자자를 보호하기 위해 조세조약이 체결되는 것이라면 조세조약으로 인하여 오히려 외국인 투자자에 대한 과세상의 보호가 다른 투자조약에 비하여 상대적으로 줄어들 수 있다면 체약당사국들은 왜 조세조약에서만 조세에 관한 무차별 원칙을 배타적으로 다루어야 하는지에 대하여 의문을 제기할 수 있다. 따라서 조약의 체결목적이 투자자를 더 잘 보호하려는 것이라면 오히려 투자조약의 내국민 대우기준을 적용하는 것이 조세조약에 담겨있는 당사국의 진정한 의사가 아닌지 확인할 필요도 있어 보인다.

투자조약의 주된 내용은 투자유치국이 외국투자자를 최혜국 대우 또는 내국민 대우를 해야 한다는 것이므로 양 체약국이 그 내용을 달리 규정한 것이 아니라면 투자와 관련된 조세문제도 당연히 포괄한다는 것이 국제법에서 일반적으로 받아들여지고 있다.[68] 투자조약에서 조세와 관련하여 언급되는 내용은 내국민 대우기준이나 최혜국 기준을 조세에도 적용하여[69] 경제적 교류를 활성화하고 투자수익의 자유로운 이전[70]이 이루어지게 하는 것으로 명시하고 있다. 일부 조세조약에서도 투자조약이 조세문제를 포괄하는 것을 양해하고 있다.[71] 외국인 투자자에게 내국인에 비하여 상대적으로 무거운 과세나 불필요한 부담을 지우는 것은 투자조약의 관점에서 보면 부당한 과세조치에 해당한다.[72]

---

68) A.R. Albrecht, The taxation of aliens under international law, 29 British Yearbook of Internatioal Law, 1952, p.173; M. Whiteman, Digest of International Law, Washington DC, Department of State Publications, 1973, p.1016

69) Art. 4 of Netherland Model Bilateral Investment Treaty, 1993

70) Art. XI of US Model Bilateral Investment Treaty 1992

71) Exchange of Notes to the UK–US Double Taxation Agreement of 2001, second paragraph; Thai–US Double Taxation Agreement, art. 2

72) I. Shihata, The World Bank Guidelines, Martinus Nijhoff Publishers, 1993, p.88; I. Brownlie, Principles of public international law, 6th ed, Oxford University, 2003, p.535

무차별 원칙의 적용요건 중 하나에 해당하는 '동일한 상황'이 확인된다고 하더라도 국적이 아니라 거주지 기준을 적용하여 과세할 경우에는 직접적으로는 무차별 원칙을 위반한 것은 아니지만 간접차별에 해당할 수 있다. 투자조약의 내국민 대우에서는 '동일한 상황'을 투자된 사업의 활동을 기준으로 판단한다.[73] 조세조약에서 투자유치국의 입장으로 조세목적과 관련하여 파악하는 외국인 투자자 또는 투자의 성격을 말하는 것과는 다르다.

이와 같이 조세조약상의 무차별 원칙은 그 적용범위가 매우 제한되어 있는 것으로 보인다. 이러한 결과가 발생하는 것은 조세조약에서는 무차별 원칙을 두 가지 관점에서 접근하기 때문으로 보인다. 하나는 조세회피 방지기준(anti-avoidance rule)의 관점이고, 다른 하나는 부당한 중과세방지(anti-excessive or inapporpriate taxation)라고 할 수 있다. 조세회피방지기준의 관점에서 보면 과소자본세제기준(thin capitalization rule)은 국제거래에서 발생한 결과에 부당한 비용공제를 방지하기 위한 것이므로, 이 문제를 제24조 제4항의 비용공제로 해소하는데는 한계가 있다. 한편, 중과세방지 기준의 관점에서 보면 국내 조세법을 국제거래에 적용하는 것이 차별에 해당하는지의 문제가 발생한다. 제24조 제3항과 제5항에서 연결재무제표작성이나 이월결손금 허용문제를 비거주자에게도 허용해야 할 것인지의 문제를 '상황의 동일성' 기준으로 판단하고 있다.

OECD 표준조세조약 제24조의 무차별 원칙의 적용기준과 범위는 다른 통상조약(소위 FCN 조약)의 차별금지 원칙과 좀 더 부드러운 조화를 이루어가는 방안은 조세조약의 주요한 발전과제 중 하나가 될 수 있을 것이다.

---

73) 독일형 표준투자조약 의정서 및 영국-벨리즈(Belize) 투자조약

제17장

BEPS와 조세주권

 BEPS Project와 표준경쟁의 의미

'세원잠식 및 소득이전 방지대책(Base Erosion and Profit Shifting Project, 이하 'BEPS Project' 또는 'BEPS 대책'이라 한다)'[1]은 모든 관련 국가들이 '포괄협력체제(inclusive framework)'를 구축한 가운데 추진되고 있다.[2] OECD 포괄협력체제에 2020년 12월 기준으로 137개국이 참여하고 있다.[3] 국가마다 서로 다른 조세제도와 조세정책 목표를 가지고 있지만, 조세회피와 탈세의 방지라는 공동목표를 두고 힘을 합치고 있다.

OECD는 BEPS 대책을 추진하는 과정에서 각국의 조세제도와 정책의 차이로 인하여 발생할 수 있는 분쟁을 최소화하기 위하여 추상적이고 '포괄적인 특성(holistice nature)'을 가진 명제를 제시하고 있다. 그것은 모든 국가에 적용될 수 있는 '일관성(consistency), 실질성(substance), 투명성(transparency)'이라는 명제이다. 각 국가들은 이러한 명제를 실현하기 위하여 국제과세와 관련된 기존의 제도와 관행을 재조정하는 소위 '제도조정(institutional adjustment)'[4]의 과정을 경험하고 있다.

국제조세분야에서의 제도조정은 OECD의 기준을 반영하여 조세제도와 행정을 국제적으로 표준화(standardization)하고 이러한 표준화된 조세제도를 가지고 국가 간에 경쟁하는 표준

---

1) BEPS란 다국적기업이 국가 간의 세법 차이, 조세조약의 미비점 등을 이용하여 경제활동 기여도가 낮은 저세율국으로 소득을 이전함으로써 과세기반(tax base), 즉 세원을 잠식하는 행위를 의미한다. 세부계획은 15개의 action plan과 구체적 추진계획으로 구성되어 있다. 2008년 금융위기 이후부터 다국적기업의 조세회피 문제인 BEPS에 대한 문제가 부각되면서 2012년부터 BEPS 문제에 대한 국제적인 공조 및 대응이 본격화되었다.

2) 2015년 11월 터키 안탈랴(Antalya) G20 정상회의에서 채택한 공동성명(comnnunique)에 따라 구성되어 진행 중이다.

3) OECD, 'Members of the OECD/G20 Inclusive Framework on BEPS, December 2019 https://www.oecd.org/tax/beps/inclusive-framework-on-beps-composition.pdf

4) John Fagg Foster, The Theory of Institutional Adjustment, Journal of Economic Issues Volume 15, No. 4, December, 1981, pp.923~928

경쟁(standards competition)의 심화시대로 들어가는 것을 의미한다.[5] 표준화의 속성은 제도의 지배구조를 위계구조(hierarchical system)의 형태로부터 '탈집중네트워크(decentralized network)'의 형태로 이행하도록 요구한다. OECD가 BEPS Project의 과제의 이행체계를 모든 국가들이 동등한 입장(equal footing)에서 참여하는 포괄협력 방법을 기본으로 하고 있는 이유이다.[6]

다국적기업들이 탈세와 조세회피행위를 통하여 거주지국과 원천지국 모두에서 세금을 납부하지 않는 이중비과세로 인해 모든 국가들의 재정에 어려움을 초래할 수 있다. OECD 표준조세조약과 그에 대한 주석을 개정하여 국제적 탈세와 조세회피에 대응할 수 있는 표준화된 기준을 제시하고 모든 국가들이 이를 따르도록 권고(recommendation)하고 있다.[7]

BEPS 체제하에서 만들어지는 새로운 국제과세표준은 모든 국가에서 적용된다. 그러나 이러한 표준화작업을 선도한 국가는 G20 국가들이다. 논리적으로 BEPS Project와 관련한 국제과세의 표준은 G20 국가들의 표준을 그대로 옮겨 놓은 것으로 볼 수 있다. 예를 들어 2017년 개정된 OECD 표준조세조약에서 조세조약 남용행위를 막기 위하여 새로 도입된 '주된 목적 검증기준(principal purpose test)'은 2001년 미국과 영국 간 조세조약의 '각서교환(exchange of notes)'의 내용을 적용한 것이고,[8] BEPS Action 7(Artificial Avoidance of PE status)에 포함되어 있는 '수수료계약(commissionaire arrangement)'을 이용한 고정사업장(Permanent Establishment)의 지위남용 방지대책은 유럽 여러 국가에서 이미 해석기준으로 적용하고 있는 내용이다.

BEPS 체제가 불러오고 있는 제도와 행정 그리고 관행의 구조적 변화는 OECD가 제시한 표준화된 틀을 기준으로 일어나고 있다. 이러한 변화의 과실이 '포괄적 협력체제'를 구축한 모든 국가에게 평등하게 돌아가도록 하는 것이 궁극적으로 성공을 보장할 수 있다. 이런 관

---

5) 표준화와 표준경쟁의 개념은 기술경제학에서 사용하는 개념이다. 모든 기술체계는 특정한 자체의 속성을 가지고 있기 때문에 그에 적합한 환경을 요구한다. 그것은 기술혁신의 효과를 극대화할 수 있는 조직과 제도의 변화라는 것이다. 표준화시장을 선점하는 기업이나 국가가 새로운 영향력을 가진다. Maya Cohen-Meidan, The effects of standardization process on competition: An event study of the standardization process in the US cable modem market, Telecommunications Policy, Volume 31, Issues 10-11, November-December 2007, pp.619~631

6) OECD, Background Brief-Inclusive Framework on BEPS, January 2017, p.11

7) Recommendation of the OECD Council Concerning the Model Tax Convention on Income and Capital adopted by the Council on 23 October 1997

8) Convention between the Government of the United Kingdom of Great Britain and Northern Ireland and the Government of the United States of America for the Avoidance of Double Taxation and the Prevention of Fiscal Evasion with Respect to Taxes on Income and on Capital Gains, 24 July 2001(as amended through 2002), Treaties & Models IBFD

점에서 표준경쟁을 통한 국제협력은 '공정한 경쟁의 장(level playing field)'을 전제로 하는 것이 중요한 이유가 된다.[9]

② 조세주권의 특성

BEPS 체제는 OECD의 주도로 만들어진 기준을 모든 국가들이 공통적으로 적용하는 구조로 운영된다. 각국의 제도와 관행이 서로 다르지만 최소기준(minimum standard)[10]을 통하여 사실상 국제과세제도의 표준화를 이루어가고 있다. 한편으로는 각 국가가 서로 각자 자국의 고유한 조세제도와 관행을 유지하게 하면서, 다른 한편으로는 그 제도와 관행이 '조세회피와 탈세' 등의 문제를 일으킬 경우에는 국제기구나 다른 국가가 개입하는 방법이다. 이는 1648년 베스트팔렌 조약(Peace of Westphalen)에서 확립되어 지금까지 유지되고 있는 국가 주권의 개념과 차이가 있다.[11]

국제거래에서 발생하는 소득에 대하여 국경을 넘어 과세권을 행사할 수 있는 권리를 주장하는 것은 국가주권을 국제조세분야에 적용한 결과이다. 경제적으로 상호의존적인 상황에서 조세제도와 행정의 독자적인 운용은 현실적으로 어렵기 때문에 '타국의 내정불간섭'이라는 베스트팔렌 조약에서 도출되는 고전적 국가주권의 개념을 조세분야에 그대로 적용하기는 어렵다. 각국의 조세제도와 관행이 서로 만나는 경계선에서 부드러운 연속성이 이어질 수 있도록 하는 것이 요구된다. 자국의 결정권과 다른 국가의 결정권이 동시에 존중해야 한다는 요구이다. 자국의 조세에 관한 결정권을 임의로 행사하지 않고 다른 국가의 요구를 수용하여 절충해야 하는 것을 의미한다. 결과적으로 조세에 대한 자율결정권이 제약을 받게 된다. 베스트팔렌적인 시각에서 보면 분명한 조세주권의 침해라고 볼 수 있다.[12]

---

9) OECD, January 2017, op. cit. p.7

10) BEPS Project의 Action Plan을 추진할 때 각국의 제도차이를 고려하여 반드시 이행해야 할 최소한의 기준을 정하고 있다.

11) 베스트팔렌 조약은 1618~1648년까지 신성 로마제국과 중부유럽을 무대로 벌어진 30년 종교전쟁의 종결을 위해 북서 독일이 뮌스터와 오스나브뤼크에서 체결된 조약이다. Westphalen 조약은 다음 세 가지 조약을 통칭하는 표현이다. 1) 에스파냐와 네덜란드 사이에 체결된 뮌스터 조약(1648년 5월 15일) 2) 신성로마제국 황제가 프랑스와 체결한 뮌스터 조약(1648년 10월 24일) 3) 로마황제가 스웨덴과 체결한 오스나브뤼크 조약(1648년 10월 24일). 황대현, 「베스트팔렌 강화조약에 대한 기억문화의 다양성」, 서양사론 제116호(2013), p.278. 주석 1) 참조. 조약의 내용은 그들은 서로 각자 종교를 선택하고 외교 정책을 결정하기로 동의했다. 경쟁 관계에 있는 유럽 군주들은 더 이상 자국이 선택한 기독교 교파를 이웃 국가에 강요하지 않는다는 것이었다. 베스트팔렌 조약에서 확립된 국경선 내부에서 일어나는 일에 대하여 다른 국가는 개입하지 않는다는 '주권에 관한 원칙'은 지금까지 외교정책의 지침이 되고 있다.

12) Wolfgang H. Reinicke, Global Public Policy: governing without government? Booking Institution Press

그러나 BEPS Project가 국내의 조세정책이나 행정에 미치는 영향은 제한적이고 여전히 국가별로 고유한 제도와 관행은 유지될 수 있다고 볼 수도 있다. BEPS 계획의 이행을 위한 최소기준은 기존의 조세조약을 통하여 이미 실천되어 오던 사항이기 때문이다. 각국의 제도적 차이를 전제로 조세조약을 적용할 때 각국의 국내 조세법 적용을 기정 사실화하고 있다.[13] 국가 주권의 개념을 실용적인 측면에서 국익과 연결하여 본다면 새로운 국제환경에 노출되어 제도조정(institutional adjustment)을 통하여 자국의 고유한 조세제도와 관행을 강화해 나가는 것으로 본다. 이 경우에는 베스트팔렌적인 시각에서 벗어나서 주권의 침해는 없는 것으로 볼 수 있다.

경제적으로 상호의존적인 현대 국제사회에서 치열한 조세경쟁과 상대적으로 약한 국제협력관계 속에서 개별국가들은 '배타적 국가주권'의 개념의 틀 안에서 이동성이 높은 국제자본의 유치와 다국적기업의 조세재정활동(tax arbitrage)[14]에 독 자적으로 대응하기는 어렵다. 조세경쟁과 국제협력관계의 기반이 약화되면 재정수입의 감소로 이어지고 결과적으로 조세정책의 자율결정권은 그 입지가 약화될 수밖에 없다.[15] 여기서 국가 주권을 조세부문에 적용할 경우 나타나는 양면적 특성을 찾을 수 있다. 하나는 자국의 자율적 조세정책 수립이 다른 국가로부터 존중받아야 할 권리 측면이고, 다른 하나는 다른 국가의 자율적 조세정책을 존중해야 할 의무 측면이다.[16]

이러한 양면적 특성이 적절하게 조화를 이룰 경우에는 새로운 국제조세환경 속에서 국제협력과 제도조정을 통하여 재정수입을 확보해 나갈 수 있을 것이다. 문제는 국제과세기준의 표준화를 특정 국가가 자국의 이익을 목적으로 주도할 경우에 발생할 수 있다. 예를 들어 미국은 2010년 외국의 금융기관(foreign financial institutions, FFIs)에게 미국시민권자나 거주자에 대한 금융계좌를 미국 국세청(IRS)에 제출하도록 하는 '외국금융계좌신고제(Foreign Accounts Tax Compliance Act, 이하 'FATCA'라 한다)'를 일방적으로 도입하여 시행하고

Washington, D.C. 1997. p.130

13) 예를 들어 OECD 표준조세조약, 2017, 제3조 제2항에서 조세조약에서 별도로 규정하지 않은 용어는 체약국의 국내 조세법이 규정한 개념을 적용한다. 또한 BEPS 제도를 통한 자동정보교환(Automatic exchange of Information)은 국내관련법에 교환근거를 마련해야 가능하다. 국내조세제도와 관행에 미치는 영향은 제한적이라 할 수 있다. David Vogel, and Robert Kagan, Dynamics of Regulatory Change: How Globalization Affects National Regulatory Policies. California: University of California Press. 2004

14) 조세재정활동(tax arbitrage)은 국가 간의 조세제도 및 정책의 차이를 이용하여 조세부담을 회피하는 활동을 말한다.

15) Peter Dietsch and Thomas Rixen, "Tax Competition and Global Background Justice," Journal of Political Philosophy Vol. 22, no. 2, 2014, pp.170~171

16) ibid.

있다. 협력하지 않는 외국금융기관은 미국 원천소득의 30%에 해당하는 과태료 벌칙까지 부과하고 있다. 이러한 일방적 조치의 사례는 이것으로 끝나지 않고 계속 이어질 가능성이 있다. BEPS Project가 내세운 추상적이고 '포괄적인 특성(holistice nature)'을 가진 '일관성(consistency), 실질성(substance), 투명성(transparency)'이라는 명제를 내세워 새로운 조세제도의 표준화를 시도할 수 있기 때문이다.

제2절 조세경쟁의 의미

1 조세경쟁의 방향

(1) 국가별 사례

국가 간에는 어떤 형태로 든지 조세경쟁(tax competition)이 벌어지고 있다. 조세정책은 집권당의 정책방향을 반영하게 된다. 기본적인 내용은 탈세의 가능성이 높은 납세자에 대한 적극적인 과세를 통한 조세정의와 저소득층을 지원하기 공평과세를 실현이 된다.

주요 국가의 사례로서 먼저 2012년 프랑스가 1백만 유로 이상의 소득에는 75%의 세금을 물리는 부유세로서 '연대세(solidarity tax)' 제도를 도입했다.[17] 피케티 경제학의 이념을 조세정책에 반영한 결과였다.[18] 그 결과 탈세와 자본이탈이 폭발적으로 일어났고, 투자는 정체되고, 세수는 2013년에는 140억 유로나 부족하게 되었다.[19] 유명인사들 중 일부는 세금을 피해 벨기에, 스위스, 러시아 등으로 망명하였다.[20] 2017년에 새로 집권한 Emmanuel Macron을 대통령은 이러한 학습효과를 바탕으로 기존의 '연대세(solidarity tax)'의 부담을 대폭 인하하였다. 프랑스 경제의 국제경쟁력 강화를 이유로 들었다. 마크롱 대통령은 유럽국가들과 함께 장기적으로 함께 번영해 나가는 정책으로 전환했다. 이와 함께 사회민주주의 노선을

---

17) 부유세는 글자 그대로 부(wealth), 즉 소득에 대하여 과세하는 세금이다. 프랑스는 1981년에 처음 도입되었다가 1986년에 폐지된 후 1988년에 다시 도입되었다. 마크롱 정부는 2017년 부에 대하여 과세하는 부유세를 폐지하고 재산에 대하여 과세하는 조세제도로 전환하여 2018년 1월 1일부터 시행하고 있다. 과세대상은 주식이나 채권, 보험 등은 제외한 재산(property asset)으로 변경하였다.

18) Michael Schuyler, The Impact of Piketty's Wealth Tax on the Poor, the Rich, and the Middle Class, Tax Foundation Special Report No. 225, October 2014.
https://files.taxfoundation.org/legacy/docs/TaxFoundation__SR225.pdf

19) Jon Hartley, "Hollande's 75% 'Supertax' Failure a Blow to Piketty's Economics," Forbes, February 2, 2015

20) Roland Oliphant, "Vladimir Putin Welcomes Gerard Depardieu to Russia," Telegraph, January 6, 2013

걷고 있는 북유럽의 스웨덴, 덴마크, 핀란드 등도 자본의 이탈을 막기 위해 부유세(national wealth tax)를 포기했다.[21]

위에서 예시한 국가들은 국제조세경쟁의 환경하에서 국가가 선택할 수 있는 조세정책과제는 세율을 인하하고 시장규제를 완화하고, 공공부문의 규모를 줄이고, 이동성 자본의 유치에 유리한 세율의 인하로 본 것이다. 외국자본을 유치하여 경제성장을 지속해 나가는 것이 고용의 증대와 부의 분배에 도움이 되는 것으로 보고 조세제도의 재설계를 시도한 것이다. 이러한 조세제도 재설계의 대표적 사례는 2017년 미국이 시행한 '조세삭감 및 고용증대법(Tax Cuts and Jobs Act, 이하 'TCJA'라 한다)'이다. TCJA의 내용 중 핵심은 법인세율을 35%에서 21%로 인하하고[22] 다국적기업의 해외유보소득을 국내로 송금할 경우에는 1회에 한하여 낮은 세율을 적용하도록 한 것이다.[23] 이러한 정책을 택한 것은 부자와 대기업, 미국 노동자, 중산층, 국가경제 모두에게 유익할 것으로 보았기 때문이다. 대규모 조세감면은 경제의 부양시키는 역할을 할 것으로 기대했다. 조세삭감으로 경제가 활성화되면 고용이 늘어나고 세수입의 증대를 전망한 것이다.[24]

❷ 조세경쟁의 부작용

TCJA 시행결과는 당초 전망과 다르게 나타났다. 법인세 인하로 발생한 잉여자금으로 자기주식을 매입하여 주자상승을 도모하는데 사용한 것으로 나타났다.[25] 결과적으로 부자에게만 유리한 결과가 되었다.[26] 이와는 반대로 물가상승률을 뺀 순임금 상승률은 1.9%에 불과했고,[27] 실업률은 여전히 4%대에 머물러 있었고[28] 전반적인 경제성장률도 개선되지 못

---

21) Chris Edwards, "Why Europe Axed Its Wealth Taxes," National Review, March 27, 2019

22) "How Did the Tax Cuts and Jobs Act Change Business Taxes?," Tax Policy Center, October 24, 2019

23) Erica York, "Evaluating the Changed Incentives for Repatriating Foreign Earnings," Tax Foundation, September 27, 2018

24) Kate Davidson, "Treasury Secretary Steven Mnuchin: GOP Tax Plan Would More Than Offset Its Cost," Wall Street Journal, September 8, 2017

25) 2018년 12월까지 자기주식 매입액은 1조 1천억 달러로서 사상 최고치를 기록했다는 보도가 있었다. Bob Pisani, "Stock Buybacks Hit a Record $1.1 Trillion, and the Year's Not Over," CNBC, "December 18, 2018

26) Emily Stewart, "Corporate Stock Buybacks Are Booming, Thanks to the Republican Tax Cuts," Vox, March 22, 2018

27) Howard Gleckman, "What 2018's Economic Data Tell Us about the TCJA," Forbes, March 5, 2019

28) Andrew Schwarz and Galen Hendricks, "One Year Later, the TCJA Fails to Live Up to Its Proponents' Promises," Center for American Progress, December 20, 2018

했다.[29] 조세삭감으로 연방재정적자는 더 늘어났다.[30] 조세수입 구조 측면에서는 법인세수는 무려 31%나 감소한 반면에 개인소득세는 4% 수준의 증가에 그쳤다.[31] 프랑스의 부자증세정책과 미국의 부자감세정책은 모두 실패한 것이다.

이러한 조세정책과 상관없이 다국적기업의 조세회피와 탈세는 계속되고 있었다. 이러한 현상을 'LuxLeaks', 'Swiss Leaks', 'Panama Papers', 'Paradise Papers' 등의 이름으로 부르고 있다.[32] 여기에는 Starbucks, Google, Apple, Amazon과 같은 다국적기업이 포함되어 있다. 이것이 보여주는 것은 미국 내의 투자 자금은 상당량이 조세피난처로부터 나온다는 것이다.[33]

건전한 조세경쟁의 경우 부작용은 두 가지로 요약된다. 하나는 이동성을 가진 자본(mobile captial)은 세율인하를 압력하지만 인하된 세율에도 납세하지 않는다는 것이다. 다른 하나는 '납세없는 대표행위를 하는 현상(representation without taxation)'이 발생하는 것이다.[34] 세금은 납부하지 않으면서 시민으로서의 권리와 막강한 정치적 영향력을 행사하는 형상이 발생한다. 다국적기업의 상황이 여기에 해당한다. 천문학적 규모의 이익을 내면서 세금감면을 받고 조세피난처에 자금을 은닉하여 조세부담을 회피하고 있다. 국가 간의 조세경쟁으로 나타나는 문제이다.

---

29) Chris Gaetano, "Congressional Research Service Report Says TCJA Did Little to Boost Economy," New York State Society of Certified Public Accountants, June 3, 2019

30) 2018년 연방재정적자 규모는 전년도 보다 1,130억 달러가 증가한 것으로 나타났다. Howard Gleckman, "The Price of Tax Cuts and Spending Hikes," Tax Policy Center, October 17, 2018

31) Brian Faller, "Big Businesses Paying Even Less Than Expected under GOP Tax Law," Politico, June 13, 2019

32) Morten Bennedsen, Brian Henry, Alexandra Roulet, Mark Stabile, Leaks, Dumps and Whistleblowers: Tax Havens and Wealth Inequality, 2018
https://www.thecasecentre.org/main/products/view?id=151393

33) 조세피난처에 은닉된 자금의 규모는 8조 달러에서 최대 32조 달러에 이르는 것으로 추정하고 있다."Direct Investment by Country and Industry, 2018," Bureau of Economic Analysis, July 24, 2019; Anna Zakrzewski, et al., "Global Wealth 2018: Seizing the Analytics Advantage," Boston Consulting Group, June 2018, 12; "The Price of Offshore, Revisited—Supplementary Notes, June 2014," Tax Justice Network, June 5, 2014

34) 미국 독립운동의 계기가 된 정치적 구호인 'No taxation without representation'는 현대에 와서는 '납부한 세금에 상응하는 권리를 요구할 수 있다'는 의미로 사용된다. 따라서 많은 부를 가지면서도 세금을 내지 않는 경우에는 국가에게 권리를 요구할 수 없다는 의미를 가진다. James S. Henry, "Attack of the Global Pirate Bankers," Nation, July 22, 2008

제3절	조세주권의 의미

세계는 경제적으로 상호의존하고 있고 특히 이동성 자본을 고려하여 조세정책을 수립하고 집행해야 하므로 국가 간의 조세경쟁은 불가피한 측면은 있다. 그렇다면 앞의 사례에서 본 것처럼 조세경쟁이 가져오는 부작용을 최소화하면서 적정하게 과세하는 것이 정책이 필요하다. 조세의 기본원칙은 효율성과 공정성 간에 균형을 이루는 것이다. 효율성은 조세가 경제활동에 부정적인 영향을 주지하고 중립(neutrality)을 유지하는 것을 의미한다. 공정은 응능부담원칙(ability-to-pay principle)을 실현하는 것이다.

이러한 상황은 국가의 조세주권이 가지는 의미를 어떻게 이해하고 조세정책에 적용해야 하는지의 문제와 연결된다. 국가의 조세주권은 자국의 시민과 자국 내에서 사업활동을 하는 다국적기업에 대한 세율의 결정과 그 조세를 징수할 수 있는 권리에 관한 것이다. 베스트팔렌(Westphalen) 조약이 말하는 국가주권(state sovereignty)의 정치적이고 폐쇄적인 개념과는 달리 표준화된 기준을 통하여 상호협력이 가능한 개방적 성격의 개념이 조세주권이라고 할 수 있다. 이런 점에서 BEPS Project는 기존의 국제조세의 낡은 틀을 벗고 국제 과세기준의 표준화를 확대해 나가려는 새로운 구조(paradigm)를 구축하고 있다.

1 재정의 자결권과 조세주권

OECD는 다국기업이나 고소득자들의 국제적인 조세회피와 탈세를 방지할 수 있는 여러 가지 방안을 BEPS Project를 통하여 표준화하여 제시하고 있다. 예를 들어보면 국가별로 반드시 수용해야 할 최소기준(minimum standard), 금융거래정보의 자동교환장치(Automatic Exchange of Informantion), 국가별 공통양식에 의한 보고서(Country by Country Reporting, CbCR), 수익적 소유자(Beneficial Ownership)의 확인제도, 조세조약의 남용방지를 위한 주된 거래목적 확인제도(Principal Purpose Test) 등이다.

이러한 새로운 제도하에서 국가의 조세정책은 국제적으로 표준화된 제도의 영향을 받을 수밖에 없다. 이러한 새로운 구조(paradigm)하에서 경제학자인 Peter Dietsch가 주장한 대로 조세주권(tax sovereignty)의 개념을 '재정의 자결권(fiscal self-determination)'을 연결하여 새롭게 정의할 필요가 있다.[35]

---

35) Peter Dietsch, Catching Capital, Oxford: Oxford University Press, 2015. p.35

재정의 자결권은 국가예산의 규모와 이를 조달하기 위한 조세정책에 대한 결정권을 포괄하는 개념이다.[36] 다국적기업의 이동성 자본은 '세원잠식과 소득이전(Base Erosion and Profit Shiting)'을 통하여 조세회피와 탈세를 할 경우에 조세수입과 국가예산 규모의 감축을 초래할 수 있다. 부족한 국가재정을 충족하거나 공평부담의 관점에서 조세정책을 시행할 경우에는 앞의 국가사례에서 본 것처럼 이동성을 가진 자본의 이탈과 불법적 탈세를 통하여 정책의 실효성이 낮아지게 된다. 여기서 재정의 자결권 행사방법은 딜레마에 빠질 수 있다.

다국적기업과 고소득자본가들이 이동성 자본을 조세부담수준이 가장 낮은 곳을 찾아서 움직이고 있는 현상을 그대로 둘 경우에는 상대적이 이동성이 없는 근로자, 소비자, 중소기업들이 더 많은 세금을 부담하게 만들 수 있다.[37] 조세부담의 역진성은 납세자의 반발을 불러올 수 있다. 역사적인 사례로서 영국의 인두세 도입이 대처(Margaret Thatcher) 정부의 종말을 가져오게 한 폭동을 유발하였고, 프랑스 마크롱(Emmanuel Macron) 정부의 휘발유세 인상조치가 노란조끼운동(gilets jaunes movement)을 불러왔다. 부자와 기업에 대한 세금을 낮추면서 저소득층과 근로자에게 불평등하게 세금을 인상한 것에 대한 저항운동이었다.

저소득층에 부담을 전가시키는 역진적인 조세에 대한 반대와 이동성 자본의 중과세에 대한 반발은 구분해야 한다. 이 두 가지를 구분하지 못하고 부족한 재정수입을 보충하기 위하여 재정의 자결권을 조세주권과 연결하여 증세정책을 추진하는 방향으로 행사할 경우에는 앞에서 본 국민적 저항운동을 불러올 수 있다.[38] 노란조끼운동에서 나온 구호는 '최저임금의 인상과 부유세의 부활'이었다.[39] 이동성 자본의 탈세와 조세회피를 그냥 두면서 비이동성 자본에 대하여 중과세하려는 정책에 저항한 것이다. 프랑스에서 발생한 노란조끼운동은 그리스, 스페인, 이탈리아 등에서 일어났던 '긴축예산 반대운동(anti-austerity movement), 월가 점령(Occupy Wall Street)' 등과도 유사하다.

여기서 재정의 자결권과 조세주권의 행사방법의 딜레마와 함께 조세주권에 대한 새로운 개념을 정립해야 하는 어려운 과제가 정책당국자 앞에 놓이게 된다.

---

36) ibid. p.35

37) Peter Dietsch and Thomas Rixen, "Tax Competition and Global Background Justice," Journal of Political Philosophy 22, no. 2, 2014, p.7

38) 프랑스의 노란조끼운동은 정치인들을 크게 각성시킨 것으로 평가하고 있다. David D. Cohen, "Yellow Vest Movement Gaining Momentum," Americans for Tax Reform, January 28, 2019

39) Gregory Viscusi and Helen Fouquet, "Macron Blinks as Yellow-Vests Protest Forces Fuel-Tax Climbdown," Bloomberg, December 4, 2018; Noemie Bisserbe, "France Weighs Reviving Wealth Tax in Bid to Placate 'Yellow Vests,'" Wall Street Journal, December 5, 2018

② 새로운 조세주권 개념의 정립

(1) 정책선택의 딜레마 극복

정치적 자결권은 베스트팔렌 조약에서 확립된 내정불간섭의 원칙을 기조로 하고 있는 국가주권 개념(state sovereignty)이다. 국가주권에 근거하여 각국은 통치행위를 하고 외교관계를 수립하고 있다. 국가주권에서 파생된 것이 재정의 자결권과 연결된 조세주권의 개념이 될 수 있다.

조세피난처에 은닉되어 탈세하거나 조세회피를 이동성 자본을 조세주권의 개념으로 대응해야 한다. 국가주권을 내정불간섭이라는 베스트팔렌적인 주권개념의 시각에서 조세주권을 정의할 경우에는 한 국가의 영토 내에서 이루어지는 내정에 대하여는 그 국가의 자율권을 보장해야 한다는 국제법의 기본원리를 따라야 한다.[40]

그러나 경제적으로 서로 의존적인 관계에 있는 오늘날에 있어서는 조세협력이 없는 상태에서 '내정불간섭원칙을 바탕으로 하는 주권(Westphalian sovereignty)' 개념에 따르게 되면 자국으로 외국자본을 더 많이 유치하기 위하여 이동성자본에 대하여 조세감면정책을 적용하는 조세경쟁을 할 수밖에 없다. 그 결과 재정정책의 수단의 제한성으로 인하여 조세정책은 역진성을 선택하여 필요한 재정을 조달하게 만들 수 있다. 외국의 이동성 자본을 유치할 수는 있었지만 그에 대한 조세부담은 경감이나 면세해야 하기 때문에 결과적으로 자국 내에 투자되는 외국자본에 대한 조세주권의 행사가 제약을 받게 된다.[41] 내정불간섭이라는 국제법원칙에 바탕을 둔 정치주권의 개념을 따르는 조세주권 개념은 논리적으로는 타당할 수 있으나 재정의 자결권을 침해하게 되는 모순을 가져온다.

자국의 조세정책이 이동성 자본이나 다른 국가와의 조세경쟁으로부터 영향을 받을 경우에는 그러한 영향을 배제할 수 있는 방안을 찾을 필요가 있다.[42] 국제자본의 이동성은 새로운 형태의 제도적 접근방법을 필요로 하므로 조세주권의 개념은 국제법관계에서 말하는 내정불간섭원칙에 바탕을 둔 국가주권의 개념과는 달라야 한다.[43]

---

40) Peter Dietsch, op. cit. p.169
41) ibid. pp.170~171
42) ibid. p.173
43) ibid. pp.174~175

(2) 새로운 조세주권의 개념

조세주권은 국가주권을 전제로 하는 것이므로 국가주권과 조세주권의 충돌은 피해야 한다. 국가주권과 충돌하지 않는 절충적인 조세주권 개념은 '모든 국가는 상대방 국가의 재정자결권을 상호존중하는 상호주의 원칙'을 강화하는 개념이다. 자본의 이동성이 높은 국제자본을 유치하기 위한 조세경쟁을 피하면서 탈세와 조세회피를 방지하기 위하여 국가 간의 협력을 강조하는 성격을 담은 개념이다.

이 개념을 실제 상황에 적용한 사례는 미국이 시행한 '미국 거주자의 외국은행금융자료 신고제도(FATCA)'라고 할 수 있다. 이 제도는 미국이 2010년 일방적으로 도입하여 외국금융기관(foreign financial institution)에게 미국시민권자나 거주자의 금융계좌를 미국에 통보할 의무를 부여한 제도이다.[44] OECD는 BEPS Project에서 미국의 FATCA를 기준으로 삼아(benchmarking) 국가 간의 금융자료 자동교환(Automatic Exchange of Information) 방법의 표준화 작업에 활용하였다.

OECD의 다자간 조치(BEPS Project 등)를 뒷받침하는 금융자료 자동정보교환과 미국의 FATCA 제도는 체계적인 방법으로 국가 간의 조세협력을 이끌어낼 수 있는 방향으로 조세주권을 적용한 사례로 볼 수 있다. 자본의 이동과 조세경쟁에 따른 부작용을 최소화하는 방향으로 국가 간의 조세협력이 강화되는 것을 보여주고 있다. 국가 간의 조세협력은 상호주의 원칙에 따라 재정자결의 원칙을 적용하는 것이다. 이러한 협력이 모든 국가가 참여하고 동일한 기준으로 이루어진다면 재정자결권의 침해는 최소화될 수 있을 것이다. 국가 간의 조세협력은 국제기구인 OECD가 국가 간의 이해충돌이 가급적 발생하지 않는 최소한의 기준을 통하여 이루지도록 하고 있어서 각국의 조세주권을 보호하고 유지할 수 있도록 하고 있다. 각국의 고유한 재정정책자결권을 분할하거나 제한하는 것을 배제하면서 공동의 이해와 관련된 '투명성(transparancy)'을 높이는데 필요한 과세정보를 공유하기 위한 협력이 이루어지게 하는 것이다.

이러한 국제협력 관계가 안정적으로 정착되어 간다면 이동성을 가진 국제자본의 탈세와 조세회피행위를 투명하게 관리할 수 있을 것으로 보고 있다. 국제협력관계 속에서 재정자결권을 실현할 수 있는 것이 새로운 조세주권의 개념이라고 할 수 있다. 새로운 조세주권의 개념은 BEPS Project를 통하여 국제 이동성 자본에 대한 정보를 효율적으로 관리하면서 응능부담의 원칙에 따라 과세할 수 있는 능력과 권한을 각 주권국가들이 가질 수 있게 한다. 공통적인 명제를 전제로 국가 간의 의사소통과 협력을 하는 새로운 재정자결의 원칙을 바탕

---

44) Sanat Vallikappen, "Foreign Banks Freezing Out U.S. Millionaires," Washington Post, May 12, 2012

으로 하는 조세주권의 개념은 자국의 자본이 어디로 이동해 있든지 상관없이 다른 국가의 협력을 통하여 정보를 수집하고 국가주권의 영역 속에서 국내자본과 함께 과세할 수 있게 만든다.

③ 조세관할권의 범위 확장

2010년 미국은 UBS 탈세사건[45]과 관련하여 스위스 은행이 미국시민권자를 사주하여 비밀계좌에 세금을 내지 않고 예치해둔 금융자산에 관한 정보를 통보받기 위한 법률적 근거로서 2014년 7월 '해외금융계좌신고법(Foreign Account Tax Compliance Act, 이하 'FATCA'라 한다)'을 제정하였다.[46] 스위스 은행이 미국 납세자에게 탈세목적의 자금에 비밀계좌를 개설해 주는 것을 막기 위한 조치였다. FATCA는 기존의 국제조세관리체계와는 다른 것이었다. 이 제도는 미국시민권자 등 미국납세자에 대한 금융정보자료의 수집을 금융기관의 자발적 신고나 제출에 의존하던 것을 의무적 자동보고로 전환한 것이다.[47] 새로운 금융정보교환제도의 근거는 다른 국가와 체결한 '정부 간 협정(intergovernmental agreements, IGAs)'이다. 미국과 IGAs를 체결하지 않은 국가는 FATCA를 적용하지 않을 수는 있지만 미국 시민권자의 금융계좌정보를 제공하지 않은 것에 대한 과태료를 부과받게 된다.[48]

FATCA는 미국이 자국 납세자의 역외탈세를 방지하기 위하여 제정한 제도이지만 OECD가 '금융정보의 자동교환제도((Automatic Exchange of Information, AEOI)'와 '공통보고기준(Common Reporting Standard, 이하 'CRS'라 한다)'을 구축하는 촉매 역할을 하였다. '권

---

45) 2006년 8월 1일 미국상원에 설치된 '상설조사소위원회(Permanent Subcommittee on Investigations)'가 미국 부자들의 역외금융탈세보고서를 발표한 후 미국 국세청이 스위스 UBS 은행의 비밀계좌에 예금한 탈세혐의자 2만여명을 기소하고 UBS 은행은 7억 8천만 달러의 벌금을 납부한 사건을 말한다. 이 사건은 OECD를 중심으로 역외탈세차단제도 마련의 기폭제 역할을 했다. Beckett G. Cantley, The UBS Case: The US Attack on Swiss Banking Sovereignty, Brigham Young University International Law & Management Review Volume 7 Issue 2, 2011. pp.15~24
https://digitalcommons.law.byu.edu/ilmr/vol7/iss2/2

46) Sanat Vallikappen, "Foreign Banks Freezing Out U.S. Millionaires," Washington Post, May 12, 2012

47) 미국은 자국의 시민권자에 대한 납세관리권을 주장하면서 다른 국가 영토 내의 금융기관에게 일방적으로 납세자료의 제출의무를 부과하지만 다른 국가의 동일한 요구에 대하여는 미온적인 이중적인 자세를 보이고 있다. 이러한 미국의 이중적 자세는 FATCA 등에도 나타나 있다. Base Erosion and Anti-Abuse Tax(BEAT)의 경우에도 미국법인의 자료는 외국에 요구하면서 미국 내 외국법인의 자료에 대한 외국과세당국의 요구에는 소극적이다. Beckett G. Cantley, op. cit. pp.28~29

48) 과태료 부과액은 미국 원천소득의 30%에 상당하는 금액이다. Noam Noked, "Tax Evasion and Incomplete Tax Transparency," Laws, August 23, 2018
www.mdpi.com/journal/laws

한있는 당국자 간 다자협정(Multilateral Competent Authority Agreement, 이하 'MCAA'라 한다)'에 가입한 100여 개국이 상호주의 원칙에 따라 금융정보를 자동으로 교환할 수 있는 제도적 장치가 마련된 것이다. MCAA 서명국들이 CRS를 통한 금융정보자료의 자동교환은 2017년 9월부터 시작되었다.[49]

금융정보자료의 교환제도를 통하여 납세자의 외국은행계좌를 확인하고 조세회피와 탈세 행위를 체계적으로 추적할 수 있게 되었다. 숨어 있는 금융자산에 대하여 세금을 추징할 수 있게 된 것이다. 전 세계 국가들이 모두 참여 하는 탈세감시제도의 운용은 개별국가의 조세 정책에도 영향을 주었다. 부유세의 도입과 같은 정책을 도입하더라도 해외로 자본이탈이나 탈세를 국가 간의 공조를 통하여 방지할 수 있는 장치가 마련되었기 때문이다.

FATCA 시행 이후 미국의 투자흐름과 세수증가자료를 분석한 결과가 이를 보여주고 있다. 분석자료에 따르면 2012년에서 2015년까지 조세피난처에서 미국으로 유입된 투자 자본의 양은 감소하였다.[50] 이는 미국 투자자들이 조세피난처에 있던 자금을 미국으로 반입한 것이 아니라 다른 지역으로 옮긴 것으로 보이고 미국 과세당국의 역외탈세 추징세액도 미미한 것으로 나타나고 있다.[51] 그러나 OECD의 자료에 따르면 금융정보의 자동교환제도의 활성화는 역외금융을 줄이는데 상당한 효과를 발휘하고 있는 것으로 나타나고 있다.[52]

UBS 사건을 계기로 미국이 도입한 FATCA와 OECD가 BEPS Project와 함께 도입한 금융정보 자동교환제도(AEOI), 공통보고기준(CRS) 등은 각국의 과세관할권을 확장시켜 다른 국가의 영토에까지 영향을 미칠 수 있게 만들고 있다. 상호주의 원칙에 따라 조세주권의 행사범위가 넓어진 것이다. 특히 BEPS Project의 효과적인 추진을 위하여 구축된 포괄적 협력체제(inclusive framework)는 최소기준의 공동 적용을 통하여 과세관할권을 확장하는 데 기여하고 있다.

---

49) "Signatories of the Multilateral Comepetent Authority Agreement on Automatic Exchange of Financial Accounts Information and Intended First Information Exchange Date," OECD, April 25, 2019

50) 조세피난처에서 미국으로 직접 유입된 자본량은 21.2%가 줄어든 것으로 나타났다. Lisa De Simone, Rebecca Lester and Kevin Markle, "Transparency and Tax Evasion: Evidence from the Foreign Account Tax Compliance Act (fatca)," Stanford Graduate School of Business Research Paper Series, Working Paper no. 3744, February 2019, p.3

51) William Byrnes, "Background and Current Status of fatca and CRS (Sept. 2017 edition)," Texas A&M University School of Law Legal Studies Research Paper No. 17-75, September 2017, pp.1~5

52) OECD, The 2019 AEOI Implementation Report; Sebastian Beer, Maria Coelho, and Sébastien Leduc, Hidden Treasures: The Impact of Automatic Exchange of Information on Cross-Border Tax Evasion, IMF Working Paper, 2019

BEPS 체제와 다국적기업의 경쟁

 BEPS Project의 운영성과

2017년 9월부터 시행된 CRS를 통한 AEOI의 성과는 상당한 것을 보여준다. 그동안 4천 7백만 개의 역외계좌정보가 교환되었고 가산세 등을 포함한 추징세액은 950억 유로에 달할 것으로 추정되고 있다.[53] OECD가 자동정보교환과 관련된 자료를 공개하지 않기 때문에 결과를 객관적으로 검증하기 어려운 상태이기도 하다.[54]

자국의 납세자가 다른 국가의 금융기관의 계좌에 예치하고 있는 금융정보자료를 자동정보교환(Automatic Exchange of Information) 방법을 통하여 정기적으로 수집하여 처리할 수 있게 됨에 따라 조세행정의 대응능력이 크게 향상되고 있다. 역외에 은닉된 자금 중 일부는 전통적인 조세피난처에서 OECD의 MCAA에 가입하지 않았거나 미국과 IGA를 체결하지 않는 국가로 은신처를 변경할 가능성은 남아 있다.[55] 새로운 은신처는 개발도상국이나 소위 Global South[56]가 아니라 금융부분의 신뢰도가 높으면서 개인의 금융거래내용의 비밀보장이 이루어지는 국가일 것으로 보고 있다.[57]

FATCA나 AEOI의 적용이 역외금융이나 조세피난처에 집중되고 있지만, 앞에서 언급한 대로 기대만큼 목표를 달성하였는지에 대한 판단은 시간이 필요해 보인다. 이동성 자본의 속성상 역외금융이나 조세피난처를 벗어나더라도 FATCA나 AEOI 제도가 제대로 적용되지 않으면서 금융거래 제도의 신뢰도가 높은 국가를 찾게 된다. 이런 관점에서 보면 미국이 최적의 국가가 될 수 있다. FATCA를 통하여 미국을 제외한 다른 국가들에게는 금융거래의 투명성 의무를 부과하면서 미국의 금융기관에 예치된 외국인의 계좌에 대한 과세정보를 외국 과세당국과 교환하는 데는 소극적이기 때문이다. 미국이 새로운 조세피난처가 되어 가고 있는 것은 역설적인 현상이다.[58] 결과적으로 이동성 자금의 역외탈세를 방지하기 위하여 마

---

53) "OECD Secretary-General Report to the G20 Finance Ministers and Central Bank Governors," OECD, June 2019

54) Andres Knobel, "Statistics on Automatic Exchange of Banking Information and the Right to Hold Authorities (and Banks) to Account," Tax Justice Network, June 21, 2019

55) Noam Noked, op. cit. pp.6~8

56) Global South는 세계은행(World Bank)이 처음 사용한 용어로서 지리적인 남북관계가 아니라 정치적 의미가 내포된 용어인 '제3세계'를 대신하여 사용되는 용어로서 개발도상국과 유사한 의미를 가진다.

57) Noam Noked, op. cit. p.6

58) Editorial Board, "The U.S. Is Becoming the World's New Tax Haven," Bloomberg, December 28, 2017

런된 FATCA와 같은 제도들이 새로운 조세피난처를 만들고 있고 역외탈세 문제가 아니라 역내탈세 문제를 일으키기 시작한 것으로 보인다.

금융정보자동교환을 통하여 획득한 자료를 효율적으로 처리하는 것은 AEOI의 성공에 중요한 역할을 한다. 금융정보자동교환제도의 성공적인 정착은 그 자료를 이용한 국가의 조세행정 능력에 달려 있다고 볼 수 있다. CRS를 통하여 수집한 방대한 양의 국제금융계좌정보를 국내 납세기록과 대조하여 분석하고 실질적 소유자와 법인의 복잡한 연결구조를 밝혀서 탈세나 조세회피부분을 찾아낼 수 있어야 한다.

이러한 부분은 제도적 보완을 통하여 해결이 가능할 것으로 보인다. 기술적인 문제이기 때문이다. BEPS Project는 FATCA와 CRS 그리고 AEOI 제도를 통하여 이동성 자본의 탈세 가능성을 대폭 축소해 나가고 있는 것은 사실이다. 따라서 다국적기업이나 고소득자들의 '납세없는 대표행위(representation without taxation)'를 방지할 수 있을 것으로 전망된다.

② 다국적기업의 조세회피 계획의 관리

다국적 기업의 조세회피행위는 복잡한 절차를 통하여 이루어진다. 탈세목적이 드러나지 않도록 정상적인 사업구조에 합법을 가장한 여러 가지 새로운 구조를 끼워 넣기 때문이다. 이러한 공격적 조세회피 계획에 효과적으로 대응하는 것은 어렵다. OECD의 BEPS Project에 포함된 다국적기업의 조세회피 방지대책은 '제3자 간 거래원칙(arm's length principle)'의 문제점을 보완하는 것이 주된 내용이다. 그러나 제3자 간 거래원칙은 그 자체가 '가상의 기준'이기 때문에 실체가 없다. 따라서 이를 실제 거래에 적용하는 것은 상당한 어려움이 있다. 다국적기업은 복잡한 내부거래구조를 통하여 소득을 이전하는 공격적 세무계획을 짜고 있기 때문이다.

대표적 사례는 아래 그림에서 보는 "Double Irish/Dutch Sandwich" 사건이다.[59] Google Ireland A(아일랜드 소재)의 국제광고료를 네덜란드 자회사(Google Netherlands)를 통하여 Ireland Google B로 이전한다. Ireland Google B는 법인세를 과세하지 않는 Bermuda에 소재하고 있다. Google Ireland A와 최종 자금의 귀착지인 Ireland Google B를 사용하는 조세회피계획이므로 'Double Irish'라고 하고, 네덜란드 자회사는 두 개의 Ireland Google 사이의 도관회사이므로 'Dutch Sandwich'라고 부른다.[60]

---

59) Jeremy Kahn, "Google's 'Dutch Sandwich' Shielded 16bn from Tax," Independent, January 2, 2018
60) 'Dutch Sandwich'는 조세회피목적으로 버뮤다 등지의 조세피난처에 설립하여 미국의 다국적기업이 주로 사용하는 BEPS(사업소득이전과 세원잠식)의 수단이다.

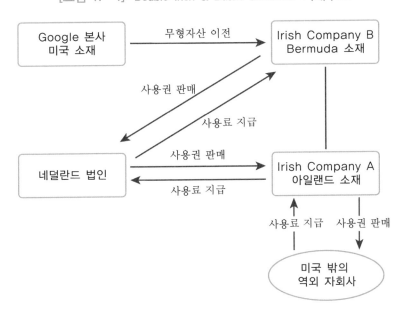

[그림 17-1]: Double Irish & Dutch Sandwich 거래구조

스타벅스, 마이크로소프트, 애플, 아마존 등 다른 다국적기업들도 이와 유사한 방법으로 소득을 이전하고 있으며 때로는 조세재정(tax arbitrage)[61]과 본사의 주요기능을 해외로 이전하는 방법(corporate inversion)[62]도 이용하고 있다. 결과적으로 다국적기업의 조세회피 또는 탈세행위를 제3자 간 거래가격기준(arm's length principle)으로 막아내는 것은 사실상 불가능하기 때문에 다른 방법의 보완이 필요하게 되었다.

제3자 간 거래가격기준의 대안으로 '단일과제제도(unitary taxation)'[63]와 '공식배분방법 (formulary apportionment)'[64]이 거론되고 있다. 다국적기업은 하나의 연결재무제표를 제출하고 '매출액, 자산, 임금' 등의 요소를 기준으로 정한 국가별 수익분배비율에 따라 간편하게 과세를 할 수 있게 된다. OECD의 CbCR은 단일과제제도나 공식배분방법에 의한 과세제도로 갈 수 있는 하나의 확실한 기초가 될 수 있을 것으로 보인다. 다국적기업이 각국에서 수행

---

61) 국가 간의 조세제도 차이를 이용하는 조세회피 행위를 말한다.

62) 국외 원천소득이 많은 다국적기업이 거주지국에서의 조세부담을 회피할 목적으로 본사 건물은 그대로 두면서 실질적인 관리기능을 해외로 이전하는 것을 말한다. 조세회피목적으로 주용기능을 이전하기 때문에 'tax inversion'이라고도 한다.

63) Prem Sikka and Richard Murphy, Unitary Taxation: Tax Base and the Role of Accounting. ICTD Working Paper 34. Brighton: IDS, 2015

64) Reuven S. Avi-Yonah, Between Formulary Apportionment and the OECD Guidelines: A Proposal for Reconciliation, World Tax Journal Volume2 no.1, 2010. 공식배분방법은 미국과 캐나다의 지방정부단위에서 이미 사용하고 있다.

한 사업활동의 내역을 공통적인 서식으로 보고하기 때문이다. 보고사항은 총수입, 소득, 납부한 세액과 납부할 세액, 고용, 자본, 유보소득, 유형자산과 사업활동 등이다.[65]

이러한 과세제도는 기술적으로 복잡하지 않다는 장점 외에도 조세주권의 평등성 확보에도 기여할 것으로 보인다. 개발도상국이 BEPS Project에 대하여 가지는 주요 불만[66]인 거주지국인 선진국에 유리하고 원천지국인 개발도상국에는 불리하다는 것과 이행기준과 절차가 복잡하다는 문제도 쉽게 해소될 수 있을 것으로 보인다. 조세행정기술 수준의 수준차이를 극복하고 모든 국가가 과세권을 평등하게 행사할 수 있을 것으로 기대된다.

제5절 조세주권의 새로운 역할

① 조세주권의 환경

조세주권은 상황, 주체(누가 행사하는가), 동기 등에 따라 여러 가지로 정의할 수 있다.[67] 국제조세와 관련하여 국가의 조세권 중 일부를 포기해야 하는 상황도 발생한다. 예를 들어, 외국에서 납부한 세액을 거주지국에서 공제하는 것은 거주지국의 과세권을 일부 포기하는 것과 같다.

국제조세 체계의 구성은 개별 독립주권 국가의 존재를 전제로 하지만 개별국가가 단일의 배타적 권력과 영향력을 행사할 수 없도록 되어 있다. 베스트팔렌(Westphalen) 조약에 근거한 국가주권의 배타적 권력과 비교되는 부분이다.

여러 국가들이 모여서 만든 국제기구인 OECD가 만든 국제조세의 기준이 중요한 역할을 강조한다. 이 점에서 OECD의 기준이 가지는 영향력에 따라 개별국가의 주권의 범위와 힘은 변화될 것으로 보인다.

정치적으로 국가주권(state sovereignty)을 구성하는 기본요소는 '영토, 국민, 통치기구(정부)'이다. 이 세가지 요소를 통하여 내부적으로는 고유한 집행관할권을 가지고 외부적으로

---

65) "Country-by-Country Reporting: The FAQs," Deloitte, September 2016

66) Carmel Peters, Developing Countries' Reactions to the G20/OECD Action Plan on Base Erosion and Profit Shifting, IBFD Bulletin for International Taxation, June/July 2015, pp.375~381; Michael C. Durst, Beyond BEPS: A Tax Policy Agenda for Developing Countries, International Centre for Tax and Development, June 2014

67) Diane Ring, What's at Stake in the Sovereignty Debate?: International Tax and the Nation-State, Virginia Journal of International Law Volume 40, 2008, p.156

는 다른 국가와의 관계에서의 독립성을 확보하게 된다.[68] 국가주권의 현대적 의미는 '지배와 통치'라는 국가의 권리뿐 아니라 시민의 재산을 보호하고 증대시킬 국가의 의무도 포함한다.[69]

조세주권은 국가의 조세정책을 개별국가들이 아무런 방해를 받지 않고 독자적으로 입안하고 집행하는 것을 의미하는 것은 아니다. 개방경제시대에 국제적인 과세기준과 관행, 경쟁국가의 조세정책 등 여러 가지 변수를 고려하지 않고 베스트팔렌적 시각에서 독자적으로 조세주권을 행사하는 것은 사실상 불가능하기 때문이다. 조세정책에 대한 정부의 책임과 의무는 국제협력 관계에서 이루어지는 것이 중요하게 되었다.[70] 조세주권는 국제협력을 통하여 탈세와 조세회피를 체계적이고 제도적으로 방지하는 것에 대한 정당성과 책임성을 뒷받침하는 역할을 한다는 점이다. 정치적인 의미에서의 국가주권을 포기하는 것이 아니라 탈세와 조세회피의 방지를 위한 국가 간의 상호협력을 통하여 조세주권의 영향력을 확대하여 오히려 국가주권을 강화하고 있는 것으로 볼 수 있다.

OECD와 EU는 'harmonization이나 neutralizing' 등과 같은 표현을 선호한다. 예를 들어 'Neutralizing the Effects of Hybrid Mismatch Arrangement',[71] 'Tax Harmonization in Europe: Moving Forward'[72] 등이 있다. 이러한 용어는 BEPS Project에서 사용하는 여러 가지 실행계획(action plan)의 정당성을 뒷받침하는 역할을 하고 있다. 마찬가지로 조세주권이라는 용어는 민주국가를 뒷받침하는 '정당성과 책임성, 그리고 민주적 운영'과 연결되어 있다.[73]

BEPS Project를 통하여 강화된 국제협력체제는 조세주권이 미치는 영향력의 범위를 넓히고 있다. 아울러 조세주권의 활동에 대한 국제적 정당성도 높이고 있다. 한 나라의 조세주권이 조세경쟁의 결과나 조세경쟁 자체에 대한 해결책을 제시할 수는 없지만, 다른 국가와 힘

---

68) Hendrik Spruyt, 'The Sovereign State and its Competitors: an Analysi of Systems Change', 1994, pp.38~39; Michael Ross Fowler & Julie Marie Bunck, 'Law, Power and the Sovereign State', Princeton, NJ, Princeton University Press, 1994, p.33

69) Michael Ross Fowler & Julie Marie Bunck, 1994, ibid, p.73; Kathryn Sikkink, 'Human Rights, Principled Issue - Networks, and Sovereignty in Latin America', International Organization Volume 47, 1993, pp.411~413

70) Diane Ring, Democracy, Sovereignty and Tax Competition: The Role of Tax Sovereignty in Shaping Tax Cooperation, Florida Tax Review Volume 9, 2009, p.559

71) 'neutralizing'의 의미는 혼성계약이 조세에 미치는 부정적인 효과를 제거하는 의미를 가지고 있다. OECD, Neutralising the Effects of Hybrid Mismatch Arrangements, Action 2-2015 Final Report, October 2015

72) tax harmonization은 서로 다른 조세제도에서 발생되는 과세의 차이를 줄임으로써 조세경쟁을 하지 않고 국가 간의 자원이동을 효율적이고 원활하게 한다는 의미로 사용하는 용어이다. Diane Ring, 2008, op. cit. pp.209~213

73) Diane Ring, 2009, op. cit. p.560

을 합쳐서 대응할 경우에는 기대하는 결과를 얻을 수 있게 되었다.[74] 조세의 투명성을 높이는 공동의 목표를 위하여 협력할 수 있기 때문이다. 그렇지만 앞에서 언급한대로 OECD 회원국과 비회원국 간, 선진국과 개발도상국 간, OECD 회원국 내에서도 국가별 입장은 차이를 보이고 있다. 따라서 국가별 요구사항은 다르다. BEPS Project의 15개 실행계획(Action Plan)과 관련하여 계속하여 세부지침이 나오고 개정사항이 발표되고 있는 것은 국가 간의 입장차이와 함께 국제조세환경이 계속하여 변화하는 것을 반영한다. 이러한 환경을 포섭하면서 조세주권이 행사되어야 한다.

② BEPS가 기대하는 조세주권의 역할과 조화

국가의 발전과 유지에 필요한 재정수요를 충분하게 확보하려면 다른 국가보다 더 많은 외국자본의 투자를 유치할 수 있어야 한다. 외국자본의 유치하는 방안에는 조세경쟁의 논리도 포함된다. 조세주권은 조세경쟁의 논리와 불가분의 관계에 있다. 유해 조세경쟁이 세계경제는 물론이고 개별국가에 미치는 부정적인 파급효과를 효과적으로 극복하기 위하여 조세주권의 행사는 베스트팔렌적으로 행사되기보다는 다른 국가와 '협력적인 관계 속에서' 행사되는 것이 바람직한 것으로 보고 있다. 이점을 모든 국가들이 공감하기 때문에 BEPS Project에서 대부분의 국가들이 '포괄적 협력체제(inclusive framework)'를 구성할 수 있었다.

포괄적 협력체제를 구성하고 있는 국가는 OECD 회원국과 비회원국, 개발도상국과 선진국, 조세피난처 국가 등이다. OECD는 모든 참여국가의 '동등한 입장(equal footind)'을 강조하고 있지만 모든 상황 속에서 평등한 것으로 보기는 어렵다. 대부분의 국제조직이나 국제제도 속에 참여하는 주권국가들이 가지는 개별국가의 영향력에는 차이가 있다.[75] 일부 국가가 실질적으로 지배적인 영향력(dominant influence)을 행사하는 경우가 있다. OECD에서의 미국과 같다. BEPS Project의 최소기준은 모든 국가에서 수용할 수 있지만 이 기준을 넘어서면 국가 간의 입장 차이는 커질 수 있다.

BEPS Project에 대하여 OECD 회원국과 개발도상국이 바라보는 관점에는 기본적으로 차이가 있다. OECD 회원국은 '효율성과 효과성'의 관점에서 접근하지만 개발도상국은 '공평성'의 관점에서 바라보는 것이다. 효율성과 효과성 그리고 공평성의 문제는 매우 복잡한 의미를 가진 개념이다.

---

74) Diane Ring, ibid. pp.561~570
75) Stephen D. Krasner, 'Pervasive Not Perverse : Semi-Sovereigns as the Global Norm', Cornell International Law Journal Volume 30, 1977, pp.651~652

프랑스 부유세 도입과 미국의 법인세율 인하 사례에서 본 것처럼 개별국가에서 조차 결론을 내리는 것이 쉽지 않다. 이러한 문제를 안고 있는 개별국가가 세계무대에서 다른 국가와 이 문제를 두고 대립할 경우에는 '유해한 조세경쟁(harmful tax competiton)'이 격화될 가능성도 있다. FATCA는 탈세와 조세회피문제에 대응하기 위하여 미국이 도입하였지만, 미국이 오히려 조세피난처 역할을 한다는 비판을 받는 배경이 이를 일부 설명해 준다. 조세회피와 탈세를 차단한다는 명분으로 외국자본을 미국으로 끌어가는 새로운 기법으로 조세경쟁을 하는 것으로 볼 수 있다.

BEPS가 기대하는 주권의 역할은 '동등한 입장(equal footing)'에 기반을 둔 역할로 보인다. 이론적으로는 옳은 방향이다. 이것이 실제로 세계 무대에서 실현될 것으로는 기대하기는 어렵다. FATCA 사례에서 본 것처럼 타방국가에게는 필요한 모든 과세정보를 받으면서도 타방국가가 요구하는 정보에 대해서는 제대로 주지 않는 경우에는 '동등한 입장'에서 협력관계를 유지하기는 힘들게 된다.

조세주권을 통하여 국제사회에서 공유하려고 하는 기본가치는 무엇인지, 그 가치를 이루기 위하여 필요한 협력방안은 무엇인지, 현실적인 제도는 어떤 상태인지 등에 대하여 근본적으로 물으며 접근할 수 있어야 한다. 포괄적 협력체제하에서 모든 국가들이 조세주권을 통하여 '세계차원에서의 조세정의(global tax justice)'를 이룰 수 있다면 개별국가의 '재정자결의 원칙'을 상호 존중하는 조세주권의 의미를 실현할 수 있을 것으로 본다.

제 **5** 편

조세조약의 발전

제18장

조세조약과 조세전략

　납세자[1]가 외국에 자본을 투자하여 소득을 획득하려는 조세전략을 수립하는 동기는 주관적인 것과 객관적인 것으로 나눌 수 있다.[2] 주관적인 동기는 조세부담의 최소화를 통하여 순소득의 극대화를 달성하려는 것으로 조세의 효율성(tax efficiency)[3]과 연관되며, 객관적인 동기는 국가별 조세제도의 차이[4]와 조세제도상의 허점(tax loopholes)[5]을 이용하려는 것이다. 조세부담은 납세자의 세후 수입금액을 감소시키므로 주관적 또는 객관적인 동기에 의한 조세전략(tax planning)을 사용하여 조세부담을 최소화하고 세후 현금액을 극대화하려는 목적을 달성하게 된다.

　조세전략 목적을 달성하기 위한 수단은 Scholes and Wolfson Model[6]에서 모든 거래당사자(all parties)와 모든 비용(all costs)을 고려해야 한다. 거래에서 당사자는 적어도 3명이 있다. 매도자와 매입자 그리고 과세당국[7]이 된다. 거래당사자별로 처한 과세상의 입장은 다르

---

1) 외국에 자본을 투자하는 납세자는 개인과 법인으로 구분할 수 있으나, 일반적으로는 한 개 국가 이상에 투자하고 있는 법인인 다국적기업을 의미하는 것으로 보고 있다. 이 장에서는 설명의 편의상 납세자는 '다국적기업'을 의미하는 것으로 한다.

2) Caiying Tian, Motivations and Ways for Multi-National Corporation's Tax Planning, International Journal of Business and Management, Volume 4, No. 9, September 2009, p.203

3) 투자 측면에서 '조세효율성'은 조세부담을 최소화할 수 있는 투자를 말한다. 이것은 사중손실(deadweight loss)로 측정한다. 사중손실에 대하여는 Paul Krugman은 'losses associated with quantities of output that are greater than or less than the efficient level, as can result from market intervention such as taxes, or from externalities such as pollution.'라고 정의하고 있다. Krugman's Macroeconomics for AP, University of Mary Washington, Second Edition, 2010, p. G-2

4) 국가 간에 존재한 조세제도상의 차이에는 '납세자의 정의'가 국가별로 차이가 나는 경우, '과세대상소득의 범위와 적용세율'이 차이가 나는 경우, '이중과세 방지제도'의 차이 등을 들 수 있다.

5) 우리나라 소득세법에서와 같이 과세대상소득과 공제대상 비용 등을 열거하고 있으나 여기에 해당하지 않는 소득은 과세되지 않거나 발생 비용 중 공제부인대상이 아니면 공제가능한 점을 이용하는 경우가 해당된다. 이는 competency deficits 또는 cognizance deficits라고도 부른다.

6) M. Scholes and M. Wolfson, Taxes and Business Strategy: A Planning Approach, Prentice Hall, 1992.

7) 과세당국은 국내 및 외국의 과세당국을 포함한다.

다. 대표적으로 한계세율이 높은 납세자와 낮은 납세자로 분류된다. 한계세율이 높은 납세자는 한계세율이 낮은 납세자로부터 감가상각자산을 임차(lease)하여 임대비용 또는 감가상각 등을 통하여 조세부담을 감소시킬 수 있다.

고세율이 적용되는 납세자와 저세율이 적용되는 거래당사자 간의 이와 같은 계약은 또 다른 거래당사자인 과세당국에게 납부하는 총부담세액을 최소화할 수 있다. 이는 '거래당사자 간의 구체적인 과세상황을 고려한 조세재정행위(clientele-based arbitrage)'에 해당한다.

다음은 조세 측면에서 모든 비용(all costs)과 모든 혜택(all benefits)을 고려해야 한다. 모든 비용에는 조세비용(tax costs)과 비조세비용(nontax costs)이 있고, 모든 혜택에는 역시 조세혜택(tax benefits)과 비조세혜택(nontax benefits)이 있다.

먼저, 조세비용(tax costs)과 조세혜택(tax benefits)이다. 조세비용은 명시적 조세부담(explicit tax costs)과 암묵적 조세부담(implicit tax costs)이 있다. 명시적 조세부담은 과세 당국에 직접 납부하는 세금액을 말한다. 조세혜택(tax benefits)은 비과세 또는 조세감면 등으로 절감된 세액을 말한다. 이러한 조세혜택이 부여된 자산의 세전수익률은 조세혜택이 없이 전액 과세되는(fully taxable) 자산의 세전수익률보다 낮다. 이와 같이 조세혜택의 유무에 따라 발생한 세전수익률의 차이값을 암묵적 조세비용(implicit tax costs)이라고 한다.[8]

다음은 비조세혜택(nontax benefits)과 비조세비용(nontax costs)이다. 비조세혜택은 채권에서 발생한 세전이자(before-tax interest), 자산매각대금 등[9]이고, 비조세비용은 중개인 수수료(broker's fee), 협상비용, 세무신고비용, 사업환경, 문화, 조세법상의 규제제도, 인허가 사항 등과 관련된 비용[10]을 말한다.

다국적기업이 이러한 Scholes and Wolfson 모형(model)에 따른 조세전략을 실행에 옮길 때 사용하는 전형적인 방법은 다음과 같다.[11]

---

8) Jerrold J. Stern, Chapter 11 Microeconomic Approach to Teaching Taxation, in methods, Topics, and Issues in Tax Education: a Year 2001 Perspective, pp.139~140. 조세감면혜택이 있는 자산과 없는 자산 간의 세전수익률의 차이를 과세당국이 거두어 들이는 세금으로 간주하는 이유는 세전으로 보았을 때 세제혜택이 있는 자산의 수익률이 상대적으로 낮아서 마치 그 낮아진 세전수익률 만큼을 세금으로 납부한 것처럼 보기 때문이다. '암묵적 조세비용'은 과세혜택이 부여된 자산의 세전수익률이 그러한 과세해택이 없는 자산의 세전수익률보다 낮음으로 인한 차이를 말한다. 조세혜택이 있는 경우와 없는 경우의 세전수익률의 차이로서 그 차이만큼 세전수익률이 낮아지므로 그 만큼을 납세자가 마치 세금으로 납부한 것으로 해석하기 때문이다.

9) Jerrold J. Stern, 'Chapter 11', ibid, p.142

10) Jerrold J. Stern, 'Chapter 11', ibid. pp.142~144. 비조세비용은 거래비용(transaction costs) 또는 시장마찰비용(friction costs)과 조세법상의 손금산입한도액 설정 등과 같은 규제로 인한 비용(restriction costs) 등으로 세분된다.

11) Caiying Tian, 'Motivations and Ways for Multi-National Corporation's Tax Planning', op. cit. 2009, p.204

첫째는 고세율 국가에 본사 또는 주사무소를 두는 것을 피한다. 국가별로 세율차이가 있으므로 고세율국가에 거주할 경우에는 조세부담이 높아진다. 거주자는 전 세계 소득을 종합하여 누진세율로 과세받기 때문이다. 거주지국을 결정할 때에는 국가별로 거주자 판정기준[12]도 차이가 있다는 점도 고려한다.

둘째는 자회사와 지점, partnership 등 유리한 조직형태를 선택하는 조세전략(organizational - form arbitrage)을 수립한다. 일반적으로는 지점 또는 자회사의 형태를 취하는 방법으로 귀착된다.[13]

셋째는 이전가격제도(transfer pricing)를 통하여 과세소득을 조정하는 전략을 사용한다.[14]

넷째는 조세조약을 유리하게 이용하는 방법이다. 조세조약에서 규정하고 있는 낮은 세율 등 혜택을 적용받고, 보다 적극적으로 조세조약을 선택(treaty shopping)한다.

한편, 다국적기업의 이러한 조세전략의 당사자 중 하나인 과세당국은 다국적기업의 조세조약 선택행위(treaty shopping)나 조세조약의 허점 등을 악용하는 행위를 차단하고 조세조약을 체결목적에 따라 운용하려고 한다. 조세조약을 체결하는 목적은 체약국의 거주자에 대하여 이중과세를 방지하므로서 양 체약국 간의 자본투자활동을 원활하게 하여 경제관계의 발전을 도모하려는데 있다.[15]

조세조약의 체결은 다국적기업의 투자활동에 유리한 조세환경을 조성하게 되므로 체약국 간의 자본투자 증대에 기여할 수 있다. 그러나, 실증분석 결과는 이러한 예상을 명확하게 입증하지 못하고 있다. 연구자의 연구방법에 따라 결과가 달라지고 있으므로 여전히 숙제로 남아 있다.

이와 관련하여 다국적기업이 외국투자전략을 실행에 옮길 때 고려해야 하는 요소, 조세조약과 외국인 직접투자 유치효과, 투자국가의 결정(location decision)과 투자국 진출형태의 결정(organizational type decision)을 중심으로 살펴보기로 한다.

---

12) 거주지국의 판정기준은 국가별로 차이가 있다. 예를 들면, 미국은 등록지 주의, 다른 국가는 실질적 관리장소 등이다. 우리나라의 경우 법인세법 제1조 제1호에서 '내국법인'은 국내에 본점이나 주사무소 또는 사업의 실질적 관리장소를 둔 법인으로 규정하고 있다.

13) 이 장에서 후술한다.

14) 이전가격 전략의 예로서 '거래가격을 통한 자회사의 생산비 조정, 원재료 부품원가의 조정을 통한 자회사의 생산비 조정, 고정자산(기계설비)의 거래를 통한 이익조정, 무형자산 이전 및 광고 등을 통한 이익조정, 사용료지급을 통한 이익조정, 대출에 의한 이익조정, 경영자문료를 통한 이익조정, 악성채무발생과 비용의 증감을 통한 현금흐름 변경을 통한 이익조정 등' 다양하다.

15) OECD 표준조세조약, 2017, 서문(introduction) para. 1

조세조약의 목적과 경제교류 활성화

다국적기업이 조세전략을 수립할 때 고려하는 조세조약은 체약국 간의 경제교류를 조세 측면에서 지원하려는데 목적을 두고 있다. 조세조약의 내용은 체약국의 과세제도의 차이로 인하여 발생할 수 있는 이중과세와 조세회피를 방지하는 방법을 규정하고 있다. 이것이 조세 조약을 체결하는 두 가지의 기본목적이 된다. 구체적으로 조세조약을 통하여 서로 다른 조세 용어의 정의(tax definitions)를 통일적으로 적용할 수 있어서 이중과세의 방지와 투자효율 성의 증대라는 목적을 달성할 수 있다.

① 조세조약의 목적

국가 간의 국경을 넘어 이루어지는 국제거래에서 발생한 소득에 대하여 개별국가의 과세 관할권을 지배하는 '조세주권(tax sovereignty)'의 작용으로 이중과세[16]가 발생할 가능성이 높다. 조세조약을 체결하는 제1의 목적은 바로 국제적인 이중과세를 방지하는 것이다.[17] 조 세조약은 인적 및 물적자본의 국제적인 이동과 관련한 이중과세의 위험을 제거하여 조세문 제에 대한 예측가능성과 확실성을 제공할 수 있다.

조세조약을 체결하는 또다른 목적은 국제적인 조세회피를 차단하는 것이다.[18] 조세조약 의 적용대상자는 체약국의 거주자이다. 체약국이 아닌 제3국의 거주자가 조세회피 목적으로 다른 국가 간에 체결된 조세조약을 적용받는 것은 조세회피 목적에 근거하고 있으므로 이를 차단하고 있다.[19]

---

16) 국제적인 이중과세는 동일한 납세자에게 동일한 소득에 대하여 두 나라 이상이 과세되는 법률적인 이중과세 를 말하며, 경제적인 이중과세와는 구별된다. 경제적인 이중과세는 동일 국가 내에서 동일한 소득에 대하여 두 사람 이상에게 과세하는 것으로 법인의 이익금에 대하여 법인단계에서 법인세를 부과하고 다시 주주단계 에서 배당소득세를 부과하는 것이 해당한다. 경제적 이중과세는 해당 국가의 조세정책과 연관되는 것으로 보고 국제적인 이중과세의 관점에서는 중요하게 다루지 않고 있다.

17) OECD 표준조세조약, 2017, 서문(introduction) paras. 2 - 3, 제1조 주석 para. 54

18) OECD 표준조세조약, 2017, 서문(introduction), para. 41, 제1조 주석 para. 54

19) OECD 및 UN의 표준조세조약 제26조에서 정보교환(Exchange of Information)에 관한 규정을 제시하고 있 는 이유는 조세회피의 방지에 있다.

(1) 이중과세의 방지

이중과세 방지 측면에서 조세조약의 역할은 양 체약국의 과세관할권(tax jurisdiction)을 명확하게 결정하는 것이다.[20) 자국의 과세관할권 범위 내에 있는 거주자에 대하여 과세할 수 있는 소득을 조세조약에서 규정하고 있다. 조세조약에 의하여 과세된 조세는 이중과세를 조정하는 규정의 적용을 받는다. 조세조약에서 규정되어 있지 않은 소득은 체약국의 국내 조세법에 따라 과세된다.

이중과세 방지 방법은 세 가지로 구분된다.[21)

첫째, 거주지국과 원천지국에서 과세대상소득의 범위를 결정하여 원천지국에서 과세한 소득은 거주지국에서 과세하지 않고 비과세하는 방법(exemption method)이다.

둘째, 거주지국과 원천지국에서 과세하되 원천지국에서 납부한 세액을 거주지국에서 납부할 세액에서 공제하여 이중과세를 방지하는 외국납부세액 공제방법(foreign tax credit method) 이다.

셋째, 이와 다르게 원천지국납부세액을 거주지국에서 비용으로 공제하는 방법(Deduction method)이다.[22) 비용공제방법(deduction method)은 외국납부세액을 비용으로 보고 과세소득에서 직접 공제하는 방법으로서 납세자에게 가장 불리한 방법이다.

조세조약이 체결된 경우에는 외국납부세액 공제방법(credit method)과 외국원천소득 비과세방법(exemption method)이 사용되지만,[23) 조세조약이 체결되어 있지 않는 경우에는 내국세법의 규정에 따라 비용공제방법이 사용될 수 있다.

외국원천소득비과세제도(exemption method)는 국외원천소득을 과세하지 않고 국내원천소득만 과세하기 때문에 법률적 이중과세 문제가 발생하지 않는다. 외국납부세액공제방법은 거주지국에서 국외원천소득을 합산하여 과세하고 외국납부세액을 공제하므로 이중과세가 발생할 수 있다.[24)

---

20) OECD 및 UN의 표준조세조약은 각각 제1조에서 '적용대상자(persons covered)'와 제2조에서 '적용대상 조세 (taxes covered)'를 규정하고 있는 이유이다.

21) OECD 및 UN의 표준조세조약, 2017, 제23A 및 제23B조

22) 우리나라는 소득세법 및 법인세법의 제57조 제1항에서 외국납부세액공제방법과 비용공제방법(deduction method)은 납세자가 선택하는 경우에 적용할 수 있도록 규정하고 있다.

23) OECD 및 UN의 표준조세조약, 2010, 제23A 및 제23B조

24) 외국납부세액을 전액공제(full credit)하는 경우에는 '외국원천소득비과세방법'과 동일하게 이중과세 문제가 발생하지 않는다. 그러나, 외국납부세액공제한도(credit limitation)를 설정하는 경우에는 그 한도액을 초과하는 부분은 공제를 받지 못하므로 사실상의 이중과세가 발생하게 된다.

(2) 조세회피의 방지

조세조약을 체결한 당사국의 거주자가 아닌 제3국의 거주자가 조세조약을 이용하는 것은 조세조약의 체결목적에 어긋난다.[25] 조세회피행위는 주로 제3국 거주자에 의한 조세조약 남용행위(treaty shopping)와 체약국 거주자의 조세부담회피행위를 포함한다. 조세부담의 회피를 방지하는 목적은 자국의 과세권을 보호하기 위한 것이다.

제3국 거주자의 조세조약편승행위(treaty shopping)는 OECD 및 UN의 표준조세조약상의 '적용대상자'와 '거주자'의 판정을 통하여 조세조약의 적용을 배제하고[26] 거주자의 조세부담회피행위는 '과세정보교환'[27]을 통하여 차단하는 장치를 두고 있다. 이와 함께 '조세행정협조'와 '상호합의절차'를 이용하는 방법도 있다.[28] 조세조약은 '사업소득, 이자소득 등' 개별조항에서도 조세회피를 방지하기 위한 내용을 포함시키고 있다.[29]

❷ 조세조약이 경제교류 활성화에 주는 영향

이중과세의 방지와 조세회피의 방지라는 두 가지 목적은 서로 성격이 다르므로 어디에 중점을 두느냐에 따라 다국적기업의 조세전략이 영향을 받을 수 있다. 이중과세의 방지를 우선으로 하는 경우에는 다국적기업의 조세부담이 완화되므로 외국직접투자(FDI)가 활성화될 수 있다.

반면에 조세회피를 방지하는데 중점을 둘 경우 이전가격(transfer pricing), 조세조약선택행위(treaty shopping) 규제, 과세정보교환(exchange of information)을 강화해야 하므로 외국직접투자(FDI)가 위축될 수 있다.

이에 대한 실증분석결과에서도 조세조약과 외국직접투자활동 간의 관계에 대한 입장이

---

25) OECD 표준조세조약, 2017, 제1조 주석 paras. 54-56
26) OECD 및 UN의 표준조세조약, 2017, 제1조 및 제4조
27) OECD 및 UN의 표준조세조약, 제26조. 국제투자는 과세관할권이 다른 국가에서 이루어진다. 국제투자소득에 대한 직접적인 과세관할권을 행사할 수 없으므로 조세조약을 체결한 당사국 간의 협력을 통하여 과세정보를 획득하는 것이 매우 중요한 의미를 가진다. 상호주의에 입각한 과세정보의 교환은 조세조약 체결당사국의 국내 조세법을 원활하게 집행하는데 도움이 된다.
28) OECD 및 UN의 표준조세조약, 2017, 제25조 및 제27조
29) OECD 표준조세조약의 개별조항에서 규정하고 있는 '수익적 소유자(beneficial owner)'의 개념, 배당, 이자 및 사용료의 개념, 고정사업장 귀속 소득의 범위, 비용배분기준, 국외원천소득 비과세제도의 적용대상소득을 사업소득으로 제한, 외국납부세액공제한도액 설정, 거주기간 설정, 특수관계자 간의 거래에서 발생한 소득금액의 계산기준' 등을 규정하고 있다.

일치되지 않고 있다.[30] 조세는 투자를 왜곡시키므로 조세조약은 이러한 왜곡효과를 차단하여 외국직접투자를 증진시킬 수 있다는 견해[31]와 조세조약은 조세용어 통일로 관련 국가 간의 분쟁을 해소할 수 있으나 세수(tax revenue)를 빈국(poor)에서 부국(rich)로 이전시키므로 외국직접투자를 오히려 감소시키는 역효과를 낸다는 입장[32]이 대립하고 있다. 또한 다국적기업이 외국직접투자(FDI)를 통하여 기대하는 것은 세후투자수익률의 극대화이지만 이것에 영향을 주는 요소는 조세부담률 자체뿐 아니라 '복잡한 행정절차, 부정부패, 사법절차를 통한 권리구제의 효율성' 등이 투자수익률을 감소시키는 것을 더 우려하고 있다.[33]

투자의 환경인 사회간접시설(infrastructure)인 도로망, 전기시설, 학교 및 병원 등의 수준이 낮거나 부동산의 외국인 소유억제, 외국인 투자에 대한 비우호적인 분위기 등은 투자에 대한 비조세장벽으로 작용하므로 조세조약과 외국직접투자(FDI)의 상관관계는 낮아진다.[34]

다국적기업의 이전가격(TP)을 통한 과세소득 조정능력과 조세조약승택행위(treaty shopping)를 통한 조세회피를 차단하기 위한 장치[35]들이 유보소득의 재투자 등을 오히려

---

30) Taro Ohno, Empirical Analysis of International Tax Treaties and Foreign Direct Investment, Policy Research Institute, Ministry of Finance, Japan, Public Policy Review, Vol.6, No.2, March 2010; Fabian Barthel, Matthias Busse, and Eric Neumayer, The Impact of Double Taxation Treaties on Foreign Direct Investment: Evidence from Large Dyadic Panel Data, 2010. http://ssrn.com/abstract=1234163

31) 전통적인 입장에서는 다국적기업의 조세전략을 '재무적 의사결정 측면(financial decision)'을 지나치게 강조하고 '전략적 의사결정 측면(strategic decision)'을 경시하고 있다.

32) Tsilly Dagan, The Tax Treaties Myth, Journal of International Law and Politics, Vol.32, No.939, 2000, pp.1~53. 이중과세 문제는 국내법으로도 해소 가능하므로 조세조약의 체결은 오히려 추가 비용만 발생한다.; James R. Hines, Jr., Forbidden Payment foreign Bribery and American Business After 1977, NBER Working Paper 5266, September 1995. 미국에서 FCPA(외국부패방지법; Foreign Corrupt Practices Act)를 1977년 입법 후 5년 동안은 외국직접투자(FDI) 성장률이 감소한 이유는 뇌물(bribe)을 사용하는 다른 외국기업에 비해서 경쟁력면에서 불리해진 탓으로 분석하고 있다.

33) 기업의 불투명성이 부패를 유발할 수 있으며, 이는 전반적으로 국가의 청렴도를 떨어뜨리므로 다국적 기업의 투자활동에 대한 위험요인(risks)의 증대로 나타난다. 따라서 조세조약의 체결이 당초의 기대와 달리 외국직접투자(FDI)의 증대로 나타나지 않을 수 있다는 것이다. Dr. Quamrul Alam, Mr. Mohammad Emdad Ullah Mian and Dr. Robert. F. I. Smith, The Impact Of Poor Governance On Foreign Direct Investment: Xun Wu, Corporate Governance and Corrupton: A Cross-Country Analysis, Governance, 2006: An International Journal of Policy, Administration, and Institutions, Vol. 18, No. 2, April 2005, pp.151~170

34) 조세조약을 체결하면 외국직접투자가 늘어날 것이라는 일반적인 예상과 달리 실증분석결과는 그와 달리 오히려 감소하는 결과를 보이는 경우가 많이 있다. 이러한 결과는 외국직접투자(FDI) 결정요인에 대한 분석방법의 차이에서 발생하는 것으로 보인다. 최근의 연구는 개별국가의 특성이 다국적기업의 외국직접투자(FDI)에 영향을 미치는 것을 전제로 한 분석이 이루어지고 있다. Bruce A. Blonigen, A Review of the Empirical Literature on FDI Determinants, Atlantic Economic Journal, Volume 33, 2005, p.397

35) 일반적 조세회피규제제도(GAAR) 또는 체약당사국 거주자가 아닌 경우 조세조약혜택적용제한(LOB) 등을 말한다.

제한하는 결과를 가져온다는 것이다.[36] 최근의 조세조약 체결목적은 외국직접투자의 증진보다는 조세회피(tax avoidance) 또는 탈세(tax evasion)의 차단에 더 큰 비중을 두는 경향을 보이고 있다. Stephen Hymer[37]는 다국적기업의 시장독점적 지위가 외국직접투자(FDI)를 통하여 그 지배범위를 넓히는 것으로 보는 주장은 외국직접투자(FDI)의 유치를 위한 비용최소화 정책(조세감면 등)의 한계점을 시사하고 있는 것으로 보인다.

따라서, OECD 표준조세조약 서문(introduction) 제1항에서 '조세조약을 체결할 경우 이중과세의 장벽을 제거하여 인적·물적교류를 원활하게 한다는 목적'은 실제로는 달성하기 쉽지 않다.[38] 이는 조세조약이 외국직접투자(FDI)에 영향을 주지 않는다는 의미라기보다는 외국직접투자(FDI)에 항상 긍정적인 효과를 주는지가 불확실하다는 것으로 해석할 수 있다. 다국적기업은 조세전략의 선택과정에서 조세조약 외의 다른 요인을 충분히 고려해야 하는 것이 중요해진다.

제3절 조세전략 수립 시 고려사항

Scholes and Wolfson 모형에 의하면 납세자가 조세전략을 수립할 때 '모든 당사자(all parties)'와 '모든 비용(all costs)'을 고려해야 한다. 국제투자전략을 수립하는 경우에는 모회사의 소재지국과 투자대상국의 결정은 매우 중요하다.

과세관할권이 달라지므로 국제거래소득에 적용되는 조세조약과 내국세법은 국가별로 차이가 나기 때문이다.

---

36) David Hartman, Tax policy and foreign direct investment, Journal of Public Economics, 1985, pp.107~121 : Hans-Werner Sinn, Taxation and the birth of foreign subsidiaries, Trade, Welfare, and Economic Policies, Essays in Honor of Murray C. Kemp, ed. H Heberg and N. Long, University of Michigan Press, Ann Arbor 1993 ; Bruce A. Blonigen and Ronald B. Davies, Do Bilateral Tax Treaties Promote FDI?, NBER Working Paper 8834, 2002, http://www.nber.org/papers/w8834 ; David Carr, James R. Markusen, and Keith E. Maskus, Estimating the knowledge capital model of the multinational enterprise, American Economic Review, 91:3, 2001, pp.693~708 ; Tsilly Dagan, The tax treaties myth, New York University Journal of International Law and Politics, Summer 2000, pp.939~996

37) Stephen H. Hymer, The Efficiency(Contradictions) of Multinational Corporations, American Economic Review Papers and Proceedings, 60, 1970, pp.441~448

38) OECD 표준조세조약, 2017, 서문(introduction), para. 1 하단에서 '~the importance of removing the obstacles that double taxation presents to the development of economic relations between countries.'라고 규정하고 있다.

① 조세전략에 고려하는 기본요소

다국적기업이 조세전략에 포함하여 고려하는 기본요소는 '거주지(residence), 소득의 발생지(geographic source of income), 그리고 사업의 운영형태(form of entities)' 등 세 가지로 요약할 수 있다.[39] 이와 관련하여 거주지국 또는 소득의 발생지국이 체결하고 있는 조세조약의 현황도 감안해야 한다. 이러한 요소를 다음과 같이 좀 더 구체적으로 세분해 볼 수 있다.

(1) 직접수출(direct export)

직접수출은 기존의 국내사업(domestic business)을 통하여 생산한 재화나 용역을 해외시장에 공급하는 방법이다. 해외진출 초기단계에서는 대부분 이러한 방법을 사용하는 것이 일반적이다. 기존의 국내기업 내부에 해외사업 담당부서를 신설하여 해외시장개척과 판매 등의 활동을 전담하는 것에서부터 시작한다. 해외수출에서 발생한 소득은 모기업의 소득에 합산되어 당기에 과세되고 손실 발생액은 국내발생소득에서 즉시 공제된다. 직접수출방법이 겪는 비조세문제(nontax disadvantage) 중 가장 큰 문제는 해외채권자에 대한 법적인 책임을 국내모기업이 모두 부담해야 한다는 것이다.[40] 이 문제를 해소하려면 현지에 별도의 자회사를 설립하여 모회사와 업무를 분리하는 방법을 사용해야 한다.[41]

(2) 무형자산의 사용계약

무형자산에 대한 특허를 보유한 경우 소득을 획득하는 방법은 두 가지이다. 하나는 무형자산의 소유자가 직접 재화나 용역을 생산하여 판매하는 방법이고, 다른 하나는 무형자산을 제3자가 사용할 수 있는 계약을 체결하여 간접적으로 소득을 창출하는 방법이다. 후자의 방법은 제3자가 무형자산을 사용하는 대가를 지불해야 하며, 이를 사용료(royalty)라고 한다.

무형자산의 소유자가 해외에서 직접 생산하는 경우에는 더 많은 이익을 얻을 수도 있지만

---

39) 국제투자를 결정하는 요인은 Scholes and Wolfson 모형에 따라 모든 당사자(all parties)와 모든 비용(all costs)의 관점에서 검토될 수도 있다. 여기서는 국제거래소득은 과세관할권이 다른 지역 간의 거래를 통하여 발생하는 점에 초점을 맞추어 투자대상국과 모회사의 소재지국을 결정하고 그 다음 사업진출방식(조직형태)을 결정하는 방법을 사용하여 분석하기로 한다.

40) 본사가 직접수출하는 형태이므로 수출물품에 대한 하자책임, 수출대금결재 등 금융거래 위험부담 등과 같이 책임의 한계가 없다는 점이다. 과세관할권이 다름에도 불구하고 타방국가의 과세권으로부터 직접 모회사에 영향을 받게 된다.

41) 자회사는 설립지국가의 법률을 적용받으므로 모회사와는 별개의 독립된 실체(separate entity)가 되므로 자회사의 거래에 대하여 모회사가 책임을 지는 한계는 제한된다.

막대한 시설투자자본의 조달문제와 시장개척활동 및 인력관리의 어려움과 함께 현지시장 정보의 부족 등으로 예상하지 못한 거래비용(transaction cost)이 발생할 수 있는 점을 감안하여 사용료 계약방식을 주로 사용하고 있다. 사용료 소득은 모국에서 당기에 과세된다.

(3) 지점의 설치

지점은 국내기업의 조직을 해외현지에 설치한 것으로 여전히 본사와 동일체라는 점에서는 직접수출과 같지만, 그 조직이 국내가 아닌 해외에 있다는 점에서 차이가 있다. 일반적으로 기업의 해외진출은 주재원을 해외 현지에 파견하여 시장조사와 정보수집 등의 예비적이고 보조적인 활동을 수행하는 연락사무소(liaison office) 단계[42]를 거쳐서 본격적인 영업활동을 현지에서 시작하는 지점을 설치하고 마지막 단계로는 현지 자회사를 설립하는 과정을 거치게 된다.

지점(branch)의 장점은 모법인의 대리기관(agency)이므로 복잡한 등록절차가 불필요하다. 또한 지점과 본사는 동일체이므로 지점이 본사에 송금하는 경우에는 원칙적으로 과세되지 않는다. 지점은 독립적인 실체가 아니므로 금융정보 등의 공개에 대한 원천지국의 규제를 덜 받고, 지점에 발생한 손실액을 본사에 합산하여 본사납부세액을 감소시킬 수 있다.

지점의 가장 큰 단점은 납세자가 과세이연(tax deferral)을 하지 못하고 모회사 소득에 합산되어 당기에 과세되는 것이다. 또한 지점에 대하여 법인세외에 지점세를 추가로 과세되는 점도 있다.[43] 지점의 사업활동에 대한 책임이 지점에서 끝나지 않고 본사에까지 직접 영향을 주는 점도 고려할 필요가 있다.

---

42) 연락사무소의 기능은 OECD 표준조세조약, 2017, 제5조 제4항에 의하여 '예비적·보조적 성격의 활동범위'에 속하여 고정사업장에 해당하지 않는다. 예비적·보조적 성격의 활동에 해당하는지 여부는 그 조직의 활동이 전체적으로 사업활동의 본질적이고 중요한 부분을 구성하는지 여부로 판단한다. OECD 표준조세조약, 2017, 제5조 제4항 주석, paras. 59-60

43) 우리나라 법인세법 제96조 제1항의 규정에 의하여 외국법인의 국내사업장, 곧 지점에 귀속되는 소득에 대하여 법인세 외에 지점세를 별도로 부과한다. 지점세를 부과하는 이론적 근거는 지점과 자회사 간의 조세부담의 형평을 유지하도록 하려는데 있다. 지점세의 과세는 OECD 및 UN의 표준조세조약 제10조 제5항에서 규정하고 있는 '추적과세금지'와 상충되는 문제가 제기되고 있으나 '자회사'와 '지점' 간의 조세부담상의 형평 측면을 감안하여 국내 조세법으로 과세하고 있다. 지점세에 적용하는 세율은 배당소득세율과 동일하며, 우리나라의 경우에는 법인세법 제96조 제3항에서 동법 제98조 제1항 제3호에서 규정하고 있는 20%를 기본세율로 하고 조세조약에서 제한세율을 정하고 있는 경우에는 그 제한세율을 우선적용하고 있다.

(4) 동업기업(Partnership)

동업기업(partnership)은 독립된 납세자(separate taxable entities)가 아니다.[44] 동업기업은 소득의 귀속자가 아니라 동업기업을 구성하는 개별구성원들(partners)에게 소득을 전달하는 도관(conduit)의 역할을 한다. 동업기업에서 발생한 소득이나 비용은 그대로 구성원들(partners)의 다른 소득 또는 비용과 합산되어 과세소득을 산정하게 된다.

동업기업에서 발생한 소득은 법인소득이 아니므로 그 구성원에게 실제로 분배되는지 여부와 상관없이 당기에 구성원들의 과세소득으로 계산되어 과세된다.[45] 이점에서는 동업기업에 대한 과세는 지점에 대한 과세와 유사한 특성을 가지고 있는 것으로 볼 수 있다.

(5) 자회사(subsidiary)

해외시장을 개척하는 또 다른 수단은 자회사를 설립하여 국제거래를 직접 수행하는 방법이다. 자회사를 설립하는 장소에 따라 국내 자회사를 이용하는 방법과 해외 자회사를 이용하는 방법으로 나눌 수 있다.

먼저 국내에서 자회사(domestic subsidiary)를 설립하여 국제거래 기능을 전담하는 방법이다.

본사의 해외사업관련 거래부분을 분리하여 독립적인 조직으로 운영하는 방식이 된다. 이 방법의 장점은 해외 사업거래와 관련한 법적책임(legal liability)을 본사가 직접 부담하지 않고 별도의 독립된 조직(separate entity)인 국내 자회사를 통하여 분산시킬 수 있는 점이다. 이것은 비조세 측면에서 기대할 수 있는 이점(nontax advantage)에 해당한다. 조세 측면

---

44) 우리나라는 동업기업(partnership) 과세제도를 2007년 12월 31일 조세특례제한법 제2장 제10절의3(제100조의14~100조의26)을 신설하여 도입하여 2009년 1월 1일부터 시행하고 있다. 동업기업 과세제도를 도입할 당시 '기획재정부(구 재정경제부)의 보도자료(2007년 9월 19일) 및 세법개정안 문답자료(p.37) 20번 파트너십 과세제도 도입'에 대한 설명자료에서 '파트너십 과세제도(partnership taxation)란 파트너에서 발생한 소득에 대해 파트너십 단계에서는 (법인세를) 과세하지 않고, 이를 구성원인 파트너에게 귀속시켜 파트너별로 과세하되 동업기업의 결손금은 손익배분비율에 따라 각 동업자에게 지분가액을 한도로 배분하고 지분가액 한도를 초과하는 결손금은 5년간 이월하여 매년 지분가액 한도 내에서 이월배분을 허용하는 제도'라고 설명하고 있다. 이 제도의 적용대상은 상법상의 인적회사인 합명회사, 합자회사, 인적용역을 주로 제공하는 유한회사 등으로 예시하고 있다. 그러나 국외공동사업체에 대하여 법인세를 과세하는 것으로 설정하였으나 법인 해당 여부에 대한 판정기준이 없었다. 그 결과 론스타 펀드 III의 양도소득세 부과처분에서 국세청은 파트너십 자체를 개인으로 보고 소득세를 부과하였으나 대법원에서 패소한바 있다. 대법원 2012. 1. 27. 선고 2010두 5950 판결

45) 법인소득은 과세된 후 주주에게 배당하지 않고 유보하는 경우에는 그 유보소득에는 과세되지 않는다. 그러나 동업기업의 경우에는 법인이 아니므로 이러한 유보소득에 대한 과세이연(tax deferral) 효과는 없다.

에서의 이점(tax advantage)은 연결납세제도[46]를 이용하여 자회사의 손실분을 본사 소득과 합산할 수 있다. 다만, 국내 자회사는 국내 법인이므로 모회사와 동일하게 당기에 과세된다.

다음은 해외현지에 자회사(foreign subsidiary)를 직접 설립하는 방법이다. 해외에서 설립된 자회사는 법인세법상 외국법인에 해당한다.[47] 외국에서 설립된 자회사의 법인의 장점은 독립적인 실체로서 현지 투자국(host country)에서 제공하는 조세법상의 혜택 향유할 수 있고 조세조약상의 이중과세 방지제도의 적용을 받을 수 있다. 특히, 외국원천소득은 국내로 송금될 때까지는 국내 법인세법에 의한 과세를 받지 않으므로 과세이연(tax deferral) 효과를 얻을 수 있다. 그러나, 특정외국법인[48]의 경우에는 각 사업연도 말 현재 발생한 유보소득 중에서 내국인에게 귀속될 금액은 내국인이 배당받은 것으로 보고 당기에 과세된다.[49]

외국에서 설립된 자회사는 외국법인이므로 연결납세제도의 적용대상이 되지 않는다. 따라서, 외국에서 발생한 손실을 국내원천소득에서 공제할 수 없다는 점도 과세 측면에서 불리한 점이 될 수 있다.

(6) 한국 거주자의 외국원천 인적용역소득

한국 거주자가 해외에 직접 진출하여 인적용역을 제공하고 소득을 획득할 수 있다. 이때 획득하는 소득은 조세조약상으로 8가지의 유형으로 구분하고 있다.[50] 독립적 인적용역소

---

46) 연결납세제도(Consolidated tax return)는 모회사와 자회사가 경제적으로 결합되어 있는 경우에는 경제적 실질에 따라 해당 모·자회사를 하나의 과세 단위로 보아 소득을 통산하여 법인세를 과세하는 제도이다. 사업부의 분사에 따라 생겨난 법인의 이익이 제각각인 경우 법인의 결손에 관계없이 흑자법인에 대해서만 과세하는 경우 기업의 조직재편이 효율적으로 이루어지기 어렵다는 점에서 연결납세제도는 분사에 따른 조세의 중립성을 유지하여 기업의 조직재편을 지원하기 위해 2008년 12월 26년 법인세법 제2장의3을 신설하고 제76조의8 내지 제76조의22를 통하여 연결납세제도를 도입하여 2010년 1월 1일부터 시행하고 있다.

47) 법인세법 제2조 제3호 '외국법인'이란 외국에 본점 또는 주사무소를 둔 법인(국내에 사업의 실질적 관리장소가 소재하지 아니하는 경우에 한한다)을 말한다.

48) '특정외국법인'은 국제조세조정에 관한 법률 제27조 제1항에서 '법인의 부담세액이 실제 발생소득의 100분의 15 이하인 국가 또는 지역에 본점 또는 주사무소를 둔 외국법인에 대하여 내국인이 출자한 경우에는 그 외국법인 중 내국인과 특수관계가 있는 법인'으로서 동 법률 동조 제2항은 그러한 법인의 범위로서 '특정외국법인의 각 사업연도 말 현재 발행주식의 총수 또는 출자총액의 100분의 10 이상을 직접 또는 간접으로 보유한 자'로 하되, '발행주식의 총수 또는 출자총액의 100분의 10을 판단할 때에는 「민법」 제779조에 따른 가족의 범위에 속하는 사람이 직접 보유하는 발행주식 또는 출자 지분을 포함한다'고 규정하고 있다.

49) 국제조세조정에 관한 법률 제27조 제1항 하단 '～각 사업연도 말 현재 배당 가능한 유보소득(留保所得) 중 내국인에게 귀속될 금액은 내국인이 배당받은 것으로 본다.'고 규정하고 있다.

50) OECD 표준조세조약 제15조 내지 제20조, UN 표준조세조약, 2011, 제14조 내지 제20조 참조. OECD 표준조세조약에서는 2000년 4월 제14조의 독립적 인적용역(independent personal services)을 제7조 사업소득과 통합하였으나 UN 표준조세조약에서는 독립적 인적용역 조항을 그대로 유지하고 있다. OECD 표준조세조약을 기준으로 체결한 개별조세조약은 OECD 표준조세조약의 규정대로 독립적 인적용역에 관한 조항을 두지 않고 있다. 그러나, 아직 개정되지 않은 경우에는 독립적 인적용역 조항을 유지하고 있다.

득,[51] 종속적 인적용역소득,[52] 이사의 보수,[53] 연예인 및 운동가의 보수,[54] 연금,[55] 정부직원의 보수,[56] 학생 및 훈련생의 소득,[57] 교직자의 보수[58] 등이다.

---

[51] 독립적 인적용역소득을 제공하는 경우에 조세조약상 용역수행지국에서 과세할 수 있는 외국원천소득에 대한 과세기준은 다음과 같다. 고정시설(fixed base)을 보유하거나 연간 183일 이상 체류하거나 대가를 용역수행지국의 거주자나 고정사업장이 부담하는 경우이다. 조세조약에 따라서는 용역수행지국에서 지급한 대가의 금액이 일정금액을 초과하는 경우 등이다. 한국이 체결한 개별 조세조약상 독립적 인적용역소득의 과세요건에 대한 자세한 내용은 '이용섭·동신, 2012, op. cit. pp.352~353' 참조. 여기서 '외국법인이 직원을 통하여 국내에서 인적용역을 제공하는 경우에는 사업소득으로 보지 않고 독립적 인적용역소득으로 보는 근거'는 법인세법 제93조 제6에서 법인의 인적용역소득을 규정하고 있기 때문이다.

[52] 종속적 인적용역소득은 고용관계에 의하여 용역이 제공된다는 점에서 독립적 인적용역소득과 구분된다. 외국원천소득으로서 종속적 인적용역소득은 외국기업 등에 고용되어 근로를 제공하고 수취한 '근로소득'을 말한다. 근로소득의 개념은 소득세법 제20조 참조. 조세조약상 '이사의 보수, 연예인 및 운동가의 보수, 정부용역대가, 학생 및 교직원의 보수' 등도 종속적 인적용역소득의 성격이 있지만 일반적인 근로소득과 다른 특성이 있다는 점에서 별도의 조문에서 규정하고 있다.

[53] '이사의 보수'는 이사의 거주지국이 아닌 법인의 거주지국에서 소득의 원천이 존재하는 것으로 보고 과세하는 것을 원칙으로 하고 있다. OECD 및 UN의 표준조세조약 제16조 제1항. 다만, 개별조세조약의 규정에 따라서는 '종속적 인적용역소득'으로 과세하는 경우도 있다. 한-미 조세조약에서는 '이사의 보수'에 대한 규정을 두지 않고 있으므로 제19조의 종속적 인적용역소득(dependent personal services) 조항을 적용하고, 한-벨기에 조세조약 및 한-필리핀 조세조약에서도 동일한 내용의 규정을 두고 있다. 이때는 법인의 거주지국이 아닌 이사의 용역이 수행된 국가인 원천지국에서 과세권을 가진다.

[54] OECD 및 UN의 표준조세조약 제17조 제1항의 규정에 따라 원칙적으로 용역이 수행된 국가에서 과세권을 행사한다. 한-미 조세조약에서는 '연예인 및 운동가의 보수'에 대한 조항을 두지 않고 있어 미국의 연예인 및 운동가가 한국에서 용역을 수행한 경우에 한국에서 과세하는 원칙을 집행하는데 어려움이 있어서 2007년 12월 소득세법 제156조의5를 신설하여 원천징수할 수 있는 제도를 도입하였다.

[55] 연금은 정부직원의 연금과 민간의 퇴직연금이 있다. 정부직원의 연금(OECD 및 UN의 표준조세조약 제19조 제2항 a)목)은 원칙적으로 연금을 지급하는 국가에서만 과세하지만 개별조세조약에 따라서는 거주지국에서만 과세하거나 거주지국과 지급지국이 동시에 과세할 수 있는 경우도 있다. 민간의 퇴직연금(pension)은 연금을 지급하는 국가가 아닌 연금수령자의 거주지국에서 과세하는 것을 원칙으로 하고 있다(OECD 표준조세조약 제18조). UN 표준조세조약에서는 민간부문의 퇴직연금소득에 대한 과세권을 지급지국인 원천지국에도 부여하고 있다(UN 표준조세조약 제18조). 우리나라가 체결한 조세조약에서는 OECD 및 UN의 표준조세조약에서 사용하는 기준을 동시에 사용하여 거주지국과 원천지국에서 함께 과세할 수 있도록 규정하고 있다.

[56] 정부직원은 원칙적으로 파견국에서만 과세하되 예외적으로 상대체약국의 거주자가 외국 공관에서 직원으로 근무하는 경우 등에는 그 직원의 거주지국인 상대체약국에서만 과세한다.

[57] 학생 및 훈련생의 보수는 원칙적으로 일정금액 이하의 소득에 대하여는 거주지국에서만 과세한다. OECD 및 UN의 표준조세조약 제20조 참조

[58] OECD 및 UN의 표준조세조약에서는 '교직자'에 대한 규정을 별도로 두고 있지 않으므로 '독립적 인적용역소득' 또는 '종속적 인적용역소득'에 관한 조항을 적용하게 된다. 그러나 우리나라가 체결한 개별조세조약에서는 대부분 '교직원에 대한 면제규정'을 두고 있으나 '노르웨이, 스웨덴, 우즈베키스탄, 칠레, 캐나다, 핀란드' 등과 체결한 조세조약에서는 별도의 면세규정을 두고 있지 않다. '교직자의 보수'로서 조세조약에 의하여 소득세가 면제되는 요건은 '정부 또는 대학교, 기타 인가된 교육기관의 초청으로 대학교, 기타 인가된 교육기관에서 강의 또는 연구 활동을 수행하고 취득하는 보수'이다. 우리나라에서 '기타 인가된 교육기관'의 범위에는 '초·중등교육법 제2조', '고등교육법 제2조' 및 '특별법에 의하여 설립된 대학교육기관(한국과학기술원, 경찰대학, 육·해·공군 사관학교 등)이 포함된다. 국제세원관리담당관실-243(2012. 5. 16.), 법규 국조 2010-149(2010. 5. 31.), 서면 2팀-1775(2005. 11. 4.), 국일 46017-128(1997. 2. 19.), 재국조 46017-90(1998. 8. 5.)

조세 측면에서 한국 거주자의 요건은 소득세법, OECD 및 UN의 표준조세조약을 기준으로 체결한 개별조세조약에 따라 판단한다.[59] 한국 거주자에 해당하는지를 검증하는 요건은 '주소와 거소의 개념에 관한 일반적 요건(ordinary concepts rule), 국내 거주자로 간주하는 거주요건(domicile rule),[60] 체류기간의 요건(183 days rule)' 등 3가지로 구분된다.

한국 거주자가 아닐 경우에는 외국원천소득에 대하여 한국에서는 과세되지 않고 국내원천소득에 대해서만 제한적으로 과세된다.[61] 한국거주자는 외국원천소득과 국내원천소득을 합산하여 누진세율로 과세받는다.[62]

외국원천소득을 국내원천소득에 합산하여 종합과세할 경우에 외국에서 납부한 세액은 공제[63]한다. 국외거주 내국인 근로자의 국외원천소득 중 일정요건을 충족하는 급여에 대하여는 비과세하고 있다.[64] 또한 '해외근무에 따른 귀국 및 휴가비'는 실비변상적인 급여로서 일정한 조건과 범위 안에서 비과세한다.[65]

국내거주자가 국외에 인적용역을 제공한 대가로서 주식매수청구권(stock options)[66]을 지급받은 경우에는 구체적인 상황에 따라 과세문제가 달라질 수 있다.[67] 우리나라의 경우에는 1997년 처음 주식매수청구권제도가 도입되었으나 명확한 과세기준이 정립되어 있지 않

---

59) 소득세법 제1조의2 제1항 제1호, 법인세법 제2조 제1호, OECD 및 UN 표준조세조약 제4조 제2항

60) 거주요건에는 국내에 비거주하더라도 거주자로 보는 특별요건(special rule)이 포함된다.

61) 소득세법 제3조 제1항 단서 '~다만, 해당 과세기간 종료일 10년 전부터 국내에 주소나 거소를 둔 기간의 합계가 5년 이하인 외국인 거주자에게는 과세대상 소득 중 국외에서 발생한 소득의 경우 국내에서 지급되거나 국내로 송금된 소득에 대해서만 과세한다.' 및 동조 제2항 '비거주자에게는 제119조에 따른 국내원천소득에 대해서만 과세한다.'

62) 소득세법 제3조 제1항. '거주자에게는 이 법에서 규정하는 모든 소득에 대해서 과세한다.' 소득세법 제4조(소득의 구분) 제1항에서 '과세대상소득'을 열거하고 있다. 소득세법 제55조 제1항에서 종합과세표준금액에 따라 6%에서 45%까지 8단계 초과누진세율을 규정하고 있다.

63) 법인세법 및 소득세법 제57조, OECD 및 UN의 표준조세조약 제23A 및 제23B조

64) 소득세법 제12조 제3호 거목 및 동법 시행령 제16조 제1항

65) 소득세 집행기준, 2020, 국세청, 12-12-3(종업원의 부임수당), 12-12-4(해외근무에 따른 귀국휴가여비), 12-12-5(해외출장여비의 실비변적 급여의 범위), 12-14-1(외국정부 또는 국제기관에 근무하는 자의 비과세 급여), 12-16-1(국외근로소득 해당 여부) 등 참조

66) 주식매수선택권은 벤처비즈니스 등 새로 창업한 기업에서 자금 부족에도 불구하고 유능한 인재를 확보하기 위한 수단으로 처음 도입된 제도로서 자사의 주식을 일정 한도 내에서 액면가 또는 시세보다 훨씬 낮은 가격으로 매입할 수 있는 권리를 해당 상대에게 부여한 뒤 일정기간이 지나면 임의대로 처분할 수 있는 권한까지 부여하는 제도이다. 주식매수청구권(스톡옵션)은 그 대상이 되는 임직원에게 함께 열심히 일하도록 유도할 수 있는 효과적인 능률급제도로 여겨짐으로써 현재 새로운 경영전략의 하나로 자리잡고 있다(두산백과사전).

67) 주식매수선택권에서 중요한 시점은 '부여시점(grant date), 행사시점(exercise date), 양도시점(sales date)' 등이며, 이와 관련한 법인세법 또는 소득세법상의 과세효과는 다르게 나타난다. 자세한 내용은 '박수진, 국제 이동성 인력의 주식매수선택권 및 연금소득과세제도 연구, 세무학 석사학위 논문, 서울시립대학교 세무전문대학원(2012. 2.), pp.25~28' 참조

다. 아울러 OECD 및 UN의 표준조세조약과 우리나라가 체결한 개별조세조약의 경우에도 주식매수청구권과 관련한 규정을 별도로 두고 있지 않다. 다른 국가의 사례에서도 미국이 영국, 캐나다 및 일본과 체결한 조세조약에서 이에 대한 규정을 두고 있는 정도이다. 현실적으로 전문지식을 가진 고급인력의 근무형태가 종전의 이주형태가 아니라 일정기간 동안의 다국적기업 소속기업 간 교환근무(intra-company transferees), 국가 간 교환근무(temporary skilled migration and temporary visiting foreign scholars and researchers) 등의 형태로 이루지고 보수도 현금외에 성과보상제도를 병행하는 경우가 많다. 이점에서 보면 국내 조세법은 물론이고, 향후 개별조세조약의 체결 또는 개정과정에서 '주식매수선택권(stock options)'의 부여방법에 대한 과세기준을 설정할 필요가 있어 보인다.[68]

❷ 조세전략의 선택기준

국외투자전략을 수립하는 과정에서 고려해야 할 변수는 앞에서 본대로 매우 다양하다. 이러한 여러 변수들 중에서 어느 것을 더 중요하게 생각할 것인지의 문제는 선택된 조세전략의 효과성을 좌우할 수 있다. 다음에서는 조세전략의 변수를 선택할 때 고려해야 할 사항을 보기로 한다.

(1) 외국원천소득의 흑자 또는 적자발생

외국원천소득이 일정기간 동안 적자가 발생할 것이 예상되면 흑자인 국내원천과 합산하여 실효세율(effective tax rate)을 낮추는 방법을 고려할 수 있다. 당기과세를 적용받는 직접수출, 지점, 동업기업, 국내 자기업 설립 방법 등을 선택하는 것이 유리할 수 있다.

반대로 외국원천소득이 흑자가 발생하는 경우에는 국내원천소득과 합산과세될 경우에는 높은 한계세율이 적용되므로 조세부담 측면에서 불리할 수 있다. 이때는 외국원천소득에 국내원천소득과 합산과세되는 것을 피하는 전략을 사용하는 것이 유리할 수 있다. 이 전략을 사용하기에 적합한 방법은 외국에 자회사를 설립하고 외국원천소득을 유보하는 방법이다. 이때는 특정외국법인 유보소득 과세제도(CFC rules)[69]를 적용받을 위험이 있는 점을 고려

---

68) 박수진, ibid. p.48. 참조

69) 국제조세조정에 관한 법률 제27조 제1항 및 제29조 제1항. '특정외국법인의 유보소득에 대한 과세제도'는 내국인이 저세율국가 지역에 설립한 자회사를 '특정외국법인'으로 간주하고, 그 특정외국법인이 유보하고 있는 소득 중에서 내국인에게 귀속될 금액은 실제로 배당되지 않더라도 각 사업연도 종료일의 다음 날부터 60일이 지나면 내국인에게 배당된 것으로 보고 내국인에게 법인세나 소득세를 과세하는 제도를 말한다.

해야 한다.

(2) 외국원천소득의 사용방법에 따른 고려사항

외국에서 발생한 소득을 모두 국내로 송금해야 한다면 별다른 조세전략을 사용하기 어렵다. 어떠한 전략을 사용하더라도 결과에는 차이가 없기 때문이다. 조세부담의 절감에 목적을 둔 조세전략을 사용할 수 없다.

그러나 외국에서 발생한 소득을 현지에서 재투자하는 자금으로 사용하는 경우에는 과세이연(tax deferral) 효과를 거둘 수 있다. 다만, 이 경우에도 앞에서 말한 '특정외국법인 유보소득 과세제도(CFC rules)'의 적용위험을 감안해야 한다.

(3) 소득의 유형별 고려사항

소득의 원천별로 과세소득의 범위가 다른 점을 고려할 필요가 있다. 사업소득의 경우에는 필요경비를 공제할 수 있다. 그러나, 외국에서 자회사를 설립한 경우에는 자회사가 획득한 소득에 대한 필요경비를 외국에서 이미 공제받은 것이므로 추가로 공제받기는 어렵다. 다만, 그 사업소득의 성격이 '해외자원개발투자'와 관련된 경우에는 다양한 조세지원을 받을 수 있다.[70] 이러한 경우에는 현지 외국법인을 설립하지 않더라도 과세소득을 감소시킬 수 있게 된다.

국외원천 간접투자 소득은 투자형태에 따라 조세부담률이 달라진다. 투자신탁형의 경우에는 법인세를 납부하지 않고 국외원천소득이 투자자에게 배분되는 경우에 이를 배당소득으로 보아 배당소득세가 과세된다. 한편, 투자회사형의 경우에는 투자회사가 상법상의 법인에 해당하므로 법인세를 부담해야 하고 배당소득세도 과세된다. 외국납부세액은 외국납부세액 공제 특례규정에 따라 환급된다.[71]

일종의 조세회피(tax avoidance)방법[72]의 일환으로 외국 자회사가 소재하는 국가와 가장 유리하게 조세조약을 체결하고 있는 제3국에 지주회사(holding company)를 설립하여 그 지주회사에 배당을 집중시킴으로써 배당에 대한 조세부담액을 최소화 할 수 있다. 또한 조세피

---

70) 해외자원개발투자 배당소득에 대한 법인세 및 소득세의 면제(조세특례제한법 제22조, 제91조의6), 해저광물자원자원 개발을 위한 과세특례(조세특례제한법 제140조)로서 해저조광권자에 대하여 법인세, 소득세, 부가가치세, 개별소비세, 관세, 지방세(단, 해저광물의 탐사 및 채취사업을 위하여 이용되는 재산이나 필요한 재산에 관련하여 부과되는 취득세는 2% 적용) 등을 모두 면제받는 등의 조세지원이 여기에 해당한다.

71) 법인세법 제57조의2(간접투자회사 등의 외국납부세액공제 특례) 참조

72) 지주회사의 설립국은 외국 자회사와 조세조약이 체결된 국가 중 가장 유리한 조약체결국을 선별하여 조약의 혜택을 향유하게 되므로, 조세조약을 이용한 조세조약편승행위(Treaty Shopping)의 효과가 발생된다.

난처에 기지회사(base company)를 설립하여 타지역에 소재한 관계회사의 이윤을 동 기지회사에 이전시킨 후, 동 이윤을 본국에 송금하지 않고 조세피난처 또는 외국에 재투자함으로써 조세부담을 이연시키는 것이다. 그러나 이경우에는 '특정외국법인 유보소득 과세제도(CFC rules)'가 적용될 수 있으며, 이때는 조세부담경감효과가 사라지게 된다.

(4) 지리적 선택(location selection)

투자대상국가의 조세제도를 고려한다. 국가마다 과세제도가 다르기 때문이다. 간접세만 부과하는 국가는 외국납부세액에 대하여 우리나라에서 세액공제를 받을 수 없다. 조세피난처와 같이 조세를 거의 부과하지 않는 경우도 있다. 조세전략의 목적에 따라 실제 투자대상국가를 선택해야 한다.

실증연구결과에 따르며 투자대상국을 선택하는 단계에서 고려하는 주요변수는 조세부담률 보다는 비조세 요인으로 나타나고 있다.[73] 우리나라에 투자한 49개 국가를 분석한 결과 법인세 부담률과 외국인 직접투자의 유입 간에는 유의적인 관계가 나타나지 않았다. 오히려 비조세변수에 해당하는 무역개방도, 국가종합관리지수(AGI), 투자정책의 변경 등이 영향을 주는 것으로 나타났다. 이는 법인세율을 인하하거나 개별조세감면제도(targeted tax incentives)를 확대하더라도 외국인 직접투자 유치효과는 매우 제한적이라는 것을 의미한다.[74]

유사한 결론을 가진 국내외 선행연구도 다수 있다. 외국의 연구로는 '이동성자본과 비이동성자본 간의 과세균형을 유지하려는 정치적 성향,[75] 이동성자본의 조세탄력성이 높지 않다는 분석,[76] 시장잠재력과 공공투자 등의 요인이 더 큰 영향을 준다는 연구,[77] 투자자본의 수익률에 영향을 주는 인프라망, 고급인력 등이 영향을 준다는 연구,[78] 자본의 이동에는 정

---

73) 강성태, 외국인 직접투자의 유치와 조세 및 비조세 변수의 효과, 세무학박사 학위논문, 서울시립대학교 세무전문대학원(2011년 2월), pp.130~131

74) 비조세변수 중에서도 국내총생산(GDP), 지리적 거리 및 간주외국납부세액공제제도(tax sparing system)는 외국인 직접투자 유치에 유의미한 영향을 주지 못하는 것으로 분석되었다.

75) Ronald Rogwski and Daniel Tannenbaum, Globalization and Neo-liberalism: How much does capital mobility restrain government policy?, Faculty discussion paper on political economy, Weatherhead center for international affairs, Harvard University, 2006, pp.1~23

76) Francesca, Gastaldi, Globalization, Gapital mobility and Convergence of Effective Tax Rates, CRISS Working Paper, No. 32, 2008

77) Agnès Bénassy-Quéré, Lionel Fontagné and Amina Lahrèche-Révil, Tax Competition and Foreign Direct Investment, CEPII Working paper, No. 2003-17, 2003

78) Peter H. Egger, Loretz, Simon, Pfaffermayr, Michael and Winner, Hannes, Corporate Taxation and Multinational Activity, CESIFO Working Paper NO. 1773, Category 1: Public Finance, 2006, pp.1~45

치적 비용이 존재하므로 조세탄력성이 높지 않다는 연구,[79] 자본의 이동성은 이론적인 예측과 달리 실제는 높지 않다[80]'는 연구 등이 있다.

한편, 국내 연구로는 '조세특례제한법 제121조의2에 의한 조세감면이 재투자의 확대로 연결되지 못한다는 연구,[81] 조세감면 조항에 대한 외국인 투자자의 만족도가 낮다는 연구,[82] 투자대상국과 투자모국 간의 세율 차이만으로는 외국인 직접투자의 방향을 예측하기 어렵다는 연구[83] 등'이 있다.

(5) 실질적인 조세부담률(Effective foreign income tax rate)

조세부담률은 법정세율(statutory tax rates)에 의한 명목부담률과 실효세율(effective tax rates)에 의한 실질부담률로 구분된다. 외국 자회사에서 발생한 소득을 국내로 송금하기보다 현지에 유보하는 것이 유리하려면 외국의 조세부담률이 국내 조세부담률보다 낮아야 한다.

이때 조세부담률은 명목적인 법정세율로 계산하는 것이 아니라 실질적인 실효부담률로 계산하는 것이 중요하다. 외국의 명목세율은 국내보다 낮을 경우에도 여러 가지 조세감면 등을 감안한 실질적인 부담률은 오히려 국내세율이 낮은 경우가 있을 수 있기 때문이다.[84]

(6) 국제거래에 대한 법률적 책임한도

외국시장에서의 상거래와 관련한 법적책임 한도문제는 조세문제와 직접적인 연관은 되지 않지만 현실적으로는 매우 중요한 고려대상이 된다. 해외 투자사업의 운용과 관련된 위험(risks)요인은 다양하게 발생할 수 있다. 그러한 위험으로부터 본사의 책임한도를 축소하기 위해 해외현지 또는 국내에서 별도 자회사를 설치할 수 있다. 이 경우 본사의 정보를 외국과

---

79) S. Basinger and Mark Hallerberg, 'Competing for Capital: The Effects of Veto Players, Partisanship, and Competing Countries' Domestic Politics on Tax Reform, American Political Science Review Vol. 98 No. 2, 2004, pp.261~276

80) Martin Feldstein and Charles Horioka, Domestic Saving and International Capital Flows, The Economic Journal, Volume 90 No.358, 1980, pp.314~329

81) 오광욱, 차승민, 윤성수, 외국인 투자 조세감면제도와 재투자에 관한 실증연구, 세무학연구 제27권 제1호, 2010, pp.35~66

82) 최기호, '외국인 직접투자 유치를 위한 지원세제에 대한 평가', 세무학 연구 제24권 제1호, 2007, pp.51~80

83) 전주성, '직접투자에 대한 조세유인 효과: 일본의 해외투자분석'. 한국재정학회 『재정논집』 제14집 제2호, 2000, pp.213~228

84) '2. 조세조약의 목적과 경제교류 활성화' 참조; 조세경쟁이 법인세율을 인하하는 방향으로만 전개되는 것은 아니기 때문이다. 명목상의 법정세율은 인하되고 있으나 법인세수는 오히려 증가하고 있는 것으로 나타나고 있다. 이는 '넓은 세원 낮은 세율(base broadening cum tax cut)'의 영향으로 보는 시각이 있으나 확실치 않다. OECD, Fundamental Reform of Corporate income tax, Tax policy studies No.16, 2007, pp.20~21 및 pp.31~32 참조

세당국에 노출시키는 범위를 최소화할 수 있는 장점도 있다.

③ 조세회피거래에 대한 포괄적 제한

외국에서 자본을 투자하여 소득을 획득하는 전략과 관련하여 조세 측면에서 고려할 사항은 간단하지 않다. 총비용(all costs)에 포함되는 조세부담의 경감과 함께 모든 당사자(all parties)에 포함되는 과세당국의 조세제도 운용 측면도 고려해야 한다. 조세전략이 조세회피(tax avoidance) 내지 탈세(tax evasion)와 연결되는 경우에는 오히려 조세부담이 늘어날 수 있다. 조세변수 외에 국제거래와 관련한 법률적 책임으로부터 본사를 보호하는 측면도 동시에 고려해야 한다.

조세전략을 구체적으로 적용할 때는 앞에서 검토한 요인을 모두 고려해야 한다. 이러한 고려변수는 일반적으로 두 가지 기준으로 분류한다. 시장마찰요인(market friction factors)과 조세법상의 규제요인(tax regulation factors)이다. 시장마찰요인은 거래비용으로서 시장정보 비대칭(market information asymmetry) 또는 도덕적 해이(moral hazard)로 인해 발생하는 자료 및 정보의 수집관련 비용(search and information costs), 협상 및 의사결정비용(bargaining and decision costs), 감독 및 집행비용(policing and enforcement costs) 등과 관련된다.[85]

세법상의 규제요인은 납세자들의 조세회피 목적이 지나치게 되면 국회나 정부가 납세자의 조세관련 의사결정[86]에 제한을 가하는 조치로서 조세법률의 규정을 통한 제한, 법원판결에 의한 제한, 행정지침 등을 통해 이루어진다. 그 제한조치의 범위는 포괄적 및 세부적 제한으로 구분된다. 세부적 제한은 특정한 조세체계의 남용을 목적으로 하는 특정한 유형의 거래에만 한정하여 적용하지만 포괄적 제한은 그 적용범위가 훨씬 넓어진다.[87]

---

85) Michael Dietrich, Transaction Cost Economics and Beyond: toward a new economics of the firm, Routledge, ISBN 0-415-07155-0(hbk), 1997, 'Chapter 2. The Transaction Cost Paradigm', pp.15~30. 거래비용은 근로자의 근무태도에 대한 감독장치의 운용, 경영자들이 주주의 복리를 취해 일하도록 제공하는 스톡옵션과 같은 인센티브제도의 운용, 제품의 품질을 의심하는 소비자들의 구매촉진을 위한 제품보증제도의 운용, 외부감사인들의 재무제표 감사제도의 운용 등과 연관하여 발생하는 비용 등이 해당한다.

86) 계약자유의 원칙을 존중할 경우에는 납세자의 사업관련 의사결정에 국가가 직접 영향을 주는 것은 한계가 있다. 그러나, 납세자가 조세부담의 회피만을 목적으로 계약자유의 원칙을 이용하는 경우에는 실질과세원칙에 따라 납세자의 거래를 재구성하여 과세소득을 산정하게 된다.

87) 포괄적 제한의 대표적인 사례는 실질과세원칙을 적용하는 것이다. 거래의 내용이 실질적인 사업목적(business purpose)을 가지고 있는지 여부이다. 납세자가 선택한 거래보다 더 단순한 거래방식을 통해서도 비슷한 경제적인 결과를 가져올 수 있는지 여부를 확인하는 것이다. 과세당국은 해당거래를 재해석하여 과세상 혜택을 제한한다는 점에서 실질과세원칙(substance-over-form rule)의 적용과 유사하다. 실질과세원칙은 거래의 법적 형식을 무시하고 그 거래의 경제적인 실질을 파악한 후 그 실질에 따라 과세하는 기준을 말한다.

조세전략의 효과분석은 세전투자수익률과 세후투자수익률을 사용하여 평가할 수 있다. 납세자에게는 실제로 이루어지는 현금흐름이 중요하다. 세전투자수익률은 가상적인 내용을 전제로 하는 것이므로, 아래에서 보는 것처럼 정보의 비대칭으로 인하여 실제 조세부담이나 거래비용, 규제비용 등이 달라질 수 있으므로 정확한 결과값을 산출하기 어렵다. 그러나 세후투자수익률을 기준으로 할 경우에는 납세자의 현금흐름(cash flow)을 정확하게 평가할 수 있다.

여기서는 가상의 사례를 이용하여 납세자가 실제로 부담하는 조세부담액을 기준으로 '세후현금흐름(after tax cash flow)'의 관점에서 조세전략의 효과를 평가해 보기로 한다.

❶ 기본 분석모형

세후현금흐름에 영향을 주는 변수는 조세부담액을 결정하는 세율과 납세자의 보유현금에서 기간별로 얻을 수 있는 수익률과 기타 투자환경변수 등으로 구분할 수 있다. 이러한 변수를 조합하여 세후현금 흐름을 검정할 수 있는 분석모형을 설정하면 다음과 같다.

$$\text{ATCF} = f\left(\textit{Tax Rates, Interest Rates, Z, Interaction}\right) \qquad \text{식(1)}$$

ATCF: 세후현금흐름(after‐tax‐cash‐flow)
Tax Rates: 조세부담률
Interest Rates: 보유현금의 기간별 수익률(이자율)
Z: 투자환경변수(정책변수 포함)
Interaction: 조세부담률과 기타 변수 간의 상호작용 효과

투자환경변수는 조세부담률과 보유현금에 대한 이자율에 직접 또는 간접으로 영향을 주는 것은 앞에서 본 바와 같다. 정확한 세후현금흐름의 분석을 위해서는 투자환경변수를 모두 반영해야 한다. 투자환경변수는 비조세변수(non‐tax variables)에 해당한다. 정밀한 분석을 하기 위하여 조세변수 및 비조세변수와 관련하여 검토해야 할 내용은 다음과 같다.[88]

---

88) 이 부분은 '강성태, 외국인 직접투자의 유치와 조세 및 비조세변수의 효과, 2011. 2, op. cit. pp.95~105'를 본 연구 주제에 맞추어 재정리하였다.

(1) 조세변수(세율변수)

조세변수는 조세부담률로서 법인세율과 소득세율을 말한다. 세율은 법정세율(satutory tax rate), 평균세율(average tax rate), 평균유효세율(effective average tax rate), 한계유효세율(effective marginal tax rate) 등이 있다.

법정세율은 각국의 조세법에서 규정하고 있는 명목세율로서 실증연구에서는 세율구간 중에서 가장 높은 세율(최고세율)을 사용한다. 실제 세액을 산출하는 기준이 되는 과세표준을 산출하기 위하여 다양한 비과세와 감면항목이 적용[89]되므로 이를 감안한 세율[90]과 명목상의 법정세율은 차이가 발생하므로 법정세율을 사용할 경우에는 그 결과값의 정확도에는 일정한 한계가 발생한다. 유효세율을 이용하려면 조세법규정에서 규정한 각종 비과세와 감면사항을 별도로 계산[91]해야 하는 어려움이 있으므로 이용이 간편한[92] 법정세율을 사용하여 실증연구한 사례도 많이 있다.[93]

평균세율은 '실제 납부한 세액을 영업이익(operating surplus)'으로 나누어 계산한다. 계산이 간편하고 또한 조세부담률의 변화에 따른 투자량의 변동을 쉽게 확인할 수 있다는 장점이 있다. 그러나 과거에 발생한 여러 가지 조세계획(tax planning)의 영향을 받기 때문에 분석결과의 내생성(endogeneity) 발생문제가 지적되고 있다.[94]

유효세율은 평균유효세율(EATR)과 한계유효세율(EMTR)로 구분된다. 이는 미래에 이루어질 투자가 조세부담수준으로부터 받을 영향을 분석하는데 사용하므로 미래전망세율(forward-looking effective tax rates)이라고도 한다.[95] 개별기업의 금융조달 및 투자구조

---

89) 비과세와 감면사항은 법인세법, 소득세법, 조세특례제한법, 조세조약 등에서 규정하고 있다.

90) 이를 유효세율(effective tax rates)이라고 한다.

91) 특히, 개발도상국들은 외국자본의 유치를 위하여 다양하고 복잡한 조세감면제도를 운영하고 있으므로, 이들 국가에서 적용되는 유효세율을 일일이 확인하는데는 상당한 어려움이 있다.

92) Céline Azémar and Andrew Delios, Tax competition and FDI: The special case of developing countries, Journal of Japanese and International Economies. Volume 22, Issue 1, 2008. pp.90~92
www.elsevier.com/locate/jjie

93) 평균세율과 법정세율을 사용한 연구사례는 'Michael P. Devereux and Rachel Griffith, The Impact of Corporate Taxation on the Location of Capital: A Review,' Economic Analysis and Policy (EAP), vol. 33 issue 2, 2003, p.283' 참조

94) Michael P. Devereux, and Rachel Griffith, ibid, 2003, pp.275~292. 평균세율은 분모가 영업이익이므로 개별기업수준에서는 영업손실이 발생한 기업에는 적용할 수 없고 또한 영업이익이 발생한 기업이더라도 분자가 실제 납부한 세액이기 때문에 환급세액이 발생하는 경우에는 역시 적용할 수 없는 문제점에 대한 지적도 있다. 그러나 이러한 문제점들은 미시자료를 사용할 때 주로 발생하는 것이므로, 거시자료를 사용하는 경우에는 미시자료에서 발생하는 문제는 사전에 해소되는 것으로 보고 있다.

95) Peter H. Egger, Simon Loretz, Michael Pfaffermayr and Hannes Winner, Firm-specific forward-looking effective tax rates, International Tax and Public Finance, vol. 16, issue 6, 2009, pp.851~852

등이 다르므로 유효세율은 개별기업의 미시적 수준(firm-specific-micro-level)에서 적용하기보다는 국가단위의 거시적 수준(country-specific-macro-level)에서 사용하는 것이 더 적절하다.[96]

Devereux와 Griffith(1999)[97]는 평균유효세율과 한계유효세율의 계산 방식을 제시하고 있다. 두 개의 세율을 구분하는 것은 외국인 직접투자에 미치는 영향이 다르기 때문이다. 평균유효세율은 투자지역 결정(location choice)에, 한계유효세율은 자본투자량(capital stock)에 영향을 준다.

따라서 외국인 직접투자 유치의 세율탄력성을 분석하려면 평균유효세율을 사용하는 것이 적절한 것으로 보인다. 그러나 복잡한 계산절차를 거쳐야 하는 어려움과 분석결과의 차이도 크지 않다는 이유로 평균세율과 법정세율을 사용하여 실증분석하는 경우도 많이 있다.[98] 그 외에 영국의 재정연구소(IFS)[99]와 세계은행[100]에서 산출하여 제공하는 세율이 있다.

법정세율은 OECD와 세계은행이 공시한 자료[101]를 이용할 수 있으나, 평균세율은 공시되어 있지 않으므로 표본국가별로 법인세 관련 조세수입액을 영업이익(operating surplus)으로 나누어 산출한 값을 평균세율의 대용(proxy) 값으로 사용할 수 있다. 분석대상국가가 많

---

96) Egger, Loretz, Pfaffermayr and Hannes Winner, ibid., 2009, p.852

97) Michael P.Devereux, and Rachel Griffith, Taxes and the location of production: evidence from a panel of us multinationals, Journal of Public Economics 68.1998, pp.335~367 및 The taxation of discrete investment choices, The Institute For Fiscal Studies, Working Paper Series No. W98/16, February, 1999, pp.1~62. 특히 평균유효세율(EATR)과 한계유효세율(EMTR)의 계산방법은 Evaluating Tax Policy for Location Decisions, International Tax and Public Finance, vol.10 no.2 pp.109~115 참조

98) Michael P. Devereux and Rachel Griffith, op. cit., 2003, p.283

99) Institute for Fiscal Studies(IFS)(http://www.ifs.org.uk/aboutIFS)는 영국에 소재한 민간경제연구기관으로서 1965년 설립되어 조세 및 공공정책분야에 관한 연구논문(working paper)을 발표하고 있다. IFS는 Devereux와 Griffith의 방식으로 평균유효세율(EATR)을 산출하여 제공하고 있으나 주요 19개국에 대한 세율자료에 한정되어 있다. 그 국가는 '오스트레일리아, 오스트리아, 벨기에, 캐나다, 핀란드, 프랑스, 영국, 독일, 그리스, 아일랜드, 이탈리아, 일본, 네덜란드, 노르웨이, 포르투갈, 스페인, 스위스, 미국'이다.

100) 세계은행은 『사업소득에 대한 총조세부담률(total tax rates for business)』을 계산하여 제공하고 있다. Total Tax Rates는 공제 및 감면소득을 제외한 사업소득(개인+법인)에 대하여 적용되는 총세율로서 사업관련소득에 적용되는 총세율을 의미한다. [Total tax rate is the total amount of taxes payable by businesses (except for labor taxes) after accounting for deductions and exemptions as a percentage of profit.] 평균세율의 대용(proxy)으로 사용할 수 있으나 2005년 이후 자료만 제공되어 그 이전 연도 자료의 분석에는 한계가 있다.
http://search.worldbank.org/data?qterm=corporate+profit+tax+revenue&language=EN&format=html

101) World Bank는 Highest Marginal Tax Rate(corporate rate %) 형식으로 공시하고 있으며 OECD는 Table II.1에서 "Corporate Income Tax rate" 형식으로 공시하고 있다.
http://search.worldbank.org/data?qterm=corporate+profit+tax+revenue&language=EN&format=html
http://www.oecd.org/document/60/0,3343,en_2649_34533_1942460_1 1 1 1,00.html#C_CorporateCaptial

은 경우에는 전체 표본국가에 대하여 동일한 기준을 적용할 수 있도록 세계은행 및 UN의 통계자료를 사용하여 평균세율을 산출할 수 있다.[102] 외국직접투자(FDI)는 법인 외에 개인도 가능하므로 세계은행에서 공시하는 국민조세부담률(% of GDP) 자료와 소득·이익 및 자본이득(income, profits and capital gains)에 대한 조세부담액이 총조세에서 차지하는 비율(% of total taxes)에 관한 자료를 사용하여 법인세액의 추정치를 산출할 수 있다. 영업이익(operating surplus)은 UN 통계국(United Nations Statistics Division) 자료 Table 4.1 Total Economy(S.1)[103]에서 추출할 수 있다. 통계자료가 자국화폐로 작성된 경우에는 달러로 환산[104]해야 한다.

(2) 비조세변수(투자환경변수)

비조세요인이 외국직접투자(FDI)에 따른 현금흐름(cash flow)에 상당한 영향을 줄 수 있다. 그것은 앞에서 언급한 '시장마찰요인(market friction factors)'으로서 거래비용을 발생시키는 부분과 관련이 되며, '규제적 요인(restriction factors)'으로서 조세정책이나 외국기업에 지원 또는 규제정책 등과 관련하여 발생하는 비용이 된다.[105]

투자환경변수는 비조세요인(non-tax factors)으로서 외국직접투자에 상당한 영향을 줄 수 있다. 구체적인 투자환경변수는 투자국(home country)과 투자대상국(host country)의 상황에 따라 달라진다. 우리나라의 경우에는 국내로 유입되는 외국직접투자(inbound FDI)에 대한 폭넓은 조세지원에도 불구하고 그 유입액이 기대만큼 늘지 않는 점을 감안하여 투자환경변수를 중점적으로 분석할 필요가 있다.[106]

---

102) OECD와 World Bank에서 income, profit and capital gains에 대한 조세부담율을 공개하고 있는 자료의 형식을 따랐다. 국가별로는 법인세수의 비중이 높은 경우도 있고 개인소득세의 비중이 높은 경우도 있을 수 있으나 개별국가별 자료가 공개되어 있지 않은 점을 감안하였다.
OECD http://search.worldbank.org/data?qterm=exchange%20rates
World Bank http://search.worldbank.org/data?qterm=tax&language=EN&format=html

103) http://data.un.org/Search.aspx?q=OPERATING+SURPLUS%2cgross

104) 자국 화폐를 달러로 환산할 때는 world bank에 공시한 환산표를 사용한다.
http://search.worldbank.org/data?qterm=exchange%20rates

105) 투자환경은 투자인센티브제도, 행정규제완화, 법·제도의 일관성 및 투명성, 인력 및 노무환경, 금융환경, 조세환경, 주거환경 등 7개 분야를 측정대상으로 삼고 있다. 대한상공회의소 조사 보고서 "주한 외국계기업의 투자전망과 과제조사, 2008. 7. 및 주한외국기업이 바라본 국내외 투자환경 조사, 2009. 10. 참조 http://www.korcham.net/ 대한상공회의소는 주요경쟁 대상국으로 싱가포르, 홍콩, 대만, 중국, 미국, 일본을 들고 있다.

106) 거래비용은 시장마찰비용(friction costs)으로서 '경영관리비, 인건비, 중개수수료 등 사업비 등'과 해당 국가의 여러 가지 제도적 법적 규제와 관련된 비용(restriction costs)에 해당하는 조세법상의 '이전가격과세제도, 과다부채규제(earnings stripping rule), 정보교환, 금융거래제한, 환율 등'이 해당한다.

다국적기업이 외국직접투자 결정과정에서 비조세적인 요소를 고려하는 것은 Scholes and Wolfson(1992)이 지적한 대로 합리적인 조세계획은 모든 비용(all costs), 모든 거래당사자(all parties)와 모든 조세(explicit tax와 implicit tax)를 고려하여 결정해야 한다는 주장과도 부합한다.

② 조세변수 및 환경변수의 효과 검정가설 설정

다국적기업이 외국직접투자계획을 수립하면서 검토하는 조세전략의 효과성을 분석하는 절차는 앞에서 설정한 '기본 분석모형(baseline model)'을 바탕으로 검정가설을 설정하고 그 검정가설을 분석할 수 있는 '가설 검정모형'을 설정해야 한다.

검정가설은 귀무가설(null hypothesis)을 말하고, 다음과 같이 설정할 수 있다.

먼저 세율[107]이 외국직접투자 계획에 주는 영향을 분석하기 위한 가설을 설정한다. 이 가설은 투자대상국(host country)의 조세부담률이 투자결정에 영향을 미칠 것인지 여부와 그 정도를 분석하게 된다.

투자대상국의 특성에 따라서 조세부담률이 미치는 영향이 달라진다. 조세감면을 대폭 제공하는 경우에는 조세부담률의 효과는 매우 약하거나 거의 없을 것으로 예상할 수 있다. 이 경우에 '귀무가설(null hypothesis)'은 다음과 같이 설정할 수 있다.

귀무가설 1: 세율은 외국직접투자에 영향을 주지 않는다

여기서 세율의 유형별로 탄력성의 존재여부를 측정하려면 각 세율별로 부속가설을 다음과 같이 설정해야 한다.

부속가설 1: 법정세율은 외국직접투자에 영향을 주지 않는다.
부속가설 2: 평균세율은 외국직접투자에 영향을 주지 않는다.
부속가설 3: 평균유효세율은 외국직접투자에 영향을 주지 않는다.
부속가설 4: 한계유효세율은 외국직접투자에 영향을 주지 않는다.

다음은 비조세변수의 효과를 검정하는 가설을 설정한다. 비조세변수는 투자환경요인과 투자정책요인으로 구분할 수 있다. 투자환경요인은 국내총생산(GDP) 규모, 무역의 개방도

---

107) 세율은 앞에서 언급한 대로 '법정세율(satutory tax rate), 평균세율(average tax rate), 평균유효세율(effective average tax rate), 한계유효세율(effective marginal tax rate)' 등을 사용할 수 있다.

(openness), 지리적거리(distance), 종합국가관리지수(Aggregate governance indicators)[108] 및 투자정책변수 등 다양하다.[109] 투자정책변수는 분석대상 기간 내에 시행된 투자정책 및 조세조약상의 여러 가지 제도[110]가 해당된다. 투자정책변수는 그 정책의 시행 전과 시행 후의 효과를 비교하기 위하여 가변수(dummy)로 전환하여 분석하는 것이 일반적이다.[111]

이를 귀무가설(null hypothesis)로 다음과 같이 표현할 수 있다.

귀무가설 2: 비조세변수는 외국인 직접투자에 영향을 주지 않는다.

여기서도 비조세변수의 내용에 따라 외국직접투자의 탄력성을 측정하려면 각각의 비조세변수별로 부속가설을 다음과 같이 설정해야 한다.

부속가설 2-1: GDP는 외국직접투자에 영향이 없다.
부속가설 2-2: 무역개방도는 외국직접투자에 영향이 없다.
부속가설 2-3: 종합국가관리지수는 외국직접투자에 영향이 없다.
부속가설 2-4: 사회보장비지출은 외국직접투자에 영향이 없다.
부속가설 2-5: 조세조약혜택제한(LOB)은 외국직접투자에 영향이 없다.

③ 가설 검정모형

$$ATCF = f\left(Tax\,Rates,\ Interest\,Rates,\ Z,\ Interaction\right) \qquad 식(1)$$

앞에서 설정한 가설을 검정하기 위한 검정모형은 종속변수와 독립변수(설명변수) 간의 관계를 함수로 표시하여 설정한다. 사례에서 종속변수는 외국직접투자에 따라 발생하는 '세

---

108) world bank는 매년 전 세계 각 국가별 지수를 발표하고 있다.
   http://info.worldbank.org/governance/wgi/sc_country.asp Daniel Kaufmann and Aart Kraay, Governance Indicators: Where Are We, Where Should We Be Going?, World Bank Policy Research Working Paper 4370

109) 실증연구에 사용되는 비조세변수에는 '지리적 거리, 국가규모(GDP) 및 제도적 차이와 시장구매력(market thickness), 노동생산성, 금융제도, 고용시장, 자본집중도, 무역규모, 사회보장비지출, 공공부분투자규모 등' 다양한 요소들이 있다. 구체적으로 사용할 변수는 국가별로 차이가 있다.

110) 이중과세 방지제도 중 상호면세제도인 tax sparing system 적용여부, 제한세율의 적용여부, 조세조약혜택제한규정(LOB), 조세조약제한세율 확대적용규정(MFN) 등이 해당한다.

111) 시행 전의 효과는 없고 시행 후에만 효과가 나타나므로, 이를 비교하기 위한 분석방법이다.

후현금흐름(after-tax-cash-flow)' 금액이고, 설명변수는 기본 분석모형(baseline model)에서 사용한 '조세부담률(세율), 보유현금의 기간별 수익률(이자율), 투자환경변수(정책변수 포함), 투자환경변수, 조세부담률과 기타 변수 간의 상호작용이 된다. 투자환경변수에 포함된 정책변수는 가변수(dummy)로 처리한다.

기본 분석모형(식 1)을 변형하여 가설 검정모형을 설정하면 다음과 같이 예시할 수 있다.

$$ATCF_{it} = \beta_0 + \beta_1 TaxRate_{it} + \beta_2 InterestRate_{it} + \beta_3 Environment(Policy)_{it}$$
$$+ Tax\,Rate_{it} \times InterestRate_{it} + TaxRate_{it} \times Environment(Policy)_{it}$$
$$+ dum1 + dum2 + dum3 + \epsilon_{it} \qquad\qquad \text{식(2)}$$

$ATCF_{it}$: 국가 i로 부터의 t년도 세후현금흐름량

$Tax\,Rate_{it}$: 국가 i의 t년도 거주지국과 원천지국의 조세부담률 차이

$Interest\,Rate_{it}$: 국가 i의 t년도 거주지국과 원천지국의 이자율 차이

$Environment(Policy)_{it}$: 국가 i의 t년도 거주지국과 원천지국의 환경(정책)변수 차이

$POLICY_{it}$: 시기별로 시행된 투자정책(DUMMY 변수)

$Tax\,Rate_{it} \times Interest\,Rate_{it}$, $Tax\,Rate_{it} \times Environment(Policy)_{it}$: 조세변수와 비조세
변수 간 상호작용

$dum1$, $dum2$, $dum3$: 정책변수(조세제도, 산업정책, 투자정책 등)

ϵ_{it} : 잔차항

④ 실증분석 결과의 분석

위의 가설 검정모형에 구체적인 숫자를 대입하여 통계분석 프로그램[112]을 통하여 분석하면 결과값을 얻을 수 있다

먼저 사용된 변수들의 특성을 설명하는 기술 통계량(descriptive statistics)을 얻게 된다. 구체적으로는 '평균값, 중앙값, 표준편차, 최대값, 최소값'이 여기에 해당한다. 중앙값(median)이 평균값(mean)보다 적은 경우에는 오른쪽으로 긴 꼬리를 가지는 왜도(skewness) 구조를 나타낸다. 이것의 의미는 세후현금흐름의 구조가 소수국가에 집중되어 있는 것을 나

---

112) 통계분석 프로그램은 'SPSS, SAS, EViews' 등 다양하다.

타내고 있다. 최대값과 최소값은 각 변수인 세후현금흐름, 세율변수, 이자율변수, 환경 및 정책변수의 크기에 대한 분포도를 보여준다.

다음은 사용된 변수들 간의 상관관계(pearson correlation)에 대한 통계를 분석할 수 있다. 세후현금흐름과 세율변수, 이자율변수, 환경 및 정책변수와의 상관계수에 대한 통계이다. 이 상관계수는 +1에 가까울수록 상관관계가 높은 것을 의미한다. 예를 들어 세후현금흐름과 세율변수 간의 관계가 +0.95라면 상관관계가 매우 높으므로 세율변동에 따라 세후현금흐름액이 크게 영향을 받고 있다는 것으로 해석할 수 있다. 통계분석의 정확성과 신뢰도를 높이기 위한 보충적인 검정은 별도로 하게 된다. 이를 자료의 안정성 검정이라고 한다.[113]

최종적으로는 실증분석결과를 가설과 대비시켜서 가설검정을 한다. 가설검정에 필요한 자료는 '상관계수, t-값, P-값, R^2값, adj.R^2값, D-W stat값' 등이다.[114]

⑤ 사례 분석

앞에서는 조세전략의 효과를 실증분석하는 방법을 예시하였다. 여기서는 실제사례의 분석방법을 살펴보기로 한다. 조세전략(tax planning)의 효과성은 세후현금흐름의 결과에 의하여 평가될 수 있기 때문이다. Scholes and Wolfson 모형에서 말하는 '모든 비용(all costs)과 모든 당사자(parties)'를 고려하면 실제적인 세후현금흐름을 파악할 수 있다. 모든 비용은 조세비용과 함께 비조세비용(nontax costs)으로서 시장마찰비용과 제도적 규제에 따른 비용을 고려한다.

(1) 분석의 기본구조(framework)

거래비용(Transaction Cost; TC)이 발생하면 그 비용상당액만큼 현금흐름은 줄어든다. 거래비용(TC)을 고려한 현금흐름(After Transaction Cost Cash Flow; ATCCF)은 다음과 같이 산출할 수 있다.

$$ATCCF = (1-c) \qquad \text{식(3)}$$

---

113) 자기상관계수를 분석하는 방법으로 ADF-Fisher 및 PP-Fisher 방법을 사용하여 단위근(unit root)을 검정한다.

114) 자료의 값이 가지는 의미를 해석하여 가설을 검정하게 된다. 자세한 내용은 '남준우·이한식, 「계량경제학 제2판」, 홍문사(2007)' 참조

식(4)에 세율(t)을 적용하면 조세부담액이 산출된다. 조세부담액(Tax Burden Amount: TBA)은 다음과 같이 산출할 수 있다.

$$TBA = (1-c)t \qquad \text{식(4)}$$

거래비용과 조세부담액을 동시에 고려하는 경우에 현금흐름은 식(3)과 식(4)를 이용하여 산출할 수 있다. 식(3)의 값은 당초현금에서 거래비용을 공제한 후 남은 금액이다. 식(4)는 거래비용을 공제한 후 남은 현금(식 3)에 세율(t)을 적용하여 산출한 조세부담액이다. 식(3)의 값에서 식(4)의 값을 공제하면 모든 비용인 거래비용과 조세부담액을 고려한 후 남는 현금흐름액을 산출할 수 있다. 모든 비용 고려 후 현금흐름액(After All Costs Cash Flow: AACCF)을 다음과 같이 산출할 수 있다.

$$\text{비용 고려 후 현금흐름액(AACCF)} = [\text{식(3)의 값}] - [\text{식(4)의 값}] \qquad \text{식(5)}$$
$$\text{비용 고려 후 현금흐름액(AACCF)} = (1-c) - (1-c)t = (1-c)(1-t) \qquad \text{식(6)}$$

모든 비용 고려 후 현금흐름액에 투자수익률을 적용하면 투자수익의 현금흐름액(Investment Cash Flow: ICF)을 다음과 같이 계산할 수 있다.

$$\text{투자수익 현금흐름액(ICF)} = r(1-c)(1-t) \qquad \text{식(7)}$$

r: 수익률(이자율)

식(7)은 납세자가 투자를 통하여 획득할 수 있는 투자수익금액을 보여준다. 이 투자수익금액을 초기 투자자금(기초자본)에 가산하면 모든 비용(all costs)을 고려한 후의 총 현금흐름액(After All Costs Total Cash Flow: AACTCF)을 얻을 수 있다. 이를 수식으로 표현하면 다음과 같다.

$$\text{모든 비용 고려 후 총 현금흐름액(AACTCF)} = 1 + r(1-c)(1-t) \qquad \text{식(8)}$$

c: 거래비용(비조세비용)
t: 세율(조세비용)

장기간(n년)에 걸쳐서 투자가 이루어지는 경우에 납세자가 얻을 수 있는 투자의 현금흐름액은 다음과 같다. 이것은 투자 후 기대할 수 있는 미래의 현금흐름액에 해당한다.

$$AACTCF = [1+r(1-c)(1-t)]^n \qquad 식(9)$$

(2) 실제 사례 분석(예시)

분석의 단순화를 위하여 저축계정방식(savings account formula)을 사용하면서 조세의 효과만을 고려하여 분석하기로 한다.[115] 분석에 사용하는 변수는 '이자율(r)'과 '조세부담률(t)'로 한정한다. 비조세비용을 고려할 수도 있으나, 여기서는 분석의 기본틀을 이해하는데 목적을 두고 있기 때문이다.

따라서 위 식(9)에서 비조세비용에 해당하는 거래비용(C)에 대한 부분을 제외하면 현금흐름액은 식(10)과 같아진다.

$$AACTCF = [1 + r(1-t)]^n \qquad 식(10)$$

이를 분석하기 위한 가상의 저축계정(fake savings account)을 다음과 같이 설정한다.

저축금액: 1,000   이자율: 10%
보유기간: 3년   세율: 20%

분석을 단순화하기 위해 조세는 은행계좌에서 원천징수하여 납부되는 것으로 가정한다.[116] 이 경우 납세자의 현금흐름액은 출발점(기초)의 현금흐름액과 보유기간 3년이 종료된 후(기말)의 현금흐름액으로 구성된다.

---

115) Jerrold J. Stern, Chapter 11 Microeconomic Approach to Teaching Taxation, in methods, Topics, and Issues in Tax Education: a Year 2001 Perspective, p.145. 저축계정방식(SAF)은 분석방법이 간단하여 모든 투자의 수익률을 분석하는 기초도구로서 사용될 수 있다. 기간이 지나면서 투자수익률의 증감사항을 숫자적으로 확인하기 쉽다. 조세변수 및 이자율변수 등의 효과도 대비하면서 파악할 수 있는 장점이 있다.

116) 납세자가 매년 수익금을 직접 인출하여 세금을 납부하거나 다른 소득과 합산하여 종합과세하는 방법도 있으나 저축계좌소득만 있는 것으로 보고 은행에서 매년 원천징수하여 납부하는 방식으로 사례를 분석한다.

이때 투자기간 동안의 발생한 이자와 납부한 세금은 현금흐름액으로 보지 않는다. 실제로 현금이 납세자에게 지급되지 않고 은행 저축계좌에서 세금이 지급되고 그 후 현금은 다시 은행 저축계좌에 그대로 남아 있다가 3년이 지난 후 납세자에게 현금으로 지급되기 때문이다. 저축금액에 대한 발생이자는 복리로 계산된다. 따라서 현금흐름액은 앞에서 설명한 식 (10)과 같은 방식으로 계산될 수 있다.

저축을 한 첫해의 세전 및 세후투자수익금액은 다음과 같이 계산된다.

세전투자수익: 저축금액 1,000 × 이자율 10% = 100
세후투자수익: [세전투자수익 100 − (세전투자수익 100 × 20%)] = 80
세후투자수익률: 세후투자수익 80 ÷ 투자금액 1,000 = 8%

세후투자수익률을 식(10)을 이용하여 표현하면 다음과 같다. 식(10)은 초기 투자자본에 세후투자수익률을 합쳐서 계산한 값이므로 초기 투자자본에 해당하는 부분인 '1'을 제외하며, 연도는 첫해, n은 1이므로 세후투자수익률(After Tax Cash Flow Rate: ATCFR)은 다음과 같이 표현된다.

$$ATCFR = r(1-t) \qquad \text{식(11)}$$

여기에 숫자를 대입하면 이자율(r)은 10%, 세율(t)은 20%이므로, 세후투자수익률은 '10%(1−20%) = 8%'가 되는 것을 확인할 수 있다.

둘째 연도에는 첫째 연도의 세후소득 80을 원금 1,000에 가산한 1,080에 대하여 이자율 10%와 세율 20%를 적용하여 세후투자수익을 산출한다. 1,080은 둘째 연도의 기초잔액이고 기말잔액은 여기에 세후투자수익을 합산한 값이 된다. 둘째 연도에는 이자에 대하여 이자가 붙는 복리로 수익률이 계산된다.

세전투자수익: 저축금액 1,080 × 이자율 10% = 108
세후투자수익: [세전투자수익 108 − (세전투자수익 108 × 20%)] = 86.4
세후투자수익률: 세후투자수익 86.4 ÷ 투자금액 1,000 = 8.64%

셋째 연도에는 둘째 연도의 기말잔액에 이자율과 세율을 적용하여 세후투자수익률을 계산하게 된다. 3년이 지나면 저축을 인출할 수 있으므로 이 금액이 기말의 납세자 세후현금흐름액이 된다. 기말의 세후현금흐름액과 기초의 세전현금흐름액을 비교하면 종합적인 투자수익률을 계산할 수 있다.

세전 투자수익: 저축금액 1,166.4 × 이자율 10% = 116.64
세후투자수익: [세전투자수익 116.64 − (세전투자수익 116.64×20%)] = 93.312
세후투자수익률: 세후투자수익 93.312 ÷ 투자금액 1,000 = 9.3312%

이를 표로서 정리하면 다음과 같다.

[표 18 - 1] 저축계정방식에 의한 투자수익률 분석

구 분	기초잔액	1차 연도	2차 연도	3차 연도
투자금액(저축액)	1,000			
기초 잔액		1,000	1,080	1,166.4
이자소득(10%)		100	108	116.64
세율 20%		20	21.6	23.328
세후 소득		80	86.4	93.312
기말 잔액		1,080	1,166.4	1,259.712
세후현금흐름: 인출				1,259.712

기초 잔액 1,000을 투자한 경우 3년 후 세후 현금흐름액은 1,259.712로 산출된다.

식(11)에서 세후투자수익률은 $r(1-t)$로 산출됨을 보여준다. 이자율은 10%이고 세율은 20%이므로 세후투자수익률은 8%가 됨을 알 수 있다. 이러한 세후투자수익률을 적용하면 투자기간별로 세후현금흐름액을 다음과 같이 산출할 수 있다.

미래세후현금흐름액(future ATCF)=투자액(I)×(1+세후투자수익률)^n 식(12)

위 사례에 식(11)을 적용하여 세후현금흐름액을 다음과 같이 산출할 수 있다.

$$FATCF = 투자액\ 1,000 \times (1+8\%)^3 = 1,259.712$$

여기서 산출된 1,259,712는 위 [표]의 '세후현금흐름'과 동일하다. 이는 기말에 인출하여 납세자가 확보하게 되는 실제 현금흐름액이다.

(3) 소결

예시한 실증분석내용은 투자대상국(원천지국)에서 발생하는 투자효과에 초점을 맞추고 있다. 외국직접투자(FDI) 전략의 성공여부는 궁극적으로 현금흐름액을 기준으로 검토하게 된다. 투자환경적인 요인을 계량화하여 사용하면 납세자가 원하는 다양한 결과값을 얻을 수 있다. 그러한 결과값은 투자에 대한 판단을 보다 정확하게 하는데 도움을 주게 된다.

실증분석의 장점은 논리적으로 추론한 내용을 객관적인 자료를 통하여 확인할 수 있게 하므로 다양한 변수를 적용하여 조세조략을 수립할 수 있게 한다는 것이다.

조세변수와 비조세변수의 개별적인 영향력은 물론이고 두 변수의 결합에 따른 상호작용 효과는 조세변수와 비조세변수의 구성요소 중에서 어느 부분을 중요하게 고려해야 할 것인지를 결정할 수 있게 한다. 첫 출발점은 계량화된 자료의 수집과 적정한 분석방법을 결정하는 것이다.

제5절 **외국투자 자본 감시 강화의 고려**

납세자가 수립하는 외국투자전략은 궁극적으로 세후현금흐름(after tax cash flow)을 극대화하는데 목적을 두고 있다. 이러한 목적을 달성하려면 모든 당사자(all parties)와 모든 비용(all costs)을 고려해야 한다. 조세효과는 투자모국(home country)과 투자대상국(host country)이 체결한 조세조약의 내용과 투자모국 및 투자대상국의 조세제도로부터 영향을 받는다. 사례를 통한 분석에서 투자대상국에서 발생하는 조세변수의 효과를 예시하였다. 납세자는 자신이 처한 상황에 따라 주관적 또는 객관적인 동기에 관한 변수를 조세전략에 추가할 수 있다.[117]

---

117) 조세전략과 관련한 동기에 대하여는 '제1절' 참조. 조세법에 순응하는 전략(tax compliance strategy)에서 조세회피 내지 탈세전략(tax avoidance or evasion strategy)까지 고려할 수 있지만, 그에 따른 위험부담 (risks) 요인을 고려하여 최종적인 조세전략을 선택하게 된다.

외국에 자본을 투자하는 경우에 조세전략을 수립하기 어려운 이유 중의 하나는 조세변수 외에 비조세변수(nontax variables)의 기능을 정확하게 평가하기 어렵다는 것과 조세변수와 비조세변수의 결합효과를 함께 고려해야 한다는 점이다.[118] 현실적으로 비조세변수를 계량 화하는데 어려움이 있어서 실증분석대상에서 비조세변수를 제외하고 주로 조세변수만을 고 려하여 분석하는 경향이 있다. 따라서, 조세변수만을 사용한 분석결과를 현실에 적용하는 데 는 일정한 한계가 있다고 할 수밖에 없다.

특히, 외국자본이 현실적으로 높은 거래비용[119]을 부담하고 있는 경우에는 이를 정확하게 추론하여 조세계획에 반영할 필요가 있다. 일반적으로 실증분석에서는 거의 다루지 않는 정 치적 비용(political costs)[120]도 고려할 수 있다.

유권자의 선호(voter preference)를 반영할 수밖에 없는 정치적 환경[121]은 조세법령 및 조 세행정의 안정성과 예측가능성과 연결된다.

1990년대 중반 이후 외국인 직접투자의 규모가 증대되고 있으나 투자의 자국선호경향 (home bias)[122]으로 자본의 이동은 대부분 모회사와 자회사 간의 거래를 통하여 이루어지 고 국가 간(cross-border)의 거래비중은 낮은 것으로 나타나고 있다.

---

118) 세율인하와 근로자 반응 간의 결합효과는 이동성자본에 대한 조세탄력성을 낮게 한다. Ronald Rogwski and Daniel Tannenbaum, Globalization and Neo-liberalism: How much does capital mobility restrain government policy?, Faculty discussion paper on political economy, Weatherhead center for international affairs, Harvard University, 2006, pp.1~23; 시장환경 상황 등과 조세변수의 결합효과는 조세효과의 값을 낮게 한다. Francesca Gastaldi, Globalization, Gapital mobility and Convergence of Effective Tax Rates, CRISS Working Paper No.32, EAEPE 2008 conference, Rome, p.36

119) 통상적인 시장마찰비용 외에 '인력감축, 신규인력채용, 지역인프라 연결망 구축, 수송, 포장, 현지정부 및 행 정당국과의 협력 등에 따른 비용' 등이 포함될 수 있다.

120) 정치적인 비용은 '조세제도 개편으로 불이익을 당하는 계층의 발생', '정치제도' 등이다. 정치적 비용의 계산 은 '제도개선 반대자(Veto players)의 숫자', '정당별 유권자 지지층 차이' 등으로 산정할 수 있다. S. Basinger and Mark Hallerberg, Competing for Capital: The Effects of Veto Players, Partisanship, and Competing Countries Domestic Politics on Tax Reform, American Political Science Review Volume 98 Issue 2, 2004, pp.261~276

121) 집권당은 유권자의 지지를 받아서 정권을 유지해 나가기 위하여 근로자와 자본가 양측의 상대적인 영향력 차이를 근로소득과 자본소득에 대한 세율에 반영된다. 일부 정치경제학자들은 이러한 사실을 EU 통합 당시 에 많은 경제학자들이 예측한 대로 조세율이 단일세율로 수렴되지 않은 이유로 설명하고 있다. Genschel, Philipp, Globalization, Tax Competition, and the Welfare State, Politics and Society 30, 2002, pp.245~275

122) Alicia Gracia-Herrrero, Francisco Vazquez, International Diversification Gains and Home Bias in Banking, IMF Working Paper, 2007, pp.1~31

이러한 현상이 발생하는 주요원인은 정치적·경제적 또는 다른 요인에 영향을 많이 받는 환율의 가변성으로 인한 불확실성을 최소화하려고 하기 때문이다.[123] 다국적기업은 투자대상국을 결정할 때 투자자본의 세후수익(after-tax profit)에 영향을 주는 요인(조세변수)보다는 세전수익(before-tax profit)에 영향을 주는 투자환경 요인[124]에 더 많은 관심을 가지는 이유가 된다.

조세전략을 수립할 때 조세변수 외에 비조세변수를 제외하지 말아야 하는 이유를 여기에서도 찾을 수 있다.

---

123) Michael Fidora, Marcel Fratzcher and Christian Thimann, Home Bias in Global Bond and Equity markets - The Role of Real Exchange Rate Volatility, Working paper Series No 685, 2008, pp.1~48

124) 노동경직성, 자본자유화, 교육수준, 사회치안수준, 사회간접자본시설, 생활수준, 문화적 차이, 언어, 의료 및 위생수준, 조세행정의 예측가능성과 일관성 등을 들 수 있다.

제 19장

조세조약의 개선과제

 제1절 새로운 조세조약의 틀

① BEPS 체제

세원잠식과 소득이전(Base Erosion and Profit Shiting, 이하 'BEPS'라 한다)에 대응하기 위한 과제 추진계획(이하 'BEPS Project 또는 BEPS 과제'라 한다)[1]을 발의한 G20 국가의 정상들은 2015년 11월 터키 안탈랴(Antalya) 회의에서 채택한 공동성명(comnnunique)을 통하여 BEPS Project의 세부계획(package)을 효과적이고 일관되게 추진할 수 있도록 G20 국가를 포함한 모든 관련국가들이 동등한 입장(equal footing)에서 참여하여 협력할 수 있는 '포괄협력체제(inclusive framework)'의 구축을 결의하였다.[2]

이 결의에 따라 경제개발협력기구(OECD)는 G20 국가와 함께 '포괄협력체제'를 2016년 6월 구성하고 BEPS Project와 관련한 세부계획(packgage)의 이행을 원하는 모든 국가들이 참여할 수 있도록 하였다.[3]

BEPS에 효율적으로 대응하기 위하여 서로 다른 조세제도를 가지고 있는 국가들 간에 충돌이나 분쟁이 없이 추진되어야 하고 무엇보다 조세회피와 탈세에 대처함에 있어서 국가 간에 공평한 경쟁의 장(level playing field)을 제공할 필요에 따른 것이다.[4]

---

1) OECD, BEPS Project Explanatory Statement, 2015 Final Reports, 'Annex A. Overview of BEPS Package'. pp.13~18

2) G20 Leaders' Communique, Antalya Summit, 15－16 November 2015, para. 15. "…We, therefore, strongly urge the timely implementation of the project and encourage all countries and jurisdictions, including developing ones, to participate. To monitor the implementation of the BEPS project globally, we call on the OECD to develop an inclusive framework by early 2016 with the involvement of interested non－G20 countries and jurisdictions which commit to implement the BEPS project, including developing economies, on an equal footing."

3) OECD, Background Brief－Inclusive Framework on BEPS, January 2017, p.11

4) ibid. p.7

OECD 포괄협력체제에는 2020년 12월 기준으로 137개국이 참여하고 있다.[5] 포괄협력체제는 'OECD 회원국과 G20에 속한 국가로서 OECD 비회원국, 개발도상국을 포함한 참여국가'들로 구성된다. 참여국가들 중 OECD 회원국들은 자동적으로 BEPS Project 회원국가(Member of the BEPS Project)로 분류하고, 그 이외의 국가들은 'BEPS 협력국가(BEPS Associates)'로 분류하고 있다.[6] 포괄협력체제에 참여하는 국가들에게는 BEPS Project의 이행을 일관성 있게 추진해야 하고 연간 회비(annual BEPS Member fee)도 납부해야 한다.[7]

이 포괄협력체제에는 국제기구(international organization)와 지역별조세기구(regional tax organization)들도 참여하고 있다. 이들 기구의 참여는 개발도상국들이 BEPS Package를 수용하고 이행하도록 하는 중요한 역할을 하고 있다. 포괄협력체제에 참여한 국제기구와 지역별 조세기구(국세청장회의)는 다음과 같다.[8]

지역별 기구:

아프리카 국세청장회의(African Tax Administration Forum, ATAF), (국세청장회의 및 연구센터(Centre de rencontres et d'études des dirigeants des administrations fiscales, CREDAF), 범미주국세청장회의(Centro Interamericano de Administraciones Tributarias, CIAT)

국제기구[9]:

국제통화기금(International Monetary Fund, IMF), 세계은행(World Bank), 국제연합(United Nations, UN)

이와 함께 BEPS Project를 OECD 표준조세조약과 연계하여 추진할 수 있도록 새로운 제도적 장치를 도입하였다. 2017년 6월 7일 도입한 '세원잠식 및 소득이전 방지목적의 조세조약 관련 조치이행을 위한 다자협약(Multilateral Convention To Implement Tax Treaty Related Measures To Prevent Base Erosion And Profit Shifting, 이하 'MLI 또는 BEPS 다자협약'이라 한다)'이다. 'MLI'를 통하여 OECD 회원국은 물론이고 비회원권을 포함한 전

---

5) OECD, Members of the OECD/G20 Inclusive Framework on BEPS, December 2019
   https://www.oecd.org/tax/beps/inclusive-framework-on-beps-composition.pdf

6) OECD, January 2017, op. cit. p.9. footnote 3

7) ibid. p.11. 개발도상국의 회비는 정상회비보다 낮게 적용하고 있다.

8) ibid. p.11

9) IMF, World Bank, UN은 옵저버로 참여하고 있다. G20 공동성명에서 BEPS Project의 추진과 관련한 이들 국제기구의 기술적지원 협력을 평가하였다(G20 Leaders' Communique, Antalya Summit, op. cit. para. 15). OECD는 이들 국제기구와 2016년 4월 조세문제에 관한 공동협력체제(platform for collaboration on Tax)를 구축하고 공동협력을 강화하고 있다.

세계 각국의 동참을 이끌어내고 있다. BEPS Project는 새로운 국제 과세기준을 모든 국가들이 공통적으로 적용하는 것을 전제로 한다. BEPS Project와 관련된 '혼성불일치(hybrid mismatch),[10] 조세조약 남용(treaty abuse),[11] 고정사업장 지위남용,[12] 분쟁해결절차개선,[13] 중재제도(arbitration)[14]' 등을 모든 국가들이 통일적으로 그리고 신속하게 적용할 수 있도록 하는 방안을 규정하고 있다.[15]

BEPS Project는 15개의 세부실행계획(action plan)과 실행계획을 이행하기 위한 조치(measure)로 구성되어 있다. 그 중에서도 아래의 4가지의 사항은 최소기준(minimum standard)으로 정하여 포괄협력제체제에 참여한 모든 국가들이 반드시 필요한 조치를 취하도록 하고 그렇지 않은 국가에는 불이익을 받을 수 있도록 하고 있다.[16]

4가지 최소기준(four minimum standards)

1. Model provisions to prevent treaty abuse (including treaty shopping) by impeding the use of conduit companies to channel investments through countries and jurisdictions with favourable tax treaties in order to obtain reduced rates of taxation;

2. Standardised Country-by-Country (CbC) Reporting that will give tax administrations a global picture of where MNEs' profits, tax and economic activities are reported, and the ability to use this information to assess transfer pricing and other BEPS risks, so they can focus audit resources where they will be most effective;

3. A revitalised peer review process to address harmful tax practices, including patent boxes where they include harmful features, as well as a commitment to transparency through the mandatory spontaneous exchange of relevant information on taxpayer-specific rulings which, in the absence of such information exchange, could give rise to BEPS concerns;

4. An agreement to secure progress on dispute resolution, with the strong political commitment to the effective and timely resolution of disputes through the mutual agreement procedure (MAP).

---

10) MLI part II
11) MLI part III
12) MLI part IV
13) MLI part V
14) MLI part VI
15) OECD, 'Multilateral Convention To Implement Tax Treaty Related Measures To Prevent Base Erosion and Profit Shifting' 앞에 BEPS Project 참여국에게 일종의 '전문(preamble)' 성격을 가진 글(text) 참조
16) OECD, January 2017, op. cit. p.6

❷ 새로운 구조의 변화

BEPS 관련조치들은 '포괄적 성격(holistice nature)'을 가지고 있다. BEPS 과제(project)들이 초점을 두고 있는 것은 공통적 기준(pillar)인 '일관성(consistency), 실질(substance), 투명성(transparency)'이기 때문에 조세조약과 상관이 없는 분야에도 개입하게 된다. 예를 들어 2017년 OECD 표준조세조약 주석에서 제시된 'special tax regimes'에 대한 규정이다.[17] 주석은 거주지국에서 제11조 이자소득 및 제12조 사용료 소득과 관련하여 'special tax regimes'를 이용하는 사람에게 지급되는 소득을 부인할 수 있는 조건을 개별조세조약의 정의 규정에 둘 수 있다고 규정하고 있다. 부인의 조건은 BEPS Action 5에서 규정한 '유해조세관행(harmful tax practice)[18]' 방지기준을 충족하지 못한 경우이다. 더욱 중요한 것은 BEPS 실행계획(action plan)에 포함된 항목 중 '비조약(non-treaty)' 분야를 조약의 해석과 적용의 기준으로 사용하고 있는 점이다. 예를 들어 '주된 목적기준(Principal Purpose Test)과 관련하여 언급되는 '실질적 경제적 기능(substantive economic functions)'은 BEPS 실행계획(Action plan) 8~10에서 이전가격기준을 적용할 때 새로운 '가치창출(value creation)' 개념을 적용하여 조세조약을 해석하는 것이다. '가치창출'이라는 개념을 조세회피방지수단으로 사용하든 아니면 과세권배분을 규율하는 새로운 기준으로 사용하든 상관없이 조세조약의 해석기준으로 사용되는 것으로 보인다.

조세조약의 남용문제와 관련하여 OECD 표준조세조약 제4조의 거주지 판정기준은 일부 취약점은 있지만 그대로 적용되고 있다. BEPS Project의 여러 조치들은 기존의 조항, 조세

---

17) OECD 표준조세조약, 2017, 제1조에 대한 주석 para. 85
18) OECD 표준조세조약, 2017, 제1조에 대한 주석 para. 94
 "~If a regime does not condition benefits either on the extent of research and development activities that take place in the Contracting State or on expenditures (excluding any expenditures which relate to subcontracting to a related party or any acquisition costs), which the person enjoying the benefits incurs for the purpose of actual research and development activities. Subdivision (ii) is intended to ensure that royalties benefiting from patent box or innovation box regimes are eligible for treaty benefits only if such regimes satisfy one of these two requirements.~
 Under either version of subdivision (ii), royalty regimes that have been considered by the OECD's Forum on Harmful Tax Practices and were not determined to be 'actually harmful' generally would not meet subdivision (ii) and, if so, would not be treated as special tax regimes".(체약국에서 이루어진 연구개발활동의 정도나 발생비용(특수관계자와의 하청계약이나 취득비용은 제외)에 따라 혜택을 받는 구조가 아닌 경우에는 그 비용은 실제 연구개발활동과 관련하여 발생한 수익을 얻는 구조이다. 특허상자나 혁신상자구조에 대한 혜택은 다음 두 가지 조건을 충족하면 조세조약의 적용되상이 된다.~이 경우에 사용료 구조가 유해조세관행에 해당한다고 본 것이 실제로는 (ii)의 유해조세관행 기준에 맞지 않으면 '특별조세구조'에 해당하지 않는다.)

조약의 적용관행과 판례들을 종합하여 도입한 측면도 있다. 예를 들면, 조세조약남용에 대응하기 위한 최소기준으로 MLI에서 규정한 '주된 목적 검증기준(principal purpose test)'[19]은 2003년 OECD 표준조세조약의 주석에서 소개되었던 '지침(guiding principle)'을 조문화한 것이다.[20] PPT를 도관상황(conduit situations)[21]에 적용한 사례로 예시한 것은 2001년 미국과 영국 간 조세조약의 '각서교환(exchange of notes)' 내용과 대동소이한 것으로 보인다.[22] 또한 BEPS Action 7(Artificial Avoidance of PE status)에 따라 '수수료계약(commissionaire arrangement)'을 이용한 PE 지위 남용방지 개념을 OECD 표준조세조약에 도입한 것은 여러 국가에서 이미 적용하고 있는 '실질적 해석기준(substance over form interpretation)'을 조문화한 것이다. 이런 관점에서 보면 BEPS는 실제 조세조약 적용현장에서 나타난 결과를 모아 제도화해 나가는데 융통성을 발휘하는 새로운 구조로 빠르게 전환해 나가고 있는 것으로 볼 수 있다.

이러한 BEPS Project는 조세조약 체계에 대한 인식을 변화시키고 있다. 무역 등 다른 분야와 달리 조세분야에서는 다자간(multilateral)이 아니라 양자 간(bilateral) 조약이 핵심을 이루어 왔다. 각국이 체결한 양자 조세조약은 현재 3,000여 개를 훨씬 넘고 있다. OECD는 여전히 양자 간 조세조약이 이중과세와 조세회피와 관련한 문제를 해결하는데 더 적절한 방식이라는 입장을 고수하고는 있다.[23] 그러나 새로운 BEPS Project의 추진을 위한 '포괄적 협력체제(Inclusive Framework)'의 구축과 'BEP 다자협약(MLI)'의 도입이 미칠 영향은 명확하게 예상하기 어렵다.

첫째, 정책적 측면에서 보면 양자 간 조세조약은 계속하여 체약당사국의 정책목적에 따라 협상이 이루어질 것으로 보인다. 2017년 개정 OECD 표준조세조약의 서문 para 15.2에 의하면 양 체약국이 조세조약을 체결할 때 고려하는 사항은 양 체약국의 투자와 무역량이 전망을 고려하는 것은 계속될 것으로 보고 있다.[24] 재화와 용역 그리고 자본의 교환 수준은 양 체약국이 결정하게 된다.

---

19) MLI 제7조 제1항
20) OECD 표준조세조약, 2003, 제1조 주석 para. 9.5
21) OECD 표준조세조약, 2017, 제29조에 대한 주석 para. 187
22) Convention between the Government of the United Kingdom of Great Britain and Northern Ireland and the Government of the United States of America for the Avoidance of Double Taxation and the Prevention of Fiscal Evasion with Respect to Taxes on Income and on Capital Gains(24 July 2001)(as amended through 2002), Treaties & Models IBFD
23) OECD 표준조세조약, 2017, 서문 paras. 40-41
24) OECD 표준조세조약, 2017, 서문 para 15.2

둘째, 조세조약의 해석은 관습법을 성문화한 비엔나 협약[25]에서 규정된 기준에 따라 이루어지고 있는 현재의 방법은 계속 유지될 것이다.

셋째, BEPS의 조치는 거주지국 과세기준이 원천지국 과세기준보다 우선하는 현재의 조세조약의 기본구조에 영향을 주는 않는다. '2013년 OECD BEPS 실행계획(action plan)'에서 이를 분명히 하고 있다.[26] BEPS를 추진하기 위한 실행계획(Action plan)은 국제거래소득이 비과세되거나 아주 낮은 세율로 과세되는 지역으로 이전되어 탈세되는 소득으로부터 거주지국과 원천지국의 과세권을 회복하는 방안이다. 기존의 국제거래소득에 대한 과세권의 분할기준인 원천지국기준과 거주지국 기준을 유지하는 가운데서도 BEPS Project로 인한 조세조약 체계의 변화는 계속될 것으로 보인다.

제2절 조세조약과 변화수용의 제약요인

앞절에서 본대로 조세조약의 체계는 상당한 변화가 일어나고 있다. 그러나 그 변화는 '세원잠식과 소득이전'을 통한 조세회피와 탈세문제와 관련된 것이고 기존의 국제거래에 대한 기본적인 과세체계에 대한 것은 아니다. 따라서 국제연맹시대부터 이어져 온 원천지국과 거주지국을 중심으로 하는 과세기준은 그대로 유지하고 있다. 물론 Digital 경제의 도래로 인한 새로운 과세방법에 대한 연구가 진행중에 있지만 그 연구의 결과 기존의 과세체계를 근본적으로 변화시키는 데는 한계가 있을 것으로 보인다. 그 이유는 절차적 특성, 동결효과, 그리고 국가 간의 조세경쟁 등으로 요약된다.

① 조세조약체결 절차의 특성

조세조약의 체결절차는 다른 통상조약과 다른 특성을 가지고 있다. 조세조약은 헌법적 근거에 따라 정부가 체결되고[27] 국회가 비준을 동의하고 그것을 실행하는 것은 국내 조세법이다. 국회는 조세조약의 체결절차에서 비준동의권을 가지고 그것을 집행하는 국내 조세법에 대한 입법권을 행사하고 있다. 이점은 다른 통상조약과 유사하다.

---

25) Vienna Convention on the Law of Treaties, 23 May 1969

26) OECD Action Plan 2013, p.12

27) 우리나라의 헌법 제6조

그러나 조약체결과정에 직접 또는 간접적으로 개입하여 감시하는 역할은 거의 없다고 볼 수 있다. 조세조약은 다국적 기업의 세금 부담액을 높이기 위하여 체결되는 것이 아니고 줄여주기 위하여 체결된다고 볼수 있다. 따라서 다국적기업들은 조세조약은 기업의 이익과 직결되는 통로가 된다. 실제로 다국적기업은 조세조약구조의 설계와 적용과정에 많은 목소리를 내고 있다.[28] 다국적기업에게 조세감면혜택을 퍼부어 주는 것을 반대하는 노동조합과 같은 단체들은 국내 조세법을 통하여 시행되는 조세조약의 체결과정에 직접 참여하는 것이 제한되어 있다.[29] 무역자유협정(Free Trade Agreement)과 같은 통상조약의 체결과 심의과정은 조세조약에 비하여 상대적으로 공개적이고 꼼꼼한 국회의 심의절차를 거친다고 볼 수 있다.[30]

조세조약과 관련한 조세수입의 증감효과에 대한 추정을 하지 않는 점도 하나의 특성이 된다. 조세조약이 외국인 직접투자를 증가시키고 무역의 흐름을 뒤바꿀 수 있는지 그리고 세수효과는 어떻게 되는지에 대한 분석은 거의 없다고 할 수 있다. 외국의 사례에서도 마찬가지이다. 다만, 네덜란드 비영리기구가 네덜란드와 개발도상국이 체결한 조세조약이 개발도상국에게 미치는 세수감소효과에 분석과 세계은행(world bank)이 우크라이나의 사례를 분석한 결과가 있을 정도이다.[31]

조세조약의 체결은 그 조세조약에 담긴 여러 가지 감면 등을 통하여 다국적기업에게 제공되는 조세지출효과가 발생한다. 그렇지만 이러한 조세지출에 따른 효과분석은 거의 없는 편이다.[32] 조세조약을 통하여 다국적기업에 지원하는 감면은 정부지출과 같기 때문에 조세수

---

28) 국제연맹시대에는 '국제상공회의소(International Chamber of Commerce)'의 건의서가 조세조약 초안을 작성하는데 많은 역할을 한 것으로 알려져 있다. 1962년에 OECD가 구성한 '기술산업자문위원회(Business and Industry Adviory Committee,BIAC)'를 두고 업계의 목소리를 공식적으로 반영하고 있다. 경제계의 현실과 동떨어진 제도를 만드는 것은 제도의 실효성을 낮추게 되므로 경제계의 요구사항을 반영하는 현실적으로 불가피하다. 그러나 이를 반영하는 절차적 공정성이 확보되어야 한다는 것이다.

29) Patrick Driessen, Is There a Tax Treaty Inlularity Complex?, Tax Notes Volume 135, No.6, May 29, 2012, p.751

30) Oona A. Hathaway, 'Treaties' End: The Past, Present, and Future of International Lawmaking in the United States,' Yale Law Journal Volume 117. 2008, pp.1307~1316

31) 1) 네덜란드 사례: ACTIONAID, MISTREATED: THE TAX TREATIES THAT ARE DE-PRIVING THE WORLD'S POOREST COUNTRIES OF VITAL REVENUE (2016),
http://documents.worldbank.org/curated/en/534391488205311904/pdf/_WPS7982.pdf
https://perma.cc/3JJS-R663

2) 우크라이나 사례: Oleksii Balabushko et al., The Direct and Indirect Costs of Tax Treaty Policy: Evidence from Ukraine (World Bank Grp., Policy Research Working Paper No. 7982, 2017
http://documents.worldbank.org/curated/en/534391488205311904/pdf/WPS7982.pdf
https://perma.cc/5Lu3-UCTD

32) Steven A. Dean, 'The Tax Expenditure Budget Is a Zombie Accountant,' U.C. DAVIS Law Review Volume 46, 2012, pp.306~307

입의 감소와 같은 효과를 가진다.[33] BEPS Project가 목표를 두는 것은 다국적기업의 탈세 또는 조세회피구조에 초점을 맞춘 것이고 조세조약의 혜택구조 자체를 변화시킨 것은 아니기 때문에 조세지출문제는 그대로 남아 있는 것으로 볼 수 있다.

조세조약의 규정에 따라 원천지국에서 낮은 세율이 적용되는 소득, 예를 들어 이자소득, 배당소득, 사용료 소득 등은 원천지국의 원천징수세율(한계세율)이 영(zero)이거나 10% 이하의 매우 낮은 세율을 적용하고 있다. 원천지국의 세원(tax base)은 조세조약을 통하여 합법적으로 잠식되고 다국적기업은 잠식소득을 저세율 또는 무세 국가인 이른바 조세피난처(tax harbor)로 이전할 경우에 거주지국의 세원도 잠식되는 결과를 가져온다.

조세조약을 체결하는 목적은 명시적으로는 이중과세와 조세회피 및 탈세의 방지에 두고 있지만 경제교류의 활성화를 통한 세계경제의 효율성을 증대하는 것도 또 하나의 목적이 되고 있다. 조세조약이 체결 당시에 양 체약국이 의도했던 목적을 달성하고 있는지에 대한 분석도 필요하다. 각 국가별로 경제상황이 다르고 추구하는 정책목적도 다를 수 있다. 따라서 비록 OECD 표준조세조약을 기준으로 개별조세조약이 체결된다고 하더라도 그 내용은 조약마다 상당한 차이가 있을 것으로 기대할 수 있다. 이 점을 감안하여 OECD는 다른 통상조약과 달리 다자간 조약이 아닌 양자 간 조세조약의 체결 기조를 유지하고 있다.[34] 그럼에도 불구하고 개별국가 간에 체결되는 조세조약의 구조는 대동소이한 결과를 보이고 있다. 각국이 체결한 양자 간 조세조약의 내용 중 거의 75% 정도는 어느 조세조약이나 동일하다.[35]

최근 G20과 OECD 주도하는 BEPS Project는 조세조약을 통하여 발생하는 조세수입의 감소문제에 관심을 가지고 조세조약으로 인하여 발생하는 부당한 비용인 탈세, 조세회피, 이중비과세 문제 등을 차단하려는 노력에 해당한다. 이러한 정치적 환경변화는 조세조약에 대한 비용효과분석의 필요성에 대한 관심을 높이고 있다.[36]

 조세조약 기본구조의 동결효과

현재 전 세계적으로 체결된 조세조약의 숫자는 3,000개를 넘고 있다. 이것은 조세조약의

33) Paul R. McDaniel & Stanley S. Surrey, International Aspect of Tax Expenditures: A Comparative Study, 1985, p.59; Stanley S. Surrey & Paul R. McDaniel, Tax Expenditures, 1985, pp.168~170

34) OECD 표준조세조약, 2017, 서문 para. 40

35) Reuven S. Avi-Yonah,Double Tax Treaties: An Introduction, in The Effect of Treaties on Foreign Direct Investment (Karl P. Sauvant & Lisa E. Sachs eds) 2009, p.99

36) Diane Ring, 'When International Tax Agreements Fail at Home: A U.S. Example,' Brooklyn Journal of International Law Volume 41, 2016, pp.1198~1293

중요성을 보여주는 것이지만, 한편으로는 이러한 숫자로 인하여 조세조약의 구조를 개선하는 것이 어렵게 된다는 것이다. 국제조세제도를 조금만 바꾸려고 해도 3,000여 개의 양자 간 조세조약을 모두 바꿔야 한다. 개별조세조약을 체결한 국가 간에는 조세조약을 바탕으로 긴밀한 유대관계(network)를 형성하고 있다. 따라서 기존의 조세조약의 내용 중 일부를 바꾸려면 조세조약을 체결한 국가 사이의 이해관계에 영향을 미치게 된다. 따라서 조세조약의 자구하나를 변경하려고 해도 체약국들이 합의하는 복잡하고 시간이 많이 걸리는 절차를 거쳐야 한다.[37]

조세조약은 체결국가의 숫자가 늘어나면 늘어날수록 조세조약상의 공통의 기준에 따라 체약국의 거주자들에게 조세혜택을 부여할 수 있다. OECD 표준조세조약을 기준으로 체결된 양자 간 조세조약은 그 내용에 대한 예측가능성, 적용가능성, 안정적인 국제기준을 충실히 준수하면서 과세할 것이라는 신호를 주는 긍정적인 효과인 소위 '네트워크 외부효과(network externatlity)'를 가지고 있다.[38]

그러나 조세조약망(treaty network)의 규모가 커짐에 나타나는 부작용도 있다. 첫째는 특정한 목적을 가지고 조세조약 구조에 특정한 제도의 도입을 주도한 국가나 납세자(다국적기업)는 일종의 독점적 내지 경쟁우위적 지대(rent)를 누리는 카르텔 이익(cartel gain)을 얻는다.

둘째는 동결효과가 강하게 작용하는 점이다.[39] 조세조약상의 기준이 문제가 있더라도 이를 개정하지 않는 한 계속 시행될 수밖에 없다. 새로운 제도를 도입하여 또 다른 조세조약망(treaty network)을 구축하는 것은 쉽지 않다. 새로운 기준을 도입할 때 위험부담과 전환비용을 줄이려면 다른 체약국을 설득하여 제도의 변경에 필요한 최소한의 국가의 수(critical mass)를 모을 수 있어야 하는데, 이것이 어렵기 때문이다.[40]

---

37) Tsilly Dagan, 2016, Tax Treaties as a Network Product, Brooklyn Journal of International Law, Volume 41, pp.1101~1105; Eduardo Baistrocchi, The Structure of the Asymmetric Tax Treaty Network: Theory and Implications, Bepress Legal Service. Working Paper No. 1991. February 8, 2007, pp.10~11 https://perma.cc/5FF7-L66T

38) Eduardo A. Baistrocchi, Feb. 8, 2007, ibid. pp.32~34

39) 조세조약의 동결효과(Lock-in effect)는 조세조약을 상황변화에 따라 탄력적으로 개정할 수 없기 때문에 현실과 맞지 않는 내용을 계속 적용해야 하고, 국내 조세법은 국가 간의 합의사항을 존중하는 측면에서 역시 비현실적인 규정을 유지해야 하는 현상을 말한다. 즉, 과거의 관행에 갇혀서 빠져 나오지 못하는 현상을 일컫는 말이다. John Avery Jones, 1999, 'Are Tax Treaties Necessary?, Tax Law Review Volume 53. p.4. 현재 이용하고 있는 특정 재화 또는 서비스가 다른 재화 혹은 서비스의 선택을 제한하여 기존에 이용하던 것을 계속 선택하게 되는 현상을 말한다. 소비자가 어떤 상품을 구입·이용하기 시작하면 다른 유사상품 또는 서비스로 수요 이전이 어렵게 되는 현상을 Lock-in 효과라고 한다. 기존의 기존 서비스보다 더 뛰어난 서비스가 나와도 이미 투자된 기회비용 등으로 인해 새로운 서비스로 옮기지 못하는 현상을 말한다.

40) Tsilly Dagan, International Tax Policy: Between Competition and Cooperation, Cambridge University Press, 2017, p.176

OECD 회원국들은 대체로 자본수출국의 입장에서 유리한 거주지국 중심의 과세제도를 선호하지만 개발도상국은 원천지국 과세기준을 선호한다. 그러나 현재의 OECD 표준조세조약의 구조와 심지어 BEPS Project에서도 이러한 과세제도는 유지되고 있다. 상황의 변화에도 불구하고서 기존의 조세조약 구조속에 동결되어 있어서(lokced) 기본적인 과세구조는 그대로 유지되고 있다.

❸ 국가 간의 조세경쟁

무역이나 투자의 불균형상태가 지속적으로 유지됨에도 불구하고 조세조약을 체결하는 경우가 있는데, 이는 국제적 기준을 준수한다는 신호를 국제사회에 주기 위한 것이다. 그러나 조세제도가 안정된 국가에서는 이러한 사례를 찾아보기 힘들다. 조세감면을 통하여 외국직접투자자본의 유치를 원하지만 조세감면이 외국인직접투자의 증가에 긍정적인 효과가 있다는 실증적 근거는 약하다. 부정적인 의견과 일부 긍정적인 의견이 대립하고 있다.[41] 어느 국가이든 세율인하경쟁을 할 수 있다.

그러나 세율인하경쟁은 끝까지 갈 수 없다. 일방체약국이 세율을 인하하면 타방체약국도 세율을 인하할 것이기 때문이다. 그럴 경우 자국에 투자한 외국투자자본이 세율이 낮은 국가로 빠져 나가게 될 우려가 있다. 따라서 세율인하경쟁을 하더라도 조세조약망을 이용하여 차선의 대안을 선택하게 된다.

원천지국의 경우에는 '죄수모순(prisoner's dilemma)' 상황 속에서 거주지국에 유리한 세

---

41) (1) 부정적인 의견: Paul L. Baker, 2014, 'An Analysis of Double Taxation Treaties and Their Effect on Foreign Direct Investment,' International Journal of the Economics and Business Volume 21. pp.341, 362; Ronald B. Davies, 2004, 'Tax Treaties and Foreign Direct Investment: Potential Versus Performance,' International Tax and Public Finance Volume 11. pp.775, 784; Peter Egger et al., 2006, 'The Impact of Endogenous Tax Treaties on Foreign Direct Investment: Theory and Evidence,' 39 Canadian Journal of Economics Volume 39. pp.901~902

(2) 일부 긍정적인 의견: Bruce A. Blonigen & Ronald B. Davies, 2005, 'Do Bilateral Tax Treaties Promote Foreign Direct Investment?,' in 2 HANDBOOK OF INTERNA-TIONAL TRADE: ECONOMIC AND LEGAL ANALYSIS OF LAWS AND INSTITUTIONS p.526(E. Kwan Choi & James C. Hartigan eds.); Bruce A. Blonigen & Ronald B. Davies, 2004, 'The Effects of Bilateral Tax Treaties on U.S. FDI Activity,' International Tax and Public Finance Volume 11 pp.601~602; Eric Neumayer, 2007, 'Do Double Taxation Treaties Increase Foreign Direct Investment to Developing Countries?,' Journal of Development Study Volume 43, pp.1501~1502; Julian di Giovanni, 2005, 'What Drives Capital Flows? The Case of Cross-Border M&A Activity and Financial Deepening,' 65 Journal of International Economics Volume 65, pp.127~145; Joseph P. Daniels et al., 2015, 'Bilateral Tax Treaties and US Foreign Direct Investment Financing Modes,' 22 International Tax and Public Finance Volume 22, pp.1025~1026

율인하경쟁을 하게 된다.[42) 세율인하경쟁에 참가한 모든 원천지국이 단합하여 세율인하를 거부한다면 원천지국은 조세수입의 감소를 방지할 수 있을 것이다.[43) 한편 원천지국의 입장에서는 조세조약을 처음부터 체결하지 않은 것이 조세조약을 체결하는 것보다 조세수입 측면에서 더 나을 수 있다. 그러나 세율인하경쟁에서 변절국가가 발생하고 그 변절국가는 다른 원천지국가는 현행 세율을 유지하더라도 자신은 세율을 인하하여 외국직접투자 자본을 더 많이 확보하려고 할 수 있다.

A국과 B국이 모두 조세경쟁에 참여할 경우 투자증가에 따른 편익(benefit)은 늘어날 수 있으나, 세율의 인하경쟁으로 조세수입은 감소하게 되므로 두 나라의 국가복지(national welfare) 상황은 조세경쟁 이전보다 더 나빠질 것이다. 이러한 최악의 상황은 두 나라 중 한 나라는 조세조약을 체결하고 다른 나라는 조세조약을 체결하지 않은 경우에 주로 발생할 가능성이 높다. 이러한 최악의 상황이 발생하지 않도록 조세조약을 체결하려고 한다. 이 점에서 개발도상국이 선진국과 조세조약을 체결하는 이유가 될 수 있다.[44) 선진국이 조세조약을 체결하기를 먼저 원하기보다는 대개의 경우에 개발도상국이 조세조약의 체결을 먼저 원하고 있다. 외국자본의 유치에 대한 기대가 있기 때문이다.[45)

세계의 경제환경은 변화되고 있다. 개발도상국은 조세조약의 체결에 과거처럼 그렇게 적극적인 것으로 보이지 않는다.[46) 개발도상국의 경제성장으로 인하여 OECD가 대표하는 선진국들의 영향력이 점점 줄어 들고 있기 때문이다. 선진국들도 이제는 조세조약의 틀 안에서 자국책을 고민하고 있다.[47) 조세조약이 국제조세체제의 중요한 구성요소가 되지만 앞으로도 계속하여 이러한 기능을 할 수 있을 지는 알 수 없기 때문이다. OECD가 BEPS Project를 추진하면서 개발도상국을 포함시키는 '포괄적 협력체제(inclusive framework)'를 구축한 것은 이점에서 보면 상당한 의미가 있다.

---

42) Eduardo A. Baistrocchi, Feb. 8, 2007, op. cit. p.11
    http://law.bepress.com/cgi/viewcontent.cgi?article=9408&context=expresso.
43) 지역별 국가들이 다른 지역국가들과 조세조약을 체결할 때 공통적으로 적용할 표준조세조약을 개발하는 경우이다. 그러나 대부분의 경우 OECD 표준조세조약을 그대로 인용하고 일부 제한적으로 다르게 규정하고 있어서 효과적으로 활용되지 못하고 있다. OECD 표준조세조약, 2017, 서문 para. 38
44) Yariv Brauner, 2003, 'An International Tax Regime in Crystallisation—realities, experiences and opportunities,' 56 TAX LAW REVIEW Volume 56. p.259
45) 앞에서 본대로 실증연구결과는 조세조약이 외국직접투자를 유치하는데 도움이 되는지에 대하여 의견이 갈리고 있다.
46) Tsilly Dagan, 2018, 'International Tax Policy: Between Competition and Cooperation,' Cambridge Tax Law Series. Cambridge University Press. p.181
47) Diane Ring, 2016, 'When International Tax Agreements Fail at Home: A U.S. Example,' 41 Brooklyn Journal of International Law Volume 41. pp.1198~1203

양자 간 조세조약의 구조는 대부분 OECD 표준조세조약을 기준으로 체결되고 있으므로[48] 그 구조는 대동소이한 형태로 가지고 있다. 그로 인하여 노출되는 취약성은 현재 BEPS Project로 일부 대응하고 있다.

 대동소이한 조세조약 구조

국가 간 자본흐름의 차이에도 불구하고 국가별 조세조약은 과거나 현재에도 그 내용이 대동소이한 구조인 것은 문제가 있다고 할 것이다.[49] 현재의 OECD 회원국들은 일부 국가를 제외하면 대부분 자본수출국이다. 경제상황의 변화에 따라 과거의 자본수출국에서 현재는 자본수입국으로 바뀌는 국가도 있다. 대표적으로 미국을 들 수 있다. 그러나 이들 국가의 조세조약정책은 자본수출국 시절의 입장을 그대로 유지하고 있다. 그 이유는 자본수출에서 자본수입국의 입장으로 조세조약정책을 변경할 경우에 조세조약이 아닌 투자조약(bilateral investment treaties)에 의하여 예상치 못한 법률분쟁을 당할 우려가 있기 때문에 조세조약에서는 원천지국보다는 거주지국의 입장을 계속 고수하려는 입장인 것으로 보인다.[50] 또 하나의 이유는 자본흐름의 총량에서는 유출이 유입보다 많아 부족(deficit)현상이 나타날 수 있지만 조세조약을 체결한 국가와의 자본흐름에서는 자본유입이 많을 수 있기 때문에 자본수출국의 입장에서 조세조약구조를 유지하더라도 조세수입에는 별다른 악영향을 받지 않는 것으로 판단할 수도 있다.

국가 간 투자량의 불균형은 조세조약 체결당사국 간의 조세수입의 차이를 가져오게 된다고 추정하지만 이를 실증적으로 뒷받침하는 연구는 거의 없는 편이다. 그 이유는 조세조약의 효과에 대한 연구를 하는데 제약요인이 많이 있기 때문으로 보인다. 국가 간의 자본흐름 구조는 갑작스런 환경변화에 의하여 순식간에 자본수출국에서 자본수입국이 되거나 그 반대로 자본수입국에서 자본수출국으로 바뀔 수 있다. 또한 자본의 흐름을 소득의 유형별로 세분할 경우,

---

48) UN, 미국이나 북구유럽 국가, ASEAN 지역국가들은 별도의 표준조세조약을 가지고 있으나 그 구조와 내용은 OECD 표준조세조약과 대동소이하다고 볼 수 있다.

49) Reuven S. Avi-Yonah, Double Tax Treaties: An Introduction, in 'THE EFFECT OF TREATIES ON FOREIGN DIRECT INVESTMENT'(Karl P. Sauvant & Lisa E. Sachs eds. 2009), pp.99~101, Avi-Yonah 는 전 세계적으로 체결된 조세조약 중 75% 정도는 거의 동일하다고 주장한다.

50) Rebecca M. Kysar, Unraveling the Tax Treaty, Minnesota Law Review Volume 104, 2019, pp.1767~1769

사용료(roylaty)부분에서는 자본수출국이지만 다른 부문의 소득은 자본수입국에 해당할 수도 있기 때문이다. 따라서 조세조약이 체약국의 국가경제에 어느 정도 기여하는지에 대하여 실증적으로 분석하는 것은 조세조약 정책의 보완과 발전을 위해서 매우 중요한 과제로 보인다.

❷ 조세수입의 일실

(1) 개발도상국의 조세수입 감소

소득이 발생한 원천지국은 개발도상국이고 그 소득이 이전되는 거주지국은 선진국으로 인식하는 것이 일반적이다. 현재의 OECD 표준조세조약의 밑바탕을 이루는 과세관할권의 배분기준은 거주지국 우선의 구조이므로 선진국에 유리하고 개발도상국에 불리한 결과를 가져오게 한다. 자본투자의 흐름은 선진국에서 개발도상국으로 이루어지는 구조이다. 이러한 상황에서 원천지국인 개발도상국의 과세권을 제한하고 선진국인 거주지국의 과세권을 폭넓게 인정하고 있는 조세조약의 구성논리는 개발도상국에게는 조세 측면에서 공정하지 못한 결과를 가져다 준다.

선진국과 개발도상국 간의 외국인 직접투자에서는 개발도상국의 조세수입이 감소되는 반면에 경제규모가 유사한 선진국 간에는 이러한 조세수입의 일방적인 희생현상이 발생하지 않는다.[51] 따라서 자본수출국의 입장에서는 조세조약을 통하여 조세수입의 증가를 기대할 수 있으므로 현행 조세조약의 논리구조를 변화시키는 것에 소극적일 수밖에 없다. 반면에 자본수입국의 입장에서는 조세조약을 통하여 조세수입의 감소가 발생하므로 조세조약의 구조에 변화를 기대하게 된다. 조세조약의 체결로 인하여 자본수입국이 어느 정도의 조세수입 감소효과가 있는지와 자본의 흐름량의 균형이 양 체약국 간에 변화함에 따라 조세수입의 구조에 어떤 영향을 주는지에 대한 실증연구는 거의 없는 편이다.[52]

(2) 조세조약에 따른 조세감면에 따른 조세수입 감소

조세수입의 감소는 조세조약과 국내 조세법 간의 불일치로 인하여 발생할 수도 있다. 경제 상황이 유사한 국가 간에 조세조약을 체결한 경우에 일방체약국의 원천징수세율 인하는 타

---

51) Kim Brooks & Richard Krever, The Troubling Role of Tax Treaties, in TAX DESIGN ISSUES WORLDWIDE, SERIES ON INTERNATIONAL TAXATION 51(Geerten M.M. Michielse & Victor Thuronyi eds., 2015), p.51

52) 앞에서 언급한대로 네덜란드와 우크라이나에서 분석한 사례 정도를 찾을 수 있다.

방체약국의 조세수입의 증가로 이어질 것으로 기대할 수 있다. 그러나 타방체약국이 국외원천소득에 대하여 저세율로 과세하거나 국외원천소득에 대한 면세제도(territorial regime)를 적용하는 경우에는 역시 조세수입감소현상이 발생하게 된다. 조세조약에 의한 원천지국의 저세율과세와 조세조약상의 혜택에 따른 효과는 납세자의 주머니에 들어가고 그 결과 거주지국의 조세수입으로 확보되지 못한다.

이 문제는 OECD의 BEPS Project가 추진하는 이중비과세에 대한 대응방안에 포함된다. 조세조약을 통한 조세수입의 감소를 막기 위하여 BEPS 포괄적 협력체제에 개발도상국들도 적극적으로 참여하고 있다.

(3) 영토주의 과세제도 전환효과

조세조약상의 거주지국 과세기준을 변경하는 것은 앞에서 언급한대로 쉽지 않기 때문에 일종의 절충적인 방법을 사용하여 변화를 시도하는 경우가 있다. 미국이 2017년 영토주의 과세제도를 일부 소득에 대하여 적용하는 '부분적인 외국원천소득면세제도(partial territorial system)'를 도입한 사례가 그것이다. 조세수입 측면에서 유리할 것으로 보았기 때문이다. 영토주의 과세제도는 원천지국이 과세한 소득에 대하여 거주지국이 과세권을 포기하는 것을 의미한다.[53] 그 대신 과세최저한제도(minimum tax regime)를 도입하여 일정 한도의 조세부담을 하는 제도이다. 영토주의 과세제도의 도입을 BEPS Project와 연결시켜 보면 다국적 기업의 조세회피전략으로 인해 거주지국 과세기준의 기능이 약화되었기 때문에 거주지국 과세기준을 포기하고 다른 대안을 선택한 것으로 보인다.

그러나 영토주의 과세제도를 채택할 경우에는 오히려 조세의 일실이 많이 발생할 수 있다.[54] 여기에 더하여 법인세율을 계속 인하할 경우에는 외국원천소득에 대한 조세수입은 더욱 감소할 것으로 보인다. 조세조약과 관련하여 원천지국에서 발생한 소득에 대한 거주지국 과세권 행사가 종전보다 제한되기 때문에 국고의 조세수입은 감소하게 된다. 아울러 국내투자보다 국외투자가 더 유리하게 되어 국내투자보다는 국외투자가 늘어나게 되면 조세수입은 더 감소할 수 있다.

영토주의 과세제도의 또 다른 문제는 바람직하지 못한 세율 인하경쟁(race to the bottom)

---

53) Eric M. Zolt, Tax Treaties and Developing Countries, Tax Law Review Volume 72, 2018. p.26
54) Estimated Budget Effects of the Conference Agreement for H.R. 1, 2017, "The Tax Cuts and Jobs Act," JOINT COMMITTEE ON TAXATION.
https://www.jct.gov/publications.html?func=startdown&id=5053
https://perma.cc/8TGM-539T

을 유발하여 외국원천소득에 대하여 면세하거나 세율을 낮추는 현상이 발생할 수 있는 점이다. 투자자의 경우에는 투자대상 국가별로 상대적인 조세비용을 엄밀하게 따지게 된다. 그 결과 원천지국의 조세부담률이 높으면 투자를 기피하게 될 것이므로 원천지국의 조세수입도 감소하게 될 것이다.[55]

(4) 조세조약 체결효과에 대한 실증분석 필요성

종합적으로 보면 체약당사국 간의 투자 흐름구조, 조세제도의 차이, 자국의 국익을 극대화하기 위하여 OECD 표준조세조약의 내용을 다양하게 변형하여 체결되고 있다. OECD 표준조세조약이 최초로 도입된 이후 세계 각국의 경제상황은 엄청나게 바뀌었지만 양자 간 조세조약의 기본구조는 오히려 점점 더 유사한 구조로 되어가는 이상한 모습을 보이고 있다.[56]

조세조약 체결에 따른 비용(costs)와 혜택(benefits)에 대한 학술적 연구는 1963년의 Elisabeth Owens의 첫 연구 이후 지금까지 거의 진전이 없다.[57] 지금은 이에 대한 추가연구를 통하여 조세조약의 단점을 보완하는 방안을 체계적으로 검토할 단계로 생각된다.

③ 조세조약과 조세정책의 상충관계 완화

조세조약은 국내 조세법과 국제조세기준의 발전을 가로막는 점이다. 지난 20여 년간 조세조약의 체결건수는 많이 늘어났지만 그로 인해 소위 동결효과(lock-in effect)가 국내 조세법과 조세조약을 사실상 지배하고 있다. 개별국가별로 체결한 조세조약의 숫자가 많기 때문에 조세조약의 변경을 쉽게 할 수 없고, 조세조약의 적용을 배제(override)할 의도가 없는 한 국내 조세법은 조세조약의 규정과 다른 내용을 규정할 수 없다.[58]

조세조약은 조세구조의 변화에 걸림돌이 되는 문제 외에 국내조세정책의 변화도 어렵게 할 수 있다. 조세조약의 규정 중 원천징수세율의 최고한도를 제한하는 규정(제한세율규정)

---

55) Fadi Shaheen, How Reform-Friendly are U.S. Tax Treaties?, Brooklyn Journal of International Law Volume 41, 2016, p.1291

56) Elliott Ash & Omri Y. Marian, 'The Making of International Tax Law: Empirical Evidence Using Natural Language Analysis' (June 28, 2017 draft)
https://papers.ssrn.com/sol3/papers.cfm?abstract_id=2994217

57) Elisabeth A. Owens, United States Income Tax Treaties: Their Role in Relieving Double Taxation, Rutgers Law Review, Volume17, 1963, pp.452~453

58) 미국과 같은 강대국이 아니면 거의 대부분의 국가는 조세조약의 내용을 무력화시키는 국내 조세법을 감히 입법하지 못한다.

을 둔 경우에는 체약국 중 어느 일방이 재정위기 등 경제상황의 변화를 반영하여 세율을 탄력적으로 변경하고 싶어도 조세조약상의 규정 때문에 불가능하게 된다. 조세정책이 거시경제상황의 변화에 맞추어 변경되지 못할 경우 경제의 효율성을 저해하고 경기변화에 대응하는 능력을 제약하게 된다.[59]

조세조약의 수가 늘어날수록 이미 철 지난 국제조세의 과세논리가 그대로 유지하는데 따른 부작용의 하나로서 국제조세 질서를 붕괴시켜가고 있다. 하나의 예로서 조세조약의 당초 목적은 이중과세를 방지하는 것이었지만, 현재는 이중과세를 방지하기보다는 이중비과세를 조장하는 역할을 하는 모순을 보이는 점이다. 디지털기술의 발전과 이전이 용이한 지적재산권의 발달로 인하여 조세조약이 가진 약점이 더욱 악화되고 있다. '새 술은 새 부대에 담아야 하듯이' 새로운 상황에는 새로운 방법으로 접근하면 해결책을 쉽게 마련할 수 있지만, 이미 체결된 조세조약의 논리를 계속 적용할 수밖에 없는 동결효과에 묻혀 있어야 하기 때문이다.

④ 조세조약 남용기회의 억제

일방체약국이 타방체약국에게 조세관할권의 양보하거나 조세조약을 실행하기 위하여 국내 조세법의 규정 등을 개정하는 경우에 조세회피를 오히려 조장할 수 있다. 원천지국이 과세하지 않고 양보한 부분에 대하여 거주지국이 제대로 과세를 하면 조세회피나 탈세의 문제는 발생하지 않는다.[60] 그러나, 거주지국이 조세정책적 목적을 고려하여 외국원천소득에 대하여 감면하거나 외국원천소득을 제대로 파악하지 못할 경우에는 결과적으로 조세회피가 발생할 수 있다. 원천지국에서는 조세조약의 규정에 따라 과세하지 않고 거주지국에서도 과세되지 않는 결과가 되어 이중비과세가 발생한다. 조세조약의 남용 기회가 오히려 확대되는 것이다.

조세조약으로 인해 얻을 수 있는 혜택, 즉 국내로 유입되는 외국자본의 투자증가와 자국민에 대한 원천지국 과세의 제한 등만을 고려한다면 '동결효과'는 별문제가 되지 않는다. 다국적기업의 공격적인 조세회피전략과 함께 국가 간의 조세경쟁은 조세조약의 동결효과가 가진 문제가 더욱 심화되는 결과를 가져오게 한다. G20과 OECD가 도입한 다자조약(MLI)은

---

59) Yair Listokin, Equity, Efficiency, and Stability : The Importance of Macroeconomics for Evaluating Income Tax Policy, Yale Journal of Regulation Volume 29, 2012, pp.45~50; Zachary Liscow & William Woolston, 'Who's In, Who's Out? Policy to Address Job Rationing During Recessions, Tax Law Review. Volume 70, 2017, p.627

60) Julie A. Roin, Adding Insult to Injury : The 'Enhancement' of section 163(j) and the Tax Treatment of Foreign Investors in the United States, Tax Law Review Volume 49, 1994, pp.269~281

조세조약의 동결효과를 어느 정도 완화할 수 있을 것으로 기대되고 있다.

이와 함께 그동안 논의에 소극적이었던 제도는 '단일 과세와 공식 배분 접근 방식(unitary taxation and formulary apportionment)', 법인최저한세제도(Alternative Minimum Tax), 원천지국의 원천징수제도의 확대 방안 등에 대한 관심이 높아질 것으로 보인다. 다국적 기업(MNEs)의 조세회피 관행은 다국적기업 자체의 공격적 세무전략에 주로 기인하지만 조세경쟁을 통하여 무세(no tax) 또는 저세율 적용을 조장하는 국가의 조세정책에도 기인한다. 따라서 사업소득 등에 대한 '글로벌최저한세율(minimum global tax rates)'을 적용하여 조세조약과 국내조세제도의 상충관계를 차단하는 것도 필요하다.

BEPS Project와 관련하여 '포괄협력체제(inclusive framework)'에 참여한 국가들 중 특히 개발도상국이 많은 관심을 보이고 있다. 개발도상국은 대체로 천연자원이 풍부하므로 그러한 자원의 개발을 통하여 충분한 재정을 확보할 수 있어야 하지만 다국적이 투자한 자본의 조세회피로 인하여 그 목적을 달성하지 못하고 있다. G20과 OECD가 선언한 대로 BEPS Project를 추진하여 선진국과 개발도상국이 동등한 지위(equal footing)에서 조세수입을 분배할 수 있도록 한다면 새로운 조세조약의 질서가 확립되는 계기가 될 것으로 보인다.

 제4절   새롭게 등장한 과세제도

① BEAT의 등장 배경

BEAT는 미국이 국제거래소득의 과세에 적용하기 위하여 2017년에 도입한 새로운 방식의 과세제도이다. 공식 명칭은 '세원잠식방지조세(Base Erosion Anti-Avoidance Tax, 이하 'BEAT'라 한다)'이다. 미국이 당초 준비한 것은 '목적지 기준 현금흐름과세 제도(Destination-Bsed Cash Flow Tax, DBCFT)'를 도입하여 법인세 과세제도를 대체하는 것이었다. '목적지 기준 현금흐름과세(DBCFT)'는 일종의 부가가치세의 변형으로서 임금소득의 공제를 허용하는 제도이다.[61]

부가가치세에서처럼 소비지과세기준을 적용하여 국내에서 소비되지 않는 수출품에는 과

---

61) House Tax Reform Task Force,A Better Way, Our Vision for a Confident America: Tax, June 24, 2016, pp.27~29
http://abetterway.speaker.gov/__assets/pdf/ABetterWay-Tax-PolicyPaper.pdf

세를 제외하는 대신 국내에서 소비되는 수입품에 부과된 외국의 조세는 공제혜택을 부여하는 것이다.[62] 부채와 채권을 동일하게 취급하고 투자소득에 대하여 면세하면서 이전소득이나 다른 국외활동에는 면세 적용을 배제한다.[63] 법인세의 개정방안으로 검토된 이유는 다국적기업의 조세회피를 방지하는데 효과적이라고 보았기 때문이다. 소비자인 구매자를 확인하는 절차가 생산자인 거주자를 확인하는 절차보다 상대적으로 용이한 점이 있다. 또한 재화의 생산자는 이전가격기법을 통하여 소득의 이전이 가능하지만 '목적지 기준 현금흐름과세제도'는 이러한 문제가 발생되지 않는다는 것이다. 그러나 이러한 '목적지 기준 현금흐름 과세제도(DBCFT)'는 조세조약과 관련하여 여러 가지 심각한 문제가 있는 것이 확인되어 도입이 좌절되었다.[64]

 ## BEAT의 구조

미국이 목적지 기준 현금흐름 과세제도(DBCFT)'를 대신하여 도입된 과세제도는 BEAT였다[65] BEAT는 기존의 '대체 최저한세(alternative minimum tax, 이하 'AMT'라 한다)'를 폐지하고 대신 도입한 제도로서 미국의 다국적기업(MNEs)이 외국의 관계법인(associated entity)에게 지급한 특정비용은 비용으로 공제하지 않고 과세대상소득으로 재조정하여 과세하는 제도이다. 사실상 '대체 최저한세(alternative minimum tax, 이하 'AMT'라 한다)'의 기

---

62) ibid, 2017, p.28

63) William G. Gale, Understanding the Republicans' Corporate Tax Reform, Brookings Institute, Janurary 10, 2017
https://www.brookings.edu/opinions/understanding-the-republicans-corporate-tax-reform

64) 'DBCFT'와 관련하여 조세조약과 관련된 여러 가지 문제점이 제기되었다. 예를 들어 수출자와 수입자를 차별하는 '차별금지' 위반, 법인과세 기준이 거주지 기준이 아니므로 미국법인이 더 이상 미국거주자에서 제외되는 점, 미국과 조세조약을 체결한 상대체약국은 조세조약을 유지할 필요가 없게 되고 미국은 거주지국과세를 포기하게 되어 원천지국이 적용한 제한세율효과는 납세자에게만 고스란히 돌아가게 되어 오히려 조세회피현상이 늘어나게 되는 부작용 등이 제기되었다. Reuven S. Avi-Yonah & Kimberly Clausing, 2017, Problems with Destination-Based Corporate Taxes and the Ryan Blueprint, Columbia Journal of Tax Law Volume 8, p.246; Fadi Shaheen, 2017, Destination-Based Cashflow Taxes and Tax Treaty Compatibility(draft on file with author); Ismer and Christoph Jescheck, 2017, 'The Substantive Scope of Tax Treaties in a Post BEPS World: Article 2 OECD MC (Taxes Covered) and the Rise of New Taxes,' INTERTAX Volume 45 Issue 5, pp.386~387. 미국은 일종의 Excise Tax의 도입도 검토하였으나 동일한 부작용이 지적되어 도입을 포기하였다. P.L. 115-97, 131 Stat.2504, H.R. 1 § 4303 (2017); Reuven Avi-Yonah, November 20, 2017, 'Guilty as Charged: Reflections on TRA17,' 157 TAX NOTES Volume 157, pp.1131~1135

65) H. David Rosenbloom and Fadi Shaheen, The BEAT and the Treaties, August 21, 2018, p.2
https://papers.ssrn.com/sol3/papers.cfm?abstract_id=3229532

능을 유지하고 있다.[66] BEAT도 종전 AMT와 같이 과세소득에서 외국납부세액은 전액 공제하지 않고 일부만 공제하고 있다.[67]

BEAT의 도입목적은 미국에 본사를 둔 법인과 외국에 본사를 둔 미국법인 간의 과세형평성을 도모하는데 두었다. 이를 위하여 미국에 본사를 둔 다국적기업이 외국으로 지급하는 비용의 공제를 제한하는 방법을 도입하였다. 이를 통해 늘어나는 조세수입은 향후 10년간 약 1,500억 달러에 이를 것으로 기대하고 있다.

(1) 적용세율

적용세율은 연도별로 인상적용하는 것으로 되어 있다. 시행 첫 연도인 2018년에는 5%, 2019~2025년에는 10%, 그 이후에는 12.5%를 각각 적용하는 것으로 되어 있다.

(2) 적용대상

적용대상자는 C법인(C corporation)이다.[68] 따라서 개인, 파트너십 또는 도관회사(flow-through entity), 부동산 투자신탁(real estate investment trusts)와 S법인(S corporation-sporations) 등은 적용대상이 아니다.

그리고 C-법인 중 다음 두 가지 기준에 해당하는 법인이 적용대상이 BEAT의 적용대상이다.

첫째, 총수입 기준(Gross receipts test): 과거 3년 평균 국내 총수입액이 최소 5억 달러 이상인 법인

둘째, 세원잠식비율 기준(Base Erosion % Test): 세원 잠식비율이 검증연도에 3% 이상인 법인

---

66) BEAT는 지금은 폐지된 법인의 대체최저한세(alternative minimum tax)와 유사한 과세제도이다. U.S.C. §59A

67) 법인의 대체최저한세에서는 외국납부세액을 완전공제하는 것이 아니라 일부만 공제를 허용하였다. 중요한 것은 상대체약국이 BEAT와 동일한 방식으로 과세하더라도 반대하지 않는 점이다. 그 이유는 제품에 내제된 정상적인 판매원가와 사용료 등은 비용으로서 공제하기 때문이다.

68) 미국의 조세법상 법인은 조세목적에 따라 C-법인과 S-법인으로 구분된다. C-법인은 법인단계와 주주단계에서 각각 과세되는 법인이다. 대부분의 일반법인이 여기에 해당한다. S-법인은 법인단계의 과세없이 주주단일과세만 이루어지는 법인이다. 투과법인(pass-through entity)를 말한다. 파트너십의 성격을 가진다. 법인단계의 소득이 투과되어 주주에게 바로 귀속되기 때문에 법인단계에서는 과세하지 않고 주주에게만 과세한다. S-법인은 세제면에서 유리하므로 까다로운 설립요건을 충족해야 한다. 주주의 숫자는 100명 이하이고, 주주는 미국의 시민권자나 거주자이고 파트너십이나 법인 등이 주주로 포함되어 있지 않고 보통주로만 구성되고, 법률에서 제한하는 금융 및 보험업종이 아니어야 한다. 소규모의 주주가 모여 동업형태로 운영하는 조합이나 동업기업의 성격을 가지므로 C-법인보다 많은 혜택을 부여하고 있다.

가. 총수입 5억 달러의 계산방법

단일법인의 총수입이 아니라 모회사와 자회사(모회사가 50% 이상의 주식을 보유한 법인) 를 포함한 전체 기업의 총수입을 계산한다. 다국적기업은 모회사와 해외 자회사로 구성되는데, 이들 전체를 하나의 법인으로 보고 총 수입액을 계산한다. 외국 자회사의 수입액은 무조건 포함시키는 것이 아니라 미국 내의 사업과 연관된 소득(effectively connected income, 이하 'ECI'라 한다)만 계산한다.

(사례) 외국의 모회사 A는 지분율이 50% 이상인 자회사 B, C, D를 통하여 미국 내에서 사업을 하고 있다면, BEAT 목적상 총수입은 '미국 내 자회사 B, C, D의 총수입과 외국 모회사 A의 미국 내의 사업과 연관된 수입, 즉 ECI'를 합산하여 계산한다. 이렇게 합산하여 계산한 총수입이 5억 달러 이상이 되면, BEAT 부담세액의 계산은 다국적기업을 구성하는 해당 법인 법인별로 분리하여 계산한다. 즉, A, B, C, D가 부담할 BEAT를 따로따로 구분하여 계산하게 된다.

나. 세원잠식비율 기준(Base Erosion % Test)

$$세원\ 잠식\ 비율(\%) = \frac{Base\ Erosion\ Tax\ Benefits(BETBs)}{All\ Deductions\ for\ the\ year^{(*주)}}$$

(*주) 순영업손실(net operating loss)과 §250("Foreign Derived Intangible Income"과 "Global Intangible Low Taxed Income" 관련 비용) 및 §245A(dividend-received deduction)에서 규정한 공제 대상비용은 제외

분모의 모든 비용공제액(all deduction)은 관계사 간에 지급된 모든 비용 중에서 위의 (주)에서 말하는 비용을 제외하고 계산한다.

분자의 세원잠식조세혜택금액은 '특수관계자'에게 지급하거나 발생한 비용에 의한 '부당공제액(tainted deduction)'을 말한다. '특수관계자의 범위'는 매우 넓게 적용된다. (1) 지분율이 25% 이상인 납세자, (2) 지분율이 50%인 법인, (3) §482 해당 납세자 등이다. 이때 법인의 지분율은 '직접보유, 자회사를 통한 간접보유 및 특수관계자를 통한 의제보유(constructive ownership)'를 포함하여 계산한다.

관계사 간에 지급된 모든 비용 중에서 제3자 간 거래(arm's length transaction)라면 지급되지 않았을 비용은 세원잠식 비용으로 보고 세원잠식비용이 총비용에서 차지하는 비율이 3% 이상이면 이를 부인하고 과세소득에 산입하는 기준이다. 3%의 비율기준은 은행과 증권

회사와 같은 경우에는 2%로 강화되어 적용된다.

다. BEAT 부담액 계산

BEAT 부담액은 일반 법인세에 추가로 더 납부해야 하는 세액이다. '조정 과세소득'에 BEAT 세율을 적용하여 계산한다. '조정 과세소득'은 세원잠식소득(base erosion tax benefits)을 합산하여 계산된 과세소득이다. 세원잠식소득은 위 '세원잠식비율 계산식'에서 분자에 해당하는 금액이다. BEAT 부담세액의 계산은 '조정 과세소득'에 BEAT 세율을 곱하여 계산한 총세액에서 당해 법인이 신고 납부한 세액을 차감하여 남는 세액이다. 이를 요약하면 다음 산식으로 표현할 수 있다.[69]

> 세원잠식 최저한세액(Base Erosion Minimum Tax Amount)
>
> =[조정과세소득(modified taxable income) × 적용세율] − 일반법인세액
>
> * 적용세율: 2018년 5%, 2019년−2025년 10%, 2026년 이후 12.5%

3 BEAT의 특성

BEAT의 적용대상은 미국기업을 소유한 외국인 또는 외국법인이다. 외국인 또는 외국법인이 미국 내에서 미국법인을 소유하여 사업을 하는 경우에 적용이 된다. 따라서 미국인이 미국 내에 소유한 법인에게는 적용되지 않는 것이다. 미국법인은 saving clause에 따라 과세되기 때문이다.

BEAT는 미국 내에 있는 기업이 외국에 있는 자회사(CFC) 또는 모회사에게 지급한 소득이나 비용에 적용하는 것이므로, 미국의 과세대상세원(US Tax Base)을 보호하려는데 목적을 두고 있다.[70]

---

69) BEAT의 적용과 관련하여 더 자세한 부분은 다음 자료를 참조
https://www.irs.gov/newsroom/irs−provides−additional−guidance−on−base−erosion−and−anti−abuse−tax
https://www.grantthornton.com/library/alerts/tax/2019/Flash/IRS−issues−final−proposed−BEAT−regulations.aspx
https://www.irs.gov/pub/irs−dft/i8991−dft.pdf

70) Reuven S. Avi−Yonah, Beat It: Tax Reform and Tax Treaties(Univ. of Mich. Law Sch. Pub. Law & Legal Theory Research Paper Series, Paper No. 587, 2018),
https://papers.ssrn.com/sol3/papers.cfm?abstract_id=3096879 [https://perma.cc/9MCL−GSXD]

또 하나의 조세조약 위반사항은 OECD 표준조세조약 제24조 제4항의 '일방체약국의 거주자도 타방체약국의 거주자와 동일한 조건(under the same conditions)으로 공제를 받는다'는 규정에 대한 것이다.[71] BEAT는 이자, 사용료, 기타 항목은 공제를 부인하지 않고 전액 공제를 허용하되 단지 그러한 공제에 주어지는 세금혜택(tax benefit)에 대하여 BEAT 세율을 적용하여 과세한다. 이자, 사용료, 기타 항목에 대한 비용공제를 전액부인하면 조세부담률은 21%로 높아질 수 있다는 분석이 있다.[72] 세원잠식방지규정은 OECD 표준조세조약 제24조 제4항의 규정에 의해서도 가능할 수 있다. 지급되는 비용은 OECD 표준조세조약 제9조에서 말한 특수관계자 간 거래는 '제3자 간 거래기준(arm's length standard)'을 따라야 하기 때문이다. 그러나 BEAT에서는 제3자 간 거래기준을 따르고 있더라도 과세대상에 무조건 포함된다.[73]

OECD 표준조세조약의 이중과세과세방지 규정은 이중과세 방지를 위하여 일방체약국은 거주자가 타방체약국에서 납부한 세액(외국납부세액)을 국내 조세법의 규정에 따라서 세액공제(credit)하거나 면제(exemption)의 방법으로 중복과세되지 않도록 해야 한다.[74]

BEAT는 외국납부세약의 공제나 면제를 허용하지 않는다. BEAT는 OECD 표준조세조약 제2조에서 규정하고 있는 '대상조세(covered tax)'에 포함되지 않기 때문에 OECD 표준조세조약 제24조에서 규정한 '차별과세금지의 원칙'과는 충돌할 수 있지만 제23조에서 규정한 '이중과세 방지의 원칙'과는 상관이 없다는 주장은 가능할 수 있다.

BEAT가 조세조약의 적용대상 조세(covered tax)가 아니라면 외국납부세액을 공제하지 않더라도 조세조약의 규정에 위반한다고 말할 수는 없기 때문이다. 그러나 어떤 조세가 조세조약의 대상이 되는 것인지에 대한 판단은 어려운 과제이다. 특히 새로운 세목의 조세가 많이 도입되고 있기 때문이다.[75]

BEAT의 경우 미국은 BEAT가 '대체 최저한세(alternative minimum tax or AMT)'의 기

---

71) OECD 표준조세조약 제24조 제4항 "~interest, royalties and other disimbursemenhts paid by an enterprise of a Contracting State to a resident of the other Contracting State shall, be deductible under the same conditions as if they had been paid to a resident of the first-mentioned state.~Similarly, any debts of an enterprise of a Contracting State to a resident of the other Contracting State shall, ~be deductible under the same considitons as if they had been contracted to a resident of the first-mentioned State."

72) Reuven S. Avi-Yonah, 2018, op. cit. p.2

73) Bret Wells, Get With The Beat, Tax Notes Volume 158. February 19, 2018, p.1023

74) OECD 표준조세조약 제23A조 및 제23B조

75) Roland Ismar and Christoph Jescheck, The Substantive Scope of Tax Treaties in a Post-BEPS World: Article 2 OECD MC (Taxes Covered) and the Rise of New Taxes, Inertax Volume 45 Issue 5, 2017, pp.386~387

능을 한다는 입장을 취하고 있다. BEAT와 AMT는 구조적으로 유사하다.[76] 미국은 BEAT
는 조세조약의 적용대상조세(covered taxes)가 아니라고 주장하고 있다. 특수관계에 있는
외국인에게 지급한 특정한 비용만 공제를 부인하기 때문에 일반 소득의 비용공제와는 성격
이 다르기 때문이라는 점을 강조하고 있다.

④ 조세조약과의 충돌 가능성

(1) 학술논쟁

BEAT가 조세조약의 적용대상 조세에 해당한다면 조세조약의 무효화(treaty override)
문제는 발생하지 않는 것인가? 만약 조세조약의 무효화에 해당한다면 조세조약은 국내 조세
법의 개정을 막는 걸림돌이 되는 문제도 발생하게 된다. 국회가 입법을 통하여 조세조약을
무효화시킬 수 있다면 문제가 없지만 만약 무효화시킬 수 없다면 문제가 커진다. 미국의 경
우 조세조약과 내국세법은 조세에 관한 최고법률(supreme law)이므로 법원은 양자가 충돌
할 경우에는 신법우선의 원칙("later in time")이 적용된다고 판단한다.[77]

BEAT가 조세조약의 적용대상 조세인가의 문제의 대하여 학자들 간 논쟁이 있다. BEAT
가 조세조약의 무효화 또는 위반가능성이 있다는 주장[78]과 BEAT는 조세조약 적용대상 조
세(covered taxes)가 아니므로 조세조약의 위반이 아니라는 견해가 대립하고 있다.[79] David
Rosenbloom과 Fadi Shaheen의 주장에 따르면 미국 대법원은 Cook v. United States 사건에
서 '의회는 조약무효화에 대한 입장을 분명히 해야 하고 그렇지 않으면 조약은 신법에 의하여
폐기되거나 수정되는 것으로 보지 않는다'라는 판결을 했다는 것을 증거로 제시하였다.

그러나 의회가 조약의 무효화 의도를 분명하게 한 경우에는 조세조약은 국내입법을 통하
여 폐기될 수 있다. 의회가 종전의 조약과 분명하게 충돌하는 입법을 하는 경우가 여기에
해당한다. BEAT의 경우는 외국납부세액공제 제도를 두지 않고 있다. 법원은 조약과 국내법

---

76) H. David Rosenbloom and Fadi Shaheen, The BEAT and the Treaties, August 21, 2018, p.2
   https://papers.ssrn.com/sol3/papers.cfm?abstract_id=3229532

77) Whitney v. Robertson, 124 U.S. 190, 195, (1888)

78) ibid.

79) Reuven Avi-Yonah & Bret Wells, The Beat and Treaty Overrides: A Brief Response to Rosenbloom and
   Shaheen,Law & Economics Working Papers, University of Michigan Law School Scholarship Repository,
   2018
   https://repository.law.umich.edu/cgi/viewcontent.cgi?article=1268&context=law_econ_current

간의 충돌문제에 대한 판결을 쉽게 내리는 않지만[80] 조약을 수용하기 위하여 국내법의 재입법을 구하지도 않는다.[81] 미국에서는 국내 조세법과 조세조약과의 관계에서 신법우선의 원칙이 적용될 수 있는 이유가 있다. 미국 조세법 제894조(a)와 제7852조(d)에서 조약과 국내 조세법은 동등한 지위를 가지는 것으로 규정하고 있다.[82] 입법과정에서 의회가 조세법 조항에 신법우선의 원칙을 명시한 것이다.[83]

미국세청(IRS)은 Cook 사건의 대법원 판결에 근거하면 조세법이 조세조약을 무효화하는 것은 아니라고 볼 수 있다. 의회가 Cook 사건의 법리를 바꾸는 것은 헌법위반이 된다.[84] 한편, 미국 의회가 여러 상황을 고려하여 해석기준을 바꿀 수 있다는 견해도 있다.[85]

헌법에서 파생된 해석기준을 '헌법에서 출발하는 해석'과 '기타의 해석'으로 구분하여 헌법에서 출발하는 해석은 헌법기본규정(constitutional default rules)으로서 국내 조세법에 문구로서 분명하게 명시하는 경우에는 조세조약과 달리 규정할 수 있고 헌법상의 의무적 실체규정(constitutional mandatory substantive rules)은 의회가 이를 달리 변경하여 규정할 수 없다는 것이다.

(2) 조세조약의 특성과 미국 의회의 입장

조세조약과 다른 조약과의 차이점은 다른 조약은 조약의 무효화가 가끔 발생하지만 조세조약의 경우에는 그렇지 않다는 점이다.[86] 미국의회가 가진 조약의 무효화 권한은 헌법상의 문제를 치유하지 못하더라도 적어도 국내조세수입에 관한 정책과 관련하여 의회가 영향력을 행사하도록 하고 있다. 실제로 미국에서는 조세법에 명시적인 규정이 없는데도 불구하고

---

80) 조세수입효과의 중요성이 입법과정에 큰 영향을 주는 점을 감안하여 입법목적을 따져서 판결하기 때문이다.

81) Lisa Schultz Bressman & Abbe R. Gluck, Statutory Interpretation from the Inside—An Empirical Study of Congressional Drafting, Delegation, and the Canons: Part II, Stanford Law Review Volume 66, 2014, pp.725~764; Abbe R. Gluck, Congress, Statutory Interpretation, and the Failure of Formalism: The CBO Canon and Other Ways That Courts Can Improve on What They Are Already Trying To Do, University of Chicago Law Review Volume 84. 2017, pp.177~182; Clint Wallace, Congressional Control of Tax Rulemaking, 71 Tax Law Review Volume 71, 2017, p.179

82) 26 U.S.C. §§ 894(a) & 7852(d)

83) CONFERENCE REPORT ON H.R. 4333 TECHNICAL AND MISCELLANEOUS REVIEW ACT OF 1988, H.R. REP. NO. 100-1104, (1988), p.12

84) Kathleen Matthews, Treasury Encouraged by Finance Treaty Override Substitute, TAX NOTES, Volume 40, 1988, p.662

85) Nicholas Quinn Rosenkranz, Federal Rules of Statutory Interpretation, Harvard Law Review Volume 115, 2002, p.2085

86) Reuven S. Avi-Yonah, International Tax as International Law, Tax Law Review Volume 57, 2005, pp.483~493

조세조약을 무효화한 선례가 있다. 1988년에 내국세법 제7852조 (d) 제정 이후와 2017년 내국세법 제정 이전에 미국의회는 적어도 세 번 정도 조약과 충돌하는 내국세법을 통과시킨적이 있다.

2004년 미국법인의 외국법인의 비거주 외국인 거주자(insiders)에게 소비세(excise tax)를 부과하는 법을 만들었고, 2008년에는 외국이주 미국 거주자에 대한 증여(gift)와 유증(bequest)에 대하여 이전세(transfer tax)를 부과하였고, 2010년에는 외국원천소득에 대하여 외국납부세액공제를 하지 않고 순투자소득세(net investment income tax)를 부과한 바 있다.[87] 위 세 가지의 사례에 대하여 법원이 조세법상에 명시적으로 조세조약의 무효화 규정을 두어야 한다는 기준에 대하여 지적하지 않았다.

조세조약은 국가 간의 약속인 국제법에 해당하고 국제법상의 의무는 의회가 조약을 무효화 조치에도 불구하고 준수해야 한다. 그런 점에서 미국의회도 미국이 국제적 의무이행을 파기하는 것을 꺼리고 있다.[88] 미국의회는 국제외교관계에서 조약의 위반이 되지 않도록 법령을 해석하고 적용하는 원칙을 따르고 있다. 따라서 조세조약의 무효가 정당화될 수 있는 조세조약의 남용(treaty abuse) 상황에서만 새로운 입법을 주로 하고 있다.[89]

의회가 조세조약의 무효화를 위한 입법을 신중하게 하는 이유는 또 하나가 있다. 1980년대와 1990년대에 조약의 무효화 입법을 제정한 이후에 의회가 법령의 변화를 반영하기 위하여 기존의 조세조약의 개정을 위해 재협상했던 경험 때문이다.[90] 의회의 신중한 태도변화로 인하여 조세조약의 개정협상 가능성은 종전보다 훨씬 줄어 들고 있다. 그 결과 부작용은 조세조약과의 충돌문제를 우려하여 필요한 입법조치가 이루어지지 못한다는 것이다. 앞에서 언급한대로 조세조약과의 충돌가능성을 고려하여 소비세(excise tax)를 폐기하고 충돌가능성이 낮은 BEAT를 도입하였다.

조세조약에서 조약의 무효화 문제가 제기되는 주된 이유는 다국적기업의 등장과 전자상거래의 발전 등 경제환경의 변화를 조세조약이 적정하게 반영하지 못하고 있기 때문이다. OECD 표준조세조약이 바탕을 두고 있는 1920년의 모순적인 국제조세기준으로 인하여 오히

---

87) Thomas Bissell, Treaty Overrides Where the Legislative Intent is Silent, BLOOMBERG, July 14, 2016
  https://www.bna.com/treaty-overrides-codes-n73014444693/

88) RESTATEMENT (THIRD) OF THE FOREIGN RELATIONS LAW OF THE UNITED STATES § 109
  (1987); Pigeon River Improvement, Slide & Boom Co. v. Charles W. Cox, Ltd., 291 U.S. 138, 160 (1934)

89) Reuven S. Avi-Yonah, Tax Treaty Overrides: A Qualified Defense of U.S. Practice, in TAX TREATIES
  AND DOMESTIC LAW(Guglielmo Maisto ed.), 2006, p.65

90) Diane M. Ring, When International Tax Agreements Fair at Home: A U.S. Example, Brooklyn Journal
  of International Law Volume 41, 2016, p.1185

려 다국적기업의 사업활동이 조세회피에 상당한 비중을 두는 방향으로 왜곡되고 국가들 간에는 불필요한 조세경쟁이 발생하고 있다. 현재의 국제조세기준은 빠르게 변하는 국제 경제 환경을 따라가기는 어렵다. 앞에서 언급한 목적지 기준 과세제도(destination-based tax)나 공식배분제도(formulary apportionment)로 전환하려는 국제적 움직임이 있는 것은 당연하지만, 현재의 조세조약체계하에서 실제로 현실화되기는 어려워 보인다.

제5절 **조세조약의 발전방향**

 새로운 국제조세 환경

조세조약이 가지고 있는 여러 문제점을 해소하기 위하여 조세조약을 재규정하는 것은 바람직하다. 세계 각국은 거주지국 과세우선주의에서 벗어나려고 하고 있다.[91] 최근 미국과 유럽은 원천지국 과세를 강화하기 위한 조세개혁을 하고 있다. 목적지 기준 과세제도는 소득의 원천지개념을 사용하지 않지만, 실제로는 원천지국가 과세제도와 유사하다. 개발도상국은 현행의 조세조약 구조는 자신들의 이익에 부합하지 않는다고 비판하고 있다. 경제가 발전함에 따라 재정수요가 늘어나기 때문에 기존의 조세조약에 대한 개정요구가 강해지고 있다.[92] 개발도상국이 아니더라도, 세계화의 진전, 국적없는 소득, 기술의 발전으로 인해 낡은 국제조세제도를 바탕으로 하고 있는 조세조약의 구조에 대하여 회의적인 태도를 가진 국가들이 늘어나고 있다. 따라서 오랫동안 유지되어 온 현행 조세조약의 구조개선을 위한 노력은 결실을 잘 맺을 수 있을 것 같기도 하다.

시대에 맞지 않고 인위적인 원천지과세기준은 오늘날의 세계경제상황과 맞지 않기 때문에 개선이 필요하다는 국가 간의 공감대가 늘어나고 있다. 지정학적, 기술적, 경제적 변화요인과 함께 국적없는 소득의 발생현상은 기존의 조세조약구조를 개혁하는 정책의 혁신을 요구하고 있다. 과세관할권의 배분기준은 선진국과 후진국 모두에게 더 이상 의미가 없고, 작지만 영향력이 큰 주체인 다국적기업에게만 유리한 구조로 변질되어 있다.

새로운 국제조세제도는 거주지국 과세기준의 후퇴로 인하여 원천지기준 과세에 좀 더 중

---

91) Rebecca Kysar, Unraveling The Tax Treaty, Minnesota Law Review Volume 104, 2020, p.1824
92) Martin Henson, When Do Developing Countries Negotiate Away Their Corporate Tax Base, Journal of International Development Volume 30, 2018, pp.233~251

점을 두어야 할 것으로 보인다.[93] 다국적 기업이 원천지기준 과세제도를 쉽게 이용하고 있는 점에 대응하기 위하여 목적지 기준 과세를 좀 더 강화하는 방향이 될 것이다. 또다른 변화는 원천지기군 과세제도를 공식배분방법(formulary apportionement or global unitary taxation)으로 전환하는 것이다. 현행 조세조약제도하에서는 이러한 전환이 불가능하다. 그러나 미국의 경우에 이러한 목적지 기준 과세제도의 도입에 소극적이다. 의회가 반대하기 때문이다. 목적지 기준 과세는 일종의 부가가치세(VAT)이므로 조세조약의 적용대상 조세가 아니라는 것이 그 이유이다. 지금까지 조세조약은 제도의 혁신에 소극적이었지만 조세수입의 부족현상으로 인해 제도를 개선하지 않을 수 없는 단계에 이르게 된 것이다.

따라서, 과세관할권의 배분에 관한 조세조약의 규정은 버리고 그렇지 않은 규정만 남겨야 하지만 비용을 최소화하는 방향을 추진되는 것이 바람직하다. 예를 들어 목적지 기준 과세제도는 점진적으로 도입하면서 기존의 제도는 과도기적으로 유지한다면 새로운 제도의 도입에 따른 혼란과 충격은 최소화될 수 있을 것이다.

새로운 제도하에서도 과세정보의 교환에 관한 규정은 계속 유지될 필요가 있다. 차별과세금지의 규정은 통상조약(trade treaties)에서 더 잘 규정되어 있지만 그 내용을 따르기 위하여 현행 조세조약구조를 개편하는 것은 너무 많은 변화를 무리하게 한꺼번에 요구하는 것이 될 수 있다. 미국법원도 차별과세금지에 대한 해석에 있어서 상황에 맞게 융통성을 보이고 있으므로 큰 문제는 없어 보인다.

② 새로운 BEPS 환경과 조세조약의 조화

(1) 개발도상국과 선진국의 공정한 경쟁시대

현재의 조세조약의 구조에 대한 비판은 대부분 개발도상국의 입장에서 제기되고 있다. 그러나 선진국의 경우에도 개발도상국과 같이 조세조약으로 인한 조세수입의 감소를 경험하는 처지에 놓여 있는 것이 현실이다. 그로 인해 G20이 선도하고 OECD가 기획하여 추진되고 있는 것이 바로 BEPS Project이다.

각국의 조세제도와 무역거래 흐름의 차이를 고려하지 않고 단일의 표준모형을 중심으로 조세조약이 체결되고 있기 때문에 여러 가지 문제를 발생시키고 있다. 조세조약의 가장 큰 문제는 과세관할권의 배분에 관한 조항에서 발생하고 있다. 따라서 이러한 문제규정은 폐기하거나 적용범위를 축소하고 새로운 조세조약의 틀을 도입하는 것이 바람직하다. 그렇게 하

---

93) Rebecca Kysar, 2020, op. cit. p.1825

면 조세조약은 보다 역동적이고 상황에 맞추어 여러 가지 서로 다른 유형의 조세조약을 체결할 수 있도록 할 것이다. 세계기준의 효율성 개념을 내세워 국제조세체계를 정당화하는 시대는 지나갔다.

OECD는 이러한 새로운 국제조세환경을 수용하여 다자간 표준조세조약을 만들어 기존 조세조약에 BEPS를 포함시키는 절차를 간소화하였다. 일일이 상대체약국과 재협상하여 기존의 조세조약을 개정하지 않고 다자간 표준조세조약에 대한 동의절차를 통하여 일률적으로 기존의 조세조약을 양 체약국이 개정한 것으로 보도록 한 것이다.

OECD는 다자간 조세조약 방식을 도입하여 체약당사국 간의 합의나 양자 간 조세조약의 개정이 없이도 기존의 조세조약을 쉽게 보완할 수 있도록 하고 있다.[94] BEPS 제도의 원활한 시행을 위해서 불가피하기 때문이라는 이유가 큰 역할을 한 것이다. 예를 들어 기존의 OECD 표준조세조약의 조세조약편승(treaty shopping) 규정은 체약당사국이 아닌 국가의 거주자가 조세조약의 혜택을 이용하는 것을 방지하려는데 목적을 두고 있다.

새로운 조세조약 남용방지 규정(anti-abuse rule)은 '거래의 주된 목적기준(principal purpose of transactions)'과 조세조약 혜택 간의 관계를 검증하도록 하고 있다. 또한 '혼성불일치 기준(hybrid mismatch rules)'은 납세자가 하나의 비용항목으로 복수의 공제를 받거나 다른 국가에서 공제받지 않고 한곳에서 몰아서 공제받는 것을 방지하기 위한 규정이다. 다자간 조세조약 방식은 이러한 규정들을 개정하기 위하여 체약당사국 간에 일일이 개별적으로 협상할 필요가 없도록 한다. 이러한 다자간 조세조약구조는 기존의 양자 간 조세조약의 내용 중 일부규정의 적용을 배제하는 결과를 가져올 수도 있어 보인다. 각 국가들은 자신들의 이해관계의 유불리를 따져서 기존의 조세조약의 적용방법에 대하여 고민하게 될 것으로 보인다. 외국납세자의 국내원천소득에 대한 과세관할권을 포기하는 것이 유리한지 불리한지를 따져서 양자 간 조세조약의 적용범위를 결정할 것이기 때문이다. 서로 거의 비슷한 양자 간 조세조약을 개별국가별로 체결하기보다는 다자간 표준조세조약을 통하여 국가별로 서로 다른 요구사항을 조정한 새로운 국제조세구조를 창출할 수 있다.

(2) 다자간 조세조약과 양자 간 조세조약의 공존

다자간 조세조약은 현재의 양자 간 조세조약과 비교하면 국가 간의 무역흐름의 불균형상태, 국가 간의 과세제도의 차이, 세입수요의 차이, 국가 간 우호증진이나 국가의 명성에서

---

94) Jessica Silbering-Meyer, Sign the Multilateral Instrument, REUTERS: ANSWERS FOR TAX PROFFESSIONALS Volume 68, Octber 25, 2017
   https://blogs.thomsonreuters.com/answerson/68-sign-the-multilateral-instrument-mli/

얻는 득실의 차이 등을 잘 반영할 수 있는 수단이 된다. 지리한 공방을 벌여야 하는 양자 간 조세조약체결 협상절차를 거치지 않아도 되며 상황이 바뀌면 자동적으로 조세조약을 갱신할 수도 있게 한다. 다자간 조세조약을 지렛대로 삼아서 여러 가지 협상대안을 구사할 수 있게도 한다. 기존의 낮은 원천징수세율을 폐지하지 않으면서 현행 조세조약상의 세율과 국내 조세법상의 세율 사이의 어느 수준까지 인상할 수 있다. 여러 국가들이 미리 용인한도가 되는 세율수준을 미리 정해놓고 체약당사국이 생각하는 세율수준이 서로 일치하는 범위 내에서 원천징수세율을 결정할 수도 있다.

또한 고정사업장과 관련하여 BEPS 2.0[95]에서 검토한 대로 물리적으로 PE가 존재하지 않더라도 원천지국의 과세권을 허용할 수 있다. 그렇게 할 경우 여러 국가들이 지금까지 시행한 세금인상조치에 대하여 법률적 정당성을 부여하게 될 것이다. 고정사업장의 개념을 개정하면 원천지국의 과세관할권 행사의 범위는 과세행정력의 수준에 달려 있게 된다.[96] 원천징수능력이 없는 국가의 경우에는 거주지국이 과세하더라도 세수 측면의 손실은 거의 없기 때문에 조세조약 체약당사국은 고정사업장에 대한 과세관할권에 대한 합의를 할 수도 있다.

다자간 조세조약의 가장 큰 장점은 유연성이다. 현재 다자간 조세조약(MLI)은 각국이 그 내용을 수용할 것인지 반대할 것인지를 스스로 결정하도록 하는 방식을 통하여 상당한 진전을 보이고 있다. 아울러 다자간 조세조약에 서명하기 위하여 필요한 최소기준도 다양한 방법으로 충족시킬 수 있도록 하고 있다. 다자간 조세조약에서는 어떤 조약이 새로운 조항에 적용되는지를 모든 국가들이 콕 집어서 선택할 수 있도록 하기 때문에 무역흐름의 불균형이나 조세제도의 차이로 인하여 그들의 이익에 부합하지 않는 경우에는 과세관할권(과세권배분)에 대한 조항의 적용을 배제할 수 있도록 하고 있다. 체약당사국 중 일방체약국이 과세관할권 조항의 적용을 배제할 경우 타방체약국의 세수입에는 부정적인 영향을 줄 수 있다.

따라서 일방체약국의 적용배제가 있을 것으로 보이면 타방체약국은 조세조약을 종료시키는 것이 유리한지 아니면 일방체약국의 적용배제를 수용하는 것이 유리한지를 판단하여 결정하게 될 것이다. 체약당사국은 원천징수대상을 확대하는 합의도 가능하다. 다자간 조세조약은 일방체약국의 경제상황에 변화가 있는 경우에는 조세조약을 개정할 수 있는 수단의 역할도 할 수 있다.

---

95) OECD/G20 Inclusive Framework On BEPS, Programme of Work to Develop a Consensus Solution to the Tax Challenges Arising from the Digitalisation of the Economy, 2019
https://www.oecd.org/tax/beps/programme-of-work-to-develop-a-consensus-solution-to-the-tax-challenges-arising-from-the-digitalisation-of-the-economy.pdf

96) Kim Brooks & Richard Krever, The Troubling Role of Tax Treaties, in 51 Series on International on International Taxation: Tax Design Issues Worldwide(Geerten M.M. Michielse & Victor Thuronyi eds., 2015), p.170

③ 새로운 환경에 맞는 조세기준

현재 전 세계적으로 체결된 양자 간 조세조약의 수는 3,000개가 넘지만 그 내용은 거의 대동소이한 것으로 보인다. 이러한 조세조약을 개별국가의 이익에 좀 더 잘 부합하는 방향으로 양자 간 조세조약을 다듬게 할 수 있다. 거주지국기준 과세제도를 완화하여 국적이 없는 소득에 대한 과세를 강화해 나갈 수 있게 한다.

양자 간 조세조약의 복잡한 내용을 간략하게 할 경우 보다 많은 조세문제를 국내 조세법으로 해결할 수 있도록 하는 동시에 국제조세는 경제상황의 변동이나 조세회피시도(tax planning manuvers)에 효과적으로 대응할 수 있는 여력을 가지게 될 것이다. 새로운 제도가 기존의 국제조세질서와 관행을 변경시키는 과정에서 혼란이 발생하겠지만 지금 상황은 더 이상 국제조세제도의 개혁을 미룰 수 없는 시점에 있으므로 개별국가들이 일방적인 조치로 대응하기보다는 기존의 국제조세제도를 여러 국가들이 힘을 합쳐 해체하고 새로운 제도를 다시 세워나가는 것이 바람직하다고 볼 것이다.

국제거래소득에 대한 새로운 과세방법은 국적없는 소득(stateless income)에 대한 과세를 쉽게 할 수 있도록 한다. 양자 간 조세조약의 구조하에서는 국적없는 소득에 대한 과세는 많은 어려움이 있었다. 현재 EU는 digital 과세와 관련하여 이중과세 방지 방법의 효용성에 대하여 강한 의문을 제기하고 있다는 점에서도 양자 간 조세조약구조의 개편은 필요하다.[97]

조세조약이 안고 있는 문제가 일부라도 풀리게 된다면 새로운 제도가 언제 그리고 어떻게 도입되어야 할지를 생각하게 된다. 세원의 배분에 대한 조정이 다자간 조세조약에 의하여 이루어지지 못하더라도 현재의 양자 간 조세조약이 가지고 있는 문제점을 줄이는 것은 필요하다. 이상적으로는 기존의 조세조약의 약점을 보완한 새로운 조세조약의 구조가 자리를 잡는 것이 바람직하다. 최상의 해결방안은 모든 국가들이 머리를 맞대고 변화하는 환경에 맞는 새로운 국제조세기준을 설정해 나가는 것이다.

새로운 과세기준 중 중요한 것은 과세소득에 대한 과세관할권을 배분하는 기준을 다자간 조세조약을 통하여 설정하는 것이다. 그렇게 될 경우 지리적 기준 과세원칙을 주장하며 대형 미국 기업에 초점을 맞추고 있는 EU의 디지털세 과세기준에 대한 논쟁도 불식시킬 수 있을 것이다. 다자간 조세조약을 통한 해결책은 거주지국이 과세하지 않는 경우에 원천지국 과세기준을 강화해 나갈 수 있게 한다. 1차적 과세관할권이 양자 간의 조세조약상에 규정되어

---

97) Steven A. Dean, A Constitutional Moment for Cross-Border Taxation. (unpublished manuscript) January 30, 2020

있음에도 이를 행사하지 않는 경우에는 다자간 조세조약에서 이 과세권을 어느 국가에 줄 것인지에 대한 조항을 둘 수도 있다.[98]

다자간 조세조약은 과세의 일관성을 높여주는 데도 도움을 줄 수 있다. 개별국가들은 국제 기준과 조화되는 과세제도의 운영을 통하여 자의적이지 않고 예측가능한 일관성을 보여줄 수 있다.[99] 원천지국 과세기준을 개선하여 목적지 기준(destination base)으로 전환하게 할 수 있다.[100] 또 하나는 '공식에 의한 소득배분방법(formulary apportionment method)'을 다 자간 조세조약에서 명시할 경우 다국적기업이 조세조약을 이용하여 국제거래소득의 발생지 를 유리한 곳으로 조정하는 것을 방지할 수 있을 것이다.[101]

다자간 조세조약방식에 대한 각국의 입장은 당초 기대보다 덜 적극적인 것으로 보인다. 주된 이유는 조세조약혜택제한(limitation on benefit), 강제중재(mandatory arbitration) 조 항 등과 같이 기존의 조세조약에도 있는 것이기 때문이다.[102] 미국은 다자간 조세조약에 비 준하지 않았는데 미국의 국내 조세법의 규정과 충돌한다는 이유와 함께 그동안 양자 간 조 세조약을 통하여 조세조약편승이나 조세조약남용의 방지에 관한 규정을 두고 있다는 이유 를 들고 있다.

다자간 조세조약에서 정할 수 없는 사항에 대하여는 개별국가의 국내 조세법이 상호주의 원칙에 따른 '주고받기(give and take)'의 기준을 규정하게 한다. 이 경우 개별국가는 자국의 조세수입에 관한 정책과 징수권에 대한 지배권을 강화할 수 있다. 더 이상 주고받기식의 조 세조약협상을 하지 않기 때문에 어느 하나의 국가에 쏠리는 힘의 균형추를 바로잡을 수 있 게 한다. 체약국과 비체약국에게 서로 다르게 조세조약을 적용하는 자의성도 일부 줄임으로 써 정치적 경제적 상황이 유사한 경우에는 동일한 과세방법을 적용할 수 있게 한다.

상호주의 기준은 국제관계를 국익차원과 연결하여 외국에서 과세되지 않은 소득은 국내 에서 과세할 수 있도록 한다. 국제과세기준의 도입과 적용과정에는 미국과 같은 강대국의

---

98) Bret Wells & Cym H. Lowell, Income Tax Treaty Policy in the 21st Century: Residence v. Source,' Columbia Journal of Tax Law Volume 5, 2013, p.38. 이는 미국에서 시행되고 있는 throwback rule과 유사하 다. 공장이 위치하는 주에서 발생한 소득에 대하여 과세요건을 충족하지 못하여 어느 주에서도 과세되지 않 는 경우에는 시설이 있는 주의 소득으로 환원시켜(thrown back) 과세되도록 하는 제도이다. 국제조세기준으 로도 사용이 가능할 수 있다.

99) Victor Thuronyi, International Tax Cooperation and a Multilateral Treaty, Brooklyn Journal of International Law Volume 26, 2001, pp.1641~1652

100) Paul Oosterhuis, Amanda Parsons, Destination-Based Income Taxation: Neither Principled nor Practical?, Tax Law Review Volume 71, 2017, pp.515~523

101) 주로 미국과 캐나다에서 주(州) 간 법인세 분담방법으로 사용되고 있지만, 국제조세쪽에서는 사용되지 않는다.

102) Rebecca Kysar, 2020, op. cit. p.1827

영향력이 크게 작용하기 때문에 다른 국가들은 별다른 노력없이도 새로운 제도를 다른 국가들과 합의할 수 있다. 아울러 다자간 조세조약상의 과세기준은 전 세계적으로 통일되게 적용되는 것이므로 운용과정의 투명성이 높아지는 장점이 있다. 다국적기업에 대한 과세권 행사 기준이 모든 국가에서 통일적으로 적용되므로 국가별 국제조세정책의 혁신과 함께 BEPS project를 통한 조세수입의 확보도 용이하게 될 것으로 기대할 수 있다.

참고문헌

1. 단행본

법무부, 「조약의 국내적 수용 비교연구」, 1996.

법제처, 조약체결과정에서의 관계 정부기관의 역할 및 법제처 조약심사 강화를 위한 심사 메뉴얼 정립에 관한 연구, 2009. 9.

사법연수원, 『조세법총론』, 2006.

사법연수원, 『행정구제법』, 2006.

외교부 조약개요(외교부 홈페이지)

American Law Institute, Federal income tax project: international aspects of United States income taxation II: proposals on United States income tax treaties, Philadelphia, PA: The American Law Institute, 1992

Andrei Marmor, Interpretation and Legal Theory, 2d ed. rev. (Oxford: Hart, 2005)

Arthur Cockfield, Walter Hellerstein, Rebecca Millar, and Christophe Waerzeggers, Taxing Global Digital Commerce (Kluwer Law International 2013)

Ben A. Wortley, Expropriation in Public International Law, Cambridge University Press, 1959

Brian J. Arnold, and Michael J. McIntyre, International Tax Primer (The Hague: Kluwer Law International, 1995

Daniel N. Shaviro, Fixing U.S. International Taxation, Oxford Scholarship Online, 2014

Daniel Sandler, Tax Treaties and Controlled Foreign Company Legislation: Publishing the Boundaries, The Hague; Boston: Kluwer Law International, 1998

Direct Investment by Country and Industry in 2018, Bureau of Economic Analysis, July 24, 2019

Edward Hallett Carr, What is History?, London, Penguin, 1961

Felix Alberto Vega Borrego, Limitation on Benefits Clauses in Double Taxaton Conventions, Second Edition, Kluwer Law International, 2017

Final Version of Parts I to III of the Report on the Attribution of Profits to Permanent Establishments: Part I(General Considerations), Part II(Banks), Part III(Global trading).

Frank Engelen, Interpretation of Tax Treaties under International Law, Volume 7 in the Doctoral Series, 2004

Gary Clyde Hufbauer & Ariel Assa, 2007, US Taxation of Foreign Income, Peterson Institute for International Economics, Washington DC, October 2007

Georg Schwarzenberger, International law, Volume 1(3rd ed.), London: Stevens and Sons, 1959

Global Wealth 2018: Seizing the Analytics Advantage, Boston Consulting Group 2018

Hans Kelsen, Principles of International Law. Rinehart, New York, NY 1952; Pure Theory of Law. University of California Press, Berkeley, CA,1967

Hans Van Houte, The Law of International Trade, 1995

Hans-Werner Sinn, Taxation and the birth of foreign subsidiaries, Trade, Welfare, and Economic Policies, Essays in Honor of Murray C. Kemp, ed. H Heberg and N. Long, University of Michigan Press, Ann Arbor, 1993

Hugh J. Ault & Brian J. Arnold, Comparative Income Taxation: A structural Analysis (2d ed. 2004)

Hugh Thirlway, The Role of the International Law Concepts of Acquiescence and Estoppel, in S. Douma and F. Engelen (eds.), The Legal Status of the OECD Commentaries, IBFD 2008

Ian Sinclair, The Vienna Convention on the Law of Treaties, 2nd ed. 1984

Ibrahim F.I. Shihata, The World Bank Guidelines, Martinus Nijhoff Publishers, 1993

IMF, Spillovers in International Corporate Taxation, Policy Paper 12, May 9, 2014

IMF, Spillovers in International Corporate Taxation, 2004

Ingo Walter and Roy Smith, High Finance in the Euro-zone: Competing in the New European Capital Market, published by the Pearson Education. September 11, 2000

John Lyons, Semantics, Cambridge University press, 1977

Kees Van Raad, Nondiscrimination in International Tax Law, Kluwer, 1986

Kenneth J. Vandevelde, United States Investment Treaties Policy and Practice, 1992

Kim Brooks & Richard Krever, The Troubling Role of Tax Treaties, in 51 Series on International on International Taxation: Tax Design Issues Worldwide(Geerten M.M. Michielse & Victor Thuronyi eds., 2015).

Klaus Vogel, Ekkehart Reimer and Alexander Rust, Klaus Vogel on Double Taxation

Conventions. Wolers Kulwer, 2014

Klaus Vogel, Klaus Vogel on Double Taxation Conventions, Kluwer Law International, 4th Edition, 2015, London

Klaus Vogel, Klaus Vogel on Double Taxation Conventions: A Commentary to the OECD-, UN- and US Model Conventions for the Avoidance of Double Taxation on Income and Capital, 3d ed. The Hague: Kluwer Law International, 1997

Krugman's Macroeconomics for AP, University of Mary Washington, Second Edition, 2010

Michael Lang, Introduction to the Law of Double Taxation Convention, (IBFD Publishing 2012)

OECD Report on Double Taxation Conventions and the Use of Conduit Companies 1986

OECD Report on Restricting the Entitlement to Treaty Benefits, 2002

OECD Report on the Attribution of Profits to Permanent Establishments, December 21, 2006

OECD Secretary-General Report to the G20 Finance Ministers and Central Bank Governors, June 2019

OECD, Action Plan on Base Erosion and Profit Shifting, 2013

OECD, Addressing Base Erosion and Profit Shifting, OECD Publishing, 2013

OECD, Addressing the Tax Challenges of the Digital Economy, Action 1: Final Report, 2015

OECD, Background Brief-Inclusive Framework on BEPS, January 2017

OECD, Clarification of the Meaning of "Beneficial Owner" in the OECD Model Tax Convention, Discussion Draft, 29 April 2011

OECD, Conduit Companies Report in OECD, Committee on Fiscal Affairs of the OECD, International Tax Avoidance and Evasion, Four Related Studies, Double Taxation Conventions and the Use of Conduit Companies, Issues in International Taxation Series, no. 1, OECD, Paris, 1987

OECD, Corporate Loss Utilisation through Aggressive Tax Planning, 2011

OECD, Developing a Multilateral Instrument to Modify Bilateral Tax Treaties, 2015

OECD, Double Taxation Conventions and the Use of Base Companies, 1986

OECD, Double Taxation Conventions and the Use of Conduit Companies in OECD Committee on Fiscal Affairs International Tax Avoidance and Evasion: Four Related

Studies, Issues in International Taxation No.1 (OECD, Paris, 1987)

OECD, Double Taxation conventions and the use of Conduit Companies, 1986

OECD, Final Version of Parts I to III of the Report on the Attribution of Profits to Permanent Establishments: Part I(General Considerations), Part II(Banks), Part III (Global trading)

OECD, Fundamental Reform of Corporate income tax, Tax policy studies No.16, 2007

OECD, Global Forum on Transparency and Exchange of Information for Tax Purposes, Bridgetown, Barbados, 29-30 October 2015, Statement of Outcomes, 30 October, 2015

OECD, Global Forum on Transparency and Exchange of Information for Tax Purposes. 2010

OECD, Hybrid Mismatch Arrangements: Tax Policy and Compliance Issues, 2012

OECD, International community continues making progress against offshore tax evasion, 30/06/2020

OECD, Members of the OECD/G20 Inclusive Framework on BEPS, December 2019

OECD, Neutralising the Effects of Hybrid Mismatch Arrangements, Action 2-2015 Final Report, OECD Publishing, Paris, 2015

OECD, Peer Review of the Automatic Exchange of Financial Account Information 2020, OECD Publishing, Paris

OECD, Preventing Artificial Avoidance of Permanent Establishment Status, Action 7, Final Report. 2015

OECD, Preventing the Artificial Avoidance of Permanent Establishment Status, Action 7-2015 Final Report, OECD Publishing, Paris

OECD, Preventing the Granting of Treaty Benefits in Inappropriate Circumstances, Action 6-2015 Final Report, OECD Publishing, Paris

OECD, Report on Conduit Companies (paragraph 7(a)) and the UN Report on the Prevention of Abuse of Tax Treaties. Conduit Companies Report, paragraph 7(a) in 'international Tax Avoidance and Evasion, Four Related Studies, Double Taxation Conventions and the Use of Conduit Companies, Issues in International Taxation Series' no.1 (OECD, Paris, 1987)

OECD, Report on The Application of the OECD Model Tax Conventio to Partnerships (Issues in International Taxation No.6, Paris 1999) -Partnership Report

OECD, Report on the Attribution of Profits to Permanent Establishments

OECD, Standard for Automatic Exchange of Financial Account Information in Tax Matters, Second Edition, OECD Publishing, 2017

OECD, Tackling Aggressive Tax Planning through Improved Transparency and Disclosure, 2011

OECD, Tax Residency, Rules governing tax residence, 7 January 2021

OECD, The 2019 AEOI Implementation Report

OECD, The Era of Bank Secrecy is Over, 2011

OECD, Transfer Pricing Guidelines for Multinational Enterprises and Tax Administrations, 2017

OECD, Triangular Cases, in Model Tax Convention: Four Related Studies, 1992

OECD/G20 Base Erosion and Profit Shifting Project-Making Dispute Resolution Mechanisms More Effective-ACTION 14: 2015 Final Report

OECD/G20 Inclusive Framework On BEPS, Programme of Work to Develop a Consensus Solution to the Tax Challenges Arising from the Digitalisation of the Economy, 2019

Office for National Statistics 2016, Ownership of UK Shares, Newport: Office for National Statistics

Oppenheim's International Law, 9th ed., Vol. 1, eds. R. Jennings and A. Watts, 1992

Peter Dietsch, Catching Capital, Oxford: Oxford University Press, 2015

Philip Baker, Double Taxation Conventions, Sweet & Maxwell 2001

Phillip Genschel and Thomas Rixen, Settling and Unsettling the Transnational Legal Order of International Taxation. In Halliday, Terence C. and Shaffer, Gregory (eds.), Transnational Legal Orders, Cambridge University Press, New York, NY. 2015

Report by the Government Experts on Double Taxation and Evasion of Taxation Annex 1, League of Nations Doc. F. 50. 1923 11 (1923)

Report on Double Taxation Submitted to the Financial Committee by Professors Bruins, Einaudi, Seligman, and Sir Josiah Stamp, League of Nations Doc. E.F.S.73 F.19 (1923)

Report on Double Taxation". League of Nations Doc. 341.014(00) IIA, 1923

Report Presented by the General Meeting of Government Experts on Double Taxation and TaxEvasion, League of Nations Doc. C.562M.178 1928 II (1928)

Reuven S. Avi-Yonah, International Tax as International Law-An Analysis of the International Tax Regime, Cambridge Tax Law Series, 2007

Stef van Weeghel, The Improper Use of Tax Treaties, Kluwer Law International, 1998

Thomas Rixen, The Political Economy of International Tax Governance, Palgrave MacMillan, New York, NY

Tsilly Dagan, International Tax Policy: Between Competition and Cooperation, Cambridge University Press, 2017

Vito Tanzi, Taxation in an Integrating World, Brookings Institution Press. 1995

2. 조 약

OECD Model Tax Convention 1992

OECD Model Tax Convention, 2017, ANNEX

OECD, Addressing the Tax Challenges of the Digital Economy, Action 1: Final Report, 2015

OECD, Convention on the Organization for Economic Co-operation and Development

OECD, Standard for Automatic Exchange of Financial Account Information in Tax Matters, Second Edition, OECD Publishing, Paris. 2917

OECD, Tax Information Exchange Agreements

The U.S. Model Income Tax Convention and Model Technical Explanation

Agreement among Member Countries to avoid double taxation and of the Standard Agreement for executing agreements on double taxation between Member Countries and other States outside the Subregion, 1971

Agreement among the Governments of the Member States of the Caribbean Community for the Avoidance of Double Taxation and the Prevention of Fiscal Evasion with Respect to Taxes on Income, Profits or Gains and Capital Gains and for the Encouragement of Regional Trade and Investment of 1994

Agreement for the Avoidance of Double Taxation and the Prevention of Fiscal Evasion with Respect to Taxes on Income and for the Encouragement of International Trade and Investment of 1973

Andean Community, 1971. Income and Capital Model Tax Treaty(Unofficial Translation)

ANDEAN Group Double Taxation Convention, 1971

Australia, Subsection 6(1) of the Income Tax Assesstment Act of 1936

Automatic Exchange of Information Implementation Report 2018

Bulletin for International Fiscal Document, Volume 28, (Supp. D 1974)

Committee of Experts on International Cooperation in Tax Matters, Fourth session, Geneva, 20－24 October 2008, Progress Report of Subcommittee on Improper Use of Tax Treaties: Beneficial Ownership

Congrssional Budget Office, The Budget and Economic Outlook: 2018－2028

Convention between the Government of the United Kingdom of Great Britain and Northern Ireland and the Government of the United States of America for the Avoidance of Double Taxation and the Prevention of Fiscal Evasion with Respect to Taxes on Income and on Capital Gains, 24 July 2001

Decision 578 of the Andean Community

Double Taxation and Tax Evasion－Report presented by the Committee of Technical Experts on Double Taxation and Tax Evasion, Geneva, April 1927

Double Taxation and Tax Evasion－Report and Resolutions; Doc.F.212; February 7, 1925

Draft Articles on the Law of Treaties With Commentaries, Report of the International Law Commission on the second part of its seventeenth session and on its eighteenth session, Part II, ILC Yearbook, Vol. 2, 1966

Draft Double Taxation Convention on Income and Capital, OECD, Paris, 1963

EAC Income Tax Agreement

European Commission, EC Law and Tax Treaties: Workshop of Experts, 2005

European Commission, The Mechanism for Sharing the CCCTB, CCCTB\WP\047\doc\en 2006; Christoph Spengel, The Common Consolidated Corporate Tax Base 2007

European Communities－Measures Affecting the Importation of Certain Poultry Products, WT/DS69/AB/R, Report of the WTO Appellate Body, adopted on 13 July 1998

Exchange of Notes to the UK－US Double Taxation Agreement of 2001

Fiscal Committee Report Presented to the Council on the Work of the First Session of the Committee.,League of Nations Doc. C.516M.175.1929.II (1929)

Fiscal Committee Report to the Council on the Fifth Session of the Committee, League of Nations Doc. C.252M.124.1935.II.A. (1935)

Fiscal Committee Report to the Council on the Fourth Session of the Committee,

League of Nations Doc. C.399.M.204.1933.II.A. (1933)

Fiscal Committee Report to the Council on the Work of the Second Session of the Committee, League of Nations Doc. C.340M.140.1930.II.A (1930)

Fiscal Committee, London and Mexico Model Tax Conventions for the Prevention of Double Taxation of Income and Property, League of Nations Doc. C.88.M.1946.II.A (1946)

Fiscal Committee, Report to the Council on the Work of the Third Session on the Committee., League of Nations Doc. C.415M.171.1931.II.A. (1931)

G20 Leaders' Communique, Antalya Summit, 15－16 November 2015

General Agreement on Trade and Tariffs (GATT)와 General Agreement on Trade Services(GATS)

Guidance RDR3: Statutory Residence Test (SRT) notes

Guidelines for the Formulation of the Provisions of a Bilateral Tax Treaty Between a Developing Country and a Developed Country, in Manual for the Negotiation of Bilateral Tax Treaties Between Developed and Developing Countries, U.N. Doc. ST/ESA/94 (1979)

IRS Announcement 2010－9, January 26, 2010

IRS Publication 519, U.S. Tax Guide for Aliens

Korea MLI Position, Status of List of Reservations and Notifications upon Deposit of the Instrument of Ratification. 2019

Leaderrs' Declaration G7 Summit, 7－8 June 2015, Schloss Elmau, Germany

OECD Model Agreement on Exchange of Information on Tax Matters, 2002

OECD Model Tax Convention, 1963

OECD Model Tax Convention, 1997

OECD Model Tax Convention, 2014

OECD Transfer Pricing Guidelines for Multinational Corporations and Tax Administrators. 2017, OECD, Paris

OECD, Draft Double Taxation Convention on Income and Capital, 1963

OECD, Explanatory Statement to the Multilateral Convention to Implement Tax Treaty Related Measures to Prevent Base Erosion and Profit Shifting, 2016

OECD, Multilateral Convention To Implement Tax Treaty Related Measures To Prevent Base Erosion And Profit Shifting, 2017

OECD, Multilateral Instrument Information Brochure, May 2020

OECD, OECD/G20 Base Erosion and Profit Shifting Project, Developing a Multilateral Instrument to Modify Bilateral Tax Treaties, 2014

OECD, Recommendation of the OECD Council Concerning the Model Tax Convention on Income and Capital adopted by the Council on 23 October 1997

OECD, Signatories of the Multilateral Comepetent Authority Agreement on Automatic Exchange of Financial Accounts Information and Intended First Information Exchange Date, April 25, 2019

SAARC Multilateral Tax Treaty

South-East European Multilateral Double Tax Agreement, 1922

The 1933 League of Nations draft bilateral convention for the prevention of double taxation

The Arbitration Convention of the European Community, 1990

The Assistance Directive of the European Community, 1977

The Double Taxation Agreement of the Caricom Group, 1994

The European convention on Mutual Assistance, 1988

The Nordic Double Taxation convention, 1983

The Parent-Subsidiary Directive of the European community, 1990

Two Multilateral Double Taxation Conventions in the former COMECON area, 1977

U.S. Dept. of Treasury, Foreign Account Tax Compliance Act

U.S-U.S.S.R. treaty

UK-CDOT (United Kingdom-Crown Dependencies and Overseas Territories International Tax Compliance Regulations) agreements

UN Department of Economic and Social Affairs Financing

UN Department of International Economic and Social Affairs, Report of the Ad Hoc Group of Experts on International Co-operation in Tax Matters, Contributions to international cooperation in tax matters: treaty shopping, thin capitalization, co-operation between tax authorities, resolving international tax disputes (United Nations 1988) UN Doc. ST/EA/203, UN Sales No. E.88.XVI.

UN Model Double Taxation Convention

UN, the Prevention of Abuse of Tax Treaties. Conduit Companies Report, 1987

United Nations, Draft Manual for the Negotiation of Bilateral Tax Treaties between

Developed and Developing Countries, 2001

US Model Tax Treaty

Vienna Convention on the Law of Treaties, 23 May 1969

3. 논 문

강성태, "국외등록 특허권 사용료 소득의 과세기준", 조세학술논집 제31집 제1호, 한국국제조세협회, 2015. 2.

강성태, "외국인 직업투자의 유치와 조세 및 비조세 변수의 효과", 박사학위 논문. 2011.

강인애, 『조세쟁송법』, 한일조세연구소, 2001.

길준규, "행정소송법상의 직권탐지주의에 대한 이해" 토지공법연구 제44집, 2009.

김석환, "사용료 소득의 원천지 판단기준", 저스티스 통권 제140호, 한국법학원, 2014. 2.

박종수, "국내 미등록 특허에 대한 사용료의 과세상 취급에 관한 소고" 조세학술논집 제30집 제2호, 한국국제조세협회, 2014. 6.

성재호, "조약과 일반적으로 승인된 국제법규", 미국헌법연구, Volume 28 Issue 1, 2017. 4.

안경봉, "국내 미등록특허의 사용료와 한미조세조약상 국내원천소득", 법학논총 제30권 제2호, 국민대학교출판부, 2017. 10.

오광욱, 차승민, 윤성수, "외국인 투자 조세감면제도와 재투자에 관한 실증연구", 세무학연구 제27권 제1호, 2010.

오 윤, "조세조약 해석상 국내세법의 지위—조세조약상 '특허권의 사용' 개념의 해석을 중심으로—", 조세학술논집 제32집 제2호, 한국국제조세협회, 2016.

유철형, "국내 미등록 특허와 국내원천소득인 사용료: 관련 대법원 판결을 중심으로", 조세학술논집 제32집 제3호, 한국국제조세협회, 2016. 10.

이의영, "조세조약의 해석 - 비엔나 협약의 기능과 한계, 국내법원 해석의 상호발전", 조세학술논집 제35집 제2호, 2019.

이재호, "미국 특허권의 사용료 과세에 대한 규범체계", 홍익법학 제17권 제3호, 홍익대학교 법학연구소, 2016.

이준봉, "국내 미등록 특허 사용료와 국내원천소득: 한미조세협약의 해석을 중심으로", 조세학술논집 제33집 제3호, 한국국제조세협회, 2017. 10.

이창희, 양한희, "미등록특허권 침해에 따르는 손해배상금의 과세", 조세법연구 제25집 제3호, 2019. 11.

임동원, 문성훈, "해외유보소득 방지를 위한 경영참여소득면제 도입방안", 조세와 법, 제10권 제2호, 2017. 12. 31.

전주성, "직접투자에 대한 조세유인 효과: 일본의 해외투자분석", 한국재정학회『재정논집』 제14집 제2호, 2000.

정하중, "행정소송에 있어서 직권탐지주의와 입증책임", 고려법학 제64호, 2012. 3,

조소영, "한미 FTA에 대한 헌법적 쟁점의 검토", 「공법학연구」 제8권 제3호, 한국비교공 법학회, 2007. 8.

최선웅, "행정소송법 제26조의 해석에 관한 일 고찰", 행정법연구(1), 2003. 10.

Abbe. R. Gluck, Congress, Statutory Interpretation, and the Failure of Formalism: The CBO Canon and Other Ways That Courts Can Improve on What They Are Already Trying To Do, University of Chicago Law Review Volume 84, 2017

Adam H. Rosenzweig, Thinking Outside the Tax Treaty, Wisconsin Law Review, Vol. 2012, No.3, May 2012

Adam H. Rosenzweig, Why Are There Tax Havens?, William & Mary Law Review Volume 52, 2010, p.923

Adolfo Atchabahian, The Andean Subregion and its Approach to Avoidance or Alleviation of International Double Taxation, Bulletin Volume28 issue 8, 1974

Agnès Bénassy-Quéré, Lionel Fontagné and Amina Lahrèche-Révil, Tax Competition and Foreign Direct Investment. CEPII Working paper, No. 2003-17, 2003

Aharon Barak, Purposive Interpretation in Law, Princeton: Princeton University Press, 2005

Alexander R. Albrecht, The taxation of aliens under international law, British Yearbook of Internatioal Law Volume 29, 1952

Algirdas Šmeta, Commission Opens Public Consultation on Double Taxation Problems in the EU, Press Release, 27 April, 2010

Alicia Gracia-Herrrero, Francisco Vazquez, International Diversification Gains and Home Bias in Banking, IMF Working Paper, 2007

Allison D. Christians, How Nations Share: The Role of Law in Creating and Resolving International Tax Disputes, Indiana. Law Journal, Volume 87, 2011

Allison D. Christians, Tax Treaties for Investment and Aid to Sub-Saharan Africa: A Case Study, Brooklyn Law Review Volume 71, 2005

Allison D. Christians, Alexander Ezenagu, Kill-Switches in the U.S. Model Tax Treaty, Brooklyn Journal of International Law, Volume 41 Issue 3, 2016

Amanda P. Varma, West R. Philip, Tax Treaties and tax avoidance: applicationn of anti-avoidance provisions, IFA General Report, Cahieres, de droit fiscal international, Vol.95a, 2010

Andrei Marmor, Interpretation and Legal Theory, 2d ed. rev. Oxford : Hart, 2005

Andres Knobel, "Statistics on Automatic Exchange of Banking Information and the Right to Hold Authorities (and Banks) to Account," Tax Justice Network, June 21, 2019

Andrew Parker, U.K. Rejects Renewed Call for EU Tax Harmonization, WTD May 29, 2001

Andrew Schwarz and Galen Hendricks, "One Year Later, the TCJA Fails to Live Up to Its Proponents' Promises," Center for American Progress, December 20, 2018

Anja De Waegenaere, et al.,Using Bilateral Advance Pricing Agreements to Resolve Tax Transfer Pricing Disputes, Tuck School of Business Working Paper No. 2005-24, Social Science Research Network Electronic Paper Database. July 21, 2005

Anna Zakrzewski, et al. Global Wealth 2018 : Seizing the Analytics Advantage, Boston Consulting Group, June 14, 2018

Ash Elliott & Omri Marian, 'The Making of International Tax Law : Empirical Evidence from Natural Language Processing', University of California, Irvine, Legal Studies Research Paper Series No. 2019-02, 2019

Barbara Koremenos, If Only Half of International Agreements Have Dispute Resolution Provisions, Which Half Needs Explaining?, Journal of Legal Study Volume 36, 2007

Beckett G. Cantley, The UBS Case : The US Attack on Swiss Banking Sovereignty, Brigham Young University International Law & Management Review Volume 7 Issue 2, 2011

Ben S. Bernanke's College Lecture Series at the George Washington University School of Business ; Lecture 1 : Origins and Mission of the Federal Reserve March 20, 2012; Lecture 2 : The Federal Reserve after World War II, March 22, 2012; Lecture 3 : The Federal Reserve's Response to the Financial Crisis March 27, 2012; Lecture 4 : The Aftermath of the Crisis March 29, 2012

Bin Cheng, General Principles of Law as Applied by International Courts and Tribunals, reprinted, Cambridge, 1987

Bob Pisani, Stock Buybacks Hit a Record $1.1 Trillion, and the Year's Not Over, CNBC, "December 18, 2018

Brauner Yariv, Why Does the United States Conclude Tax Treaties? And Why Does it not Have a Tax Treaty With Brazil?, 26 REVISTA DIREITO TRIBUTARIO ATUAL Volume 26, 2011

Bret Wells & Cym H. Lowell, 'Income Tax Treaty Policy in the 21st Century: Residence vs. Source', Columbia Journal of Tax Law, Volume 5 Issue 1, 2014

Bret Wells & Cym Lowell, 2011, Tax Base Erosion and Homeless Income: Collection at Source is the Linchpin, Tax Law Review Volume 65

Bret Wells, Get With The Beat, Tax Notes Volume 158. February 19, 2018

Brian Faller, Big Businesses Paying Even Less Than Expected under GOP Tax Law, Politico, June 13, 2019

Brian J. Arnold and Michael J. McIntyre, International Tax Primer, Second Edition, 2002

Brian J. Arnold and Thomas E. McDonnell, Report on the Invitational Conference on Transfer Pricing: the Allocation of Income and Expenses Among Countries. Tax Notes. 13 December 1993

Brian J. Arnold, Tax Treaties and Tax Avoidance: The 2003 Revisions to the Commentary to the OECD Model, Bulletin 2004

Brian J. Arnold, The Interpretation of Tax Treaties: Myth and Reality, Bulletin 2010

Brian Manning, Srividhya Ragavan, The Dispute Settlement Process of the WTO: A Normative Structure to Achieve Utilitarian Objectives, University of Missouri Kansas City(UMKC) Law Review Volume 79 Issue 1, 2010

BrianJ. Arnold, Tax Treaties and Tax Avoidance: The 2003 Revisions to the Commentary to the OECD Model, Bulletin 2004

Bruce A. Blonigen & Ronald B. Davies, The Effects of Bilateral Tax Treaties on U.S. FDI Activity, International Tax and Public Finance Volume 11, 2004

Bruce A. Blonigen and Ronald B. Davies, Do Bilateral Tax Treaties Promote FDI?, NBER Working Paper 8834, 2002

Bruce Zagaris, The Procedural Aspects of U.S. Tax Policy towards Developing Countries: Too Many Sticks and No Carrots?, George Washington International law Review Volume 35, 2003

Bruno Simma, Reflections on Article 60 of the Vienna Convention on the Law of Treaties and its Background in General International Law, 1970

Caiying Tian, Motivations and Ways for Multi-National Corporation's Tax Planning, International Journal of Business and Management, Volume 4, No.9, September 2009

Campbell McLachlan, The Principle of Systemic Integration and Article 31(3)(c) Quarterly, Vol. 54, 2005

Carlos A. Leite, The Role of Transfer Pricing in Illicit Financial Flows from Developing Countries, August 31, 2009

Carmel Peters, Developing Countries' Reactions to the G20/OECD Action Plan on Base Erosion and Profit Shifting, IBFD Bulletin for International Taxation, June/July 2015

Céline Azémar and Andrew Delios, Tax competition and FDI: The special case of developing countries, Journal of Japanese and International Economies. Volume 22, Issue 1, 2008

Charles Duhigg & David Kocieniewski, Apple's Tax Strategy Aims at Low-Tax States and Nations, N.Y. TIMES April 28, 2012

Charles E. McLure, Jr. Tax Policies for the XXIst Century, in Visions of the Tax Systems of the XXIst Century, Internationall Fiscal Association ed., 1996

Chris Edwards, Why Europe Axed Its Wealth Taxes, National Review, March 27, 2019

Chris Gaetano, "Congressional Research Service Report Says TCJA Did Little to Boost Economy," New York State Society of Certified Public Accountants, June 3, 2019

Christiana HJI Panayi, Double Taxation, Tax Treaties, Treaty Shopping and the European Community, Kluwer Law International, EUCOTAX Series 2007

Christiana HJI Panayi, Recent Developments to the OECD Model Tax Treaty and EC Law, European Taxation Volume 47 Issue 10, 2007

Christians et al., Taxation as a Global Socio-Legal Phenomenon, International Law Students Association(ILSA) Journal of International and Comparative Law Vol. 14, 2008

Clint Wallace, Congressional Control of Tax Rulemaking,] 71 Tax Law Review Volume 71, 2017

Cordia Scott, European Finance Ministers Denounce European Tax Proposal, WTD, July 10, 2001

Curt Tarnoff, The Marshall Plan: Design, Accomplishments and Significance, 2018

Daniel H. Erskine, Resolving Trade Disputes: The Mechanisms of GATT/WTO Dispute Resolution, Saint Clara Journal of International Law Volume 2, 2003

Daniel N. Shaviro, Rethinking Foreign Tax Creditability, National Tax Journal Volume 63, 2010

Daniel Shaviro, The Crossroads Versus the Seesaw,' Tax Law Review. Volume 69, Number 1. 2015

David A. Ward, Access to Tax Treaty Benefits, Research Report prepared for the Advisory Panel on Canada's system of International Taxation, September 2008

David A. Ward, Principles To Be Applied in Interpreting Tax Treaties, Canadian Tax Journalvol. 25, no. 3. 1977

David A. Ward, The Role of Commentaries on the OECD Model in the Tax Treaty Interpretation Process, Bulletin, 2006

David A. Ward. et al., The Interpretation of Income Tax Treaties with Particular Reference to the Commentaries on the OECD Model, 2005

David Carr, James R. Markusen, and Keith E. Maskus, Estimating the knowledge capital model of the multinational enterprise, American Economic Review, Volume 91 Issue 3, 2001

David D. Cohen, Yellow Vest Movement Gaining Momentum, Americans for Tax Reform, January 28, 2019

David Hartman, Tax policy and foreign direct investment, Journal of Public Economics, 1985

David Hasen, Tax Neutrality and Tax Amenities, Florida Tax ReviewVolume 12, 2012

David R. Tillinghast, Tax Treaty Issues, University of Miami Law. Review Volume 50, 1996

David Rosenbloom & Stanley ,Langbein, United States Tax Treaty Policy: An Overview Columbia Journal of Transnational Law Volume 19, 1981

David Rosenbloom, Derivative Benefits: Emerging US Treaty Policy, Intertax no. 22, 1994

David Rosenbloom, Tax Treaty Abuse, 1983: Policies and Issues, Law & Policy in International Business Volume 15, 1983

David Spencer, "Transfer Pricing: Formulary Apportionment is not a panacea", Part 1 and Part 2. Journal of International Taxation, April and May. 2014

David Vogel, and Robert Kagan, Dynamics of Regulatory Change: How Globalization Affects National Regulatory Policies. California: University of California Press. 2004

David Ward and Jean Marc Déry, Interpretation of double taxation conventions – National Report Canada, Cahiers de droit fiscal international, Volume LXXVIIIa, 1983

Diane M. Ring, On the Frontier of Procedural Innovation: Advance Pricing Agreements and the Struggle to Allocate Income for Cross – Border Taxation, 21 Michigan Journal of International Law, 2000

Diane M. Ring, One Nation Among Many: Policy Implications of Cross – Border Tax Arbitrage, Boston College Law Review Volume 44, 2002

Diane M. Ring, What's at Stake in the Sovereignty Debate?: International Tax and the Nation – State, Virginia Journal of International Law Volume 49, 2008

Diane M. Ring, When International Tax Agreements Fair at Home: A U.S. Example, Brooklyn Journal of International Law Volume 41, 2016

Diane Ring, Democracy, Sovereignty and Tax Competition: The Role of Tax Sovereignty in Shaping Tax Cooperation, Flordia Tax Review Volume 9, 2009

Diane Ring, Who Is Making International Tax Policy?: International Organizations as Power Players in a High Stakes World, Fordham International Law Journal Volume 33, 2010

Editorial Board, The U.S. Is Becoming the World's New Tax Haven, Bloomberg, December 28, 2017

Eduardo A. Baistrocchi, 'The Use and Interpretation of Tax Treaties in the Emerging World: Theory and Implications,' British Tax Review, No. 4, 2008

Eduardo A. Baistrocchi, The Structure of the Asymmetric Tax Treaty Network: Theory and Implications, Bepress Legal Service. Working Paper No. 1991. February 8, 2007

Eduardo A. Baistrocchi, The Transfer Pricing Problem: A Global Proposal for Simplification, Tax Lawyer Volume 59 Issue 4, 2005

Edward D. Kleinbard, 2011, 'The Lessons of Stateless Income', Tax Law Review Volume 65

Edward D. Kleinbard, Stateless Income, FLorida TAX REView. Volume 11 No.9, 2011

Edwin van der Bruggen, "Unless the Vienna Convention Otherwise Requires: Notes on the Relationship Between Article 3(2) of the OECD Model Tax Convention and Articles 31 and 32 of the Vienna Convention on the Law of Treaties" European Taxation, Vol. 43, no. 5, 2003

Efraim Chalamish, Do Treaties Matter? On Effectiveness and International Economic Law, Michigan Journal of International Law Volume 32, Winter 2011

Ehab Farah, Mandatory Arbitration of International Tax Disputes: A Solution in Search of a Problem, Florida Tax Review Volume 9, 2009

Elisabeth A. Owens, United States Income Tax Treaties: Their Role in Relieving Double Taxation, Rutgers Law Review, Volume 17. 1963

Elliott Ash & Omri Y. Marian, The Making of International Tax Law: Empirical Evidence Using Natural Language Analysis (June 28, 2017 draft)

Emily E. Fett, Triangular Cases: The Application of Bilateral Tax Treaties in Multilateral Situations, University of Amsterdam, May 5, 2012

Emily Stewart, Corporate Stock Buybacks Are Booming, Thanks to the Republican Tax Cuts, Vox, March 22, 2018

Eric Bartelsman and Roel Beetsma, Why Pay More? Corporate Tax Avoidance Through Transfer Pricing in OECD Countries, Journal of Public Economics Volume 87 issues 9-10. 2004

Eric M. Zolt, Tax Treaties and Developing Countries, Tax Law Review Volume 72, 2018

Eric Neumayer, 2007, Do Double Taxation Treaties Increase Foreign Direct Investment to Developing Countries?, Journal of Development Studies Volume 43

Eric P. Wempen, NOTE: United States v. Puentes: Re-Examining Extradition Law and the Specialty Doctrine, Journal of International Legal Studies, Vol. 1, 1995

Eric Toder, Explaining the TCJA's International Reforms. TaxVox (blog). February 2, 2018

Erica York, "Evaluating the Changed Incentives for Repatriating Foreign Earnings," Tax Foundation, September 27, 2018

Fabian Barthel,Matthias Busse, and Eric Neumayer, The Impact of Double Taxation Treaties on Foreign Direct Investment: Evidence from Large Dyadic Panel Data, 2010

Fadi Shaheen, How Reform-Friendly are U.S. Tax Treaties?, Brooklyn Journal of International Law Volume 41, 2016

Francesca. Gastaldi, Globalization, Gapital mobility and Convergence of Effective Tax Rates. CRISS Working Paper, No. 32, 2008

Francisco Alfredo Garcia Prats, Triangular Cases and Residence as a Basis for Alleviating International Double Taxation. Rethinking the Subjective Scope of Double Tax Treaties, Intertax Volume 22 Issu 11, 1994

Frank Engelen, How "Acquiescence" and Estoppel can Operate to the Effect that the States Parties to a Tax Treaty Are Legally Bound to Interpret the Treaty in AccordanceWith the Commentaries on the OECDModel Tax Convention, S. Douma and F. Engelen (eds.), The Legal Status of the OECD Commentaries, IBFD 2008

Frank Engelen, Interpretation of Tax Treaties under International Law, 2004

Frank Engelen, Some Observations on the Legal Status of the Commentaries on the OECD Model, Bulletin 2006

Fred B. Brown, An Equity−Based, Multilateral Approach for Sourcing Income among Nations, Florida Tax Review Volume 11, 2011

Geoffrey S. Turner, Permanent Establishments and Interprovincial Income Allocation: Reflections on the Advisory Report on Electronic Commerce, Mondaq Business Briefing, 1998

Geoffrey T. Loomer, Tax Treaty Abuse: Is Canada Responding Effectively?, Oxford University Centre for Business Taxation, WP 09/05, 2009

Georg Kofler, Some Reflections on the Saving Clause', Inter Tax, Volume 44 Issue 8&9, Kluwer Law International BV, The Netherlands, 2016

Giorgio Sacerdotti, Bilateral Treaties and Multilateral Instruments on Investment Protection, Recueil des Cours, Tome 269, 1997

Graetz & O'Hear, Michael J. Graetz & Michael M. O'Hear, The 'Original Intent' of US International Taxation, Duke Law Journal Volume 46, 1997

Gregory Viscusi and Helen Fouquet, "Macron Blinks as Yellow−Vests Protest Forces Fuel−Tax Climbdown," Bloomberg, December 4, 2018

H. David Rosenbloom & Stanley I. Langbein, United States Treaty Policy: An Overview, Columbia Journal of Transnational Law Volume 19, 1981

H. David Rosenbloom and Fadi Shaheen, The BEAT and the Treaties, August 21, 2018

H. David Rosenbloom, Current Developments in Regard to Tax Treaties, NYU Tax Institute, Volume 40 issue 31. 1982

H. David Rosenbloom, Fadi Shaheen, The BEAT and the Treaties, August 2018

H. David Rosenbloom, The David R. Tillinghast Lecture International Tax Arbitrage and the International Tax System, Tax Law Review Volume 53, 2000

H. Grubert and R. Altshuler, Fixing the system: an analysis of alternative proposals for the reform of international tax, National Tax Journal, vol. 66, 2013

H. Grubert, and R. Altshuler, Shifting the burden of taxation from the corporate to the personal level and getting the corporate tax rate down to 15 Percent, National Tax Journal, vol. 69, 2016

Hansel T. Pham, Developing Countries and the WTO: The Need for More Mediation in the DSU, Harvard Negotiation Law Review Volume 9, 2004

Helmut Becker & Felix J. Würm, Treaty Shopping: An Emerging Tax Issue and its Present Status in Various Countries, Kluwer, Deventer, 1988

Helmut Loukota, Multilateral Tax Treaty Versus Bilateral Treaty Network, in Multilateral Tax Treaties – New Developments in International Tax Law, Michale Lang, et, al. Chapter 5. Series on International Taxation.

Hendrik Spruyt, 'The Sovereign State and its Competitors: an Analysi of Systems Change', 1994

Holger Görg, Hassan Molana and Catia Montagne, 2009, 'Foreign Direct Investment, Tax Competition and Social Expenditure,' International Review of Economics and Finance, Volume 18, Issue 1

House Tax Reform Task Force,A Better Way, Our Vision for a Confident America: Tax, June 24, 2016

Howard Gleckman, What 2018's Economic Data Tell Us about the TCJA, Forbes, March 5, 2019

Hugh J. Ault, Corporate Integration, Tax Treaties, and the Division of International Tax Base: Principles and Practices, Tax Law Review Volume 47, 1992

Hugh J. Ault, Improving the Resolution of International Tax Disputes, Florida Tax Review Volume 7, 2005

Hugh J. Ault, Reflections on the Role of the OECD in Developing International Tax Norms, Brooklyn Journal of International Law, Volume 34, 2009

Hugh J. Ault, Some Reflections on the OECD and the Sources of International Tax Principles, Tax Notes International, Volume 70, June 17, 2013

Hugh J. Ault, The Role of the OECD Commentaries in the Interpretation of Tax Treaties, Intertax 1994

Huub Bierlaagh, The CARICOM Income Tax Agreement for the Avoidance of (Double) Taxation?, January Bulletin – Tax Treaty Monitor, 2000

Ian Brownlie, Principles of public international law, 6th ed, Oxford University, 2003

Ian Sinclaire, The Vienna Convention on the Law of Treaties, American Society of International Law, Volume 78, April 12 – 14, 1984

Ilan Benshalom, The New Poor at Our Gates: Global Justice Implications for International Trade and Tax Law, Faculty Working Paper 172, Northwestern University School of Law Scholarly Commons, 2009

Income Tax Treaties: Hearing Before the Subcomm. on Oversight of the House Comm. on Ways and Means, 96th Cong., 2nd Session 71 (Statement of H. David Rosenbloom, International Tax Counsel, Department of the Treasury) 1980

Jack Bernstein and Louise Summerhill, "Canadian Court Respects Dutch Holding Company", March 9, 2009

Jakob Bundgaard and Niels Winther – Sørensen, Beneficial Ownership in International Financing Structures, Tax Notes International Volume 50, May 19, 2008

James Mahon, Theories of Fiscal Politics, States, and Liberalism in Latin America". Williams College, 2016

James R. Hines, Jr. Forbidden Payment foreign Bribery and American Business After 1977, NBER Working Paper 5266, September 1995

Jane G. Gravelle and Donald J. Marples. 2018. Issues in International Corporate Taxation: The 2017 Revision (P.L. 115 – 97). Congressional Research Service Report R45186. Washington, DC: Congressional Research Service:

Jean – Marc Dery and David A. Ward, Interpretation of double taxation conventions – National Report Canada, Cahiers de droit fiscal international, Volume LXXVIIIa, 1983

Jean – Pierre Le Gall, "When Is a Subsidiary a Permanent Establishment of Its Parent?" Tillinghast Lecture, New York University 2007, Tax Law Review Vol. 60. No.3

Jeremy Kahn, "Google's 'Dutch Sandwich' Shielded from 16bn Tax," Independent, January 2, 2018

Jesse Drucker, Google 2.4% Rate Shows How $60 Billion Lost to Tax Loopholes, BLOOMBERG, Oct. 21, 2010

Jessica Silbering – Meyer, Octber 25, 2017, 68 Sign the Multilateral Instrument,

REUTERS: ANSWERS FOR TAX PROFFESIONALS.

Jessica Silbering-Meyer, Sign the Multilateral Instrument, REUTERS: ANSWERS FOR TAX PROFFESSIONALS Volume 68, Octber 25, 2017

Jock McCormack and Aushu Maharaj, Subject I-Is there a Permanent Establishment?, IFA 2009 Vancouver Congress

Johannes Heinrich, Helmut Moritz, Interpretation of Tax Treaties, European Taxation Vol. 40, no. 4, 2000

John D. Franchini, International Arbitration under UNCITRAL Arbitration Rules: A Contractual Provision for Improvement, Fordham Law Review Volume 62, 1994

John F. Avery Jones et al, 'The non-discrimination article in tax treaties', British Tax Review, 1991

John F. Avery Jones et al, Credit an Exemption under Tax Treaties in Cases of Differing Income Characterization, European Taxation 1996

John F. Avery Jones et al., Tax Treaty Problems Relating to Source, European Taxation, Volume 38 Issue 3, 1998

John F. Avery Jones et al., "The Interpretation of Tax Treaties with Particular Reference to Article 3(2) of the OECD Model Tax Convention" British Tax Review no. 1, 1984

John F. Avery Jones, Are Tax Treaties Necessary?, The David R. Tillinghast Lecture, NYU School of Law(Sept. 25, 1997), in Tax Law Review Volume 53. Issue 1, 1998

John F. Avery Jones, Catherine Bobbett, Triangular Treaty Problems: A Summary of the Discussion in Seminar E at the IFA Congress in London, 53 Bulletin for International Fiscal Documentation Volume 53, 1999, Journals IBFD

John F. Avery Jones, Tax Treaty Problems Relating to Source, British Tax Review Volume 3, 1998

John F. Avery Jones, The Effect of Changes in the OECD Commentaries after a Treaty is Concluded, Bulletin 2002

John F. Avery Jones and David A. Ward, Agent as Permanent Establishments under the OECD Model Tax Convention, European Taxation, May 1993

John Fagg Foster, The Theory of Institutional Adjustment, Journal of Economic Issues Volume 15, No. 4, December, 1981

John Jackson, The Effect of Treaties in Domestic Law, 1987

Joint agency briefing note from Oxfam, the Tax Justice Network, the Global Alliance for Tax Justice and PSI.

Jon Hartley, Hollande's 75% 'Supertax' Failure a Blow to Piketty's Economics, Forbes, February 2, 2015

Joseph A. and Dorothy D. Moller v. United States 721 F. 2d 810 (Fed. Cir. 1983)

Joseph P. Daniels et al., Bilateral Tax Treaties and US Foreign Direct Investment Financing Modes, International Tax and Public Finance Volume 22, 2015

Juan Angei Becerra, Cross-Border Hybrid Arrangements, Practical Mexican Tax Strategies Volume 12, March/Aprril 2012

Juan Angei Becerra, Cross-Border Tax Planning Information Disclosure, Practical Mexican Tax Strategies Volume 12 Issue 4, July/August 2012

Juan Angei Becerra, OECD's Report on Corporate Loss Utilization Through Aggressive Tax Planning, North American Free Trade and Investment Report Volume 22 Issue 13, July 15, 2012

Julian di Giovanni,What Drives Capital Flows? The Case of Cross-Border M&A Activity and Financial Deepening, Journal of International Economics Volume 65, 2005

Julie A. Roin, Rethinking Tax Treaties in a Strategic World with Disparate Tax Systems, Virginia Law Review Volume 81, 1995

Julie A. Roin, Adding Insult to Injury: The 'Enhancement' of section 163(j) and the Tax Treatment of Foreign Investors in the United States, Tax Law Review Volume 49, 1994

Julie A. Roin, Rethinking Tax Treaties in a Strategic World with Disparate Tax Systems, Virginia Law Review Volume 81, 1995

Julie Roin, Can the Income Tax Be Saved? The Promise and Pitfalls of Adopting Worldwide Formulary Apportionment, Tax Law Review Volume 61, 2008

Julie Roin, Competition and Evasion: Another Perspective on International Tax Competition, Georgetown Law Journal Volume 89, 2001, pp.543~568

Kate Davidson, Treasury Secretary Steven Mnuchin: GOP Tax Plan Would More Than Offset Its Cost, Wall Street Journal, September 8, 2017

Kathleen Matthews, Treasury Encouraged by Finance Treaty Override Substitute, TAX NOTES, Volume 40, 1988

Kathryn Sikkink, Human Rights, Principled Issue—Networks, and Sovereignty in Latin America, International Organization Volume 47, 1993

Kees van Raad, Triangular Cases, European Taxation Volume 33 Issue 9, 1993

Kenneth A. Grady, Income Tax Treaty Shopping: An Overview of Prevention Techniques North Western Journal of International Law & Business Volume 5, 1983—4

Kimberly A. Clausing, Tax—motivated Transfer Pricing and U.S. Intrafirm Trade Prices, Journal of Public Economics Volume 87 issue 9, 2003

Kimberly A. Clausing, The Effect of Profit Sharing on the Corporate Tax Base in the United States and Beyond, National Tax Journal Volume 69 No.4, 2016

Klaus Vogel and Rainer G. Prokisch, General Report on Subject I: Interpretation of Double Taxation Conventions, Cahiers de droit fiscal international, Vol. 78a 1993

Klaus Vogel, 'On Double Taxation Conventions', Kluwer, 1997

Klaus Vogel, Double Tax Treaties and Their Interpretation, Berkeley Journal of International Law Volume 4, Issue 1, 1986

Klaus Vogel, Ekkehart Reimer and Alexander Rust, Klaus Vogel on Double Taxation Conventions, 2014, Wolers Kulwer; Phillip Baker, editor, Double Taxation Conventions, Volume 1, Sweet & Maxwell's Tax Library, 1994

Klaus Vogel, Klaus Vogel on Double Taxation Conventions: A Commentary to the OECD—, UN— and US Model Conventions for the Avoidance of Double Taxation on Income and Capital, 3d ed. The Hague: Kluwer Law International, 1997

Klaus Vogel, Klaus Vogel on Double Taxation Conventions: A Commentary to the OECD—, UN— and US Model Conventions for the Avoidance of Double Taxation on Income and Capital, 3d ed.(The Hague: Kluwer Law International, 1997), p.33

Klaus Vogel, The Influence of the OECD Commentaries on Tax Treaty Interpretation, Bulletin 2000

Klaus Vogel, The Role of Domestic Law in Tax Treaty Interpretation, 7 December 2001

Klaus Vogel, Worldwide vs Source Taxation of Income—A Review and Re—evaluation of Arguments (Part III), Intertax no.11, 1988

Klaus Vogel,The Influence of the OECD Commentaries on Tax Treaty Interpretation, Bulletin 2000

Lee A. Sheppard, Why Do We Need Treaties?, TAX NOTES, November 19, 2016

Lee Sheppard, "Beneficial ownership too onerous?" Tax Analysts, 10th September 2008

Lee Sheppard, 209, 'Don't Ask, Don't Tell, Part 4: Ineffectual Information Sharing,' 63 Tax Notes International Volume 63

Lee Sheppard, Indofood and Bank of Scotland: Who Is the Beneficial Owner?, Tax Notes International Volume 45, February 5, 2007

Leonard O. Terr, Foreign Investors and Nimble Capital: Another Look at the US Policy Towards Treaty Shopping, Tax Forum 439, Jan. 4, 1988

Leonard O. Terr, Treaty Routing v. Treaty Shopping: Planning for multi-country investment flows under modern limitation on benefits articles, Intertax Volume 17, 1989

Lisa De Simone, Rebecca Lester and Kevin Markle, "Transparency and Tax Evasion: Evidence from the Foreign Account Tax Compliance Act (fatca)," Stanford Graduate School of Business Research Paper Series, Working Paper no. 3744, February 2019

Lisa M. Nadal, EU-U.S. Battle Over Subsidies Continues, Tax Notes, Volume 115, 2007

Lisa Schultz Bressman & Abbe R. Gluck, Statutory Interpretation from the Inside-An Empirical Study of Congressional Drafting, Delegation, and the Canons: Part II, Stanford Law Review Volume 66, 2014

Louise Summerhill, Jack Bernstein, and Barb Worndl, "Taxpayer Prevails in Canadian Beneficial Ownership Case", Tax Notes International Volume 50, May 5, 2008

LRabah Arezki, Gregoire Rota-Graziosi, and Lemma W. Senbet, Capital Flight Risk, Finance & Development, September 2013, Vol. 50, No. 3

Luis Eduardo Schoueri and Oliver Christoph Günther, The Subsidiary as a Permanent Establishment, Bulletin for International Taxation, February 2011

M. Ellis, The Influence of the OECD Commentaries on Treaty Interpretation-Response to Prof. Dr. Klaus Vogel, Bulletin 2000

M. Kandev, Beneficial Ownership: Indofood Run Wild," CCH Tax Topics No. 1812, November 30, 2006

M. Lang and F. Brugger, The Role of the OECD Commentary in Tax Treaty Interpretation, Australian Tax Forum Vol. 23, 2008

M. Scholes and M. Wolfson, Taxes and Business Strategy: A Planning Approach, Prentice Hall, 1992

M. Whiteman, Digest of International Law, Washington DC, Department of State Publications, 1973

MacMillan Bloedel Ltd. v. Simpson, [1995] 4 SCR 725.Case Number 24171

Making Dispute Resolution Mechanisms More Effective, Action 14 – 2015 Final Report, OECD Publishing, Paris

Marjaana Helminen, Dividends, Interest and Royalties under the Nordic Multilateral Double Taxation Convention, February Bulletin for International Taxation 49, 2007

Marjaana Helminen, Non – discrimination and the Nordic Multilateral Double Taxation Convention, March Bulletin for International Taxation Volume 103, 2007

Marjaana Helminen, Scope and Interpretation of the Nordic Multilateral Double Taxation Convention, January Bulletin for International Fiscal Documentation Volume 23, 2007

Marjorie M. Whiteman, Digest of International Law, Washington DC, Department of State Publications, 1973

Mark A. Lemley & David McGowan, Legal Implications of Network Economic Effects, 86 California Law Review Volume 86

Martin Berglund and Katia Cejie, Basics of International Taxation From a Methodological Point of View, Iustus Forlag, 2014

Martin Feldstein and Charles Horioka, Domestic Saving and International Capital Flows. The Economic Journal. Volume 90 No.358. 1980

Martin Henson, When Do Developing Countries Negotiate Away Their Corporate Tax Base, Journal of International Development Volume 30. 2018, pp.233~251

May Elsayyad & Kai A. Konrad, Fighting Multiple Tax Havens, Journal of International Economy Volume 86, 2012

McIntyre, 'Legal Structure of Tax Treaties', 2010, p.3

Mehreen Khan, 'EU Lawyers Question Brussels Digital Tax Plan.' October. 9, 2018

Memorandum from Mitchell B. Carroll to T.S. Adams, p.19 (Sept. 26, 1927) (unpublished manuscript available in T.S. Adams Papers, Yale University, Box 13, Sept. 1926 – 1927 folder.)

Metha and Habershon, 'UK. Issues Guidance in Response to Indofood Decision,' Tax Notes International, November 13, 2006

Michael C. Durst, Beyond BEPS: A Tax Policy Agenda for Developing Countries,

International Centre for Tax and Development, June 2014

Michael Dietrich, Transaction Cost Economics and Beyond: toward a new economics of the firm, Routledge, ISBN 0-415-07155-0(hbk), 1997

Michael Erman & Tom Bergin, 'How U.S. Tax Reform Rewards Companies that Shift Profits to Tax Havens,' REUTERS June 18, 2018

Michael Fidora, Marcel Fratzcher and Christian Thimann, Home Bias in Global Bond and Equity markets-The Role of Real Exchange Rate Volatility, Working paper Series No 685, 2008

Michael J. Graetz & Itai Grinberg, 2003, 'Taxing International Portfolio Income,' Tax Law Review Volume 56

Michael J. Graetz & Michael M. O'Hear, The 'Original Intent' of U.S. International Taxation, Duke Law Journal Volume 51, 1997

Michael J. Graetz and Michael M. O'Hear, 'The "Original Intent" of U.S. International Taxation,' Duke Law Journal Volume 46, 1997

Michael J. Graetz, 2001, The David R. Tillinghast Lecture: Taxing International Income: Inadequate Principles, Outdated Concepts, and Unsatisfactory Policies, Tax Law Review Volume 54

Michael J. Graetz, Taxing International Income: Inadequate Principles, Outdated Concepts, and Unsatisfactory Policies, The David R. Tillinghast Lecture, NYU School of Law, Tax Law Review Volume 54, October 26, 2000

Michael J. McIntyre, Comments on the OECD Proposal for Secret and Mandatory Arbitration of International Tax Disputes, Florida Tax Review Volume 7, 2006

Michael Kandev, "Prévost Car: Canada's First Word on Beneficial Ownership" Tax Notes International Volume 50, May 19, 2008

Michael Kobetsky, 'International Taxation of Permanent Establishments: Principles and Policy', 201

Michael Lang and Florian Brugger, The Role of the OECD Commentary in Tax Treaty Interpretation, Australian Tax Forum 2008

Michael Lang and Florian Brugger, The role of the OECD Commentary in tax treaty interpretation, Australian Tax Forum, Vol. 23, 2008

Michael Lang, Die Bedeutung des originär innerstaatlichen Rechts für die Auslegung von Doppelbesteuerungsabkommen(Art. 3 Abs 2 OECD MA), in Burmester and

Endres (eds.) Außensteuerrecht,Doppelbesteuerungsabkommen und EU Recht im Spannungsverhältnis, Festschrift für helmut Debatin, 1997

Michael Lang, Double non-taxation, Cahiers de droit fiscal international 89a, 2004

Michael Lang, Pasquale Pistone, Josef Schuch and Claus Staringer, 'The Impact of the OECD and UN Model Conventions on Bilateral Tax Treaties', Cambridge University Press, Cambridge, UK, 2012

Michael Lang, The Application of the OECD Model Tax conventions to Partnerships, A Critical Analysis of the Report Prepared by the OECD Committee on Fiscal Affairs, 2000

Michael Lennard, The Purpose and Current Status of the United Nations Tax Work.: Asia-Pacific Tax Bulletin, 2008

Michael Lennard, The UN Model Tax Convention as Compared with the OECD Model Tax Convention-Current Points of Difference and Recent Developments, Asia-Pacific Tax Bulletin Volume 15, 2009

Michael Livingston, 1991, Congress, the Courts, and the Code: Legislative History and the Interpretation of Tax Statutes, Texas Law Review volume 69

Michael N. Kandev and Brandon Wiener, "Some thoughts on the Use of Later OECD Commentaries After Prévost Car" Tax Notes International Volume 54, May 25, 2009

Michael N. Kandev, Tax Treaty Interpretation: Determining Domestic Meaning Under Article 3(2) of the OECD Model. Canadian Tax Journal, Volume 55, No.1, 2007

Michael P. Devereux and Rachel Griffith, The Impact of Corporate Taxation on the Location of Capital: A Review, Economic Analysis and Policy (EAP), vol. 33 issue 2, 2003

Michael P. Devereux, and Rachel Griffith, Taxes and the location of production: evidence from a panel of us multinationals, Journal of Public Economics 68. 1998

Michael Rigby, Critique of Double Tax Treaties as a Jurisdictional Coordination Mechanism, Australian Tax Forum Volume 8 Issue 3, 1991

Michael Ross Fowler & Julie Marie Bunck, 'Law, Power and the Sovereign State', Princeton, NJ, Princeton University Press, 1994

Michael Schuyler, The Impact of Piketty's Wealth Tax on the Poor, the Rich, and the Middle Class, Tax Foundation Special Report No. 225, October 2014

Mindy Herzfeld, 'Can GILTI + BEAT = GLOBE?', 2019, INTERTAX, Volume 47,

Issue 5

Mindy Herzfeld, 2017, 'The Case Against BEPS: Lessons for Tax Coordination,' Florida. Tax Review Volume 21 Number 1

Minutes of the Seventh Meeting of the Committee of Experts on Double Taxation and Fiscal Evasion at 9 : 30 a.m. on Thursday, May 29th, 1930, F/Fiscal 2nd Session/P.V.7.(1), League of Nations

Mitchell A. Kane, 2018, 'International Tax Reform, the Tragedy of the Commons, and Bilateral Tax Treaties', Draft paper

Mitchell A. Kane, International Tax Reform, the Tragedy of the Commons, and Bilateral Tax Treaties 42, Spring 2018 New York University School of Law, May 1, 2018

Mitchell B. Carroll, 'International Tax Law: Benefits for American Investors and Enterprises Abroad: Part I', International Tax Law Volume 2, 1968

Mitchell B. Carroll, 'Report on Methods of Allocating Taxable Income', Series of League of Nations Publicatios, II, Economic and Financial Volume 4/Taxation of Foreign andNational Enterpriese. 1933

Mitchell B. Carroll, The Development of International Tax Law: Franco－American Treaty on Double Taxation－Draft Convention on Allocation of Business Income, 29 American Journal of International law Volume 4, 1935

Multilateral Agreement on Investments(MAI)

Multilateral Convention for the Avoidance of Double Taxation of Copyright Royalties

N. Blokker, Skating on Thin Ice? On the Law of International Organizations and the Legal Nature of the Commentaries on the OECD Model Tax Convention, in S. Douma and F. Engelen(eds.), The Legal Status of the OECD Commentaries, IBFD 2008

Navigational and Related Rights(n. 12)

Nicasio del Castillo et al, 'Taking Advantage of Tax Treaties in Latin America, International Tax Review 1, 2003

Nicholas Crafts, Globalization and Growth in the Twentieth Century, IMF Working Papwr WP/00/44

Nicholas Quinn Rosenkranz, Federal Rules of Statutory Interpretation, Harvard Law Review Volume 115, 2002

Nicholas Shaxson and John Christensen, "Time to Black－List the Tax Haven

Whitewash." Financial Times, April 4, 2011

Niels Johannsesen and Gabriel Zucman, The End of Bank Secrecy? - An Evaluation of the G20 Tax Haven Crackdown, American Economic Journal: Economic Policy, Volume 6 Issue 1, 2014

Nikhil V. Mehta and Kate Habershon, U.K. Tax Authorities Issue Draft Guidance in Wake of Indofood Decision, Tax Notes International, November 8, Doc 2006 - 22678 or 2006 WTD 216 - 2

Nils Mattsson, Multilateral Tax Treaties - A Model for the Future?, Intertax Volume 28 Issue 8/9 2000

Noam Noked, "Tax Evasion and Incomplete Tax Transparency," Laws, August 23, 2018

Noemie Bisserbe, "France Weighs Reviving Wealth Tax in Bid to Placate 'Yellow Vests,'" Wall Street Journal, December 5, 2018

Northern Indiana Public Service Co. v. Commissioner, 115 F.3d 506(7th Cir. 1997)

Odd Hengsle, The Nordic Multilateral Tax Treaties - for the Avoidance of Double Taxation and on Mutual Assistance August/September Bulletin, 2002

Oleksii Balabushko et al., The Direct and Indirect Costs of Tax Treaty Policy: Evidence from Ukraine World Bank Grp., Policy Research Working Paper No. 7982, 2017

Oona A. Hathaway, 'Treaties End: The Past, Present, and Future of International Lawmaking in the United States,' Yale Law Journal Volume 117, 2008

Otmar Thömmes, Tax Treaty for Europe: An Independent View Under EU Law, Speech presented at Confederation Fiscal Européenne Forum, April 2005

P. Wattel/O. Marres, The Legal Status of the OECD Commentary and Static or Ambulatory Interpretation of Tax Treaties, ET 2003

Patrick Driessen, Is There a Tax Treaty Inlularity Complex?, Tax Notes Volume 135, No.6, May 29, 2012

Patrick, A Comparison of the United States and OECD Model Income Tax Conventions, Law & Policy in International Business Volume 10, 1978

Paul L. Baker, 2014, 'An Analysis of Double Taxation Treaties and Their Effect on Foreign Direct Investment,' International Journal of the Economics and Business Volume 21, 2014

Paul L. Baker, An Analysis of Double Taxation Treaties and their Effect on Foreign

Direct Investment, International Journal of Economics of Business Volume 21, 2014

Paul Oosterhuis & Amanda Parsons, Destination-Based Income Taxation: Neither Principled nor Practical?, Tax Law Review Volume 71, 2017

Paul R. McDaniel & Stanley S. Surrey, International Aspect of Tax Expenditures: A Comparative Study, 1985

Peter Byrne, Tax Treaties in Latin America: Issues and Models in Vito Tanzi et al, Taxation and Latin American Integration, 2008

Peter Dietsch and Thomas Rixen, "Tax Competition and Global Background Justice," Journal of Political Philosophy 22, no. 2, 2014

Peter Egger et al., The Impact of Endogenous Tax Treaties on Foreign Direct Investment: Theory and Evidence, Canadian Journal of Economics Volume 39, 2006

Peter Egger, The Impact of Endogenous Tax Treaties on Foreign Direct Investment: Theory and Evidence, Candian Journal of Economics Volume 39, 2006

Peter H. Egger, Loretz, Simon. Pfaffermayr, Michael and Winner, Hannes, Corporate Taxation and Multinational Activity, CESIFO Working Paper NO. 1773. Category 1: Public Finance, 2006

Peter H. Egger, Simon Loretz, Michael Pfaffermayr and Hannes Winner, Firm-specific forward-looking effective tax rates, International Tax and Public Finance, vol. 16, issue 6, 2009

Peter J. Wattel and Otto. Marres, The Legal Status of the OECD Commentary and Static or Ambulatory Interpretation of Tax Treaties, European Taxation 2003

Peter M. Gerhart & Archana Seema Kella, Power and Preferences: Developing Countries and the Role of the WTO Appellate Body, North Carolina Journal of International Law and Commercial Regulation Volume 30, 2005

Philip Baker, 'Beneficial Owner: After Indofood,' Grays Inn Tax Chamber Review, Vol. VI, No. 1, February 2007

Philip Baker, Taxation and the European Convention on Human Rights, British Tax Review, 2000

Philipp Genschel, Globalization, Tax Competition, and the Welfare State, Politics and Society 30, 2002

Pierre Gravelle, Tax Treaties: Concepts, Objectives and Types, Bulletin For International Fiscal Documentation Volume 42, 1988

Prem Sikka and Richard Murphy (2015) Unitary Taxation: Tax Base and the Role of Accounting. ICTD Working Paper 34. Brighton: IDS, 2015

Quamrul Alam, Mohammad Emdad Ullah Mian, Robert. F. I. Smith, The Impact Of Poor Governance On Foreign Direct Investment, 2006

Ramon J. Jefferey, The impact of state sovereignty on global trade and international taxation, Kluwer, 1999

Rebecca M. Kysar, Interpreting Tax Treaties, Iowa Law Review Volume 101, 2016

Rebecca M. Kysar, Critiquing (and Repairing) the New International Tax Regime, Yale Law Journal Forum Volume 128, 2018

Rebecca N. Kysar, Unraveling The Tax Treaty, Minnesota Law Review Volume 104, 2020

Reuven Avi-Yonah & Bret Wells, The Beat and Treaty Overrides: A Brief Response to Rosenbloom and Shaheen, Law & Economics Working Papers, University of Michigan Law School Scholarship Repository, 2018

Reuven S. Avi-Yonah & Gianluca Mazzoni, Are Taxes Converging?: Review of A Global Analysis of Tax Treaty Disputes, University of Michigan Law School, Law & Economics Working Papers, October 25, 2017

Reuven S. Avi-Yonah & Oz Halabi, Double or Nothing: A Tax Treaty for the 21st Century, University of Michigan Law School, Law & Economics. Working Paper No. 66, 2012

Reuven S. Avi-Yonah and Brett Wells, The Beat and Treaty Overrides: A Brief Response to Rosenbloom and Shaheen, University of Michigan Law School, Law & Economics Working Papers, 2018

Reuven S. Avi-Yonah and Christiana HJI Panayi, Rethinking Treaty-Shopping Lessons for the European Union, Public Law and legal Theory Working Paper Series, Working Paper No. 182. January 2010

Reuven S. Avi-Yonah, Double Tax Treaties: An Introduction, University of Michigan Law School, Dec. 3, 2007

Reuven S. Avi-Yonah, Globalization, Tax Competition, and the Fiscal Crisis of the Welfare State, Havard Law Review, Volume 113, No.7, May 2000

Reuven S. Avi-Yonah, International Tax as International Law, Michigan University, Law & Economics Working Paper no, 04-007, 2004

Reuven S. Avi-Yonah, International Taxation of Electronic Commerce, Tax Law Rerview Volume 52, 1997

Reuven S. Avi-Yonah, Kimberly A. Clausing, Business Income (Article 7 OECD MC), University of Michigan Law School, Working Paper 74, 2007

Reuven S. Avi-Yonah, Tax Competition, Tax Arbitrage, and the International Tax Regime, Bulletin for International Taxation Volume 61, no. 4. 2007

Reuven S. Avi-Yonah, The Structure of International Taxation: A Proposal for Simplification, Texas Law Review, Volume 74, 1996

Reuven S. Avi-Yonah, Who Invented the Single Tax Principle? An Essay on the History of U.S. Treaty Policy,New York Law School Law Review Volume 59, 2014~2015

Reuven S. Avi-Yonah,Double Tax Treaties: An Introduction, in The Effect of Treaties on Foreign Direct Investment (Karl P. Sauvant & Lisa E. Sachs eds) 2009

Richard J. Vann, A Model Tax Treaty for the Asian-Pacific Region?, Bulletin for International Fiscal Documentation,Volume 45, 2010

Richard J. Vann, International Aspects of Income Tax 8, in Tax Law Design and Drafting Volume 2: IMF; Victor Thuronyi, ed., 1998

Richard J. Vann, Interpretation of Tax Treaties in New Holland, Legal Studies Research Paper No. 10/121, November 2010

Richard J. Vann, Model Tax Treaty for the Asia-Pacific Region? at the Joint Conference of Asian-Pacific Tax and Investment Research Centre and Institute of Policy Studies, Victoria University, Wellington, New Zealand, 9-12 June 1989

Richard L. Reinhold, What is Tax Treaty Abuse?(Is Treaty Shopping an Outdated Concept?), Tax Lawyer Volume 54, 2000

Richard Vann, Interpretation of tax treaties in new holland, in H. van Arendonk/Frank. Engelen/S. Jansen (eds.) A Tax Globalist-Essays in honour of Maarten J. Ellis, 2005

Richard Vann, Model Tax Treaty for the Asian-Pacific Region?, Bulletin of International Fiscal Documentation Volume 45, 1991

Richard Vann, Problems in the International Division of the Business Income Tax Base, 2007

Richard Vann, Tax Treaties: The Secret Agent's Secrets, British Tax Review, 2006

Roland Ismar and Christoph Jescheck, The Substantive Scope of Tax Treaties in a Post-BEPS World: Article 2 OECD MC (Taxes Covered) and the Rise of New Taxes,

Inertax Volume 45 Issue 5, 2017

Roland Oliphant, Vladimir Putin Welcomes Gerard Depardieu to Russia, Telegraph, January 6, 2013

Ronald A. Brand, Direct Effect of International Economic Law in United States and the European Union, Northwestern Journal of International law & Business, Vol. 17, 1997

Ronald B. Davies, Tax Treaties and Foreign Direct Investment: Potential versus Performance, International Tax and Public Finance Volume 11. 2004

Ronald Rogwski and Daniel Tannenbaum, Globalization and Neo-liberalism: How much does capital mobility restrain government policy?, Faculty discussion paper on political economy. Weatherhead center for international affairs. Harvard University, 2006

Ross Fraser & J.D.B. Oliver, Treaty Shopping and Beneficial Ownership: Indofood International Finance Ltd v. JP Morgan Chase Bank NA London Branch, British Tax Review Volume 4, 2006

Rudolf Dolzer, Indirect expropriation of alien property, International Centre for Settlement of Investment Dispute(ICSID) Review, 1986

Ruth Mason, Tax Rulings as State Aid FAQ, Tax Notes Volume 154, 2017

Sanat Vallikappen, Foreign Banks Freezing Out U.S. Millionaires, Washington Post, May 12, 2012

Sander Bolderman, Tour d'Horizon of the Term Beneficial Owner, Tax Notes International Volume 54, June 8, 2009

Scott J. Basinger and Mark Hallerberg, Competing for Capital: The Effects of Veto Players, Partisanship, and Competing Countries Domestic Politics on Tax Reform. American Political Science Review Volume 98 Issue 2, 2004

Scott Shaughnessy, French Finance Minister Opposes Taxes Proposed by EU's Belgian Presidency, WTD 135-1, July 11, 2001

Sebastian Beer, Maria Coelho, and Sébastien Leduc, Hidden Treasures: The Impact of Automatic Exchange of Information on Cross-Border Tax Evasion, IMF Working Paper, 2019

Sergio Rocha, International Fiscal Imperialism and the 'Principle' of the Permanent Establishment, 64 Bulletin International Taxation, 2014

Sharon A Reece, Arbitration in Income Tax Treaties: To Be or Not to Be, Florida

Journal of International Law Volume 7, 1992

Sjoerd Douma and Frank Engelen(eds.), The Legal Status of the OECD Commentaries, IBFD 2008

Sol Picciotto, Towards Unitary Taxation of Transnational Corporations, Tax Justice Network, December 9, 2012

Sornarajah, M., The international law on foreign investment, Cambridge University Press

Stanley S. Surrey & Paul R. McDaniel, Tax Expenditures, 1985

Stephen D. Krasner, 'Pervasive Not Perverse: Semi-Sovereigns as the Global Norm', Cornell International Law Journal Volume 30, 1977

Stephen H. Hymer, The Efficiency (Contradictions) of Multinational Corporations, American Economic Review Papers and Proceedings, 60, 1970

Steven A. Dean, A Constitutional Moment for Cross-Border Taxation, January 30, 2020

Steven A. Dean, More Cooperation, Less Uniformity: Tax Deharmonization and the Future of the International Tax Regime, Tulane Law Review Volume 84, 2009

Steven A. Dean, The Tax Expenditure Budget Is a Zombie Accountant, U.C. DAVIS Law Review Volume 46, 2012

Steven M. Rosenthal, Current Tax Reform Bills Could Encourage US Jobs, Factories, and Profits to Shift Overseas, TaxVox(blog), November 28, 2017

Sunita Jogarajan, A Multilateral Tax Treaty of ASEAN-Lessons from the Adean, Caribian, Nordic and South Asian Nations, Asian Journal of Comparative Law, Volume 6, 2011

Taro Ohno, Empirical Analysis of International Tax Treaties and Foreign Direct Investment, Policy Research Institute, Ministry of Finance, Japan, Public Policy Review, Vol. 6, No. 2, March 2010

Thomas Bissell, Treaty Overrides Where the Legislative Intent is Silent, BLOOMBERG, July 14, 2016

Thomas Rixen, From Double Tax Avoidance to Tax Competition: Explaining the Institutional Trajectory of International Tax Governance, Review of International Political Economy 2010

Tsilly Dagan, International Tax Policy: Between Competition and Cooperation, Bar IIan University Faculty of Law Research Paper No.18-05, 2019

Tsilly Dagan, National Interests in the International Tax Game, Virginia Tax Review Volume 18, 1998

Tsilly Dagan, Tax Treaties as a Network Product, Brooklyn Journal of International Law Volume 41, 2016

Tsilly Dagan, The Costs of International Tax Cooperation, Working Paper no. 1-03, January 2003

Tsilly Dagan, The Tax Treaties Myth, Journal of International Law and Politics, Vol. 32, No. 939, 2000

Tsilly Dagan, The Tax Treaties Myth, New York University Journal of International Law & Politics Volume 32, 2000

U.S. Brazil CEO Forum, January 2008, "Why a Brazil-U.S. Bilateral Tax Treaty (BTT)?"

Ulf Linderfalk and Maria Hilling, 'The use of OECD commentaries as interpretative Aid - the static/ambulatory-appraches debate considered from the perspective of international law, Nordic Tax Journal, 2015

Ulf Linderfalk, The Concept of Treaty Abuse: On the Exercise of Legal Discretion, November 17, 2014

Vern Krishna, Using Beneficial Ownership to Prevent Treaty Shopping, Tax Notes IInternational Volume 56, November 16, 2009

Victor Thuronyi, In Defense of International Tax Cooperation and a Multilateral Tax Treaty, Tax Notes International Volume 22, Mar. 20, 2001

Victor Thuronyi, International Tax Cooperation and a Multilateral Treaty, Brooklyn Journal of International Law Volume 26, 2001

Vito Tanzi, Globalization, Tax Competition and the Future of Tax Systems, IMF Working Paper No. 96/141, 1996

Vito Tanzi, Globalization, Technological Developments, and the Work of Fiscal Termites. IMF, Working Paper Working Paper 00/81. 2000

W. Jenks, The conflict of law making treaties, British Yearbook of International Law, 1953

Wei Cui, The Digital Services Tax: A Conceptual Defense 26' Oct. 26, 2018 draft

William Byrnes, Background and Current Status of fatca and CRS(Sept. 2017 edition), Texas A&M University School of Law Legal Studies Research Paper No. 17-75, September 2017

William G. Gale, Understanding the Republicans Corporate Tax Reform, Brookings Institute, Janurary 10, 2017

William P. Streng, Treaty Shopping: Tax Treaty Limitation of Benefits Issues, Houston Journal of International Law, 1992

William P. Streng, U.S. Tax Treaties: Trends, Issues & Policies – Future Prospects, SMU Law Review, Vol. 59, 2006

William W. Park, Income Tax Treaty Arbitration, George Mason Law Review Volume 10, 2002

Wolfgang H. Reinicke, Global Public Policy: governing without government? Booking Institution Press Washington, D.C. 1997

Wolfgang Schön, International Tax Coordination for a Second Best World(Part. 1), World Tax Journal. 2009

Xun Wu, Corporate Governance and Corrupton: A Cross – Country Analysis, Governance: An International Journal of Policy, Administration, and Institutions, Vol. 18, No. 2, April 2005

Yair Listokin, Equity, Efficiency, and Stability: The Importance of Macroeconomics for Evaluating Income Tax Policy, Yale Journal of Regulation Volume 29, 2012

Yariv Brauner & Pasquale Pistone, "Introduction, in BRICS AND the Emergence of International Tax Cooperation"(Yariv Brauner & Pasquale Pistone eds., 2015)

Yariv Brauner, Allison Christians, The Meaning of 'Enterprise, 'Business and Business Profits' under Tax Treaties and Domestic Law, in the Meaning of 'Enterprise,' 'Business' and 'Business Profits' under Tax Treaties and EU Tax Law(Guglielmo Maisto, ed., 2011)

Yariv Brauner, An International Tax Regime in Crystallization, Tax Law Review Volume 56 Issue 259, 2003

Yariv Brauner, An International Tax Regime in Crystallization, Tax Law Review Volume 56, 2003

Yariv Brauner, Treaties in the Aftermath of BEPS,' Brooklyn Journal of International Law Volume 41, 2016

Yariv Brauner, What the BEPS?, Florida Tax Review Volume 16, Issue 55, 2014

Zachary Liscow, William Woolston, Who's In, Who's Out? Policy to Address Job Rationing During Recessions, Tax Law Review. Volume 70, 2017

Zdenek Darbek, Warren Payne, The Impact of Transparency on Foreign Direct Investment, World Trade Organization Staff Working Paper ERAD-99-02

4. 판 례

대구지방법원 2011구합4222, 2012. 3. 7.

대법원 1955. 7. 7. 선고, 4287민상144 판결

대법원 1964. 3. 31. 선고, 63누158판결

대법원 1987. 2. 10. 선고, 85누42 판결

대법원 1989. 11. 10. 선고, 88누996 판결

대법원 1991. 6. 28. 선고, 90누 6521판결

대법원 1992. 3. 20. 선고, 91누6030 판결

대법원 2007. 3. 29. 선고, 2004다31302 판결

대법원 2009. 1. 30. 선고, 2008두17936 판결

대법원 2010. 4. 25. 선고, 2009두22645 판결

대법원 2012. 1. 27. 선고, 2010두5950 판결

대법원 2014. 2. 28. 선고, 2013구합57143 판결

대법원 2018. 2. 28. 선고, 2015두2710 판결

대법원 1982. 9. 28. 선고, 81누106 판결

대법원 1983. 4. 12. 선고, 82누432 판결

대법원 1986. 9. 9. 선고, 86누254 판결

대법원 1988. 2. 23. 선고, 87누704 판결

대법원 1989. 10. 10. 선고, 88누11292 판결

대법원 1989. 11. 10. 선고, 88누37996 판결

대법원 1994. 4. 26. 선고, 92누17402 판결

대법원 1996. 7. 30. 선고, 95누6328 판결

대전지방법원 2010구합3550, 법인세부과처분 취소, 2012. 5. 16.

서울고등법원 2013. 1. 3. 2012토1 판결

서울고등법원 2009누8009 (2010. 8. 19.)

서울행법 2007. 2. 2. 선고, 2006구합23098 판결

서울행정법원 2009. 2. 16. 선고, 2007구합37650 판결

서울행정법원 2014. 2. 28. 선고, 2013구합57143 판결

서울행정법원 2007구합37520 (2009. 2. 16.)

서울행정법원 2009구합16442 (2010. 5. 27.)

서울행정법원 2009구합56341 (2010. 11. 11.)

헌재 1999. 4. 29. 97헌가14

헌재 2001. 9. 27. 2000헌바20

헌재 2001. 9. 27. 2000헌바20

헌재 2005. 10. 27. 2003헌바50 · 62, 2004헌바96, 2005헌바49(병합)

헌재 2010. 9. 30. 선고, 2008헌바132(전원재판부)

Aiken Indus., Inc. v. Commissioner of Internal Revenue, 56 TC 925 (1971)

Apple case: state aid SA.38373 (2014/C); Starbucks case: state aid SA.38374(2014/C); "LuxLeaks" case: (European Commission website)

Award in the Arbitration regarding the Iron Rhine ("Ijzeren Rijn") Railway between the Kingdom of Belgium and the Kingdom of the Netherlands, Decision of 24 May 2005, UNRIAA, Vol. 27

Case A/1, Separate opinion of members of the tribunal Aldrich, Holtmann, andMosk, International Legal Materials, Vol. 22

Case C-330/91 The Queen v. Inland Revenue Commissioners, ex parte Commerzbank [1993] ECR I-4017

Case Concerning Application of the International Convention on the Elimination of All Forms of Racial Discrimination(Georgia v. Russian Federation), PreliminaryObjections, Judgment of 1 April 2011

Case of Soering v. The United Kingdom, Judgment of 7 July 1989

Commissioner v. Groetzinger (480 U.S. 23, 1987)

Delhi Income Tax Appellate Tribunal, 26 October 2007, Rolls Royce Plc v. Deputy Director of Income Tax, ITAT Nos. 1496 to 1501/DEL of 2007

Dispute Regarding Navigational and Related Rights(Costa Rica v. Nicaragua), Judgment of 13 July 2009, ICJ Reports 2009

ECJ Case C-279/93, (Schumacker) par. 31; C-80/94 (Wielocbx)

ECJ, Grand Chamber, 13 March 2007, Test Claimants in the Thin Cap Group Litigation v. Commissioners of Inland Revenue, C-524-04, ECR 2007, I-2107

FS v. Germany, 27 November 1996, Application No. 30128/96

Gregory v. Helvering, 293 U.S. 465, 1935

ICJ, Case Concerning the Temple of Preah Vihear(Cambodia v. Thailand), Merits,

Judgment of 15 June 1962, ICJ Reports 1962

Indofood v. JP Morgan (2006) High Court of Justice Chancery Division [2006] EWCA Civ. 158 and Court of Appeal [2006] STC 1195

Island of Palmas Arbitration, Award of 4 April 1928, UNRIAA, Vol. 2

Italian Supreme Court, 7 March 2002, "Philip Morris", Nos. 3667, 3368, 7682, 1095

Knetsch v. United States, 364 U.S. 361

Lamesa Holdings BV v. Commissioner of Taxation, Full Federal Court (1997) 36 ATR 58

Phillip Morris Case, Italian Supreme Court, Tax Division, judgement n. 7682, December 20th 2001 delivered on May 25th 2002

Prévost Car Inc. v. Canada, 2009 FCA 57, [2010] 2 F.C.R. 65

SDI Netherlands v. Comm, 107 TC 161 (1996)

Societe Kingroup court case before the French Conseil d'Etat dated 4 April 1997:

Supreme Administrative Court, 31 March 2010, Société Zimmer Limited v. Ministre de l'"Économie, des Finances et de l'"Industrie, Nos. 304715, 308525

Supreme Court of Canada R. v. Melford Developments Inc., [1982] 2 S.C.R. 504 (1982−09−28)

The Queen v. Garron [2009] TCC 450

Thiel v. Federal Commissioner of Taxation, August 22, 1990

US Tax Court, 12 May 1997, InverWorld Inc. et al. v. Commissioner, T.C. Memo 1997−226

Whitney v. Robertson, 124 U.S. 190, 195. (1888)

색인

|저|자|소|개|

저자 **강 성 태**

▌약력
• 대건고등학교 졸업, 경북대학교 법정대학 행정학과 졸업
• 미국 University of Southern California 행정대학원 졸업(행정학 석사)
• 서울시립대학교 세무전문대학원 졸업(세무학 박사 학위)
• 서울시립대학교 세무전문대학원 교수, KC 대학교 경영학부 교수
• 세제발전심의위원회 위원, 조세심판원 비상임심판관, 한국주류산업협회장
• 제21회 행정고등고시 합격(1977년)
• 기획재정부 세제실, 세무서장, 뉴욕총영사관 세무담당영사, 국세청장 비서관, 국제협력담당관, 미국 국세청(IRS) 파견국장, 국제조세관리관, 국세공무원교육원장, 대구 지방국세청장, 국제조세업무 분야에서 권한있는 과세당국자 간의 회의(Competent Authority Function) 수석대표, OECD 재정위원회(Committee on Fiscal Affairs) 및 관련 전문가 회의(Ad-Hoc Meeting)에서 OECD 표준조세조약(Model Tax Convention) 및 OECD 이전가격지침(Transfer Pricing Guidelines)의 주요내용 개정과정에 참여, 아시아지역 국세청장회의(SGATAR) 및 OECD 회원국 국세청장회의(Forum on Tax Administration)와 범 미주 국세청장회의(CIAT), OECD 회원국 고위급 회의(high level meeting) 대표 등 다자간 국제회의 기획 등 총괄

▌저서
• 국제거래 소득과 이전가격 과세제도, 삼일인포마인, 2014. 3.
• 국제거래소득 과세이론, 삼일인포마인, 2015. 3.

▌주요 연구논문
• 조세부담 착오에 따른 과세문제, 조세법연구 16-1, 2010. 4.
• 외국인 직접투자의 유치와 조세 및 비조세변수의 효과, 박사학위 논문, 2011. 2.
• The Effect of Non-Tax Variables on Foreign Direct Investment: Evidence from Korean Panel Data, 회계저널, 제21권 제6호, 2012. 12.
• 조세조약상 사용료 소득과 사업소득 조항 적용의 충돌, 법조, 제62권 제3호, 2013. 3.
• 국제자본의 유치와 투자환경 요소, KC 연구논문집, 2013. 12.
• 지급보증용역의 부가가치세 면세요건에 관한 연구, 법조 제63권 제12호, 2014. 12.
• 사용료 소득에 대한 과세기준, KC 연구논문집, 2015. 1.
• 국외등록 특허권 사용료 소득의 과세기준, 조세학술논집 제31집 제1호, 한국국제조세협회, 2015. 2.

▌주요 기고문
• 미국 국세청의 납세자 성실신고수준 제고를 위한 세무행정력 강화노력, 계간 세무사 2006년 가을호 통권 110호
• 외국자본에 대한 올바른 이해, 국정브리핑, 2008. 2.
• 해외부동산과 세금에 대한 논단, 국정브리핑, 2008. 3.
• 기업절세와 조세당국의 대응, 서울경제신문, 2007. 12. 28.
• 이전가격과세문제, 서울경제신문, 2008. 1. 4.
• 무형자산(intangibles)에 대한 조세문제, 서울경제신문, 2008. 1. 11.
• 글로벌 기업내 용역거래 관련 조세문제, 서울경제신문, 2008. 1. 18.
• 다국적 기업의 재무구조와 절세전략, 서울경제신문, 2008. 1. 25.
• 글로벌기업 연구개발비용분담약정(cost sharing arrangement)과 이전가격 과세, 서울경제신문, 2008. 2. 1.
• 종업원 보수지급방법(주식매수선택권, stock option)과 관련한 국제조세 쟁점, 서울경제신문, 2008. 2. 15.
• 다국적기업의 사업구조재편(business restructuring) 관련 세금문제, 서울경제신문, 2008. 2. 22.
• 다국적 기업의 해외자회사에 대한 자금지원과 이전가격 과세문제, 서울경 제신문, 2008. 2. 29.
• 다국적기업의 조세측면에서의 건전경영(corporate governance in tax dimension), 서울경제신문, 2008. 3. 7.
• 조세정보교환의 당위성과 조세조권의 상호작용, 국세지, 2015년 1월호

최신판 **조세조약론**

2021년 3월 12일 초판 인쇄
2021년 3월 19일 초판 발행

저   자 강   성   태
발 행 인 이   희   태
발 행 처 **삼일인포마인**

저자협의
인지생략

서울특별시 용산구 한강대로 273 용산빌딩 4층
등록번호 : 1995. 6. 26 제3-633호
전   화 : (02) 3489-3100
F A X : (02) 3489-3141
I S B N : 978-89-5942-952-3 93320

♣ 파본은 교환하여 드립니다.   정가 65,000원